THOMAS MANN
AUSGEWÄHLTE WERKE
BAND III

THOMAS MANN

AUSGEWÄHLTE WERKE

Band III

DEUTSCHER BÜCHERBUND
STUTTGART · HAMBURG

Mit Genehmigung des S. Fischer Verlages, Frankfurt/Main
Einbandgestaltung: Fritz Blankenhorn, Stuttgart
Papier: Schoeller & Hoesch GmbH., Gernsbach
Gesamtherstellung: Friedrich Pustet, Regensburg
Printed in Germany

INHALT

BEKENNTNISSE
DES HOCHSTAPLERS
FELIX KRULL

ERSTES BUCH

Erstes Kapitel

Indem ich die Feder ergreife, um in völliger Muße und Zurückgezogenheit – gesund übrigens, wenn auch müde, sehr müde (so daß ich wohl nur in kleinen Etappen und unter häufigem Ausruhen werde vorwärtsschreiten können), indem ich mich also anschicke, meine Geständnisse in der sauberen und gefälligen Handschrift, die mir eigen ist, dem geduldigen Papier anzuvertrauen, beschleicht mich das flüchtige Bedenken, ob ich diesem geistigen Unternehmen nach Vorbildung und Schule denn auch gewachsen bin. Allein, da alles, was ich mitzuteilen habe, sich aus meinen eigensten und unmittelbarsten Erfahrungen, Irrtümern und Leidenschaften zusammensetzt und ich also meinen Stoff vollkommen beherrsche, so könnte jener Zweifel höchstens den mir zu Gebote stehenden Takt und Anstand des Ausdrucks betreffen, und in diesen Dingen geben regelmäßige und wohlbeendete Studien nach meiner Meinung weit weniger den Ausschlag, als natürliche Begabung und eine gute Kinderstube. An dieser hat es mir nicht gefehlt, denn ich stamme aus feinbürgerlichem, wenn auch liederlichem Hause; mehrere Monate lang standen meine Schwester Olympia und ich unter der Obhut eines Fräuleins aus Vevey, das dann freilich, da sich ein Verhältnis weiblicher Rivalität zwischen ihr und meiner Mutter – und zwar in Beziehung auf meinen Vater – gebildet hatte, das Feld räumen mußte; mein Pate Schimmelpreester, mit dem ich auf sehr innigem Fuße stand, war ein vielfach geschätzter Künstler, den jedermann im Städtchen »Herr Professor« nannte, obgleich ihm dieser schöne, begehrenswerte Titel von Amts wegen vielleicht nicht einmal zukam; und mein Vater, wiewohl dick und fett, besaß viel persönliche Grazie und legte stets Gewicht auf eine gewählte und durchsichtige Ausdrucksweise. Er hatte von seiner Großmutter her französisches

Blut ererbt, hatte selbst seine Lehrzeit in Frankreich verbracht
und kannte nach seiner Versicherung Paris wie seine Westentasche. Gerne ließ er – und zwar in vorzüglicher Aussprache –
Wendungen wie »c'est ça«, »épatant« oder »parfaitement«
in seine Rede einfließen; auch sagte er öfters: »Ich goutiere
das« und blieb bis gegen das Ende seines Lebens ein Günstling
der Frauen. Dies nur im voraus und außer der Reihe. Was
aber meine natürliche Begabung für gute Form betrifft, so
konnte ich ihrer, wie mein ganzes trügerisches Leben beweist,
von jeher nur allzu sicher sein und glaube mich auch bei diesem
schriftlichen Auftreten unbedingt darauf verlassen zu können. Übrigens bin ich entschlossen, bei meinen Aufzeichnungen
mit dem vollendetsten Freimut vorzugehen und weder den
Vorwurf der Eitelkeit noch den der Schamlosigkeit dabei zu
scheuen. Welcher moralische Wert und Sinn wäre auch wohl
Bekenntnissen zuzusprechen, die unter einem anderen Gesichtspunkt als demjenigen der Wahrhaftigkeit abgefaßt
wären!

Der Rheingau hat mich hervorgebracht, jener begünstigte
Landstrich, welcher, gelinde und ohne Schroffheit sowohl in
Hinsicht auf die Witterungsverhältnisse wie auf die Bodenbeschaffenheit, reich mit Städten und Ortschaften besetzt und
fröhlich bevölkert, wohl zu den lieblichsten der bewohnten
Erde gehört. Hier blühen, vom Rheingaugebirge vor rauhen
Winden bewahrt und der Mittagssonne glücklich hingebreitet,
jene berühmten Siedlungen, bei deren Namensklange dem Zecher das Herz lacht, hier Rauenthal, Johannisberg, Rüdes-
heim, und hier auch das ehrwürdige Städtchen, in dem ich,
wenige Jahre nur nach der glorreichen Gründung des Deutschen Reiches, das Licht der Welt erblickte. Ein wenig westlich
des Knies gelegen, welches der Rhein bei Mainz beschreibt, und
berühmt durch seine Schaumweinfabrikation, ist es Haupt-
anlegeplatz der den Strom hinauf und hinab eilenden Dam-
pfer und zählt gegen viertausend Einwohner. Das lustige
Mainz war also sehr nahe und ebenso die vornehmen Tau-

nusbäder, als: Wiesbaden, Homburg, Langenschwalbach und Schlangenbad, welch letzteres man in halbstündiger Fahrt auf einer Schmalspurbahn erreichte. Wie oft in der schönen Jahreszeit unternahmen wir Ausflüge, meine Eltern, meine Schwester Olympia und ich, zu Schiff, zu Wagen und mit der Eisenbahn, und zwar nach allen Himmelsrichtungen: denn überall lockten Reize und Sehenswürdigkeiten, die Natur und Menschenwitz geschaffen. Noch sehe ich meinen Vater in kleinkariertem, bequemem Sommeranzug mit uns in irgendeinem Wirtsgarten sitzen – ein wenig weitab vom Tische, weil sein Bauch ihn hinderte, nahe heranzurücken – und mit unendlichem Behagen ein Gericht Krebse nebst goldenem Rebensaft genießen. Oftmals war auch mein Pate Schimmelpreester dabei, betrachtete Land und Leute scharf prüfend durch seine rundäugige Malerbrille und nahm das Große und Kleine in seine Künstlerseele auf.

Mein armer Vater war Inhaber der Firma Engelbert Krull, welche die untergegangene Sektmarke »Lorley extra cuvée« erzeugte. Unten am Rhein, nicht weit von der Landungsbrücke, lagen ihre Kellereien, und nicht selten trieb ich mich als Knabe in den kühlen Gewölben umher, schlenderte gedankenvoll die steinernen Pfade entlang, welche in die Kreuz und Quere zwischen den hohen Gestellen hinführten, und betrachtete die Heere von Flaschen, die dort in halbgeneigter Lage übereinandergeschichtet ruhten. Da liegt ihr, dachte ich bei mir selbst (wenn ich auch meine Gedanken natürlich noch nicht in so treffende Worte zu fassen wußte), da liegt ihr in unterirdischem Dämmerlicht, und in euerem Innern klärt und bereitet sich still der prickelnde Goldsaft, der so manchen Herzschlag beleben, so manches Augenpaar zu höherem Glanze erwecken soll! Noch seht ihr kahl und unscheinbar, aber prachtvoll geschmückt werdet ihr eines Tages zur Oberwelt aufsteigen, um bei Festen, auf Hochzeiten, in Sonderkabinetten eure Pfropfen mit übermütigem Knall zur Decke zu schleudern und Rausch, Leichtsinn und Lust unter den Menschen zu verbreiten. Ähnlich sprach der Knabe; und so viel

wenigstens war richtig, daß die Firma Engelbert Krull auf
das Äußere ihrer Flaschen, jene letzte Ausstattung, die man
fachmännisch die Coiffure nennt, ein ungemeines Gewicht
legte. Die gepreßten Korke waren mit Silberdraht und vergoldetem Bindfaden befestigt und mit purpurrotem Lack
übersiegelt, ja ein feierliches Rundsiegel, wie man es an Bul-
len und alten Staatsdokumenten sieht, hing an einer Gold-
schnur noch besonders herab; die Hälse waren reichlich mit
glänzendem Stanniol umkleidet, und auf den Bäuchen
prangte ein golden umschnörkeltes Etikett, das mein Pate
Schimmelpreester für die Firma entworfen hatte und worauf
außer mehreren Wappen und Sternen, dem Namenszuge
meines Vaters und der Marke »Lorley extra cuvée« in Gold-
druck eine nur mit Spangen und Halsketten bekleidete
Frauengestalt zu sehen war, welche, mit übergeschlagenem
Beine auf der Spitze eines Felsens sitzend, erhobenen Armes
einen Kamm durch ihr wallendes Haar führte. Übrigens
scheint es, daß die Beschaffenheit des Weines dieser blendenden Aufmachung nicht vollkommen entsprach. »Krull«,
mochte mein Pate Schimmelpreester wohl zu meinem Vater
sagen, »Ihre Person in Ehren, aber Ihren Champagner sollte
die Polizei verbieten. Vor acht Tagen habe ich mich verleiten
lassen, eine halbe Flasche davon zu trinken, und noch heute
hat meine Natur sich nicht von diesem Angriff erholt. Was
für Krätzer verstechen Sie eigentlich zu diesem Gebräu? Ist
es Petroleum oder Fusel, was Sie bei der Dosierung zusetzen?
Kurzum, das ist Giftmischerei. Fürchten Sie die Gesetze!«
Hierauf wurde mein armer Vater verlegen, denn er war ein
weicher Mensch, der scharfen Reden nicht standhielt. »Sie
haben leicht spotten, Schimmelpreester«, versetzte er wohl,
indem er nach seiner Gewohnheit mit den Fingerspitzen zart
seinen Bauch streichelte, »aber ich muß billig herstellen, weil
das Vorurteil gegen die heimischen Fabrikate es so will –
kurz, ich gebe dem Publikum, woran es glaubt. Außerdem
sitzt die Konkurrenz mir im Nacken, lieber Freund, so daß
es kaum noch zum Aushalten ist.« Soweit mein Vater.

Unsere Villa gehörte zu jenen anmutigen Herrensitzen, die, an sanfte Abhänge gelehnt, den Blick über die Rheinlandschaft beherrschen. Der abfallende Garten war freigebig mit Zwergen, Pilzen und allerlei täuschend nachgeahmtem Getier aus Steingut geschmückt; auf einem Postament ruhte eine spiegelnde Glaskugel, welche die Gesichter überaus komisch verzerrte, und auch eine Äolsharfe, mehrere Grotten sowie ein Springbrunnen waren da, der eine kunstreiche Figur von Wasserstrahlen in die Lüfte warf und in dessen Becken Silberfische schwammen. Um nun von der inneren Häuslichkeit zu reden, so war sie nach dem Geschmack meines Vaters sowohl lauschig wie heiter. Trauliche Erkerplätze luden zum Sitzen ein, und in einem davon stand ein wirkliches Spinnrad. Zahllose Kleinigkeiten: Nippes, Muscheln, Spiegelkästchen und Riechflakons waren auf Etageren und Plüschtischchen angeordnet; Daunenkissen in großer Anzahl, mit Seide oder vielfarbiger Handarbeit überzogen, waren überall auf Sofas und Ruhebetten verteilt, denn mein Vater liebte es, weich zu liegen; die Gardinenträger waren Hellebarden, und zwischen den Türen waren jene luftigen Vorhänge aus Rohr und bunten Perlenschnüren befestigt, die scheinbar eine feste Wand bilden und die man doch, ohne eine Hand zu heben, durchschreiten kann, wobei sie sich mit einem leisen Rauschen oder Klappern teilen und wieder zusammenschließen. Über dem Windfang war eine kleine, sinnreiche Vorrichtung angebracht, die, während die Tür, durch Luftdruck aufgehalten, langsam ins Schloß zurücksank, mit feinem Klingen den Anfang des Liedes »Freut euch des Lebens« spielte.

Zweites Kapitel

Dies war das Heim, worin ich an einem lauen Regentage des Wonnemondes — einem Sonntage übrigens — geboren wurde, und von nun an gedenke ich nicht mehr vorzugreifen,

sondern die Zeitfolge sorgfältig zur Richtschnur zu nehmen.
Meine Geburt ging, wenn ich recht unterrichtet bin, nur sehr
langsam und nicht ohne künstliche Nachhilfe unseres damaligen Hausarztes, Doktor Mecum, vonstatten, und zwar hauptsächlich deshalb, weil ich mich — wenn ich jenes frühe und
fremde Wesen als »ich« bezeichnen darf — außerordentlich
untätig und teilnahmslos dabei verhielt, die Bemühungen
meiner Mutter fast gar nicht unterstützte und nicht den mindesten Eifer zeigte, auf eine Welt zu gelangen, die ich später
so inständig lieben sollte. Dennoch war ich ein gesundes,
wohlgestaltetes Kind, das an dem Busen einer ausgezeichneten
Amme aufs hoffnungsvollste gedieh. Ich kann aber nach
wiederholtem eindringlichem Nachdenken nicht umhin, mein
träges und widerwilliges Verhalten bei meiner Geburt, diese
offenbare Unlust, das Dunkel des Mutterschoßes mit dem
hellen Tage zu vertauschen, in Zusammenhang zu bringen
mit der außerordentlichen Neigung und Begabung zum
Schlafe, die mir von klein auf eigentümlich war. Man sagte
mir, daß ich ein ruhiges Kind gewesen sei, kein Schreihals
und Störenfried, sondern dem Schlummer und Halbschlum-
mer in einem den Wärterinnen bequemen Grade zugetan;
und obgleich mich später so sehr nach der Welt und den Menschen verlangte, daß ich mich unter verschiedenen Namen unter sie mischte und vieles tat, um sie für mich zu gewinnen,
so blieb ich doch in der Nacht und im Schlaf stets innig zu
Hause, entschlummerte auch ohne körperliche Ermüdung
leicht und gern, verlor mich weit in ein traumloses Vergessen
und erwachte nach langer, zehn-, zwölf-, ja vierzehnstündiger
Versunkenheit erquickt und befriedigter als durch die Erfolge und Genugtuungen des Tages. Man könnte in dieser
ungewöhnlichen Schlaflust einen Widerspruch zu dem großen
Lebens- und Liebesdrange erblicken, der mich beseelte und
von dem an gehörigem Orte noch zu sprechen sein wird. Allein ich ließ schon einfließen, daß ich diesem Punkte wiederholt ein angestrengtes Nachdenken gewidmet habe, und mehrmals habe ich deutlich zu verstehen geglaubt, daß es sich hier

nicht um einen Gegensatz, sondern vielmehr um eine verborgene Zusammengehörigkeit und Übereinstimmung handelt. Jetzt nämlich, wo ich, obgleich erst vierzigjährig, gealtert und müde bin, wo kein begieriges Gefühl mich mehr zu den Menschen drängt und ich gänzlich auf mich selbst zurückgezogen dahinlebe: jetzt erst ist auch meine Schlafkraft erlahmt, jetzt erst bin ich dem Schlafe gewissermaßen entfremdet, ist mein Schlummer kurz, untief und flüchtig geworden, während ich vormals im Zuchthause, wo viel Gelegenheit dazu war, womöglich noch besser schlief als in den weichlichen Betten der Palasthotels. – Aber ich verfalle in meinen alten Fehler des Voraneilens.

Oft hörte ich aus dem Munde der Meinen, daß ich ein Sonntagskind sei, und obgleich ich fern von allem Aberglauben erzogen worden bin, habe ich doch dieser Tatsache, in Verbindung mit meinem Vornamen Felix (so wurde ich nach meinem Paten Schimmelpreester genannt) sowie mit meiner körperlichen Feinheit und Wohlgefälligkeit, immer eine geheimnisvolle Bedeutung beigemessen. Ja, der Glaube an mein Glück und daß ich ein Vorzugskind des Himmels sei, ist in meinem Innersten stets lebendig gewesen, und ich kann sagen, daß er im ganzen nicht Lügen gestraft worden ist. Stellt sich doch das eben als die bezeichnende Eigentümlichkeit meines Lebens dar, daß alles, was an Leiden und Qual darin vorgekommen, als etwas Fremdes und von der Vorsehung ursprünglich nicht Gewolltes erscheint, durch das meine wahre und eigentliche Bestimmung immerfort gleichsam sonnig hindurchschimmert. – Nach dieser Abschweifung ins Allgemeine fahre ich fort, das Gemälde meiner Jugend in großen Zügen zu entwerfen.

Ein phantastisches Kind, gab ich mit meinen Einfällen und Einbildungen den Hausgenossen viel Stoff zur Heiterkeit. Ich glaube mich wohl zu erinnern, und oft ist es mir erzählt worden, daß ich, als ich noch Kleidchen trug, gerne spielte, daß ich der Kaiser sei, und auf dieser Annahme wohl stundenlang mit großer Zähigkeit bestand. In einem kleinen Stuhl-

wagen sitzend, worin meine Magd mich über die Gartenwege
oder auf dem Hausflur umherschob, zog ich aus irgendeinem
Grunde meinen Mund so weit wie möglich nach unten, so
daß meine Oberlippe sich übermäßig verlängerte, und blinzelte langsam mit den Augen, die sich nicht nur infolge der
Verzerrung, sondern auch vermöge meiner inneren Rührung
röteten und mit Tränen füllten. Still und ergriffen von meiner Betagtheit und hohen Würde, saß ich im Wägelchen; aber
meine Magd war gehalten, jeden Begegnenden von dem Tat-
bestande zu unterrichten, da eine Nichtachtung meiner
Schrulle mich aufs äußerste erbittert haben würde. »Ich fahre
hier den Kaiser spazieren«, meldete sie, indem sie auf unbe-
lehrte Weise die flache Hand salutierend an die Schläfe legte,
und jeder erwies mir Reverenz. Zumal mein Pate Schimmelpreester, stets zu Possen geneigt, war mir zu Willen, wenn er
mich so antraf, und bestärkte mich auf alle Weise in meinem
Dünkel. »Seht, da fährt er, der Heldengreis!« sagte er, indem
er sich unnatürlich tief verbeugte. Und dann stellte er sich
als Volk an meinen Weg und warf vivatschreiend seinen Hut,
seinen Stock und selbst seine Brille in die Luft, um sich beinahe zu Schaden zu lachen, wenn mir vor Erschütterung die
Tränen über die langgezogene Oberlippe rollten.

Diese Art von Spiel pflegte ich noch in späteren Knaben-
jahren, zu einer Zeit also, da ich die Unterstützung der Erwachsenen dabei nicht wohl mehr fordern durfte. Doch vermißte ich sie nicht, sondern freute mich vielmehr der Unabhängigkeit und Selbstgenügsamkeit meiner Einbildungskraft.
Ich erwachte zum Beispiel eines Morgens mit dem Entschlusse, heute ein achtzehnjähriger Prinz namens Karl zu
sein, und hielt an dieser Träumerei während des ganzen
Tages, ja mehrere Tage lang fest; denn der unschätzbare Vorzug solchen Spieles bestand darin, daß es in keinem Augenblick und nicht einmal während der so überaus lästigen Schulstunden unterbrochen zu werden brauchte. Gekleidet in eine
gewisse liebenswürdige Hoheit, ging ich umher, hielt heitere
und angeregte Zwiesprache mit einem Gouverneur oder Ad-

jutanten, den ich mir einbildungsweise beigab, und niemand
beschreibt den Stolz und das Glück, mit dem das Geheimnis
meiner feinen und erlauchten Existenz mich erfüllte. Welch
eine herrliche Gabe ist nicht die Phantasie, und welchen Genuß vermag sie zu gewähren! Wie dumm und benachteiligt
erschienen mir die anderen Knaben des Städtchens, denen dies
Vermögen offenbar nicht zuteil geworden und die also unteil-
haft der verschwiegenen Freuden waren, welche ich mühelos
und ohne jede äußere Vorkehrung, durch einen einfachen
Willensentschluß daraus zog! Jenen freilich, die gewöhnliche
Burschen mit hartem Haar und roten Händen waren, hätte
es sauer werden und lächerlich zu Gesichte stehen mögen, hätten sie sich einreden wollen, Prinzen zu sein. Ich aber besaß
seidenweiches Haar, wie man es nur selten beim männlichen
Geschlechte findet und welches, da es blond war, zusammen
mit graublauen Augen, einen fesselnden Gegensatz zu der
goldigen Bräune meiner Haut bildete: so, daß es gewissermaßen unbestimmt blieb, ob ich nun eigentlich blond oder
brünett von Erscheinung sei, und man mich mit gleichem
Rechte für beides ansprechen konnte. Meine Hände, auf die
ich frühe achthatte, waren, ohne überschmal zu sein, angenehm im Charakter, niemals schweißig, sondern mäßig
warm, trocken, mit geschmackvoll geformten Fingernägeln
versehen und sich selbst ein Wohlgefallen; und meine Stimme
hatte, schon bevor ich sie wechselte, etwas Schmeichelhaftes
für das Ohr, so daß ich sie, wenn ich allein war, gern in
glücklichen, gebärdenreichen, übrigens sinnlos kauderwelschen
und nur täuschend angedeuteten Plaudereien mit meinem
unsichtbaren Gouverneur erklingen ließ. Solche persönlichen
Vorzüge sind meistens unwägbare Dinge, die nur in ihren
Wirkungen zu bestimmen und selbst bei hervorragendem Geschick nur schwer in Worte zu fassen sind. Jedenfalls konnte
mir nicht verborgen bleiben, daß ich aus edlerem Stoffe gebildet oder, wie man zu sagen pflegt, aus feinerem Holz geschnitzt war als meinesgleichen, und ich fürchte dabei durchaus
nicht den Vorwurf der Selbstgefälligkeit. Das ist mir ganz

einerlei, ob dieser oder jener mich der Selbstgefälligkeit an-
klagt, denn ich müßte ein Dummkopf oder Heuchler sein,
wollte ich mich für Dutzendware ausgeben, und der Wahrheit gemäß wiederhole ich, daß ich aus dem feinsten Holze
geschnitzt bin.

Einsam aufwachsend (denn meine Schwester Olympia war
mir um mehrere Lebensjahre voraus), neigte ich zu sonderbaren und spintisierenden Beschäftigungen, wofür ich sofort
zwei Beispiele anführen werde. Erstens war ich auf eine gril-
lenhafte Manier verfallen, die menschliche Willenskraft, diese
geheimnisvolle und oft fast übernatürlicher Wirkungen
fähige Macht, an mir zu üben und zu studieren. Man weiß,
daß die Pupillen unseres Auges in ihren Bewegungen, welche
in einer Verengerung und Erweiterung bestehen, abhängig
sind von der Stärke des Lichtes, das sie trifft. Ich nun hatte
es mir in den Kopf gesetzt, diese unwillkürliche Bewegung
eigensinniger Muskeln unter den Einfluß meines Willens zu
beugen. Vor meinem Spiegel stehend und indem ich jeden anderen Gedanken auszuschalten suchte, versammelte ich meine
ganze innere Kraft auf den Befehl an meine Pupillen, sich
nach meinem Belieben zusammenzuziehen oder zu erweitern,
und meine hartnäckigen Übungen wurden, wie ich versichere,
wirklich von Erfolg gekrönt. Anfangs gerieten unter den inneren Anstrengungen, die mir den Schweiß austrieben und
mich die Farbe wechseln ließen, meine Pupillen nur in ein
unregelmäßiges Flackern; später aber hatte ich es tatsächlich
in meiner Gewalt, sie sich zu winzigen Pünktchen verengern
oder zu großen, schwarz spiegelnden Kreisen sich ausdehnen
zu lassen, und die Genugtuung, die dieser Erfolg mir gewährte, war fast schreckhafter Art und von einem Schauer
vor den Geheimnissen der menschlichen Natur begleitet.

Eine andere Grübelei, die damals oft meinen Geist unterhielt und noch heute nicht an Reiz und Sinn für mich verloren hat, bestand in folgendem. Was ist förderlicher: – fragte
ich mich – daß man die Welt klein oder daß man sie groß
sehe? Und dies war so gemeint: Große Männer, dachte ich,

Feldherren, überlegene Staatsköpfe, Eroberer- und Herrscher-
naturen jeder Art, welche sich gewaltig über die Menschen erheben, müssen wohl so beschaffen sein, daß die Welt ihnen
klein wie ein Schachbrett erscheint, da sie sonst die Rücksichtslosigkeit und Kälte nicht hätten, keck und unbekümmert
um das Einzelwohl und -wehe nach ihren übersichtlichen
Plänen damit zu schalten. Andererseits aber kann eine solche
verringernde Ansicht unzweifelhaft leicht bewirken, daß man
es im Leben zu gar nichts bringe; denn wer Welt und Menschen für wenig oder nichts achtet und sich früh mit ihrer
Belanglosigkeit durchdringt, wird geneigt sein, in Gleichgültigkeit und Trägheit zu versinken und einen vollkommenen
Ruhestand jeder Wirkung auf die Gemüter verachtungsvoll
vorzuziehen – abgesehen davon, daß er durch seine Fühl-
losigkeit, seinen Mangel an Teilnahme und Bemühung überall anstoßen, die selbstbewußte Welt auf Schritt und Tritt
beleidigen und sich so die Wege auch zu unwillkürlichen Erfolgen abschneiden wird. Ist es, fragte ich mich, also ratsamer,
daß man in Welt und Menschenwesen etwas Großes, Herrliches und Wichtiges erblicke, das jedes Eifers, jeder dienenden
Anstrengung wert ist, um ein wenig Ansehen und Wertschät-
zung darin zu erlangen? Dagegen spricht, daß man mit dieser
vergrößernden und respektvollen Sehart leicht der Selbst-
unterschätzung und Verlegenheit anheimfällt, so daß dann
die Welt über den ehrfürchtig blöden Knaben mit Lächeln
hinweggeht, um sich männlichere Liebhaber zu suchen. Allein
auf der anderen Seite bietet eine solche Gläubigkeit und
Weltfrömmigkeit doch auch große Vorteile. Denn wer alle
Dinge und Menschen für voll und wichtig nimmt, wird ihnen
nicht nur dadurch schmeicheln und sich somit mancher Förderung versichern, sondern er wird auch sein ganzes Denken
und Gebaren mit einem Ernst, einer Leidenschaft, einer Ver-
antwortlichkeit erfüllen, die, indem sie ihn zugleich liebenswürdig und bedeutend macht, zu den höchsten Erfolgen und
Wirkungen führen kann. – So sinnierte ich und erwog das
Für und Wider. Übrigens habe ich es unwillkürlich und mei-

ner Natur gemäß stets mit der zweiten Möglichkeit gehalten und die Welt für eine große und unendlich verlockende Erscheinung geachtet, welche die süßesten Seligkeiten zu vergeben hat und mich jeder Anstrengung und Werbung in hohem Grade wert und würdig deuchte.

Drittes Kapitel

Wenn aber so träumerische Experimente und Spekulationen geeignet waren, mich von meinen Alters- und Schulgenossen im Städtchen, die sich auf herkömmlichere Weise beschäftigten, innerlich abzusondern, so kam hinzu, daß diese Burschen, Weingutsbesitzers- und Beamtensöhne, von seiten ihrer Eltern, wie ich bald gewahr werden mußte, vor mir gewarnt und von mir ferngehalten wurden, ja, einer von ihnen, den ich versuchsweise einlud, sagte mir mit kahlen Worten ins Gesicht, daß man ihm den Verkehr mit mir und den Besuch unseres Hauses verboten habe, weil es nicht ehrbar bei uns zugehe. Das schmerzte mich und ließ mir einen Umgang begehrenswert erscheinen, an dem mir sonst nichts gelegen gewesen wäre. Allein nicht zu leugnen war, daß es mit der Meinung des Städtchens über unser Hauswesen gewissermaßen seine Richtigkeit hatte.

Ich ließ schon weiter oben eine Anspielung einfließen auf die Störungen, welche durch die Anwesenheit des Fräuleins aus Vevey in unser Familienleben getragen wurden. In der Tat stellte mein armer Vater diesem Mädchen in verliebtem Sinne nach und gelangte denn auch wohl zu dem gesteckten Ziel, worüber sich Meinungsverschiedenheiten zwischen ihm und meiner Mutter entspannen, die weiter dahin führten, daß mein Vater sich auf mehrere Wochen nach Mainz begab, um dort, wie er es manches Mal zu seiner Erfrischung tat, das Leben eines Junggesellen zu führen. Übrigens hatte meine Mutter, die eine unscheinbare Frau von wenig hervorragen-

den Geistesgaben war, vollkommen unrecht, meinen armen
Vater so unnachsichtig zu behandeln, denn sie sowohl wie
meine Schwester Olympia (ein dickes und außerordentlich
fleischlich gesinntes Geschöpf, das später nicht ohne Beifall
die Operettenbühne beschritt) gaben ihm an menschlicher
Schwäche durchaus nichts nach; nur daß seiner Leichtlebigkeit
stets eine gewisse Anmut innewohnte, deren ihre dumpfe Vergnügungssucht fast ganz entbehrte. Mutter und Tochter lebten in seltener Vertraulichkeit miteinander, und ich erinnere
mich zum Beispiel, beobachtet zu haben, wie die Ältere mit
einem Meterbande den Oberschenkel der Jüngeren nach seinem Umfange maß, was mich auf mehrere Stunden zur
Nachdenklichkeit stimmte. Ein anders Mal, zu einer Zeit, als
ich für solche Dinge wohl schon ein ahnungsvolles Verständnis,
aber noch keine Worte besaß, war ich heimlich Zeuge davon,
wie sie einem im Hause beschäftigten Anstreichergesellen,
einem dunkeläugigen Burschen in weißem Kittel, mit gemeinsamen neckischen Annäherungen zusetzten und ihm endlich
so den Kopf erhitzten, daß der junge Mensch in eine Art
Wut geriet und, mit einem Schnurrbart aus grüner Ölfarbe,
den sie ihm angemalt, die kreischenden Frauen bis auf den
Trockenspeicher verfolgte.

Sehr oft, da meine Eltern sich bis zur Erbitterung miteinander langweilten, hatten wir Gäste aus Mainz und Wiesbaden, und dann ging es überaus reichlich und aufgeräumt
bei uns zu. Es waren buntscheckige Gesellschaften, bestehend
aus einigen jungen Fabrikanten, Bühnenkünstlern beiderlei
Geschlechts, einem kränklichen Infanterieleutnant, der später
so weit ging, um die Hand meiner Schwester anzuhalten,
einem jüdischen Bankier nebst seiner Gattin, die auf eindrucksvolle Weise überall aus ihrem mit Jett übersäten Kleide quoll,
einem Journalisten mit Stirnlocke und Samtweste, der jedesmal eine neue Lebensgefährtin einführte, und anderen mehr.
Man fand sich meistens zum Diner um sieben Uhr ein, und
dann pflegte die Lustbarkeit, die Klaviermusik, das Schlürfen des Tanzes, das Gelächter, Gekreisch und Gejachter die

ganze Nacht hindurch kein Ende zu nehmen. Besonders zur
Zeit des Karnevals und der Weinlese gingen die Wogen des
Vergnügens sehr hoch. Dann brannte mein Vater im Garten
eigenhändig prächtige Feuerwerke ab, worin er große Sach-
kenntnis und Geschicktheit besaß; die Steingutzwerge erschienen in magischem Licht, und die launigen Masken, in
denen sich die Gesellschaft zusammengefunden, erhöhten die
Ausgelassenheit. Ich war damals gezwungen, die Oberrealschule des Städtchens zu besuchen, und wenn ich am Morgen
um sieben oder halb acht Uhr mit neuwaschenem Antlitz das
Speisezimmer betrat, um mein Frühstück einzunehmen, so
fand ich die Gesellschaft noch, fahl, zerknittert und mit
Augen, die das Tageslicht schlecht ertrugen, bei Kaffee und
Likören versammelt und wurde unter großem Hallo in ihre
Mitte aufgenommen.

Halbwüchsig durfte ich bei Tische und bei den nachfolgenden Belustigungen gleich meiner Schwester Olympia zugegen
sein. Es wurde alltäglich ein guter Tisch bei uns geführt, und
mein Vater trank zu jedem Mittagessen Champagner mit
Sodawasser vermischt. Aber bei den geselligen Gelegenheiten
gab es lange Speisenfolgen, die von einem Küchenchef aus
Wiesbaden mit Hilfe unserer Köchin aufs feinste hergestellt
wurden und in die erfrischende und den Appetit erneuernde
Gänge, Geforenes und Pikantes, eingelegt waren. »Lorley
extra cuvée« floß in Strömen, aber auch zahlreiche gute
Weine kamen auf den Tisch, wie zum Beispiel »Berncastler
Doktor«, dessen Würze mir ausnehmend zusagte. In meinem
späteren Leben lernte ich noch andere vornehme Marken ken-
nen und mit gelassener Miene bestellen, wie etwa »Grand vin
Château Margaux« und »Grand crû Château Mouton
Rothschild« – zwei elegante Tropfen.

Gern rufe ich mir das Bild meines Vaters vor die Seele
zurück, wie er mit seinem weißen Spitzbart und seinem mit
weißseidener Weste umhüllten Bauch der Tafel vorsaß. Er
hatte eine schwache Stimme und schlug oft mit verschämtem
Ausdruck die Augen nieder, aber der Genuß war ihm doch

von der blanken und geröteten Miene zu lesen. »C'est ça«, sagte er, »épatant«, »parfaitement«, und mit ausgesuchten Bewegungen seiner Hände, deren Fingerspitzen aufwärtsgebogen waren, bediente er sich der Gläser, des Mundtuches, des Speisegeräts. Meine Mutter und Schwester überließen sich einer geistlosen Völlerei und kicherten zwischendurch mit ihren Nachbarn hinter gespreiztem Fächer.

Nach Tische, wenn um die Gaslüster der Zigarrenrauch schwamm, begannen der Tanz und die Pfänderspiele. War der Abend vorgeschritten, so wurde ich wohl zu Bette geschickt, aber da Musik und Getümmel mich nicht schlafen ließen, so stand ich meist wieder auf, hüllte mich in meine rotwollene Bettdecke und kehrte, so kleidsam vermummt, zum Jubel der Frauen in die Gesellschaft zurück. Die Erfrischungen und Imbisse, die Bowlen, Limonaden, Heringssalate und Weingelees nahmen bis zum Morgenkaffee kein Ende. Der Tanz war ausgelassen und üppig, die Pfänderspiele bildeten einen Vorwand für Küsse und andere körperliche Annäherungen. Die Frauen, in ausgeschnittenen Kleidern, beugten sich lachend über die Stuhllehnen, um Einblick in ihren Busen zu gewähren und so die Herrenwelt für sich zu gewinnen, und den Höhepunkt des Ganzen bildete nicht selten die Schelmerei, daß plötzlich das Gas ausgedreht wurde, was jedesmal ein unbeschreibliches Drunter und Drüber zur Folge hatte.

Diese geselligen Unterhaltungen waren vorzüglich gemeint, wenn unser Hauswesen im Städtchen für verdächtig galt, und man faßte, wie mir zu Ohren kam, dabei hauptsächlich die ökonomische Seite der Sache ins Auge, indem man nämlich munkelte (und nur zu recht damit hatte), daß die Geschäfte meines armen Vaters verzweifelt schlecht stünden und daß die kostbaren Feuerwerke und Diners ihm als Wirtschafter notwendig den Rest geben müßten. Dieses öffentliche Mißtrauen, das meiner Feinfühligkeit früh bemerkbar wurde, vereinigte sich, wie erwähnt, mit gewissen Sonderbarkeiten meines Charakters, um eine Vereinsamung zu zeitigen, die mir oft Kummer bereitete. Desto herzlicher beglückte mich ein Erlebnis, dessen Schilderung ich hier mit besonderem Vergnügen einrücken werde.

Ich zählte acht Jahre, als ich und die Meinen einige Sommerwochen in dem benachbarten und so namhaften Langenschwalbach verbrachten. Mein Vater nahm dort Moorbäder gegen die Gichtanfälle, die ihn zuweilen plagten, und meine Mutter und Schwester machten auf der Promenade durch Übertreibungen in der Form ihrer Hüte von sich reden. Mit dem gesellschaftlichen Verkehr, der sich uns dort, wie an anderen Plätzen, bot, war wenig Ehre einzulegen. Die in der Umgegend Ansässigen mieden uns wie gewöhnlich; die vornehmen Fremden kargten mit sich und verhielten sich abweisend, wie das im Wesen der Vornehmheit begründet ist, und was sich uns zu Anschluß und Gemeinsamkeit darbot, war nicht vom Feinsten. Dennoch war mir wohl zu Langenschwalbach, denn ich habe stets den Aufenthalt an Badeorten geliebt und später den Schauplatz meiner Wirkungen wiederholt an solche Plätze verlegt. Die Ruhe, die sorglos geregelte Lebensführung, der Anblick wohlgeborener und gepflegter Menschen auf den Sportplätzen und in den Kurgärten entspricht meinen tiefsten Wünschen. Was aber die stärkste Anziehungskraft auf mich ausübte, waren die Konzerte, die täglich von einem wohlgeschulten Orchester dem Badepublikum dargeboten wurden. Die Musik entzückt mich, ja obwohl ich nicht Gelegenheit genommen habe, ihre Ausübung zu erlernen, besitzt diese träumerische Kunst einen fanatischen Liebhaber in mir, und schon das Kind konnte sich nicht von dem hübschen Pavillon trennen, worin die kleidsam uniformierte Truppe unter der Leitung eines kleinen Kapellmeisters von zigeunerhaftem Ansehen ihre Potpourris und Opernstücke erklingen ließ. Stundenlang kauerte ich auf den Stufen des zierlichen Kunsttempels, ließ mein Herz von dem anmutig ordnungsvollen Reigen der Töne bezaubern und verfolgte zugleich mit eifrig teilnehmenden Augen die Bewegungen, mit denen die ausübenden Musiker ihre verschiedenen Instrumente handhabten. Namentlich das Geigenspiel hatte es mir angetan, und zu Hause, im Hotel, ergötzte ich mich und die Meinen damit, daß ich mit Hilfe zweier Stöcke, eines kurzen und eines längeren, das Gebaren des ersten Violinisten aufs getreueste nachzuahmen suchte. Die schwingende Bewegung der linken Hand zur Erzeugung eines seelenvollen Tones, das weiche Hinauf- und Hinabgleiten aus einer Grifflage in die andere, die Fingergeläufigkeit bei virtuosenhaften Passagen und Kadenzen, das schlanke und geschmeidige Durchbiegen des rechten Handgelenkes bei der Bogenführung, die versunkene und lauschend-gestaltende Miene bei hingeschmiegter Wange – dies alles wiederzugeben gelang mir mit einer Vollkommenheit, die besonders meinem Vater den heitersten Beifall abnötigte. Dieser nun, gut gelaunt unter dem wohltuenden Einfluß der Bäder, nimmt das langhaarige und fast stimmlose Kapellmeisterchen beiseite und verabredet mit ihm die folgende Komödie. Eine kleine Violine wird billig erstanden und der zugehörige Bogen sorgfältig mit Vaselin bestrichen. Während sonst für mein Äußeres nicht viel geschah, werden jetzt in einem Basar ein hübsches Matrosenhabit mit Fangschnur und goldenen Knöpfen, dazu seidene Strümpfe und spiegelnde Lackschuhe fertig angeschafft. Und eines Sonntagnachmittags, während der Kurpromenade, stehe ich, so ansprechend ausstaffiert, zur Seite des kleinen Kapellmeisters an der Rampe des Musiktempels und beteilige mich an der Ausführung einer ungarischen Tanzpièce, indem ich mit meiner Fiedel und mit meinem Vaselinbogen tue, was ich vordem mit meinen beiden Stöcken getan. Ich darf sagen, daß mein Erfolg vollkommen war.

Das Publikum, vornehmes und schlichteres, staute sich vor dem Pavillon, es strömte von allen Seiten herbei. Man sah ein Wunderkind. Meine Hingebung, die Blässe meiner arbeitenden Miene, eine Welle Haares, die mir über das eine Auge fiel, meine kindlichen Hände, deren Gelenke von den blauen, an den Oberarmen bauschigen und nach unten eng zulaufenden Ärmeln kleidsam umspannt waren – kurz, meine ganze rührende und wunderbare Erscheinung entzückte die Herzen.

Als ich mit einem vollen und energischen Bogenstrich über
alle Saiten geendigt hatte, erfüllte das Geprassel des Beifalls,
untermischt mit hohen und tiefen Bravorufen, die Kuranlagen.
Man hebt mich, nachdem der kleine Kapellmeister meine
Geige nebst Bogen in Sicherheit gebracht, zur ebenen Erde
nieder. Man überhäuft mich mit Lobsprüchen, mit Schmei-
chelnamen, mit Liebkosungen. Aristokratische Damen und
Herren umdrängen mich, streicheln mir Haare, Wangen und
Hände, nennen mich Teufelsbub und Engelskind. Eine alte
russische Fürstin, ganz in veilchenfarbener Seide und mit ge-
waltigen weißen Ohrlocken, nimmt meinen Kopf zwischen
ihre beringten Hände und küßt mich auf die feuchte Stirn.
Hierauf nestelt sie leidenschaftlich eine große, funkelnde
Diamantbrosche in Leiergestalt von ihrem Hals los und befestigt sie, unaufhörlich französisch redend, an meiner Bluse.
Die Meinen traten herzu; mein Vater stellte sich vor und entschuldigte die Schwächen meines Spieles mit meinem zarten
Alter. Man zog mich zur Konditorei. An drei verschiedenen
Tischen bewirtete man mich mit Schokolade und Creme-
schnitten. Edelbürtige, schöne und reiche Kinder, die kleinen
Grafen Siebenklingen, nach denen ich oft mit Sehnsucht aus-
geschaut, die mich aber bisher nur kalter Blicke gewürdigt
hatten, baten mich artig, eine Partie Krocket mit ihnen zu
spielen, und während unsere Eltern miteinander Kaffee tranken, folgte ich, meine Brillantnadel auf der Brust, heiß und
trunken vor Freude ihrer Einladung. Es war einer der schönsten Tage meines Lebens, vielleicht der unbedingt schönste.
Viele Stimmen wurden laut, daß ich mein Spiel wiederholen
möchte, und auch die Kurdirektion kam in diesem Sinne bei
meinem Vater ein. Allein mein Vater erklärte, daß er nur
ausnahmsweise seine Erlaubnis gegeben habe und daß ein
wiederholtes öffentliches Auftreten sich nicht mit meiner gesellschaftlichen Stellung vertrage. Auch näherte unser Aufenthalt in Bad Langenschwalbach sich seinem Ende . . .

Viertes Kapitel

Jetzt werde ich von meinem Paten Schimmelpreester sprechen, einem nicht alltäglichen Manne. Um seine Person zu beschreiben, so war er untersetzt von Gestalt und trug sein früh ergrautes und gelichtetes Haar dicht über dem einen Ohr gescheitelt, so daß es fast gänzlich nach einer Seite über den Schädel gestrichen war. Sein rasiertes Gesicht mit der hakenförmigen Nase, den gekniffenen Lippen und den übergroßen, kreisrunden und in Zelluloid gefaßten Brillengläsern zeichnete sich noch besonders dadurch aus, daß es über den Augen nackt, das heißt ohne Brauen war, und zeugte im ganzen von einer scharfen und bitteren Sinnesart, wie denn zum Beispiel mein Pate seinem Namen eine sonderbar hypochondrische Deutung zu geben pflegte. »Die Natur«, sagte er, »ist nichts als Fäulnis und Schimmel, und ich bin zu ihrem Priester bestellt, darum heiße ich Schimmelpreester. Warum ich aber Felix heiße, das weiß Gott allein.« Er stammte aus Köln, wo er ehemals in den ersten Häusern verkehrt und als Festordner im Karneval eine hervorragende Rolle gespielt hatte. Aber durch irgendwelche Umstände oder Vorkommnisse, die niemals aufgeklärt wurden, war er genötigt worden, das Feld zu räumen, und hatte sich in unser Städtchen zurückgezogen, wo er sehr bald, schon mehrere Jahre vor meiner Geburt, der Hausfreund der Meinen geworden war. Ein regelmäßiger und unentbehrlicher Teilnehmer an unseren Abendgesellschaften, genoß er große Achtung bei allen unseren Gästen. Die Damen kreischten und suchten sich mit vorgehaltenen Armen zu schützen, wenn er sie, verkniffenen Mundes, aufmerksam und doch gleichgültig, wie man Dinge prüft, durch seine Eulenbrille fixierte. »Hu, der Maler!« riefen sie, »wie er schaut! Jetzt sieht er alles und bis ins Herz hinein. Gnade, Professor, und nehmen Sie doch Ihre Augen fort!« Aber wie sehr man ihn bewunderte, so dachte er doch selber von seinem Berufe nicht eigentlich hoch und tat häufig recht zweifelhafte Äußerungen über die Natur des Künstlers. »Phidias«, sagte er, »auch Pheidias genannt, war ein Mann von mehr als durchschnittsmäßigem Talent, wofür schon die Tatsache spricht, daß er des Diebstahls überführt und in das Athener Gefängnis gesteckt wurde; denn er hatte sich des Unterschleifs an dem Gold- und Elfenbeinmaterial schuldig gemacht, das man ihm für seine Athena-Statue anvertraut hatte. Perikles, der ihn entdeckt hatte, ließ ihn aus dem Prison entwischen (womit dieser Kenner bewies, daß er sich nicht nur auf die Kunst, sondern, was viel wichtiger ist, auch auf das Künstlertum verstand), und Phidias oder Pheidias ging nach Olympia, wo ihm der große Zeus aus Gold und Elfenbein in Auftrag gegeben wurde. Was tat er? Er stahl wieder. Und im Gefängnis zu Olympia verstarb er. Eine auffallende Mischung. Aber so sind die Leute. Sie wollen wohl das Talent, welches doch an und für sich eine Sonderbarkeit ist. Aber die Sonderbarkeiten, die sonst noch damit verbunden – und vielleicht notwendig damit verbunden – sind, die wollen sie durchaus nicht und verweigern ihnen jedes Verständnis.« Soweit mein Pate. Ich habe mir diese Äußerung wörtlich gemerkt, weil er sie oft mit denselben Redewendungen wiederholte.

Wie berichtet, so lebten wir in herzlicher Wechselneigung, ja ich darf sagen, daß ich seine besondere Gunst genoß, und heranwachsend diente ich ihm häufig als Vorbild für seine Kunstgemälde, was mich um so mehr ergötzte, als er mich dazu in die verschiedensten Trachten und Verkleidungen steckte, von denen er eine reichhaltige Sammlung besaß. Seine Werkstatt, eine Art Trödelspeicher mit großem Fenster, war unter dem Dache des abgesonderten Häuschens unten am Rheine gelegen, das er mit einer alten Aufwärterin mietweise bewohnte, und dort »saß« ich ihm, wie er es nannte, stundenlang auf einem roh gezimmerten Podium, während er an seiner Leinwand pinselte, schabte und schuf. Ich erwähne, daß ich ihm auch mehrmals nackend Modell stand für ein großes Tableau aus der griechischen Sagenkunde, welches den Speisesaal eines Mainzer Weinhändlers zu verschönern bestimmt war. Hierbei erntete ich viel Lob von seiten des Künstlers,

denn ich war überaus angenehm und göttergleich gewachsen,
schlank, weich und doch kräftig von Gliedern, goldig von
Haut und ohne Tadel in Hinsicht auf schönes Ebenmaß. –
Diese Sitzungen bilden immerhin eine eigenartige Erinnerung.
Aber noch unterhaltender, meine ich, war es doch, wenn ich
mich verkleiden durfte, was nicht nur in meines Paten Werkstatt geschah. Oft nämlich, wenn er gedachte, das Abendbrot
bei uns einzunehmen, schickte er einen Ballen voll bunter
Garderobe, Perücken und Waffen vor sich her, um sie mir
nach Tische nur zum Vergnügen anzuprobieren und meine
Erscheinung auch wohl, wie es ihm am besten gefiel, auf einen
Pappendeckel zu werfen. »Er hat einen Kostümkopf«, pflegte
er zu sagen und meinte damit, daß alles mir zu Gesichte
stünde, jede Verkleidung sich gut und natürlich an mir aus-
nähme. Denn, wie ich auch hergerichtet war – als römischer
Flötenbläser in kurzem Gewande, das schwarze Kraushaar
mit Rosen bekränzt; als englischer Edelknabe in knappem
Atlas, mit Spitzenkragen und Federhut; als spanischer Stier-
fechter mit Glitzerjäckchen und Kalabreser; als jugendlicher
Abbé der Puderzeit mit Käppchen, Beffchen, Mäntelchen
und Schnallenschuhen; als österreichischer Offizier in weißem
Waffenrock nebst Schärpe und Degen oder als deutscher Ge-
birgsbauer in Wadenstrümpfen und Nagelschuhen, den Gams-
bart am grünen Hut: jedesmal schien es, und auch der Spiegel
versicherte mich dessen, als ob ich gerade für diesen Aufzug
recht eigentlich bestimmt und geboren sei; jedesmal gab ich,
nach dem Urteile aller, ein vortreffliches Beispiel der Menschenart ab, die ich eben vertrat; ja, mein Pate wies darauf
hin, daß mein Gesicht mit Hilfe von Tracht und Perücke sich
nicht nur den Ständen und Himmelsstrichen, sondern auch
den Zeitaltern anzupassen scheine, von denen ein jedes, wie
er uns belehrte, seinen Kindern ein allgemeines physiogno-
misches Gepräge verleihe, – während ich doch, wenn man unserem Freunde glauben durfte, als florentinischer Stutzer vom
Ausgang der Mittelzeit so sehr einem zeitgenössischen Gemälde entsprungen schien wie im Schmuck jener pomphaften

Lockenwolke, mit welcher ein späteres Jahrhundert die vornehme Herrenwelt beschenkte. – Ach, das waren herrliche
Stunden! Wenn ich aber nach beendeter Kurzweil meine
schale und nichtige Alltagskleidung wieder angelegt hatte, so
befiel mich wohl eine unbezwingliche Trauer und Sehnsucht,
ein Gefühl unendlicher und unbeschreiblicher Langerweile, das
mich den Rest des Abends mit ödem Gemüt in tiefer und
wortloser Niedergeschlagenheit hinbringen ließ.

Nur soviel für jetzt über Schimmelpreester. Später, am
Ende meiner aufreibenden Laufbahn, sollte dieser ausgezeich-
nete Mann auf entscheidende und rettende Weise in mein
Schicksal eingreifen . . .

Fünftes Kapitel

Forsche ich nun in meiner Seele nach weiteren Jugendein-
drücken, so habe ich des Tages zu gedenken, da ich die Meinen
zum erstenmal nach Wiesbaden ins Theater begleiten
durfte. Übrigens muß ich hier einschalten, daß ich mich bei der
Schilderung meiner Jugend nicht ängstlich an die Jahresfolge
halte, sondern diese Lebensperiode als ein Ganzes behandle,
worin ich mich nach Belieben bewege. Als ich meinem Paten
Schimmelpreester als Griechengott Modell stand, war ich
sechzehn bis achtzehn Jahre alt und also beinahe ein Jüngling,
obschon in der Schule sehr rückständig. Aber mein erster
Theaterbesuch fällt in ein früheres Jahr, nämlich in mein
vierzehntes – immerhin also in eine Zeit, als meine körperliche und geistige Reife (wie gleich noch weiter auszuführen
sein wird) schon weit vorgeschritten und meine Empfänglichkeit für Eindrücke sogar besonders lebhaft zu nennen war.
In der Tat haben sich die Beobachtungen dieses Abends meinem Gemüt tief eingeprägt und mir zu unendlichem Nachsinnen Stoff gegeben.

Wir hatten vorher ein Wiener Café besucht und dort

süßen Punsch getrunken, während mein Vater Absinth durch
einen Strohhalm zu sich genommen hatte, was alles bereits
geeignet gewesen war, mich im tiefsten zu bewegen. Aber wer
beschreibt das Fieber, das sich meiner Natur bemächtigte, als
eine Droschke uns an das Ziel meiner Neugier getragen und
der erleuchtete Logensaal uns aufgenommen hatte! Die
Frauen, die sich in den Balkons den Busen fächelten; die
Herren, die sich plaudernd über sie neigten; die summende
Versammlung im Parkett, zu der wir gehörten; die Düfte,
die aus Haaren und Kleidern quollen und sich mit dem Geruch des Leuchtgases vermischten; das sanft verworrene Getöse
des stimmenden Orchesters; die üppigen Malereien an der
Saaldecke und auf dem Vorhang, die eine Menge entblößter
Genien, ja ganze Kaskaden von rosigen Verkürzungen zeigten: wie sehr war das alles danach angetan, die jungen Sinne
zu öffnen und den Geist für außerordentliche Empfängnisse
vorzubereiten! Eine solche Vereinigung von Menschen in hohem, prunkvollem Kronensaal hatte ich bis dahin nur in der
Kirche gesehen, und in der Tat erschien mir das Theater, dieser feierlich gegliederte Raum, wo an erhöhtem und verklär-
tem Orte berufene Personen, bunt gekleidet und von Musik
umwoben, ihre vorgeschriebenen Schritte und Tänze, Gespräche, Gesänge und Handlungen vollführten: in der Tat,
sage ich, erschien mir das Theater als eine Kirche des Vergnügens, als eine Stätte, wo erbauungsbedürftige Menschen,
im Schatten versammelt gegenüber einer Sphäre der Klarheit
und der Vollendung, mit offenem Munde zu den Idealen ihres
Herzens emporblickten.

Man spielte ein Stück von bescheidenem Genre, ein Werk
der leichtgeschürzten Muse, wie man wohl sagt, eine Ope-
rette, deren Namen ich zu meinem Leidwesen vergessen habe.
Die Handlung begab sich zu Paris (was die Stimmung meines
armen Vaters sehr erhöhte), und in ihrem Mittelpunkt stand
ein junger Müßiggänger oder Gesandtschaftsattaché, ein be-
zaubernder Schwerenöter und Schürzenjäger, der von dem
Stern des Theaters, einem überaus beliebten Sänger namens

Müller-Rosé, zur Darstellung gebracht wurde. Ich erfuhr
seinen persönlichen Namen durch meinen Vater, der sich seiner Bekanntschaft erfreute, und sein Bild wird ewig in meinem Gedächtnis fortleben. Es ist anzunehmen, daß er jetzt alt
und abgenutzt ist, gleich mir selbst; allein wie er damals die
Menge und mich zu blenden, zu entzücken verstand, das gehört zu den entscheidenden Eindrücken meines Lebens. Ich
sage: zu blenden, und ich werde etwas weiter unten erklären,
wieviel Sinn dieses Wort hier umschließt. Vorderhand werde
ich die Bühnenerscheinung Müller-Rosés aus lebhafter Erinnerung nachzumalen versuchen.

Bei seinem ersten Auftreten war er schwarz gekleidet, und
dennoch ging eitel Glanz von ihm aus. Dem Spiele nach kam
er von einem Treffpunkt der Lebewelt und war ein wenig
betrunken, was er in angenehmen Grenzen, auf eine verschönte und veredelte Weise vorzutäuschen verstand. Er trug
einen schwarzen, mit Atlas ausgeschlagenen Pelerinenmantel,
Lackschuhe zu schwarzen Frackhosen, weiße Glacés und
auf dem schimmernd frisierten Kopf, dessen Scheitel nach
damaliger militärischer Mode bis zum Nacken durchgezo-
gen war, einen Zylinderhut. Das alles war vollkommen, vom
Bügeleisen im Sitz befestigt, von einer Unberührtheit, wie
sie im wirklichen Leben nicht eine Viertelstunde lang zu bewahren wäre, und sozusagen nicht von dieser Welt. Besonders
der Zylinder, der ihm auf leichtlebige Art schief in der Stirn
saß, war in der Tat das Traum- und Musterbild seiner Art,
ohne Stäubchen noch Rauheit, mit idealischen Glanzlichtern
versehen, durchaus wie gemalt, – und dem entsprach das
Gesicht dieses höheren Wesens, ein Gesicht, das wie aus dem
feinsten Wachs gebildet erschien. Es war zart rosafarben und
zeigte mandelförmige, schwarz umrissene Augen, ein kurzes,
gerades Näschen sowie einen überaus klar gezeichneten und
korallenroten Mund, über dessen bogenförmig geschwunge-
ner Oberlippe sich ein abgezirkeltes, ebenmäßiges und wie
mit dem Pinsel gezogenes Schnurrbärtchen wölbte. Elastisch
taumelnd, wie man es in der gemeinen Wirklichkeit an Be-

trunkenen nicht beobachten wird, überließ er Hut und Stock
einem Bedienten, entglitt seinem Mantel und stand da im
Frack, mit reich gefälteter Hemdbrust, in welcher Diamant-
knöpfe blitzten. Mit silberner Stimme sprechend und lachend,
entledigte er sich auch seiner Handschuhe, und man sah,
daß seine Hände außen mehlweiß und ebenfalls mit Brillanten geziert, ihre Innenflächen aber so rosig wie sein Antlitz
waren. An der einen Seite der Rampe trällerte er den ersten
Vers eines Liedes, das die außerordentliche Leichtigkeit und
Heiterkeit seines Lebens als Attaché und Schürzenjäger schilderte, tanzte alsdann, die Arme selig ausgebreitet und mit
den Fingern schnalzend, zur anderen Seite und sang dort den
zweiten Vers, worauf er abtrat, um sich vom Beifall zurück-
rufen zu lassen und vor dem Souffleurkasten den dritten Vers
zu singen. Dann griff er mit sorgloser Anmut in die Geschehe-
nisse ein. Dem Stücke zufolge war er sehr reich, was seiner
Gestalt eine bezaubernde Folie verlieh. Man sah ihn bei
fortschreitender Handlung in verschiedenen Toiletten: in
schneeweißem Sportanzug mit rotem Gürtel, in reicher Phan-
tasie-Uniform, ja gelegentlich einer ebenso heiklen wie zwerch-
fellerschütternden Verwicklung sogar in Unterhosen aus him-
melblauer Seide. Man sah ihn in kühnen, übermütigen, be-
strickend abenteuerlichen Lebenslagen: zu den Füßen einer
Herzogin, beim Champagner-Souper mit zwei anspruchsvollen Freudenmädchen, mit erhobener Pistole, bereit zum Duell
mit einem von Grund aus albernen Nebenbuhler. Und keine
dieser eleganten Strapazen konnte seiner Makellosigkeit etwas anhaben, seine Bügelfalten zerrütten, seine Glanzlichter
auslöschen, seine rosige Miene unangenehm erhitzen. Zugleich gefesselt und gehoben durch die musikalischen Vorschriften, die theatralischen Förmlichkeiten, aber frei, keck
und leicht innerhalb der Gebundenheit, war sein Benehmen
von einer Anmut, der nichts Fahrlässig-Alltägliches anhaftete. Sein Körper schien bis in das letzte Fingerglied von
einem Zauber durchdrungen, für den nur die unbestimmte
Bezeichnung »Talent« vorhanden ist und der ihm offensicht-

lich ebensoviel Genuß bereitete wie uns allen. Zu sehen, wie
er die silberne Krücke seines Stockes mit der Hand umfaßte
oder beide Hände in die Hosentaschen gleiten ließ, gewährte
inniges Vergnügen; seine Art, sich aus einem Sessel zu erheben,
sich zu verbeugen, auf- und abzutreten, war von einer Selbstgefälligkeit, die das Herz mit Lebensfreude erfüllte. Ja, dies
war es: Müller-Rosé verbreitete Lebensfreude, – wenn anders dies Wort das köstlich schmerzhafte Gefühl von Neid,
Sehnsucht, Hoffnung und Liebesdrang bezeichnet, wozu der
Anblick des Schönen und Glücklich-Vollkommenen die Menschenseele entzündet.

Das Parkettpublikum, das uns umgab, setzte sich aus Bür-
gern und Bürgersfrauen, Kommis, einjährig dienenden jungen Leuten und kleinen Blusenmädchen zusammen, und so
unaussprechlich ich ergötzt war, besaß ich doch Gegenwär-
tigkeit und Neugier genug, umherzuschauen, mich nach den
Wirkungen umzutun, welche die Darbietungen der Bühne auf
die Genossen meines Vergnügens ausübten, und die Mienen
der Umsitzenden mit Hilfe meiner eigenen Empfindungen zu
deuten. Der Ausdruck dieser Mienen war töricht und wonnig.
Ein gemeinsames Lächeln blöder Selbstvergessenheit umspielte
alle Lippen, und wenn es bei den kleinen Blusenmädchen süßer und erregter war, bei den Frauen die Eigenart einer mehr
schläfrigen und trägen Hingabe aufwies, so sprach es dafür
bei den Männern von jenem gerührten und andächtigen
Wohlwollen, mit welchem schlichte Väter auf glänzende
Söhne blicken, deren Existenz sich weit über ihre eigene erhoben hat und in denen sie die Träume ihrer eigenen Jugend
verwirklicht sehen. Was die Kommis und Einjährigen betraf,
so stand alles in ihren aufwärtsgewandten Gesichtern weit
offen, die Augen, die Nasenlöcher und die Münder. Und
dabei lächelten sie. Wenn wir in unseren Unterhosen dort
oben stünden, mochten sie denken – wie würden wir bestehen?
Und wie keck und ebenbürtig er mit zwei so anspruchsvollen
Freudenmädchen verkehrt! – Wenn Müller Rosé vom Schauplatz abtrat, so fielen die Schultern hinab und eine Kraft schien

von der Menge zu weichen. Wenn er, erhobenen Armes einen
hohen Ton aushaltend, in sieghaftem Sturmschritt vom Hintergrunde zur Rampe vordrang, so schwollen die Busen ihm
entgegen, daß die Atlastaillen der Frauen in den Nähten
krachten. Ja, diese ganze beschattete Versammlung glich einem
ungeheuren Schwarme von nächtlichen Insekten, der sich
stumm, blind und selig in eine strahlende Flamme stürzt.

Mein Vater unterhielt sich königlich. Er hatte nach französischer Sitte Hut und Stock mit in den Saal genommen.
Jenen setzte er auf, sobald der Vorhang gefallen war, und
mit diesem beteiligte er sich an dem frenetischen Applaus,
indem er laut und andauernd damit auf den Boden stieß.
»C'est épatant!« sagte er mehrmals ganz schwach und hingenommen. Allein nach Schluß der Vorstellung, draußen auf
dem Gange, als alles vorüber war und um uns her die berauschten und innerlich gesteigerten Kommis in der Art, wie
sie gingen, sprachen, ihre roten Hände betrachteten und ihre
Stöcke handhabten, dem Helden des Abends nachzuahmen
suchten, sagte mein Vater zu mir: »Komm mit, wir wollen
ihm doch die Hand schütteln. Gott, als ob wir nicht genaue
Bekannte wären, Müller und ich! Er wird enchantiert sein,
mich wiederzusehen.« Und nachdem er unseren Damen befohlen hatte, in der Vorhalle auf uns zu warten, brachen
wir wirklich auf, um Müller-Rosé zu begrüßen.

Unser Weg führte uns durch die zunächst der Bühne gelegene und schon finstere Loge des Theaterdirektors, von wo
wir durch eine schmale Eisentür hinter die Kulissen gelangten.
Das Halbdunkel des Schauplatzes war spukhaft belebt von
räumenden Arbeitern. Eine kleine Person in roter Livree, die
im Stücke einen Liftjungen dargestellt hatte und in irgendwelche Gedanken versunken mit der Schulter an der Wand
lehnte, kniff mein armer Vater scherzend dort, wo sie am
breitesten war, und fragte sie nach der gesuchten Garderobe,
worauf sie uns übellaunig die Richtung wies. Wir durchmaßen
einen getünchten Gang, in dessen eingeschlossener Luft offene
Gasflammen brannten. Schimpfen, Lachen und Schwatzen

drang durch mehrere Türen, die auf den Korridor mündeten, und mein Vater machte mich heiter lächelnd mit dem Daumen auf diese Lebensäußerungen aufmerksam. Aber wir schritten weiter bis zur letzten, an der unteren Schmalseite des Ganges gelegenen Tür, und dort klopfte mein Vater, indem er sein Ohr zu dem pochenden Knöchel hinabbeugte. Man antwortete drinnen: »Wer da?« oder: »Was, zum Deibel!« Ich erinnere mich nicht genau des hellen, aber unwirschen Anrufs. »Darf man eintreten?« fragte mein Vater; worauf es antwortete, daß man vielmehr etwas anderes, in diesen Blättern nicht Wiederzugebendes tun dürfe. Mein Vater lächelte still und verschämt und versetzte: »Müller, ich bin es – Krull, Engelbert Krull. Man wird Ihnen doch wohl noch die Hand schütteln dürfen!« Da lachte es drinnen und sprach: »Ach, du bist es, altes Sumpfhuhn! Na, immer 'rein ins Vergnügen! – Sie werden ja wohl«, hieß es weiter, als wir zwischen Tür und Angel standen, »nicht Schaden nehmen durch meine Blöße.« Wir traten ein, und ein Anblick von unvergeßlicher Widerlichkeit bot sich dem Knaben dar.

An einem schmutzigen Tisch und vor einem staubigen und bekleckten Spiegel saß Müller-Rosé, nichts weiter am Leibe als eine Unterhose aus grauem Trikot. Ein Mann in Hemdärmeln bearbeitete des Sängers Rücken, der in Schweiß gebadet schien, mit einem Handtuch, indes er selber Gesicht und Hals, die dick mit glänzender Salbe beschmiert waren, vermittels eines weiteren, von farbigem Fett schon starrenden Tuches abzureiben beschäftigt war. Die eine Hälfte seines Gesichtes war noch bedeckt mit jener rosigen Schicht, die sein Antlitz vorhin so wächsern idealisch hatte erscheinen lassen, jetzt aber lächerlich rotgelb gegen die käsige Fahlheit der anderen, schon entfärbten Gesichtshälfte abstach. Da er die schön kastanienbraune Perücke mit durchgezogenem Scheitel, die er als Attaché getragen, abgelegt hatte, erkannte ich, daß er rothaarig war. Noch war sein eines Auge schwarz ummalt, und metallisch schwarz glänzender Staub haftete in den Wimpern, indes das andere nackt, wässerig, frech und vom Reiben

entzündet den Besuchern entgegenblinzelte. Das alles jedoch
hätte hingehen mögen, wenn nicht Brust, Schultern, Rücken
und Oberarme Müller-Rosés mit Pickeln besät gewesen wären. Es waren abscheuliche Pickel, rot umrändert, mit Eiter-
köpfen versehen, auch blutend zum Teil, und noch heute kann
ich mich bei dem Gedanken daran eines Schauders nicht erwehren. Unsere Fähigkeit zum Ekel ist, wie ich anmerken
möchte, desto größer, je lebhafter unsere Begierde ist, das
heißt: je inbrünstiger wir eigentlich der Welt und ihren Darbietungen anhangen. Eine kühle und lieblose Natur wird niemals vom Ekel geschüttelt werden können, wie ich es damals
wurde. Denn zum Überfluß herrschte in dem von einem eisernen Ofen überheizten Raum eine Luft – eine aus Schweiß-
geruch und den Ausdünstungen der Näpfe, Tiegel und farbigen Fettstangen, die den Tisch bedeckten, zusammengesetzte
Atmosphäre, daß ich anfangs nicht glaubte, ohne unpäßlich
zu werden, länger als eine Minute darin atmen zu können.

Dennoch stand ich und schaute – und habe weiter nichts
Tatsächliches über unseren Besuch in Müller-Rosés Garderobe beizubringen. Ja, ich müßte mir vorwerfen, um nichts
und wieder nichts so eingehend von meinem ersten Theaterbesuch gehandelt zu haben, wenn ich meine Erinnerungen
nicht in erster Linie zu meiner eigenen Unterhaltung und erst
in zweiter zu der des Publikums niederschriebe. Auf Spannung
und Proportion richte ich gar kein Augenmerk und überlasse
diese Rücksichten solchen Verfassern, die aus der Phantasie
schöpfen und aus erfundenem Stoff schöne und regelmäßige
Kunstwerke herzustellen bemüht sind, während ich lediglich
mein eigenes, eigentümliches Leben vortrage und mit dieser
Materie nach Gutdünken schalte. Bei Erfahrungen und Be-
gegnissen, denen ich eine besondere Belehrung und Aufklä-
rung über mich und die Welt verdanke, verweile ich lange
und führe jede Einzelheit mit spitzem Pinsel aus, während ich
über anderes, was mir weniger teuer ist, leicht hinweggleite.

Was damals zwischen Müller-Rosé und meinem armen
Vater geplaudert wurde, ist meinem Gedächtnis fast ganz

entschwunden, und zwar wahrscheinlich deshalb, weil ich
nicht Zeit fand, darauf achtzuhaben. Denn die Bewegung,
die unserem Geist durch die Sinne mitgeteilt wird, ist unzweifelhaft viel stärker als die, welche das Wort darin erzeugt. Ich erinnere mich, daß der Sänger, obgleich doch der
begeisterte Beifall des Publikums ihn seines Triumphes hätte
müssen versichert haben, unaufhörlich fragte, ob er gefallen,
in welchem Grade er gefallen habe – und wie sehr verstand
ich seine Unruhe! Ferner schweben mir einige Witze in vul-
gärem Geschmacke vor, die er ins Gespräch flocht, wie er
denn zum Beispiel auf irgendeine Neckerei meines Vaters antwortete: »Halten Sie die Schnauze!« um sofort hinzuzufügen:
»oder die Pfoten für das Schmackhaftere?« Aber diesen und
anderen Äußerungen seines Geistes lieh ich, wie gesagt, nur
ein halbes Ohr, tief angestrengt beschäftigt, wie ich war, das
Erlebnis meiner Sinne innerlich aufzuarbeiten.

Dies also – so etwa gingen damals meine Gedanken –, dies
verschmierte und aussätzige Individuum ist der Herzensdieb,
zu dem soeben die graue Menge sehnsüchtig emporträumte!
Dieser unappetitliche Erdenwurm ist die wahre Gestalt des
seligen Falters, in welchem eben noch tausend betrogene Augen
die Verwirklichung ihres heimlichen Traumes von Schönheit,
Leichtigkeit und Vollkommenheit zu erblicken glaubten! Ist
er nicht ganz wie eines jener eklen Weichtierchen, die, wenn
ihre abendliche Stunde kommt, märchenhaft zu glühen befähigt sind? Die erwachsenen und im üblichen Maße lebens-
kundigen Leute aber, die sich so willig, ja gierig von ihm
betören ließen, mußten sie nicht wissen, daß sie betrogen wurden? Oder achteten sie in stillschweigendem Einverständnis
den Betrug nicht für Betrug? Letzteres wäre möglich; denn
genau überdacht: wann zeigt der Glühwurm sich in seiner
wahren Gestalt, – wenn er als poetischer Funke durch die
Sommernacht schwebt, oder wenn er als niedriges, unansehn-
liches Lebewesen sich auf unserem Handteller krümmt? Hüte
dich, darüber zu entscheiden! Rufe dir vielmehr das Bild
zurück, das du vorhin zu sehen glaubtest: diesen Riesen-

schwarm von armen Motten und Mücken, der sich still und toll in die lockende Flamme stürzte! Welche Einmütigkeit in dem guten Willen, sich verführen zu lassen! Hier herrscht augenscheinlich ein allgemeines, von Gott selbst der Menschennatur eingepflanztes Bedürfnis, dem die Fähigkeiten des Müller-Rosé entgegenzukommen geschaffen sind. Hier besteht ohne Zweifel eine für den Haushalt des Lebens unentbehrliche Einrichtung, als deren Diener dieser Mensch gehalten und bezahlt wird. Wieviel Bewunderung gebührt ihm nicht für das, was ihm heute gelang und offenbar täglich gelingt! Gebiete deinem Ekel und empfinde ganz, daß er es vermochte, dich in dem geheimen Bewußtsein und Gefühl dieser abscheulichen Pickel mit so betörender Selbstgefälligkeit vor der Menge zu bewegen, ja, unterstützt freilich durch Licht und Fett, Musik und Entfernung, diese Menge das Ideal ihres Herzens in seiner Person erblicken zu lassen und sie dadurch unendlich zu erbauen und zu beleben!

Empfinde noch mehr! Frage dich, was den abgeschmackten Witzbold trieb, diese abendliche Verklärung seiner selbst zu erlernen! Frage dich nach den geheimen Ursprüngen des Gefälligkeitszaubers, der vorhin seinen Körper bis in die Fingerspitzen durchdrang und beherrschte! Um dir antworten zu können, brauchst du dich nur zu erinnern (denn du weißt es gar wohl!), welche unnennbare, mit Worten nicht ungeheuerlich süß genug zu bezeichnende Macht es ist, die den Glühwurm das Leuchten lehrt. Beachte doch, wie der Mensch sich nicht satt hören kann an der Versicherung, daß er gefallen, daß er wahrhaftig über die Maßen gefallen hat! Lediglich der Hang und Drang seines Herzens zu jener bedürftigen Menge hat ihn zu seinen Künsten geschickt gemacht; und wenn er ihr Lebensfreude spendet, sie ihn dafür mit Beifall sättigt, ist es nicht ein wechselseitiges Sich-Genüge-Tun, eine hochzeitliche Begegnung seiner und ihrer Begierden?

Sechstes Kapitel

Obige Zeilen deuten in großen Zügen den Gedankengang an, den mein Geist, erhitzt und eifrig, in Müller-Rosés Garderobe zurücklegte und auf dem er sich in den folgenden Tagen, ja Wochen, aber- und abermals strebend und träumend betraf. Eine tiefe Ergriffenheit war stets die Frucht dieser inneren Forschungen, eine Sehnsucht, Hoffnung, Trunkenheit und Freude, so stark, daß noch heute, meiner großen Müdigkeit ungeachtet, die bloße Erinnerung daran den Schlag meines Herzens zu schnellerem Takte befeuert. Damals jedoch war diese Empfindung von solcher Macht, daß sie zuweilen meine Brust zu sprengen drohte, ja mich gewissermaßen krank machte und mir nicht selten zum Anlaß diente, die Schule zu meiden.

Meine wachsende Abneigung gegen dies feindselige Institut noch besonders zu begründen, erachte ich für überflüssig. Die Bedingung, unter der ich einzig zu leben vermag, ist Ungebundenheit des Geistes und der Phantasie, und so kommt es, daß die Erinnerung an meinen langjährigen Aufenthalt im Zuchthause mich weniger unliebsam berührt als diejenige an die Bande der Knechtschaft und Furcht, in welche die scheinbar ehrenvollere Disziplin des kalkweißen, kastenartigen Hauses drunten im Städtchen die empfindliche Knabenseele schlug. Stellt man zum Überfluß meine Vereinsamung mit in Rechnung, deren Ursprünge ich auf früherem Blatte aufgedeckt habe, so wird es nicht wundernehmen, daß ich früh darauf sann, dem Schuldienst nicht nur an Sonn- und Feiertagen zu entkommen.

Dabei leistete mir eine lange spielerische Übung, die Handschrift meines Vaters nachzuahmen, vorzügliche Dienste. Ein Vater ist stets das natürliche und nächste Muster für den sich bildenden und zur Welt der Erwachsenen hinstrebenden Knaben. Unterstützt durch geheimnisvolle Verwandtschaft und Ähnlichkeiten der Körperbildung, setzt der Halbwüchsige seinen Stolz darein, sich von dem Gehaben des Erzeugers

anzueignen, was die eigene Unfertigkeit ihn zu bewundern
nötigt – oder, um genauer zu sein: Diese Bewunderung ist es,
die halb unbewußt zu der Aneignung und Ausbildung dessen
führt, was erblicherweise in uns vorgebildet liegt. Dereinst
so rasch und geschäftlich leicht die Stahlfeder zu führen wie
mein Vater war schon mein Traum, als ich noch hohe Krähen-
füße in die linierte Schiefertafel grub, und wieviel Fetzen Pa-
piers bedeckte ich später, die Finger genau nach seiner schlanken Manier um den Halter geordnet, mit Versuchen, die
väterlichen Schriftzüge aus dem Gedächtnis nachzubilden. Das
war nicht schwer, denn mein armer Vater schrieb eigentlich
eine Kinderhand, fibelgerecht und ganz unausgeschrieben,
nur daß die Buchstaben winzig klein, durch überlange Haar-
striche jedoch so weitläufig, wie ich es sonst nie gesehen, auseinandergezogen waren, eine Manier, deren ich rasch aufs
täuschendste habhaft wurde. Was den Namenszug »E. Krull«
betraf, der, im Gegensatz zu den spitzig-gotischen Zeichen
des Textes, den lateinischen Duktus aufwies, so umhüllte ihn
eine Schnörkelwolke, die auf den ersten Blick schwer nachzu-
formen schien, jedoch so einfältig ausgedacht war, daß gerade die Unterschrift mir fast stets zur Vollkommenheit gelang. Die untere Hälfte des E nämlich lud weit zu gefälligem
Schwunge aus, in dessen offenen Schoß die kurze Silbe des
Nachnamens sauber eingetragen wurde. Von oben her aber,
den u-Haken zum Anlaß und Ausgang nehmend und alles
von vorn umfassend, gesellte sich ein zweiter Schnörkel hinzu,
welcher den E-Schwung zweimal schnitt und, gleich diesem
von Zierpunkten flankiert, in zügiger S-Form nach unten
verlief. Die ganze Figur war höher als breit, barock und
kindlich von Erfindung und eben deshalb so vortrefflich zur
Nachahmung geeignet, daß der Urheber selbst meine Produkte als von seiner Hand würde anerkannt haben. Welcher
Gedanke aber lag näher als der, eine Fertigkeit, in der ich
mich anfangs nur zu meiner Zerstreuung geübt hatte, in den
Dienst meiner geistigen Freiheit zu stellen? »Mein Sohn Felix«,
schrieb ich, »war am 7ten *currentis* durch quälendes Bauch-

grimmen genötigt, dem Unterricht fernzubleiben, was mit
Bedauern bescheinigt – *E. Krull.*« Oder auch etwa: »Eine
eitrige Geschwulst am Zahnfleisch sowie die Verstauchung
des rechten Armes waren schuld, daß Felix vom 10.–14. *hujus*
das Zimmer hüten und zu unserem Leidwesen vom Besuche
der Lehranstalt absehen mußte. Es zeichnet mit Hochachtung – *E. Krull.*« War dies gelungen, so hinderte nichts mich
mehr, die Schulstunden eines Tages oder mehrerer frei
schweifend in der weiteren Umgebung des Städtchens zu verbringen, auf grünem Anger, im Schatten der flüsternden Blätter hingestreckt, den eigenartigen Gedanken meines jungen
Herzens nachzuhängen, zwischen dem malerischen Gemäuer
der rheinwärts gelegenen, weiland erzbischöflichen Burg verborgen, die Stunden zu verträumen, oder auch wohl, zur rauhen Winterszeit, in der Werkstatt meines Paten Schimmelpreester Zuflucht zu suchen, der mich zwar meiner Praktik
halber mit Scheltnamen belegte, aber doch mit einer Betonung,
die anzeigte, daß er meine Beweggründe zu ehren wisse.

Zwischendurch aber geschah es nicht selten, daß ich an
Schultagen für krank zu Hause und im Bette blieb, und zwar,
wie ich schon zu verstehen gab, nicht ohne innere Berechtigung.
Nach meiner Theorie wird jede Täuschung, der keinerlei höhere Wahrheit zugrunde liegt und die nichts ist als bare Lüge,
plump, unvollkommen und für den erstbesten durchschaubar
sein. Nur der Betrug hat Aussicht auf Erfolg und lebens-
volle Wirkung unter den Menschen, der den Namen des Be-
trugs nicht durchaus verdient, sondern nichts ist als die Ausstattung einer lebendigen, aber nicht völlig ins Reich des
Wirklichen eingetretenen Wahrheit mit denjenigen materiellen
Merkmalen, deren sie bedarf, um von der Welt erkannt und
gewürdigt zu werden. Ein wohlschaffener Knabe, dem es, von
leicht verlaufenen Kinderkrankheiten abgesehen, nie ernstlich
am Leibe fehlte, übte ich gleichwohl nicht grobe Verstellung,
wenn ich mich eines Morgens entschloß, den Tag, der mir
mit Angst und Bedrückung drohte, als Patient zu verbringen.
Wozu denn auch wohl hätte ich mich dieser Mühe unterzie-

hen sollen, da ich mich doch im Besitz eines Mittels wußte,
die Macht meiner geistigen Zwingherren beliebig lahmzulegen?
Nein, jene oben gekennzeichnete, bis zum Schmerzhaften gesteigerte Schwellung und Spannung, die sich, ein Erzeugnis
gewisser Gedankengänge, damals so oft meiner Natur bemächtigte, brachte, zusammen mit meinem Abscheu vor den
Mißhelligkeiten der Tagesfron, einen Zustand hervor, der
meinen Vorspiegelungen einen Grund von solider Wahrheit verlieh und mir zwanglos die Ausdrucksmittel an die
Hand gab, die nötig waren, um Arzt und Hausgenossen zu
Besorgnis und Schonung zu stimmen.

Ich begann mit der Darstellung meines Befindens nicht
erst vor Zuschauern, sondern bereits für mich allein, sobald
der Entschluß, an diesem Tage mir selbst und der Freiheit
zu gehören, ganz einfach durch den Gang der Minuten zur
unabänderlichen Notwendigkeit geworden war. Der äußerste Zeitpunkt des Aufstehens war grüblerisch verpaßt, im
Eßzimmer erkaltete das von der Magd bereitgestellte Frühstück, die stumpfe Jugend des Städtchens trottete zur Schule,
der Alltag hatte begonnen, und es stand fest, daß ich mich
allein und auf eigene Hand von seiner despotischen Ordnung ausschließen würde. Die Kühnheit meiner Lage ergriff
mein Herz und meinen Magen mit banger Erregung. Ich
stellte fest, daß meine Fingernägel eine bläuliche Färbung
zeigten. Vielleicht war es kalt an einem solchen Morgen, und
ich brauchte meinen Körper nur ein paar Minuten lang bei
entfernter Decke der Zimmertemperatur auszusetzen, ja
brauchte mich eigentlich nur ein wenig gehenzulassen und
abzuspannen, um den eindrucksvollsten Anfall von Schüttel-
frost und Zähneklappern herbeizuführen. Was ich da sage,
ist bezeichnend für meine Natur, die von jeher im tiefsten
Grunde leidend und pflegebedürftig war, so daß alles, was
mein Leben an tätiger Wirksamkeit aufweist, als ein Produkt
der Selbstüberwindung, ja als eine sittliche Leistung von hohem Range zu würdigen ist. Wäre dem anders, so hätte nicht
damals wie später eine willkürliche Abspannung des Kör-

pers und der Seele genügt, um mir das überzeugende Ansehen
eines Kranken zu geben und so meine Umgebung, wenn es
darauf ankam, zur Milde und Menschlichkeit anzuhalten.
Krankheit wahrhaft vorzutäuschen, wird dem Vierschrötigen
kaum gelingen. Wer aber, um mich dieser anschaulichen Wendung auch hier zu bedienen, aus feinem Holz geschnitzt ist,
wird stets, auch ohne je in roherem Sinne krank zu sein, mit
dem Leiden auf vertrautem Fuße leben und seine Merkmale
durch innere Anschauung beherrschen. Ich schloß die Augen und öffnete sie hierauf überweit, indem ich sie mit einem
fragenden und klagenden Ausdruck erfüllte. Ohne eines Spie-
gels zu bedürfen, war ich mir bewußt, daß meine Haare mir
vom Schlafe verwirrt und strähnig in die Stirne fielen und daß
die Spannung und Erregung des Augenblicks mein Antlitz
bleich erscheinen ließ. Damit es auch eingefallen aussähe, schlug
ich ein selbständig gefundenes und erprobtes Verfahren ein,
welches darin bestand, daß ich das innere Wangenfleisch leicht
und fast unmerklich zwischen die Zähne zog, wodurch eine
Aushöhlung der Wangen, eine Verlängerung des Kinnes und
damit der Anschein einer über Nacht erfolgten Abmagerung
erzielt wurde. Ein empfindliches Vibrieren der Nasenflügel
sowie ein häufiges, gleichsam schmerzliches Zusammenziehen
der Muskeln an den äußeren Augenwinkeln taten das Ihre.
Ich faltete meine Finger mit den bläulichen Nägeln über der
Brust, und so, mein Waschbecken neben mir auf einem Stuhle
und von Zeit zu Zeit mit den Zähnen klappernd, erwartete
ich den Augenblick, da man sich nach mir umsehen würde.

Das geschah spät, denn meine Eltern liebten den Morgenschlummer, und bis man bemerkte, daß ich das Haus
nicht verlassen hatte, waren zwei oder drei Schulstunden
verflossen. Dann kam meine Mutter die Treppe herauf und
trat in mein Zimmer, indem sie mich fragte, ob ich krank sei.
Ich blickte sie groß und sonderbar an, als falle es mir schwer,
sie zu erkennen, oder als wäre mir überhaupt die Lage nicht
völlig deutlich. Ich antwortete: Ja, ich glaubte, daß ich wohl
krank sein müsse. – Was mir denn fehle, fragte sie. – »Kopf

. . . Gliederweh . . . Warum friert es mich so?« antwortete ich
eintönig und gleichsam mit gelähmten Lippen, indem ich mich
unruhig von einer Seite auf die andere warf. Meine Mutter
fühlte Mitleid. Daß sie mein Leiden eigentlich ernst nahm,
glaube ich nicht; aber da ihre Empfindsamkeit bedeutend ihre
Vernunft überwog, so brachte sie es nicht über das Herz, sich
vom Spiele auszuschließen, sondern ging mit wie im Theater
und fing an, mir bei meinen Darbietungen zu sekundieren.
»Armes Kind!« sagte sie, indem sie den Zeigefinger an die
Wange legte und kümmerlich den Kopf schüttelte. »Und
magst du denn gar nichts genießen?« Schaudernd, das Kinn
auf die Brust gedrückt, wehrte ich ab. Diese eiserne Folgerich-
tigkeit meines Verhaltens ernüchterte sie, machte sie ernsthaft stutzig und riß sie sozusagen aus dem Genusse einer vereinbarten Illusion; denn daß man um einer solchen willen
auf Speise und Trank verzichten könne, ging über ihre Fas-
sungskraft. Sie prüfte mich aufs neue mit den Augen, wie man
die Wirklichkeit prüft. Hatte ihre sachliche Aufmerksamkeit
jedoch diesen Punkt erreicht, so ließ ich, um sie zur inneren
Entscheidung zu nötigen, die anstrengendste und wirkungs-
vollste meiner Künste spielen. Jäh richtete ich mich im Bette
auf, zog mit zitternden und fliegenden Bewegungen mein
Waschbecken heran und warf mich unter so schrecklichen Zuk-
kungen, Verdrehungen und Zusammenziehungen meines ganzen Körpers darüber, daß man ein Herz von Stein hätte
haben müssen, um nicht von dem Anblick so großer Not erschüttert zu werden. »Nichts bei mir . . .« keuchte ich zwischendurch, indem ich meine saueren und zerquälten Züge
vom Gerät erhob. »Nachts alles von mir gegeben . . .«
Und dann entschloß ich mich zu einem Haupt- und Dauer-
anfall so furchtbaren Würgekrampfes, daß es aussah, als
sollte ich überhaupt nicht wieder zu Atem kommen. Meine
Mutter hielt mir den Kopf und rief mich wiederholt mit
ängstlichem und dringlichem Tone bei Namen, um mich zu
mir zu bringen. »Ich schicke zu Düsing!« rief sie vollkommen
überwältigt aus, wenn meine Glieder sich endlich zu lösen

begannen, und lief hinaus. Erschöpft, doch mit einem Gefühl unbeschreiblicher Freude und Genugtuung sank ich in
die Kissen zurück.

Wie oft hatte ich mir eine solche Szene ausgemalt, wie oft
mich im Geiste darin geübt, bevor ich mir Mut faßte, mich
in Wirklichkeit damit sehen zu lassen! Ich weiß nicht, ob man
mich versteht, aber vor Glück glaubte ich zu träumen, als ich
sie zum erstenmal praktisch ausgeführt und einen vollen Erfolg damit erzielt hatte. Dergleichen tut nicht jeder. Man
träumt wohl davon, daber man tut es nicht. Wenn jetzt etwas
Erschütterndes mit mir geschähe, denkt wohl der Mensch.
Wenn du ohnmächtig niederstürztest, wenn Blut aus deinem
Munde bräche, Krämpfe dich packten – wie würde dann auf
einmal die Härte und Gleichgültigkeit der Welt sich in
Aufmerksamkeit, Schrecken und späte Reue verkehren! Aber
der Körper ist zäh und stumpfsinnig dauerhaft, er hält aus,
wenn die Seele sich längst nach Mitleid und milder Pflege
sehnt, er gibt die alarmierenden und handgreiflichen Erscheinungen nicht her, die jedem die Möglichkeit eigenen Jammers
vor Augen rücken und der Welt mit fürchterlicher Stimme ins
Gewissen reden. Und nun hatte ich sie hergestellt, diese Erscheinungen, und sie zu so voller Wirkung geführt, als sie
nur immer hätten ausüben können, wenn sie ohne mein Zutun hervorgetreten wären. Ich hatte die Natur verbessert,
einen Traum verwirklicht, – und wer je aus dem Nichts, aus
der bloßen inneren Kenntnis und Anschauung der Dinge,
kurz: aus der Phantasie, unter kühner Einsetzung seiner Person eine zwingende, wirksame Wirklichkeit zu schaffen vermochte, der kennt die wundersame und träumerische Zufriedenheit, mit der ich damals von meiner Schöpfung ausruhte.

Eine Stunde später kam Sanitätsrat Düsing. Er war unser
Hausarzt seit dem Tode des alten Doktor Mecum, der meine
Geburt bewerkstelligt hatte, – ein langer Mann von schlech-
ter, gebückter Haltung und mit aufrechtstehendem esel-
grauem Haar, der in fortwährender Abwechslung seine lange
Nase zwischen Daumen und Zeigefinger hindurchzog und sich

die großen, knochigen Hände rieb. Dieser Mensch hätte mir
wohl gefährlich werden können, – nicht durch seine ärztlichen
Fähigkeiten, um die es, glaube ich, dürftig bestellt war (und
gerade der bedeutende Arzt, welcher der Wissenschaft mit
Ernst und Geist um ihrer selbst willen und als Gelehrter dient,
ist sogar am leichtesten zu täuschen), wohl aber durch die
plumpe Lebensklugheit, die ihm, wie so vielen untergeordneten Charakteren, eigentümlich war und in der seine ganze
Tüchtigkeit beruhte. Dumm und streberisch, hatte dieser unwürdige Jünger des Äskulap sich den Sanitätsratstitel durch
persönliche Verbindungen, Weinhausbekanntschaften und
Protektionswesen verschafft und fuhr häufig nach Wiesbaden,
wo er bei Amte seine weitere Auszeichnung und Förderung
betrieb. Kennzeichnend für ihn war, daß er, wie ich aus
eigenem Augenschein wußte, in seinem Wartezimmer nicht
Ordnung und Reihenfolge hielt, sondern dem vermögenden
und angesehenen Besucher vor dem länger wartenden schlichten ganz offenkundig den Vortritt ließ; wie er denn wohlsi-
tuierte und irgendwie einflußreiche Patienten mit übertriebe-
ner Besorgnis und Wehleidigkeit, arme und geringe dagegen
barsch und mißtrauisch behandelte, ja ihre Klagen womöglich als unbegründet zurückwies. Meiner Überzeugung nach
wäre er zu jedem falschen Zeugnis, jeder Verderbnis und
Durchstecherei bereit gewesen, wenn er geglaubt hätte, sich
bei der Obrigkeit dadurch beliebt zu machen oder sich sonst
den bestehenden Mächten als eifriger Parteigänger zu empfehlen; denn so entsprach es seinem gemeinen Wirklichkeitssinn,
mit dem er es in Ermangelung höherer Gaben weit zu bringen hoffte. Da nun aber mein armer Vater, trotz seiner
zweifelhaften Stellung, als Industrieller und Steuerzahler immerhin zu den ansehnlichen Personen des Städtchens gehörte, da sich überdies der Sanitätsrat als Hausarzt in einer
gewissen Abhängigkeit von uns befand; und vielleicht auch
nur, weil er jede Gelegenheit, sich in der Korruption zu üben,
selbstgefällig ergriff; so glaubte dieser Elende tatsächlich mit
mir gemeinsame Sache machen zu sollen.

Jedesmal, wenn er sich unter den üblichen onkelhaften Doktor-Redensarten, wie zum Beispiel: »Ei, ei, was machen wir da?« oder: »Was sind denn das für Sachen?« meinem Bette genähert, sich niedergelassen und mich ein wenig betrachtet und befragt hatte, – jedesmal, sage ich, kam der Augenblick, wo ein Schweigen, ein Lächeln, ein Blinzeln von seiner Seite mich aufforderte, ihm insgeheim auf dieselbe Weise zu erwidern und mich ihm als »schulkrank«, wie er es in seiner Gewöhnlichkeit nennen mochte, zu bekennen. Nie bin ich ihm das kleinste Schrittchen entgegengekommen. Und nicht sowohl Vorsicht hinderte mich daran (denn ich hätte ihm wahrscheinlich vertrauen dürfen) als vielmehr Stolz und Verachtung. Meine Augen wurden nur trüber und ratloser, meine Wangen hohler, meine Lippen schlaffer, meine Atemzüge kürzer und beklommener angesichts seiner Versuche, sich mit mir ins Einvernehmen zu setzen, und vollkommen bereit, auch ihm, wenn es wünschenswert scheinen sollte, mit einem Anfall von Brechkrampf aufzuwarten, hielt ich so unerschütterlich verständnislos diesen Versuchen stand, daß er sich endlich besiegt geben und sich bequemen mußte, die Lebensklugheit beiseite zu lassen und dem Falle mit Hilfe der Wissenschaft beizukommen.

Das mochte ihm sauer werden, erstens seiner Dummheit wegen und zweitens, weil es in der Tat ein Krankheitsbild von großer Allgemeinheit und Unbestimmtheit war, das ich bot. Er behorchte und beklopfte mich mehrfach von allen Seiten, bohrte mir den Stiel eines Suppenlöffels in den Schlund, belästigte mich mit dem Fieberthermometer und mußte dann wohl oder übel zum Spruche kommen. »Migräne«, erklärte er. »Kein Grund zur Beunruhigung. Wir kennen ja diese Neigung bei unserem jungen Freunde. Leider ist der Magen nicht unerheblich in Mitleidenschaft gezogen. Ich empfehle Ruhe, keine Besuche, wenig Gespräche, am besten Verdunkelung des Zimmers. Außerdem hat das zitronensaure Koffeïn sich ja vortrefflich bewährt. Ich schreibe es Ihnen auf . . .« Hatten sich aber gerade ein paar Fälle von Grippe im Städtchen ereignet, so sagte er: »Grippe, beste Frau Krull, und zwar gastrisch betont. Ja, auch unseren Freund hat es getroffen! Die Entzündung der Luftwege ist noch unbedeutend, aber sie ist vorhanden. Nicht wahr, lieber Freund, Sie husten? Auch eine Temperaturerhöhung, die sich im Laufe des Tages wohl steigern wird, mußte ich feststellen. Ferner ist der Puls auffallend beschleunigt und unregelmäßig.« Und in seiner Phantasielosigkeit verordnete er einen in der Apotheke vorrätigen bittersüßen Stärkungswein, dem ich übrigens mit Vergnügen zusprach und der mich nach bestandenem Kampfe in eine warme und still zufriedene Stimmung versetzte.

Selbstverständlich macht der ärztliche Berufsstand von anderen keine Ausnahme darin, daß seine Angehörigen ihrer überwiegenden Mehrzahl nach gewöhnliche Hohlköpfe sind, bereit, zu sehen, was nicht da ist, und zu leugnen, was auf der Hand liegt. Jeder ungelehrte Kenner und Liebhaber des Leibes meistert sie im Wissen um seine feineren Geheimnisse und führt sie mit Leichtigkeit an der Nase herum. Der Katarrh der Luftwege, den man mir zusprach, war von mir gar nicht vorgesehen und nicht einmal andeutungsweise in meine Darstellung aufgenommen. Da ich den Sanitätsrat aber einmal gezwungen hatte, seine ordinäre Annahme, ich sei »schulkrank«, fallenzulassen, so wußte er nichts Besseres, als daß ich die Grippe haben müsse, und um diese Bestimmung aufrechterhalten zu können, verlangte er, daß ich Hustenreiz verspürte, und behauptete, daß meine Mandeln geschwollen seien, was ebensowenig der Fall war. Die Temperaturerhöhung angehend, so war er sicherlich im Rechte mit dieser Feststellung, die freilich seinen Schulglauben in bezug auf die klinische Erscheinung bündig Lügen strafte. Die ärztliche Wissenschaft will, daß Fieber notwendig nur die Folge der Vergiftung des Blutes durch einen Krankheitserreger sein könne und daß es ein Fieber aus anderen als körperlichen Ursachen nicht gebe. Das ist lächerlich. Der Leser wird die Überzeugung gewonnen haben, und ich gebe ihm mein Ehren-

wort zum Pfande, daß ich nicht im gröberen Sinne krank war,
wenn Sanitätsrat Düsing mich untersuchte; allein die Erregung des Augenblicks, die abenteuerliche Willensleistung, die
ich auf mich genommen hatte; eine Art Trunkenheit, erzeugt
durch die inbrünstige Vertiefung in meine Rolle als Kranker,
durch ein Spiel auf meiner eigenen Natur, das jeden Augenblick durchaus meisterhaft sein mußte, um nicht der Lächerlichkeit zu verfallen; eine gewisse Verzückung, die, zugleich
Anspannung und Abspannung, erforderlich war, damit etwas
Unwirkliches für mich und die anderen zur Wirklichkeit
werde: Diese Einflüsse brachten eine solche Erhöhung und
Steigerung meines Wesens, meiner gesamten organischen
Tätigkeit hervor, daß der Sanitätsrat sie tatsächlich von seinem Fieberthermometer ablesen konnte. Die Beschleunigung
des Pulses erklärt sich ohne weiteres aus denselben Ursachen; ja während der Kopf des Sanitätsrates an meiner
Brust lag und ich den tierischen Geruch seines trockenen, esel-
grauen Haares atmete, hatte ich es vollkommen in der Gewalt, durch plötzliche lebhafte Empfindung meinem Herz-
schlage ein stockendes und stürzendes Zeitmaß zu geben. Und
was endlich meinen Magen betrifft, den Doktor Düsing jedesmal, und welche Diagnose er auch stellen mochte, für angegriffen erklärte, so ist zu bemerken, daß dieses Organ bei
mir seit jeher von überaus zarter Beschaffenheit und so er-
regbar war, daß es bei jeder Gemütsbewegung in ein Pul-
sieren und Pochen geriet, ja daß ich in außerordentlichen
Lebenslagen nicht wie andere Leute von Herzklopfen, sondern von Magenklopfen zu reden habe. Dies Phänomen beobachtete der Sanitätsrat, und es verfehlte nicht seinen Eindruck auf ihn.

So verschrieb er mir denn seine säuerlichen Tabletten oder
seinen bittersüßen Stärkungswein und blieb dann noch eine
Weile mit meiner Mutter schwatzend und klatschend an meinem Bette sitzen, während ich, kurz durch die schlaffen Lippen atmend, mit erloschenen und mühsamen Augen zur
Decke emporblickte. Auch mein Vater gesellte sich dann wohl

hinzu, sah mit verlegenem Ausdruck über mich hin, indem er meinen Blick mied, und benutzte die Gelegenheit, den Sanitätsrat wegen seiner Gicht zu Rate zu ziehen. Allein gelassen, verbrachte ich den Tag – und etwa noch ein paar folgende – bei spärlicher Kost, die mir jedoch nur desto besser mundete, in Frieden und Freiheit, unter süßen Träumereien von Welt und Zukunft. Wenn aber Schleimsuppe und Zwieback meinem jugendlichen Appetit nicht genügten, so verließ ich behutsam mein Bett, öffnete geräuschlos den Deckel meines kleinen Schreibpultes und hielt mich schadlos an der Schokolade, die dort fast immer in einem ansehnlichen Vorrat lagerte.

Siebentes Kapitel

Woher hatte ich sie? Sie war auf besondere, ja phantastische Weise in meinen Besitz übergegangen. Drunten im Städtchen nämlich, an einer Ecke der vergleichsweise belebtesten Geschäftsstraße, war ein nett und anziehend ausgestatteter Delikatessenladen gelegen, Zweigniederlassung einer Wiesbadener Firma, wenn ich nicht irre, und den höheren Gesellschaftsschichten als Einkaufsquelle dienend. Täglich führte mich mein Schulweg an dieser appetitlichen Stätte vorüber, und mehrmals bereits hatte ich sie, ein Nickelstück in der Hand, betreten, um nach meinem Vermögen etwas billige Süßigkeit, einige Frucht- oder Malzbonbons zum Privatgebrauch zu erstehen. Eines Mittags jedoch fand ich den Laden leer, und zwar leer nicht nur von Besuchern, sondern auch von jedem bedienenden Personal. Die Glocke über der Eingangstür, eine gewöhnliche Schelle, die beim Öffnen und Schließen von dem Zahn einer kurzen Metallstange erfaßt und geschüttelt wurde, hatte angeschlagen; aber sei es, daß man ihren Klang in dem rückwärts befindlichen Gelaß, hinter der Glastür, deren Scheiben mit grünem, gefälteltem Stoff verkleidet waren, überhört hatte oder daß auch dort sich im

Augenblick niemand befand: ich war und blieb allein. Überrascht, befremdet und träumerisch angemutet von der mich umgebenden Einsamkeit und Stille, blickte ich mich um. Nie hatte ich so frei und ungestört diesen schwelgerischen Ort betrachten können. Er war eher eng als umfangreich, aber beträchtlich hoch und bis oben hinauf mit Leckerbissen vollgepfropft. Dichte Reihen von Schinken und Würsten, letztere in allen Farben und Formen, weiße, ockergelbe, rote und schwarze, solche, die prall und rund waren wie Kugeln, sowie lange, knotige, strickartige, verdunkelten das Gewölbe. Blechbüchsen und Konserven, Kakao und Tee, bunte Gläser mit Marmeladen, Honig und Eingemachtem, schlanke und bauchige Flaschen mit Likören und Punschessenzen füllten die Wandborte vom Fußboden bis zur Decke. In den gläsernen Schaukästen des Ladentisches boten sich geräucherte Fische, Makrelen, Neunaugen, Flundern und Aale auf Tellern und Schüsseln dem Genusse dar. Platten mit italienischem Salat waren dort ebenfalls angerichtet. Auf einem Eisblock breitete ein Hummer seine Scheren aus; Sprotten, dicht aneinandergepreßt, schimmerten fettig-golden in offenen Kistchen, und ausgesuchtes Obst, Gartenerdbeeren und Trauben, die an die des Gelobten Landes erinnerten, wechselten mit kleinen Bauten von Sardinenbüchsen und den leckeren weißen Tiegeln, welche Kaviar und Gänseleberpastete enthalten. Mastgeflügel ließ seine gerupften Hälse von der oberen Platte hängen. Fleischwaren, zum Aufschnitt bestimmt, wie die beiliegenden langen, schmalen und fettigen Messer lehrten, und Rostbraten, Schinken, Zunge, geräucherter Lachs und Gänsebrüste waren ferner dort oben aufgebaut. Große Glasglocken wölbten sich über den erdenklichsten Käsesorten: ziegelroten, milchweißen, marmorierten und denen, die in leckerer Goldwelle aus ihrer silbernen Hülle quellen. Artischocken, Bündel von grünen Spargeln, Häufchen von Trüffeln, kostbare kleine Leberwürste in Stanniol waren wie in prahlerischem Überfluß dazwischen verteilt, und auf Nebentischen standen offene Blechbüchsen voll feiner Biskuits, waren braun glänzende

Honigkuchen kreuzweise übereinandergeschichtet, erhoben sich urnenartig geformte Glasschalen mit Dessertbonbons und überzuckerten Früchten.

Verzaubert stand ich und nahm mit lauschend zögernder Brust die liebliche Atmosphäre des Ortes auf, in welcher die Düfte der Schokolade und des Rauchfleisches sich mit der köstlich moderigen Ausdünstung der Trüffeln vereinigten. Märchenhafte Vorstellungen, die Erinnerung an das Schlaraffenland, an gewisse unterirdische Schatzkammern, in denen Sonntagskinder sich ungescheut die Taschen und Stiefel mit Edelsteinen gefüllt hatten, umfingen meinen Sinn. Ja, das war ein Märchen oder ein Traum! Ich sah die schwerfällige Ordnung und Gesetzlichkeit des Alltages aufgehoben, die Hindernisse und Umständlichkeiten, die im gemeinen Leben sich der Begierde entgegenstellen, auf schwebende und glückselige Weise beiseite geräumt. Die Lust, diesen strotzenden Erdenwinkel so ganz meiner einsamen Gegenwart untergeben zu sehen, ergriff mich plötzlich so stark, daß ich sie wie ein Jukken und Reißen in allen meinen Gliedern empfand. Ich mußte mir Gewalt antun, um vor heftiger Freude über so viel Neuheit und Freiheit nicht aufzujauchzen. Ich sagte »Guten Tag!« ins Leere hinein, und noch höre ich, wie der gepreßte und unnatürlich gefaßte Klang meiner Stimme sich in der Stille verlor. Niemand antwortete. Und in demselben Augenblick lief mir buchstäblich das Wasser stromweise im Munde zusammen. Mit einem raschen und lautlosen Schritt war ich an einem der mit Süßigkeiten beladenen Seitentische, tat einen herrlichen Griff in die nächste mit Pralinés angefüllte Kristallschale, ließ den Inhalt meiner Faust in die Paletottasche gleiten, erreichte die Tür und war in der nächsten Sekunde um die Straßenecke gebogen.

Ohne Zweifel wird man mir entgegenhalten, daß, was ich da ausgeführt, gemeiner Diebstahl gewesen sei. Demgegenüber verstumme ich und ziehe mich zurück; denn selbstverständlich kann und werde ich niemanden hindern, dieses armselige Wort zur Anwendung zu bringen, wenn es ihn befriedigt. Aber ein anderes ist das Wort – das wohlfeile, abgenutzte und ungefähr über das Leben hinpfuschende Wort – und ein anderes die lebendige, ursprüngliche, ewig junge, ewig von Neuheit, Erstmaligkeit und Unvergleichlichkeit glänzende Tat. Nur Gewohnheit und Trägheit bereden uns, beide für ein und dasselbe zu halten, während vielmehr das Wort, insofern es Taten bezeichnen soll, einer Fliegenklatsche gleicht, die niemals trifft. Überdies ist, wo immer es sich um eine Tat handelt, in erster Linie weder an dem Was noch an dem Wie gelegen (obgleich dies letztere wichtiger ist), sondern einzig und allein an dem Wer. Was ich je getan habe, war in hervorragendem Maße *meine* Tat, nicht die von Krethi und Plethi, und obgleich ich es mir, namentlich auch von der bürgerlichen Gerichtsbarkeit, habe gefallen lassen müssen, daß man denselben Namen daran heftete wie an zehntausend andere, so habe ich mich doch in dem geheimnisvollen, aber unerschütterlichen Gefühl, ein Gunstkind der schaffenden Macht und geradezu von bevorzugtem Fleisch und Blut zu sein, innerlich stets gegen eine so unnatürliche Gleichstellung aufgelehnt. – Der etwaige Leser verzeihe mir diese Abschweifung ins rein Betrachtende, die mir vielleicht, da ich wenig geschult und amtlich gar nicht befugt zum Denken bin, schlecht zu Gesichte steht. Allein ich erachte es für meine Pflicht, ihn nach Möglichkeit mit den Eigentümlichkeiten meines Lebens zu versöhnen, oder aber, wenn dies unmöglich sein sollte, ihn beizeiten vom Weiterblättern in diesen Papieren abzuhalten.

Zu Hause angelangt, begab ich mich im Überzieher auf mein Zimmer, um, was ich mitgebracht, auf meinem Tische auszubreiten und zu untersuchen. Kaum hatte ich geglaubt, daß es standhalten und bleiben werde; denn wie oft fallen uns im Traume köstliche Dinge zu, und wenn wir erwachen, so sind unsere Hände leer. Nur der vermag meine heiße Freude ein wenig zu teilen, der sich vorstellt, daß Güter, die ein reizender Traum ihm gespendet, am hellen Morgen sich wirklich und faßbar auf seiner Bettdecke vorfänden, gleich-

sam vom Traume übriggeblieben wären. Die Bonbons waren
prima Ware, in farbiges Stanniol verpackt, mit süßem Likör
und fein parfümierter Crême gefüllt; aber nicht ihre Vor-
züglichkeit war es eigentlich, was mich berauschte, sondern
der Umstand, daß sie mir als Traumgüter erschienen, die ich
in die Wirklichkeit hatte hinüberretten können; und diese
Freude war zu innig, als daß ich nicht hätte darauf bedacht
sein müssen, sie gelegentlich wieder zu erzeugen. Man lege
die Tatsache aus, wie man will, – ich selbst hielt es nicht für
meine Aufgabe, darüber nachzudenken: es verhielt sich so,
daß um die Mittagszeit der Delikatessenladen zuweilen leer
und unbewacht war, – nicht oft, nicht regelmäßig, aber in
längeren oder kürzeren Zwischenräumen kam es vor, und ich
stellte es fest, wenn ich, meinen Ranzen auf dem Rücken, an
der gläsernen Ladentür vorüberging. Dann trat ich ein, indem
ich die Tür auf so festbehutsame Art zu öffnen und zuzu-
ziehen wußte, daß die Glocke nicht einmal anschlug, sondern
der Stößel sich nur lautlos an ihr rieb, ohne sie in Bewegung
zu setzen, – sagte auf alle Fälle »Guten Tag« und nahm rasch,
was sich darbot; nie unverschämt viel, sondern mit mäßiger
Auswahl – eine Handvoll Konfekt, einen Streifen Honigkuchen, eine Tafel Schokolade –, so daß wohl niemals auch
nur etwas vermißt worden ist; in der unvergleichlichen Ausdehnung meines Wesens aber, von der diese freien und traum-
haften Griffe in die Süßigkeiten des Lebens begleitet waren,
glaubte ich deutlich jene namenlose Empfindung wiederzuerkennen, die mir als Erzeugnis gewisser Gedankengänge und
innerer Forschungen seit langem so wohl vertraut war.

Achtes Kapitel

Unbekannter Leser! Nicht ohne zuvor die geläufige Feder
beiseite gelegt und mich durch einiges Nachdenken gesammelt
zu haben, betrete ich hiermit ein Gebiet, das ich im bisherigen

Verlauf meiner Bekenntnisse schon verschiedentlich gestreift
habe, auf dem aber nunmehr die Gewissenhaftigkeit mich
etwas zu verweilen nötigt. Ich schicke voraus, daß, wer sich
etwa dabei eines lockeren Tones und schlüpfriger Scherze von
mir versehen sollte, enttäuscht werden wird. Vielmehr bin ich
gewillt, in den folgenden Zeilen den eingangs dieser Aufzeichnungen zugesicherten Freimut sorgfältig mit jener
Mäßigung und jenem Ernst zu verbinden, den Moral und
Schicklichkeit diktieren. Denn ich habe niemals das so allgemeine Vergnügen an der Zote verstanden, sondern die Aus-
schweifung des Mundes stets für die abstoßendste erachtet,
weil sie die leichtfertigste ist und die Leidenschaft nicht zu
ihrer Entschuldigung anführen kann. Es ist gerade, als ob es
sich um den simpelsten, lächerlichsten Gegenstand von der
Welt handelte, wenn man die Leute so witzeln und jökeln
hört, während doch das strikte Gegenteil der Fall ist, und
von diesen Dingen in einem frechen, liederlich tändelnden
Tone reden, die wichtigste und geheimnisvollste Angelegenheit der Natur und des Lebens dem Gewieher des Pöbels
überantworten hieße. – Jedoch zu meinem Bekenntnis!

Da habe ich denn vor allem anzuführen, daß jene Angelegenheit sehr frühzeitig in meinem Leben eine Rolle zu spielen, meine Gedanken zu beschäftigen, den Inhalt meiner
Träumereien und kindischen Unterhaltungen zu bilden begann: lange nämlich, bevor ich irgendeinen Namen dafür besaß oder mir auch nur von ihrer weiteren und allgemeinen
Bedeutung ein Bild zu machen wußte, so daß ich die lebhafte
Neigung zu gewissen Vorstellungen und das durchdringende
Vergnügen daran durch geraume Zeit für eine ganz persönliche und anderen gar nicht verständliche Eigentümlichkeit
hielt, über die ihrer Sonderbarkeit halber lieber nicht zu
sprechen sei. Da es mir an einer eigentlichen Bezeichnung dafür gebrach, so faßte ich diese Empfindungen und Eingebungen bei mir selbst unter dem Namen »Das Beste« oder »Die
große Freude« zusammen und hütete sie als ein köstliches Geheimnis. Dank aber solch eifersüchtiger Verschlossenheit,

dank ferner meiner Vereinsamung und dank drittens noch
einem anderen Moment, worauf ich demnächst zurückkommen werde, verblieb ich lange in diesem Stande geistiger Unschuld, mit welchem die Lebhaftigkeit meiner Sinne so wenig
übereinstimmte. Denn solange ich denken kann, nahm das,
was ich »Die große Freude« nannte, in meinem Innenleben
eine beherrschende Stellung ein, ja seine Wirksamkeit hat
offenbar weit jenseits der Grenze meines Gedächtnisses begonnen. Kleine Kinder nämlich sind wohl unwissend und in
dieser Bedeutung auch unschuldig; daß sie aber unschuldig im
Sinne wirklicher Reinheit und engelhafter Heiligkeit seien,
ist ohne Zweifel ein empfindsamer Aberglaube, der einer
nüchternen Prüfung nicht standhalten würde. Ich wenigstens
habe es aus einwandfreier Quelle (die ich gleich des näheren
bezeichnen werde), daß ich schon als Säugling, an der Brust
meiner Amme, die eindeutigsten Zeichen von Gefühl an den
Tag gelegt habe, – eine Überlieferung, die mir stets als höchst
glaubhaft und für meine inständige Natur bezeichnend erschienen ist.

In der Tat grenzte meine Begabung zur Liebeslust ans
Wunderbare; sie übertraf, wie ich noch heute glaube, das gemeine Ausmaß bei weitem. Früh hatte ich Gründe gehabt,
dies zu vermuten, allein die Vermutung zur Überzeugung zu
erheben, war jene Person bestimmt, der auch die Mitteilung
über mein gewecktes Verhalten an der Ammenbrust zu danken ist und zu der ich mehrere Jugendjahre lang in geheimen
Beziehungen stand. Es war unser Zimmermädchen, Genovefa
mit Namen, welches, in zartem Alter bei uns eingetreten, um
mein sechzehntes Lebensjahr anfangs der Dreißiger stand.
Tochter eines Feldwebels und mit dem Bahnhofsvorstand
einer kleinen Station an der Strecke Frankfurt-Niederlahn-
stein von langer Hand versprochen, besaß sie viel Sinn für
das gesellschaftlich Feinere und behauptete, obgleich sie niedrige Arbeit verrichtete, in Erscheinung und Gebaren eine
Mittelstellung zwischen Magd und Jungfer. Mangels der notwendigen Glücksgüter stand ihre Heirat auch um diese Zeit

noch in weitem Felde, und der großen, wohlgenährten Blondine mit den grünen, erregten Augen und den gezierten Bewegungen mochte die lange und immer noch unabsehbare Wartezeit oft genug verdrießlich sein. Dennoch hätte sie sich, um ihre besten Jahre nicht in Entsagung zu verbringen, niemals herbeigelassen, Zumutungen zu erhören, die aus niederen Sphären, von Soldaten, Arbeitern, Handwerkern, an ihre reife Jugend gerichtet wurden; denn sie rechnete sich nicht zum gemeinen Volk und verachtete seine Sprache und seinen Geruch. Etwas anderes war es mit dem Sohne des Hauses, der, in dem Maße, als er angenehm heranwuchs, ihr weibliches Gefallen erregen mochte und dessen Zufriedenstellung für sie gewissermaßen eine häusliche Pflicht und außerdem eine Vereinigung mit der höheren Klasse bedeutete. So kam es, daß meine Wünsche auf keinen ernsthaften Widerstand stießen.

Ich bin weit entfernt, mich ausführlich über eine Episode verbreiten zu wollen, die zu gewöhnlich ist, als daß ihre Einzelheiten das gebildete Publikum fesseln könnten. Kurz, eines Abends, als mein Pate Schimmelpreester bei uns zu Nacht gespeist und später mehrere neue Vermummungen mit mir durchgeprobt hatte, kam es, nicht ohne Zutun Genovefas, auf dem dunklen Gange vor der Tür meines Mansardenstübchens zu einer Begegnung, die sich schrittweise ins Innere des Zimmers hinüberspielte und dort zu vollem gegenseitigen Besitze führte. Ich erinnere mich, daß an jenem Abend, nachdem mein »Kostümkopf« sich wieder einmal bewährt hatte, meine Niedergeschlagenheit, jene unendliche Trübsal, Ernüchterung und Langeweile, die mein Gemüt nach beendeter Maskerade zu befallen pflegte, besonders empfindlich gewesen war. Mein Alltagsgewand, in das ich endlich, nachdem ich so viele bunte Verkleidungen durchlaufen, hatte zurückkehren müssen, ekelte mich; heftig fühlte ich mich angetrieben, es mir vom Leibe zu reißen, aber nicht nur, um, wie wohl sonst, im Schlafe Zuflucht für meine Unrast zu suchen. Wahre Zuflucht würde ich, so schien es mir, einzig und allein in Genovefas Armen finden, ja, um alles zu sagen, so kam es mir vor, als

werde die grenzenlose Vertraulichkeit mit ihr eine Art Fortsetzung und Vollendung jener bunten Abendunterhaltung und
geradezu das Ziel meiner Wanderung durch Pate Schimmel-
preesters Maskengarderobe sein! Dies mochte sich nun wie
immer verhalten, so entzieht sich das markverzehrende, wahrhaft unerhörte Vergnügen, das ich an Genovefas weißer und
wohlgenährter Brust erprobte, jedenfalls aller Beschreibung.
Ich schrie und glaubte gen Himmel zu fahren. Und nicht
eigennützigen Wesens war meine Lust, sondern sie entzündete
sich, wie das in meiner Natur begründet ist, so recht erst an
dem Ergötzen, das Genovefa über die genaue Bekanntschaft
mit mir an den Tag legte. Selbstverständlich scheidet hier jede
Möglichkeit des Vergleichens aus. Meine private Überzeugung
jedoch, die ich damals gewann und die weder beweisbar noch
widerlegbar ist, geht unerschütterlich dahin, daß bei mir der
Liebesgenuß die doppelte Schärfe und Süßigkeit besaß als bei
anderen.

Allein man täte mir unrecht, indem man schlösse, daß ich
auf Grund dieser besonderen natürlichen Mitgift zum Lüst-
ling und Weiberhelden geworden sei. Dieses war mir verwehrt, aus dem einfachen Grunde, weil mein schwieriges und
gefährliches Leben Anforderungen an meine Spannkraft
stellte, denen sie unmöglich hätte genügen können, wenn ich
mich auf so durchgreifende Art hätte ausgeben wollen. Denn
während es, wie ich beobachtete, Leute gibt, denen die fragliche Betätigung nur eine Kleinigkeit ist, die sie obenhin abtun
und von welcher sie, mir nichts, dir nichts, zu irgendwelchen
Geschäften hinweggehen, als ob nichts geschehen wäre, brachte
ich ungeheure Opfer dabei und stand völlig ausgeleert, ja
vorderhand jedes Antriebes zum Lebensdienste beraubt, davon auf. Oft bin ich ausgeschweift, denn mein Fleisch war
schwach, und ich fand die Welt nur allzu bereit, mir buhle-
risch entgegenzukommen. Letzten Endes jedoch und im ganzen
genommen war meine Sinnesart ernst und männlich, und
aus erschlaffender Wollust verlangte mich baldigst in eine
strenge und angespannte Führung zurück. Ist denn nicht auch

der tierische Liebesvollzug nur die roheste Art und Weise,
dessen zu genießen, was ich einst ahnungsvoll »Die große
Freude« nannte? Er entnervt uns, indem er uns allzu gründlich befriedigt, und er macht uns zu schlechten Liebhabern der
Welt, indem er einerseits diese vorerst des Schmelzes und
Zaubers, andererseits uns selber der Liebenswürdigkeit entkleidet, denn liebenswürdig ist nur der Verlangende, nicht der
Satte. Ich für meinen Teil kenne viel feinere, köstlichere, ver-
flüchtigtere Arten der Genugtuung als die derbe Handlung,
die zuletzt doch nur eine beschränkte und trügerische Ab-
speisung des Verlangens bedeutet, und ich meine, daß derjenige sich wenig auf das Glück versteht, dessen Trachten nur
geradeswegs auf dies Ziel gerichtet ist. Das meine ging stets
ins Große, Ganze und Weite, es fand feine, würzige Sättigung,
wo andere sie nicht suchen würden, es war von jeher wenig
spezialisiert oder genau bestimmt, und dies ist eine der Ursachen, weshalb ich trotz inbrünstiger Veranlagung so lange
unwissend und unschuldig, ja eigentlich zeit meines Lebens
ein Kind und Träumer verblieb.

Neuntes Kapitel

Hiemit verlasse ich diese Materie, bei deren Bearbeitung
ich den Kanon des Schicklichen keinen Augenblick durchbro-
chen zu haben glaube, und mit großen Schritten vorwärts-
eilend, nähere ich mich jenem Wendepunkt meines äußeren
Lebens, welcher den tragischen Abschluß meines Aufenthaltes
im elterlichen Hause bildete. Zuvor habe ich der Verlobung
meiner Schwester Olympia mit dem Secondeleutnant Übel
vom Zweiten Nassauischen Infanterieregiment Nr. 88 in
Mainz zu gedenken, die sehr festlich begangen wurde, ohne
daß sich ernste Lebensfolgen daraus ergaben. Denn unter dem
Zwang der Verhältnisse löste sie sich wieder auf, und die Braut
trat nach dem Zusammenbruch unseres Hausstandes zur Ope-

rettenbühne über. – Übel, ein kränklicher, lebensunkundiger junger Mann, war ein ständiger Teilnehmer an unseren Gastereien. Erhitzt von Tanz und Pfänderspielen, vom »Berncastler Doktor« und jenen Einblicken, die unsere Damen berechnenderweise so freigebig gewährten, war er in Liebe zu Olympia entbrannt, und mit der Begehrlichkeit brustschwacher Leute auf ihren Besitz bedacht, in jugendlicher Überschätzung auch wohl der Gediegenheit unserer Verhältnisse, sprach er eines Abends auf den Knien und beinahe weinend vor Ungeduld das entscheidende Wort. Heute nimmt es mich wunder, wie Olympia, die seine Empfindungen kaum erwiderte, die Stirn haben konnte, seine törichte Werbung anzunehmen, denn durch unsere Mutter war sie besser als ich über den Stand der Dinge unterrichtet. Aber sie gedachte wohl, sich beizeiten unter irgendein, wenn auch noch so gebrechliches Dach zu bringen, oder man mochte ihr bedeutet haben, daß ihr Verlöbnis mit einem Träger des zweifarbigen Ehrenkleides – aussichtsvoll oder nicht – geeignet sein werde, unsere Stellung nach außen zu stützen und zu fristen. Mein armer Vater, sogleich um seine Einwilligung angegangen, erteilte dieselbe nicht ohne stille Verlegenheit, worauf das Familienereignis den anwesenden Gästen bekanntgemacht, mit vielem Hallo begrüßt und reichlich mit »Lorley extra cuvée«, wie man sich ausdrückte, »begossen« wurde. Von nun an kam Leutnant Übel beinahe täglich von Mainz herüber und schädigte seine Gesundheit nicht wenig durch das Zusammensein mit dem Gegenstand seiner krankhaften Gier. Sein Aussehen, wenn ich das Zimmer betrat, worin man die Brautleute ein Stündchen allein gelassen, war völlig zerstört und leichenhaft, und für ihn bedeutete die Wendung, welche die Dinge bald darauf nahmen, ohne Zweifel ein wahres Glück.

Um aber wieder von mir zu reden, so fesselte und beschäftigte mich in diesen Wochen hauptsächlich der Namenswechsel, welchen die Eheschließung für meine Schwester mit sich bringen würde und um den ich sie, wie ich mich lebhaft erinnere, bis zur Mißgunst beneidete. Sie, die so lange Olympia

Krull geheißen, sie würde in Zukunft Olympia Übel zeichnen, und das hatte alle Reize der Neuheit und der Abwechslung für sich. Wie sehr ermüdend und langweilig ist es nicht,
unter Briefen und Papieren ein Leben lang immer dieselbe
Namensunterschrift ziehen zu müssen! Die Hand lahmt
schließlich dabei vor Ekel und Überdruß! Welche Wohltat,
welche Anregung, welche Erquickung des Daseins, sich mit
einem neuen Namen vorzustellen und anreden zu hören! Die
Möglichkeit, wenigstens einmal in der Mitte des Lebens den
Namen zu wechseln, erschien mir als eine große Bevorzugung
des weiblichen Geschlechts gegenüber den Männern, denen
dies Labsal durch Gesetz und Ordnung so gut wie verwehrt
ist. Was freilich mich betrifft, der nicht geboren war, im
Schutze der bürgerlichen Ordnung das schlaffe und sichere
Leben der großen Mehrzahl zu führen, so habe ich mich später, nicht ohne Erfindungsgabe zu bekunden, sehr oft über
ein Verbot hinweggesetzt, das sowohl meiner Sicherheit wie
meinem Unterhaltungsbedürfnis zuwiderlief, und schon
hier verweise ich auf die eigentümlich leichte Schönheit jener
Stelle in meinen Aufzeichnungen, wo ich zum ersten Mal meinen amtlichen Namen wie ein abgetragenes und verschwitztes
Kleidungsstück von mir tue, um mir – sogar mit einer gewissen Befugnis – einen neuen angedeihen zu lassen, welcher
übrigens den des Leutnants Übel an Eleganz und Wohllaut
bei weitem übertraf.

Während des Brautstandes meiner Schwester aber hatte das
Verhängnis seinen Lauf genommen, und der Ruin pochte,
um mich bildlich auszudrücken, mit hartem Knöchel an unsere Tür. Die hämischen Gerüchte, welche über die wirtschaftliche Lage meines armen Vaters am Orte umgelaufen waren,
die mißtrauische Zurückhaltung, deren man sich uns gegenüber befleißigt, die schlimmen Prophezeiungen, in denen man
sich bezüglich unseres Hauswesens ergangen hatte, – all dies
wurde zur unschönen Genugtuung jener Unken durch die
Ereignisse aufs grausamste bestätigt, gerechtfertigt und erfüllt. Es erwies sich, daß das konsumierende Publikum sich

mehr und mehr gegen unsere Schaumweinmarke ablehnend verhalten hatte. Weder durch weitere Verbilligung (die selbstverständlich keine Aufbesserung der Beschaffenheit mit sich bringen konnte) noch durch die überaus verführerischen Reklamedessins, welche mein Pate Schimmelpreester wider besseres Wissen und aus reiner Gefälligkeit der Firma geliefert hatte, war die genußfreudige Welt für unseren Artikel zu gewinnen gewesen, die Bestellungen waren schließlich gleich Null, und eines Tages, im Frühling des Jahres, in dem ich das achtzehnte meines Lebens vollendete, war es um meinen armen Vater geschehen.

Ich ermangelte in jenem zarten Alter jeder geschäftlichen Einsicht, und auch mein späteres, auf Phantasie und Selbstzucht gestelltes Leben bot mir nur wenig Gelegenheit, merkantilische Kenntnisse zu erwerben. Ich unterlasse es daher, meine Feder an einem Gegenstande zu versuchen, den ich nicht beherrsche, und den Leser mit fachmännischen Auseinandersetzungen über das Falliment der Lorley-Schaumwein-Fabrik zu belästigen. Aber dem herzlichen Erbarmen will ich Ausdruck verleihen, das mir in jenen Monaten mein armer Vater einflößte. Je mehr und mehr versank er in eine stille Wehmut, welche sich darin äußerte, daß er seitwärts geneigten Hauptes irgendwo im Hause auf einem Stuhle saß und, während er mit den aufwärtsgebogenen Fingern seiner Rechten sanft seinen Bauch streichelte, unaufhörlich und ziemlich rasch mit den Lidern blinzelte. Des öfteren unternahm er Fahrten nach Mainz, — traurige Ausflüge, die wohl der Beschaffung klingender Münze, der Auffindung neuer Hilfsquellen galten und von denen er sehr niedergeschlagen zurückkehrte, indem er sich mit einem Batisttüchlein Stirn und Augen trocknete. Einzig bei den Abendgesellschaften, die nach wie vor in unserer Villa stattfanden, bei Tische, wenn er mit umgebundener Serviette und das Weinglas zur Hand den schmausenden Gästen vorsaß, konnte ihm noch das alte Behagen zurückkehren. Im Verlaufe eines solchen Abends jedoch entspann sich ein überaus bösartiger und ernüchternder Wort-

wechsel zwischen meinem armen Vater und dem jüdischen
Bankier, dem Gatten jener mit Jett überladenen Frauensperson, der, wie ich damals erfuhr, einer der verhärtetsten
Halsabschneider war, welche jemals bedrängte und unbedachte
Geschäftsleute in ihre Netze gelockt haben; und bald darauf
erschien der ernste, schwerbedeutsame und für mich doch auch
so abwechslungsvolle und belebende Tag, an welchem die Fa-
brik- und Kontorräume der Firma geschlossen blieben und
eine Gruppe von kalt blickenden Herren mit gekniffenen
Mündern sich in unserer Villa einfand, um unsere Habe mit
Beschlag zu belegen. In ausgesuchten Wendungen und mit
seinem treuherzig verschnörkelten Namenszuge, den ich so
meisterlich nachzubilden verstand, hatte mein armer Vater bei
Gericht seine Zahlungsunfähigkeit erklärt, und das Konkurs-
verfahren war feierlich eingeleitet worden.

An diesem Tage blieb ich, unserer Schande wegen, von welcher das Städtchen voll war, der Schule fern, – einer sogenannten Oberrealschule, wie erwähnt, welche völlig zu durchlaufen
mir, wie ich hier beiläufig einflechten möchte, nicht vergönnt
war: erstens weil ich mich nie auch nur im geringsten bemüht
hatte, aus meinem Widerwillen gegen den despotischen Stumpf-
sinn, der den Charakter dieser Anstalt bildete, ein Hehl zu
machen, und namentlich auch zweitens, weil die Anrüchigkeit
und schließliche Zerrüttung meiner häuslichen Verhältnisse
die Lehrerschaft gegen mich einnahm, sie mit Haß und Verachtung gegen mich erfüllte. Auch zu diesem Osterfest, nach
dem Bankrott meines armen Vaters, verweigerte man mir das
Abgangszeugnis, indem man mich vor die Wahl stellte, entweder noch länger die Unbilden einer meinem Alter nicht
mehr angemessenen Botmäßigkeit zu ertragen, oder die
Schule unter Verzicht auf die mit ihrer Erledigung verbundenen gesellschaftlichen Vorrechte zu verlassen; und in dem
frohen Bewußtsein, daß meine persönlichen Eigenschaften
den Verlust dieser geringen Vorzüge mehr als wettmachten,
wählte ich das letztere.

Der Zusammenbruch war vollständig, und es war klar, daß

mein armer Vater ihn nur deshalb bis zum Äußersten hinausgeschoben und sich so tief in die Netze der Wucherer verstrickt hatte, weil er gewußt hatte, daß der Konkurs ihn
völlig zum Bettler machen werde. Alles kam unter den Hammer: das Lager sowohl (aber wer zahlte wohl etwas für eine
so verrufene Substanz, wie unser Schaumwein es war!) wie
der Immobilienbesitz, das heißt die Kellereigebäude und unsere Villa, belastet wie sie waren mit Grundschulden, die
sich auf mehr als zwei Drittel ihres Wertes beliefen und deren
Zinsen seit Jahren nicht hatten bezahlt werden können; die
Zwerge, Pilze und Steinguttiere unseres Gartens, ja selbst die
Glaskugel und die Äolsharfe gingen den gleichen traurigen
Weg; das Innere des Hauses ward jedes freundlichen Über-
flusses entkleidet, das Spinnrad, die Daunenkissen, die Spiegelkästchen und Riechflakons unterlagen der öffentlichen Ver-
steigerung, nicht einmal die Hellebarden über den Fenstern
und die lustigen Vorhänge aus buntem Rohr blieben verschont,
und wenn die kleine Vorrichtung über dem Windfang, ganz
unberührt von all der Plünderung, noch immer mit zierlichem
Klingen den Anfang des Liedes »Freut euch des Lebens«
spielte, so geschah es nur, weil die Gerichtsherren ihrer nicht
achtgehabt hatten.

Man konnte zunächst nicht sagen, daß mein armer Vater
eigentlich den Eindruck eines Gebrochenen machte. Aus seinen
Zügen sprach eine gewisse Befriedigung darüber, daß seine
Angelegenheiten, die zu entwirren für ihn ein Ding der
Unmöglichkeit geworden war, sich nun in so guten Händen
befanden, und da das Bankinstitut, in dessen Besitz unsere
Liegenschaften übergegangen waren, uns aus Gnade und Erbarmen den vorläufigen Verbleib zwischen den nackten Wänden der Villa gewährte, so hatte er ein Dach über dem Kopfe.
Leichtlebig und gutmütig von Natur, traute er auch seinen
Mitmenschen die grausame Pedanterie nicht zu, ihn ernstlich
von sich zu stoßen, und tatsächlich besaß er die Unschuld,
sich einer am Orte ansässigen Aktiengesellschaft zur Erzeugung von Schaumwein als Direktor anzubieten. Hohnvoll

zurückgewiesen, unternahm er noch mehrere Versuche, im Leben wieder Fuß zu fassen, worauf er ohne Zweifel sogleich seine Schmäuse und Feuerwerke wieder eröffnet hätte. Als alles fehlschlug freilich, verzagte er; und da er außerdem wohl meinte, daß er uns anderen nur im Wege sei und daß wir ohne ihn leichter unser Fortkommen finden würden, beschloß er, ein Ende mit sich zu machen.

Es war fünf Monate nach der Konkurseröffnung, und der Herbst fiel ein. Ich hatte seit Ostern den Schulbesuch endgültig eingestellt und genoß vorderhand eines freien Übergangszustandes ohne bestimmte Aussichten. Wir hatten uns, meine Mutter, meine Schwester Olympia und ich, in dem nur noch notdürftig ausgestatteten Eßzimmer versammelt, um unser jetzt äußerst karg bestelltes Mittagsmahl einzunehmen, und warteten auf das Familienhaupt. Als aber auch nach genossener Suppe mein armer Vater sich nicht wollte sehen lassen, entsandten wir meine Schwester Olympia, für die er stets eine zärtliche Schwäche gehabt, in sein Schreibkabinett, um ihn zur Mahlzeit zu rufen. Kaum jedoch hatte sie uns seit drei Minuten verlassen, als wir sie mit anhaltendem Gekreisch treppauf, treppab und ziellos wieder treppauf durch das ganze Haus rennen hörten. Mit kaltem Rücken und des Äußersten gewärtig, begab ich mich stehenden Fußes in meines Vaters Zimmer. Dort lag er mit geöffneten Kleidern auf dem Fußboden, seine Hand ruhte hoch auf der Wölbung seines Leibes, und neben ihm fand sich das blanke, gefährliche Ding, womit er sich in sein sanftes Herz geschossen. Unsere Magd Genovefa und ich, wir betteten ihn auf das Sofa. Und während das Mädchen zum Arzte lief, meine Schwester Olympia noch immer kreischend das Haus durchstörte und meine Mutter sich nicht aus dem Eßzimmer hervorzukommen getraute, stand ich, mit der Hand meine Augen bedeckend, an der erkaltenden Hülle meines Erzeugers und entrichtete ihm reichlich den Zoll der Tränen.

ZWEITES BUCH

Erstes Kapitel

Lange haben diese Papiere unter Verschluß geruht; wohl ein Jahr lang hielten Unlust und Zweifel an der Ersprießlichkeit meiner Unternehmung mich ab, in treusinniger Folge Blatt auf Blatt schichtend, meine Bekenntnisse fortzuführen. Denn obgleich ich auf den vorstehenden Seiten mehrfach versichert habe, daß ich diese Denkwürdigkeiten hauptsächlich und in erster Linie zu meiner eigenen Unterhaltung und Beschäftigung aufzeichne, so will ich nur auch in diesem Betreff der Wahrheit die Ehre geben und freimütig eingestehen, daß ich insgeheim und gleichsam aus dem Augenwinkel beim Schreiben doch auch der lesenden Welt einige Rücksicht zuwende und ohne die stärkende Hoffnung auf ihre Teilnahme, ihren Beifall, wahrscheinlich nicht einmal die Beharrlichkeit besessen haben würde, meine Arbeit nur bis zum gegenwärtigen Punkte zu fördern. Da aber mußte ich mir denn die Frage vorlegen, ob wahrhaftige und bescheiden der Wirklichkeit sich anschließende Vertraulichkeiten aus meinem Leben mit den Erfindungen der Schriftsteller würden wetteifern können: nämlich um die Gunst eines Publikums, welches man sich durch so krasse Kunsterzeugnisse nicht übersättigt und abgestumpft genug denken kann. Weiß doch der Himmel, sprach ich mit mir selbst, welche Reizungen und Erschütterungen man sich von einem Schriftwerke gewärtigt, das sich durch seine Aufschrift den Kriminalromanen und Detektivgeschichten an die Seite zu stellen scheint, – während doch meine Lebensgeschichte zwar seltsam und öfters traumähnlich sich anläßt, aber der Knalleffekte und aufregenden Verwicklungen gänzlich entbehrt! Und so glaubte ich den Mut sinken lassen zu müssen.

Heute jedoch kamen mir durch einen Zufall die vorliegenden Aufsätze wieder vor Augen; nicht ohne Rührung durchlief ich aufs neue die Chronik meiner Kindheit und ersten Jugend; belebt, spann ich im Geiste an meinen Erinnerungen fort; und indem gewisse hervorstehende Momente meiner Laufbahn sich aufs gegenwärtigste mir wieder vorstellten, konnte ich unmöglich umhin, zu denken, daß Einzelheiten, welche auf mich selbst eine so aufmunternde Wirkung ausüben, auch eine öffentliche Leserschaft müßten zu unterhalten imstande sein. Rufe ich mir beispielsweise jene Lebenslage zurück, als ich in einer berühmten Residenz des Reiches unter dem Namen eines belgischen Aristokraten in vornehmer Gesellschaft mit dem ebenfalls anwesenden Polizeidirektor, einem ungewöhnlich humanen und herzenskundigen Mann, bei Kaffee und Zigarre über Hochstaplerwesen und strafrechtliche Fragen plauderte; oder gedenke ich, um nur irgend etwas zu nennen, der Schicksalsstunde meiner ersten Verhaftung, als unter den eintretenden Kriminalbeamten sich ein junger Neuling befand, welcher, erregt durch die Größe des Augenblicks und verwirrt durch die Pracht meines Schlafzimmers, an die offene Tür pochte, sich bescheiden die Füße abstreifte und leise »Ich bin so frei« sagte, weswegen er von dem dicken Anführer der Gruppe einen wütenden Blick erhielt: so kann ich mich der freudigen Hoffnung nicht verschließen, daß meine Eröffnungen, sollten sie auch von den Fabeln der Romanschreiber in Hinsicht auf gröbere Aufregung und Befriedigung der gemeinen Neugier in den Schatten gestellt werden, ihnen dafür durch eine gewisse feine Eindringlichkeit und edle Wahrhaftigkeit desto sicherer den Rang ablaufen werden. Demgemäß also hat sich mir aufs neue die Lust entzündet, diese Denkschrift fortzusetzen und zu vollenden; und ich beabsichtige, mir dabei, was Reinlichkeit des Stiles und Schicklichkeit des Ausdrucks betrifft, womöglich eine noch größere Sorgfalt aufzuerlegen als bisher, um auch in den besten Häusern mit meinen Darbietungen bestehen zu können.

Zweites Kapitel

Ich nehme den Faden meiner Erzählung genau an dem Punkte wieder auf, wo ich ihn habe fallenlassen: nämlich dort, wo mein armer Vater, durch die Hartherzigkeit der Mitwelt in die Enge getrieben, sich des Lebens entäußert hatte. Ihn auf fromme Art zur Erde zu bestatten bereitete Schwierigkeiten, denn die Kirche verhüllt ihr Antlitz vor seiner Tat, wie übrigens auch eine von kanonischen Lehrmeinungen freie Moral sie mißbilligen muß. Das Leben nämlich ist zwar keineswegs das höchste der Güter, an welches wir uns seiner Köstlichkeit wegen jedenfalls zu klammern hätten; sondern es ist als eine uns gestellte und, wie mir scheinen will, gewissermaßen selbst gewählte schwere und strenge Aufgabe zu betrachten, welche mit Standhaftigkeit und Treue durchzuhalten uns unbedingt obliegt und der vor der Zeit zu entlaufen zweifellos eine liederliche Aufführung bedeutet. In diesem besonderen Falle jedoch macht mein Urteil halt, um sich in das reinste Mitgefühl zu verkehren, – wie denn auch wir Hinterbliebenen großes Gewicht darauf legten, den Geschiedenen nicht ohne geistlichen Segen in die Grube fahren zu lassen: meine Mutter und Schwester der Leute wegen und aus Neigung zur Bigotterie (denn sie waren eifrige Katholikinnen); ich aber, weil ich von Natur enthaltenden Sinnes bin und wohltuend überlieferten Formen stets eine freie Anhänglichkeit gegenüber den Anmaßungen eines platten Fortschritts bewahrt habe. So übernahm ich es, da es den Frauen an Mut gebrach, den zuständigen Stadtpfarrer, Geistlichen Rat Chateau, zur Übernahme des Begängnisses zu bestimmen.

Ich traf diesen heiter-sinnlichen Kleriker, der erst seit kurzem bei uns amtierte, bei seinem aus einer Kräuteromelette und einer Bouteille Liebfrauenmilch bestehenden zweiten Frühstück und ward gütig aufgenommen. Denn Geistlicher Rat Chateau war ein eleganter Priester, welcher den Adel und Glanz seiner Kirche persönlich aufs überzeugendste vertrat und zur Anschauung brachte. Obgleich klein und beleibt,

besaß er doch viel Tournure, wiegte sich beim Gehen behend
und gefällig in den Hüften und verfügte über die anmutigste
Rundung der Gebärde. Seine Sprechweise war studiert und
mustergültig, und stets sahen unter seiner aus feinem seidig-
schwarzem Tuch gefertigten Soutane schwarzseidene Strümpfe
und Lackschuhe hervor. Freimaurer und Antipapisten be-
haupteten, dieser letzteren bediene er sich so ausschließlich,
weil er an riechendem Fußschweiß leide; doch halte ich das
noch heute für böswilliges Gerede. Ob ich ihm gleich persönlich noch unbekannt war, lud er mich mit weißer und fetter
Hand zum Sitzen ein, teilte mir von seiner Mahlzeit mit
und gab sich den weltmännischen Anschein, als ob er meinen
Angaben Glauben schenke: welche dahin lauteten, daß mein
armer Vater, im Begriff, ein lange nicht benutztes Schießzeug
zu untersuchen, von einer unversehens losgehenden Kugel
unglücklicherweise durchbohrt worden sei. Dies also schien er
zu glauben, und zwar aus Politik (denn die Kirche muß in so
schlechten Zeiten wohl froh sein, wenn man sich, sei es auch
lügnerischerweise, um ihre Gaben bewirbt), spendete mir
menschliche Trostworte und erklärte sich priesterlich bereit,
Beisetzung und Exequien abhalten zu wollen, für deren
Kosten aufzukommen mein Pate Schimmelpreester sich edel-
herzig verpflichtet hatte. Seine Hochwürden machte sich hierauf einige Notizen über des Abgeschiedenen Lebensgang, den
als zugleich ehrbar und fröhlich zu schildern ich mir angelegen sein ließ, und richtete endlich über meine eigenen Umstände und Aussichten einige Fragen an mich, die ich in allgemeiner und umschreibender Weise beantwortete: »Sie
scheinen«, entgegnete er mir ungefähr, »mein lieber Sohn, sich
bisher ein wenig läßlich betragen zu haben. Allein noch ist
nichts verloren, denn Ihre persönliche Wirkung ist wohltuend, und insonderheit möchte ich Sie wegen Ihrer angenehmen Stimme loben. Ich sollte mich wundern, wenn Fortuna
sich Ihnen nicht hold erweisen würde. Glücklich Angetretene
und solche, die angenehm sind vor Gott, zu erkennen, mache
ich mich jederzeit anheischig, denn des Menschen Schicksal

steht in Charakteren, die dem Kundigen nicht unentzifferbar sind, an seiner Stirn geschrieben.« Und somit entließ er mich.

Froh über die Worte dieses geistreichen Mannes, eilte ich zu den Meinen zurück, um ihnen den glücklichen Ausgang meiner Sendung zu melden. Leider freilich gestalteten sich die Funeralien trotz kirchlichen Beistandes keineswegs zu einer so würdigen Feier, wie es zu wünschen gewesen wäre, denn die Teilnahme der bürgerlichen Gesellschaft war äußerst gering, und das konnte, soweit unser Städtchen in Frage kam, am Ende nicht wundernehmen. Wo aber waren unsere auswärtigen Freunde, die in guten Tagen meines armen Vaters Feuerwerken zugesehen und an seinem »Berncastler Doktor« sich gütlich getan hatten? Sie hielten sich abwesend, und zwar wahrscheinlich nicht sowohl aus Undankbarkeit als ganz einfach, weil es Leute waren, die für ernste und den Blick auf das Ewige lenkende Veranstaltungen keinen Sinn hatten und solche wie etwas Verstimmendes mieden, was gewiß auf eine niedrige Gemütsanlage deutet. Einzig Leutnant Übel vom Zweiten Nassauischen in Mainz hatte sich eingefunden, wenn auch nur in Zivil, und ihm war es zu danken, daß mein Pate Schimmelpreester und ich nicht ganz allein dem schwankenden Sarge zur Grabeshöhle folgten.

Die Verheißung des geistlichen Herrn jedoch tönte in meinem Inneren fort, denn sie stimmte nicht nur mit meinen eigenen Ahnungen und Eindrücken vollkommen überein, sondern kam außerdem von einer Stelle, der ich in so geheimen Fragen eine besondere Maßgeblichkeit zubilligen durfte. Zu sagen, warum, wäre nicht jedermanns Sache; den Grund wenigstens anzudeuten, getraue ich mich wohl. Erstens nämlich bildet ohne Zweifel die Zugehörigkeit zu einer ehrwürdigen Stufenfolge, wie der katholische Klerus sie darstellt, den Sinn für menschliche Rangordnung viel feiner aus, als ein Leben auf der bürgerlichen Ebene das vermag. Allein diesen klaren Gedanken in Sicherheit gebracht, gehe ich noch einen Schritt weiter, indem ich mich bestrebe, andauernd logisch zu

sein. Hier ist die Rede von einem Sinn und also von einem
Bestandteil der Sinnlichkeit. Nun aber ist die katholische
Form der Verehrung diejenige, welche, um ins Übersinnliche
einzuführen, auf die Sinnlichkeit vorzüglich rechnet und
wirkt, ihr auf den erdenklichsten Wegen Vorschub leistet und
wie keine andere zur Vertiefung in ihre Geheimnisse anhält.
Ein Ohr, gewöhnt an die erhabenste Musik, an Harmonien,
welche die Ahnung höherer Chöre zu vermitteln geschaffen
sind, – sollte es nicht reizbar genug sein, den inneren Adel
eines menschlichen Stimmklanges zu belauschen? Ein Auge,
bewandert in frommer Pracht, in Farben und Formen, welche
die Herrlichkeit himmlischer Räume vertreten, – sollte es nicht
der rätselhaft bevorteilten Anmut natürlicher Bildung besonders erschlossen sein? Ein Geruchsorgan, welches, im Dunst-
kreise der Kultstätte heimisch und vom Weihrauch entzückt,
vorzeiten das liebliche Arom der Heiligkeit wahrgenommen
hätte, – sollte es die immaterielle und doch auch wieder körperliche Ausdünstung eines Glücks- und Sonntagskindes nicht
spüren können? Und wer eingeweiht ist, das oberste Geheimnis dieser Kirche, das Mysterium von Leib und Blut zu ver-
walten, – sollte er nicht befähigt sein, zwischen vornehmer
und geringer menschlicher Substanz vermöge eines höheren
Tastsinnes zu unterscheiden? – Mit diesen ausgesuchten Worten schmeichle ich mir, meine Gedanken so vollkommen wie
möglich zum Ausdruck gebracht zu haben.

Auf jeden Fall sagte die erhaltene Prophezeiung mir nichts,
was Empfindung und Anschauung meiner selbst mir nicht auf
das glücklichste bestätigt hätten. Zwar bemächtigte Niedergeschlagenheit sich bisweilen meines Geistes, denn mein Körper, welcher einst von Künstlerhand in sagenhafter Bedeutung auf die Leinwand gebannt worden war, stak in häßlicher,
abgetragener Kleidung, und meine Stellung im Städtchen war
verächtlich, ja verdächtig zu nennen. Aus anrüchigem Hause,
Sohn eines Bankrottierers und Selbstmörders, verkommen als
Schüler und ohne jedwede achtbare Lebensaussicht, war ich
unter meinen Mitbürgern der Gegenstand finsterer und ab-

schätziger Blicke, welche, obgleich sie von einer für mich
schalen und reizlosen Menschenart ausgingen, eine Natur wie
die meine doch schmerzhaft verwunden mußten und es mir,
solange ich am Orte noch auszuhalten hatte, geradezu ver-
leideten, mich auf öffentlicher Straße sehen zu lassen. In dieser Zeit wurde die Neigung zur Weltflucht und Menschenscheu
weiter ausgebildet, die von jeher meinem Charakterbilde an-
gehaftet hatte und mit werbender Anhänglichkeit an Welt
und Menschen so einträchtig Hand in Hand zu gehen vermag.
Und doch mischte sich in den Ausdruck jener Blicke – und
sogar nicht nur beim weiblichen Teile der Einwohnerschaft war
dies der Fall – ein Etwas, welches man als widerwillige Teilnahme hätte ansprechen können und das einer solchen innern
Bemühung unter günstigeren Umständen das schönste Genüge verhieß. Heute, wo mein Antlitz abgemagert ist und
meine Glieder die Merkmale des Alterns aufweisen, kann ich
es mit Gelassenheit aussprechen, daß meine neunzehn Jahre
alles gehalten hatten, was meine zarte Jugend versprach, und
daß ich auch nach eigenem Dafürhalten zum gefälligsten
Jüngling erblüht war. Blond und bräunlich zugleich, mit dem
Schmelz meiner blauen Augen, dem bescheidenen Lächeln meines Mundes, dem verschleierten Reiz meiner Stimme, dem
seidigen Glanz meines links gescheitelten, in einem anständigen Hügel aus der Stirn zurückgebürsteten Haares hätte
ich meinen schlichten Landsleuten wie später den Bewohnern
mehrerer Erdteile liebenswürdig erscheinen müssen, wenn
nicht das verwirrende Bewußtsein meiner schiefen Lage ihren
Blick umnebelt hätte. Mein Wuchs, der schon das Künstler-
auge meines Paten Schimmelpreester befriedigt hatte, war
keineswegs robust, an allen Gliedern und Muskeln jedoch so
gleichmäßig-maßvoll entwickelt, wie es sonst nur bei Liebhabern des Sports und kräftigend-schmeidigender Spiele der
Fall zu sein pflegt, – während ich doch nach Träumerart körperlichen Übungen von jeher durchaus abhold gewesen war
und äußerlich gar nichts zu meiner leiblichen Ausbildung getan hatte. Ferner ist anzumerken, daß meine Haut von außer-

ordentlich zarter Beschaffenheit und so sehr empfindlich war,
daß ich trotz mangelnder Geldmittel darauf bedacht sein
mußte, mir weiche und feine Seife zu halten, da geringe und
wohlfeile Sorten mich schon nach kurzem Gebrauch bis aufs
Blut beschädigten.

Natürliche Gaben, angeborene Vorzüge pflegen ihrem
Träger ein ehrerbietig-lebhaftes Interesse für seine Abstammung einzuflößen, und so war es mir damals eine angelegene
Beschäftigung, unter den Bildnissen meiner Vorfahren, als
Photographien und Daguerreotypien, Medaillons und Schattenrissen, soweit diese Hilfsmittel nur immer reichten, mich
forschend umzutun, um in ihren Physiognomien nach Vorbereitungen und Hinweisen auf meine Person zu suchen und
festzustellen, wem unter ihnen ich etwa besonders zu Dank
verpflichtet sein mochte. Allein meine Ausbeute war gering.
Zwar fand ich unter Verwandten und Vorläufern väterlicher
Seite manches in Zügen und Haltung, worin man solche Ver-
suchsübungen der Natur hätte erblicken können (wie ich denn
ja schon betonte, daß mein armer Vater selbst, trotz seiner
Leibesfülle, mit den Grazien auf freundlichem Fuße stand).
Im ganzen jedoch mußte ich mich überzeugen, daß ich meiner
Herkunft nicht viel verdankte; und wenn ich nicht annehmen
wollte, daß an einem unbestimmbaren Punkte der Geschichte
meines Geschlechtes geheime Unregelmäßigkeiten untergelaufen seien, so daß ich irgendeinen Kavalier und großen
Herrn unter meine natürlichen Stammväter zu zählen gehabt
hätte: so war ich, um den Ursprung meiner Vorzüge zu ergründen, genötigt, in mein eigenes Innere hinabzusteigen.

Wodurch denn wohl eigentlich und in der Hauptsache
hatten die Worte des Geistlichen Rates so ungemeinen Eindruck auf mich gemacht? Ich weiß es noch heute so wohl zu
sagen, wie ich mir schon damals sofort und an Ort und Stelle
im klaren darüber war. Er hatte mich gelobt – und wofür?
Für den angenehmen Klang meiner Stimme. Aber das war
eine Eigenschaft oder Gabe, die nach üblicher Auffassung
keineswegs mit einem Verdienste verbunden ist und die ge-

meinhin so wenig für lobenswert gilt, als man jemanden seines Schielauges, Blähhalses oder Klumpfußes halber zu schelten sich entschließen würde. Denn Lob oder Tadel gebührt
nach der Meinung unserer bürgerlichen Welt nur dem
Moralischen, nicht dem Natürlichen; dieses zu loben, würde
ihr als ungerecht und leichtfertig erscheinen. Daß nun Stadtpfarrer Chateau es ganz einfach anders hielt, mutete mich
wie etwas völlig Neues und Kühnes an, wie eine Äußerung
bewußter und trotziger Unabhängigkeit, die zugleich etwas
heidnisch Einfältiges an sich hatte und mich zu einem glücklichen Nachsinnen anregte. Ist es denn nicht, fragte ich mich,
sehr schwer, zwischen natürlichem und moralischem Verdienst
strikt zu unterscheiden? Diese Porträts von Onkeln, Tanten
und Großeltern lehrten mich ja, wie wenig von meinen Vor-
zügen mir auf dem Wege natürlicher Erbschaft zugekommen
ist. Sollte ich wirklich an der Ausbildung dieser Vorzüge innerlich so ganz unbeteiligt gewesen sein? Oder versichert
mich nicht vielmehr ein untrügliches Gefühl, daß sie bis zu
einem bedeutenden Grade mein eigen Werk sind und daß
ganz leicht meine Stimme gemein, mein Auge stumpf, meine
Beine krumm hätten ausfallen können, wenn meine Seele
nachlässiger gewesen wäre? Wer die Welt recht liebt, der bildet sich ihr gefällig. Ist aber das Natürliche eine Auswirkung
des Moralischen, so war es weniger ungerecht und launisch,
als es den Anschein haben mochte, daß der geistliche Herr
mir des Wohllautes meiner Stimme wegen Lob gespendet
hatte.

Drittes Kapitel

Einige wenige Tage, nachdem wir die sterblichen Reste
meines Vaters der Erde anvertraut hatten, traten wir Hinterbliebenen mit meinem Paten Schimmelpreester zu einer Beratung oder Familienkonferenz zusammen, zwecks welcher
der genannte Freund sich in unserer Villa angesagt hatte. Zu

Neujahr, so war uns bündig aufgegeben worden, hatten wir
das Anwesen zu räumen, und so war es denn also zur unauf-
schiebbaren Notwendigkeit geworden, über unser künftiges
Verbleiben ernste Entschlüsse zu fassen.

Nicht genugsam vermag ich an dieser Stelle den Rat und
Beistand meines Paten zu rühmen und nicht dankbar genug
zu erheben, wie dieser außerordentliche Geist für einen jeden
von uns Pläne und Fingerzeige in Bereitschaft hatte, die sich
in der Folge, namentlich in Absicht auf meine Person, als
überaus glückliche und weittragende Eingebungen erwiesen.
Unser ehemaliger Salon, einst mit niedlicher Weichlichkeit
ausstaffiert und so häufig von Lust und Festdunst erfüllt,
jetzt kahl, geplündert und kaum noch möbliert, war der
traurige Schauplatz dieser Zusammenkunft, und wir saßen
in einem Winkel desselben auf Rohrstühlen mit Nußholz-
rahmen, die der Einrichtung des Speisezimmers angehörten,
um ein grünes Tischchen herum, das eigentlich aus einer Gar-
nitur von vier oder fünf ineinandergeschobenen, gebrechlichen
Tee- oder Anrichtetischchen bestand.

»Krull!« hub mein Pate an (in bequemer Freundschaftlich-
keit pflegte er auch meine Mutter lediglich mit Nachnamen
anzureden). »Krull!« sagte er und wandte ihr seine haken-
förmige Nase, seine scharfen Augen zu, die, ohne Brauen und
Wimpern, von den Zelluloidkreisen der Brille so wunderlich
eingerahmt waren, – »Sie lassen den Kopf hängen, Sie zeigen
sich schlaff, und das mit völligem Unrecht. Denn die bunten
und lustigen Möglichkeiten des Lebens beginnen so recht erst
jenseits jener gründlich aufräumenden Katastrophe, die man
treffend als den bürgerlichen Tod bezeichnet, und eine der
hoffnungsreichsten Lebenslagen ist die, wenn es uns so schlecht
geht, daß es uns nicht mehr schlechter gehen kann. Glauben
Sie, liebe Freundin, einem Manne, dem diese Lage, wenn auch
nicht aus materieller, so doch aus innerlicher Erfahrung
bestens vertraut ist! Übrigens befinden Sie sich noch nicht einmal darin, und das ist es gewiß, was die Schwingen Ihres
Geistes beschwert. Mut, meine Beste! und fassen Sie Unter-

nehmungslust! Hier haben Sie ausgespielt, allein was will das
besagen? Die weite Welt steht Ihnen offen. Ihr kleines
Privatkonto auf der Kommerzbank ist noch nicht völlig erschöpft. Sie werden sich mit diesem Restbestande und Heck-
pfennig in das Getriebe irgendeiner großen Stadt, nach Wiesbaden, nach Mainz, nach Köln, nach Berlin meinetwegen
begeben. Sie sind in der Küche zu Hause – verzeihen Sie diese
linkische Wendung! –, Sie wissen einen Pudding aus gesammelten Brotabfällen, und aus Fleischresten von vorgestern ein
saures Haché zu machen. Sie sind überdies gewöhnt, Leute
bei sich zu sehen, sie zu speisen, ihnen Unterhaltung zu bieten. Sie mieten also einige Räume, Sie kündigen an, daß Sie
Kostgänger und Logiergäste gegen zivile Preise aufzunehmen
bereit sind, Sie fahren zu leben fort, wie Sie früher gelebt
haben, nur daß Sie von jetzt an die Konsumenten zahlen lassen und Ihren Vorteil dabei finden. Sache Ihrer Duldsamkeit,
Ihrer guten Laune wird es sein, für Stimmung, Fröhlichkeit
und Behagen unter Ihren Zuläufern zu sorgen, und so sollte
es mich wundern, wenn Ihr Institut nicht prosperieren, sich
nicht allmählich vergrößern sollte.«

Hier schwieg mein Pate, um uns Zeit zu herzlichen Äußerungen des Beifalls und Dankes zu geben, an denen sich
schließlich auch die Angeredete beteiligte.

»Was Lympchen betrifft«, fuhr er hierauf fort (denn dies
war der Kosename, womit er meine Schwester benannte), »so
läge ja der Gedanke nahe, daß sie ihrer Mutter zur Hand zu
gehen, deren Gästen den Aufenthalt zu verschönen natürlicherweise berufen sei, und gewiß ist, daß sie sich als eine
vortreffliche und zugkräftige Filia hospitalis erweisen würde.
Auch bleibt ihr diese Gelegenheit, sich nützlich zu machen, ja
unverloren. Allein vorderhand habe ich es besser mit ihr im
Sinne. Sie hat in den Tagen eueres Glanzes ein wenig singen
gelernt, es ist nicht viel damit, ihre Stimme ist schwach, aber
sie ist nicht ohne einen sanften Wohllaut, und Vorzüge, die in
die Augen springen, vertiefen ihre Wirkung. Sally Meerschaum in Köln ist mein Freund von früher her, und der

Hauptzweig seines Geschäftes ist eine Theateragentur. Er
wird Olympia, sei es bei einer Operettentruppe von zunächst
schlichterem Range oder in dem künstlerischen Verbande
einer Singspielhalle, ohne Schwierigkeiten unterbringen, und
für die erste Garderobe will ich aus meinem Plunderbestande
wohl aufkommen. Die Anfänge ihrer Laufbahn werden dunkel und beschwerlich sein, sie wird vielleicht mit dem Leben
zu ringen haben. Allein wenn sie Charakter bekundet (denn
dieser ist wichtiger als das Talent) und mit ihrem Pfunde,
das aus so zahlreichen Pfunden besteht, zu wuchern weiß, so
wird ihr Weg rasch aus den Niederungen aufwärts- und möglicherweise zu glänzenden Höhen führen. Ich für mein Teil
kann selbstverständlich nur Richtlinien ziehen und Möglichkeiten anbahnen; das übrige ist euere Sache.« Kreischend vor
Freude flog meine Schwester dem Ratgeber um den Hals und
hielt während seiner nächsten Worte ihren Kopf an seiner
Brust geborgen.

»Jetzt«, sagte er, und man sah wohl, daß der folgende
Punkt ihm besonders am Herzen lag, »jetzt komme ich drittens zu unserem Kostümkopf!« (Der Leser versteht die in
diesem Namen enthaltene Anspielung.) »Ich habe mir das
Problem seiner Zukunft angelegen sein lassen, und trotz er-
heblicher Schwierigkeiten, die sich einer Lösung entgegenstellen, glaube ich eine solche, und wäre sie auch nur von vor-
läufiger Art, gefunden zu haben. Sogar eine Korrespondenz
ins Ausland, genauer: nach Paris, habe ich in dieser Sache geführt, – sogleich werde ich sagen, wieso. Nach meiner Meinung kommt es vor allem darauf an, ihm das Leben zu öffnen,
zu dem die Oberen ihm mißverständlicherweise keinen ehrenvollen Zugang gewähren zu dürfen glaubten. Haben wir ihn
nur erst im Freien, so wird die Flut ihn schon tragen und ihn,
wie ich zuversichtlich hoffe, zu schönen Küsten leiten. Da ist
es denn nun die Hotel-, die Kellnerlaufbahn, die, wie mir
scheint, in seinem Falle die günstigsten Aussichten bietet: und
zwar in gerader Richtung sowohl (wo sie denn zu sehr stattlichen Lebensstellungen führen kann) wie auch rechts und

links auf allerlei Abweichungen und unregelmäßigen Seiten-
pfaden, die sich schon manchem Sonntagskinde neben der gemeinen Heerstraße aufgetan haben. Den Briefwechsel, auf
den ich hindeutete, unterhielt ich mit dem Direktor des Hotels
Saint James and Albany in Paris, Rue Saint-Honoré, nicht
weit von der Place Vendôme, (zentrale Lage also; ich zeige
sie euch auf meinem Plan) – mit Isaak Stürzli, einem Duzbruder von mir aus meiner Pariser Zeit. Ich habe Felixens
Kinderstube und Eigenschaften in das günstigste Licht gerückt, habe mich für seine Politur und Anstelligkeit verbürgt.
Er besitzt einen Anflug von der französischen, der englischen
Sprache; er wird guttun, ihn in nächster Zeit nach Möglichkeit zu verstärken. Jedenfalls ist Stürzli mir zu Gefallen bereit, ihn probeweise und zunächst freilich ohne Gehalt bei
sich aufzunehmen. Felix wird freie Station und Kost genießen, und auch bei der Anschaffung des Diensthabits, das ihn
gewiß vortrefflich kleiden wird, sind Vorteile vorgesehen.
Kurz, hier ist ein Weg, hier sind Spielraum und Gunst der
Umstände zur Entfaltung seiner Gaben, und ich rechne darauf, daß unser Kostümkopf den vornehmen Gästen des Saint
James and Albany zur Zufriedenheit aufwarten wird.«

Es läßt sich denken, daß ich mich dem herrlichen Mann
nicht weniger dankbar erwies als die Frauen. Ich lachte vor
Freuden und umarmte ihn in vollem Entzücken. Schon entschwand mir die gehässige Enge der Heimat, schon tat sich
die große Welt vor mir auf, und Paris, diese Stadt, deren
bloßes Erinnerungsbild meinem armen Vater zeit seines Lebens
vor Vergnügen schwach gemacht hatte, erstand in der heitersten Pracht vor meinem inneren Auge. Allein die Sache war
so ganz einfach nicht, sondern hatte vielmehr ihre Bedenklichkeit oder, wie man volkstümlich sagt, ihren Haken; denn
ich konnte und durfte das Weite nicht suchen, bevor mein
Militärverhältnis geordnet war; die Reichsgrenze erschien, bis
meine Papiere über dieses Verhältnis befriedigende Auskunft
gäben, als unübersteigliche Schranke, und ein desto beun-
ruhigenderes Antlitz zeigte die Frage, als ich, wie man weiß,

die Vorrechte der gebildeten Klasse nicht errungen hatte und,
zum Dienste tauglich befunden, als gemeiner Rekrut in die
Kaserne einzurücken hatte. Dieser Um- und Anstand, den ich
mir bis dato leichthin aus dem Sinn geschlagen hatte, fiel mir
in einem so hoffnungsvoll gehobenen Augenblick schwer aufs
Herz; und indem ich ihn zögernd zur Sprache brachte, zeigte
es sich, daß weder meine Mutter und Schwester noch auch
Schimmelpreester seiner achtgehabt hatten; jene aus frauen-
hafter Unwissenheit, dieser, weil auch er, als Künstler, staat-
lich-amtlichen Dingen nur geringe Aufmerksamkeit zu schenken gewohnt war. Auch bekannte er in diesem Fall seine
völlige Ohnmacht; denn Beziehungen zu Stabsärzten, erklärte
er ärgerlich, unterhalte er auf keine Weise, eine vertrauliche
Beeinflussung der Machthaber sei also ausgeschlossen, und ich
möge zusehen, wie den Kopf aus dieser Schlinge zu ziehen
mir allenfalls gelingen werde.

So sah ich mich in einem so kitzligen Falle allein auf mich
selbst gestellt, und der Leser wird sehen, ob ich seiner Herr
wurde. Vorderhand wurde der jugendliche bewegliche Geist
durch den Gedanken des Aufbruchs, den nahe bevorstehenden Ortswechsel und die Vorbereitungen dazu mannigfach
zerstreut und abgelenkt; denn da meine Mutter schon zu
Neujahr Aftermieter oder Pensionäre aufzunehmen hoffte, so
sollte unsere Übersiedlung noch vor dem Christfeste statthaben, und zwar war Frankfurt am Main, der in einer so
großen Stadt reichlicher sich bietenden Glücksmöglichkeiten
halber, endgültig als Ziel und Wohnsitz erwählt worden.

Wie leicht, wie ungeduldig, geringschätzig und unbewegt
läßt der ins Weite stürmende Jüngling die kleine Heimat in
seinem Rücken, ohne sich nach ihrem Turme, ihren Reben-
hügeln auch nur noch einmal umzusehen! Und doch, wie sehr
er ihr auch entwachsen sein und ferner entwachsen möge, doch
bleibt ihr lächerlich-übervertrautes Bild in den Hintergrün-
den seines Bewußtseins stehen oder taucht nach Jahren tiefer
Vergessenheit wunderlich wieder daraus hervor: Das Abgeschmackte wird ehrwürdig, der Mensch nimmt unter den

Taten, Wirkungen, Erfolgen seines Lebens dort draußen geheime Rücksicht auf jene Kleinwelt, an jedem Wendepunkt, bei jeder Erhöhung seines Daseins fragt er im stillen, was sie wohl dazu sagen werde oder würde, und zwar gerade dann ist dies der Fall, wenn die Heimat sich mißwollend, ungerecht, unverständig gegen den besonderen Jüngling verhielt. Da er von ihr abhing, bot er ihr Trotz; da sie ihn entlassen mußte und vielleicht längst vergessen hat, räumt er ihr freiwillig Urteil und Stimme über sein Leben ein. Ja, eines Tages, nach Ablauf vieler für ihn ereignisreicher, veränderungsvoller Jahre, zieht es ihn wohl persönlich an jenen Ausgangspunkt zurück, er widersteht nicht der Versuchung, erkannt oder unerkannt, sich im erlangten fremden und glänzenden Zustande der Beschränktheit zu zeigen und, viel ängstlichen Spott im Herzen, sich an ihrem Staunen zu weiden – wie ich an seinem Orte von mir zu berichten haben werde.

Dem P. P. Stürzli in Paris hatte ich in artigen Formen geschrieben, daß er sich meinetwegen noch ein wenig gedulden möge, da ich nicht sogleich frei sei, die Grenze zu überschreiten, sondern die Entscheidung über meine soldatische Tauglichkeit abwarten müsse, – eine Entscheidung, die jedoch, wie ich aufs Geratewohl hinzufügte, aus Gründen, die für meinen künftigen Beruf belanglos seien, höchstwahrscheinlich in günstigem Sinne fallen werde. Schnell verwandelten sich die Reste unserer Habe in Frachtgut und Reisegepäck, worunter sich sechs prächtige Hemden mit gestärkten Brusteinsätzen befanden, welche mein Pate mir als Abschiedsangebinde überreicht hatte und die mir in Paris gute Dienste zu leisten bestimmt waren. Und eines trüben Wintertages sehen wir vom enteilenden Zuge aus, winkend alle drei aus dem Fenster gebeugt, das flatternde rote Schnupftuch unsres Freundes im Nebel verschwinden. Ich habe den herrlichen Mann nur noch einmal wiedergesehen.

Viertes Kapitel

Geschwind schlüpfe ich über die ersten, verworrenen Tage
hin, die unserer Ankunft in Frankfurt folgten, denn nur ungern erinnere ich mich der kümmerlichen Rolle, die wir in
einer so reichen und prächtigen Handelsstadt zu spielen verurteilt waren, und müßte besorgen, durch eine breite Schilderung unserer damaligen Umstände den Mißmut des Lesers
zu erregen. Ich schweige von dem schmutzigen Hospiz oder
Absteigequartier, welches den Namen eines Hotels, den es sich
anmaßte, keineswegs verdiente und wo meine Mutter und ich
(denn meine Schwester Olympia war schon auf der Station
Wiesbaden von unserem Wege abgezweigt, um in Köln bei
dem Agenten Meerschaum ihr Glück zu versuchen) aus Spar-
samkeitsrücksichten mehrere Nächte verbrachten: und zwar
ich für meine Person auf einem Sofa, das von beißendem sowohl wie stechendem Ungeziefer wimmelte. Ich schweige auch
von unseren mühseligen Wanderungen durch die große und
kaltherzige, der Armut feindlich gesinnte Stadt, auf der Suche
nach einer erschwinglichen Wohnstätte, bis wir endlich, in
geringem Viertel, eine eben leerstehende ausfindig machten,
die den Lebensplänen meiner Mutter für den Anfang ziemlich
entsprach. Sie umfaßte vier kleine Zimmer nebst einer noch
kleineren Küche, war im Erdgeschoß eines Hinterhauses mit
dem Blick auf häßliche Höfe gelegen und entbehrte gänzlich
des Sonnenscheins. Da sie jedoch nur vierzig Mark monatlich
kostete und es uns schlecht angestanden hätte, die Mäkligen
zu spielen, so mieteten wir sie auf der Stelle und bezogen sie
noch desselbigen Tages.

Unendlichen Reiz übt auf die Jugend das Neue aus, und
wiewohl dieses trübselige Domizil mit unserer heiteren Villa
daheim auch nicht entfernt in Vergleich zu bringen war, so
fühlte doch ich für meine Person mich durch eine so unge-
wohnte Umgebung bis zur Ausgelassenheit belebt und ergötzt.
Rüstig und lustig stand ich meiner Mutter bei der ersten dringenden Arbeit zur Seite, rückte Möbel, befreite Teller und

Tassen von schützender Holzwolle, schmückte Bort und Spind
mit Küchengerät und ließ es mich nicht verdrießen, mit dem
Hauswirt, einem abstoßend fettleibigen Mann von gemein-
stem Betragen, über die in der Wohnung notwendig vorzu-
nehmenden Ausbesserungen zu verhandeln, welche zu bestreiten dieser Wanst sich jedoch hartnäckig weigerte, so daß
meine Mutter endlich, damit nicht die Fremdenzimmer einen
verwahrlosten Anblick böten, in die eigene Tasche greifen
mußte. Das kam sie sauer an, denn die Kosten des Um- und
Einzugs waren erheblich gewesen, und wenn die zahlenden
Pfleglinge ausblieben, so drohte der Bankbruch, bevor das
Geschäft auch nur eröffnet war.

Gleich am ersten Abend, als wir in der Küche stehend
einige Spiegeleier zu Nacht speisten, hatten wir beschlossen,
daß unser Betrieb zu frommer und froher Erinnerung »Pension Loreley« zu nennen sei, auch diesen Beschluß meinem
Paten Schimmelpreester auf einer gemeinsam unterfertigten
Postkarte zur Gutheißung mitgeteilt; und schon am nächsten
Tage eilte ich selbst mit einer zugleich bescheiden und verlok-
kend abgefaßten Ankündigung, bestimmt, jenen poetischen
Namen durch Fettdruck dem Publikum einzuprägen, auf die
Expedition der gelesensten Frankfurtischen Zeitung. Wegen
einer Tafel, die, um die Vorübergehenden auf unser Institut
aufmerksam zu machen, am äußeren Hause anzubringen sein
würde, waren wir der Spesen halber mehrere Tage lang in
Verlegenheit. Aber wer beschreibt unsern Jubel, als am sech-
sten oder siebenten nach unserer Ankunft ein Postpaket von
rätselhafter Form aus der Heimat einlief, als dessen Absender
mein Pate Schimmelpreester sich kundtat und welches ein viermal durchlöchertes, rechtwinklig umgebogenes Blechschild
enthielt, worauf, von des Künstlers eigener Hand geschaffen,
jene nur mit Schmuckstücken bekleidete Frauengestalt von
unseren Flaschenetiketten nebst der in goldener Ölfarbe ausgeführten Inschrift »Pension Loreley« prangte und welches,
an der Ecke des Vorderhauses derart befestigt, daß die
Felsenfee mit ihrer ausgestreckten, beringten Hand den Hof-

gang hinunter auf unsere Niederlassung hindeutete, sich von
der schönsten Wirkung erwies.

In der Tat hatten wir Zuspruch: erstens in der Person eines
jungen Technikers oder Maschinen-Ingenieurs, eines ernsten,
schweigsamen, ja mürrischen und offenbar mit seinem Lebens-
lose unzufriedenen Menschen, der jedoch pünktlich zahlte und
einen mäßigen, gesetzten Wandel führte. Und kaum war er
acht Tage bei uns, als gleich zwei Gäste auf einmal sich zuge-
sellten: Angehörige des theatralischen Faches, – nämlich ein
wegen völligen Verlustes seiner Stimmittel stellungsloser Bas-
sist von der komischen Branche, dick und scherzhaft von Erscheinung, aber in wütender Laune ob seines Mißgeschicks und
durch hartnäckige Übungen vergebens bestrebt, sein Organ
wieder zu stärken, Übungen, welche sich anhörten, als ob jemand in dem Inneren einer Tonne erstickend um Hilfe riefe;
und mit ihm sein weiblicher Anhang, eine rothaarige
Choristin in schmutzigem Schlafrock und mit langen, rosa-
gefärbten Fingernägeln, – ein kümmerlich leibarmes und, wie
es schien, auf der Brust nicht ganz festes Geschöpf, welches
der Sänger jedoch, sei es um irgendwelcher Verfehlungen willen oder auch nur, um seiner allgemeinen Erbitterung Luft zu
machen, öfters vermittelst seiner Hosenträger empfindlich
züchtigte, ohne daß sie darum an ihm und seiner Zuneigung
im mindesten irre geworden wäre.

Diese also bewohnten miteinander ein Zimmer, der
Maschinist ein anderes; aber das dritte diente als Speisesaal,
wo die geschickt aus Wenigem hergestellten gemeinsamen
Mahlzeiten eingenommen wurden, und da ich aus naheliegenden Schicklichkeitsgründen nicht mit meiner Mutter ein Zimmer teilen wollte, so schlief ich in der Küche auf einer mit
Bettzeug bekleideten Bank und wusch mich unter dem Strahl
der Wasserleitung, eingedenk, daß dieser Zustand keinesfal-
les dauern könne und so oder so mein Weg sich über ein kleines wenden müsse.

Pension Loreley begann zu florieren, vor Gästen sahen wir
uns, wie ich zeigte, persönlich in die Enge getrieben, und mit

Recht durfte meine Mutter eine Erweiterung des Unternehmens, die Anwerbung einer Dienstmagd von weitem ins Auge fassen. Auf jeden Fall war der Betrieb im Geleise, meine Mithilfe nicht weiter erforderlich und, mir selbst überlassen, sah ich, bis ich nach Paris abgehen oder zweifarben Tuch würde anlegen müssen, wiederum eine längere Warte- und Mußezeit vor mir liegen, wie sie dem höheren Jüngling zu stillem Wachstum so willkommen, so notwendig ist. Bildung wird nicht in stumpfer Fron und Plackerei gewonnen, sondern ist ein Geschenk der Freiheit und des äußeren Müßigganges; man erringt sie nicht, man atmet sie ein; verborgene Werkzeuge sind ihretwegen tätig, ein geheimer Fleiß der Sinne und des Geistes, welcher sich mit scheinbar völliger Tagdieberei gar wohl verträgt, wirbt stündlich um ihre Güter, und man kann wohl sagen, daß sie dem Erwählten im Schlafe anfliegt. Denn man muß freilich aus bildsamem Stoffe bestehen, um gebildet werden zu können. Niemand ergreift, was er nicht von Geburt besitzt, und was dir fremd ist, kannst du nicht begehren. Wer aus minderem Holze gemacht ist, wird Bildung nicht erwerben; wer sie sich aneignete, war niemals roh. Und sehr schwer ist es hier wiederum, zwischen persönlichem Verdienst und dem, was man als Gunst der Umstände bezeichnet, eine gerechte und scharfe Trennungslinie zu ziehen; denn wenn allerdings ein wohlwollendes Geschick mich im rechten Augenblick in eine große Stadt verpflanzt und mir Zeit im Überfluß vergönnt hatte, so ist davon abzuziehen, daß ich völlig der Mittel entbehrte, welche die zahlreichen inneren Genuß- und Erziehungsstätten eines solchen Platzes erst eröffnen, und bei meinen Studien mich darauf zu beschränken hatte, gleichsam von außen mein Gesicht an das Prunkgatter eines lusterfüllten Gartens zu pressen.

Ich oblag dem Schlafe zu jener Zeit fast im Übermaß, meistens bis zum Mittagstische, oft noch bedeutend darüber hinaus, so daß ich nur nachträglich in der Küche einiges Aufgewärmte oder auch Kalte zu mir nahm, zündete hierauf eine Zigarette an, die unser Maschinist mir zum Geschenk gemacht

hatte (denn er wußte, wie sehr ich auf diesen Lebensreiz erpicht war, ohne ihn doch aus eigenen Mitteln ausreichend beschaffen zu können), und verließ Pension Loreley erst zu vorgerückter Nachmittagsstunde, um vier oder fünf Uhr, wenn
das vornehmere Leben der Stadt auf seine Höhe kam, die
reiche Frauenwelt in ihren Karossen zu Besuchen und Einkäufen unterwegs war, die Kaffeehäuser sich füllten, die Ge-
schäftsauslagen sich prächtig zu erleuchten begannen. Dann
also ging ich aus und begab mich schlendernd in die innere
Stadt, um durch die menschenreichen Gassen des berühmten
Frankfurts jene Lust- und Studienfahrten zu unternehmen,
von denen ich oft erst im bleichen Frühschein und im ganzen mit vielem Gewinn zum mütterlichen Herde zurückkehrte.

Nun seht den unscheinbar gekleideten Jüngling, wie er, allein, freundlos und im Getriebe verloren die bunte Fremde
durchstreicht! Er hat kein Geld, um an den Freuden der Zivilisation im eigentlichen Sinne teilzunehmen. Er sieht sie
verkündigt und angepriesen auf den Plakaten der Litfaßsäu-
len, auf eine durchdringende Art, die selbst den Stumpfsten
zu Lust und Neugier aufregen könnte (während er sogar besonders empfänglich ist), – und muß sich begnügen, ihre Namen abzulesen und ihr Vorhandensein zur Kenntnis zu nehmen. Er sieht die Portale der Schauhäuser festlich geöffnet
und darf sich dem Strom der Hineinwallenden nicht anschließen; steht geblendet in dem ungeheuren Licht, welches die
Musikhallen, die Spezialitätentheater hinaus auf die Bürgersteige werfen und worin etwa ein riesiger Mohr, Antlitz
und Purpurkleid gebleicht von der weißen Helligkeit, mit
Dreispitz und Kugelstab märchenhaft aufragt, – und darf
seinen zähnefletschenden Einladungen, seinen kauderwelschen
Verheißungen nicht folgen. Aber seine Sinne sind lebhaft, sein
Geist ist überspannt von Aufmerksamkeit; er schaut, er genießt, er nimmt auf; und wenn der Zudrang von Lärm und
Gesichten den Sohn eines schläfrigen Landstädtchens anfangs
verwirrt, betäubt, ja beängstigt, so besitzt er Mutterwitz und

Geisteskräfte genug, um allmählich des Tumultes innerlich
Herr zu werden und ihn seiner Bildung, seinem begierigen
Studium dienstbar zu machen.

Welch eine glückliche Einrichtung ist nicht auch das Schaufenster, und daß Läden, Basare, Handelssalons, daß die Ver-
kaufsstätten und Stapelplätze des Luxus ihre Schätze nicht
engherzig im Innern bergen, sondern sie breit und reichlich,
in erschöpfender Auswahl nach außen werfen, hinter prächtigen Glasscheiben auslegen und glänzend anbieten! Übertag-
hell sind an Winternachmittagen all diese Schaustellungen erleuchtet; Reihen von kleinen Gasflammen, am unteren Rande
der Fenster angebracht, verhindern das Zufrieren der Scheiben. Und da stand ich, gegen die Kälte geschützt einzig durch
einen um den Hals gewickelten wollenen Schal (denn mein
Überrock, von meinem armen Vater erblich überkommen, war
zeitig gegen geringen Erlös aufs Leihamt gewandert), und
verschlang mit den Augen das Gute, das Teure und Herrschaftliche, ohne der Kälte, der Feuchtigkeit zu achten, die
mir von den Füßen hinauf bis in die oberen Beine stieg.

Ganze Einrichtungen waren in den Fenstern der Möbel-
händler aufgebaut: Herrenzimmer von ernster Bequemlichkeit, Schlafgemächer, welche mit jeder Verfeinerung intimer
Lebensgewohnheiten bekannt machten; einladende kleine
Speisesäle, wo der damastgedeckte, blumengeschmückte, mit
behaglichen Sesseln umstellte Tisch reizend von Silber, feinem
Porzellan und gebrechlichen Gläsern schimmerte; fürstliche
Salons in formellem Geschmack mit Kandelabern, Kaminen
und wirkbildbespannten Armstühlen; und nicht satt wurde
ich, zu sehen, wie die Beine der edlen Möbel so vornehm bestimmt und glänzend auf dem mild glühenden Farbengrunde
der Perserteppiche standen. Weiterhin nahmen die Schau-
räume eines Herrenschneider- und Modegeschäftes meine
Aufmerksamkeit in Anspruch. Hier sah ich die Garderobe der
Großen und Reichen vom Sammetschlafrock oder der atlasge-
steppten Hausjacke bis zum abendlich strengen Frack, vom
alabasternen Halskragen in letzter, gewähltester Form bis zur

zarten Gamasche und zum spiegelnden Lackschuh, vom fein
gestreiften oder gepünktelten Manschettenhemd bis zum
kostbaren Leibpelz; hier eröffnete sich mir ihr Reisehandge-
päck, diese Tornister des Luxus, gefertigt aus schmiegsamem
Kalbsleder oder der teuren Krokodilshaut, welche wie aus
Flicken zusammengesetzt erscheint, und ich lernte sie kennen,
die Bedürfnisse einer hohen und unterschiedenen Lebensführung, die Flakons, die Bürsten, die Nécessaires, die Futterale
mit Speisebestecken und zusammenlegbaren Spirituskochern
in feinstem Nickel; Phantasiewesten, herrliche Krawatten, sy-
baritische Unterwäsche, Saffianpantoffel, Hüte mit Atlasfut-
ter, Handschuhe aus Wildleder und Strümpfe aus Seidenflor
waren in verführerischen Anordnungen dazwischen ausgelegt,
und bis auf den letzten handlich-gediegenen Knopf konnte der
Jüngling sich das Zubehör einer eleganten Herrenausstattung
ins Gedächtnis prägen. Aber vielleicht brauchte ich nur, mit
Umsicht und Geschick zwischen Fuhrwerken und läutenden
Trams hindurchschlüpfend, die Straße zu überschreiten, um
vor die Fenster einer Kunsthandlung zu gelangen. Dort sah
ich die Güter der schmückenden Industrie, jene Objekte einer
höheren und gebildeten Augenlust, als: Kunstgemälde von
Meisterhand, milde Porzellane in allerlei Tiergestalt, schönge-
formte Tonwaren, erzene kleine Statuen, und gern hätte ich
die gestreckten und edlen Leiber liebkosend mit meiner Hand
umfaßt. Was war es jedoch für ein Glanz, der wenige Schritte
weiter den Staunenden zur Stelle bannte? Die Auslagen eines
großen Juweliers und Goldarbeiters waren es, – und da
trennte denn nichts als eine gebrechliche Glasscheibe die Begierde eines frierenden Knaben von allen Schätzen des Mär-
chenlandes. Hier, wenn irgendwo, verband mein anfangs ge-
blendetes Entzücken sich mit dem größesten Lerneifer. Die
Perlenschnüre, bleich schimmernd auf Spitzendeckchen unter-
einandergereiht, kirschdick in der Mitte, nach den Seiten sich
gleichmäßig verjüngend, mit Diamantverschlüssen am Ende
und ganze Vermögen wert; die brillantnen Geschmeide, auf
Sammet gebettet, hart glitzernd in allen Farben des Regen-

bogens und würdig, den Hals, den Busen, das Haupt von
Königinnen zu schmücken; glattgoldene Zigarettendosen und
Stockgriffe, auf Glasplatten verführerisch präsentiert; und,
überall nachlässig dazwischengestreut, geschliffene Edelsteine
vom herrlichsten Farbenspiel: blutrote Rubine; Smaragde,
grasgrün und glasig; Saphire, blaudurchsichtig, die einen stern-
förmigen Lichtschein entsandten; Amethyste, von denen man
sagt, daß sie ihr köstliches Violett einem Gehalte an organischer Substanz verdanken; Perlmutteropale, welche die Farbe
wechselten, je nach dem Platz, den ich einnahm; vereinzelte
Topase; Phantasiesteine in allen Abstufungen der Farben-
skala – ich erlabte an alledem nicht nur meinen Sinn, ich studierte es, ich vertiefte mich innig darein, ich suchte die hie und
da angebrachten Preise zu entziffern, ich verglich, ich wog
mit den Augen ab, meine Liebe zum Edelgestein der Erde,
diesen stofflich vollkommen wertlosen Kristallen, deren gemeine Bestandteile lediglich durch spielende Laune der Natur
zu kostbaren Gebilden zusammenschießen, ward mir zum ersten Male bewußt, und damals war es, daß ich die erste Grundlage zu meiner späteren verläßlichen Kennerschaft auf diesem
zauberhaften Gebiete legte.

Soll ich noch reden von den Blumenhandlungen, aus deren
Türen, wenn sie sich öffneten, die laufeuchten Düfte des
Paradieses quollen, und hinter deren Fenstern sich mir jene
üppigen, mit riesigen Atlasschleifen geputzten Körbe zeigten,
die man den Frauen schickt, um ihnen seine Aufmerksamkeit
zu erweisen? Von den Papeterieläden, deren Auslagen mich
lehrten, welcher Papiere man sich kavaliermäßigerweise zu
seinen Korrespondenzen bedient und wie man sie mit den
Anfangsbuchstaben seines Namens bedrucken, Krone und
Wappen darauf stechen läßt? Von den Fenstern der Parfü-
merien und Friseure, wo in blitzend geschliffenen Phiolen die
mannigfaltigen Duftwässer und Essenzen französischer Herkunft prangten, in reich ausgeschlagenen Etuis jene weichlichen Geräte vorgeführt waren, welche der Nagelpflege und
der Gesichtsmassage dienen? – Die Gabe des Schauens, sie war

mir verliehen, und sie war mein ein-und-alles zu dieser
Frist – eine erziehliche Gabe gewiß, schon soweit das Ding-
liche, die lockend-belehrenden Auslagen der Welt ihren Gegenstand bilden. Aber wieviel tiefer doch ins Gefühl greift
das Erschauen, das Mit-den-Augen-Verschlingen des Menschlichen, wie die große Stadt in ihren vornehmen Quartieren,
in denen ich mich vorzüglich bewegte, es der Beobachtung an-
bietet, und wie ganz anders noch als leblose Sachbestände
mußte es das Verlangen, die Aufmerksamkeit des inständig
strebenden Jünglings beschäftigen!

O Szenen der schönen Welt! Nie habt ihr euch empfängli-
cheren Augen dargeboten. Der Himmel weiß, warum gerade
eines der Sehnsucht erregenden Bilder, die ich damals aufnahm, sich mir so tief eingesenkt hat, so fest in meiner Erinnerung haftet, daß es mich, trotz seiner Unbedeutendheit,
ja Nichtigkeit noch heute mit Entzücken erfüllt. Ich wider-
stehe nicht der Versuchung, es hier hinzumalen, obgleich mir
sehr wohl bekannt ist, daß der Erzähler – und als solcher
betätige ich mich doch auf diesen Blättern – den Leser nicht
mit Vorkommnissen behelligen sollte, bei denen, platt gesagt,
»nichts herauskommt«, da sie das, was man »Handlung«
nennt, in keiner Weise fördern. Vielleicht aber ist es bei der
Beschreibung des eigenen Lebens noch am ehesten erlaubt,
statt den Gesetzen der Kunst den Vorschriften seines Herzens
zu folgen.

Noch einmal, es war nichts, nur war es reizend. Der Schauplatz war zu meinen Häupten: ein offener Balkon der Bel-
Étage des großen Hotels Zum Frankfurter Hof. Auf ihn
traten – so einfach war es, ich entschuldige mich – eines Nachmittags zwei junge Leute, jung wie ich selbst es war, Geschwister offenbar, möglicherweise ein Zwillingspaar – sie sahen
einander sehr ähnlich –, Herrlein und Fräulein, miteinander
ins winterliche Wetter hinaus. Sie taten es ohne Kopfbedek-
kung, ohne Schutz, aus purem Übermut. Leicht überseeischen
Ansehens, dunkelhäuptig, mochten sie spanisch-portugiesische
Südamerikaner, Argentinier, Brasilianer – ich rate nur – sein;

vielleicht aber auch Juden, – ich möchte mich nicht verbürgen und ließe mich dadurch in meiner Schwärmerei nicht beirren, denn luxuriös erzogene Kinder dieses Stammes können höchst anziehend sein. Beide waren sie bildhübsch, – nicht zu sagen, wie hübsch, der Jüngling um nichts weniger als das Mädchen. Für den Abend gekleidet schon beide, trug jener Perlen in der Hemdbrust, diese eine Diamantagraffe in ihrem reichen und dunklen, wohlfrisierten Haar und eine andere an der Brust, dort, wo der fleischfarbene Samt ihres Prinzeß-kleides in durchsichtige Spitzen überging, aus denen auch die Ärmel der Robe gearbeitet waren.

Ich zitterte für die Intaktheit von ihrer beider Toilette, denn einige feuchte Schneeflocken stöberten und blieben auf ihren gewellten schwarzen Scheiteln liegen. Auch führten sie ihren kindischen Geschwisterstreich nur höchstens zwei Mi-nuten lang durch, nur, um einander, über das Geländer ge-beugt, lachenden Mundes einige Vorgänge der Straße zu zei-gen. Dann schauderten sie spaßhaft vor Kälte, klopften eine oder die andere Schneeflocke von ihren Kleidern ab und zo-gen sich ins Zimmer zurück, das sich in demselben Augenblick erleuchtete. Fort waren sie, die entzückende Phantasmagorie eines Augenblicks, entschwunden auf Nimmerwiedersehen. Aber noch lange stand ich und blickte, aufrecht an einem La-ternenpfahl, zu ihrem Balkon empor, indem ich ihr Dasein im Geist zu durchdringen suchte; und nicht nur diese Nacht, sondern in so mancher folgenden noch, wenn ich ermüdet vom Wandern und Schauen auf meiner Küchenbank lag, handelten meine Träume von ihnen.

Liebesträume, Träume des Entzückens und des Vereini-gungsstrebens – ich kann sie nicht anders nennen, obgleich sie keiner Einzelgestalt, sondern einem Doppelwesen galten, einem flüchtig-innig erblickten Geschwisterpaar ungleichen Geschlechtes – meines eigenen und des anderen, also des schö-nen. Aber die Schönheit lag hier im Doppelten, in der liebli-chen Zweiheit, und wenn es mir mehr als zweifelhaft ist, daß das Erscheinen des Jünglings allein auf dem Balkon mich,

abgesehen vielleicht von den Perlen im Vorhemd, im geringsten entzündet hätte, so habe ich fast ebenso guten Grund, zu
bezweifeln, daß das Bild des Mädchens allein, ohne ihr brü-
derliches Gegenstück, vermögend gewesen wäre, meinen Geist
in so süße Träume zu wiegen. Liebesträume, Träume, die ich
liebte, eben weil sie von – ich möchte sagen – ursprünglicher
Ungetrenntheit und Unbestimmtheit, doppelten und das
heißt doch erst: ganzen Sinnes waren, das berückend Menschliche in beiderlei Geschlechtsgestalt selig umfaßten. –

Schwärmer und Gaffer! höre ich den Leser mir zurufen.
Wo bleiben deine Abenteuer? Gedenkst du mich durch dein
ganzes Buch hin mit solchen empfindsamen Quisquilien, den
sogenannten Erlebnissen deiner begehrlichen Schlaffheit zu
unterhalten? Drücktest auch wohl, bis etwa ein Konstabler dich
weitertrieb, Stirn und Nase in große Glasscheiben, um durch
den Spalt cremefarbener Vorhänge in das Innere vornehmer
Restaurants zu blicken, – standest in verworrenen Würzdüf-
ten, welche durchs Kellergitter aus den Küchen emporstiegen,
und sahst die feine Gesellschaft Frankfurts, bedient von ge-
schmeidigen Kellnern, an kleinen Tischen soupieren, auf denen beschirmte Kerzen in Armleuchtern und Kristallvasen mit
seltenen Blumen standen? – So tat ich – und bin überrascht,
wie treffend der Leser meine dem schönen Leben abgestohlenen
Schaugenüsse wiederzugeben weiß, gerade als hätte er selbst
seine Nase an den erwähnten Scheiben plattgedrückt. Was
aber die »Schlaffheit« betrifft, so wird er der Verfehltheit
einer solchen Kennzeichnung sehr bald gewahr werden und
sie, als Gentleman, unter Entschuldigungen zurücknehmen.
Schon hier aber sei berichtet, daß ich denn doch, dem bloßen
Schauen mich entraffend, einige persönliche Berührung mit
jener Welt, zu der die Natur mich drängte, suchte und fand,
indem ich nämlich bei Schluß der Theater vor den Eingängen
dieser Anstalten mich umhertrieb und als ein behender und
diensteifriger Bursche dem höheren Publikum, das angeregt
plaudernd und erhitzt von süßer Kunst den Vorhallen ent-
strömte, beim Anhalten der Droschken, beim Herbeirufen

wartender Equipagen behilflich war. Jenen warf ich mich in den Weg, um sie vor dem Regendach des Theatereingangs für meine Auftraggeber zum Stehen zu bringen, oder lief auch wohl ein Stück die Straße hinauf, um eine zu ergattern, neben dem Kutscher sitzend vorzufahren und, wie ein Lakai mich herabschwingend, den Wartenden mit einer Verbeugung, deren Artigkeit ihnen zu denken gab, den Schlag zu öffnen. Um diese, nämlich die Privat-Coupés und Karossen, zur Stelle zu schaffen, hatte ich mir auf einschmeichelnde Art die Namen der glücklichen Besitzer erbeten und fand dann kein geringes Vergnügen daran, diese Namen nebst Titeln – Geheimrat Streisand! Generalkonsul Åckerbloom! Oberstleutnant von Stralenheim oder Adelebsen! – mit heller Stimme straßauf in die Lüfte zu senden, damit die Gespanne anführen. Manche Namen waren recht schwierig, so daß ihre Träger zögerten, sie mir mitzuteilen, aus Unglauben an meine Fähigkeit, sie auszusprechen. Ein würdiges Ehepaar mit augenscheinlich unvermählter Tochter zum Beispiel hieß Crequis de Mont-en-fleur, und wie angenehm berührt zeigten sich alle drei von der korrekten Eleganz, mit der ich, da sie sich mir schließlich anvertraut, diese gleichsam aus Knistern und Kichern in nasale und blumige Poesie übergehende Namenskomposition ihrem in ziemlicher Ferne haltenden alten Leibkutscher wie morgendlichen Hahnenschrei zu Gehör brachte, so daß er nicht säumte, mit seiner altmodischen, aber wohlgewaschenen Kalesche und den feisten Falben davor heranzurücken.

Mancher willkommene Batzen, silbern nicht selten, glitt für solche der Sozietät geleisteten Dienste in meine Hand. Aber höher galt meinem Herzen zarterer, versichernderer Lohn, der mir dafür zuteil wurde: ein aufgefangenes Zeichen des Stutzens und aufmerksamer Gewogenheit von seiten der Welt, ein Blick, der mich mit angenehmer Verwunderung maß, ein Lächeln, mit Überraschung und Neugier auf meiner Person verweilend; und so sorgfältig zeichnete ich in meinem Innern diese stillen Erfolge auf, daß ich noch heute fast über alle, ja unbedingt über alle bedeutenderen und innigeren, Rechenschaft abzulegen vermöchte.

Welch eine wundersame Bewandtnis hat es, eindringlich betrachtet, mit dem menschlichen Auge, diesem Juwel aller organischen Bildung, wenn es sich einstellt, um seinen feuchten Glanz auf einer anderen menschlichen Erscheinung zu versammeln; – mit diesem kostbaren Gallert, der aus ebenso gemeiner Materie besteht wie alle Schöpfung und auf ähnliche Art wie die Edelsteine anschaulich macht, daß an den Stoffen nichts, an ihrer geistreichen und glücklichen Verbindung aber alles gelegen ist; – mit diesem in eine Knochenhöhle gebetteten Schleim, welcher, entseelt, dereinst im Grabe zu modern, in wässerigen Kot wieder zu zerfließen bestimmt ist, aber, solange der Funke des Lebens darin wacht, über alle Klüfte der Fremdheit hinweg, die zwischen Mensch und Mensch gelagert sein können, so schöne, ätherische Brücken zu schlagen versteht!

Von zarten und schwebenden Dingen heißt es zart und schwebend reden, und so werde eine zusätzliche Betrachtung hier behutsam eingerückt. Nur an den beiden Polen menschlicher Verbindung, dort, wo es noch keine oder keine Worte mehr gibt, im Blick und in der Umarmung, ist eigentlich das Glück zu finden, denn nur dort ist Unbedingtheit, Freiheit, Geheimnis und tiefe Rücksichtslosigkeit. Alles, was an Verkehr und Austausch dazwischenliegt, ist flau und lau, ist durch Förmlichkeit und bürgerliche Übereinkunft bestimmt, bedingt und beschränkt. Hier herrscht das Wort, – dies matte und kühle Mittel, dies erste Erzeugnis zahmer, mäßiger Gesittung, so wesensfremd der heißen und stummen Sphäre der Natur, daß man sagen könnte, jedes Wort sei an und für sich und als solches bereits eine Phrase. Das sage ich, der, begriffen in dem Bildungswerk meiner Lebensbeschreibung, einem belletristischen Ausdruck gewiß die erdenklichste Sorgfalt zuwendet. Und doch ist mein Element die wörtliche Mitteilung nicht; mein wahrstes Interesse ist nicht bei ihr. Dieses vielmehr gilt den äußersten, schweigsamen Regionen menschlicher

Beziehung; jener zuerst, wo Fremdheit und bürgerliche Be-
zuglosigkeit noch einen freien Urzustand aufrechterhalten und
die Blicke unverantwortlich, in traumhafter Unkeuschheit sich
vermählen; dann aber der anderen, wo die möglichste Vereinigung, Vertraulichkeit und Vermischung jenen wortlosen
Urzustand auf das vollkommenste wiederherstellt.

Fünftes Kapitel

Allein ich gewahre in des Lesers Miene die Sorge, daß ich
über so vielfältigem Anteil der heiklen Frage meines militärischen Verhältnisses leichtsinnigerweise völlig vergessen haben möchte, und so eile ich zu versichern, daß dies ganz und
gar nicht der Fall war, sondern daß ich vielmehr unablässig
und nicht ohne Beklemmung mein Augenmerk auf diesen
fatalen Punkt gerichtet hielt. In dem Maße freilich, wie ich
mit mir selbst über die Lösung des widrigen Knotens einig
wurde, wandelte sich diese Beklemmung in die freudige Beklommenheit, die wir empfinden, wenn wir im Begriffe sind,
unsere Fähigkeiten an einer großen, ja übergroßen Aufgabe
zu messen, und – hier muß ich meiner Feder Zügel anlegen
und der Versuchung, gleich alles vorauszusagen, aus Berechnung noch etwas widerstehen. Denn da sich nun doch je
mehr und mehr das Vorhaben in mir befestigt, dieses Schrift-
chen, sollte ich überhaupt damit zu Rande kommen, dereinst
der Presse zu übergeben und vor die Öffentlichkeit zu bringen,
so täte ich unrecht, wenn ich mich nicht den hauptsächlichsten
Regeln und Maximen unterwürfe, von denen die Kunstver-
fasser, um Neugier und Spannung zu erzeugen, sich leiten
lassen und gegen die ich gröblich verstoßen würde, indem
ich meiner Neigung nachgäbe, sofort das Beste auszuschwat-
zen und gleichsam mein Pulver vorzeitig zu verpuffen.

Nur soviel sei gesagt, daß ich mit großer Genauigkeit, ja
streng wissenschaftlich zu Werke ging und mich wohl hütete,

die sich bietenden Schwierigkeiten für gering zu achten. Denn
Dreinstolpern war nie meine Art, eine ernste Sache in Angriff zu nehmen; vielmehr habe ich stets dafür gehalten, daß
sich gerade mit dem äußersten, der gemeinen Menge unglaub-
haftesten Wagemut kühlste Besonnenheit und zarteste Vorsicht zu verbinden habe, damit das Ende nicht Niederlage,
Schande und Gelächter sei, und bin gut damit gefahren. Nicht
genug, daß ich mich über Gang und Handhabung des Mu-
sterungsgeschäftes und die ihm zugrunde liegenden Anforderungen genau unterrichtete (was ich teils in einem Gespräch
mit unserem Pensionär, dem Maschinisten, der gedient
hatte, teils auch mit Hilfe eines mehrbändigen allgemeinen
Nachschlagewerkes tat, welches dieser mit seinem Bildungs-
grade unzufriedene Mann in seiner Stube aufgestellt hatte),
sondern nachdem mein Plan erst einmal im großen entworfen
war, sparte ich aus jenen kleinen, durch das Herbeirufen von
Wagen mir zugezogenen Geldgeschenken anderthalb Reichs-
mark zusammen, um eine gewisse in dem Fenster einer Buch-
handlung ausfindig gemachte Druckschrift klinischen Charakters zu erwerben, in deren Lektüre ich mich mit ebensoviel
Eifer als Nutzen vertiefte.

Gleichwie das Schiff der Sandlast, so bedarf das Talent notwendig der Kenntnisse, aber ebenso gewiß ist, daß wir uns
nur solche Kenntnisse wahrhaft einverleiben, ja, daß wir nur
auf solche eigentlich ein Anrecht haben, nach denen unser Talent im brennenden Einzelfalle verlangt und die es hungrig
an sich rafft, um sich die nötige Erdenschwere und solide Wirklichkeit daraus zu schaffen. Was den Lehrstoff jenes Büchleins
betrifft, so verschlang ich ihn mit der größten Freudigkeit
und übertrug das Gewonnene in der nächtlichen Einsamkeit
meiner Küche bei Kerze und Spiegel auf bestimmte praktische Übungen, die einen geheimen Beobachter wohl närrisch
hätten anmuten müssen, mit denen ich aber einen klaren, vernünftigen Zweck verfolgte. Hier kein Wort weiter! Der Leser
wird für die augenblickliche Entbehrung baldigst entschädigt
werden.

Schon Ende Januar hatte ich mich, der herrschenden Vorschrift genügend, unter Vorlage meines Geburtsscheines, der sich ja in bester Ordnung befand, sowie eines vom Polizeibureau eingeholten Leumundszeugnisses, dessen zurückhaltend verneinende Form (daß nämlich über meine Führung dem Amte nichts Nachteiliges bekannt geworden sei) kindischerweise mich ein wenig verdroß und beunruhigte, bei der kriegerischen Behörde handschriftlich gemeldet. Im März, als eben mit Vogelgezwitscher und süßeren Lüften der Frühling sich lieblich ankündigte, verlangte die Satzung, daß ich meine Person im Aushebungsbezirke zur ersten Besichtigung vorstellte, und nach Wiesbaden zuständig, begab ich mich vierter Wagenklasse und übrigens ziemlich gelassenen Geistes dorthin; denn ich war mir bewußt, daß heute der Würfel kaum fallen werde und daß fast jeder Mann noch vor jene Instanz gelange, die unter dem Namen der Oberersatzkommission über Tauglichkeit und Einreihung des Nachwuchses endgültig befindet. Meine Erwartungen bestätigten sich. Die Handlung war kurz, flüchtig, unbedeutend, und meine Erinnerungen daran sind verblaßt. Man maß mich in die Breite und Länge, man behorchte und befragte mich obenhin und enthielt sich jeder Rückäußerung. Vorläufig entlassen und frei, gleichsam an einem langen Seil, promenierte ich in den herrlichen Parkanlagen, welche den quellenreichen Badeort schmückten, vergnügte mich und bildete mein Auge an den prächtigen Kaufläden der Kurhauskolonnaden und kehrte noch selbigen Tages in das heimische Frankfurt zurück.

Allein als weitere zwei Monate ins Land gezogen waren (die Hälfte des Mai war vorüber, und eine vorzeitige Hochsommerhitze brütete damals über jenen Gauen), erschien der Tag, da meine Frist abgelaufen, das lange Seil, von dem ich im Bilde sprach, aufgespult war und ich mich unweigerlich zur Aushebung zu stellen hatte. Nicht wenig schlug mir das Herz, als ich, wiederum zusammen mit allerlei Gestalten aus dem niederen Volk, auf der schmalen Bank eines Abteils vierter Klasse im Zuge nach Wiesbaden saß und mich auf Dampfesschwingen der Entscheidung entgegengetragen fühlte. Die herrschende Schwüle, die meine Gefährten in ein nickendes Dösen lullte, durfte mich nicht erschlaffen; wach und bereit saß ich da und vermied es unwillkürlich, mich anzulehnen, indem ich mir die Umstände einzubilden suchte, unter denen ich mich zu bewähren haben würde und die denn doch, einer alten Erfahrung gemäß, ganz anders sich darstellen würden, als ich sie mir im voraus nur immer auszudenken vermochte. Wenn übrigens meine Empfindungen ebensowohl furchtsamer als freudiger Art waren, so war es nicht, weil ich um den Ausgang ernstlich besorgt gewesen wäre. Dieser stand bei mir fest, und vollkommen entschlossen, bis zum Äußersten zu gehen, ja, wenn es nötig sein sollte, alle Grundkräfte des Leibes und der Seele daranzusetzen (ohne welche Bereitschaft es meiner Ansicht nach läppisch wäre, sich auf irgendeine außerordentliche Unternehmung einzulassen), zweifelte ich keinen Augenblick an meinem notwendigen Erfolge. Was mir Bangigkeit einflößte, war eben nur die Ungewißheit, wieviel ich hinzugeben, welche Opfer an Erregung und Begeisterung ich zu bringen haben würde, um zum Ziele zu gelangen, eine Art Zärtlichkeit also gegen mich selbst, die meinem Charakter von jeher anhaftete und ganz leicht zur Weichlichkeit und Feigheit hätte entarten können, wenn nicht männlichere Eigenschaften ihr berichtigend die Waage gehalten hätten.

Noch sehe ich den niedrigen, doch weitläufigen Balkensaal vor Augen, in welchen soldatische Rauhigkeit mich wies und den ich bei meinem bescheidenen Eintritt von einer großen Menge männlicher Jugend bevölkert vorfand. Im ersten Stockwerk einer baufälligen und verlassenen Kaserne gelegen, am Außenrande der Stadt, bot der freudlose Raum durch seine vier kahlen Fenster den Blick auf lehmige und von allerlei Wegwurf, Blechbüchsen, Schutt und Abfällen verunzierte Vorstadtwiesen. Hinter einem gemeinen Küchentisch saß, Akten und Schreibzeug vor sich, ein schnauzbärtiger Unteroffizier oder Feldwebel und rief die Namen derjenigen auf, welche, um sich in natürlichen Zustand zu versetzen,

durch eine flügellose Tür einen Verschlag betreten mußten,
der von dem anstoßenden Zimmer, dem eigentlichen Schauplatz der Untersuchung, abgegliedert war. Das Gebaren jenes
Chargierten war brutal und auf Einschüchterung berechnet.
Öfters streckte er, tierisch gähnend, Fäuste und Beine von
sich oder machte sich über den edleren Bildungsgrad derer
lustig, die er an Hand der Stammrolle zum entscheidenden
Gang aufforderte. »Doktor der Philosophie!«, rief er und
lachte höhnisch, als wollte er sagen: »Dir werden wir's aus-
treiben, Freundchen!« Dies alles erregte Furcht und Abneigung
in meinem Herzen.

Das Aushebungsgeschäft war in vollem Gange, doch schritt
es langsam vor, und da es alphabetisch betrieben wurde, hatten die, deren Namen mit späteren Buchstaben begannen,
sich auf ein langes Warten gefaßt zu machen. Eine bedrückte
Stille herrschte in der Versammlung, die sich aus Jünglingen
der verschiedensten Stände zusammensetzte. Man sah hilflose
Bauerntölpel und aufsässig gestimmte junge Vertreter des
städtischen Proletariats; halbfeine Kaufmannsgehilfen und
schlichte Söhne des Handwerks; einen Angehörigen des Schau-
spielerstandes sogar, welcher durch fette und dunkle Erscheinung viel verstohlene Heiterkeit erregte; hohläugige Burschen unbestimmbaren Berufes, ohne Halskragen und mit
zersprungenen Lackstiefeln; Muttersöhnchen, eben der La-
teinschule entwachsen, und an Jahren vorgeschrittene Herren,
schon mit Spitzbärten, bleich und von der zarten Haltung
des Gelehrten, welche im Gefühl ihrer unwürdigen Lage
unruhig und peinlich gespannt den Saal durchmaßen. Drei
oder vier der Gestellungspflichtigen, deren Namen sogleich
an der Reihe sein würden, standen, schon bis aufs Hemd entblößt, ihre Kleider über dem Arm, Stiefel und Hut in der
Hand, barfüßig in der Nähe der Tür. Wieder andere saßen
auf den schmalen Bänken, welche den Raum umliefen, oder
mit einem Schenkel auch wohl auf den Fensterbrettern, hatten Bekanntschaft gemacht und tauschten halblaut Bemerkungen über ihre Körperbeschaffenheit und die Wechselfälle der

Aushebung. Manchmal, niemand wußte auf welchem Wege, drangen Gerüchte aus dem Sitzungssaal herein, daß die Zahl der als tauglich Ausgehobenen schon sehr groß und die Glücksaussicht der noch nicht Untersuchten also im Wachsen sei, Botschaften, die nachzuprüfen niemand imstande war. Scherze, derbe Spöttereien über die einzelnen schon Aufgerufenen, die sich fast ganz entkleidet den Blicken darstellen mußten, taten sich da und dort aus der Menge hervor und wurden mit zunehmender Freiheit belacht, bis die beißende Stimme des Uniformierten am Tisch eine botmäßige Stille wiederherstellte.

Ich nun für meine Person hielt mich einsam nach meiner Art, nahm am müßigen Geschwätz, an den grobkörnigen Späßen keinerlei Anteil und antwortete fremd und ausweichend, wenn eine Anrede an mich erging. An einem offenen Fenster stehend (denn der Menschengeruch war peinlich geworden im Saale) überblickte ich bald die wüste Landschaft dort draußen, bald auch die gemischte Versammlung im Raum und ließ die Stunden verrinnen. Gern hätte ich in das anstoßende Zimmer, dasjenige, wo die Kommission zu Gerichte saß, einen Blick getan, um von dem amtierenden Stabsarzt ein Bild zu erhaschen; doch war dies unmöglich, und eindringlich hielt ich mir vor, daß an der Person dieses Mannes ja auch wenig gelegen und nicht in seine Hand, sondern einzig in meine eigene mein Schicksal gegeben sei. Schwer drückte die Langeweile um mich her auf die Häupter und die Gemüter, ich aber litt nicht unter ihr, denn erstens war ich von je geduldigen Wesens, kann lange ohne Beschäftigung wohl bestehen und liebe die freie Zeit, die von betäubender Tätigkeit nicht vergessen gemacht, verzehrt und verscheucht wird; außerdem aber hatte ich's keineswegs eilig, mich der kühnen und schwierigen Aufgabe zu unterziehen, die meiner wartete, sondern war froh, mich in langer Muße sammeln, gewöhnen und vorbereiten zu können.

Der Tag war schon gegen seine Mitte emporgestiegen, als Namen mein Ohr trafen, die mit dem Buchstaben K begannen.

Aber als wollte das Schicksal mich freundschaftlich necken, gab
es solcher heute sehr viele, und die Reihe der Kammacher,
Kellermänner und Kiliane, auch noch der Knolls und Krolls
wollte kein Ende nehmen, so daß ich schließlich, als vom
Tisch mein Name gefallen war, ziemlich entnervt und erschöpft die vorgeschriebene Toilette zu machen begann. Übrigens darf ich sagen, daß der Überdruß meiner Entschlossenheit nicht nur nicht Abbruch tat, sondern sie eher sogar noch
verstärkte.

Ich hatte zum heutigen Tage eines jener weißen Stärkhem-
den angelegt, die mein Pate mir auf den Lebensweg mitgege-
ben und die ich sonst gewissenhaft schonte; aber ich hatte im
voraus bedacht, daß es hier auf den unteren Anzug vornehm-
lich ankomme, und so stand ich nun in dem Bewußtsein, mich
sehen lassen zu können, zwischen zwei Burschen in karierten,
verwaschenen Baumwollhemden am Eingang zum Kabinett.
Meines Wissens richtete sich kein Spottwort im Saal gegen
meine Person, und selbst der Sergeant am Tisch maß mich mit
jener Achtung, welche dies an Unterordnung gewöhnte Handwerk höherer Feinheit und Schmuckheit niemals versagt. Ich
bemerkte recht wohl, daß er die Angaben seiner Liste forschend mit meiner Erscheinung verglich; ja, so sehr beschäftigte ihn dies Studium, daß er meinen Namen neuerdings auf-
zurufen im gegebenen Augenblick ganz verabsäumte, so daß
ich ihn fragen mußte, ob ich nicht eintreten solle, was er bejahte. So überschritt ich denn auf bloßen Sohlen die Schwelle,
legte, allein im Verschlag, meine Kleider neben die meines
Vorgängers auf die daselbst befindliche Bank, stellte meine
Schuhe darunter und entledigte mich auch meines Stärk-
hemdes, das ich, reinlich gefaltet, der übrigen Garderobe hinzufügte. Dann erwartete ich lauschend weitere Verfügungen.

Meine Spannung war schmerzhaft, mein Herz hämmerte
ohne Takt, und ich glaube wohl, daß das Blut mir aus dem
Antlitz gewichen war. Aber in eine solche Bewegung mischte
sich noch ein anderes Gefühl, von freudiger Art, zu dessen
Mitteilung die Worte nicht gleich zur Hand sind. Sei es in

Form eines Mottos oder Gedankensplitters bei der Lektüre im Zuchthaus oder bei dem Durchfliegen eines Zeitungsblattes – irgend einmal ist mir die Anschauung oder Sentenz entgegengetreten: daß der Zustand, in dem die Natur uns hervorgebracht, daß die Nacktheit gleichmacherisch sei und zwischen der bloßen Kreatur keinerlei Rangordnung oder Ungerechtigkeit mehr obwalten könne. Diese Behauptung, die sofort meinen Ärger und Widerstand weckte, mag dem Pöbel wohl schmeichelhaft einleuchten, allein wahr ist sie im geringsten nicht, und beinahe könnte man richtigstellend erwidern, daß die wahre und wirkliche Rangordnung erst im ursprünglichen Zustand sich herstelle und daß die Nacktheit nur insofern gerecht zu nennen sei, als sie die natürlich-ungerechte und adelsfreundliche Verfassung des Menschengeschlechtes bedeute. Frühe hatte ich dies empfunden, nämlich schon als mein Pate Schimmelpreester meine Gestalt zu höherer Bedeutung auf die Leinwand zauberte, oder wann sonst immer in Fällen, wo der Mensch, aus seinen Zufallsbedingungen gelöst, an und für sich hervortritt, wie im öffentlichen Bade. Und so wandelte auch nunmehr Freude und lebhafter Stolz mich an, daß ich nicht im irreführenden Bettlerkleid, sondern in freier und eigentlicher Gestalt mich einem hohen Kollegium vorstellen sollte.

Der Verschlag war an seiner Schmalseite offen gegen das Sitzungszimmer, und wenn seine Bretterwand mir den Blick auf den Schauplatz der Untersuchung verwehrte, so vermochte ich mit dem Ohr doch aufs genaueste ihren Verlauf zu verfolgen. Ich hörte die Befehlsworte, mit denen der Stabsarzt den Rekruten sich hin und her zu wenden und sich von allen Seiten zu zeigen aufforderte, hörte die knappen Fragen, die er ihm vorlegte, und die Antworten, die jener erteilte, linkische Redereien von einer Lungenentzündung, die jedoch ihren deutlich genug durchschimmernden Zweck verfehlten, da sie ihm durch das Zeugnis seiner unbedingten Tauglichkeit trokken abgeschnitten wurden. Das Verdikt ward von anderer Stimme wiederholt, weitere Verfügungen folgten, der Befehl

zum Abtreten fiel, platschende Schritte näherten sich, und
alsbald trat der Konskribierte bei mir ein: geringes Fleisch,
wie ich sah, ein Bursche mit einem braunen Strich um den
Hals, plumpen Schultern, gelben Flecken am Ansatz der Oberarme, groben Knien und großen roten Füßen. Ich vermied es,
in der Enge mit ihm in Berührung zu kommen, und da im
selben Augenblick von einer zugleich nasalen und scharfen
Stimme mein Name genannt wurde, auch ein assistierender
Unteroffizier winkend vor dem Kabinett erschien, so trat ich
denn also hinter der Bretterwand hervor, wandte mich linker
Hand und schritt in anständiger, doch anspruchsloser Haltung dorthin, wo Arzt und Kommission mich erwarteten.

Man ist blind in einem solchen Augenblick, und nur in
verschwommenen Umrissen trat die Szene vor mir in mein
zugleich erregtes und betäubtes Bewußtsein: Ein längerer
Tisch schnitt schräg zur Rechten einen Winkel des Zimmers
ab, und Herren, teils vorgebeugt, teils zurückgelehnt, in Uniform und Zivil, saßen in einer Reihe daran. An ihrem linken
Flügel stand aufrecht der Arzt, sehr schattenhaft für meine
Augen auch er, besonders da er das Fenster im Rücken hatte.
Ich aber, innerlich zurückgeschlagen von so vielen auf mich
eindringenden Blicken, benommen vom Traumgefühl eines
höchst bloßgestellten und preisgegebenen Zustandes, ich schien
mir einzeln und jedem Verhältnis enthoben, namenlos, alters-
los, frei und rein im leeren Raume zu schweben, eine Empfindung, die ich nicht nur als nicht unliebsam, sondern sogar als
köstlich in meinem Gedächtnis bewahre. Mochten immerhin
meine Fibern noch beben, meine Pulse bewegt und unregelmäßig schlagen, so war mein Geist nunmehr, wenn auch nicht
nüchtern, so doch vollkommen ruhig, und was ich in der Folge
sagte und tat, stellte sich gleichsam ohne mein Zutun und auf
die natürlichste Weise, ja zu meiner eigenen augenblicklichen
Überraschung ein: wie es ja denn der Nutzen langer Vor-
übungen und einer gewissenhaften Vertiefung ins Zukünftige
ist, daß in der Stunde der Anwendung etwas Nachtwand-
lerisch-Mittleres zwischen Tun und Geschehen, Handeln und

Leiden sich herstellt, welches unsere Aufmerksamkeit kaum
in Anspruch nimmt, und zwar um so weniger, da die Wirklichkeit meistens geringere Anforderungen stellt, als wir ihr
allenfalls zutrauen zu müssen glaubten, und wir uns dann
wohl in der Lage eines Mannes befinden, der bis an die
Zähne gerüstet in einen Kampf geht, worin er, um zu siegen,
nur ein einziges Waffenstück leichthin zu handhaben braucht.
Denn wer auf sich hält, übt das Schwerste, um sich im Leich-
teren desto fertiger zu bewähren, und ist froh, wenn er, um
zu triumphieren, nur die zartesten, leisesten Mittel spielen zu
lassen braucht, da er den groben und wilden ohnehin abhold
ist und sich nur notfalls zu ihnen versteht.

»Das ist ein Einjähriger«, hörte ich vom Kommissionstisch
her eine tiefe und wohlwollende Stimme gleichsam erklärend
sagen und vernahm gleich darauf mit leichtem Verdruß, wie
eine andere, jene scharf näselnde nämlich, berichtigend fest-
stellte, daß ich nur ein Rekrut sei.

»Treten Sie näher heran!« sagte der Stabsarzt. Seine
Stimme war meckernd und etwas schwach. Ich gehorchte ihm
willig, und dicht vor ihm stehend tat ich mit einer gewissen
törichten, doch nicht ungefälligen Bestimmtheit den Ausspruch:

»Ich bin vollkommen diensttauglich.«

»Das entzieht sich Ihrer Beurteilung!« versetzte ärgerlich
jener, indem er den Kopf vorstreckte und lebhaft schüttelte.
»Antworten Sie auf das, was ich Sie frage, und enthalten Sie
sich eigener Bemerkungen!«

»Gewiß, Herr Generalarzt«, sprach ich leise, obgleich ich
wohl wußte, daß er nichts weiter als Oberstabsarzt war, und
blickte ihn mit erschrockenen Augen an. Ich erkannte ihn jetzt
ein wenig besser. Er war mager von Gestalt, und der Uni-
formrock saß ihm faltig und schlotterig am Leibe. Die Ärmel,
mit Aufschlägen, die fast bis zum Ellenbogen reichten, waren
zu lang, so daß sie die Hälfte der Hände mit bedeckten und
nur die dürren Finger daraus hervorragten. Ein schmaler und
spärlicher Vollbart, farblos dunkel wie das aufrechtstehende

Haupthaar, verlängerte sein Gesicht, und zwar um so mehr,
als er den Unterkiefer, bei halboffenem Munde und hohlen
Wangen, hängen zu lassen liebte. Vor seinen geröteten Augen-
ritzen saß ein Zwicker in Silberfassung, der verbogen war,
dergestalt, daß sein eines Glas dem Lide behinderlich auflag,
während das andere weit vom Auge abstand.

Dies war das Äußere meines Partners, und er lächelte hölzern ob meiner Anrede, indem er einen Blick aus dem Augenwinkel zum Kommissionstische gleiten ließ.

»Heben Sie die Arme! Nennen Sie Ihr Zivilverhältnis!«
sagte er und legte mir gleichzeitig, wie der Schneider tut, ein
grünes, weißbeziffertes Meterband um Brust und Rücken.

»Ich beabsichtige«, antwortete ich, »die Hotelkarriere einzuschlagen.«

»Die Hotelkarriere? So, Sie beabsichtigen. Nämlich zu
welchem Zeitpunkt?«

»Ich und die Meinen sind übereingekommen, daß ich diese
Laufbahn antreten werde, nachdem ich meiner militärischen
Dienstpflicht genügt habe.«

»Hm. Ich habe nicht nach den Ihren gefragt. Wer sind die
Ihren?«

»Professor Schimmelpreester, mein Pate, und meine Mutter, Witwe eines Champagnerfabrikanten.«

»So, so, eines Champagnerfabrikanten. Und was treiben
Sie denn zur Zeit? Sind Sie nervös? Warum rucken und zuk-
ken Sie so mit den Schultern?«

Wirklich hatte ich, seit ich hier stand, halb unbewußt und
ganz aus dem Stegreif ein keineswegs aufdringliches, aber
häufig wiederkehrendes und in der Ausführung eigentümliches Schulterzucken angenommen, das mir aus irgendeinem
Grunde am Platze schien. Ich erwiderte nachdenklich:

»Nein, daß ich nervös sein könnte, ist mir noch nie in den
Sinn gekommen.«

»Dann unterlassen Sie das Zucken!«

»Ja, Herr Generalarzt«, sagte ich beschämt, zuckte jedoch in
demselben Augenblick aufs neue, was er zu übersehen schien.

»Ich bin nicht Generalarzt«, fuhr er mich scharf meckernd
an und schüttelte den vorgestreckten Kopf so heftig, daß der
Nasenzwicker ihm zu entfallen drohte und er genötigt war,
ihn mit allen fünf Fingern seiner Rechten wieder festzuset-
zen, ohne jedoch dem Grundübel des Verbogenseins dadurch
abhelfen zu können.

»Dann bitte ich um Verzeihung«, entgegnete ich sehr leise
und beschämt.

»Beantworten Sie also meine Frage!«

Ratlos, verständnislos sah ich mich um, blickte auch, gleichsam bittend, die Reihe der Kommissionsherren entlang, in
deren Haltung ich eine gewisse Teilnahme und Neugier zu
bemerken glaubte. Endlich seufzte ich schweigend.

»Nach Ihrer derzeitigen Beschäftigung habe ich Sie gefragt.«

»Ich unterstütze«, antwortete ich sofort mit verhaltener
Freudigkeit, »meine Mutter bei dem Betrieb eines größeren
Fremdenheimes oder Boardinghauses zu Frankfurt am
Main.«

»Allen Respekt«, sagte er ironisch. »Husten Sie!« befahl er
unmittelbar darauf; denn er hatte mir nun sein schwarzes
Hörrohr angesetzt und horchte gebückt auf die Schläge meines Herzens.

Öfter mußte ich künstlichen Husten ausstoßen, während
er mit seinem Gerät auf meinem Körper umherrückte. Hierauf vertauschte er das Rohr mit einem kleinen Hammer, den
er von einem nebenstehenden Tischchen nahm, und ging zum
Klopfen über.

»Haben Sie schwerere Krankheiten überstanden?« fragte
er zwischendurch.

Ich antwortete:

»Nein, Herr Militärarzt! Schwerere niemals! Meines Wissens bin ich ganz gesund, war es auch jederzeit, wenn ich von
unbedeutenden Schwankungen meines Befindens absehen darf,
und fühle mich für alle Waffengattungen bestens geeignet.«

»Schweigen Sie!« sagte er, plötzlich die Auskultation un-
terbrechend und aus seiner gebückten Stellung zornig in mein

Gesicht emporblickend. »Lassen Sie Ihre Tauglichkeit meine
Sache sein und reden Sie nichts Überflüssiges! – Sie reden
fortgesetzt Überflüssiges!« wiederholte er, indem er, gleichsam abgelenkt, die Untersuchung fahrenließ, sich aufrichtete
und etwas von mir zurücktrat. »Ihre Redeweise ist von einer
gewissen Hemmungslosigkeit, die mir schon längst geradezu
aufgefallen ist. Was ist eigentlich mit Ihnen? Welche Schulen
haben Sie besucht?«

   »Ich durchlief sechs Klassen der Oberrealschule«, versetzte
ich leise und anscheinend bekümmert darüber, daß ich ihn
befremdet und bei ihm angestoßen hatte.

   »Und warum nicht die siebente?«

   Ich senkte das Haupt; und von unten herauf warf ich ihm
einen Blick zu, der wohl sprechend gewesen und seinen Emp-
fänger ins Innere getroffen haben mag. Warum quälst du
mich? fragte ich mit diesem Blick. Warum zwingst du mich zu
reden? Siehest du, hörst und fühlst du denn nicht, daß ich
ein feiner und besonderer Jüngling bin, der unter freundlich
gesittetem Außenwesen tiefe Wunden verbirgt, welche das
feindliche Leben ihm schlug? Ist es wohl zartfühlend von dir,
daß du mich nötigst, vor so vielen und ansehnlichen Herren
meine Scham zu entblößen? – So mein Blick; und, urteilender
Leser, ich log keineswegs damit, wenn auch seine schmerzliche
Klage in dieser Sekunde ein Werk der Absicht und bewußten
Zielstrebigkeit war. Denn auf Lüge und Heuchelei muß freilich erkannt werden, wo eine Empfindung zu Unrecht nachgeahmt wird, weil ihren Anzeichen keinerlei Wahrheit und
wirkliches Wissen entspricht, was denn Fratzenhaftigkeit und
Stümperei notwendig zur kläglichen Folge haben wird. Soll-
ten wir aber über den Ausdruck unserer teuren Erfahrung
nicht zu beliebigem Zeitpunkt zweckmäßig verfügen dürfen?
Rasch, traurig und vorwurfsvoll sprach mein Blick von früher
Vertrautheit mit des Lebens Unbilden und Mißlichkeiten.
Dann seufzte ich tief.

   »Antworten Sie!« sagte der Oberstabsarzt in milderem Ton.
Ich kämpfte mit mir selbst, indem ich zögernd erwiderte:

»Ich blieb in der Schule zurück und gedieh nicht zur Beendigung ihres Kurses, weil ein wiederkehrendes Unwohlsein
mich öfter bettlägerig machte und damals häufig den Unterricht zu versäumen zwang. Auch glaubten die Herren Lehrer,
mir Mangel an Aufmerksamkeit und Fleiß zum Vorwurf
machen zu müssen, was mich sehr herabstimmte und ent-
mutigte, da ich mir keiner Schuld und Nachlässigkeit in dieser Hinsicht bewußt war. Aber so oft geschah es, daß mir
manches entgangen war und ich es nicht gehört oder vernommen hatte, sei es nun, daß es sich um besprochenen Lehrstoff
oder um häusliche Aufgaben handelte, die man uns vorgeschrieben und deren Anfertigung ich versäumt hatte, weil ich
nichts davon wußte, und zwar nicht, weil ich anderen und
unstatthaften Gedanken nachgehangen hatte, sondern es war
ganz, als sei ich überhaupt nicht zugegen gewesen, in der
Klasse nicht gegenwärtig, als diese Weisungen ergangen
waren, was auf seiten der Vorgesetzten Anlaß zu Tadel und
strengen Maßregeln, auf meiner eigenen aber zu großen ...«

Hier fand ich kein Wort mehr, verwirrte mich, schwieg
und zuckte sonderbar mit den Schultern.

»Halt!« sagte er. »Sind Sie denn schwerhörig? Gehen Sie
dorthin weiter zurück! Wiederholen Sie, was ich sage!« Und
nun begann er unter überaus lächerlichen Verrenkungen seines mageren Mundes und dünnen Bartes »Neunzehn, Siebenundzwanzig« und andere Zahlen sorgfältig zu flüstern,
welche pünktlich und exakt zurückzugeben ich mich nicht verdrießen ließ; denn wie alle meine Sinne war auch mein Gehör nicht allein durchschnittsmäßig beschaffen, sondern sogar
von besonderer Schärfe und Feinheit, und ich sah keinerlei
Anlaß, ein Hehl daraus zu machen. So verstand und wiederholte ich denn die zusammengesetztesten Ziffern, die er nur
hauchweise vorbrachte, und meine schöne Gabe schien ihn zu
fesseln, denn er trieb den Versuch immer weiter, sandte mich
in den entlegensten Winkel des Raumes, um mir über einen
Abstand von sechs oder sieben Metern hinweg vierstellige
Zahlen mehr zu verhehlen als mitzuteilen, und richtete ge-

kniffenen Mundes nach dem Kommissionstisch bedeutende
Blicke, wenn ich halb ratend alles erfaßte und wiedergab, was
er kaum über die Lippen zu lassen geglaubt hatte.

»Nun«, sagte er endlich mit gespielter Gleichgültigkeit,
»Sie hören recht gut. Treten Sie wieder heran und sagen Sie
uns einmal ganz genau, wie sich das Unwohlsein äußerte, das
Sie zuweilen vom Schulbesuch abhielt.«

Gefällig kam ich herbei.

»Unser Hausarzt«, antwortete ich, »Sanitätsrat Düsing,
pflegte es für eine Art Migräne zu erklären.«

»So, Sie hatten einen Hausarzt. Sanitätsrat war er? Und
für Migräne erklärte er es! Nun, wie trat sie denn also auf,
diese Migräne? Beschreiben Sie uns den Anfall! Stellten sich
Kopfschmerzen ein?«

»Kopfschmerzen auch!« erwiderte ich überrascht, indem ich
ihn achtungsvoll anblickte, »sowie ein Sausen in beiden Ohren
und hauptsächlich eine große Not und Furcht oder vielmehr
Verzagtheit des ganzen Körpers, welche endlich in heftige
Würgekrämpfe übergeht, so daß es mich fast aus dem Bette
schleudert . . .«

»Würgekrämpfe?« sagte er. »Andere Krämpfe nicht?«

»Nein, andere gewiß nicht«, versicherte ich mit größter
Bestimmtheit.

»Aber Ohrensausen.«

»Ohrensausen war allerdings vielfach dabei.«

»Und wann hat der Anfall sich eingestellt? Etwa wenn
eine Erregung vorangegangen war? Bei besonderem Anlaß?«

»Wenn mir recht ist«, antwortete ich zögernd und mit
suchendem Blick, »so erfolgte er in meiner Schulzeit manches
Mal gerade dann, wenn ich in der Klasse einen solchen Anstand gehabt, nämlich ein Ärgernis von jener Art, wie ich
sagte . . .«

»Daß Sie gewisse Dinge nicht gehört hatten, so, als ob Sie
nicht anwesend gewesen wären?«

»Ja, Herr Chefarzt.«

»Hm«, sagte er. »Und nun denken Sie einmal nach und

sagen Sie uns gewissenhaft, ob Ihnen nicht irgendwelche Anzeichen aufgefallen sind, die einem solchen Zufall, daß Sie
scheinbar nicht anwesend gewesen waren, vorhergingen und
ihn regelmäßig ankündigten. Haben Sie keine Scheu! Überwinden Sie eine begreifliche Befangenheit und reden Sie frei,
ob Sie dergleichen wohl gegebenen Falles beobachtet haben!«

Ich blickte ihn an, blickte ihm eine geraume Zeit unverwandt in die Augen, indem ich schwer, langsam und sozusagen in bitterer Nachdenklichkeit mit dem Kopfe nickte.

»Ja, mir ist oft sonderbar; sonderbar war und ist mir leider zeitweilig zu Sinn«, sprach ich endlich leise und grüblerisch. »Manches Mal kommt es mir vor, als ob ich plötzlich
in die Nähe eines Ofens und Feuers gerückt wäre, ganz so
warm berührt es alsdann meine Glieder, anfangs die Beine,
hierauf die höheren Teile, und eine Art von Kribbeln und
Prickeln ist darin, worüber ich mich wundern muß, und um
so mehr, als ich gleichzeitig Farbenspiele vor Augen habe, die
sogar hübsch sind, aber mich dennoch erschrecken; und wenn
ich nochmals auf das Prickeln zurückkommen darf, so könnte
man es auch als Ameisenlaufen bezeichnen.«

»Hm. Und hierauf haben Sie dann verschiedenes nicht
gehört.«

»Ja, so ist es, Herr Lazarettkommandant! Manches verstehe ich nicht an meiner Natur, und auch zu Hause bereitete
sie mir Ungelegenheiten, denn zuweilen merke ich wohl, daß
ich bei Tische unversehens meinen Löffel habe fallen lassen
und das Tischtuch mit Suppe befleckt habe, und meine Mutter schilt mich hernach, daß ich herangewachsener Mensch in
Gegenwart unserer Gäste – Bühnenkünstler und Gelehrte
sind es hauptsächlich – mich so tölpelhaft aufführe.«

»So, den Löffel lassen Sie fallen! Und bemerken es erst ein
bißchen später! Sagen Sie mal, haben Sie Ihrem Hausarzt,
diesem Herrn Sanitätsrat, oder welchen bürgerlichen Titel er
nun führt, niemals etwas von diesen kleinen Unregelmäßigkeiten erzählt?«

Leise und niedergeschlagen verneinte ich diese Frage.

»Und warum nicht?« beharrte jener.

»Weil ich mich schämte«, antwortete ich stockend, »und es niemandem sagen mochte; denn mir war, als müsse es ein Geheimnis bleiben. Und dann hoffte ich auch im stillen, daß es sich mit der Zeit verlieren werde. Und nie hätte ich gedacht, daß ich zu jemandem so viel Vertrauen fassen könnte, um ihm einzubekennen, wie sehr sonderbar es mir oftmals ergeht.«

»Hm«, sagte er, und es zuckte spöttisch in seinem schütteren Bart. »Denn Sie dachten wohl, daß man das alles schlechtweg für Migräne erklären würde. Sagten Sie nicht«, fuhr er fort, »daß Ihr Vater Schnapsbrenner war?«

»Ja, das heißt, er besaß eine Schaumweinfabrik am Rheine«, sagte ich höflich, indem ich seine Worte zugleich bestätigte und verbesserte.

»Richtig, eine Schaumweinfabrik! Und da war er denn also wohl ein vorzüglicher Weinkenner, Ihr Vater?«

»Das will ich meinen, Herr Stabsphysikus!« sprach ich fröhlich, während am Kommissionstisch eine Bewegung der Heiterkeit sich bemerkbar machte. »Ja, das war er.«

»Und auch kein Duckmäuser für seine Person, sondern Liebhaber eines guten Tropfens, nicht wahr, und, wie man sagt, ein rechter Zecher vor dem Herrn?«

»Mein Vater«, versetzte ich ausweichend, indem ich meine Munterkeit gleichsam zurücknahm, »war die Lebenslust selbst. Soviel kann ich bejahen.«

»So, so, die Lebenslust. Und woran starb er?«

Ich verstummte. Ich blickte ihn an, ich schlug mein Gesicht zu Boden. Und mit veränderter Stimme erwiderte ich:

»Wenn ich den Herrn Bataillonsmedikus höflichst bitten dürfte, auf dieser Frage gütigst nicht weiter bestehen zu wollen . . .«

»Sie haben hier keinerlei Auskunft zu verweigern!« antwortete er mit strengem Meckern. »Was ich Sie frage, frage ich mit Bedacht, und Ihre Angaben sind von Wichtigkeit. In Ihrem eigenen Interesse ermahne ich Sie, uns die Todesart Ihres Vaters wahrheitsgemäß zu nennen.«

»Er empfing ein kirchliches Begräbnis«, sagte ich mit ringender Brust, und meine Erregung war zu groß, als daß ich die Dinge der Ordnung nach hätte vortragen können. »Dafür kann ich Beweis und Papiere beibringen, daß er kirchlich bestattet wurde, und Erkundigungen werden ergeben, daß mehrere Offiziere und Professor Schimmelpreester hinter dem Sarg schritten. Geistlicher Rat Chateau erwähnte selbst in seiner Gedächtnisrede«, fuhr ich immer heftiger fort, »daß das Schießzeug unversehens losgegangen sei, als mein Vater prüfungsweise damit hantiert habe, und wenn seine Hand gezittert hat und er nicht völlig Herr seiner selbst war, so geschah es, weil groß Ungemach uns heimgesucht hatte ...« Ich sagte »groß Ungemach« und gebrauchte auch sonst einige ausschweifende und träumerische Ausdrücke. »Der Ruin hatte mit hartem Knöchel an unsere Tür geklopft«, sagte ich außer mir, indem ich sogar zur Erläuterung mit dem gekrümmten Zeigefinger in die Luft pochte, »denn mein Vater war in die Netze böser Menschen gefallen, Blutsauger, die ihm den Hals abschnitten, und es wurde alles verkauft und verschleudert ... die Glas ... harfe«, stotterte ich unsinnig und verfärbte mich fühlbar, denn nun sollte das ganz und gar Abenteuerliche mit mir geschehen, »das Äols ... rad ...« Und in diesem Augenblick geschah folgendes mit mir.

Mein Gesicht verzerrte sich – aber damit ist wenig gesagt. Es verzerrte sich auf eine meiner Meinung nach völlig neue und schreckenerregende Art, so, wie keine menschliche Leidenschaft, sondern nur teuflischer Einfluß und Antrieb ein Menschenantlitz verzerren kann. Meine Züge wurden buchstäblich nach allen vier Seiten, nach oben und unten, rechts und links auseinandergesprengt, um gleich darauf wieder gegen die Mitte gewaltsam zusammenzuschrumpfen; ein abscheulich einseitiges Grinsen zerriß danach meine linke, dann meine rechte Wange, während es das zugehörige Auge mit furchtbarer Kraft verkniff, das entgegengesetzte aber so unmäßig erweiterte, daß mich das deutliche und fürchterliche Gefühl ankam, der Apfel müsse herausspringen, und das

hätte er immerhin tun mögen – mochte er doch! Es kam nicht
darauf an, ob er aussprang, und für zärtliche Sorge um ihn
war dies jedenfalls nicht der Augenblick. Wenn aber ein so
widernatürliches Mienenspiel nach außen hin wohl jenes
äußerste Befremden erregen mochte, das als Entsetzen bezeichnet wird, so bildete es doch nur Einleitung und Anbeginn
eines wahren Hexensabbats von Fratzenschneiderei, einer
ganzen Grimassenschlacht, die sich während der nächsten
Sekunden auf meinem jugendlichen Antlitz abspielte. Die
Abenteuer meiner Züge im einzelnen durchzunehmen, die
greulichen Stellungen eingehend abzuschildern, in welche mein
Mund, meine Nase, meine Brauen und meine Wangen, kurz,
alle meine Gesichtsmuskeln gerieten – und zwar unter steter
Abwechslung und ohne daß eines der Mißgesichter sich
wiederholt hätte –, eine solche Beschreibung wäre ein allzu
weitläufiges Unternehmen. Nur soviel sei gesagt, daß gemütliche Vorgänge, die diesen physiognomischen Phänomenen
etwa entsprochen hätten, daß Empfindungen so blödseliger
Heiterkeit, krassen Erstaunens, irrer Wollust, entmenschter
Qual und zähnefletschender Tollwut schlechterdings nicht
von dieser Welt gewesen wären, sondern einem infernalischen
Reich hätten angehören müssen, wo unsere irdischen Leidenschaften in ungeheure Verhältnisse ausgeweitet sich schauder-
haft wiederfinden. Ist es aber nicht so, daß Affekte, wovon
wir die Miene annehmen, sich ahnungsweise und schattenhaft
wahrhaftig in unserer Seele herstellen? Mein übriger Körper
verhielt sich inzwischen nicht ruhend, obgleich ich aufrecht an
meiner Stelle blieb. Mein Kopf rollte umher und drehte sich
mehrmals fast ins Genick, nicht anders, als sei der Leibhaftige
im Begriff, mir den Hals zu brechen; meine Schultern und
Arme schienen aus den Gelenken gewunden zu werden,
meine Hüften verbogen sich, meine Knie kehrten sich gegen-
einander, mein Bauch höhlte sich aus, indes meine Rippen die
Haut zersprengen zu wollen schienen; meine Zehen ver-
krampften sich, kein Fingerglied, das nicht phantastisch und
klauenhaft verbogen gewesen wäre, und so, gleichsam auf eine

höllische Folter gespannt, verharrte ich etwa zwei Dritteile einer Minute.

Ich war ohne Besinnung während dieses unter so harten Bedingungen überaus langwierigen Zeitraumes, zum wenigsten ohne Erinnerung an meine Umgebung und Zuschauerschaft, welche mir gegenwärtig zu halten die Strenge meines Zustandes mich völlig hinderte. Rauhe Zurufe drangen wie aus weiter Ferne an mein Ohr, ohne daß ich in der Lage gewesen wäre, ihnen Gehör zu schenken. Auf einem Stuhle mich wiederfindend, welchen der Oberstabsarzt unter mich zu schieben sich beeilt hatte, verschluckte ich mich heftig mit einigem wärmlich abgestandenen Leitungswasser, das dieser uniformierte Gelehrte mir einzuflößen bemüht war. Mehrere Kommissionsherren waren aufgesprungen und standen mit verstörten, empörten, auch angewiderten Gesichtern über den grünen Tisch gebeugt. Andere legten auf sanftere Art ihre Bestürzung über die gehabten Eindrücke an den Tag. Ich sah einen, der beide geschlossenen Hände an die Ohren gepreßt hielt und, wahrscheinlich vermöge einer Art von Ansteckung, sein eigenes Gesicht zur Grimasse verzogen hatte, einen anderen, der zwei Finger seiner Rechten gegen die Lippen drückte und außerordentlich geschwind mit den Lidern blinzelte. Was aber mich selbst betrifft, so hatte ich nicht so bald mit wiederhergestellter, wenn auch in natürlichem Grade erschrockener Miene um mich geblickt, als ich mich beeilte, eine Szene zu beendigen, die mir nicht ziemlich scheinen konnte, mich rasch und verwirrt vom Stuhle erhob und neben ihm militärische Haltung annahm, die freilich mit meiner rein menschlichen Verfassung wenig übereinstimmen wollte.

Der Oberstabsarzt war zurückgetreten, noch immer das Wasserglas in der Hand.

»Sind Sie bei Sinnen?« fragte er mit einer Mischung von Ärgerlichkeit und Teilnahme in der Stimme ...

»Zu Befehl, Herr Kriegsarzt«, erwiderte ich in dienstfertigem Tone.

»Und bewahren Sie eine Erinnerung an das eben Durchlebte?«

»Ich bitte«, war meine Erwiderung, »gehorsamst um Vergebung. Ich war einen Augenblick etwas zerstreut.«

Kurzes, gewissermaßen bitteres Lachen antwortete mir vom Sitzungstische her. Man wiederholte murmelnd das Wort »zerstreut«.

»Sie schienen allerdings nicht ganz bei der Sache zu sein«, sagte der Oberstabsarzt trocken. »Hatten Sie sich in erregtem Zustande hier eingefunden? Erwarteten Sie die Entscheidung über Ihre Dienstfähigkeit mit besonderer Spannung?«

»Ich gebe zu«, antwortete ich hierauf, »daß es mir eine große Enttäuschung gewesen wäre, abgewiesen zu werden, und ich wüßte nicht, wie ich meiner Mutter mit einem solchen Bescheid unter die Augen treten sollte. Sie sah früher zahlreiche Angehörige des Offizierskorps in ihrem Hause und bringt der Heeresorganisation die wärmste Bewunderung entgegen. Deswegen liegt es ihr besonders am Herzen, daß ich zum Dienste herangezogen werde, und sie verspricht sich davon nicht nur bedeutende Vorteile für meine Bildung, sondern namentlich auch eine wünschenswerte Kräftigung meiner zuweilen schwankenden Gesundheit.«

Er schien meine Worte zu verachten und keines Eingehens für würdig zu halten.

»Ausgemustert«, sagte er, indem er das Wasserglas auf das Tischchen stellte, dorthin, wo auch sein Handwerkszeug, Meterband, Hörrohr und Hämmerchen, lagen. »Die Kaserne ist keine Heilanstalt«, warf er noch über die Schulter gegen mich hin und wandte sich dann zu den Herren am Kommissionstisch.

»Der Gestellungspflichtige«, erklärte er mit dünnem Mekkern, »leidet an epileptoiden Zufällen, sogenannten Äquivalenten, die hinreichen, seine Diensttauglichkeit unbedingt auszuschließen. Meiner Exploration zufolge liegt erhebliche Belastung von seiten eines trunksüchtigen Vaters vor, der nach seinem wirtschaftlichen Zusammenbruch durch Selbstmord endete. Die Erscheinungen der sogenannten Aura waren in den freilich unbeholfenen Schilderungen des Patienten unverkennbar. Ferner stellen sich jene schweren Unlustgefühle, die ihn, wie wir hörten, zuweilen bettlägerig machen und welche der Herr Kollege vom Zivil« (hier zeigte sich wieder ein hölzerner Spott um seine mageren Lippen) »im Sinne der sogenannten Migräne auslegen zu sollen glaubte, wissenschaftlich als Depressionszustände nach vorausgegangenem Anfall dar. Außerordentlich bezeichnend für die Natur des Leidens ist die Verschwiegenheit, die der Patient über seine Erfahrungen beobachtete; denn bei offenbar mitteilsamem Charakter hielt er sie geheim gegen jedermann, wie wir hörten. Es ist bemerkenswert, daß noch heute im Bewußtsein vieler Epileptiker etwas von der mystisch-religiösen Auffassung lebendig scheint, die das Altertum von dieser Nervenkrankheit hegte. Hierher kam der Gestellungspflichtige in aufgeregter und gespannter Verfassung. Schon seine exaltierte Redeweise machte mich stutzig. Auf nervöse Konstitution deutete sodann die äußerst unregelmäßige, wenn auch organisch tadellose Herztätigkeit und das habituelle Schulterzucken, das, wie es scheint, unbeherrschbar ist. Als besonders fesselndes Symptom möchte ich die geradezu erstaunliche Überfeinerung des Gehörsinnes ansprechen, die der Patient bei weiterer Untersuchung an den Tag legte. Ich stehe nicht an, diese übernormale Sinnesverschärfung mit dem beobachteten, ziemlich schweren Anfall in Zusammenhang zu bringen, der sich vielleicht seit Stunden vorbereitete und durch die Erregung, in welche den Patienten meine ihm unliebsamen Fragen versetzten, unmittelbar ausgelöst wurde. Ich empfehle Ihnen« – schloß er seine klare und gelehrte Übersicht, indem er sich lässig und von oben herab wieder zu mir wandte –, »sich in die Behandlung eines verständigen Arztes zu begeben. Sie sind ausgemustert.«

»Ausgemustert«, wiederholte die scharf näselnde Stimme, die ich kannte.

Entgeistert stand ich und regte mich nicht vom Fleck.

»Sie sind militärfrei und können gehen«, ließ sich nicht ohne Beimischung von Teilnahme und Wohlwollen jene Baßstimme hören, deren Besitzer mich feinsinnigerweise für einen Einjährigen gehalten hatte.

Da erhob ich mich auf die Zehenspitzen und sagte mit flehend emporgezogenen Brauen:

»Könnte denn nicht ein Versuch gemacht werden? Wäre es nicht möglich, daß das Soldatenleben meine Gesundheit kräftigte?«

Einige Herren am Kommissionstische lachten mit den Schultern, und der Oberstabsarzt blieb hart und unerbittlich.

»Ich wiederhole Ihnen«, warf er mir unhöflich vor die Füße hin, »daß die Kaserne keine Heilanstalt ist. Weggetreten!« meckerte er.

»Weggetreten!« wiederholte die scharf näselnde Stimme, und ein neuer Name ward aufgerufen. »Latte« lautete er, wie ich mich erinnere, denn nun war der Buchstabe L an der Reihe, und ein Strolch mit struppiger Brust erschien auf dem Plan. Ich aber verbeugte mich, ich zog mich in den Verschlag zurück, und während ich meine Kleider anlegte, leistete der assistierende Unteroffizier mir Gesellschaft.

Froh zwar, doch ernst gestimmt und ermattet durch so extreme und kaum noch im Bereiche des Menschlichen liegende Erfahrungen, denen ich mich leistend und leidend hingegeben; nachdenklich noch besonders über die bedeutenden Äußerungen, welche der Oberstabsarzt über das frühere Ansehen jener geheimnisvollen Krankheit getan hatte, als deren Träger er mich betrachten durfte, achtete ich kaum auf das vertrauliche Geschwätz, das der billig betreßte Unterbefehlshaber mit dem gewässerten Haar und dem aufgezwirbelten Schnurrbärtchen an mich richtete, und erst später erinnerte ich mich an seine einfachen Worte.

»Schade«, sagte er, indem er mir zusah; »schade um Sie, Krull, oder wie Sie sich schreiben! Sie sind ein properer Kerl, Sie hätten es zu was bringen können beim Militär. Das sieht man jedem gleich an, ob er es zu was bringen kann bei uns.

Schade um Sie; Sie haben das Zeug auf den ersten Blick, Sie
gäben gewiß einen feinen Soldaten ab. Und wer weiß, ob
Sie nicht Feldwebel hätten werden können, wenn Sie kapi-
tuliert hätten!«

Nachträglich erst, wie gesagt, gelangte diese vertrauliche
Ansprache in mein Bewußtsein, und während eilende Räder
mich heimwärts trugen, dachte ich bei mir selbst, daß der
Mensch wohl damit recht gehabt haben mochte; ja, wenn ich
mir einbildete, wie vortrefflich, natürlich und überzeugend
der Waffenrock mir angestanden haben würde, wie befrie-
digend, solange ich ihn getragen hätte, meine Person darin
aufgegangen wäre: so wollte fast Bedauern mich anwandeln,
daß ich den Zugang zu einer so kleidsamen Daseinsform,
einer Welt, in welcher der Sinn für natürlichen Rang offenbar fein entwickelt ist, vorsätzlich links hatte liegenlassen.

Reiferes Nachdenken freilich mußte mich zu der Einsicht
führen, daß mein Eintritt in diese Welt dennoch einen groben
Fehler und Irrtum bedeutet haben würde. War ich doch nicht
im Zeichen des Mars geboren, – wenigstens nicht im besondern
und wirklichen Sinn! Denn wenn freilich kriegerische Strenge,
Selbstbeherrschung und Gefahr die hervorstechendsten Merkmale meines seltsamen Lebens bildeten, so beruhte es doch
in erster Linie auf der Vor- und Grundbedingung der Freiheit, – einer Bedingung also, welche mit irgendwelcher Ein-
spannung in ein plump tatsächliches Verhältnis schlechterdings unvereinbar gewesen wäre. Lebte ich folglich soldatisch,
so wäre es doch ein tölpelhaftes Mißverständnis gewesen,
wenn ich darum als Soldat leben zu sollen geglaubt hätte; ja,
wenn es gälte, ein so erhabenes Gefühlsgut wie dasjenige der
Freiheit für die Vernunft zu bestimmen und zuzurichten, so
ließe sich sagen, daß dies eben: soldatisch, aber nicht als
Soldat, figürlich, aber nicht wörtlich, daß im Gleichnis leben
zu dürfen eigentlich Freiheit bedeute.

Sechstes Kapitel

Nach diesem Siege, einem wahren Davidssiege, wie ich ihn nennen möchte, kehrte ich vorderhand, da die Zeit für meinen Eintritt in das Pariser Hotel noch nicht gekommen war, zu dem oben mit einigen Strichen geschilderten Dasein auf dem Pflaster Frankfurts zurück, – einem Dasein gefühlvoller Einsamkeit im Strudel der Welt. Auf dem Getriebe der Großstadt lose schaukelnd, hätte ich wohl, wenn der Sinn mir darnach gestanden hätte, mancherlei Gelegenheit zu Austausch und Genossenschaft mit allerlei Existenzen gefunden, die man äußerlich als der meinen verwandt oder gleichartig hätte ansprechen können. Doch war dies mein Trachten so wenig, daß ich vielmehr solche Verbindungen entweder ganz vermied oder doch Sorge trug, daß sie zu irgendwelcher Vertraulichkeit keinesfalls gediehen: Denn eine innere Stimme hatte mir früh verkündigt, daß Anschluß, Freundschaft und wärmende Gemeinschaft mein Teil nicht seien, sondern daß ich allein, auf mich selbst gestellt und streng verschlossen meinen besonderen Weg zu machen unnachsichtig gehalten sei; ja, um genau zu sein, so wollte mir scheinen, daß ich, indem ich mich im geringsten gemein machte, mit Konsorten schmollierte oder, wie mein armer Vater gesagt haben würde, mich auf den Frère-et-cochon-Fuß stellte, kurz, mich in laxer Zutunlichkeit ausgäbe, irgendwelchem Geheimnis meiner Natur zu nahe treten, sozusagen meinen Lebenssaft verdünnen und die Spannkräfte meines Wesens aufs schädlichste schwächen und herabsetzen würde.

Darum begegnete ich, etwa an den klebrichten Marmortischchen der kleinen Nachtlokale, die ich besuchte, neugierigen Annäherungsversuchen und Zudringlichkeiten mit jener Höflichkeit, die meinem Geschmack und Charakter bequemer als Grobheit sich darbot und die zudem einen ungleich stärkeren Schutzwall bildet als diese. Denn die Grobheit macht gemein, aber die Höflichkeit ist es, welche Abstände schafft. So war denn sie es auch, die ich zu Hilfe nahm bei unwillkom-

menen Vorschlägen, die meiner Jugend – nicht zur Überraschung des in der vielfältigen Welt der Gefühle erfahrenen
Lesers, so nehme ich an – je und je, mit mehr oder weniger
Verblümtheit und Diplomatie von gewisser männlicher Seite
unterbreitet wurden, – wahrlich kein Wunder bei dem an-
ziehenden Lärvchen, das die Natur mir vermacht, und einer
allgemein gewinnenden Kondition, die durch armselige Kleidung, durch den Schal um den Hals, geflicktes Habit und
schadhaftes Schuhzeug, nicht unkenntlich gemacht werden
konnte. Den Ansuchern, von denen ich spreche und die, versteht sich, den höheren Ständen angehörten, diente diese
schlechte Hülle sogar zur Belebung ihrer Wünsche, außerdem
zur Ermutigung, während sie mich bei der eleganten Damenwelt notwendig in Nachteil setzen mußte. Ich sage nicht,
daß es mir an freudig aufgefangenen und angemerkten Signa-
len unwillkürlicher Teilnahme an meiner natürlich bevorzugten Person von dieser Seite ganz gefehlt hätte. Wie manches
Mal sah ich das eigensüchtig zerstreute Lächeln eines matt-
weißen, mit Eau de lis gepflegten Antlitzes sich verwirren
bei meinem Anblick und das Gepräge leicht leidender Schwäche
annehmen. Deine schwarzen Augen, du Kostbare im broka-
tenen Abendmantel, merkten groß und fast erschrocken auf,
sie durchdrangen meine Lumpen, so daß ich ihre forschende
Berührung auf meinem bloßen Leibe empfinden konnte, sie
kehrten fragend zur Hülle zurück, dein Blick empfing den
meinen, nahm ihn tief auf, indes dein Köpfchen sich wie beim
Trinken ein wenig zurückneigte, er gab ihn wieder, tauchte
mit süßem und unruhvoll-dringlichem Versuch der Ergrün-
dung in meinen, – und dann freilich mußtest du dich »gleichgültig« abwenden, mußtest dein rollendes Heim erklettern, und
während du schon zur Hälfte im seidenen Gehäuse schwebtest
und dein Bedienter mir mit der Miene väterlichen Wohlwollens
ein Geldstück verabfolgte, zögerten noch deine rückwärtigen
Reize, von geblümtem Gold überspannt, vom Mondschein der
großen Lampen der Vorhalle des Opernhauses bestrahlt, gleichsam unschlüssig im engen Rahmen der Wagentür.

Nein doch, an stillen Begegnungen, deren eine ich nicht ohne Bewegung heraufrief, fehlte es nicht durchaus. Im ganzen aber: was sollen Frauen in goldenen Abendmänteln anfangen mit dem, was ich damals darstellte, das heißt: mit einer Jugend, die schon als solche kaum mehr als ein Achselzucken von ihnen zu gewärtigen hat, durch Bettelhaftigkeit der Erscheinung aber, durch das Fehlen von allem, was den Kavalier macht, in ihren Augen vollends entwertet wird und gänzlich aus dem Kreise ihrer Aufmerksamkeit fällt? Die Frau bemerkt nur den »Herrn« – und ich war keiner. Ganz anders nun aber verhält es sich mit gewissen abseits wandelnden Herren, Schwärmern, welche nicht die Frau suchen, aber auch nicht den Mann, sondern etwas Wunderbares dazwischen. Und das Wunderbare war ich. Darum hatte ich so viel ausweichende Höflichkeit nötig, um andringende Begeisterung dieser Art zu dämpfen, ja zuweilen lag es mir ob, flehender Untröstlichkeit verständig-begütigend zuzureden.

Ich verschmähe es, die Moral gegen ein Verlangen ins Feld zu führen, das mir in meinem Fall nicht unverständlich erschien. Vielmehr darf ich mit jenem Lateiner sagen, daß ich nichts Menschliches mir fremd erachte. Zur Geschichte meiner persönlichen Liebeserziehung aber sei folgender Bericht hier schicklich angereiht.

Unter allen Spielarten des Menschlichen, welche die große Stadt meiner Beobachtung darbot, mußte eine gewisse und besondere, deren bloßes Vorkommen in der bürgerlichen Welt der Phantasie nicht wenig Nahrung bietet, die Achtsamkeit des sich bildenden Jünglings vorzüglich auf sich lenken. Es war dies jene Spezies weiblicher Einwohner, die, bezeichnet als öffentliche Personen und Freudenmädchen, auch wohl einfach als Kreaturen oder, in höherem Tone, als Venuspriesterinnen, Nymphen und Phrynen, entweder in gefriedeten Häusern beieinander wohnend oder bei Nacht auf bestimmten Straßenzeilen umherstreichend, sich mit obrigkeitlicher Zustimmung oder Duldung einer bedürftigen und zugleich zahlungsfähigen Männerwelt zu vertrautem Umgange feilhalten. Immer schien mir, daß diese Einrichtung, so gesehen, wie man, wenn mir recht ist, alle Dinge sehen sollte, nämlich mit einem frischen und von Gewohnheit nicht befangenen Blick: daß also diese Erscheinung wie ein farbig-abenteuerlicher Rückstand aus grelleren Epochen in unser wohlgesittetes Zeitalter hineinrage, und stets übte sie eine belebende, ja durch ihr bloßes Vorhandensein beglückende Wirkung auf mich aus. Jene besonderen Häuser zu besuchen, war ich durch meine große Armut gehindert. Auf der Gasse jedoch und an nächtlich geöffneten Erfrischungsstätten hatte ich ausgiebige Gelegenheit, die lockenden Wesen meinem Studium zu unterziehen, und nicht einseitig blieb diese Teilnahme, sondern wenn ich einer beifälligen Aufmerksamkeit irgend mich erfreuen durfte, so war es seitens der huschenden Nachtvögel, und es währte nicht lange, bis ungeachtet meiner sonst beobachteten Zurückhaltung persönliche Beziehungen zu einigen von ihnen sich hergestellt hatten.

Totenvogel, auch Leichenhühnchen nennt der Volksmund die kleine Sorte von Eulen oder Käuzchen, welche, so heißt es, nachts im Fluge gegen das Fenster Sterbenskranker stoßen und mit dem Rufe »Komm mit!« die ängstliche Seele ins Freie locken. Ist es nicht wunderlich, daß dieser Formel auch die anrüchige Schwesternschaft sich bedient, wenn sie, unter Laternen hinstreichend, die Männer frech und heimlich zur Wollust lädt? Einige sind beleibt wie Sultaninnen und in schwarzen Atlas gepreßt, gegen welchen die Puderweiße des feisten Gesichtes geisterhaft absticht, andere wiederum von verderbter Magerkeit. Ihre Zurichtung ist kraß und auf Wirkung im Hell-Dunkel der nächtlichen Straße berechnet. Himbeerfarbene Lippen glühen den einen im kreidigen Angesicht, während die anderen fettigen Rosenhauch auf ihre Wangen getragen haben. Ihre Brauen sind scharf und deutlich gewölbt, ihre Augen, durch Kohlestriche im Schnitt verlängert und am Rande des unteren Lides geschwärzt, zeigen vermöge der Einspritzung von Drogen oft einen übernatürlichen Glanz. Falsche Brillanten gleißen an ihren Ohren, große

Federhüte nicken auf ihren Köpfen, und in der Hand tragen
alle ein Täschchen, Ridikül oder Pompadour genannt, worin
einiges Toilettengerät, Farbstift und Puder, sowie gewisse
Vorkehrungsmittel verborgen sind. So streichen sie, deinen
Arm mit ihrem berührend, auf dem Bürgersteige an dir vorüber; ihre Augen, in denen Laternenlicht sich spiegelt, sind
aus dem Winkel auf dich gerichtet, ihre Lippen zu einem
heißen und unanständigen Lächeln verzerrt, und indem sie
dir hastig-verstohlen den Lockruf des Totenvogels zuraunen,
deuten sie mit einem kurzen Seitwärts-Winken des Kopfes
ins Verheißungsvoll-Ungewisse, so, als erwarte den Muti-
gen, welcher dem Winke, dem Spruche folgt, dort irgendwo
ein ungeheueres, nie gekostetes und grenzenloses Vergnügen.

Wie so oft und angelegentlich beobachtete ich von weitem
diese kleine geheime Szene, sah auch, wie wohlgekleidete Herren entweder unbewegt widerstanden oder sich auf Verhandlungen einließen und, wenn diese zum Einverständnis gediehen, mit der unzüchtigen Führerin beschwingten Schrittes
entschwanden. Denn an mich selber traten die Wesen nicht in
diesem Sinne heran, da ja mein ärmlicher Aufzug ihnen keinen praktischen Vorteil von meiner Kundschaft versprach.
Wohl aber hatte ich mich bald ihrer privaten und außer-
beruflichen Gunst zu erfreuen, und wenn ich, eingedenk meiner wirtschaftlichen Ohnmacht, mich ihnen zu nähern nicht
wagen durfte, so geschah es nicht selten, daß sie ihrerseits, nach
neugierig-beifälliger Prüfung meiner Person, auf kordia-
lische Art das Wort an mich richteten, nach meinem Tun und
Treiben kameradschaftlich fragten (worauf ich obenhin antwortete, daß ich zum Zeitvertreibe in Frankfurt mich auf-
hielte) und bei kleinen Plaudereien, die sich in Hausfluren
und Torwegen zwischen mir und einer Gruppe der grellen
Geschöpfe entspannen, das Gefallen, welches sie an mir fanden, auf verschiedene Weise und in derber, niedriger Mund-
art kundtaten. Solche Personen, am Rande bemerkt, sollten
nicht sprechen. Wortlos lächelnd, blickend und winkend sind

sie bedeutend; aber sobald sie den Mund auftun, laufen sie
große Gefahr, uns zu ernüchtern und ihres Nimbus verlustig
zu gehen. Denn das Wort ist der Feind des Geheimnisvollen
und ein grausamer Verräter der Gewöhnlichkeit.

Übrigens aber entbehrte mein freundschaftlicher Umgang
mit ihnen nicht eines gewissen Reizes der Gefahr, und zwar
folgendermaßen. Wer nämlich der menschlichen Sehnsucht be-
rufsmäßig dient und seinen Unterhalt daraus zieht, ist darum
seinerseits keineswegs über eben diese der Menschennatur tief
eingeborene Schwäche erhaben; denn er würde sich ihrer
Pflege, ihrer Erweckung und Befriedigung nicht so gänzlich
gewidmet haben und sich weniger trefflich auf sie verstehen,
wenn sie nicht in ihm sogar besonders lebendig, ja, wenn er
nicht für seine Person ein rechtes Kind der Sehnsucht wäre.
So nun kommt es, daß, wie bekannt, jene Mädchen außer
den vielen Liebhabern, denen sie sich geschäftsweise widmen,
meistens noch einen Herzensfreund und Hausgeliebten besitzen, welcher, derselben niedrigen Sphäre entstammend, auf
ihren eigenen Glückstraum ebenso planmäßig sein Leben
gründet, wie sie auf den aller anderen. Denn indem diese
Leute, unbedenkliche und zur Gewalttat geneigte Subjekte
zumeist, einer solchen die Freuden außeramtlicher Zärtlichkeit spenden, auch ihren Dienst überwachen und regeln und
ihr einen gewissen ritterlichen Schutz gewähren, machen sie
sich völlig zum Herrn und Meister derselben, nehmen ihr den
größeren Teil dessen ab, was sie verdient, und behandeln sie,
wenn das Ergebnis sie nicht befriedigt, mit großer Strenge,
was jedoch gern und willig ertragen wird. Die Ordnungsmächte sind diesem Gewerbe feindlich gesinnt und verfolgen
es beständig. Darum setzte ich mich bei jenen Tändeleien
einer doppelten Fährlichkeit aus: erstens der, von der Sitten-
behörde für einen der hohen Kavaliere gehalten und angesprochen zu werden; denn aber der andern, die Eifersucht dieser
Tyrannen zu wecken und mit ihren Messern Bekanntschaft zu
machen, womit sie sehr locker hantieren. So war Vorsicht
auf beiden Seiten geboten, und wenn mehr als eine der Schwe-

stern deutlich durchblicken ließ, daß sie nicht übel Lust habe,
zusammen mit mir einmal das trockene Geschäft zu vernachlässigen, so stand dem jene zweifache Rücksicht lange hin-
dernd entgegen, bis sie in einem besonderen Falle sich, zur
schwereren Hälfte wenigstens, glücklich behoben zeigte.

Eines Abends also – ich hatte mich mit besonderer Lust
und Inständigkeit dem Studium des städtischen Lebens hingegeben, und die Nacht war weit vorgeschritten – rastete ich,
vom Schweifen zugleich ermattet und begeistert, bei meinem
Glase Punsch in einem Kaffeehause mittleren Ranges. In den
Straßen fauchte ein böser Wind, und Regen, mit Schnee
vermischt, ging unablässig hernieder, was mich zögern ließ,
meine ziemlich entfernte Lagerstatt aufzusuchen; aber auch
mein Unterschlupf befand sich in unwirtlichem Zustande:
schon hatte man einen Teil der Stühle auf die Tische getürmt,
Scheuerweiber führten feuchte Lappen über den schmutzigen
Boden, die Bedienenden rekelten sich in verdrossenem Halb-
schlummer umher, und wenn ich trotzdem noch blieb, so geschah es hauptsächlich, weil ich vor den Gesichten der Welt
im tiefen Schlafe Zuflucht zu suchen mich heute schwerer als
sonst entschließen konnte.

Öde herrschte im Saal. An der einen Wand schlief ein Mann
von dem Aussehen eines Viehhändlers über den Tisch gebeugt, die Wange auf seiner ledernen Geldkatze. Ihm gegenüber spielten zwei brillentragende Greise, welche der Schlaf
wohl mied, vollständig schweigend Domino. Aber nicht weit
von mir, nur um zwei Tischchen entfernt, saß bei einem Gläschen grünen Likörs ein einsames Fräulein, leicht als eine von
Jenen erkennbar, der ich jedoch noch niemals begegnet war,
und wir maßen einander mit wechselseitigem Anteil.

Sie war wunderlich ausländischen Ansehens: denn unter
einer rotwollenen, vom Wirbel seitwärts gezogenen Mütze
hing ihr halbkurz geschnittenes schwarzes Haar in glatten
Strähnen herab und deckte teilweise die Wangen, welche vermöge stark vortretender Augenknochen weich ausgehöhlt
schienen. Ihre Nase war stumpf, ihr Mund geräumig und rot

geschminkt, und ihre Augen, die schief standen, die äußeren
Winkel nach oben, schimmerten blicklos und ungewiß in der
Farbe, ganz eigen und nicht wie bei anderen Menschen. Zur
roten Kappe trug sie eine kanariengelbe Jacke, darunter die
wenig ausgebildeten Formen des oberen Körpers sich sparsam, doch schmeidig abzeichneten, und wohl sah ich, daß sie
hochbeinig war nach Art eines Füllens, was immer meinem
Geschmacke zusagte. Ihre Hand, indem sie den grünen Likör
zum Munde führte, wies vorn sich verbreiternde und empor-
gebogene Finger auf, und irgendwie schien sie heiß, diese
Hand, ich weiß nicht, warum, – vielleicht, weil die Adern
des Rückens so stark hervortraten. Dazu hatte die Fremde
eine Gewohnheit, die Unterlippe vorwärts und rückwärts zu
schieben, indem sie sie an der oberen scheuerte.

Mit ihr also tauschte ich Blicke, obgleich ihre schiefen,
schimmernden Augen nie deutlich erkennen ließen, wohin sie
sich richteten, und schließlich, nachdem wir einander so eine
Weile gemustert, bemerkte ich nicht ohne jugendliche Verwirrung, daß sie mir den Wink, jenen seitlichen Wink ins
Buhlerisch-Ungewisse erteilte, womit ihre Gilde den Lock-
spruch des Totenhühnchens begleitet. In pantomimischer Absicht kehrte ich das Futter einer meiner Taschen nach außen;
allein sie antwortete mir mit einem Kopfschütteln, welches
besagt, daß ich mir meiner Armut wegen keine Sorge zu
machen brauchte, sie wiederholte das Zeichen, und indem sie
ihre Schuldigkeit für den grünen Likör abgezählt auf die
Marmorplatte legte, erhob sie sich und ging mit weichen Tritten zur Türe.

Ich folgte ihr ungesäumt. Schneebrei verunreinigte das
Trottoir, Regen trieb schräg herab, und große, mißgestaltete
Flocken, die er mit sich führte, ließen sich wie weiche, nasse
Tiere auf Schultern, Gesicht und Ärmeln nieder. So war ich
es wohl zufrieden, daß die fremde Braut einer vorüberwak-
kelnden Droschke winkte. Sie nannte dem Lenker gebrochenen
Tonfalles ihr Quartier, das in einer mir unbekannten Straße
gelegen war, sie schlüpfte ein, und den klappernden Schlag

hinter mir zuziehend, ließ ich mich neben ihr auf dem schäbigen Kissen nieder.

Erst jetzt, da das Nachtgefährt sich wieder in trottendes Rollen gesetzt hatte, begann unser Gespräch, – das einzuschalten ich Abstand nehme, da ich billig genug denke, um einzusehen, daß seine Freiheit sich der gesellig mitteilenden Feder versagt. Es entbehrte der Einleitung, dieses Gespräch, es entbehrte jeder höflichen Umständlichkeit; von allem Anfang an und durchaus eignete ihm die unbedingte, enthobene und entbundene Unverantwortlichkeit, die sonst nur dem Traum eigentümlich ist, wo unser Ich mit Schatten ohne gültiges Eigenleben, mit Erzeugnissen seiner selbst verkehrt, wie sie jedoch im wachen Dasein, worin ein Fleisch und Blut wirklich getrennt gegen das andere steht, eigentlich nicht stattfinden kann. Hier fand sie statt, und gern gestehe ich, daß ich in tiefster Seele angesprochen war von der berauschenden Seltsamkeit des Vorkommnisses. Wir waren nicht allein und doch weniger als zwei; denn wenn Zweiheit sonst sogleich einen gesellschaftlichen und gebundenen Zustand schafft, so konnte davon hier nicht die Rede sein. Die Vertraute hatte eine Art, ihr Bein über meines zu legen, als kreuze sie nur ihre eigenen; alles, was sie sagte und tat, war wundersam ungehemmt, kühn und fessellos, wie Gedanken der Einsamkeit es sind, und mit freudiger Leichtigkeit tat ich's ihr gleich.

Knapp zusammengefaßt, lief unser Austausch auf die Bekundung des lebhaften Gefallens hinaus, das wir sogleich aneinander gefunden, auf die Erforschung, Erörterung, Zergliederung dieses Gefallens, sowie auf die Abrede, es auf alle Weise zu pflegen, auszubilden und nutzbar zu machen. Ihrerseits spendete die Gefährtin mir manchen Lobspruch, der mich von weitem an gewisse Äußerungen jenes weisen Klerikers, des Geistlichen Rates daheim, erinnerte; nur daß die ihren zugleich allgemeiner und entschiedener waren. Denn auf den ersten Blick, so versicherte sie, erkenne der Kundige, daß ich zum Liebesdienste geschaffen und ausgezeichnet sei, ja mir selbst und der Welt viel Lust und Freude bereiten würde,

wenn ich einem so präzisen Berufe Folge leistete und mein
Leben gänzlich auf diesem Grunde errichten würde. Sie aber
wolle meine Lehrmeisterin sein und mich in eine gründliche
Schule nehmen; denn es sei deutlich, daß meine Gaben der
Anleitung von fertiger Hand noch bedürften ... Dies entnahm ich ihren Äußerungen, aber nur ungefähr, denn in Übereinstimmung mit ihrer fremden Erscheinung sprach sie gebrochen und fehlerhaft, ja konnte eigentlich überhaupt kein
Deutsch, so daß ihre Worte und Wortfügungen oft ganz verkehrt waren und sonderbar ins Unsinnige entglitten, was die
Traumhaftigkeit des Zusammenseins sehr erhöhte. Namentlich aber und besonders ist anzumerken, daß ihr Verhalten
bar jeder leichtfertigen Heiterkeit war; sondern unter allen
Umständen – und wie seltsam waren die Umstände zuweilen – bewahrte sie strengen, fast finsteren Ernst – jetzt und
während der ganzen Dauer unseres Umgangs.

Als nun nach langem Geklapper der Wagen hielt, stiegen
wir aus, und die Freundin entlohnte den Kutscher. Dann
ging es aufwärts in einem dunklen und kalten Stiegenschacht,
wo es nach Lampenblak roch, und die Führerin öffnete mir
ihr gleich an der Treppe gelegenes Zimmer. Hier war es
plötzlich sehr warm: der Geruch des stark überheizten eisernen Ofens mischte sich mit den dichten und blumigen Düften
von Schönheitsmitteln, und ein tiefrot gedämpftes Licht ent-
floß der angezündeten Ampel. Eine verhältnismäßige Pracht
umgab mich, denn auf plüschbeschlagenen Tischchen standen
in farbigen Vasen trockene Sträuße, welche aus Palmenwedeln, Papierblumen und Pfauenfedern verfertigt waren;
weiche Felle lagen umher; ein Himmelbett mit Vorhängen
aus rotem, mit goldener Litze besetztem Wollstoff beherrschte
das Zimmer, und an Spiegeln war großer Reichtum, denn es
fanden sich solche sogar an Stellen, wo man keine zu suchen
gewohnt ist: in dem Himmel des Bettes und in der Wand ihm
zur Seite. – Da wir nun aber Verlangen trugen, uns ganz zu
erkennen, schritten wir gleich zum Werk, und ich verweilte
bei ihr bis zum anderen Morgen.

Rozsa, so hieß meine Gegenspielerin, war aus Ungarn gebürtig, doch ungewissester Herkunft; denn ihre Mutter war in einem Wandercirkus durch Reifen, mit Seidenpapier bespannt, gesprungen, und wer ihr Vater gewesen, lag völlig im Dunkel. Früh hatte sie stärksten Hang zu grenzenloser Galanterie gezeigt und war, noch jung, doch nicht ohne ihr Einverständnis, nach Budapest in ein Freudenhaus verschleppt worden, wo sie mehrere Jahre verbrachte, die Hauptanziehung der Anstalt. Aber ein Kaufmann aus Wien, der glaubte, nicht ohne sie leben zu können, hatte sie unter Aufbietung großer List und sogar mit Beihilfe eines Verbandes zur Bekämpfung des Mädchenhandels aus dem Zwinger entführt und bei sich angesiedelt. Älter schon und zum Schlagfluß geneigt, hatte er sich ihres Besitzes im Übermaße erfreut und in ihren Armen unvermutet den Geist aufgegeben, so daß Rozsa sich auf ledigem Fuße gefunden hatte. Von ihren Künsten hatte sie wechselnd in mancherlei Städten gelebt und sich kürzlich in Frankfurt niedergelassen, wo sie, von bloß erwerbender Hingabe keineswegs ausgefüllt und befriedigt, feste Beziehungen zu einem Menschen eingegangen war, welcher – Metzgergesell ursprünglich, aber ausgestattet mit kühnen Lebenskräften und von bösartiger Männlichkeit – Zuhälterei, Erpressung und allerlei Menschenfang zum Berufe erwählt und sich zu Rozsas Gebieter aufgeworfen hatte, deren Glücksgeschäft seine vornehmste Einnahmequelle bildete. Wegen irgendwelcher Bluttat jedoch gefänglich eingezogen, hatte er sie auf längere Zeit sich selbst überlassen müssen, und da sie nicht gewillt war, auf ihr privates Glück zu verzichten, hatte sie ihre Augen auf mich geworfen und den stillen, noch unausgebildeten Jüngling sich zum Herzensgesellschafter ersehen.

Diese kleine Geschichte erzählte sie mir in lässiger Stunde, und ich vergalt ihr mit einem gedrängten Einbekenntnis des eigenen Vorlebens. Übrigens fanden Wort und Geplauder jetzt und in Zukunft nur spärlich statt bei unserm Verkehre, denn sie beschränkten sich auf die sachlichsten Anweisungen

und Verabredungen sowie auf kurze, anfeuernde Zurufe,
welche dem Vokabular von Rozsas frühester Jugend, nämlich dem Ausdrucksbereich der Cirkusmanege entstammten.
Wenn aber die Rede uns breiter strömte, so war es zu wechselseitigem Lobe und Preise, denn was wir bei erster Prüfung
einander verheißen, fand reichste Bestätigung, und die Meisterin ihrerseits namentlich versicherte mir vielmals und ungefragt, daß meine Anstelligkeit und Liebestugend auch ihre
schönsten Mutmaßungen überträfe.

Hier, ernsthafter Leser, bin ich in ähnlicher Lage wie schon
einmal in diesen Blättern, wo ich von gewissen frühen und
glücklichen Griffen in die Süßigkeiten des Lebens erzählte und
die Warnung beifügte, eine Tat doch ja nicht mit ihrem
Namen verwechseln und das Lebendig-Besondere durch das
gemein machende Wort obenhin abfertigen zu wollen. Denn
wenn ich aufzeichne, daß ich durch mehrere Monate, bis zu
meinem Aufbruch von Frankfurt, mit Rozsa in enger Verbindung stand, oft bei ihr weilte, auch auf der Straße die Er-
oberungen, die sie mit ihren schiefen, schimmernden Augen,
mit dem gleitenden Spiel ihrer Unterlippe machte, unterderhand beaufsichtigte, manchmal sogar verborgen zugegen war,
wenn sie zahlende Kundschaft bei sich empfing (wobei sie mir
wenig Grund zur Eifersucht gab), und mir eine mäßige Teilhaberschaft an dem Gewinne nicht mißfallen ließ, so könnte
man wohl versucht sein, meine damalige Existenz mit einem
anstößigen Namen zu belegen und sie kurzerhand mit der
jener dunklen Galans zusammenzuwerfen, von denen oben die
Rede war. Wer das glaubt, daß die Tat gleichmache, der
möge sich immerhin eines so einfachen Verfahrens bedienen.
Ich für mein Teil halte es mit der volkstümlichen Weisheit,
daß, wenn zweie dasselbe tun, es mitnichten dasselbe ist; ja,
ich gehe weiter und meine, daß Etikettierungen wie etwa »ein
Trunkenbold«, »ein Spieler« oder auch »ein Wüstling« den
lebendigen Einzelfall nicht nur nicht zu decken und zu ver-
schlingen, sondern ihn unter Umständen nicht einmal ernstlich zu berühren imstande sind. Dies ist meine Denkungsart;

andere mögen anders urteilen – über Bekenntnisse, bei denen immerhin in Anschlag zu bringen ist, daß ich sie freiwillig ablege und nach Belieben mit ihnen hinter dem Berge halten könnte.

Wenn ich aber dies Zwischenspiel hier mit so viel Umständlichkeit, als der gute Ton immer zuläßt, behandle, so darum, weil es meiner Einsicht nach für meine Ausbildung von der einschneidendsten Bedeutung war: nicht in dem Sinne, daß es meine äußere Weltläufigkeit sonderlich gefördert, meine bürgerlichen Sitten unmittelbar verfeinert hätte, – dazu war jene wilde Blüte des Ostens keineswegs die geeignete Persönlichkeit. Und doch beansprucht das Wort »Verfeinerung« hier seinen Platz, den ich nur gegen besseres Wissen ihm vorenthalten würde. Denn kein anderes bietet der Wortschatz für den Gewinn, den meine Natur aus dem Umgang mit dieser strengen Geliebten und Meisterin zog, deren Ansprüche sich aufs ernsteste mit meinen Gaben maßen. Und zwar ist hier nicht sowohl an eine Verfeinerung *in* der Liebe, als an eine solche *durch* die Liebe zu denken. Diese Betonungen sind wohl zu verstehen, denn sie verweisen auf den Unterschied und zugleich die Verquickung von Mittel und Zweck, wobei jenem eine engere und speziellere, diesem eine viel allgemeinere Bedeutung zukommt. Irgendwo auf diesen Blättern habe ich vorvermerkt, daß es mir bei den außerordentlichen Forderungen, die das Leben an meine Spannkraft stellte, nicht erlaubt war, mich in entnervender Wollust zu verausgaben. Nun denn, während der halbjährigen Lebensperiode, die durch den Namen der wenig artikulierten, aber kühnen Rozsa gekennzeichnet ist, tat ich eben dies, – nur daß das Tadelswort »entnervend« einem sanitären Vokabular entstammt, um dessen Anwendbarkeit es in gewissen distinguierteren Fällen recht zweifelhaft bestellt ist. Denn das Entnervende ist es, was uns benervt und uns, gewisse Vorbedingungen als gegeben angenommen, tauglich macht zu Darbietungen und Weltergötzungen, die nicht die Sache des Unbenervten sind. Nicht wenig tue ich mir zugute auf die Erfindung

dieses Wortes »Benervung«, mit dem ich ganz aus dem Stegreif den Wortschatz bereichere, um es dem tugendhaften
absprechenden »entnervend« wissentlich entgegenzustellen.
Denn ich weiß bis in den Grund meines Systems hinab, daß
ich die Stückchen meines Lebens nicht mit so viel Feinheit und
Eleganz hätte vollführen können, ohne durch Rozsas schlimme
Liebesschule gegangen zu sein.

Siebentes Kapitel

Als nun zu Michaeli in den mit Bäumen bepflanzten Straßen der Herbst die Blätter löste, war für mich der Augenblick gekommen, die mir durch die Weltverbindungen meines
Paten Schimmelpreester bereitete Stellung anzutreten, und
eines heiteren Morgens, nach freundlichem Abschied von
meiner Mutter, deren Pensionsbetrieb sich, unter Zuziehung
einer Magd, einer gewissen bescheidenen Blüte erfreute,
trugen eilende Räder den Jüngling und seine wenige, in einem
Köfferchen verstaute Habe seinem neuen Lebensziel, – keinem geringeren als der französischen Hauptstadt, entgegen.

Sie hasteten, ratterten und stolperten, diese Räder, unter
einem aus mehreren ineinandergehenden Abteilen bestehenden Waggon dritter Klasse mit gelben Holzbänken, auf denen
eine ungleich verteilte Anzahl bis zum Trübsinn belangloser
Mitreisender geringen Schlages während des ganzen Tages
ihr Wesen trieben, schnarchten, schmatzten, schwatzten und
Karten spielten. Am meisten Herzensanteil noch erweckten
mir einige Kinder von zwei bis vier Jahren, obgleich sie zeitweise plärrten, ja brüllten. Ich beschenkte sie aus einer Düte
mit billigen Crême-Hütchen, die die Mutter meiner Zehrung
hinzugefügt; denn gern habe ich immer mitgeteilt und später
mit den Schätzen, die aus den Händen der Reichen in meine
übergingen, so manches Gute getan. Wiederholt kamen diese
Kleinen denn auch zu mir getrippelt, legten die klebrigen

Händchen an mich und lallten mir etwas vor, was ich ihnen, merkwürdigerweise zu ihrer großen Ergötzung, ganz ebenso erwiderte. Dieser Umgang trug mir von den Erwachsenen, trotz aller gegen sie geübten Zurückhaltung, einen und den anderen wohlwollenden Blick ein – ohne daß es mir eben darum zu tun gewesen wäre. Vielmehr lehrte diese Tagesfahrt mich wieder, daß, je empfänglicher Seele und Sinn geschaffen sind für Menschenreiz, sie in desto tieferen Mißmut gestürzt werden durch den Anblick menschlichen Kroppzeugs. Sehr wohl weiß ich, daß diese Leute nichts können für ihre Häßlichkeit; daß sie ihre kleinen Freuden und oft schweren Sorgen haben, kurz, kreatürlich lieben, leiden und am Leben tragen. Unter dem sittlichen Gesichtspunkt hat zweifellos jeder von ihnen Anspruch auf Teilnahme. Ein so durstiger wie verletzlicher Schönheitssinn jedoch, den die Natur in mich gelegt, zwingt meine Augen, sich von ihnen abzuwenden. Nur in zartestem Alter sind sie erträglich, wie die Kindlein, die ich traktierte und durch ihre eigene Redeweise zu herzlichem Lachen brachte, so der Leutseligkeit meinen Zoll entrichtend.

Übrigens will ich, gewissermaßen auch zur Beruhigung des Lesers, hier einflechten, daß dies für immer das letzte Mal war, daß ich dritter Klasse, als Fahrtgenosse der Unerquicklichkeit, reiste. Das, was man Schicksal nennt und was im Grunde wir selber sind, fand, nach unbekannten, aber unfehlbaren Gesetzen wirkend, binnen kurzem Mittel und Wege, zu verhindern, daß es jemals wieder geschah.

Meine Fahrkarte, versteht sich, war in bester Ordnung, und ich genoß es auf eigene Art, daß sie so einwandfrei in Ordnung – daß folglich ich selbst so einwandfrei in Ordnung war und daß die wackeren, in derbe Mäntel gekleideten Schaffner, die mich im Lauf des Tages in meinem hölzernen Winkel besuchten, den Ausweis nachprüften und ihn mit ihrer Zwickzange lochten, ihn mir stets mit stummer dienstlicher Befriedigung zurückreichten. Stumm allerdings und ohne Ausdruck, das heißt: mit dem Ausdruck beinahe erstorbener und bis zur Affektation gehender Gleichgültigkeit, der mir nun wieder Gedanken eingab über die jede Neugier ausschaltende Fremdheit, mit welcher der Mitmensch, besonders der beamtete, dem Mitmenschen glaubt begegnen zu sollen. Der brave Mann da, der meine legitime Karte zwickte, gewann damit seinen Lebensunterhalt; irgendwo wartete seiner ein Heim, ein Ehering saß ihm am Finger, er hatte Weib und Kinder. Aber ich mußte mich stellen, als ob mir der Gedanke an seine menschlichen Bewandtnisse völlig fernliege, und jede Erkundigung danach, die verraten hätte, daß ich ihn nicht nur als dienstliche Marionette betrachtete, wäre höchst unangebracht gewesen. Umgekehrt hatte auch ich meinen besonderen Lebenshintergrund, nach dem er sich und mich hätte fragen mögen, was ihm aber teils nicht zukam, teils unter seiner Würde war. Die Richtigkeit meines Fahrscheins war alles, was ihn anging von meiner ebenfalls marionettenhaften Passagierperson, und was aus mir wurde, wenn dieser Schein abgelaufen und mir abgenommen war, darüber hatte er toten Auges hinwegzublicken.

Etwas seltsam Unnatürliches und eigentlich Künstliches liegt ja in diesem Gebaren, obgleich man zugeben muß, daß es fortwährend und nach allen Seiten zu weit führen würde, davon abzuweichen, ja daß schon leichte Durchbrechungen meist Verlegenheit zeitigen. Tatsächlich gab mir gegen Abend einer der Beamten, eine Laterne am Gürtel, meine Karte mit einem längeren Blick auf mich und einem Lächeln zurück, das offenbar meiner Jugend galt.

»Nach Paris?« fragte er, obgleich mein Reiseziel ja klar und deutlich war.

»Ja, Herr Inspektor«, antwortete ich und nickte ihm herzlich zu. »Dahin geht es mit mir.«

»Was wollen Sie denn da?« getraute er sich weiterzufragen.

»Ja, denken Sie«, erwiderte ich, »auf Grund von Empfehlungen soll ich mich dort im Hotel-Gewerbe betätigen.«

»Schau, schau!« sagte er. »Na, viel Glück!«

»Viel Glück auch Ihnen, Herr Oberkontrolleur«, gab ich zurück. »Und bitte, grüßen Sie Ihre Frau und die Kinder!«

»Ja, danke – nanu!« lachte er bestürzt, in sonderbarer Wortverbindung, und beeilte sich weiterzukommen, strauchelte und stolperte aber etwas dabei, obgleich am Boden gar kein Anstoß vorhanden war; so sehr hatte die Menschlichkeit ihn aus dem Tritt gebracht. –

Auch an der Grenzstation, wo wir alle mit unserem Gepäck den Zug zu verlassen hatten, bei der Zollrevision oder Douane also, fühlte ich mich sehr heiter, leicht und reinen Herzens, da wirklich mein Köfferchen nichts enthielt, was ich vor den Augen der Visitatoren hätte verbergen müssen; und auch die Nötigung zu sehr langem Warten (da begreiflicherweise die Beamten den vornehmen Reisenden den Vorzug geben vor den geringen, deren Habseligkeiten sie dann desto gründlicher herausreißen und durcheinanderwerfen) vermochte die Klarheit meiner Stimmung nicht zu trüben. Auch fing ich mit dem Manne, vor dem ich endlich meine Siebensachen ausbreiten durfte und der zunächst Miene machte, jedes Hemd und jede Socke in der Luft zu schütteln, ob nicht etwas Verbotenes herausfiele, sogleich in vorbereiteten Wendungen zu parlieren an, wodurch ich ihn rasch für mich gewann und ihn davon abhielt, alles zu schütteln. Die Franzosen nämlich lieben und ehren die Rede – durchaus mit Recht! Ist sie es doch, welche den Menschen vom Tier unterscheidet, und die Annahme ist gewiß nicht unsinnig, daß ein Mensch sich desto weiter vom Tiere entfernt, je besser er spricht – und zwar französisch. Denn das Französische erachtet diese Nation für die Menschensprache, gleichwie ich mir vorstelle, daß das fröhliche Völkchen der alten Griechen ihr Idiom für die einzig menschliche Ausdrucksweise, alles andere aber für ein barbarisches Gebelfer und Gequäk mögen gehalten haben, – eine Meinung, der die übrige Welt sich unwillkürlich mehr oder weniger anschloß, indem sie jedenfalls das Griechische, wie heute wir das Französische, für das Feinste ansah.

»Bonsoir, Monsieur le commissaire!« begrüßte ich den Zöllner, indem ich mit einem gewissen dumpfen Singen auf

der dritten Silbe des Wortes »commissaire« verweilte. »Je
suis tout à fait à votre disposition avec tout ce que je pos-
sède. Voyez en moi un jeune homme très honnête, pro-
fondément dévoué à la loi et qui n'a absolument rien à
déclarer. Je vous assure, que vous n'avez jamais examiné
une pièce de bagage plus innocente.«

»Tiens!« sagte er und betrachtete mich näher. »Vous sem-
blez être un drôle de petit bonhomme. Mais vous parlez
assez bien. Êtes-vous Français?«

»Oui et non«, antwortete ich. »A peu près. A moitié –
à demi, vous savez. En tout cas, moi, je suis un admirateur
passionné de la France et un adversaire irréconciliable de
l'annection de l'Alsace-Lorraine!«

Sein Gesicht nahm einen Ausdruck an, den ich strengbe-
wegt nennen möchte.

»Monsieur«, entschied er feierlich, »je ne vous gêne plus
longtemps. Fermez votre malle et continuez votre voyage à
la capitale du monde avec les bons vœux d'un patriote
français!«

Und während ich noch unter Danksagungen mein bißchen
Unterzeug zusammenraffte, machte er schon sein Kreide-
zeichen auf den noch offenen Deckel meines Handkoffers. Bei
meinem raschen Wiedereinpacken jedoch wollte es das Ungefähr, daß dieses Stück etwas von der Unschuld verlor, die
ich ihm mit Recht nachgerühmt hatte, da eine Kleinigkeit
mehr darin einging, als vordem darin gewesen war. Neben
mir nämlich an der mit Blech bedeckten Schranke und Ge-
päckbank, hinter der die Revisoren ihres Amtes walteten,
unterhielt eine Dame mittleren Alters im Nerzmantel und in
einem mit Reiherfedern garnierten glockenförmigen Sammet-
hut, über ihren offenstehenden großen Koffer hinweg, einen
ziemlich erregten Disput mit dem sie kontrollierenden Beamten, der offenbar über eines ihrer Besitztümer, irgendwelche Spitzen, die er in Händen hielt, anderer Meinung war
als sie. Von ihrem schönen Reisegut, unter welchem der Mann
die strittigen Spitzen hervorgezogen, lag mehreres bis zur

Vermengung nahe bei meinem eigenen, am allernächsten ein
sehr nach Preziosen aussehendes Saffiankästchen, beinahe von
Würfelgestalt, und unversehens glitt dasselbe, während mein
Freund mir sein Vidi-Zeichen erteilte, mit in mein Köfferchen.
Das war mehr ein Geschehen als ein Tun, und es geschah ganz
unterderhand, nebenbei und heiter mit unterlaufend, als Produkt, sozusagen, der guten Laune, die mein beredtes Wohl-
verhältnis zu den Autoritäten des Landes mir erregte. Tatsächlich dachte ich während des Restes der Reise kaum noch
an den zufälligen Erwerb, und nur ganz flüchtig stieg die
Frage mir auf, ob wohl die Dame beim Wiedereinpacken ihrer
Effekten das Kästchen vermißt hatte oder nicht. Ich sollte
darüber in Bälde Genaueres erfahren.

So rollte denn mein Zug verlangsamten Ganges, nach einer
Fahrt, die mit ihren Unterbrechungen zwölf Stunden gedauert hatte, in den Bahnhof des Nordens ein, und während
die Porteurs sich der vermögenden, mit Gepäck wohlausge-
statteten Reisenden, die zum Teil mit abholenden Freunden
und Verwandten Umarmungen und Küsse tauschten, ge-
schäftig schwatzend annahmen; während auch die Schaffner
es sich nicht verdrießen ließen, Handtaschen und Plaidrollen
aus Türen und Fenstern ihnen zuzureichen, entstieg der einsame Jüngling still im Getümmel seiner Unterkunft für dritt-
klassige Glieder der Gesellschaft und verließ, von niemand-
dem beachtet, sein Köfferchen in eigener Hand, die laute und
übrigens wenig ansehnliche Halle. Draußen auf der schmutzigen Straße (es ging ein Sprühregen herab) hob wohl ein
und der andere Fiaker-Lenker auffordernd die Peitsche
gegen mich, da ich einen Koffer trug, und rief mir ein »Eh!
Fahren wir, mon petit?« oder »mon vieux« oder dergleichen
zu. Allein womit sollte ich die Fahrt bezahlen? Ich besaß fast
kein Geld, und wenn jenes Kästchen eine Aufbesserung meiner
pekuniären Verhältnisse bedeutete, so konnte sein Inhalt
jedenfalls hier noch nicht zur Anwendung gelangen. Nebenbei wäre es kaum schicklich gewesen, an meiner zukünftigen
Arbeitsstätte in einem Fiaker vorzufahren. Meine Absicht

war, den Weg dorthin, der freilich weit sein mochte, zu
Fuße zurückzulegen, und bei Vorübergehenden erkundigte
ich mich sittsam nach der Richtung, die ich einzuschlagen hätte,
um nach der Place Vendôme (ich nannte diskreterweise
weder das Hotel noch auch nur die Rue Saint-Honoré) zu
gelangen, – mehrmals ohne daß die Leute auch nur ihren
Schritt gehemmt und meiner Frage ihr Ohr geliehen hätten.
Und doch bot ich keine bettelhafte Erscheinung, denn immerhin hatte meine gute Mutter einige Taler springen lassen, um
mich für die Reise ein wenig instandzusetzen und auszustat-
ten. Mein Schuhwerk war neu versohlt und geflickt worden,
und mich kleidete eine wärmende Überjacke mit Mufftaschen,
zu der ich eine artige Sportmütze trug, unter welcher mein
blondes Haar sich blühend hervortat. Aber ein junges Blut,
das keinen Gepäckträger in Arbeit setzt, sondern auf der
Straße selbst seine Habe schleppt und keines Fiakers mächtig
scheint, ist den Zöglingen unserer Zivilisation keines Blickes
und Wortes wert, oder richtiger: eine gewisse Angst warnt
sie davor, mit ihm im geringsten zu schaffen zu haben; denn
er ist einer beunruhigenden Eigenschaft, nämlich der Armut,
verdächtig, damit aber auch gleichwohl noch schlimmerer
Dinge, und somit scheint es der Gesellschaft am weisesten,
über ein solches Fehlprodukt ihrer Ordnung wie blind hinwegzusehen. »Armut«, heißt es wohl, »ist keine Schande«,
aber es heißt nur so. Denn sie ist den Besitzenden höchst
unheimlich, ein Makel halb, und halb ein unbestimmter
Vorwurf, im ganzen also sehr widerwärtig, und zu unangenehmen Weiterungen mag es führen, sich mit ihr einzulassen.

Dieses Verhalten der Menschen zur Armut ist mir oft
schmerzlich auffällig gewesen und war es auch hier. Schließlich hielt ich ein Mütterchen an, das, ich weiß nicht warum,
einen alten, mit irgendwelchem Geschirr gefüllten Kinder-
wagen vor sich her schob; und sie war es, die mir nicht allein
die Richtung wies, in der ich mich zu bewegen hatte, sondern
mir auch die Stelle beschrieb, an der ich auf eine Omnibuslinie

stoßen würde, die zu dem berühmten Platze führte. Die wenigen Sous, die dieser Transport mich kosten würde, hatte ich allenfalls flüssig, und darum war ich der Auskunft froh. Je länger übrigens die gute Alte, während sie sie mir erteilte, in mein Gesicht blickte, desto breiter verzog sich ihr zahnloser Mund zum freundlichsten Lächeln, und schließlich tätschelte sie mir mit ihrer harten Hand die Wange, indem sie sagte: »Dieu vous bénisse, mon enfant!« Diese Liebkosung beglückte mich mehr als so manche, die mir in der Folge von schönerer Hand zuteil wurde. –

Paris macht auf den Wanderer, der von jener Ankunftsstation her seine Trottoirs beschreitet, zunächst keineswegs den entzückendsten Eindruck; aber freilich wachsen Pracht und Herrlichkeit, je mehr man sich der splendiden Weite seiner Herzgebiete nähert, und wenn nicht mit Schüchternheit, die ich männlich unterdrückte, so doch mit Staunen und der wohlgefälligsten Ehrerbietung blickte ich, mein Köfferchen auf den Knien, von dem engen Sitz, den ich im Omnibus erobert, hinaus in den flammenden Glanz dieser Avenuen und Plätze, auf das Getümmel ihrer Wagen, das Gedränge der Fußgänger, diese strahlend alles anbietenden Läden, einladenden Café-Restaurants, mit weißem Glüh- oder Bogenlampenlicht das Auge blendenden Theater-Fassaden, während der Conducteur Namen anmeldete, die ich so oft aus dem Munde meines armen Vaters in zärtlicher Betonung vernommen, wie »Place de la Bourse«, »Rue du Quatre Septembre«, »Boulevard des Capucines«, »Place de l'Opéra« und andere mehr.

Das Getöse, durchschrillt von den Schreien der Zeitungsverkäufer, war betäubend, und sinnverwirrend das Licht. Vor den Cafés saßen unter schützender Markise Leute in Hut und Mantel an kleinen Tischen und blickten, den Stock zwischen den Knien, wie von gemieteten Parkettplätzen in den sich vorüberwälzenden Verkehr, während dunkle Gestalten zwischen ihren Füßen Zigarrenstummel aufsammelten. Um diese kümmerten sie sich nicht und nahmen keinen

Anstoß an ihrem kriechenden Geschäft. Offenbar betrachteten
sie sie als eine stehende und zugelassene Einrichtung der Zivilisation, an deren fröhlichem Tumult sie sich in ihrer Ge-
borgenheit ergötzten.

Es ist die stolze Rue de la Paix, welche den Opernplatz
mit der Place Vendôme verbindet, und hier denn, bei der
mit einem Standbild des gewaltigen Kaisers gekrönten Säule,
verließ ich den Wagen, um zu Fuß mein eigentliches Ziel, die
Straße Saint-Honoré, welche, wie der Gebildete weiß, der
Rue de Rivoli gleichläuft, aufzusuchen. Leicht war das geschehen, und deutlich genug, in Buchstaben von hinlänglicher
Größe und Leuchtkraft, sprang mir schon von weitem der
Name des Hotels »Saint James and Albany« in die Augen.

Dort gab es Départs und Ankünfte. Herrschaften, im Begriffe, ihre mit Koffern beschwerten Mietgefährte zu bestei-
gen, reichten Hausdienern, welche für sie bemüht gewesen
waren, Trinkgelder hin, während andere Handlanger das
eben abgeladene Gepäck von Neuankömmlingen ins Innere
trugen. Freiwillig rufe ich das Lächeln des Lesers hervor, indem ich eine gewisse Zaghaftigkeit einbekenne, die mich vor
der Kühnheit beschleichen wollte, dieses anmaßende und kost-
spielige Haus in vornehmster Lage zu betreten. Vereinigten
sich aber nicht Recht und Pflicht, mir Mut zu machen? War
ich nicht bestellt und bestallt dahier, und war mein Pate
Schimmelpreester nicht ein Duzbruder des Oberherrn dieses
Instituts? Dennoch riet Bescheidenheit mir, statt einer der
beiden gläsernen Drehtüren, durch welche die Reisenden ein-
traten, lieber den seitlichen offenen Zugang zu benutzen, dessen die Gepäckschlepper sich bedienten. Diese aber, wofür immer sie mich halten mochten, wiesen mich als unzugehörig
zurück, so daß mir nichts übrigblieb, als mit meinem Köfferchen in einen jener prächtigen Windfänge zu treten, bei dessen Drehung mir zu meiner Beschämung auch noch ein dort
postierter Page in rotem Schniepel-Jäckchen behilflich war.
»Dieu vous bénisse, mon enfant!« sagte ich, unwillkürlich
mit den Worten jenes guten Weibes, zu ihm, – worüber er in

ein ebenso herzliches Gelächter ausbrach wie die Kinder, mit denen ich im Zuge gespaßt hatte.

Ein prachtvoller Kronensaal mit Porphyrsäulen und einer in der Höhe des Entresols umlaufenden Galerie nahm mich auf, wo viel Menschheit hin und wider wogte und reisefertig gekleidete Personen, auch Damen mit zitternden Hündchen auf dem Schoß, wartend die tiefen Fauteuils einnahmen, welche auf Teppichen an den Säulen standen. Ein livrierter Bursche wollte mir in unangebrachtem Diensteifer mein Köfferchen aus der Hand nehmen, aber ich litt es nicht, sondern wandte mich nach rechts zu der als solcher leicht erkennbaren Concierge-Loge, wo ein matt und kalt blickender Herr in goldbetreßtem Gehrock und offenbar an hohe Kontributionen gewöhnt, in drei oder vier Sprachen dem die Loge umdrängenden Publikum Auskünfte erteilte und zwischenein solchen Gästen des Hotels, die danach verlangten, mit distinguiertem Lächeln ihre Zimmerschlüssel überhändigte. Lange mußte ich anstehen, bis ich Gelegenheit fand, ihn zu fragen, ob er wohl meinte, daß Herr Generaldirektor Stürzli im Hause sei, und wo allenfalls mir die Möglichkeit winke, mich ihm zu präsentieren.

»Monsieur Stürzli wollen Sie sprechen?« fragte er mit kränkendem Erstaunen. »Und wer sind Sie?«

»Ein neuer Angestellter des Etablissements«, gab ich zur Antwort, »dem Herrn Generaldirektor persönlich aufs beste empfohlen.«

»Étonnant!« erwiderte der dünkelhafte Mann und fügte mit einem Hohn, der mich in tiefster Seele verletzte, hinzu:

»Ich zweifle nicht, daß Monsieur Stürzli seit Stunden mit schmerzlicher Ungeduld Ihrem Besuch entgegensieht. Vielleicht bemühen Sie sich einige Schritte weiter zum Bureau de réception.«

»Tausend Dank, Monsieur le concierge«, antwortete ich. »Und mögen auch in Zukunft reiche Trinkgelder Ihnen von allen Seiten zufließen, damit Sie bald in der Lage sind, sich ins Privatleben zurückzuziehen!«

»Idiot!« hörte ich ihn mir in den Rücken nachrufen. Allein das betraf und berührte mich nicht. Ich trug mein Stück Handgepäck weiter zur Réception, die sich, in der Tat nur wenige Schritte von der Concierge-Loge entfernt, an derselben Seite der Halle befand. Sie war noch umlagerter als jene. Zahlreiche Reisende beanspruchten die Aufmerksamkeit der beiden dort waltenden Herren in strenger Salontoilette, erkundigten sich nach ihren Reservationen, nahmen die Nummern der ihnen zugeteilten Zimmer entgegen, legten schriftlich ihre Personalien nieder. Bis zur Tisch-Schranke vorzudringen kostete mich viel Geduld; doch endlich stand ich einem der beiden Herren, einem noch jungen Mann mit gezwirbeltem Schnurrbärtchen und Pincenez, übrigens von fahler, ungelüfteter Gesichtsfarbe, Aug in Auge gegenüber.

»Sie wünschen ein Zimmer?« fragte er, da ich bescheidentlich seine Anrede erwartet hatte.

»O, nicht doch – nicht so, Herr Direktor«, antwortete ich lächelnd. »Ich gehöre zum Hause, wenn ich bereits so sagen darf. Mein Name ist Krull, mit dem Zunamen Felix, und ich melde mich zur Stelle, um einer Abmachung gemäß, die zwischen Herrn Stürzli und seinem Freunde, meinem Paten Professor Schimmelpreester, getroffen wurde, in diesem Hotel als Hilfskraft zu wirken. Das heißt –«

»Treten Sie zurück!« befahl er leise und hastig. »Warten Sie! Treten Sie *ganz* zurück!« Und dabei überschwebte eine leichte Röte seine Zimmerfarbe, und unruhig blickte er um sich, gerade als bereite das Erscheinen eines neuen, noch nicht eingekleideten Angestellten, das Sichtbarwerden eines solchen als menschliche Person vor dem Publikum ihm größte Verlegenheit. Wirklich waren die Blicke einiger der am Desk beschäftigten Personen neugierig auf mich gerichtet. Man unterbrach sich im Ausfüllen der Meldeformulare, um nach mir auszuschauen.

»Certainement, Monsieur le directeur!« antwortete ich gedämpft und zog mich weit hinter diejenigen zurück, die nach mir gekommen waren. Übrigens waren es nicht mehr viele, nach einigen Minuten war es, gewiß nur vorübergehend, vor der Réception ganz leer geworden.

»Nun, und Sie?« wandte sich unter diesen Umständen der Herr mit der Zimmerfarbe an mich, der ich ferne stand.

»L'employé-volontaire Felix Kroull«, antwortete ich, ohne mich von der Stelle zu rühren; denn ich wollte ihn zwingen, mich zum Nähertreten einzuladen.

»So kommen Sie doch heran!« sagte er nervös. »Glauben Sie, ich habe Lust, über diesen Abstand hinweg Zurufe mit Ihnen zu tauschen?«

»Ich nahm ihn ein auf Ihren Befehl, Herr Direktor«, erwiderte ich, indem ich mich bereitwillig näherte, »und habe nur auf Ihre Gegen-Order gewartet.«

»Meine Weisung«, versetzte er, »war nur zu notwendig. Was haben Sie hier zu suchen? Wie kommen Sie dazu, die Halle einfach wie ein Reisender zu betreten und sich mir nichts, dir nichts unter unsere Clientèle zu mischen?«

»Ich bitte viel tausendmal um Entschuldigung«, sagte ich unterwürfig, »wenn das ein Fehler war. Ich wußte keinen anderen Weg als den frontalen durch die Drehtür und die Halle zu Ihnen. Aber ich versichere Sie, daß der schlechteste, dunkelste, geheimste und rückwärtigste Weg mir nicht zu gering gewesen wäre, um nur vor Ihr Angesicht zu gelangen.«

»Was sind das für Redensarten!« entgegnete er, und wieder erglomm ein zarter Schein von Farbe auf seinen fahlen Wangen. Diese Neigung zum Erröten gefiel mir an ihm.

»Sie scheinen«, fügte er hinzu, »entweder ein Narr oder ein wenig gar zu intelligent zu sein.«

»Ich hoffe«, erwiderte ich, »meinen Vorgesetzten rasch zu beweisen, daß meine Intelligenz sich genau in den richtigen Grenzen hält.«

»Mir ist sehr zweifelhaft«, sagte er, »ob Ihnen dazu Gelegenheit gegeben sein wird. Ich wüßte im Augenblick von keinerlei Vakanz im Stabe unserer Angestellten.«

»Gleichwohl erlaubte ich mir zu erwähnen«, erinnerte ich ihn, »daß es sich um eine feste Abmachung meinetwegen

zwischen dem Herrn Generaldirektor und einem Jugend-
freunde von ihm handelt, der mich aus der Taufe hob. Absichtlich habe ich nicht nach Herrn Stürzli gefragt, denn ich weiß
wohl, daß er nicht vor Ungeduld vergeht, mich in Augenschein
zu nehmen, und mache mir keine Illusionen darüber, daß
ich diesen Herrn höchstwahrscheinlich spät oder nie zu sehen
bekommen werde. Aber daran ist wenig gelegen. Vielmehr
war all mein Sinnen und Trachten darauf gerichtet, Ihnen,
Monsieur le directeur, meine Aufwartung zu machen und
ausschließlich von Ihnen Anweisungen zu erhalten, wie und
wo, in welcher Art von Dienst ich mich dem Etablissement
nützlich erweisen kann.«

»Mon Dieu, mon Dieu!« hörte ich ihn murmeln, während
er jedoch einem Bort der Seitenwand ein umfangreiches Buch
entnahm, worin er, wiederholt zwei Mittelfinger seiner Rechten an der Lippe benetzend, ärgerlich blätterte. Nachdem
er irgendwo haltgemacht, sagte er zu mir:

»Auf alle Fälle verschwinden Sie jetzt schleunigst von hier
und ziehen sich an einen Ort zurück, der Ihnen besser ge-
ziemt als dieser! Ihre Einstellung ist vorgesehen, soviel ist
richtig –«

»Das ist aber der springende Punkt«, bemerkte ich.

»Mais oui, mais oui! – Bob«, wandte er sich rückwärts an
einen der halbwüchsigen Chasseurs, welche, die Hände auf
ihren Knien und irgendwelcher Mission gewärtig, im Hintergrund des Bureaus auf einer Bank saßen, »zeigen Sie diesem
hier den Dortoir des employés Nummer vier im Oberstock!
Benutzen Sie den Élévateur de bagage! Sie werden morgen
früh von uns hören«, warf er mir noch hin. »Fort!«

Der sommersprossige Knabe, ein Engländer offenbar, ging
mit mir.

»Sie sollten ein wenig meinen Koffer tragen«, sagte ich
unterwegs zu ihm. »Ich versichere Sie, daß mir schon beide
Arme lahm davon sind.«

»Was geben Sie mir dafür?« fragte er in breitem Französisch.

»Ich habe nichts.«

»Dann nehme ich ihn auch so. Freuen Sie sich nicht auf den Dortoir Nummer vier! Er ist sehr schlecht. Wir sind alle sehr schlecht untergebracht. Auch die Verpflegung ist schlecht, sowie die Bezahlung. Aber an Strike ist nicht zu denken. Zu viele sind bereit, an unsere Stelle zu treten. Man sollte diesen ganzen ausbeuterischen Kasten in Asche legen. Ich bin Anarchist, müssen Sie wissen, voilà ce que je suis.«

Es war ein sehr netter, kindlicher Junge. Wir fuhren zusammen im Gepäck-Lift zum fünften Stock, dem Dachgeschoß, hinauf, und dort überließ er es mir, meinen Koffer wieder aufzunehmen, wies auf eine Tür am Gange, der spärlich erleuchtet und ohne Läufer war, und sagte Bonne chance.

Das Schild an der Tür besagte das Rechte. Zur Vorsicht klopfte ich an, aber es erfolgte keine Antwort, und obgleich es nach zehn Uhr geworden war, erwies sich der Schlafraum noch als vollkommen finster und leer. Sein Anblick, als ich die elektrische Birne entzündet hatte, die nackt und bloß von der Decke hing, erregte in der Tat geringes Behagen. Acht Betten mit grauen Friesdecken und flachen, sichtlich längere Zeit nicht gewaschenen Kopfkissen waren kojenartig je zwei und zwei übereinander an den Seitenwänden angeordnet, und zwischen ihnen gab es bis zur Höhe der oberen Lager hinauf offene Wandborte, auf denen die Koffer der hier Nächtigenden untergebracht waren. Sonst bot das Zimmer, dessen einziges Fenster auf einen Luftschacht zu gehen schien, keinerlei Bequemlichkeit, und es war auch kein Raum dafür, da seine Breite bedeutend hinter seiner Länge zurückstand, so daß in der Mitte geringe Bewegungsfreiheit blieb. Man hatte wohl seine Kleider bei Nacht am Fußende seines Bettes oder auf seinem Koffer im Wandbort niederzulegen.

Nun, dachte ich, so hättest du es dich nicht so viel kosten zu lassen brauchen, um der Kaserne zu entgehen, denn spartanischer als dieses Gemach hätte sie dich auch nicht empfangen, wahrscheinlich sogar etwas kosiger. Auf Rosen gebettet aber war ich ja schon lange nicht – schon seit dem

In-Luft-Aufgehen meines heiteren Elternhauses nicht mehr –
gewesen und wußte überdies, daß Mensch und Umstände in
einiger Zeit einen leidlichen Akkord eingehen, ja daß diese,
so hart sie sich zunächst anlassen mögen, wenn nicht stets,
so doch für glücklichere Naturen eine gewisse Biegsamkeit
besitzen, die nicht ausschließlich auf Gewöhnung beruht.
Dieselben Verhältnisse sind nicht für jedermann dieselben,
und das allgemein Gegebene, so möchte ich behaupten, unterliegt sehr weitgehend der Modifizierung durch das Persönliche.

Man verzeihe diese Abschweifung eines zur Weltbemerkung nun einmal aufgelegten Kopfes, der zur Beobachtung
des Lebens nicht so sehr durch dessen häßliche und brutale,
als durch seine zarten und liebenswürdigen Seiten angehalten wird. – Eines der Wandborte war leer, woraus ich schloß,
daß auch von den acht Betten eines vakant sein möchte; nur
wußte ich nicht welches – zu meinem Bedauern, denn ich
war reisemüde, und meine Jugend verlangte nach Schlaf,
während mir doch nichts übrigblieb, als die Ankunft der
Zimmergenossen abzuwarten. Eine Weile noch unterhielt ich
mich damit, den anstoßenden Waschraum zu inspizieren, zu
dem die Seitentür offenstand. Es gab da fünf Waschtisch-Ge-
stelle gemeinster Art mit Linoleum-Vorlagen, Schüsseln und
Krügen, Eimern daneben und am Seitengestänge aufgehäng-
ten Handtüchern. An Spiegeln fehlte es ganz. Statt dessen
waren an Tür und Wänden, wie übrigens auch im Bettge-
mach, soweit dort der Raum es zuließ, allerlei aus Ma-
gazinen geschnittene Bilder lockender Frauenzimmer mit
Reißnägeln befestigt. Schlecht getröstet kehrte ich in den
Schlafraum zurück, und um etwas zu tun, beschloß ich, vorsorglich schon mein Nachthemd dem Handkoffer zu entnehmen, stieß aber dabei auf das Saffiankästchen, das bei der
Gepäckrevision so sanft hineingeglitten war, und machte
mich, des Wiedersehens froh, an seine Untersuchung.

Ob nicht die Neugier auf seinen Inhalt all die Zeit schon
still in den geheimeren Bezirken meiner Seele gewaltet hatte

und der Einfall, das Nachthemd hervorzuziehen, nur ein
Vorwand gewesen war, mit dem Kästchen Bekanntschaft zu
machen, will ich dahingestellt sein lassen. Auf einem der unteren Betten sitzend, hielt ich es auf meinen Knien und nahm
in der dringenden Hoffnung, nicht dabei gestört zu werden, seine Prüfung vor. Es hatte ein leichtes Schloß, das aber
offen war, und nur durch einen kleinen, in eine Öse greifenden Haken war es versperrt. Nicht, daß ich die Schätze des
Märchens darin gefunden hätte; aber sehr lieblich war, was
es barg, zum Teil wahrhaft bewundernswert. Gleich obenauf,
in dem Einsatz, der sein samtenes Innere gleichsam in zwei
Stockwerke teilte, lag ein Hals- und Brustschmuck großer und
mehrreihig angeordneter Goldtopase in ziselierter Fassung,
wie ich ihn so herrlich noch in keinem Schaufenster gesehen,
und wie er in einem solchen auch schwerlich vorkommen
mochte, da er sichtlich nicht von moderner Arbeit war, sondern einem historischen Jahrhundert angehörte. Ich darf sagen, es war der Inbegriff der Pracht, und das süße, durchsichtig schimmernde Honiggold der Steine entzückte mich so
herzlich, daß sich meine Augen lange nicht davon trennen
konnten und ich nur zögernd den Einsatz lüftete, um in das
Untere zu schauen. Dieser Teil war tiefer als der obere und
weniger ausgefüllt, als dieser es durch den Topasschmuck war.
Immerhin lachten mir reizende Dinge daraus entgegen, von
denen ich jedes einzelne in genauer Erinnerung habe. Eine
lange Kette aus kleinen, in Platin gefaßten Brillanten lag dort
zum glitzernden Häufchen zusammengeballt. Es fanden sich
ferner: ein sehr schöner, mit Silberranken verzierter Schildpattkamm, besetzt mit zahlreichen, freilich auch nur kleinen
Brillanten; eine goldene, aus zwei Stäben bestehende Busennadel mit Platinspangen und oben geschmückt mit einem erb-
sengroßen, von zehn Brillanten umgebenen Saphir; eine matt-
goldene Brosche, welche aufs zierlichste ein Körbchen mit
Trauben darstellte; ein Armreif in Gestalt eines starken, nach
unten sich verjüngenden Bügels mit Druckfeder-Verschluß,
aus Platin ebenfalls, und im Werte erhöht durch eine in den

Reif eingelassene, erhabene weiße Perle, umringt von à jour
gefaßten Brillanten; dazu drei oder vier höchst angenehme
Fingerringe, von denen einer eine graue Perle mit zwei großen
und zwei kleinen Brillanten, ein anderer einen dunklen, drei-
eckigen Rubin, dekoriert mit Brillanten ebenfalls, trug.

Diese lieben Objekte nahm ich einzeln zur Hand und ließ
ihre edlen Lichter in dem ordinären Schein der nackten Deckenbirne spielen. Wer aber beschreibt die Bestürzung, deren Beute
ich war, als ich, vertieft in diese Unterhaltung, plötzlich
eine von oben kommende Stimme vernahm, die trockenen
Tones lautete:

»Du hast da recht nette Sächelchen.«

Wenn es immer etwas Beschämendes hat, sich längere Zeit
allein und unbeobachtet geglaubt zu haben, auf einmal aber
belehrt zu werden, daß man es nicht war, so verschärften
hier die Umstände die Unannehmlichkeit. Ein leichtes Zusammenfahren konnte ich wohl nicht verbergen, bezwang
mich aber dann zu vollkommener Ruhe, schloß ohne Überstürzung die Kassette, brachte sie ebenso gemächlich wieder
in meinem Koffer unter und erhob mich erst dann, um, etwas
zurücktretend, dorthin hinaufzuschauen, von wo die Stimme
gekommen war. Wahrhaftig, in dem Bett über dem, auf dem
ich gesessen, lag einer und blickte, auf den Ellbogen gestützt,
zu mir hinab. Meine Umschau war nicht genau genug gewesen,
die Gegenwart des Menschen früher wahrzunehmen. Er mochte
dort oben gelegen haben, die Decke über den Kopf gezogen.
Es war ein junger Mann, der eine Rasur hätte brauchen können, so schwarz war das Kinn ihm schon, mit wirrem Bett-
Liege-Haar, einem Backenbärtchen und slawisch geschnittenen
Augen. Sein Gesicht war fiebrig gerötet, aber obgleich ich sah,
daß er wohl krank sein müsse, gaben Verdruß und Verwirrung mir die ungeschickte Frage ein:

»Was machen denn Sie da oben?«

»Ich?« antwortete er. »Es wäre wohl eher an mir, zu fragen, was du da unten Interessantes treibst.«

»Wollen Sie mich, bitte, nicht duzen«, sagte ich gereizt. »Ich wüßte nicht, daß wir verwandt oder sonst vertraut miteinander wären.«

Er lachte und erwiderte nicht ganz zu Unrecht:

»Na, was ich da bei dir gesehen, ist schon danach angetan, eine gewisse Vertraulichkeit zwischen uns zu stiften. Dein Mütterlein hat dir das nicht ins Felleisen gepackt. Zeig mal deine Händchen her, wie lang deine Finger sind, oder wie lang du sie machen kannst!«

»Reden Sie keinen Unsinn!« sagte ich. »Bin ich Ihnen Rechenschaft schuldig über mein Eigentum, nur weil Sie indiskret genug waren, mir zuzusehen, ohne mich auf Sie aufmerksam zu machen? Das ist sehr schlechter Ton –«

»Ja, du bist mir der Rechte, das Maul aufzureißen«, versetzte er. »Laß nur die Ziererei, man ist auch kein Bärenhäuter. Im übrigen kann ich dir sagen, daß ich bis vor ganz kurzem geschlafen habe. Ich liege hier mit Influenza den zweiten Tag und habe dreckige Kopfschmerzen. Da wache ich auf und frage mich, ohne gleich Laut zu geben: Womit spielt der liebliche Knabe da? Denn hübsch bist du, das muß dir der Neid lassen. Wo wäre ich heute mit deinem Frätzchen!«

»Mein Frätzchen ist kein Grund, mich dauernd du zu nennen. Ich werde kein Wort mehr mit Ihnen reden, wenn Sie's nicht lassen.«

»Ach, Gott, mein Prinz, ich kann ja auch ‚Hoheit' zu Ihnen sagen. Dabei sind wir doch Kollegen, soviel ich verstehe. Du bist ein Neuer?«

»Die Direktion hat mich allerdings«, antwortete ich ihm, »hierher geleiten lassen, damit ich mir ein freies Bett wähle. Morgen soll ich meinen Dienst antreten in diesem Hause.«

»Als was?«

»Darüber ist noch nicht verfügt worden.«

»Sonderbar. Ich habe in der Küche zu tun, das heißt: im Garde-manger bei den kalten Schüsseln. – Das Bett, auf dem du Platz nahmst, ist nicht frei. Das übernächste Oberbett da, das ist frei. – Was bist du denn für ein Landsmann?«

»Ich bin heute abend aus Frankfurt eingetroffen.«

»Und ich bin Kroate«, sagte er auf deutsch. »Aus Agram.
Dort habe ich auch schon in einer Restaurant-Küche gearbei-
tet. Aber seit drei Jahren bin ich in Paris. Weißt du denn
Bescheid in Paris?«

»Was meinen Sie mit ‚Bescheid‘?«

»Das weißt du ganz gut. Ich meine, ob du eine Ahnung
hast, wo du dein Zeug da zu leidlichem Preise versilbern
kannst.«

»Das wird sich finden.«

»Von selber nicht. Und es ist sehr unklug, sich lange mit
so einem Funde zu schleppen. Wenn ich dir eine sichere
Adresse nenne, wollen wir dann halbpart machen?«

»Was fällt Ihnen ein, Halbpart! Und das für nichts als eine
Adresse!«

»Die einem Grünschnabel wie dir aber not tut wie’s liebe
Brot. Überleg dir’s. Ich will dir sagen, die Brillantkette —«

Hier wurden wir unterbrochen. Die Tür ging auf, und
mehrere junge Leute kamen herein, deren Ruhestunde geschlagen hatte: ein Liftboy in grauer Livree mit rotem Lit-
zenbesatz, zwei Laufjungen in blauem, hochgeschlossenem
Kamisol mit zwei Reihen Goldknöpfen daran und Gold-
streifen an den Hosen, ein herangewachsener Bursche in
blaugestreifter Jacke, der seine Schürze über dem Arm trug
und wahrscheinlich im niederen Küchendienst, als Geschirr-
wäscher oder ähnlich, beschäftigt war. Nicht lange, so folgten ihnen noch ein Chasseur von Bobs Klasse und einer, der,
nach dem weißen Kittel zu urteilen, den er zu seinen schwarzen Hosen trug, für einen Kellnerlehrling oder Aide gelten
mochte. Sie sagten »Merde!« und, da auch Deutsche dabei
waren: »Verflucht nochmal!« und »Hol’s der Geier!« — Stoß-
flüche, die wohl ihrem für diesmal beendeten Tagewerk galten —, riefen zu dem Bettlägerigen hinauf: »Hallo, Stanko, wie
schlecht geht es dir?«, gähnten überlaut und fingen gleich alle
an, sich auszuziehen. Um mich kümmerten sie sich sehr wenig,
sagten höchstens im Scherz zu mir, als ob sie mich erwartet

hätten: »Ah, te voilà. Comme nous étions impatients que
la boutique deviendrait complète!« Einer bestätigte mir, daß
das Oberbett frei sei, das Stanko mir gewiesen. Ich stieg hinauf, brachte meinen Koffer in dem zugehörigen Wandfach
unter, legte, auf dem Bette sitzend, meine Kleider ab und fiel,
kaum daß mein Kopf das Kissen berührte, in den süßen und
gründlichen Schlaf der Jugend.

Achtes Kapitel

Mehrere Weckuhren gellten und rasselten fast gleichzeitig
los, noch im Dunkeln, denn es war erst sechs Uhr, und die
zuerst aus den Betten kamen, zündeten die Deckenbirne wieder an. Nur Stanko kümmerte sich nicht um die Reveille und
blieb liegen. Da ich vom Schlaf sehr erfrischt und heiter war,
konnte mich das lästige Gedränge von zerzausten, gähnenden,
die Glieder reckenden und ihre Nachthemden über den Kopf
ziehenden Burschen im engen Mittelgange der Koje nicht allzusehr verstimmen. Auch den Streit um die fünf Waschgele-
genheiten – fünf für sieben der Reinigung bedürftige Gesellen – ließ ich meinem Frohsinn nichts anhaben, ungeachtet
daß das Wasser in den Krügen nicht reichte und einer um
den anderen splitternackt auf den Gang hinauslaufen
mußte, um aus der Leitung neues zu holen. Auch bekam ich,
als ich es den anderen mit Seifen und Plantschen gleichgetan,
nur ein schon sehr feuchtes Handtuch, das zum Abtrocknen
wenig mehr taugte. Dafür durfte ich teilhaben an einigem
heißen Wasser, das der Liftboy und der Kellnerlehrling sich
gemeinsam auf einem Spirituskocher zum Rasieren bereiteten,
und konnte, während ich mit schon geübten Strichen mein
Messer über Wangen, Lippe und Kinn führte, mit ihnen in
eine Spiegelscherbe blicken, die sie auf den Fenstergriff zu
praktizieren gewußt hatten.

»Hé, beauté«, sagte Stanko zu mir, als ich, gescheitelten

Haares und reinen Angesichts, um mich fertig anzukleiden
und, wie alle es taten, mein Bett in Ordnung zu bringen, in
den Schlafraum hinüberkam. »Hans oder Fritz, wie heißt
du?«

»Felix, wenn es Ihnen recht ist«, antwortete ich.

»Auch gut. Wollen Sie so gut sein, Felix, mir aus der Kantine
eine Tasse Café au lait mitzubringen, wenn Sie gefrühstückt
haben? Ich bekomme sonst, bis mittags vielleicht eine Schleimsuppe erscheint, überhaupt nichts.«

»Mit Vergnügen«, erwiderte ich. »Gern will ich das tun.
Ich bringe Ihnen vor allem einmal eine Tasse und komme
dann sehr bald noch einmal wieder.«

Ich sagte das aus zwei Gründen. Erstens weil beunruhi-
genderweise mein Koffer zwar ein Schloß hatte, mir aber
der Schlüssel dazu fehlte und ich dem Stanko keineswegs
über den Weg traute. Zweitens aber, weil ich an das gestrige
Gespräch mit ihm wieder anknüpfen und zu vernünftigeren
Bedingungen die Adresse von ihm zu erfahren wünschte,
die er mir angeboten.

In der geräumigen Cantine des employés, zu der man
sich über den Gang, bis an sein Ende, begab, war es warm und
anmutend durch den Duft des Morgengetränks, das der
Cantinier und seine sehr dicke und mütterliche Frau hinter
dem Buffet aus zwei blanken Maschinen in Tassen füllten.
Der Zucker lag schon in den Schalen, und die Frau goß
Milch nach und fügte jeder eine Brioche hinzu. Ein großes
Gedänge von allerlei Hotelgesinde aus verschienen Dortoirs
war hier, Saalkellner darunter in blauen Fräcken mit Goldknöpfen. Meistens trank und aß man im Stehen, aber auch
für einige Tischchen war Sorge getragen. Meinem Versprechen gemäß erbat ich von der Mütterlichen eine Tasse »pour
le pauvre malade de numéro quatre«, und sie reichte mir
eine, indem sie mir mit dem Lächeln, an das ich fast von
jedermann gewohnt war, ins Gesicht blickte. »Pas encore
équipé?« fragte sie, und ich erklärte ihr kurz meine Lage.
Dann eilte ich zu Stanko zurück, ihm seinen Kaffee zu brin-

gen, und wiederholte ihm, daß ich sehr bald wieder vorsprechen würde. Er lachte höhnisch hinter mir drein, da er meine beiden Gründe recht wohl verstand.

Wieder in der Kantine, sorgte ich denn auch für mich, schlürfte meinen Café au lait, der mir außerordentlich mundete, da ich lange nichts Warmes genossen hatte, und aß meine Brioche dazu. Der Raum begann sich zu leeren, da es allgemach sieben Uhr geworden war. So konnte ich es mir an einem der mit Wachstuch bespannten Tischchen bequem machen, zusammen mit einem befrackten Commis de salle schon reiferen Alters, der sich Zeit nahm, ein Päckchen Zigaretten hervorzuziehen und eine der Caporals in Brand zu stecken. Ich brauchte ihn nur anzulächeln und etwas mit einem Auge zu zwinkern, so gab er mir auch eine. Mehr noch: als er nach kurzem Gespräch, worin ich auch ihm über meinen noch schwebenden Zustand Auskunft gab, aufstand und ging, ließ er mir das noch halbvolle Päckchen als Präsent zurück.

Der Rauch des schwarzen, würzigen Knasters ging mir nach dem Frühstück recht wohlig ein, und doch durfte ich mich nicht lange dabei versäumen, sondern mußte zurück zu meinem Patienten. Er empfing mich mit einer Verdrießlichkeit, die leicht als gespielt zu erkennen war.

»Wieder da?« fragte er mürrisch. »Was willst du? Ich brauche deine Gesellschaft nicht. Ich habe Kopf- und Halsschmerzen und gar keine Lust, zu schwätzen.«

»Es geht Ihnen also nicht besser?« antwortete ich. »Das tut mir leid. Eben wollte ich mich danach erkundigen, ob Sie der Kaffee nicht etwas aufgemuntert hat, den ich Ihnen aus selbstverständlicher Gefälligkeit brachte.«

»Ich weiß schon, warum du mir Kaffee gebracht hast. Ich mische mich aber nicht in deine dämlichen Geschäfte. Du Gimpel wirst sie ja doch nur verderben.«

»Sie sind es«, entgegnete ich, »der von Geschäften anfängt. Ich sehe nicht ein, weshalb ich Ihnen in Ihrer Einsamkeit nicht etwas Gesellschaft leisten sollte, auch ohne Geschäfte. Man wird sich um mich so bald nicht kümmern, und ich habe

mehr Zeit, als ich brauchen kann. Fassen Sie es so auf, daß ich
etwas davon mit Ihrer Hilfe hinbringen möchte!«

Ich setzte mich auf das Bett unter dem seinen, was aber
den Nachteil hatte, daß ich ihn von dort nicht sah. So ist
kein Reden, fand ich, und stellte mich notgedrungen wieder
vor seinem Lager auf. Er sagte:

»Es ist ein Fortschritt, daß du einsiehst, daß du mich nötig
hast und nicht ich dich.«

»Wenn ich recht verstehe«, erwiderte ich, »spielen Sie auf
ein Angebot an, das Sie mir gestern gemacht haben. Sie kommen freundlicherweise darauf zurück. Das verrät aber doch,
daß auch Sie ein gewisses Interesse daran haben.«

»Ein verflucht geringes. Du Hansdampf wirst deinen Kram
ja doch nur verplempern. Wie bist du überhaupt zu ihm gekommen?«

»Durch reinen Zufall. Tatsächlich weil ein vergnügter
Augenblick es so wollte und fügte.«

»Kennt man. Mag übrigens sein, daß du mit einer Glücks-
haut geboren bist. Du hast sowas. Zeig doch deine Kleinigkeiten noch mal her, daß ich sie ungefähr abschätze.«

So erfreut ich war, ihn so viel weicher zu finden, sagte ich
doch:

»Das will ich lieber nicht, Stanko. Wenn jemand käme, so
könnte das leicht zu Mißverständnissen führen.«

»Ist übrigens auch nicht nötig«, sagte er. »Ich habe gestern
alles ziemlich genau gesehen. Mach dir keine Illusionen über
den Topasschmuck. Er ist –«

Schon zeigte sich, wie recht ich gehabt hatte, auf Störungen
gefaßt zu sein. Ein Scheuerweib mit Eimer, Lappen und Besen kam herein, um im Waschraum die Wasserlachen aufzu-
trocknen und Ordnung zu machen. Solange sie da war, saß
ich auf dem Unterbett, und wir sprachen kein Wort. Erst
als sie in ihren klappernden Pantinen wieder hinausgelatscht
war, fragte ich ihn, was er habe sagen wollen.

»Ich, sagen?« verstellte er sich aufs neue. »Du wolltest
was hören, aber ich wollte gar nichts sagen. Höchstens wollte

ich dir raten, dir nicht viel einzubilden auf den Topasschmuck, mit dem du gestern so lange liebäugeltest. So ein Plunder kostet viel, wenn man ihn bei Falize oder Tiffany kauft, aber der Erlös ist ein Dreck.«

»Was nennen Sie einen Dreck?«

»Paar hundert Franken.«

»Nun, immerhin.«

»Du Trottel sagst zu allem gewiß ‚Immerhin!‘ Das ist ja mein Ärger. Wenn ich nur mit dir gehen oder gleich die Sache selbst in die Hand nehmen könnte!«

»Nein, Stanko, wie könnte ich das verantworten! Sie haben ja Temperatur und müssen das Bett hüten.«

»Schon gut. Im übrigen könnte selbst ich aus dem Kamm und der Brosche kein Rittergut herausschlagen. Auch aus der Busennadel nicht, trotz dem Saphir. Das Beste ist noch die Kette, die ist gut und gern zehntausend Franken wert. Und von den Ringen gleichfalls ist einer oder der andere nicht zu verachten, wenn ich wenigstens an den Rubin und an die graue Perle denke. Kurz, flüchtig überschlagen, achtzehntausend Franken macht alles zusammen schon aus.«

»Das war ungefähr auch meine Schätzung.«

»Sieh an! Hast du überhaupt einen Schimmer?«

»O doch. Die Juwelierauslagen zu Hause in Frankfurt waren immer mein Lieblingsstudium. Sie meinen aber wohl nicht, daß ich die vollen achtzehntausend werde bekommen können?«

»Nein, Seelchen, das meine ich nicht. Aber wenn du dich nur ein bißchen zu wehren weißt und nicht zu all und jedem dein ‚Immerhin‘ sagst, so solltest du's gut auf die Hälfte doch bringen können.«

»Neuntausend Franken also.«

»Zehntausend. Soviel wie in Wahrheit bloß schon die Diamantkette wert ist. Darunter darfst du es, wenn du halbwegs ein Mann bist, keinesfalls tun.«

»Und wohin raten Sie mir, mich zu wenden?«

»Aha! Jetzt soll ich dem Schönen was schenken. Jetzt soll

ich dem Pinsel aus purer Verliebtheit meine Kenntnisse gratis
auf die Nase binden.«

»Wer spricht von gratis, Stanko. Ich bin doch natürlich
bereit, mich Ihnen erkenntlich zu zeigen. Nur fand und finde
ich, was Sie gestern von Halbpart sagten, doch etwas übertrieben.«

»Übertrieben? Halbpart ist bei solchem Gemeinschaftsge-
schäft die natürlichste Teilung von der Welt, die Teilung,
wie sie im Buche steht. Du vergißt, daß du ohne mich so
hilflos bist wie der Fisch auf dem Trocknen, und daß ich
dich außerdem bei der Direktion verpfeifen kann.«

»Schämen Sie sich, Stanko! So etwas sagt man nicht einmal,
geschweige, daß man es täte. Sie denken auch nicht daran,
es zu tun, und müssen mich schon bei der Überzeugung lassen,
daß Sie ein paar tausend Franken dem Verpfeifen vorziehen
werden, von dem Sie gar nichts haben.«

»Du unterstehst dich, mir mit ein paar tausend Franken
zu kommen?«

»Darauf läuft es, locker geredet, hinaus, wenn ich Ihnen
loyalerweise ein Drittel der zehntausend Franken zubillige,
die ich nach Ihrer Meinung lösen muß. Sie sollten mich loben
dafür, daß ich mich ein bißchen zu wehren weiß, und sollten
das Vertrauen daraus schöpfen, daß ich auch bei dem Halsabschneider meinen Mann stehen werde.«

»Komm her!« sagte er und sagte, als ich nahe zu ihm heran-
getreten war, gedämpft und deutlich:

»Quatre-vingt-douze, Rue de l'Échelle au Ciel.«

»Quatre-vingt douze, Rue de . . .«

»Échelle au Ciel. Kannst du nicht hören?«

»Was für ein ausgefallener Name!«

»Wenn sie doch seit Hunderten von Jahren so heißt? Nimm
den Namen als gutes Omen! Es ist eine sehr würdige kleine
Straße, nur etwas weit, irgendwo hinter der Cimetière de
Montmartre. Du hilfst dir am besten nach Sacré-Cœur hin-
auf, was ein klares Ziel ist, gehst durch den Jardin zwischen
Kirche und Friedhof und verfolgst die Rue Damrémont in

der Richtung auf den Boulevard Ney. Bevor die Damrémont
auf die Championnet stößt, geht ein Sträßchen nach links,
Rue des Vierges prudentes, und von der zweigt deine Échelle
ab. Du kannst im Grunde nicht fehlen.«

»Wie heißt der Mann?«

»Einerlei. Er nennt sich Uhrmacher und ist es auch unter
anderm. Mach, und benimm dich nicht gar zu ähnlich wie ein
Schaf! Ich habe dir die Adresse nur gesagt, um dich loszuwerden und meine Ruhe zu haben. Was mein Geld betrifft,
so merk dir, daß ich dich jederzeit verpfeifen kann.«

Er drehte mir den Rücken.

»Ich bin Ihnen aufrichtig verbunden, Stanko«, sagte ich.
»Und seien Sie versichert, daß ich Ihnen keinen Anlaß geben
werde, sich bei der Direktion über mich zu beklagen!«

Damit ging ich, im stillen mir die Adresse wiederholend.
Ich kehrte in die nun vollkommen verödete Kantine zurück,
denn wo sollte ich sonst wohl Aufenthalt nehmen? Ich hatte
zu warten, bis man sich drunten meiner erinnern würde.
Zwei gute Stunden saß ich, ohne mir die geringste Ungeduld zu erlauben, an einem der Wachstuchtischchen, rauchte
noch einige meiner Caporals und hing meinen Gedanken nach.
Es war zehn Uhr nach der Wanduhr in der Kantine, als ich
auf dem Gang mit spröder Stimme meinen Namen rufen
hörte. Ich war noch nicht an der Tür, als der Chasseur schon
durch diese hereinrief:

»L'employé Félix Kroull – zum Herrn Generaldirektor!«

»Das bin ich, lieber Freund. Nehmen Sie mich nur mit.
Und wär' es der Präsident der Republik, ich bin ganz bereit,
mich vor ihn zu stellen.«

»Soviel besser, lieber Freund«, gab er ziemlich frech meine
freundliche Anrede zurück und maß mich mit den Blicken.
»Folgen Sie mir, wenn's gefällig ist!«

Wir stiegen eine Treppe hinab, und im vierten Stock, dessen
Gänge viel breiter waren als der unsere oben und mit schönen
roten Läufern belegt, klingelte er nach einem der Personen-
aufzüge, die hier mündeten. Wir hatten etwas zu warten.

»Wie kommt es denn, daß das Rhinozeros dich selber sprechen will?« fragte mich der Bursche.

»Sie meinen Herrn Stürzli? Beziehungen. Persönliche Verbindungen«, warf ich hin. »Warum nennen Sie ihn übrigens Rhinozeros?«

»C'est son sobriquet. Pardon, ich habe ihn nicht erfunden.«

»Aber bitte, ich bin dankbar für jede Information«, erwiderte ich.

Der Fahrstuhl war sehr hübsch getäfelt und elektrisch erleuchtet, mit einer roten Sammetbank versehen. Ein Jüngling in jener sandfarbenen Livree mit roten Litzen bediente den Schalthebel. Er landete erst zu hoch, dann beträchtlich zu tief, und über die so entstandene steile Stufe ließ er uns einsteigen.

»Tu n'apprendras jamais, Eustache«, sagte mein Führer zu ihm, »de manier cette gondole.«

»Pour toi je m'échaufferai!« erwiderte der andere grob.

Das mißfiel mir, und ich konnte nicht umhin zu bemerken:

»Die Schwachen sollten einander nicht Verachtung erzeigen. Das wird ihre Stellung wenig stärken in den Augen der Mächtigen.«

»Tiens«, sagte der Zurechtgewiesene. »Un philosophe!«

Wir waren schon unten. Während wir von den Lifts am Rande der Halle hin gegen die Réception und an ihr vorbei gingen, bemerkte ich wohl, daß der Chasseur mich wiederholt neugierig von der Seite ansah. Es war mir immer lieb, wenn ich nicht nur durch die Annehmlichkeit meines Äußeren, sondern auch durch meine geistigen Gaben Eindruck machte.

Das Privatbureau des Generaldirektors lag hinter der Réception, an einem Gange, dessen andere Türen, der seinen gegenüber, zu Billard- und Leseräumen führten, wie ich sah. Mein Führer klopfte behutsam, öffnete uns auf ein Grunzen im Innern und lieferte mich, die Mütze am Schenkel, mit einer Verbeugung ein.

Herr Stürzli, ein Mann von ungewöhnlicher Körperfülle, mit grauem Spitzbärtchen, der an seinem wulstigen Doppel-

kinn kein rechtes Unterkommen fand, saß, Papiere durch-
blätternd, an seinem Schreibtisch, ohne mir vorläufig Beachtung zu schenken. Seine Erscheinung machte mir den
Spottnamen, den er beim Personal führte, wohl begreiflich,
denn nicht nur, daß sein Rücken überaus massig gewölbt, sein
Nacken äußerst speckig gedrungen war, so wies tatsächlich der
vordere Teil seiner Nase auch eine hornartig erhabene Warze
auf, die die Berechtigung des Namens vollendete. Dabei waren seine Hände, mit denen er die durchgesehenen Papiere
der Länge und Breite nach zu einem ordentlichen Haufen zusammenstieß, erstaunlich klein und zierlich im Verhältnis zu
seiner Gesamtmasse, die aber überhaupt nichts Unbeholfenes
hatte, sondern, wie das zuweilen bei den korpulentesten Leuten vorkommt, eine gewisse elegante Tournure zu bewahren
wußte.

»Sie sind also dann«, sagte er in schweizerisch gefärbtem
Deutsch, noch mit dem Zurechtstoßen der Papiere beschäftigt, »der mir von befreundeter Seite empfohlene junge Mann
– Krull, wenn ich nicht irre – c'est ça –, der den Wunsch
hat, bei uns zu arbeiten?«

»Ganz wie Sie sagen, Herr Genraldirektor«, erwiderte ich,
indem ich, wenn auch mit Zurückhaltung, etwas näher herantrat, – und hatte dabei, nicht zum ersten noch letzten Mal,
Gelegenheit, ein seltsames Phänomen zu beobachten. Denn da
er mich ins Auge faßte, verzerrte sich sein Gesicht zu einem
gewissen eklen Ausdruck, der, wie ich genau verstand, auf
nichts anderes als auf meine damalige Jugendschöne zurück-
zuführen war. Männer nämlich, denen der Sinn ganz und gar
nach dem Weiblichen steht, wie es bei Herrn Stürzli mit seinem unternehmenden Spitzbärtchen und seinem galanten Embonpoint zweifellos der Fall war, erleiden, wenn ihnen das
sinnlich Gewinnende in Gestalt ihres eigenen Geschlechtes entgegentritt, oft eine eigentümliche Beklemmung ihrer Instinkte,
welche damit zusammenhängt, daß die Grenze zwischen dem
Sinnlichen in seiner allgemeinsten und in seiner engeren Bedeutung nicht so ganz leicht zu ziehen ist, die Konstitution

aber dem Mitsprechen dieser engeren Bedeutung und ihrer
Gedankenverbindungen lebhaft widerstrebt, wodurch eben
jene Reflexwirkung eklen Grimassierens sich ergibt. Um einen
wenig tiefreichenden Reflex, natürlich, kann es sich da nur
handeln, denn gesitteterweise wird der Betroffene den fließenden Charakter genannter Grenze eher sich selbst zur
Last legen als dem, der sie ihm in aller Unschuld bemerklich
macht, und ihn seine ekle Beklemmung nicht entgelten lassen.
Das tat auch Herr Stürzli in keiner Weise, besonders da ich
angesichts seines Reflexes in ernster, ja strenger Bescheidenheit die Wimpern senkte. Im Gegenteil war er sehr leutselig
zu mir und erkundigte sich:

»Was macht er denn, mein alter Freund, Ihr Onkel, der
Schimmelpreester?«

»Verzeihung, Herr Genraldirektor«, erwiderte ich, »er
ist nicht mein Onkel, aber mein Pate, was freilich fast mehr
noch besagen will. Ich danke der Nachfrage, es geht meinem
Paten sehr gut, nach allem, was ich weiß. Er genießt als
Künstler des größten Ansehens im ganzen Rheinland und
darüber hinaus.«

»Ja, ja, kurioser Kauz, kurioses Huhn«, sagte er. »Wirklich? Hat er Erfolg? Eh bien, desto besser. Kurioses Huhn.
Wir waren hier damals ganz gut miteinander.«

»Ich brauche nicht zu sagen«, fuhr ich fort, »wie dankbar
ich Professor Schimmelpreester dafür bin, daß er ein gutes
Wort für mich bei Ihnen, Herr Generaldirektor, eingelegt
hat.«

»Ja, das hat er. Was, Professor ist er auch? Wieso denn?
Mais passons. Geschrieben hat er mir Ihretwegen, und ich
habe ihn auch nicht abfallen lassen, weil wir damals hier so
manchen Jux miteinander gehabt haben. Aber ich will Ihnen
sagen, lieber Freund, es hat seine Schwierigkeiten. Was sollen
wir mit Ihnen anfangen? Sie haben doch offenbar im Hoteldienst nicht die geringste Erfahrung, sind überhaupt noch
nicht dafür angelernt —«

»Ohne Überhebung glaube ich voraussagen zu können«,

war meine Erwiderung, »daß eine gewisse natürliche Anstelligkeit überraschend schnell für meine Ungelerntheit aufkommen wird.«

»Na«, meinte er neckisch, »Ihre Anstelligkeit, die bewährt sich wohl vorwiegend bei hübschen Frauen.«

Er sagte das meiner Einsicht nach aus folgenden drei Gründen. Erstens nimmt der Franzose – und ein solcher war Herr Stürzli ja längst – das Wort »hübsche Frau« überhaupt sehr gern in den Mund, zum eigenen Vergnügen und zu dem aller anderen. »Une jolie femme«, das ist dortzulande der populärste Scherz, mit dem man sicher ist, sofort den heitersympathischsten Anklang zu finden. Es ist das ungefähr, wie wenn man in München das Bier erwähnt. Dort braucht man nur dieses Wort auszusprechen, um allgemeine Aufgeräumtheit zu erzielen. – Dies zum ersten. Zweitens, und tiefer hinabgesehen, wollte Stürzli, indem er von »hübschen Frauen« sprach und über meine mutmaßliche Anstelligkeit bei ihnen witzelte, die Beklemmung seiner Instinkte bekämpfen, mich in gewissem Sinne loswerden und mich sozusagen nach der weiblichen Seite abschieben. Das verstand ich ganz gut. Drittens aber – man muß sagen: im Widerspruch zu diesem Bestreben – hatte er es darauf abgesehen, mich zum Lächeln zu bringen, was doch nur dazu führen konnte, daß er jene Beklemmung aufs neue erprobte. Offenbar war es ihm verworrenerweise eben darum zu tun. Das Lächeln, so bezwingend es war, mußte ich ihm gewähren und tat es mit den Worten:

»Sicherlich stehe ich auf diesem Gebiet, wie auf jedem anderen, weit hinter Ihnen, Herr Generaldirektor, zurück.«

Es war schade um diese Artigkeit, denn er hörte gar nicht darauf, sondern sah nur mein Lächeln an, das Gesicht wieder zur Grimasse des Widerwillens verzerrt. Er hatte es nicht anders gewollt, und mir blieb nichts übrig als, wie vorher, in strenger Sittsamkeit die Augen niederzuschlagen. Auch ließ er mich's nach wie vor nicht entgelten.

»Das ist alles ganz gut, junger Mann«, sagte er, »aber die
Frage ist, wie es um Ihre Vorkenntnisse steht. Sie schneien
hier so nach Paris herein – sprechen Sie denn auch nur
Französisch?«

Das war Wasser auf meine Mühle. In mir jauchzte es auf,
denn mit dieser Frage nahm das Gespräch eine Wendung zu
meinen Gunsten. Es ist hier der Ort, eine Anmerkung über
meine Begabung überhaupt für allerlei Zungen der Völker
einzuschalten, die stets enorm und geheimnisvoll war. Universell von Veranlagung und alle Möglichkeiten der Welt in
mir hegend, brauchte ich eine fremde Sprache nicht eigentlich
gelernt zu haben, um, wenn mir auch nur etwas davon ange-
flogen war, für kurze Zeit wenigstens den Eindruck ihrer
flüssigen Beherrschung vorzuspiegeln, und zwar unter so übertrieben echter Nachahmung des jeweiligen nationalen Sprach-
gebarens, daß es ans Possenhafte grenzte. Dieser nachspöttelnde
Einschlag meiner Darbietung, die ihrer Glaubwürdigkeit nicht
nur nicht gefährlich wurde, sondern sie sogar erhöhte, hing
mit einer beglückenden, beinahe ekstatischen Erfülltheit vom
Geiste des Fremden zusammen, in den ich mich versetzte oder
von dem ich ergriffen wurde, – einem Zustande der Inspiration, in welchem mir zu meinem eigenen Erstaunen, das
nun wieder den Übermut meiner Travestie verstärkte, die
Vokabeln, Gott weiß woher, nur so zuflogen.

Was nun freilich vorerst einmal das Französische betraf, so
hatte ja meine Zungenfertigkeit einen weniger geisterhaften
Hintergrund.

»Ah, voyons, Monsieur le directeur général«, sprudelte ich
los, und zwar mit höchster Affektation. »Vous me demandez
sérieusement, si je parle français? Mille fois pardon, mais cela
m'amuse! De fait, c'est plus ou moins ma langue maternelle
– ou plutôt paternelle, parce que mon pauvre père – qu'il
repose en paix! – nourrissait dans son tendre cœur un amour
presque passionné pour Paris et profitait de toute occasion
pour s'arrêter dans cette ville magnifique dont les recoins
les plus intimes lui étaient familiers. Je vous assure: il con-

naissait des ruelles aussi perdues comme, disons, la Rue de
l'Échelle au Ciel, bref, il se sentait chez soi à Paris comme
nulle part au monde. La conséquence? Voilà la conséquence.
Ma propre éducation fut de bonne part française, et l'idée
de la conversation, je l'ai toujours conçue comme l'idée de
la conversation française. Causer, c'était pour moi causer en
français et la langue française — ah, monsieur, cette langue
de l'élégance, de la civilisation, de l'esprit, elle est la langue
de la conversation, la conversation ellemême … Pendant
toute mon enfance heureuse j'ai causé avec une charmante
demoiselle de Vevey — Vevey en Suisse — qui prenait soin
du petit gars de bonne famille, et c'est elle qui m'a enseigné
des vers français, vers exquis que je me répète dès que j'en ai
le temps et qui littéralement fondent sur ma langue —

> Hirondelles de ma patrie,
> De mes amours ne me parlez-vous pas?«

»Hören Sie auf!« unterbrach er mein sturzbachgleiches Ge-
plapper. »Hören Sie sofort auf mit der Poesie! Ich kann keine
Poesie vertragen, sie kehrt mir den Magen um. Wir lassen
hier in der Halle zum Five o'clock manchmal französische
Dichter auftreten, wenn sie etwas anzuziehen haben, und lassen sie ihre Verse rezitieren. Die Damen haben das gern, aber
ich halte mich so fern wie möglich davon, der kalte Schweiß
bricht mir dabei aus.«

»Je suis désolé, Monsieur le directeur général. Je suis vio-
lemment tenté de maudire la poésie —«

»Schon gut. Do you speak English?«

Ja, tat ich das? Ich tat es nicht, oder konnte doch höchstens
für drei Minuten so tun, als täte ich es, soweit eben dasjenige
reichte, was irgendwann einmal, in Langenschwalbach, in
Frankfurt, vom Tonfall dieser Sprache an mein lauschendes
Ohr geweht war, was ich an Brocken ihres Wortschatzes da
oder dort aufgelesen. Worauf es ankam, war, aus einem
Nichts von Material etwas für den Augenblick hinlänglich
Verblendendes zu machen. Darum sagte ich — nicht etwa breit

und platt, wie Unwissende sich wohl das Englische vorstellen,
sondern mit den Spitzen der Lippen, säuselnd und die Nase
dünkelhaft über alle Welt erhoben:

»I certainly do, Sir. Of course, Sir, quite naturally I do.
Why shouldn't I? I love to, Sir. It's a very nice and com-
fortable language, very much so indeed, Sir, very. In my
opinion, English is the language of the future, Sir. I'll bet
you what you like, Sir, that in fifty years from now it will
be at least the second language of every human being...«

»Warum wenden Sie denn so die Nase in der Luft herum?
Das ist nicht nötig. Auch Ihre Theorien sind überflüssig. Ich
habe nur nach Ihren Kenntnissen gefragt. Parla italiano?«

In demselben Augenblick wurde ich zum Italiener, und
statt säuselnder Verfeinerung überkam mich das feurigste
Temperament. Froh erhob sich in mir, was ich je aus dem
Munde meines Paten Schimmelpreester, der des öfteren und
längeren in jenem sonnigen Lande gewesen war, von italienischen Lauten gehört hatte, und indem ich die Hand mit geschlossenen Fingerspitzen vor dem Gesicht bewegte, plötzlich
aber alle ihre fünf Finger weit auseinander spreizte, rollte
und sang ich:

»Ma Signore, che cosa mi domanda? Son veramente in-
namorato di questa bellissima lingua, la più bella del mondo.
Ho bisogno soltanto d'aprire la mia bocca e involontariamente
diventa il fonte di tutta l'armonia di quest' idioma celeste.
Sì, caro Signore, per me non c'è dubbio che gli angeli nel
cielo parlano italiano. Impossibile d'imaginare che queste
beate creature si servano d'una lingua meno musicale...«

»Halt!« befahl er. »Sie fallen schon wieder ins Poetische,
und Sie wissen doch, daß mir schlecht davon wird. Können
Sie das nicht lassen? Für einen Hotel-Angestellten schickt es
sich nicht. Aber Ihr Akzent ist nicht übel, und über einige
Sprachkenntnisse verfügen Sie, wie ich sehe. Das ist mehr, als
ich erwartet hatte. Wir wollen einen Versuch mit Ihnen
machen, Knoll –«

»Krull, Herr Generaldirektor.«

»Ne me corrigez pas! Meinetwegen könnten Sie Knall heißen. Welches ist Ihr Rufname?«

»Felix, Herr Generaldirektor.«

»Das paßt mir auch nicht. Felix — Felix, das hat etwas zu Privates und Anspruchsvolles. Sie werden Armand genannt werden . . .«

»Es macht mir die größte Freude, Herr Generaldirektor, meinen Namen zu wechseln.«

»Freude oder nicht. Armand hieß der Liftboy, der zufällig heute abend den Dienst quittiert. Sie können morgen statt seiner eintreten. Wir wollen einen Versuch als Liftboy mit Ihnen machen.«

»Ich wage zu versprechen, Herr Generaldirektor, daß ich mich anstellig erweisen und meine Sache sogar besser machen werde als Eustache . . .«

»Was ist mit Eustache?«

»Er fährt zu hoch und zu tief und macht böse Stufen, Herr Generaldirektor. Allerdings nur, wenn er seinesgleichen fährt. Mit Herrschaften, wenn ich ihn recht verstand, gibt er besser acht. Diese Ungleichmäßigkeit in der Ausübung seines Amtes fand ich nicht löblich.«

»Was haben Sie hier zu loben! Sind Sie übrigens Sozialist?«

»Nicht doch, Herr Generaldirektor! Ich finde die Gesellschaft reizend, so wie sie ist, und brenne darauf, ihre Gunst zu gewinnen. Ich meine nur, wenn man seine Sache kann, sollte man es gar nicht fertigbringen, darin zu pfuschen, auch wenn es nicht so sehr darauf ankommt.«

»Sozialisten nämlich können wir in unserem Betrieb ganz und gar nicht brauchen.«

»Ça va sans dire, Monsieur le . . .«

»Gehen Sie jetzt, Knull! Lassen Sie sich im Magazin drunten, im Souterrain, die gehörige Livree anpassen! Die wird von uns geliefert, nicht aber gehöriges Schuhwerk, und ich mache Sie aufmerksam, daß das Ihre —«

»Das ist ein ganz vorübergehender Fehler, Herr Generaldirektor. Er wird bis morgen zu voller Zufriedenheit behoben

sein. Ich weiß, was ich dem Etablissement schuldig bin,
und versichere, daß meine Erscheinung in keinem Punkt zu
wünschen übriglassen wird. Ich freue mich außerordentlich
auf die Livree, wenn ich das sagen darf. Mein Pate Schimmelpreester liebte es, mich in die verschiedensten Kostüme zu
stecken, und lobte mich immer dafür, wie richtig ich mich in
einem jeden ausnahm, obgleich das Angeborene ja eigentlich
kein Lob verdient. Aber eine Liftboy-Montur habe ich noch
nie probiert.«

»Es wird kein Unglück sein«, sagte er, »wenn Sie darin
den hübschen Frauen gefallen. Adieu, Sie sind dann für heute
hier nicht mehr nötig. Sehen Sie sich Paris an heute nachmittag! Fahren Sie morgen früh mit Eustache oder einem andern
ein paarmal auf und ab und lassen Sie sich den Mechanismus
zeigen, der einfach ist und nicht über Ihren Verstand gehen
wird.«

»Er will mit Liebe gehandhabt sein«, war meine Erwiderung. »Ich werde nicht ruhen, bis ich nicht die kleinste Stufe
mehr mache. Du reste, Monsieur le directeur général«, fügte
ich hinzu und ließ meine Augen schmelzen, »les paroles me
manquent pour exprimer . . .«

»C'est bien, c'est bien, ich habe zu tun«, sagte er und
wandte sich ab, nicht ohne daß sein Gesicht sich wieder zu
jener eklen Grimasse verzog. Mich konnte das nicht verdrießen. Spornstreichs – denn es lag mir daran, noch vor Mittag
besagten Uhrmacher zu erreichen – begab ich mich eine Treppe
hinab ins Kellergeschoß, fand ohne Mühe die mit »Magasin«
bezeichnete Tür und klopfte. Ein kleiner Alter las durch seine
Brille die Zeitung in dem Raum, der einem Trödelspeicher
oder der Kostümkammer eines Theaters glich, so viel bunter
Bedientenstaat war dort aufgehängt. Ich brachte mein Anliegen vor, das im Handumdrehen Erledigung finden sollte.

»Et comme ça«, sagte der Alte, »tu voudrais t'apprêter,
mon petit, pour promener les jolies femmes en haut et en bas?«
Diese Nation kann es nicht lassen. Ich zwinkerte und bestätigte, daß das mein Wunsch und Auftrag sei.

Nur flüchtig maß er mich mit den Augen, nahm eine der sandfarbenen, rot garnierten Livreen, Jacke und Hose, von der Stange und packte sie mir ganz einfach auf den Arm.

»Wäre nicht eine Anprobe ratsam?« fragte ich.

»Nicht nötig, nicht nötig. Was ich dir gebe, das paßt. Dans cet emballage la marchandise attirera l'attention des jolies femmes.«

Der verhutzelte Alte hätte wirklich etwas anderes im Kopfe haben können. Aber er redete wohl ganz mechanisch, und ebenso mechanisch zwinkerte ich zurück, nannte ihn zum Abschied »mon oncle« und schwor, daß ich ihm allein meine Carrière zu danken haben würde.

Mit dem Aufzug, der bis hier hinunterging, fuhr ich zum fünften Stock hinauf. Ich hatte Eile, denn immer beunruhigte mich ein wenig die Frage, ob denn auch Stanko in meiner Abwesenheit meinen Koffer in Frieden lassen würde. Unterwegs gab es Klingelzeichen und Aufenthalte. Herrschaften, bei deren Eintritt ich mich bescheiden an die Wand drückte, beanspruchten den Lift: schon gleich in der Halle eine Dame, die nach dem zweiten Stock, im ersten ein englisch sprechendes Ehepaar, das nach dem dritten verlangte. Die einzelne Dame, welche zuerst einstieg, erregte meine Aufmerksamkeit – und allerdings ist hier das Wort »erregen« am Platze, denn ich betrachtete sie mit einem Herzklopfen, das nicht der Süßigkeit entbehrte. Ich kannte diese Dame. Obgleich sie keinen Glokkenhut mit Reiherfedern, sondern eine andere, breitrandige und mit Atlas garnierte Kreation auf dem Kopfe trug, über die ein weißer, unterm Kinn zur Schlinge gebundener und lang auf den Mantel herabhängender Schleier gelegt war, und obgleich auch dieser Mantel ein anderer war als gestern, ein leichterer, hellerer, mit großen umsponnenen Knöpfen, konnte nicht der geringste Zweifel sein, daß ich meine Nachbarin von der Douane, die Dame vor mir hatte, mit der mich der Besitz des Kästchens verband. Ich erkannte sie vor allem an einem Aufreißen der Augen wieder, das sie während der Auseinandersetzung mit dem Zöllner beständig geübt hatte, das

aber offenbar eine stehende Gewohnheit war, da sie es auch
jetzt, ganz ohne Anlaß, jeden Augenblick wiederholte. Überhaupt ließen ihre an sich nicht unschönen Züge eine Neigung
zu nervöser Verzerrung merken. Sonst gab es nichts, soviel
ich sah, an der Komplexion dieser Brünetten von vierzig
Jahren, was mir die zarten Beziehungen hätte verleiden können, in denen ich zu ihr stand. Ein kleines dunkles Flaum-
bärtchen auf der Oberlippe kleidete sie nicht übel. Auch hatten ihre Augen die goldbraune Farbe, die mir stets an Frauen
gefiel. Wenn sie sie nur nicht immerfort so unerfreulich aufgerissen hätte! Ich hatte das Gefühl, ihr die zwanghafte Gewohnheit gütlich ausreden zu sollen.

Aber so waren wir denn gleichzeitig hier abgestiegen, –
wenn ich auf meinen Fall das Wort Absteigen anwenden
durfte. Ein bloßer Zufall hatte verhindert, daß ich ihr nicht
schon vor dem leicht errötenden Herrn in der Réception
wiederbegegnet war. Ihre Nähe im engen Raum des Fahr-
stuhls benahm mir recht eigentümlich den Sinn. Ohne von
mir zu wissen, ohne mich je gesehen zu haben, ohne meiner
auch jetzt gewahr zu werden, trug sie mich gestaltlos in ihren
Gedanken seit dem Augenblick, gestern abend oder heute
morgen, wo ihr beim Ausleeren ihres Koffers das Fehlen des
Kästchens auffällig geworden war. Dieser Nachstellung einen
feindseligen Sinn beizulegen, konnte ich mich, sosehr das den
um mich besorgten Leser verwundern mag, nicht überwinden.
Daß ihr Meingedenken, ihr Fragen nach mir die Form gegen
mich gerichteter Schritte annehmen könnte, daß sie vielleicht
von solchen Schritten gerade zurückkehrte, diese naheliegende
Möglichkeit kam mir flüchtig zwar in den Sinn, brachte es
aber dort zu keiner ernstlichen Glaubwürdigkeit und vermochte nicht aufzukommen gegen den Zauber einer Situation,
in welcher der Fragenden der Gegenstand ihres Fragens, ohne
daß sie es ahnte, so nahe war. Wie bedauerte ich – bedauerte
es für uns beide –, daß diese Nähe so kurz befristet war, nur
bis zur zweiten Etage reichte! Als die, in deren Gedanken ich
war, ausstieg, sagte sie zu dem rothaarigen Liftführer:

»Merci, Armand.«

Es hatte sein Auffallendes und zeugte von ihrer Leutseligkeit, daß sie, so kürzlich erst angekommen, schon den Namen
des Burschen wußte. Vielleicht kannte sie ihn länger und war
ein wiederkehrender Gast des »Saint James and Albany«.
Auch war ich betroffener noch von dem Namen selbst und
davon, daß gerade Armand es war, der uns gefahren hatte.
Dies Zusammensein im Fahrstuhl war reich an Beziehungen.

»Wer ist diese Dame?« fragte ich den Rothaarigen von
rückwärts im Weiterfahren.

Lümmelhafterweise antwortete er überhaupt nicht. Trotzdem fügte ich beim Aussteigen im vierten Stock die Frage
hinzu:

»Sind Sie jener Armand, der heute abend quittiert?«

»Das geht dich einen Dreck an«, grobiante er.

»Etwas mehr als das«, erwiderte ich, »geht es mich doch an.
Ich bin nämlich jetzt Armand. Ich trete in Ihre Fußtapfen.
Ich bin Ihr Nachfolger, und ich gedenke eine weniger unge-
hobelte Figur abzugeben als Sie.«

»Imbécile!« grüßte er mich, indem er mir das Türgatter
vor der Nase zuriß. –

Stanko schlief, als ich droben das Dortoir No. 4 wieder
betrat. In aller Eile tat ich das folgende: Ich nahm meinen
Koffer vom Bort, trug ihn in den Waschraum, nahm das
Kästchen heraus, das der ehrliche Stanko gottlob unangetastet gelassen, und nachdem ich mich meines Jacketts und
meiner Weste entledigt, legte ich mir den reizenden Topasschmuck um den Hals und sicherte mit einiger Mühe seinen
Druckfederverschluß im Nacken. Darüber dann legte ich jene
Kleidungsstücke wieder an und stopfte die übrigen Kleinodien, die nicht soviel Platz einnahmen, besonders die Brillantkette, rechts und links in die Taschen. Dies vollbracht,
versorgte ich den Koffer wieder an seinen Ort, hängte meine
Livree in den Schrank neben der Tür auf dem Gange, legte
Überjacke und Mütze an und lief – ich glaube, aus Abneigung,
wieder mit Armand fahren zu müssen – alle fünf Treppen

hinunter, um mich auf den Weg nach der Rue de l'Échelle au
Ciel zu machen.

Die Taschen voller Schätze, besaß ich doch die paar Sous
nicht mehr, einen Omnibus nehmen zu können. Ich mußte
laufen, und zwar unter Schwierigkeiten, denn es galt sich zu-
rechtzufragen, und außerdem litt meine Beschwingtheit bald
unter der Schwere der Füße, die ein steigendes Terrain erzeugt. Es waren gewiß drei Viertelstunden, die ich brauchte,
um den Friedhof Montmartre zu erreichen, dem mein Fragen
gegolten hatte. Von da freilich fand ich, da Stankos Angaben
sich als durchaus zuverlässig erwiesen, schnell meinen Weg
durch die Rue Damrémont zum Nebengäßchen der »Klugen
Jungfrauen« und war, in dieses eingebogen, mit wenigen
Schritten am Ziel.

Eine Mammutsiedelung wie Paris setzt sich aus vielen
Quartieren und Gemeinden zusammen, von denen die wenigsten die Majestät des Ganzen erraten lassen, dem sie zuge-
hören. Hinter der Prachtfassade, die die Metropole dem
Fremden zukehrt, hegt sie das Kleinbürgerlich-Kleinstädtische,
das darin sein selbstgenügsames Wesen treibt. Von den Bewohnern der Straße »Zur Himmelsleiter« hatte vielleicht so
mancher in Jahr und Tag das Geglitzer der Avenue de
l'Opéra, den Welttumult des Boulevard des Italiens nicht
gesehen. Idyllische Provinz umgab mich. Auf dem schmalen,
mit Katzenköpfen gepflasterten Fahrdamm spielten Kinder.
An den friedlichen Trottoirs reihten sich schlichte Wohn-
häuser, in deren Erdgeschossen hie und da ein Laden, ein
Krämer-, ein Fleischer- oder Bäckergeschäft, eine Sattlerwerk-
statt sich mit genügsamen Auslagen empfahl. Ein Uhrmacher
mußte auch da sein. Nummer 92 war bald gefunden. »Pierre
Jean-Pierre, Horloger« war an der Ladentür zu lesen, zur
Seite des Schaufensters, das allerlei Zeitmesser, Taschenuhren
von Herren- und Damenformat, blecherne Wecker und billige Kamin-Pendulen zeigte.

Ich drückte die Klinke und trat ein unter dem Gebimmel
einer Glocke, die durch das Öffnen der Tür in Bewegung ge-

setzt wurde. Der Inhaber saß, den Holzrahmen einer Lupe ins Auge geklemmt, hinter dem vitrinenartigen Ladentisch, in dessen gläsernem Inneren ebenfalls Uhren und Ketten ausgelegt waren, und musterte das Räderwerk einer Taschenuhr, deren Besitzer offenbar über sie zu klagen hatte. Das mehrstimmige Tick-Tack der herumstehenden Stutz- und Standuhren erfüllte den Laden.

»Guten Tag, Meister«, sagte ich. »Wissen Sie, daß ich Lust hätte, mir eine Uhr für meine Westentasche, auch wohl mit einer hübschen Kette, zu kaufen?«

»Es wird Sie niemand daran hindern, mein Kleiner«, antwortete er, indem er die Linse vom Auge nahm. »Eine goldene soll es vermutlich nicht sein?«

»Nicht notwendigerweise«, erwiderte ich. »Ich lege keinen Wert auf Glanz und Flitter. Die innere Qualität, die Präzision, das ist es, worauf es mir ankommt.«

»Gesunde Grundsätze. Eine silberne also«, sagte er, öffnete die innere Glaswand des Ladentisches und nahm von seiner Ware einige Stücke heraus, die er mir auf der Platte vorlegte.

Er war ein hageres Männchen mit aufrechtstehendem gelbgrauem Haar und jener Art von Backen, die viel zu hoch, gleich unter den Augen ansetzen und den Teil des Gesichtes, wo eigentlich die Backen sich runden sollten, fahl überhängen. Eine leider vorkommende, unerfreuliche Bildung.

Die silberne Remontoir-Uhr in Händen, die er mir gerade empfohlen, fragte ich nach ihrem Preise. Er betrug fünfundzwanzig Franken.

»Nebenbei, Meister«, sagte ich, »meine Absicht ist nicht, diese Uhr, die mir sehr gut gefällt, in bar zu bezahlen. Ich möchte vielmehr unser Geschäft auf die ältere Form des Tauschhandels zurückführen. Sehen Sie diesen Ring!« Und ich zog den Reif mit der grauen Perle hervor, den ich für diesen Augenblick an besonderem Ort, nämlich in dem aufgenähten Nebentäschchen meiner rechten Jackett-Tasche, bereitgehalten hatte. »Meine Idee war«, erläuterte ich, »Ihnen dies hübsche Stück zu verkaufen und die Differenz zwischen

seinem Wert und dem Preis der Uhr von Ihnen entgegenzunehmen, – anders gesagt, Ihnen die Uhr von dem Ertrag des
Ringes zu bezahlen, – noch anders gewendet, Sie zu ersuchen,
den Preis der Uhr, mit dem ich ganz einverstanden bin, einfach von den, sagen wir, zweitausend Franken abzuziehen,
die Sie mir zweifellos für den Ring bieten werden. Wie denken Sie über diese kleine Transaktion?«

Scharf, mit zusammengekniffenen Augen, betrachtete er
den Ring in meiner Hand und blickte dann auf dieselbe Art
mir selbst ins Gesicht, während ein leichtes Beben in seine un-
richtigen Wangen trat.

»Wer sind Sie, und woher haben Sie diesen Ring?« fragte
er mit gepreßter Stimme. »Für was halten Sie mich, und was
für Geschäfte schlagen Sie mir vor? Verlassen Sie sofort den
Laden eines Ehrenmannes!«

Betrübt senkte ich das Haupt und sagte nach kurzem
Schweigen mit Wärme:

»Meister Jean-Pierre, Sie befinden sich in einem Irrtum.
In einem Irrtum des Mißtrauens, mit dem ich wohl freilich
zu rechnen hatte und vor dem dennoch Ihre Menschenkenntnis Sie bewahren sollte. Sie fassen mich ins Auge – nun? Sehe
ich aus wie ein – wie jemand, für den Sie befürchten mich
halten zu müssen? Ich kann Ihren ersten Gedanken nicht
schelten, er ist begreiflich. Aber Ihr zweiter, – ich wäre enttäuscht, wenn er nicht besser Ihren persönlichen Eindrücken
folgte.«

Er fuhr fort, mit einem knappen Aufundabgehen seines
Kopfes den Ring und mein Gesicht zu bespähen.

»Woher kennen Sie meine Firma?« wollte er wissen.

»Von einem Arbeitskollegen und Stubengenossen«, antwortete ich. »Er ist nicht ganz wohl augenblicklich. Wenn
Sie wollen, richte ich ihm Ihre Genesungswünsche aus. Er
heißt Stanko.«

Noch zögerte er, mit bebenden Backen auf und ab spähend.
Aber ich sah wohl, wie die Begierde nach dem Ring die Oberhand gewann über seine Ängstlichkeit. Mit einem Blick auf

die Tür nahm er mir jenen aus der Hand und setzte sich
schnell damit an seinen Platz hinter dem Ladentisch, um das
Objekt durch seine Uhrmacher-Lupe zu prüfen.

»Sie hat einen Fehler«, sagte er und meinte die Perle.

»Nichts könnte mir neuer sein«, erwiderte ich.

»Das glaube ich Ihnen. Nur der Fachmann sieht das.«

»Nun, ein Fehler so versteckter Art kann bei der Schätzung kaum ins Gewicht fallen. Und die Brillanten, wenn ich
fragen darf?«

»Quark, Splitter, Rosen, abgesprengtes Zeug und bloße
Dekoration. – Hundert Franken«, sagte er und warf den Ring
zwischen uns beide, aber näher zu mir, auf die Glasplatte.

»Ich höre doch wohl nicht recht!«

»Wenn Sie meinen, nicht recht zu hören, mein Junge, so
nehmen Sie Ihren Plunder und trollen Sie sich.«

»Aber dann kann ich ja die Uhr nicht kaufen.«

»Je m'en fiche«, sagte er. »Adieu.«

»Hören Sie, Meister Jean-Pierre«, begann ich nun. »Ich
kann Ihnen in aller Höflichkeit den Vorwurf nicht ersparen,
daß Sie die Geschäfte mit Nachlässigkeit behandeln. Durch
übertriebene Knauserigkeit gefährden Sie den Fortgang von
Verhandlungen, die kaum begonnen haben. Sie lassen die
Möglichkeit außer acht, daß dieser Ring, kostbar wie er ist,
nicht der hundertste Teil dessen sein könnte, was ich Ihnen
anzubieten habe. Diese Möglichkeit ist aber eine Tatsache, und
Sie sollten Ihr Verhalten gegen mich danach einrichten.«

Er sah mich groß an, und das Beben seiner mißschaffenen
Backen verstärkte sich außerordentlich. Wieder warf er einen
Blick auf die Tür und sagte dann mit dem Kopf winkend
zwischen den Zähnen:

»Komm hier herein!«

Er nahm den Ring, ließ mich um den Vitrinentisch herum-
gehen und öffnete mir den Eingang zu einer ungelüfteten,
fensterlosen Hinterstube, über deren rundem, mit Plüsch
und Häkelzeug bedecktem Mitteltisch er eine sehr hell und
weiß brennende Gas-Hängelampe entzündete. Auch ein

»Safe« oder feuerfester Geldschrank sowie ein kleiner Schreibsekretär waren in dem Raum zu sehen, so daß dieser zwischen kleinbürgerlichem Wohnzimmer und Geschäftsbureau die Mitte hielt.

»Los! Was hast du?« sagte der Uhrmacher.

»Erlauben Sie mir, ein wenig abzulegen«, versetzte ich und entledigte mich meiner Überjacke. »So geht es besser.« Und stückweise zog ich aus meinen Taschen den Schildpattkamm, die Busennadel mit dem Saphir, die Brosche in Form eines Fruchtkörbchens, den Armreif mit der weißen Perle, den Rubinring und als großen Trumpf die Brillantkette, legte das alles, wohl voneinander gesondert, auf die gehäkelte Decke des Tisches nieder. Schließlich knöpfte ich mit Verlaub meine Weste auf, nahm mir den Topasschmuck vom Halse und fügte auch ihn der Bescherung auf dem Tische hinzu.

»Was meinen Sie dazu?« fragte ich mit ruhigem Stolz.

Ich sah, wie er ein Glitzern seiner Augen, ein Schmatzen seiner Lippen nicht ganz verbergen konnte. Aber er gab sich den Anschein, als wartete er auf mehr, und erkundigte sich schließlich trockenen Tones:

»Nun? Das ist alles?«

»Alles?« wiederholte ich. »Meister, Sie sollten nicht tun, als ob es nicht lange her wäre, daß Ihnen eine solche Kollektion zum Kaufe angeboten wurde.«

»Du möchtest sie sehr gern loswerden, deine Kollektion?«

»Überschätzen Sie nicht die Hitzigkeit meines Wunsches«, erwiderte ich. »Wenn Sie mich fragen, ob ich mich ihrer zu einem vernünftigen Preis zu entäußern wünsche, so kann ich zustimmen.«

»Recht so«, gab er zurück. »Kühle Vernunft ist dir in der Tat anzuraten, mein Bürschchen.«

Damit zog er sich einen der den Tisch umstehenden, mit Teppichstoff überzogenen Fauteuils heran und setzte sich zur Prüfung der Gegenstände. Ohne Einladung nahm auch ich einen Stuhl, schlug ein Bein über das andere und sah ihm

zu. Deutlich sah ich, wie seine Hände zitterten, während er
ein Stück nach dem anderen aufnahm, es musterte und es
dann mehr auf die Tischdecke zurückwarf, als daß er es zurückgelegt hätte. Das sollte das Zittern der Gier wohl gut-
machen, wie er denn auch wiederholt die Achseln zuckte, besonders als er – und das geschah zweimal – die Brillantkette
von der Hand hängen und sie dann rundum, die Steine an-
hauchend, langsam zwischen den Fingern hindurchgehen
ließ. Desto absurder klang es, als er schließlich, mit der Hand
durch die Luft über das Ganze hinfahrend, sagte:

»Fünfhundert Franken.«

»Wofür, wenn ich fragen darf?«

»Für alles zusammen.«

»Sie scherzen.«

»Mein Junge, zum Scherzen ist für keinen von uns ein Anlaß. Willst du mir deinen Fang für fünfhundert dalassen?
Ja oder nein.«

»Nein«, sagte ich und stand auf. »Ich bin sehr weit entfernt
davon. Ich nehme, wenn Sie erlauben, meine Andenken wieder zu mir, da ich sehe, daß ich aufs unwürdigste übervor-
teilt werden soll.«

»Die Würde«, spottete er, »steht dir gut. Für deine Jahre
ist auch deine Charakterstärke beachtenswert. Ich will sie
honorieren und sechshundert sagen.«

»Das ist ein Schritt, mit dem Sie nicht die Region des Lächerlichen verlassen. Ich sehe jünger aus, lieber Herr, als ich
bin, und es führt zu nichts, mich als Kind zu behandeln.
Ich kenne den Realwert dieser Dinge, und obgleich ich nicht
einfältig genug bin, zu glauben, daß ich auf ihm bestehen kann,
werde ich nicht dulden, daß sich die Leistung des Käufers in
unmoralischem Grade davon entfernt. Schließlich weiß ich,
daß es auch auf diesem Geschäftsgebiet eine Konkurrenz gibt,
die ich zu finden wissen werde.«

»Du hast da ein geöltes Mundwerk – zu deinen übrigen
Talenten. Auf den Gedanken kommst du aber nicht, daß die
Konkurrenz, mit der du mir drohst, recht wohl organisiert

sein und sich auf gemeinsame Grundsätze festgelegt haben könnte.«

»Die Frage ist einfach, Meister Jean-Pierre, ob *Sie* meine Sachen kaufen wollen, oder ob sie ein anderer kaufen soll.«

»Ich bin geneigt, sie dir abzunehmen, und zwar, wie wir im voraus ausgemacht, zu einem vernünftigen Preise.«

»Und der wäre?«

»Siebenhundert Francs – mein letztes Wort.«

Schweigend begann ich, das Schmuckwerk, vor allem die Brillantkette, wieder in meinen Taschen zu verstauen.

Mit bebenden Backen sah er mir zu.

»Dummkopf«, sagte er, »du weißt dein Glück nicht zu schätzen. Bedenke doch, was für eine Masse Geld das ist, sieben- oder achthundert Franken – für mich, der ich sie allenfalls anlegen will, und für dich, der sie einstecken soll! Was kannst du dir für, sagen wir, achthundertfünfzig Francs alles kaufen, – hübsche Frauen, Kleider, Theaterbilletts, gute Diners. Statt dessen willst du, wie ein Narr, das Zeug noch länger in deinen Taschen herumschleppen. Weißt du, ob nicht draußen die Polizei auf dich wartet? Stellst du mein Risiko in Rechnung?«

»Haben Sie«, sagte ich dagegen aufs Geratewohl, »von diesen Gegenständen etwas in der Zeitung gelesen?«

»Noch nicht.«

»Sehen Sie? Obgleich es sich doch um einen realen Gesamtwert von rund und nett achtzehntausend Franken handelt. Ihr Risiko ist überhaupt nur theoretisch. Dennoch will ich es veranschlagen, als ob es das nicht wäre, da ich mich tatsächlich in einer momentanen Geldverlegenheit befinde. Geben Sie mir die Hälfte des Wertes, neuntausend Franken, und der Handel soll richtig sein.«

Er machte mir ein großes Gelächter vor, wobei es kein Vergnügen war, all seiner schadhaften Zahnstummel ansichtig zu werden. Quiekend wiederholte er aber- und abermals die genannte Ziffer. Schließlich meinte er ernstlich:

»Du bist verrückt.«

»Ich nehme das«, sagte ich, »als Ihr erstes Wort nach dem letzten, das Sie vorhin gesprochen haben. Auch von diesem werden Sie abkommen.«

»Hör, Junge, es ist gewiß das allererste Geschäft dieser Art, das du Grünschnabel abzuschließen versuchst?«

»Und wenn es so wäre?« erwiderte ich. »Achten Sie den frischen Anlauf einer neu auftretenden Begabung! Stoßen Sie sie nicht durch stupide Filzigkeit zurück, sondern suchen Sie sie durch eine offene Hand für Ihr Interesse zu gewinnen, denn noch manches mag sie Ihnen zutragen, statt sich an Abnehmer zu wenden, die mehr Blick für das Glückhafte, mehr Sinn für das Jugendlich-Aussichtsreiche haben!«

Betroffen sah er mich an. Kein Zweifel, er erwog meine schönen Worte in seinem verschrumpften Herzen, während er mir auf die Lippen blickte, mit denen ich sie gesprochen. Sein Zögern benutzte ich, um hinzuzufügen:

»Es hat wenig Sinn, Meister Jean-Pierre, daß wir uns in pauschalen Überschlägen, Angeboten und Gegenangeboten ergehen. Die Kollektion will im einzelnen durchgeschätzt und berechnet sein. Wir müssen uns Zeit dazu nehmen.«

»Meinetwegen«, sagte er. »Rechnen wir's durch.«

Ich hatte da einen groben Fehler gemacht. Gewiß hätte ich, wenn wir beim Pauschalen geblieben wären, nie und nimmer die 9000 Franken halten können, aber das Ringen und Feilschen um den Preis jedes Stückes, das nun begann, während wir am Tische saßen und der Uhrmacher die abscheulichen Schätzungen, die er durchpreßte, auf seinem Schreibblock notierte, brachte mich gar zu kläglich davon herunter. Es dauerte lange, wohl drei Viertelstunden oder darüber. Zwischendurch ging die Ladenglocke, und Jean-Pierre ging hinüber, nachdem er mir flüsternd befohlen:

»Du muckst dich nicht!«

Er kam wieder, und das Markten ging weiter. Ich brachte die Brillantkette auf 2000 Franken, aber wenn das ein Sieg war, so war es mein einziger. Vergebens rief ich des Himmels Zeugenschaft an für die Schönheit des Topasschmuckes, die

Kostbarkeit des Saphirs, der die Busennadel schmückte, der
weißen Perle des Armreifs, des Rubins und der grauen
Perle. Die Ringe zusammen ergaben fünfzehnhundert, alles
übrige außer der Kette hielt sich im erfochtenen Preis zwischen 50 und höchstens 300. Die Addition ergab 4450 Francs,
und mein Schurke tat noch, als entsetze er sich davor und
ruiniere sich und den ganzen Stand. Er erklärte auch, unter
diesen Umständen komme die silberne Uhr, die ich kaufen
müsse, statt auf 25 auf 50 Franken zu stehen – auf so viel also,
wie er für die reizende goldene Traubenbrosche zahlen wollte.
Das Endresultat, demnach, war 4400. Und Stanko? dachte ich.
Meine Einnahme war schwer belastet. Dennoch blieb mir
nichts übrig, als mein »Entendu« zu sprechen. Jean-Pierre
schloß den eisernen Tresor auf, versorgte unter meinen be-
dauernden Abschiedsblicken seinen Erwerb darin und legte
mir vier Tausend-Francs-Noten und vier Hunderter auf den
Tisch.

Ich schüttelte den Kopf.

»Wollen Sie mir das etwas kleiner machen«, sagte ich,
indem ich ihm die Tausender wieder zuschob, und er antwortete:

»Nun, bravo! Ich habe nur deinen Takt ein wenig auf die
Probe gestellt. Du möchtest bei deinen Einkäufen nicht zu
großspurig auftreten, wie ich sehe. Das gefällt mir. Du gefällst mir überhaupt«, fuhr er fort, indem er mir die Tau-
send-Francs-Billets in Hunderter, auch in einiges Gold und
Silber auflöste, »und ich hätte nicht so unerlaubt generös mit
dir abgeschlossen, wenn du mir nicht wirklich Vertrauen
einflößtest. Sieh, ich möchte die Verbindung mit dir gern
aufrechthalten. Es mag sein, es mag durchaus sein, daß was
los ist mit dir. Du hast sowas Sonniges. Wie heißt du eigentlich?«

»Armand.«

»Nun, Armand, erweise dich dankbar, indem du wieder-
kommst! Hier ist deine Uhr. Ich schenke dir diese Kette dazu.«
(Sie war rein gar nichts wert.) »Adieu, mein Kleiner! Komm

wieder! Ich habe mich etwas verliebt in dich, bei unseren
Geschäften.«

»Sie haben Ihre Gefühle gut zu beherrschen gewußt.«

»Sehr schlecht, sehr schlecht!«

So scherzend trennten wir uns. Ich nahm einen Omnibus
zum Boulevard Haussmann und fand in einer seiner Neben-
straßen ein Schuhgeschäft, wo ich mir ein Paar hübsche, zugleich solide und schmiegsame Knöpfstiefel anpassen ließ,
die ich gleich an den Füßen behielt, indem ich erklärte, daß
ich die alten nicht wiederzusehen wünschte. Im Kaufhaus
»Printemps« sodann, nahebei, erstand ich, von Abteilung
zu Abteilung schlendernd, zunächst einige kleinere Nutzbar-
keiten: drei, vier Krägen, eine Krawatte, auch ein seidenes
Hemd, ferner einen weichen Hut, statt der Mütze, die ich
in der Mufftasche meiner Überjacke barg, einen Regenschirm,
der in einer Spazierstock-Hülse steckte und mir außerordentlich gefiel, wildlederne Handschuhe und eine Brieftasche aus
Eidechsenhaut. Danach ließ ich mich ins Konfektions-Rayon
weisen, wo ich von der Stange weg einen sehr angenehmen
Uni-Anzug aus leichtem und warmem grauem Wollstoff
kaufte, der mir paßte wie angemessen und mir mit dem stehenden Umlegekragen, der blau und weiß gesprenkelten Krawatte ausgezeichnet zu Gesichte stand. Auch ihn legte ich
nicht erst wieder ab, bat, mir die Hülle, in der ich gekommen
war, zuzusenden, und ließ als Adresse spaßeshalber »Pierre
Jean-Pierre, quatre-vingt-douze, Rue de l'Échelle au Ciel«
notieren.

Mir war recht wohl, als ich, so aufgefrischt, die Krücke
meines Stockschirmes über den Arm gehängt und den kleinen
hölzernen Träger meines weißen, mit rotem Bande verschnür-
ten Einkaufspaketes bequem zwischen den behandschuhten
Fingern, den »Printemps« verließ, – recht wohl in dem Gedanken an die Frau, die mich bildlos im Sinne trug und nun,
so fand ich, einem Bilde nachfragte, das ihrer und ihres Fragens würdiger war als bisher. Gewiß hätte sie mit mir ihre
Freude daran gehabt, daß ich meine äußere Person in eine

unseren Beziehungen angemessenere Verfassung gebracht
hatte. Der Nachmittag aber war vorgeschritten nach diesen
Erledigungen, und ich spürte Hunger. In einer Brasserie ließ
ich mir ein keineswegs schlemmerhaftes, aber kräftiges Mahl
vorsetzen, bestehend aus einer Fischsuppe, einem guten Beef-
steak mit Beilagen, Käse und Obst, und trank zwei Bock
dazu. Wohlgesättigt beschloß ich, mir die Lebenslage zu
gönnen, um die ich gestern im Vorbeifahren diejenigen, die
sich ihrer erfreuten, beneidet hatte: nämlich vor einem der
Cafés des Boulevard des Italiens zu sitzen und den Verkehr
zu genießen. So tat ich. In der Nähe eines wärmenden Kohlen-
beckens nahm ich an einem Tischchen Platz, trank rauchend
meinen Double und blickte abwechselnd in den bunten und
lärmenden Zug des Lebens dort vor mir und hinab auf den
einen meiner bildhübschen neuen Knöpfstiefel, den ich bei
übergeschlagenem Bein in der Luft wippen ließ. Wohl eine
Stunde saß ich dort, so sehr gefiel es mir, und noch länger
wäre ich wahrscheinlich geblieben, wenn es nicht der Abfall
klaubenden Kriecher unter meinem Tisch und um ihn herum
allmählich zu viele geworden wären. Ich hatte nämlich einem
zerlumpten Greise und einem gleichfalls sehr abgerissenen
Knaben, die meine Zigarettenreste aufhoben, – dem einen
einen Franc, dem anderen zehn Sous zu ihrer ungläubigen
Glückseligkeit diskret hinabgereicht, und das verursachte be-
drängenden Zuzug von ihresgleichen, dem ich, da der Einzelne unmöglich allem Elend der Welt abhelfen kann, am
Ende zu weichen hatte. Dennoch will ich nur bekennen, daß
der Vorsatz zu solchen Darreichungen, der schon vom ge-
strigen Abend stammte, seine Rolle gespielt hatte bei meinem
Verlangen nach diesem Aufenthalt.

Übrigens waren es nicht zuletzt Überlegungen finanzieller
Art gewesen, die mich beschäftigt hatten, während ich dort
saß, und sie fuhren fort, es zu tun bei meinem ferneren Zeitvertreib. Wie war es mit Stanko? Seiner gedenkend stand
ich vor einer schwierigen Wahl. Ich konnte ihm entweder
eingestehen, daß ich zu ungeschickt, zu kindisch gewesen war,

den von ihm mit so viel Entschiedenheit angesetzten Preis
für meine Ware auch nur im entferntesten zu erzielen und
ihn nach Maßgabe dieses beschämenden Mißerfolgs mit allenfalls 1500 Franken abfinden. Oder ich konnte ihn zu meinen
Ehren und zu seinem Vorteil belügen und ihm vormachen,
ich hätte das geforderte Ergebnis wenigstens annähernd erreicht, in welchem Fall ich ihm das Doppelte auszufolgen
hatte, so daß für mich von dem Ertrag all der Herrlichkeiten
ein Sümmchen übrigblieb, das den ersten schamlosen Angeboten Meister Jean-Pierres recht kläglich nahekam. Wofür
würde ich mich entscheiden? Im Grunde ahnte mir, daß mein
Stolz, oder meine Eitelkeit, sich als stärker erweisen würde
als meine Habsucht.

Den Zeitvertreib nach dem Kaffeestündchen angehend, so
ergötzte ich mich für geringes Eintrittsgeld am Beschauen eines
herrlichen Rundgemäldes, das in voller Landschaftsausdeh-
nung, mit brennenden Dörfern und wimmelnd von russischen,
österreichischen und französischen Truppen die Schlacht von
Austerlitz darstellte: so vorzüglich, daß man kaum vermochte, die Grenze zwischen dem nur Gemalten und den
vordergründigen Wirklichkeiten, weggeworfenen Waffen und
Tornistern und gefallenen Kriegerpuppen, wahrzunehmen.
Auf einem Hügel beobachtete der Kaiser Napoléon, umgeben von seinem Stabe, die strategische Lage durch ein Fern-
rohr. Gehoben von diesem Anblick, besuchte ich auch noch
ein anderes Spektakel, ein Panoptikum, wo man auf Schritt
und Tritt zu seiner schreckhaften Freude mit allerlei Potentaten, Groß-Defraudanten, ruhmgekrönten Künstlern und
namhaften Frauenmördern zusammenstieß, jeden Augenblick gewärtig, von ihnen auf du und du angeredet zu werden. Der Abbé Liszt saß da mit langem weißem Haar und
den natürlichsten Warzen im Gesicht an einem Flügel und
griff, den Fuß auf dem Pedal und die Augen gen Himmel gerichtet, mit wächsernen Händen in die Tasten, während nahebei General Bazaine einen Revolver gegen seine Schläfe richtete, aber nicht abdrückte. Es waren packende Eindrücke für

ein junges Gemüt, allein meine aufnehmenden Fähigkeiten
waren trotz Liszt und Lesseps nicht erschöpft. Der Abend
war eingefallen über vorstehenden Erlebnissen; strahlend wie
gestern, mit bunten, wechselweise erlöschenden und wieder-
aufflammenden Werbelichtern winkend, erleuchtete sich Paris, und nach einigem Flanieren verbrachte ich anderthalb
Stunden in einem Variété-Theater, wo Seelöwen brennende
Petroleumlampen auf der Nase balancierten, ein Zauberkünstler jemandes goldene Uhr in einem Mörser zerstampfte, um
sie dann einem völlig unbeteiligten Zuschauer, der weit zurück
im Parterre gesessen hatte, wohlbehalten aus der hinteren
Hosentasche zu ziehen, eine bleiche Diseuse in langen schwarzen Handschuhen mit Grabesstimme düstere Unanständigkei-
ten in den Saal lancierte und ein Herr meisterhaft aus dem
Bauche sprach. Ich konnte das Ende des wundervollen Programms nicht abwarten, denn wenn ich noch irgendwo eine
Schokolade trinken wollte, so mußte ich mich eilen, nach
Hause zu kommen, bevor der Schlafraum sich bevölkerte.

Durch die Avenue de l'Opéra und die Rue des Pyramides
kehrte ich in die heimische Rue Saint-Honoré zurück und
streifte in der Nähe des Hotels meine Handschuhe ab, da
sie mir unter den verschiedenen Aufbesserungen meiner Toilette den Ausschlag nach der Seite des Herausfordernden
zu geben schienen. Übrigens beachtete mich niemand, als ich
mit einem Ascenseur, der bis zum vierten Stockwerk von Gästen nicht leer wurde, dorthin hinauffuhr. Stanko machte
große Augen, als ich eine Treppe höher bei ihm eintrat und
er mich im Schein der Hängebirne musterte.

»Nom d'un chien!« sagte er. »Er hat sich herausgeputzt.
Demnach sind die Geschäfte flott gegangen?«

»Leidlich«, versetzte ich, während ich ablegte und vor sein
Bett trat. »Recht leidlich, Stanko, das darf ich sagen, wenn
auch nicht all unsere Hoffnungen sich erfüllt haben. Der
Mann ist jedenfalls nicht der Schlimmste seiner Gilde; durchaus erweist er sich als umgänglich, wenn man ihn zu nehmen
versteht und den Nacken steifhält. Auf neuntausend habe ich

es gebracht. Erlauben Sie nun, daß ich meinen Verpflichtungen nachkomme!« Und indem ich in meinen Knöpfstiefeln auf den Rand des Unterbettes stieg, zählte ich ihm aus meiner überfüllten Eidechsentasche dreitausend Franken auf die Friesdecke.

»Gauner!« sagte er. »Du hast zwölftausend bekommen.«

»Stanko, ich schwöre Ihnen . . .«

Er brach in Lachen aus.

»Schatz, echauffiere dich nicht!« sagte er. »Ich glaube weder, daß du zwölftausend, noch daß du neuntausend bekommen hast. Du hast höchstens fünftausend bekommen. Sieh mal, ich liege hier, und mein Fieber ist heruntergegangen. Da wird der Mensch weich und rührsam vor Mattigkeit nach verflogenem Schwips. Darum will ich dir nur gestehen, daß ich selber nicht mehr als irgendwas zwischen vier- und fünftausend herausgedrückt hätte. Hier hast du tausend wieder. Wir sind beide anständige Kerle, sind wir das nicht? Ich bin entzückt von uns. Embrassons-nous! Et bonne nuit!«

Neuntes Kapitel

Es ist wirklich nichts leichter, als einen Lift zu bedienen. Man kann es beinahe sofort, und da ich mir selbst und, wie so mancher Blick mich merken ließ, auch der auf- und abfahrenden schönen Welt nicht wenig in meiner schmucken Livree gefiel, dazu viel innere Erfrischung fand an dem neuen Namen, den ich nun führte, so machte der Dienst mir anfangs entschiedene Freude. Allein, ein Kinderspiel an und für sich, ist dieser Dienst, wenn man ihn mit kurzen Unterbrechungen von sieben Uhr morgens bis gegen Mitternacht zu versehen hat, recht sehr ermüdend, und einigermaßen gebrochen an Leib und Seele erklettert der Mensch nach einem solchen Arbeitstage sein Oberbett. Sechzehn Stunden lang, nur ausgenommen die kurzen Fristen, in denen schichtweise dem Personal

in einem zwischen Küche und Speisesaal gelegenen Raum
die Mahlzeiten verabfolgt wurden, – sehr schlechte Mahlzeiten, da hatte der kleine Bob nur zu recht gehabt, Mahlzeiten,
zum Murren stimmend, aus allerlei Resten unfreundlich zu-
sammengekesselt – ich fand diese zweifelhaften Ragouts, Ha-
chés und Fricassées, zu denen ein saurer petit vin du pays
mit Geiz geschenkt wurde, ernstlich kränkend und habe tatsächlich nur im Zuchthause unlustiger gespeist –: so viele
Stunden also war man ohne ein Niedersitzen, in eingeschlossener, von den Parfums der Fahrgäste geschwängerter Luft
auf den Beinen, handhabe seinen Hebel, blickte aufs Klingel-
brett, machte halt da und dort im Auf- und Abgleiten, nahm
Gäste auf, ließ welche aussteigen und wunderte sich über die
hirnlose Ungeduld von Herrschaften, die drunten in der
Halle unaufhörlich nach einem schellten, da man doch nicht
sogleich aus dem vierten Stock zu ihren Diensten hinunter-
stürzen konnte, sondern erst dort oben und in tieferen Eta-
gen hinauszutreten und mit artiger Verbeugung und seinem
besten Lächeln abwärts Verlangende einzulassen hatte.

Ich lächelte viel, sagte: »M'sieur et dame –« und »Watch
your step!«, was ganz unnötig war, denn höchstens am ersten
Tag war ich hie und da uneben gelandet, dann verursachte
ich niemals eine Stufe mehr, vor der ich zu warnen gehabt
hätte, oder glich sie doch sofort vollkommen aus. Älteren Damen legte ich leicht die Hand zur Stütze unter den Ellbogen
beim Aussteigen, als ob es mit diesem irgendwelche Schwierigkeiten gehabt hätte, und empfing den leicht verwirrten,
zuweilen auch melancholisch-koketten Dankesblick, mit dem
das Abgelebte die Galanterie der Jugend quittiert. Andere
freilich verbissen sich jedes Entzücken oder hatten das nicht
einmal nötig, da ihr Herz erkaltet und nur noch Klassen-
hochmut darin übriggeblieben war. Übrigens tat ich es auch
bei jungen Frauen, und da gab es manches zarte Erröten
nebst einem gelispelten »Merci« für eine Aufmerksamkeit,
die mir das eintönige Tagewerk versüßte, da ich sie im
Grunde nur Einer zudachte und mich nur für sie gewisser-

maßen darin übte. Auf sie wartete ich, die ich bildhaft – und
die mich bildlos – im Sinne trug, die Herrin des Kästchens,
die Spenderin meiner Knöpfstiefel, meines Stockschirmes und
meines Ausgeh-Anzugs, sie, mit der ich in zartem Geheimnis
lebte, – und konnte, wenn sie nicht jäh wieder abgereist war,
unmöglich lange auf sie zu warten haben.

Am zweiten Tage schon, nachmittags gegen fünf – auch
Eustache war mit seinem Gefährt gerade unten – erschien
sie in der Ascenseur-Nische der Halle, den Schleier über dem
Hut, wie ich sie schon gesehen. Der gänzlich alltägliche Kollege und ich standen vor unseren offenen Türen, und sie trat
mitten vor uns hin, indem sie mich ansah, kurz die Augen
aufriß und lächelnd auf ihren Füßen schwankte, ungewiß, für
welchen Fahrstuhl sie sich entscheiden sollte. Es war gar kein
Zweifel, daß es sie zu meinem zog; aber da Eustache schon
beiseite getreten war und sie mit der Hand in seinen lud, so
dachte sie wohl, er sei dienstlich an der Reihe, trat, nicht
ohne sich unverhohlen über die Schulter, mit erneutem Augen-
aufreißen, nach mir umzusehen, bei ihm ein und entglitt.

Das war alles für diesmal, außer daß ich, bei einem neuen
unteren Zusammentreffen mit Eustache, von ihm ihren Namen
erfuhr. Sie hieß Madame Houpflé und war aus Straßburg.
»Impudemment riche, tu sais«, fügte Eustache hinzu, worauf
ich nur mit einem kühlen »Tant mieux pour elle« erwiderte.

Am folgenden Tag um dieselbe Stunde, als eben die beiden
anderen Lifts unterwegs waren und ich allein vor dem meinen
stand, war sie wieder da, in einer sehr schönen, langschößigen
Nerzjacke diesmal und einem Barett aus dem gleichen Pelzwerk, vom Shopping kommend, denn sie trug mehrere, wenn
auch nicht große, elegant eingeschlagene und verschnürte Pakete im Arm und in der Hand. Befriedigt nickte sie bei
meinem Anblick, sah lächelnd meiner von einem ehrerbieti-
gen »Madame –« begleiteten Verbeugung zu, die etwas von
einer Aufforderung zum Tanze hatte, und ließ sich mit mir
in dem erleuchteten Schwebestübchen einschließen. Währenddessen klingelte es vom vierten Stock.

»Deuxième, n'est-ce pas, Madame?« fragte ich, da sie mir keine Weisung gegeben hatte.

Sie war nicht in den Hintergrund des kleinen Raumes getreten, stand nicht hinter mir, sondern neben mir an der Tür und sah abwechselnd auf meine den Hebel haltende Hand und in mein Gesicht.

»Mais oui, deuxième«, sagte sie. »Comment savez-vous?«

» Je le sais, tout simplement.«

»Ah? – Der neue Armand, wenn ich nicht irre?«

»Zu Diensten, Madame.«

»Man kann sagen«, gab sie zurück, »daß dieser Wechsel einen Fortschritt in der Zusammensetzung des Personals bedeutet.«

»Trop aimable, Madame.«

Ihre Stimme war ein sehr wohliger, nervös bewegter Alt. Aber während ich es dachte, sprach sie von meiner eigenen.

»Ich möchte Sie«, sprach sie, »wegen Ihrer angenehmen Stimme loben.« – Die Worte des Geistlichen Rates Chateau!

» Je serais infiniment content, Madame«, erwiderte ich, »si ma voix n'offensait pas votre oreille!«

Es klingelte wiederholt von oben. Wir waren im zweiten Stock. Sie fügte hinzu:

»C'est en effet une oreille musicale et sensible. Du reste, l'ouïe n'est pas le seul de mes sens qui soit susceptible.«

Sie war erstaunlich! Ich unterstützte sie zart beim Hinaustreten, als ob es da irgend etwas zu unterstützen gegeben hätte, und sagte:

»Erlauben Sie, daß ich Sie endlich von Ihren Lasten befreie, Madame, und sie Ihnen auf Ihr Zimmer trage!«

Damit nahm ich ihr die Pakete ab, sammelte sie einzeln von ihr ein und folgte ihr damit, meinen Lift einfach im Stich lassend, den Korridor entlang. Es waren nur zwanzig Schritte. Sie öffnete zur Linken No. 23 und betrat, mir voran, ihr Schlafzimmer, dessen Tür zum Salon offenstand, – ein luxuriöses Schlafzimmer, parkettiert, mit großem Perserteppich, Kirschholzmöbeln, blitzendem Gerät auf dem Toilettetisch, einer breiten, mit gestepptem Atlas bedeckten Messing-Bettstatt und einer grausamtenen Chaiselongue. Auf diese sowie auf die gläserne Platte des Tischchens legte ich die Pakete, während Madame ihr Barett abnahm und ihre Pelzjacke öffnete.

»Meine Zofe ist nicht zur Hand«, sagte sie. »Sie hat ihr Zimmer eine Treppe höher. Würden Sie Ihre Aufmerksamkeit vollenden, indem Sie mir aus diesem Kleidungsstück helfen?«

»Mit außerordentlichem Vergnügen«, erwiderte ich und machte mich ans Werk. Während ich aber damit beschäftigt war, ihr das erwärmte, mit Seide gefütterte Pelzwerk von den Schultern zu streifen, wandte sie den Kopf im reichen braunen Haar, worin über der Stirn eine gewellte weiße Strähne, erbleicht vor dem übrigen, sich freimütig hervortat, zu mir herum, und indem sie die Augen zuerst kurz aufriß, sie dann jedoch zwischen den wieder verengten Lidern traumhaft verschwimmen ließ, sprach sie das Wort:

»Du entkleidest mich, kühner Knecht?«

Eine unglaubliche Frau und sehr ausdrucksvoll! Verblüfft, aber gefaßt, ordnete ich meine Antwort wie folgt:

»Wollte Gott, Madame, meine Zeit erlaubte mir, den Dingen diese Deutung zu geben und in einer so reizenden Beschäftigung nach Belieben fortzufahren!«

»Du hast keine Zeit für mich?«

»Unglücklicherweise nicht in diesem Augenblick, Madame. Mein Ascenseur wartet draußen. Er steht offen da, während von oben und unten nach ihm geläutet wird und vielleicht in diesem Stockwerk Gäste sich vor ihm ansammeln. Ich würde meinen Posten verlieren, wenn ich ihn länger vernachlässigte ...«

»Aber du hättest Zeit für mich, – wenn du Zeit für mich hättest?«

»Unendlich viel, Madame!«

»*Wann* wirst du Zeit für mich haben?« fragte sie, wiederholt zwischen der jähen Erweiterung ihrer Augen und dem schwimmenden Blicke wechselnd, und trat in dem eng den Körperformen sich anschmiegenden Tailormade von blaugrauer Farbe, das sie trug, dicht vor mich hin.

»Um elf Uhr werde ich dienstfrei sein«, erwiderte ich gedämpft.

»Ich werde dich erwarten«, sagte sie in demselben Ton. »Dies zum Pfande!« Und ehe ich mich's versah, war mein Kopf zwischen ihren Händen und ihr Mund auf dem meinen, zu einem Kuß, der recht weit ging – weit genug, um ihn zu einem ungewöhnlich bindenden Pfande zu machen.

Gewiß war ich etwas bleich, als ich ihre Pelzjacke, die ich noch immer in Händen gehalten, auf die Chaiselongue niederlegte und mich zurückzog. Wirklich standen, ratlos wartend, drei Personen vor dem offenen Lift, bei denen ich mich nicht nur wegen meines durch einen dringenden Auftrag verursachten Säumens zu entschuldigen hatte, sondern auch dafür, daß ich sie, bevor ich sie hinabbrachte, erst in den vierten Stock hinauffuhr, von wo ich gerufen worden, wo aber niemand mehr war. Unten bekam ich der Verkehrsstockkung wegen, die ich angerichtet, Grobheiten zu hören, die ich mit der Erklärung abwehrte, ich hätte notwendig eine von plötzlicher Schwäche befallene Dame zu ihrem Zimmer geleiten müssen.

Madame Houpflé – und Schwäche! Eine Frau von solcher Bravour! Diese, so dachte ich, wurde ihr freilich erleichtert durch ihr dem meinen so überlegenes Alter und dazu durch meine untergeordnete soziale Stellung, der sie einen so seltsam gehobenen Ausdruck verliehen hatte. »Kühner Knecht« hatte sie mich genannt – eine Frau von Poesie! »Du entkleidest mich, kühner Knecht?« Das packende Wort lag mir den ganzen Abend im Sinn, diese ganzen sechs Stunden, die hinzubringen waren, bis ich »Zeit für sie haben« würde. Es kränkte mich etwas, das Wort, und erfüllte mich doch auch wieder mit Stolz – sogar auf meine Kühnheit, die ich gar nicht besessen, sondern die sie mir einfach unterstellt und zudiktiert hatte. Jedenfalls besaß ich sie nun im Überfluß. Sie hatte sie mir eingeflößt – besonders noch durch jenes sehr bindende Unterpfand.

Um sieben Uhr fuhr ich sie zum Diner hinunter: zu anderen Gästen in Abendtoilette, die ich aus den oberen Stockwerken geholt und die sich zum Speisen begaben, trat sie bei mir ein, in einem wundervollen weißen Seidenkleid mit kurzer Schleppe, Spitzen und gestickter Tunika, deren Taille ein schwarzes Sammetband gürtete, um den Hals ein Collier milchig schimmernder, untadelig gestalteter Perlen, das zu ihrem Glück – und zu Meister Jean-Pierres Mißgeschick – nicht in dem Kästchen gewesen war. Die Vollendung, mit der sie mich übersah – und das nach einem so weitgehenden Kuß! – mußte ich bewundern, rächte mich aber dafür, indem ich nicht ihr, sondern einer gespenstisch aufgeputzten Greisin beim Austritt die Hand unter den Ellbogen legte. Mir ist, als hätte ich sie lächeln gesehen über meine mildtätige Galanterie.

Zu welcher Stunde sie in ihre Zimmer zurückkehrte, blieb mir verborgen. Einmal aber mußte es elf Uhr werden, um welche Stunde der Dienst zwar weiterging, aber nur noch von *einem* Lift unterhalten wurde, während die Führer der beiden anderen Feierabend hatten. Ich war heute einer von ihnen. Um mich nach der Tagesfron zum zartesten aller Stelldichein etwas zu erfrischen, suchte ich zuerst unseren Waschraum auf und stieg dann zu Fuß in den zweiten Stock hinab, dessen Korridor mit seinem den Schritt zur Lautlosigkeit dämpfenden roten Läufer um diese Stunde schon in unbegangener Ruhe lag. Ich fand es schicklich, an der Tür von Madame Houpflés Salon, No. 25, zu klopfen, erhielt aber dort keine Antwort. So öffnete ich die Außentür von 23, ihrem Schlafzimmer, und pochte mit hingeneigtem Ohr diskret an die innere.

Ein fragendes »Entrez?« von leise verwunderter Betonung kam zurück. Ich folgte ihm, da ich die Verwunderung in den Wind schlagen durfte. Das Zimmer lag im rötlichen Halbdunkel des seidenbeschirmten Nachttischlämpchens, von dem

es allein erhellt war. Die kühne Bewohnerin – gern und mit
Recht übertrage ich auf sie das Beiwort, das sie mir verliehen – erblickte mein rasch die Umstände erforschendes Auge
im Bette, unter purpurner Atlas-Steppdecke, – in der prächtigen Messing-Bettstatt, die, das Kopfende zur Wand gekehrt
und die Chaiselongue zu ihren Füßen, freistehend ziemlich
nahe dem dicht verhangenen Fenster aufgeschlagen war.
Meine Reisende lag dort, die Arme hinter dem Kopf verschränkt, in einem batistenen Nachtgewande mit kurzen Ärmeln und einem von Spitzen umrahmten quellenden Décolleté. Sie hatte ihren Haarknoten zur Nacht gelöst und die
Flechten auf eine sehr kleidsame, lockere Art kranzförmig um
den Kopf gewunden. Zur Locke gewellt ging die weiße Strähne
von ihrer nicht mehr furchenfreien Stirn zurück. Kaum hatte
ich die Tür geschlossen, als ich hinter mir den Riegel vorfal-
len hörte, der vom Bette aus durch einen Zug zu dirigieren
war.

Sie riß die goldenen Augen auf, für einen jähen Moment
nur, wie gewöhnlich; aber ihre Züge blieben in einer Art
nervöser Lügenhaftigkeit leicht verzerrt, als sie sagte:

»Wie? Was ist das? Ein Hausangestellter, ein Domestik,
ein junger Mann vom Gesinde tritt bei mir ein, zu dieser
Stunde, da ich bereits der Ruhe pflege?«

»Sie haben den Wunsch geäußert, Madame –« erwiderte
ich, indem ich mich ihrem Lager näherte.

»Den Wunsch? Tat ich das? Du sagst ,den Wunsch' und
gibst vor, den Befehl zu meinen, den eine Dame einem kleinen Bedienten, einem Liftjungen erteilt, meinst aber in deiner ungeheuren Keckheit, ja Unverschämtheit ,das Verlangen', ,das heiße, sehnsüchtige Begehren', meinst es ganz
einfach und mit Selbstverständlichkeit, weil du jung bist und
schön, so schön, so jung, so dreist . . . ,den Wunsch'! Sag mir
doch wenigstens, du Wunschbild, Traum meiner Sinne, Mignon in Livree, süßer Helot, ob du in deiner Frechheit diesen
Wunsch ein wenig zu teilen wagtest!«

Damit nahm sie mich bei der Hand und zog mich auf den

Rand ihres Bettes nieder zu schrägem Kantensitz: ich mußte
der Balance wegen meinen Arm ausstrecken über sie hin und
mich gegen die Rückwand des Bettes stützen, so daß ich über
ihre von feinem Leinen und Spitzen wenig verhüllte Nacktheit gebeugt saß, deren Wärme mich duftig berührte. Leicht
gekränkt, wie ich zugebe, durch ihre immer wiederholte Erwähnung und Betonung meines niedrigen Standes – was
hatte und wollte sie nur damit? –, neigte ich mich statt aller
Antwort vollends zu ihr hinab und senkte meine Lippen
auf ihre. Nicht nur aber, daß sie den Kuß noch weitgehender
ausgestaltete als den ersten vom Nachmittag, wobei es an
meinem Entgegenkommen nicht fehlte, – so nahm sie auch
meine Hand aus ihrer Stütze und führte sie in ihr Décolleté
zu ihren Brüsten, die sehr handlich waren, führte sie da am
Gelenk herum auf eine Weise, daß meine Männlichkeit, wie
ihr nicht entgehen konnte, in den bedrängendsten Aufstand
geriet. Von dieser Wahrnehmung gerührt, gurrte sie weich,
mit einer Mischung aus Mitleid und Freude:

»Oh, holde Jugend, viel schöner als dieser Leib, dem es
vergönnt ist, sie zu entflammen!«

Damit begann sie, mit beiden Händen an dem Kragenver-
schluß meiner Jacke zu nesteln, ihn aufzuhaken und mit unglaublicher Geschwindigkeit ihre Knöpfe zu öffnen.

»Fort, fort, hinweg damit und damit auch«, hasteten ihre
Worte. »Ab und hinweg, daß ich dich sehe, daß ich den
Gott erblicke! Hilf rasch! Comment, à ce propos, quand
l'heure nous appelle, n'êtes-vous pas encore prêt pour la cha-
pelle? Déshabillez-vous vite! Je compte les instants! La parure de noce! So nenn' ich deine Götterglieder, die anzu-
schaun mich dürstet, seit ich zuerst dich sah. Ah so, ah da! Die
heilige Brust, die Schultern, der süße Arm! Hinweg denn
endlich auch hiermit – oh la la, das nenne ich Galanterie! Zu
mir denn, bien-aimé! Zu mir, zu mir . . .«

Nie gab es eine ausdrucksvollere Frau! Das war Gesang,
was sie von sich gab, nichts anderes. Und sie fuhr fort, sich
auszudrücken, als ich bei ihr war, es war ihre Art, alles in

Worte zu fassen. In ihren Armen hielt sie den Zögling und
Eingeweihten der gestrengen Rozsa. Er machte sie sehr glücklich und durft' es hören, daß er es tat:

»O Süßester! O Engel du der Liebe, Ausgeburt der Lust!
Ah, ah, du junger Teufel, glatter Knabe, wie du das kannst!
Mein Mann kann gar nichts, überhaupt nichts, mußt du
wissen. O du Beseliger, du tötest mich! Die Wonne raubt mir
den Atem, bricht mein Herz, ich werde sterben an deiner
Liebe!« Sie biß mich in die Lippe, in den Hals. »Nenne mich
du!« stöhnte sie plötzlich, nahe dem Gipfel. »Duze mich derb
zu meiner Erniedrigung! J'adore d'être humiliée! Je l'adore!
Oh, je t'adore, petit esclave stupide qui me déshonore . . .«

Sie verging. Wir vergingen. Ich hatte ihr mein Bestes gegeben, hatte, genießend, wahrlich abgezahlt. Wie aber hätte es
mich nicht verdrießen sollen, daß sie auf dem Gipfel von Erniedrigung gestammelt und mich einen dummen kleinen Sklaven genannt hatte? Wir ruhten noch verbunden, noch in enger
Umarmung, doch erwiderte ich aus Mißmut über dieses »qui
me déshonore« nicht ihre Dankesküsse. Den Mund an meinem Körper hauchte sie wieder:

»Nenne mich du, geschwind! Ich habe dies Du von dir zu
mir noch nicht vernommen. Ich liege hier und mache Liebe
mit einem zwar göttlichen, doch ganz gemeinen Domestiken-
jungen. Wie mich das köstlich entehrt! Ich heiße Diane. Du
aber, mit deinen Lippen, nenne mich Hure, ausdrücklich ,du
süße Hure'!«

»Süße Diane!«

»Nein, sag ,du Hure'! Laß mich meine Erniedrigung so
recht im Worte kosten . . .«

Ich löste mich von ihr. Wir lagen, die Herzen noch hoch
klopfend, beieinander. Ich sagte:

»Nein, Diane, du wirst solche Worte von mir nicht hören.
Ich weigere mich. Und ich muß gestehen, es ist für mich
recht bitter, daß du Erniedrigung findest in meiner
Liebe . . .«

»Nicht in deiner«, sagte sie, indem sie mich an sich zog. »In

meiner! In meiner Liebe zu euch nichtigen Knaben! Ach,
holder Dümmling, du verstehst das nicht!« Und dabei nahm
sie meinen Kopf und stieß ihn mehrmals in einer Art von
zärtlicher Verzweiflung gegen den ihren. »Ich bin Schriftstel-
lerin, mußt du wissen, eine Frau von Geist. Diane Philibert –
mein Mann, er heißt Houpflé, c'est du dernier ridicule –
ich schreibe unter meinem Mädchennamen Diane Philibert,
sous ce nom de plume. Natürlich hast du den Namen nie
gehört, wie solltest du wohl? – der auf so vielen Büchern zu
lesen ist, es sind Romane, verstehst du, voll Seelenkunde,
pleins d'esprit, et des volumes de vers passionnés ... Ja,
mein armer Liebling, deine Diane, sie ist d'une intelligence
extrême. Der Geist jedoch – ach!« – und sie stieß wieder,
etwas härter sogar als vorhin, unsere Köpfe zusammen –
»wie solltest du das begreifen! Der Geist ist wonnegierig
nach dem Nicht-Geistigen, dem Lebendig-Schönen dans sa
stupidite, verliebt, oh, so bis zur Narrheit und letzten Selbst-
verleugnung und Selbstverneinung verliebt ist er ins Schöne
und Göttlich-Dumme, er kniet vor ihm, er betet es an in
der Wollust der Selbstentsagung, Selbsterniedrigung, und es
berauscht ihn, von ihm erniedrigt zu werden ...«

»Nun, liebes Kind«, so unterbrach ich sie denn doch. »Schön
hin und her – wenn die Natur es mit mir recht gemacht –
für gar so auf den Kopf gefallen solltest du mich nicht halten,
auch wenn ich deine Romane und Gedichte ...«

Sie ließ mich nicht weiterreden. Sie war auf unerwünschte
Weise entzückt.

»Du nennst mich ‚liebes Kind'?« rief sie, indem sie mich
stürmisch umfing und ihren Mund an meinem Hals vergrub.
»Ah, das ist köstlich! Das ist viel besser noch als ‚süße
Hure'! Das ist viel tiefere Wonne als alle, die du Liebeskünst-
ler mir angetan! Ein kleiner nackter Lifttreiber liegt bei mir
und nennt mich ‚liebes Kind', mich, Diane Philibert! C'est
exquis ... ça me transporte! Armand, chéri, ich wollte dich
nicht kränken. Ich wollte nicht sagen, daß du besonders dumm
bist. Alle Schönheit ist dumm, weil sie ganz einfach ein Sein

ist, Gegenstand der Verherrlichung durch den Geist. Laß
dich sehen, ganz sehen, – hilf Himmel, bist du schön! Die
Brust so süß in ihrer weichen und klaren Strenge, der schlanke
Arm, die holden Rippen, eingezogenen Hüften, und ach, die
Hermes-Beine . . .«

»Aber geh, Diane, das ist nicht recht. Ich bin es doch, der
alles Schöne in dir . . .«

»Unsinn! Das bildet ihr euch nur ein. Wir Weiber mögen
von Glück sagen, daß unsere runden Siebensachen euch so gefallen. Aber das Göttliche, das Meisterstück der Schöpfung,
Standbild der Schönheit, das seid ihr, ihr jungen, ganz jungen
Männer mit den Hermesbeinen. Weißt du, wer Hermes ist?«

»Ich muß gestehen, im Augenblick –«

»Céleste! Diane Philibert macht Liebe mit einem, der von
Hermes nie gehört hat! Wie das den Geist köstlich erniedrigt. Ich will dir sagen, süßer Tropf, wer Hermes ist. Er
ist der geschmeidige Gott der Diebe.«

Ich stutzte und wurde rot. Ich sah sie nahe an, vermutete
und ließ die Vermutung wieder fallen. Ein Gedanke kam
mir, doch stellte ich ihn noch zurück; sie übersprach ihn auch
mit den Geständnissen, die sie in meinem Arm ablegte, raunend
und dann wieder die Stimme warm und sanghaft erhebend.

»Willst du glauben, Geliebter, daß ich nur dich, immer nur
dich geliebt habe, seit ich empfinde? Will sagen, natürlich
nicht dich, doch die Idee von dir, den holden Augenblick,
den du verkörperst? Nenn es Verkehrtheit, aber ich verabscheue den Vollmann mit dem Vollbart, die Brust voller
Wolle, den reifen und nun gar den bedeutenden Mann –
affreux, entsetzlich! Bedeutend bin ich selbst, – das gerade
würde ich als pervers empfinden: de me coucher avec un
homme penseur. Nur euch Knaben hab' ich geliebt von je, –
als Mädchen von dreizehn war ich vernarrt in Buben von
vierzehn, fünfzehn. Der Typus wuchs ein wenig mit mir
und meinen Jahren, aber über achtzehn hat er's, hat mein
Geschmack, hat meiner Sinne Sehnsucht es nie hinausge-
bracht . . . Wie alt bist du?«

»Zwanzig«, gab ich an.

»Du siehst jünger aus. Beinahe bist du schon etwas zu alt für mich.«

»Ich, zu alt für dich?«

»Laß, laß nur! Wie du bist, bist du mir recht bis zur Glückseligkeit. Ich will dir sagen . . . Vielleicht hängt meine Leidenschaft damit zusammen, daß ich nie Mutter war, nie Mutter eines Sohnes. Ich hätte ihn abgöttisch geliebt, wär' er nur halbwegs schön gewesen, was freilich unwahrscheinlich, wäre er mir von Houpflé gekommen. Vielleicht, sag' ich, ist diese Liebe zu euch versetzte Mutterliebe, die Sehnsucht nach dem Sohn . . . Verkehrtheit, sagst du? Und ihr? Was wollt ihr mit unseren Brüsten, die euch tränkten, unserem Schoß, der euch gebar? Wollt ihr nicht nur zurück zu ihnen, nicht wieder Brustkinder sein? Ist es nicht die Mutter, die ihr unerlaubterweise im Weibe liebt? Verkehrtheit! Die Liebe ist verkehrt durch und durch, sie kann gar nicht anders sein als verkehrt. Setze die Sonde an bei ihr, wo du willst, so findest du sie verkehrt . . . Aber traurig ist es freilich und schmerzensreich für eine Frau, den Mann nur ganz, ganz jung, als Knaben nur zu lieben. C'est un amour tragique, irraisonnable, nicht anerkannt, nicht praktisch, nichts fürs Leben, nichts für die Heirat. Man kann sich mit der Schönheit nicht verheiraten. Ich, ich habe Houpflé geheiratet, einen reichen Industriellen, damit ich im Schutze seines Reichtums meine Bücher schreiben kann, qui sont énormément intelligents. Mein Mann kann gar nichts, wie ich dir sagte, wenigstens bei mir. Il me trompe, wie man das nennt, mit einer Demoiselle vom Theater. Vielleicht kann er was bei der – ich möchte es bezweifeln. Es ist mir auch gleichviel, – diese ganze Welt von Mann und Weib und Ehe und Betrug ist mir gleichviel. Ich lebe in meiner sogenannten Verkehrtheit, in meines Lebens Liebe, die allem zum Grunde liegt, was ich bin, in dem Glück und Elend dieses Enthusiasmus mit seinem teueren Schwur, daß nichts, nichts in dem ganzen Umkreis der Phänomene dem Reiz gleichkommt jugendlicher Früh-Männlichkeit, – in der Liebe zu euch, zu

dir, du Wunschbild, dessen Schönheit ich küsse mit meines
Geistes letzter Unterwürfigkeit! Ich küsse deine anmaßenden Lippen über den weißen Zähnen, die du im Lächeln zeigst.
Ich küsse die zarten Sterne deiner Brust, die goldenen Härchen auf dem brünetten Grunde deines Unterarms. Was ist
das? Woher nimmst du bei deinen blauen Augen und blonden
Haaren diesen Teint, den hellen Bronzeton deiner Haut?
Du bist verwirrend. Ob du verwirrend bist! La fleur de ta
jeunesse remplit mon cœur âgé d'une éternelle ivresse. Nie
endigt dieser Rausch; ich werde mit ihm sterben, doch immer
wird mein Geist, ihr Ranken, euch umwerben. Du auch, bien
aimé, du alterst hin zum Grabe gar bald, doch das ist Trost
und meines Herzens Labe: ihr werdet immer sein, der Schönheit kurzes Glück, holdseliger Unbestand, ewiger Augenblick!«

»Wie sprichst du nur?«

»Wie denn? Bist du verwundert, daß man in Versen preist,
was man so heiß bewundert? Tu ne connais pas donc le vers
alexandrin – ni le dieu voleur, toi-même si divin?«

Beschämt, wie ein kleiner Junge, schüttelte ich den Kopf.
Sie wußte sich darob nicht zu lassen vor Zärtlichkeit, und
ich muß gestehen, daß so viel Lob und Preis, in Verse aus-
artend zuletzt sogar, mich stark erregt hatte. Obgleich das
Opfer, das ich bei unserer ersten Umarmung gebracht, nach
meiner Art der äußersten Verausgabung gleichgekommen
war, fand sie mich wieder in großer Liebesform, – fand
mich so mit jener Mischung aus Rührung und Entzücken, das
ich schon an ihr kannte. Wir einten uns aufs neue. Ließ sie
aber von dem, was sie die Selbstentäußerung des Geistes
nannte, von dieser Erniedrigungsnarretei wohl ab? Sie tat
es nicht.

»Armand«, flüsterte sie an meinem Ohr, »treibe es wüst
mit mir! Ich bin ganz dein, bin deine Sklavin! Geh mit mir
um wie mit der letzten Dirne! Ich verdiene es nicht anders,
und Seligkeit wird es mir sein!«

Ich hörte darauf gar nicht. Wir erstarben wieder. In der
Ermattung aber grübelte sie und sagte plötzlich:

»Hör, Armand.«

»Was denn?«

»Wenn du mich etwas schlügest? Derb schlügest, meine ich? Mich, Diane Philibert? So recht geschähe mir, ich würde es dir danken. Da liegen deine Hosenträger, nimm sie, Liebster, drehe mich um und züchtige mich aufs Blut!«

»Ich denke nicht daran, Diane. Was mutest du mir zu? Ich bin solch ein Liebhaber nicht.«

»Ach, wie schade! Du hast zu viel Respekt vor der feinen Dame.«

Da kehrte mir der Gedanke wieder, der mir vorhin entglitten war. Ich sagte:

»Höre nun du, Diane! Ich will dir etwas beichten, was dich vielleicht in seiner Art entschädigen kann für das, was ich dir aus Gründen des Geschmackes abschlagen muß. Sage mir doch: als du nach deiner Ankunft hier deinen Koffer, den großen, auspacktest oder auspacken ließest, hast du da vielleicht nicht etwas vermißt?«

»Vermißt? Nein. Aber ja! Wie weißt du?«

»Ein Kästchen?«

»Ein Kästchen, ja! Mit Schmuck. Wie weißt du denn?«

»Ich habe es genommen.«

»Genommen? Wann?«

»Bei der Douane standen wir nebenander. Du warst beschäftigt, und da nahm ich es.«

»Du hast es gestohlen? Du bist ein Dieb? Mais ça c'est suprême! Ich liege im Bett mit einem Diebe! C'est une humiliation merveilleuse, tout à fait excitante, un rêve d'humiliation! Nicht nur ein Domestik – ein ganz gemeiner Dieb!«

»Ich wußte, daß es dir Freude machen würde. Aber damals wußte ich das nicht und muß dich um Verzeihung bitten. Ich konnte nicht vorhersehen, daß wir uns lieben würden. Sonst hätte ich dir den Kummer und Schreck nicht angetan, deinen wunderschönen Topasschmuck, die Brillanten und all das andere entbehren zu müssen.«

»Kummer? Schrecken? Entbehren? Liebster, Juliette,

meine Zofe, hat eine Weile gesucht. Ich, ich habe mich keine
zwei Augenblicke um den Plunder gekümmert. Was gilt der
mir? Du hast ihn gestohlen, Süßer – so ist er dein. Behalt ihn!
Was machst du übrigens damit? Doch einerlei. Mein Mann, der
morgen kommt mich holen, ist ja so reich! Er macht Klosettschüsseln, mußt du wissen. Die braucht jeder, wie du dir
denken kannst. Straßburger Klosettschüsseln von Houpflé,
die sind sehr gefragt, die gehen nach allen Enden der Welt.
Er behängt mich mit Schmuck im Überfluß, aus lauter schlechtem Gewissen. Er wird mich mit dreimal schöneren Dingen
behängen, als die du mir gestohlen. Ach, wieviel kostbarer
ist mir der Dieb als das Gestohlene! Hermes! Er weiß nicht,
wer das ist, und ist es selbst! Hermès, Hermès! – Armand?«

»Was willst du sagen?«

»Ich habe eine wundervolle Idee.«

»Und welche?«

»Armand, du sollst bei mir stehlen. Hier unter meinen
Augen. Das heißt, ich schließe meine Augen und tue vor uns
beiden, als ob ich schliefe. Aber verstohlen will ich dich stehlen sehen. Steh auf, wie du da bist, diebischer Gott, und
stiehl! Du hast mir bei weitem nicht alles gestohlen, was
ich mit mir führe, und ich habe für die paar Tage, bis mein
Mann mich holt, nichts im Bureau deponiert. Da im Eckschränkchen, in der oberen Lade zur Rechten liegt der Schlüssel zu meine Kommode. Darin findest du unter der Wäsche
allerlei. Auch Bargeld ist da. Schleich herum mit Katzentrit-
ten im Zimmer und mause! Nicht wahr, du wirst deiner Diane
diese Liebe erweisen!«

»Aber, liebes Kind – ich sage so, weil du es gerne hörst
aus meinem Mund – liebes Kind, das wäre nicht schön und
gar nicht gentlemanlike nach dem, was wir einander geworden . . .«

»Tor! Es wird die reizendste Erfüllung unserer Liebe sein!«

»Und morgen kommt Monsieur Houpflé. Was wird er . . .«

»Mein Mann? Was hat der zu sagen? Beiläufig erzähl' ich
ihm mit dem gleichgültigsten Gesicht, ich sei auf der Reise

ausgeplündert worden. Das kommt vor, nicht wahr, wenn
man als reiche Frau ein wenig unachtsam ist. Hin ist hin und
der Räuber längst über alle Berge. Nein, mit meinem Mann
laß mich nur fertig werden!«

»Aber, süße Diane, unter deinen Augen . . .«

»Ach, daß du keinen Sinn hast für die Lieblichkeit meines
Einfalls! Gut, ich will dich nicht sehen. Ich lösche dieses Licht.«
Und wirklich drehte sie das rotbeschirmte Lämpchen auf dem
Nachttische ab, so daß Finsternis uns umhüllte. »Ich will
dich nicht sehen. Ich will nur hören, wie leise das Parkett
knackt unter deinem Diebestritt, nur deinen Atem hören
beim Stehlen, und wie sacht in deinen Händen das Diebsgut
klirrt. Fort, stiehl dich entschlüpfend weg von meiner Seite,
schleiche, finde und nimm! Es ist mein Liebeswunsch . . .«

So war ich ihr denn zu Willen. Behutsam hob ich mich
fort von ihr und nahm im Zimmer, was sich da bot – über-
bequem zum Teil, denn gleich auf dem Nachttisch in einem
Schälchen waren Ringe, und die Perlenkette, die sie zum
Diner getragen, lag offen auf der Glasplatte des von Fauteuils
umstandenen Tisches. Trotz tiefer Dunkelheit fand ich auch
gleich im Eckschränkchen den Schlüssel zur Kommode, öffnete
deren oberste Schublade fast lautlos und brauchte nur ein
paar Wäschestücke aufzuheben, um auf Geschmiedetes sowohl, Gehänge, Reifen, Spangen, wie auf einige bedeutend
große Geldscheine zu stoßen. Dies alles brachte ich ihr an-
standshalber ans Bett, als hätte ich es für sie eingesammelt.
Aber sie flüsterte:

»Närrchen, was willst du? Es ist ja dein Liebes-Diebsgut.
Stopf es in deine Kleider, zieh sie an und mach dich aus dem
Staube, wie sich's gehört! Mach schnell und flieh! Ich habe
alles gehört, ich habe dich atmen hören beim Stehlen, und
nun telephoniere ich nach der Polizei. Oder tue ich das lieber
nicht? Was meinst du? Wie weit bist du? Bald fertig? Hast
du deine Livree wieder an mit allem, was an Liebes- und
Diebsgut darin? Meinen Schuhknöpfer hast du wohl nicht
gestohlen, hier ist er . . . Adieu, Armand! Leb ewig, ewig

wohl, mein Abgott! Vergiß nicht deine Diane, denn bedenke,
in ihr dauerst du. Nach Jahr und Jahren, wenn – le temps
t'a détruit, ce cœur te gardera dans ton moment bénit. Ja,
wenn das Grab uns deckt, mich und dich auch, Armand, tu
vivras dans mes vers et dans mes beaux romans, die von den
Lippen euch – verrat der Welt es nie! – geküßt sind allesamt.
Adieu, adieu, chéri . . .«

DRITTES BUCH

Erstes Kapitel

Man wird es begreiflich, ja löblich finden, daß ich der vorstehenden außerordentlichen Episode nicht nur ein ganzes Kapitel gewidmet, sondern mit ihr auch den zweiten Teil dieser Geständnisse nicht ohne Feierlichkeit abgeschlossen habe. Es war, so kann ich wohl sagen, ein Erlebnis fürs Leben, und kaum hätte es des innigen Ansuchens der Heldin bedurft, sie nie zu vergessen. Eine in so vollendetem Sinn kuriose Frau wie Diane Houpflé und die wunderbare Begegnung mit ihr sind nicht danach angetan, je vergessen zu werden. Das soll nicht heißen, daß die Situation, in welcher der Leser uns beide belauschen durfte, als bloße Situation eben, gänzlich vereinzelt dasteht in meiner Laufbahn. Nicht immer sind alleinreisende Damen, und namentlich ältere, *nichts weiter* als entsetzt über die Entdeckung, daß ein junger Mann sich bei Nacht in ihrem Schlafzimmer zu schaffen macht; nicht immer ist oder bleibt es in solchem unverhofften Fall ihr einziger Impuls, Alarm zu schlagen. Aber wenn ich solche Erfahrungen gemacht habe (ich habe sie gemacht), so standen sie doch an bedeutender Eigenart weit zurück hinter denen jener Nacht, und auf die Gefahr, das Interesse des Lesers an meinen weiteren Bekenntnissen lahmzulegen, muß ich erklären, daß ich in der Folge, so hoch ich es in unserer Gesellschaft auch brachte, nie wieder erlebt habe, in sogenannten Alexandriner-Versen angesprochen zu werden.

Für das Liebes-Diebsgut, das dank dem barocken Einfall einer Dichterin in meinen Händen zurückgeblieben war, erhielt ich von Meister Pierre Jean-Pierre, der mir nicht genug auf die Schulter klopfen konnte, sechstausend Franken. Da aber Dianens Kommodenschublade dem stehlenden Gotte auch bares Geld, nämlich vier unter der Wäsche versorgte Tausendfranken-Scheine geboten hatte, so war ich nunmehr, mit dem, was ich zuvor besessen, ein Mann von 12 350 Francs, – Herr eines Kapitals also, das ich natürlich nicht lange, so wenige Tage wie möglich, auf mir herumtrug, sondern das ich bei erster Gelegenheit beim Crédit Lyonnais unter dem Namen Armand Kroull auf Scheck-Konto hinterlegte, abzüglich nur eines Taschengeldes von ein paar hundert Francs zur Bestreitung meiner Ausgaben an freien Nachmittagen.

Mit Beifall und dem Gefühl der Beruhigung wird der Leser von diesem Verhalten Kenntnis nehmen. Leicht wäre ein junger Fant vorzustellen, der, durch Fortunens versucherische Gunst zu solchen Mitteln gelangt, sofort seinen unbezahlten Arbeitsplatz verlassen, sich eine hübsche Junggesellenwohnung genommen und sich in dem alle Genüsse anbietenden Paris gute Tage gemacht hätte – bis zur freilich absehbaren Erschöpfung seines Schatzes. Ich dachte nicht daran; oder wenn ich daran dachte, so verwarf ich den Gedanken doch, so rasch wie er aufgetaucht war, mit sittlicher Entschiedenheit. Wozu sollte seine Verwirklichung führen? Wo würde ich stehen, wenn früher oder später, je nach der Munterkeit meines Lebenswandels, das Glücksgut aufgebraucht sein würde? Zu wohl bewahrte ich bei mir die Worte meines Paten Schimmelpreester (mit dem ich hie und da Ansichtskarten mit kurzem Text wechselte) – seine Worte über die Hotel-Laufbahn und die schönen Ziele, zu denen sie sowohl in geradem Fortschreiten wie auf dem oder jenem abzweigenden Seitenpfade führen könne, als daß ich nicht rasch der Versuchung hätte Herr werden müssen, mich ihm undankbar zu erweisen und die Chance hinzuwerfen, die seine Weltverbindung mir geboten hatte. Zwar dachte ich, indem ich an meinem Ausgangsposten charaktervoll festhielt, wenig oder gar nicht an das »gerade Fortschreiten« von ihm und sah mich nicht als Oberkellner, Concierge oder auch Empfangsherr enden. Desto mehr lagen die glückhaften »Abzweigungen« mir dabei im Sinn, und ich hatte mich nur zu hüten, das erste beste Sackgäßlein, wie mir sich *hier* eines anbot, für einen vertrauenswürdigen Seitenpfad zum Glück zu halten.

Auch als Inhaber eines Scheckbuches also blieb ich Liftboy im Hotel Saint James and Albany, und es entbehrte nicht des Reizes, diese Figur auf einem geheimen pekuniären Hintergrunde abzugeben, durch den meine kleidsame Livree in der Tat zu einem Kostüm gestempelt wurde, wie einst mein Pate es mir probeweise hätte anlegen können. Mein heimlicher Reichtum — denn als solcher wollten meine im Traum erhaschten Rücklagen mir erscheinen — machte diese Tracht, nebst dem Dienst, den ich darin versah, zu einer Vorspiegelung, einer bloßen Bewährung meines »Kostümkopfes«; ja wenn ich mich später mit verblendendem Erfolge für mehr ausgab, als ich war, so gab ich mich vorläufig für weniger aus, und es ist noch die Frage, welchem Truge ich mehr innere Erheiterung, mehr Freude am Verzaubert-Märchenhaften abgewann.

Schlecht verköstigt und schlecht beherbergt war ich in diesem der Zahlkraft üppig sich anbietenden Hause, das ist wahr; aber in beiderlei Hinsicht war ich wenigstens kostenlos versorgt, und wenn ich auch noch keinen Lohn empfing, so konnte ich doch nicht nur meine Mittel schonen, sondern im kleinen flossen mir auch neue zu in Form von Pourboires, oder — ich ziehe vor, zu sagen: Douceurs, mit denen das reisende Publikum mich laufend versah, — mich so gut wie meine Kollegen vom Fahrstuhlbetrieb, oder um genau zu sein: etwas besser, etwas lieber als sie, mit einiger Bevorzugung, in der sich einfach der menschliche Sinn für den feineren Stoff bekundete und die mir denn auch einsichtigerweise von jenen gröberen Genossen nicht einmal neidisch verübelt wurde. Ein Franc, zwei oder drei, selbst fünf, in vereinzelten Fällen verstohlener Zügellosigkeit geradezu zehn Franken, — sie wurden mir von Abreisenden oder von Verweilenden, die sich in Abständen von acht bis vierzehn Tagen einmal erkenntlich zeigten, in die nicht etwa erhobene, sondern anspruchslos niederhängende Hand geschoben, abgewandten Gesichts oder mit einem lächelnden Blick in die Augen, — von Frauen und sogar von Herren, die freilich als Ehemänner öfters von

ihren Damen dazu angehalten werden mußten. Ich erinnere
mich an so manche kleine eheliche Szene, die ich nicht wahrnehmen sollte und nicht wahrzunehmen mir denn auch den
Anschein gab, an kleine Ellbogenstöße in die Seite des Kavaliers, begleitet von einem Gemurmel wie: »Mais donnez donc
quelque chose à ce garçon, give him something, he is nice«,
worauf dann der Gatte unter einem Gegengemurmel sein Por-
temonnaie zog und noch hören mußte: »Non, c'est ridicule,
that's not enough, don't be so stingy!« – Auf zwölf bis fünfzehn Franken brachte ich es immer pro Woche, – ein angenehmer Beitrag zu den Unterhaltungskosten der vierzehntä-
gigen halben Frei-Tage, die, karg genug, die Verwaltung des
Etablissements gewährte.

Zuweilen traf es sich, daß ich diese Nachmittage und
Abende zusammen mit Stanko verbrachte, der vom Krankenlager längst wieder zu seinen kalten Schüsseln im Garde-manger, diesem Arrangement von Leckerbissen für große Buffets,
zurückgekehrt war. Er war mir gut, und auch ich konnte ihn
leiden und ließ mir das Selbander mit ihm in Cafés und
Zerstreuungslokalen gefallen, obgleich seine Begleitung nicht
eben eine Zierde war. Er wirkte ziemlich strizzihaft und
zweideutig exotisch in seiner Ziviltracht, deren Geschmack zu
sehr aufs Großkarierte und Kunterbunte ging, und viel günstiger nahm er sich zweifellos aus in seinem weißen Berufs-
habit, die zünftige hohe Leinenmütze der Köche auf dem
Kopf. So ist es: der arbeitende Stand sollte sich nicht »fein
machen« – nicht nach städtisch bürgerlichem Vorbild. Er tut
es nur ungeschickt und erweist seinem Ansehen keinen Gefallen damit. In diesem Sinn habe ich mehr als einmal meinen
Paten Schimmelpreester sich äußern hören, und Stankos Anblick erinnerte mich an seine Worte. Die Erniedrigung des
Volkes, sagte er, durch die Anpassung ans Feine, wie die Nor-
mierung der Welt durchs Bürgerliche sie mit sich bringe, sei
zu beklagen. Die festtägliche Volkstracht des Bauern, der
Gildenaufzug des Handwerkers von einst seien zweifellos
erfreulicher gewesen als Federhut und Schleppkleid für die

plumpe Magd, die am Sonntag die Dame zu spielen versucht,
und die ebenso unbeholfen dem Feinen nachstrebende Feier-
kluft des Fabrikarbeiters. Da aber die Zeit vorüber sei und
vergangen, wo die Stände sich in malerischer Eigenwürde
voneinander abhoben, wäre er für eine Gesellschaft, in der
es Stände überhaupt nicht, weder Magd noch Dame, weder
den feinen Herrn noch den unfeinen, mehr gäbe und alle
das gleiche trügen. – Goldene Worte, mir aus der Seele gesprochen. Was, dachte ich, hätte ich selbst gegen Hemd, Hose,
Gürtel, und damit Punktum? Es sollte mir schon anstehen,
und auch Stankon würde es besser passen als die daneben-
gehende Feinheit. Überhaupt steht dem Menschen alles, nur
das Verkehrte, Dumme und Halbschlächtige nicht.

Soviel am Rande und als à propos. Mit Stanko also, dann
und wann, eine Zeitlang, besuchte ich die Cabarets, die
Café-Terrassen, zumal die des Café de Madrid, wo es um
die Stunde des Theaterschlusses sehr bunt und lehrreich zugeht, aber einmal besonders auch die Gala-Soirée des eben
für einige Wochen in Paris gastierenden Cirkus Stoudebecker.
Über diesen denn doch hier zwei Worte oder einige mehr!
Ich würde es meiner Feder nicht verzeihen, wenn sie ein solches Erlebnis nur eben streifte, ohne ihm etwas von der Farbe
zu verleihen, die es in so hohem Maße besaß.

Das berühmte Unternehmen hatte das weite Rund seines
Zeltes nahe dem Théâtre Sarah Bernhardt und der Seine, am
Square St.-Jacques aufgeschlagen. Der Zudrang war ungeheuer, da augenscheinlich die Darbietungen dem Besten gleich-
kamen oder es übertrafen, was je auf diesem Felde eines kühnen und hochdisziplinierten Haut-goût angeboten worden
war. Welch ein Angriff auf die Sinne, die Nerven, die Wollust in der Tat, ein solches in ununterbrochenem Wechsel der
Gesichte sich abrollendes Programm phantastischer, an die
Grenze des Menschenmöglichen gehender, aber mit leichtem
Lächeln und unter Kußhänden vollbrachter Leistungen, deren Grundmodell der Salto mortale ist; denn mit dem Tode,
dem Genickbruch spielen sie alle, geschult zur Grazie im

äußersten Wagnis, unterm Geschmetter einer Musik, deren
Ordinärheit zwar mit dem rein körperlichen Charakter dieser Vorführungen, aber nicht mit ihrer Hochgetriebenheit
übereinstimmt und die atembenehmend aussetzt, wenn es
zum Letzten, nicht zu Vollbringenden kommt, das dennoch
vollbracht wird.

Mit kurzem Kopfnicken (denn der Cirkus kennt nicht die
Verbeugung) quittiert der Artist den rauschenden Beifall der
die Runde füllenden Menge, dieses einzigartigen Publikums,
das sich aus gierigem Schaupöbel und einer Pferde-Lebewelt
von roher Eleganz erregend und beklemmend zusammensetzt. Kavallerie-Offiziere, die Mütze schief, in den Logen;
junge Fêtards, rasiert, mit Augenglas, Nelken und Chry-
santhemen im Aufschlag ihrer weiten gelben Paletots; Kokot-
ten, vermischt mit neugieriger Damenwelt aus vornehmen
Faubourgs, in Gesellschaft kennerischer Kavaliere im grauen
Gehrock und grauen Zylinder, denen das Doppelperspektiv
sportlich auf der Brust hängt wie beim Rennen in Long-
champ. Dazu all die betörende, die Menge erregende Leiblichkeit der Manege, die prächtigen, farbigen Kostüme, der
glitzernde Flitter, der Stallgeruch, mit seiner Schärfe dem
Ganzen die Atmosphäre verleihend, die weiblichen und männlichen Nacktheiten. Jeder Geschmack ist versorgt, jede Lust
gestachelt, durch Brüste und Nacken, durch Schönheit auf be-
greiflichster Stufe, durch wilden Menschenreiz, der sich der
sehnenden Grausamkeit der Menge hinwirft in erregenden
Körpertaten. Besessen sich gebärdende Reitweiber der Pußta,
die unter heiseren Schreien zu berserkerhaften, in Taumel
versetzenden Voltigierkünsten das ungesattelte, augenrollende
Pferd bespringen. Gymnastiker in der wuchsverklärenden
rosa Haut ihres Trikots, strotzende, enthaarte Athleten-
arme, von den Frauen mit sonderbar kaltem Gesichtsausdruck fixiert, und anmutige Knaben. Wie sehr sagte eine
Truppe von Springern und Equilibristen mir zu, die sich
nicht nur in gesucht zivilen, aus dem Rahmen des Phantastischen fallenden Sportanzügen, sondern auch in dem Trick

gefielen, jede ihrer zum Teil haarsträubenden Übungen vorher in leichter Beratung scheinbar erst zu verabreden. Ihr Bester, und offenbar der Liebling aller, war ein Fünfzehnjähriger, der, von einem federnden Brett in die Höhe geschnellt, sich zweieinhalb mal in der Luft überschlug und dann, ohne auch nur zu schwanken, auf den Schultern seines Hintermannes, eines älteren Bruders, wie es schien, zu stehen kam, was freilich erst beim dritten Mal gelang. Zweimal mißlang es, er verfehlte die Schultern, fiel davon herunter, und sein Lächeln und Kopfschütteln über den Mißerfolg waren ebenso bezaubernd wie die ironisch galante Geste, mit der der Ältere ihn zur Rückkehr aufs Schnellbrett einlud. Möglicherweise war alles Absicht, denn desto rauschender, mit Bravogegröl vermischt, war selbstverständlich der Beifall der Masse, als er beim dritten Mal nach seinem Salto mortale wirklich nicht nur ohne Wank dort oben stand, sondern auch durch ein »me voilà« – Ausbreiten der Hände – den Applaus zum Sturm anfachen konnte. Gewiß aber war er beim kalkulierten oder halb gewollten Mißlingen dem Bruch der Wirbelsäule näher gewesen als im Triumph.

Was für Menschen, diese Artisten! Sind es denn welche? Die Clowns gleich zum Beispiel, grundsonderbare Spaßmacherwesen mit kleinen roten Händen, kleinen, dünn beschuhten Füßen, roten Schöpfen unter dem kegelförmigen Filzhütchen, mit ihrem Kauderwelsch, ihrem auf den Händen Gehen, über alles Stolpern und Hinschlagen, sinnlosen Herumrennen und vergeblichen Helfenwollen, ihren zum johlenden Jubel der Menge entsetzlich fehlschlagenden Versuchen, die Kunststücke ihrer ernsten Kollegen – sagen wir: auf dem Drahtseile – nachzuahmen, – sind diese alterslos-halbwüchsigen Söhne des Unsinns, über die Stanko und ich so herzlich lachten (ich aber tat es in nachdenklichster Hingezogenheit), sind sie, mit ihren mehlweißen und zur äußersten Narretei aufgeschminkten Gesichtern – triangelförmige Brauen, senkrechte Trieflinien unter den rötlichen Augen, Nasen, die es nicht gibt, zu blödsinnigem Lächeln emporgeschwungene Mundwinkel –

Masken also, welche in einem sonst nie vorkommenden Widerspruch stehen zu der Herrlichkeit ihrer Kostüme – schwarzer Atlas etwa, mit silbernen Schmetterlingen bestickt, ein Kindertraum – sind sie, sage ich, Menschen, Männer, vorstellungsweise irgendwie im Bürgerlichen und Natürlichen unterzubringende Personen? Nach meinem Dafürhalten ist es bloße Sentimentalität, zu sagen, sie seien »auch Menschen«, mit den Herzlichkeiten von solchen, womöglich mit Weib und Kind. Ich erweise ihnen Ehre, ich verteidige sie gegen humane Abgeschmacktheit, indem ich sage: nein, sie sind es nicht, sie sind ausgefallene, das Zwerchfell zum Schüttern bringende Unholde der Lächerlichkeit, glitzernde, dem Leben nicht angehörige Mönche der Ungereimtheit, kobolzende Zwitter aus Mensch und närrischer Kunst.

Alles muß »menschlich« sein für die Gewöhnlichkeit, und man glaubt noch wunder wie warmherzig wissend hinter den Schein zu blicken, wenn man das Menschliche dort aufzufinden und nachzuweisen behauptet. War Andromache etwa menschlich, »La fille de l'air«, wie sie auf dem langen Programmzettel hieß? Noch heute träume ich von ihr, und obgleich ihre Person und Sphäre dem Närrischen so fern waren wie möglich, war sie es eigentlich, die ich im Sinne hatte, als ich mich ausließ über die Cowns. Sie war der Stern des Cirkus, die große Nummer, und tat eine Hochtrapez-Arbeit ganz ohnegleichen. Sie tat sie – und das war eine sensationelle Neuerung, etwas Erstmaliges in der Cirkusgeschichte – ohne ein unten ausgespanntes Sicherheits- und Fangnetz, zusammen mit einem Partner von respektablem, aber mit dem ihren nicht zu vergleichenden Können, der ihr, bei persönlicher Zurückhaltung, in der Tat nur die Hand bot bei ihren überkühnen, in wunderbarer Vollendung ausgeführten Evolutionen im Luftraum zwischen den beiden stark schwingenden Trapezen, ihr ihre Taten gewissermaßen nur einrichtete. War sie zwanzig Jahre alt, oder weniger, oder mehr? Wer will es sagen. Ihre Gesichtszüge waren streng und edel und wurden merkwürdigerweise nicht verunschönt, nein, nur noch klarer und anziehender durch die elastische Kappe, die sie zur Arbeit über ihr voll aufgeknotetes braunes Haar zog, da dieses sich ohne solche Befestigung beim Kopfüber, Kopfunter ihrer Taten notwendig hätte auflösen müssen. Sie war von etwas mehr als mittlerer Weibesgröße und trug einen knappen und schmiegsamen, mit Schwan besetzten Silberpanzer, dem an den Schultern, zur Bestätigung ihres Titels als »Tochter der Lüfte« ein paar kleine Flügel aus weißem Gefieder angesetzt waren. Als ob die ihr beim Fliegen hätten helfen können! Ihre Brust war geringfügig, ihr Becken schmal, die Muskulatur ihrer Arme, wie sich versteht, stärker ausgebildet als sonst bei Frauen, und ihre greifenden Hände zwar nicht von männlicher Größe, aber doch auch nicht klein genug, um die Frage ganz auszuschalten, ob sie, in Gottes Namen, denn vielleicht heimlich ein Jüngling sei. Nein, die weibliche Artung ihrer Brust war immerhin unzweideutig, und so doch auch, bei aller Schlankheit, die Form ihrer Schenkel. Sie lächelte kaum. Ihre schönen Lippen, fern von Verpreßtheit, standen meist leicht geöffnet, aber das taten freilich auch, gespannt, die Flügel ihrer griechisch gestalteten, ein wenig niedergehenden Nase. Sie verschmähte jedes Liebäugeln mit dem Publikum. Kaum daß sie, nach einem Tour de force auf der hölzernen Querstange eines der Geräte ausruhend, eine Hand am Seil, den anderen Arm ein wenig zum Gruße ausstreckte. Aber ihre ernsten Augen, geradeaus blickend unter den ebenmäßigen, nicht gerunzelten, aber unbeweglichen Brauen, grüßten nicht mit.

Ich betete sie an. Sie stand auf, setzte das Trapez in stärkstes Schwingen, schnellte sich ab und flog an ihrem Mitspieler vorbei, der vom anderen kam, zu diesem ihr entgegenpendelnden hinüber, packte mit ihren weder männlichen noch weiblichen Händen die runde Stange, vollführte um sie herum, bei völlig ausgestrecktem Körper, den Total- oder sogenannten Riesenschwung, dessen die wenigsten Turner mächtig sind, und benutzte den dadurch empfangenen furchtbaren Antrieb zum Rückfluge, wieder an dem Gefährten vorbei, gegen das

ihr zuschwingende Trapez, von dem sie gekommen, wobei sie
halbwegs in der Luft noch einen Salto mortale schlug, um
dann die fliegende Stange zu fangen, sich mit einem leichten
Anschwellen ihrer Armmuskeln daran hochzuziehen und
blicklos, die Hand hebend, darauf niederzusitzen.

Es war nicht glaubwürdig, untunlich und dennoch getan.
Ein Schauer der Begeisterung überrieselte den, der es sah,
und kalt trat es ihm ans Herze. Die Menge verehrte sie mehr,
als daß sie sie bejubelte, betete sie an, wie ich, in der Toten-
stille, die das Aussetzen der Musik bei ihren waghalsigsten
Unternehmungen und Vollbringungen erzeugte. Daß die prä-
ziseste Berechnung Lebensbedingung war bei allem, was sie
tat, versteht sich am Rande. Genau im rechten Augenblick, auf
den Bruchteil einer Sekunde genau, hatte das zu erfliegende,
vom Partner verlassene Trapez ihr entgegenzupendeln und
nicht etwa eben von ihr zurückzuschwanken, wenn sie nach
dem Riesenschwung drüben, dem Salto unterwegs landen
wollte. War die Stange nicht da, griffen ihre herrlichen Hände
ins Leere, so stürzte sie – stürzte, vielleicht kopfüber, aus ihrem Kunstelement, der Luft, hinab in den gemeinen Grund,
der der Tod war. – Diese stets aufs Haar genau auszukalku-
lierende Knappheit der Bedingungen ließ erbeben.

Aber wiederholt frage ich hier: War Andromache etwa
menschlich? War sie es außerhalb der Manege, hinter ihrer Be-
rufsleistung, ihrer ans Unnatürliche grenzenden, für eine Frau
tatsächlich unnatürlichen Produktion? Sie sich als Gattin und
Mutter vorzustellen war einfach läppisch; eine Gattin und
Mutter, oder jemand auch nur, der es möglicherweise sein
könnte, hängt nicht mit den Füßen kopfab am Trapez, schaukelt sich so daran, daß es sich fast überschlägt, löst sich ab,
fliegt durch die Luft zu dem Partner hinüber, der sie an den
Händen ergreift, sie daran hin- und herschwingt und sie im
äußersten Schwunge fahrenläßt, damit sie unter Exekutie-
rung des berühmten Luftsaltos zum anderen Gerät zurück-
kehre. Dies war ihre Art, mit dem Manne zu verkehren;
eine andere war bei ihr nicht erdenklich, denn zu wohl er-

kannte man, daß dieser strenge Körper das, was andere der
Liebe geben, an seine abenteuerliche Kunstleistung veraus-
gabte. Sie war kein Weib; aber ein Mann war sie auch nicht
und also kein Mensch. Ein ernster Engel der Tollkühnheit war
sie mit gelösten Lippen und gespannten Nüstern, eine unnahbare Amazone des Luftraumes unter dem Zeltdach, hoch
über der Menge, der vor starrer Andacht die Begierde nach
ihr verging.

Andromache! Schmerzlich zugleich und erhebend lag mir
ihr Wesen im Sinn, als längst ihre Nummer vorüber und anderes an ihre Stelle getreten war. Die sämtlichen Stallmeister
und -diener bildeten Spalier: Direktor Stoudebecker kam mit
seinen zwölf Rapphengsten herein, ein vornehmer älterer
Sportsherr mit grauem Schnurrbart, in Balltoilette, das Band
der Ehrenlegion im Knopfloch, in einer Hand die Reitpeitsche zusammen mit einer langen Peitsche von eingelegter
Arbeit, die, wie man wissen wollte, der Schah von Persien ihm
geschenkt hatte und mit der er wundervoll zu knallen verstand. Seine spiegelnden Lackschuhe standen im Sand der Manege, während er leise persönliche Worte an diesen und jenen
seiner prachtvollen Zöglinge mit den von weißem Zaumzeug
stolz angezogenen Köpfen richtete, die um ihn herum zu
einer nachgiebigen Musik ihre Pas, Kniebeugen und Drehungen ausführten und vor seiner erhobenen Reitpeitsche in
gewaltiger Rundparade auf die Hinterbeine stiegen. Ein prächtiger Anblick, aber ich gedachte Andromaches. Herrliche Tier-
leiber, und zwischen Tier und Engel, so sann ich, stehet der
Mensch. Näher zum Tiere stehet er, das wollen wir einräumen. Sie aber, meine Angebetete, obgleich Leib ganz und gar,
aber keuscher, vom Menschlichen ausgeschlossener Leib, stand
viel weiter hin zu den Engeln.

Dann wurde die Manege mit Gittern umgeben, denn der
Löwenkäfig rollte herein, und das Gefühl feiger Sicherheit
sollte der Menge das Gaffen würzen. Der Dompteur, Monsieur Mustafa, ein Mann mit goldenen Ringen in den Ohren,
nackt bis zum Gürtel, in roten Pluderhosen und roter Mütze,

trat durch eine kleine, rasch geöffnete und ebenso geschwind
hinter ihm wieder geschlossene Pforte zu den fünf Bestien
hinein, deren scharfer Raubtiergeruch sich mit dem des Pferde-
stalles mischte. Sie wichen vor ihm zurück, hockten widerspenstig zögernd unter seinen Zurufen einer nach dem andern
auf den fünf herumstehenden Taburetts nieder, fauchten mit
gräßlich krausgezogenen Nasen und schlugen mit den Tatzen
nach ihm, – mag sein in halb freundschaftlichem Sinn, in dem
aber doch auch viel Wut einschlägig war, weil sie wußten,
daß sie nun wieder ganz gegen Natur und Neigung durch
Reifen zu springen genötigt sein würden, und zwar schließlich durch brennende. Ein paar von ihnen erschütterten die
Luft mit dem Donnergebrüll, vor dem die zartere Tierwelt
des Urwaldes erbebt und flieht. Der Bändiger beantwortete
es mit einem Revolverschuß in die Luft, vor dem sie sich fau-
chend duckten, da sie einsahen, daß ihr Naturgedröhn durch
den schmetternden Knall übertrumpft war. Mustafa zündete
sich danach renommistischerweise eine Zigarette an, was
sie ebenfalls mit tiefem Ärger ansahen, und sprach dann einen
Namen, Achille oder Néron, forderte leise, aber äußerst bestimmt den ersten zur Leistung auf. Eine nach der anderen
hatten die Königskatzen sich widerwillig von ihren Taburetts
hinabzubequemen und den Sprung, hin und zurück, zu tun
durch den hochgehaltenen Reifen, der schließlich, wie ich sagte,
ein in Brand gesetzter Pechring war. Wohl oder übel sprangen sie durch die Flammen, und schwer war das nicht für
sie, aber beleidigend. Sie kehrten grollend auf ihre Hocker
zurück, die schon an und für sich kränkende Sitze waren, und
blickten gebannt auf den rotbehosten Mann, der immerfort
leicht den Kopf von der Stelle rückte, um abwechselnd mit
seinen dunklen Augen den grünen, von Furcht und einem
gewissen anhänglichen Haß verkniffenen Blick der Bestien zu
fassen. Kurz wandte er sich um, wenn er im Rücken eine
Unruhe erlauschte, und stillte sie durch ein gleichsam er-
stauntes Hinsehen, durch die leise und feste Nennung eines
Namens.

Jeder fühlte, in welcher nicht im mindesten geheueren, ganz und gar nicht berechenbaren Gesellschaft er sich dort drinnen befand, und das war der Kitzel, für den der in Sicherheit sitzende Schaupöbel bezahlt hatte. Jedem war bewußt, daß sein Revolver ihm wenig helfen würde, wenn die fünf Gewaltigen aus ihrem Wahn, hilflos vor ihm zu sein, erwachten und ihn in Stücke rissen. Mein Eindruck war, daß, wenn er sich nur irgendwie verletzte und sie sein Blut sähen, es um ihn geschehen wäre. Ich begriff auch, daß, wenn er halbnackt zu ihnen hineinging, es dem Pöbel zuliebe geschah: nämlich, damit dessen feige Lust verschärft werde durch den Anblick des Fleisches, in das sie – wer weiß, hoffentlich geschah es – ihre entsetzlichen Tatzen schlagen würden. Da ich aber immerfort Andromaches gedachte, fühlte ich mich versucht und fand es allenfalls richtig, sie mir als Mustafas Geliebte vorzustellen. Eifersucht ging mir wie ein Messerstich in das Herz bei dem bloßen Gedanken, sie verschlug mir tatsächlich den Atem, und ich erstickte hastig die Einbildung. Kameraden der Todesnähe, das mochten sie sein, aber kein Liebespaar, nein, nein, es wäre ihnen auch beiden schlecht bekommen! Die Löwen hätten es gemerkt, wenn er gebuhlt hätte, und ihm den Gehorsam gekündigt. Und sie, sie hätte fehlgegriffen, ich war dessen sicher, wenn sich der Kühnheitsengel zum Weibe erniedrigt hätte, und wäre schmählich-tödlich zur Erde gestürzt . . .

Was gab es noch, nachher und vorher, im Cirkus Stoudebecker? Sehr Mannigfaltiges, einen Überfluß gelenkiger Wunder. Wenig frommte es, sie alle heraufzurufen. Das weiß ich, daß ich von Zeit zu Zeit meinen Gesellen, den Stanko, von der Seite betrachtete, der sich, wie alles Volk ringsumher, in schlaffem, blödem Genießen diesem nicht endenden Andrang blendender Kunstfertigkeit, dieser farbigen Kaskade betörender, berauschender Leistungen und Gesichte überließ. Nicht dies war meine Sache, nicht dies meine Art, den Erscheinungen zu begegnen. Wohl entging mir nichts, wohl nahm ich inständig prüfend jede Einzelheit in mich. Es war Hingebung,

aber sie hatte – wie soll ich es sagen – etwas Aufsässiges, ich
steifte den Rücken dabei, meine Seele – wie soll ich es nur sagen! – übte einen Gegendruck aus gegen die sie bestürmenden
Eindrücke, es war – ich sage es nicht richtig, aber ungefähr
richtig – bei aller Bewunderung etwas von Bosheit in ihrem
eindringlichen Betrachten der Tricks, Künste, Wirkungen. Die
Menge rings um mich her gor in Lust und Belustigung, – ich
aber, gewissermaßen, schloß mich aus von ihrem Gären und
Gieren, kühl wie einer, der sich vom »Bau«, vom Fach fühlt.
Nicht vom circensischen Fach, von Salto mortale-Fach, natürlich, konnte ich mich fühlen, aber vom Fache im allgemeineren, vom Fach der Wirkung, der Menschenbeglückung und
-bezauberung. Darum rückte ich innerlich ab von den vielen,
die nur das selbstvergessen genießende Opfer des Reizes
waren, fern von dem Gedanken, sich mit ihm zu messen. Sie
genossen nur, und Genuß ist ein leidender Zustand, in welchem niemand sich genügt, der sich zum Tätigen, zum Selber-
Ausüben geboren fühlt.

Von solchem Verhalten war meinem Nachbarn, dem braven
Stanko, rein gar nichts gegeben, und so waren wir ungleiche
Gesellen, mit deren Genossenschaft es nicht eben weit reichte.
Beim Flanieren hatte ich größere Augen als er für die weit-
räumige Herrlichkeit des Pariser Stadtbildes, gewisser glor-
reicher Perspektiven von unglaublicher Vornehmheit und
Pracht, die es bietet, und mußte immer an meinen armen Vater und das bis zur Schwäche hingenommene »Magnifique!
Magnifique!« denken, mit dem er sich stets daran erinnert
hatte. Da ich jedoch von meiner Bewunderung weiter kein
Wesens machte, bemerkte jener kaum den Unterschied in
der Empfänglichkeit unserer Seelen. Was er dagegen allmählich bemerken mußte, war, daß es auf eine ihm rätselhafte
Weise mit unserer Freundschaft nicht recht vorwätsgehen, zu
rechter Vertraulichkeit zwischen uns nicht kommen wollte, –
was sich doch einfach aus meiner natürlichen Neigung zur
Eingezogenheit und Verschlossenheit, diesem inneren Beharren auf Einsamkeit, Abstand, Reserve erklärte, dessen ich

schon weiter oben gedachte und an dem ich, als einer Grundbedingung meines Lebens, auch wenn ich gewollt hätte,
nichts hätte ändern können.

Es ist nicht anders: das scheue und nicht sowohl stolze als
in sein Schicksal willigende Gefühl eines Menschen, daß es
etwas Besonderes mit ihm ist, schafft um ihn herum eine Luft-
schicht und Ausstrahlung von Kühle, in welcher, beinahe zu
seinem eigenen Bedauern, treuherzige Anträge der Freundschaft und Camaraderie, sie wissen nicht wie, sich verfangen
und steckenbleiben. So ging es Stankon mit mir. Er ließ es an
Zutraulichkeit nicht fehlen und sah doch, daß ich ihr mehr
duldend begegnete als sie erwiderte. So erzählte er mir eines
Nachmittags, als wir in einem Bistro beim Weine saßen, daß
er, bevor er nach Paris gekommen, in seiner Heimat eine ein-
jährige Gefängnisstrafe abzusitzen gehabt habe, irgendeiner
Einsteigerei wegen, bei der er, nicht durch eigene Ungeschick-
lichkeit, sondern durch die Dummheit seines Mitgesellen, her-
eingefallen war. Ich nahm das sehr heiter und teilnehmend
auf, und es fehlte viel, daß durch diese mich keineswegs überraschende Eröffnung unser Umgang Schaden gelitten hätte.
Ein nächstes Mal aber ging er weiter und ließ mich merken,
daß seine Zutunlichkeit einen Hintergrund von Berechnung
hatte, der mir mißfiel. Er sah einen Glückspilz von kindlicher
Geriebenheit und begünstigter Hand in mir, mit dem zusammen gut arbeiten sein würde, und aus unzarter Verkennung
der Tatsache, daß ich nicht zum Bruder Spießgesellen geboren
war, machte er mir Vorschläge, eine gewisse Villa in Neuilly
betreffend, die er ausbaldowert hatte und wo sich mit Leichtigkeit, fast ohne Risiko, mitsammen ein einträglich Ding
würde drehen lassen. Daß er bei mir auf gleichgültige Ablehn-
nung stieß, verdroß ihn sehr, und ärgerlich fragte er mich, was
das denn für eine Zimperlichkeit von mir sei und für was alles
ich mich eigentlich zu gut dünkte, wo er doch ganz wohl über
mich Bescheid wisse. Da ich immer Leute verachtet habe, die
da glaubten, Bescheid über mich zu wissen, so zuckte ich nur
die Achseln und sagte, das möchte schon sein, ich hätte aber

doch keine Lust. Worauf er mit einem »Trottel!« oder »Imbécile!« abschloß.

Auch daß ich ihm diese Enttäuschung bereitete, führte unmittelbar noch keinen Bruch unserer Beziehungen herbei; aber es kühlte sie ab, lockerte sie und löste sie schließlich auf, so daß wir, ohne gerade verfeindet zu sein, doch nicht mehr miteinander ausgingen.

Zweites Kapitel

Den Liftdienst versah ich den ganzen Winter hindurch, und trotz der Beliebtheit, deren ich mich bei meinem wechselnden Publikum erfreute, begann er mich bald schon zu langweilen. Ich hatte Grund zu fürchten, daß es damit immer so weitergehen, daß man mich sozusagen darin vergessen, mich alt und grau dabei werden lassen möchte. Was ich von Stanko gehört, bestärkte mich in dieser Besorgnis. Seinerseits trachtete er danach, in die Hauptküche mit den beiden großen Kochherden, den vier Bratöfen, dem Grillapparat und dem Flambeau versetzt zu werden und es dort mit der Zeit – wenn nicht gerade zum Küchenchef, so etwa doch zum Vice-Küchenleiter zu bringen, der die Ordres aus dem Speisesaal von den Kellnern entgegennimmt und sie an die Schar der Köche weitergibt. Aber es sei geringe Aussicht auf solches Vorwärtskommen, hatte er gemeint; die Neigung sei groß, einen Mann an der Stelle zu verbrauchen, wo er nun einmal sei, und auch mir sagte er schwarzseherisch voraus, daß ich ewig, wenn auch nicht immer als Volontär, an den Lift gebunden bleiben und nie den Betrieb des Welthauses unter einem anderen Gesichtswinkel als diesem speziellen und beschränkten kennenlernen würde.

Eben das ängstigte mich. Ich fühlte mich eingesperrt in meine Ascenseur-Nische und den Schacht, worin ich mein Fahrzeug auf und ab steuerte, ohne daß mir ein Blick oder mehr

als ein kurzer Gelegenheitsblick gewährt gewesen wäre auf
die kostbaren Gesellschaftsbilder der Halle zur Fünf-Uhr-Tee-
zeit, wenn gedämpfte Musik sie durchschwebte, Rezitatoren
und griechisch gewandete Tänzerinnen der schönen Welt
Unterhaltung boten, die an ihren gepflegten Tischchen in
Korbsesseln lehnte, zum goldenen Tranke Petits fours und
erlesene kleine Sandwiches kostete, die Finger danach zum
Entkrümeln mit einer Art von leichtem Getriller in der Luft
bewegend, und auf dem Läufer der königlichen, zu einer mit
Blumenbosketts geschmückten Empore führenden Freitreppe,
zwischen Palmenwedeln, die aus skulpturierten Vasenkä-
sten stiegen, einander begrüßte, Bekanntschaft machte, mit distinguiertem Mienenspiel und Kopfbewegungen, die auf Geist
schließen ließen, Scherzworte tauschte und leichtlebiges Lachen
ertönen ließ. Wie gut mußte es sein, sich dort zu bewegen
und aufzuwarten, im Bridge-Zimmer der Damen oder auch
im Speisesaal beim Diner, zu dem ich die befrackten Herren
und von Schmuck funkelnden Frauen hinabbrachte. Kurz, ich
war unruhig, es verlangte mich nach Ausweitung meines Daseins, nach reicheren Möglichkeiten des Austausches mit der
Welt, und wirklich: das wohlgeneigte Glück ließ sie mir zuteil werden. Mein Wunsch, von der Lifttreiberei loszukom-
men und in neuer Tracht eine neue Tätigkeit von weiterem
Horizont zu gewinnen, erfüllte sich: zu Ostern trat ich in den
Kellnerdienst über, und das ging vor sich wie folgt.

Der Maître d'hôtel, Monsieur Machatschek mit Namen,
war ein Mann von großer Stellung, der mit viel Autorität
und in täglich frischer Stärkwäsche sein Bauchgewölbe im
Speisesaal herumtrug. Der rasierte Speck seines Mondgesichts
schimmerte. Aufs schönste verfügte er über jene hoch- und
fernhin winkende Armbewegung, mit welcher der Herr der
Tische neu eintretende Gäste zu ihren Plätzen entbietet, und
seine Art, Mißgriffe und Ungeschicklichkeiten des Personals
nur im Vorbeigehen aus dem Mundwinkel zu rügen, war so
diskret wie beißend. – Er also ließ mich, auf eine Weisung
der Direktion, wie ich annehmen muß, eines Vormittags zu

sich rufen und nahm meine Aufwartung in einem kleinen,
an die prächtige Salle à manger stoßenden Bureau entgegen.
»Kroull?« sagte er. »Armand gerufen? Voyons, voyons.
Eh bien, ich habe von Ihnen gehört – nicht gerade Nachteiliges und nicht ganz und gar Falsches, wie mir auf den ersten
Blick scheint. Er kann täuschen, pourtant. Sie sind sich klar
darüber, daß Ihre bisher dem Hause geleisteten Dienste ein
Kinderspiel waren und eine geringe Bewährung der Gaben
bedeuteten, über die Sie etwa verfügen? Vous consentez?
Man hat vor, hier im Restaurantbetrieb womöglich etwas
aus Ihnen zu machen – si c'est faisable. Fühlen Sie einen gewissen Beruf in sich zur Sommelerie, ein *gewisses* Talent,
sage ich – kein ganz exzeptionelles und glänzendes, wie Sie
da versichern, das heißt die Selbstempfehlung zu weit treiben, obgleich Courage auch wieder nicht schaden kann, – ein
gewisses Talent also zum eleganten Servieren und allen feineren Aufmerksamkeiten, die dazu gehören? Zum leidlich gewandten Umgang mit einem Publikum wie dem unseren?
Angeboren? Natürlich ist dergleichen angeboren, aber was
Ihnen nach Ihrer Meinung alles angeboren ist, das ist be-
stürzend. Übrigens kann ich nur wiederholen, daß ein gesundes Selbstvertrauen kein Nachteil ist. Einige Sprachkenntnisse besitzen Sie? Ich habe nicht gesagt: umfassende, wie Sie
sich ausdrücken, sondern: die nötigsten. Bon. Es sind das alles
übrigens erst spätere Fragen. Sie stellen sich wohl den Gang
der Dinge nicht anders vor, als daß Sie von unten beginnen
müssen. Ihre Beschäftigung wird vorderhand darin bestehen,
von dem abservierten Geschirr, das aus dem Saal kommt, die
Reste zu streifen, bevor es zur eigentlichen Reinigung in
die Spülküche geht. Sie werden für diese Tätigkeit ein Monats-
Salaire von vierzig Franken beziehen, – eine fast übertrieben
hohe Bezahlung, wie Ihre Miene mir zu bezeugen scheint. Es
ist übrigens nicht üblich, im Gespräch mit mir zu lächeln,
bevor ich selber lächle. Ich bin es, der das Zeichen zum Lächeln zu geben hat. Bon. Die weiße Jacke für Ihre Arbeit als
Abkratzer wird Ihnen geliefert. Sind Sie in der Lage, sich un-

seren Kellnerfrack anzuschaffen, wenn man Sie eines Tages
zum Abservieren im Saale heranzieht? Sie wissen wohl, diese
Anschaffung hat auf eigene Kosten zu geschehen. *Durchaus*
sind Sie in der Lage dazu? Ausgezeichnet. Ich sehe, bei Ihnen
stößt man auf keine Schwierigkeiten. Auch mit der notwendigen Wäsche, anständigen Frackhemden, sind Sie versehen?
Sagen Sie mir doch: Sind Sie vermögend von Hause aus? Ein
wenig? A la bonne heure. Ich denke, Kroull, wir werden Ihr
Gehalt in absehbarer Zeit auf fünfzig bis sechzig Francs
erhöhen können. Die Adresse des Schneiders, der unsere
Fräcke anfertigt, erfahren Sie vorn im Bureau. Sie können,
wann Sie wollen, zu uns herüberkommen. Uns fehlt eine
Hilfe, und für die Liftvakanz sind hundert Anwärter da.
A bientôt, mon garçon. Wir nähern uns der Mitte des
Monats, Sie werden also für diesmal fünfundzwanzig Franken erheben können, denn ich schlage vor, wir beginnen mit
sechshundert pro Jahr. Diesmal ist Ihr Lächeln zulässig, denn
ich bin Ihnen darin vorangegangen. Das war alles. Sie können
gehen.«

So Machatschek im Austausch mit mir. Das folgenschwere
Gespräch führte zunächst zu einem Abstieg in meiner Lebens-
haltung und dem, was ich vorstellte, das ist nicht zu leugnen.
Ich hatte meine Liftboy-Livree im Magazin wieder einzu-
liefern und erhielt dafür nur die weiße Jacke, zu der ich
mir schleunig eine brauchige Hose besorgen mußte, da ich
unmöglich die zu meinem Ausgeh-Anzug gehörige bei der Arbeit abnützen durfte. Diese Arbeit, die Vor-Reinigung abge-
speisten Geschirrs, das Einstreifen des Liegengelassenen in
Abfallzuber war ein wenig erniedrigend im Vergleich mit meiner bisherigen, immerhin edleren Beschäftigung, und anfangs
auch ekelerregend. Übrigens reichten meine Aufgaben bis in
die Spülküche hinein, wo das Service, von Hand zu Hand
gehend, eine Folge von Waschungen durchlief, um bei den
Abtrocknern zu landen, zu denen ich mich zeitweise, angetan
mit einer weißen Schürze, gesellt fand. So stand ich gleichsam
am Anfang und am Ende der Wiederherstellungsprozedur.

Gute Miene zu machen zum Unangemessenen und sich mit
den Genossen, denen es angemessen ist, auf einen kordialen
Fuß zu stellen ist nicht schwer, wenn man das Wort »vorläufig« dabei im Herzen trägt. So gewiß war ich des den Menschen bei allem Bestehen auf Gleichheit tief eingeborenen Sinnes
fürs Ungleiche und Natürlich-Bevorzugte, so gewiß ihres
Triebes, diesem Sinn Genüge zu tun, so überzeugt also, daß
man mich nicht lange auf dieser Stufe festhalten werde, ja sie
mich eigentlich nur der Form wegen hatte einnehmen lassen,
daß ich gleich anfangs schon, gleich nach meinem Gespräch
mit Monsieur Machatschek, sobald ich nur frei dafür war,
die Bestellung eines Kellner-Frackanzuges à la Saint James
and Albany bei dem Uniform- und Livreeschneider getätigt
hatte, dessen Atelier sich gar nicht weit vom Hotel, in
der Rue des Innocents, befand. Es war eine Investierung von
fünfundsiebzig Franken, einem zwischen der Firma und dem
Hotel vereinbarten Spezialpreis, den Unbemittelte nach und
nach von ihrem Lohn zu bestreiten hatten, den aber ich, versteht sich, bar erlegte. Das Habit war außerordentlich hübsch,
wenn man es zu tragen wußte: zu schwarzen Hosen ein dun-
kelblauer Frack mit einigem Samtbesatz am Kragen und
goldenen Knöpfen, die in verkleinerter Gestalt an der ausgeschnittenen Weste wiederkehrten. Ich hatte herzliche Freude
an dem Erwerb, hängte ihn im Schranke draußen vorm Schlafraum neben meinem Zivilanzug auf und hatte auch für die
zugehörige weiße Schleife sowie für Emailleknöpfe zum
Hemdverschluß Sorge getragen. So aber kam es, daß, als nach
fünf Wochen Geschirrdienst einer der beiden unteren Oberkellner, welche Herrn Machatschek in schwarzen Fräcken mit
schwarzen Schleifen zur Seite standen, mir eröffnete, man
brauche mich im Saal, und mir auftrug, mich schleunig für
diesen zu adjustieren, ich ihm erwidern konnte, ich sei in völliger Bereitschaft, dort zu erscheinen, und stände in jedem
beliebigen Augenblick zur Verfügung.

Der nächste Tag also schon sah mich in voller Parure bei
der Mittagsmahlzeit im Saale debütieren, diesem herrlichen,

kirchenweiten Raum mit seinen kannelierten Säulen, auf deren vergoldeten Kronen in weißem Stuck die Deckenflächen ruhten, mit seinen rot beschirmten Wandleuchtern, rot wallenden Fenster-Draperien und der Unzahl von weißdamastenen, mit Orchideen geschmückten Rundtischen und Tischchen, um welche Sessel aus weißem Schleiflack-Holz mir roten Polstern standen und auf denen die zu Fächern und Pyramiden gefältelten Servietten, die glänzenden Bestecke und zarten Gläser, die in blitzenden Kühlkübeln oder leichten Körben lehnenden Weinflaschen paradierten, die herbeizubringen das Sonderamt des mit Kette und Küferschürzchen ausgezeichneten Kellner-Kellermeisters war. Lange bevor die ersten Gäste zum Luncheon sich einfanden, war ich zur Hand gewesen, hatte geholfen, auf einer bestimmten Gruppe von Tischen, denen ich als zweiter, als Hilfs-Aufwärter zugeteilt war, die Couverts zu legen, die Menukarten zu verteilen, und ließ es mir dann nicht nehmen, das Speisepublikum dieser Tische, dort wenigstens, wo der mir übergeordnete Haupt- und Servierkellner eben nicht sein konnte, mit markierter Herzensfreude zu begrüßen, den Damen die Stühle unterzuschieben, ihnen die Karten zu reichen, Wasser einzuschenken, kurz, diesen Pfleglingen, ohne Ansehen ihrer ungleichen Reize, meine Gegenwart artig einprägsam zu machen.

Recht und Möglichkeit dazu reichten fürs erste nicht weit. Ich hatte nicht die Bestellungen entgegenzunehmen, nicht die Schüsseln anzubieten; meines Amtes war nur, nach jedem Gange abzuräumen, die benutzten Teller und Bestecke hinauszutragen und nach dem Entremets, bevor das Dessert gereicht wurde, die Tischtücher mit Bürste und flacher Schaufel von Brosamen zu reinigen. Jene höheren Pflichten standen Hector, meinem Supérieur, einem schon etwas angejahrten Manne mit schläfriger Miene, zu, in dem ich sogleich jenen Commis de salle wiedererkannt hatte, mit dem ich an meinem ersten Morgen in der Kantine droben am Tische gesessen und der mir seine Zigaretten geschenkt hatte. Auch er erinnerte sich meiner mit einem »Mais oui, c'est toi«, begleitet von einer

müde abwinkenden Handbewegung, die für sein Verhalten
zu mir bezeichnend blieb. Es war von allem Anbeginn ein
eher verzichtendes als kommandierendes und zurechtweisen-
des Verhalten. Er sah wohl, daß die Clientèle, daß besonders
die Damen, alte und junge, sich an mich hielten, mich heran-
winkten und nicht ihn, wenn es sie nach irgendeiner Son-
derzutat, englischem Senf, der Worcester-Sauce, Tomato
Catchup, verlangte, – Wünsche, die in so manchem mir ganz
gut erkennbaren Fall der reine Vorwand waren, um mich an
den Tisch zu ziehen, sich an meinem »Parfaitement, Madame«,
»Tout de suite, Madame« zu erfreuen und, wenn ich das
Geforderte überbrachte, das »Merci, Armand« mit einem
schräg aufwärtsstrahlenden Blick zu begleiten, der sachlich
kaum gerechtfertigt war. Nach einigen Tagen sagte Hector
zu mir, während ich ihm am Anrichtetischchen beim Ablösen
von Seezungen-Filets von der Gräte behilflich war:

»Die würden es viel lieber sehen, wenn du ihnen das Zeug
serviertest, au lieu de moi – sind ja alle einträchtig vergafft
in dich, toute la canaille friande! Du wirst mich bald an die
Wand gedrückt haben und die Tische bekommen. Bist eine
Attraktion – et tu n'as pas l'air de l'ignorer. Die Bonzen wissen es auch und schieben dich vor. Hast du gehört – natürlich
hast du's gehört –, wie Monsieur Cordonnier« (das war
der Unter-Oberkellner, der mich geholt hatte) »vorhin zu
dem schwedischen Ehepaar sagte, mit dem du so lieblich geplaudert hattest: ,Joli petit charmeur, n'est-ce pas?' Tu iras
loin, mon cher, – mes meilleurs vœux, ma bénédiction.«

»Du übertreibst, Hector«, erwiderte ich. »Ich muß noch
viel von dir lernen, bevor ich daran denken könnte, dich
auszustechen, wenn das meine Absicht wäre.«

Ich sagte da mehr, als meine Meinung war. Denn als an
einem der folgenden Tage, während des Diners, Monsieur
Machatschek selbst seinen Bauch zu mir heranschob, neben mir
stehenblieb, derart, daß unsere Gesichter nach entgegengesetzten Richtungen gekehrt waren, und mir aus dem Mundwinkel zuraunte: »Nicht schlecht, Armand. Sie arbeiten nicht

ganz schlecht. Ich empfehle Ihnen, gut achtzugeben auf Hector, wie er serviert, vorausgesetzt, Sie legen Wert darauf, das
auch einmal zu tun« – da antwortete ich, ebenfalls mit halber Stimme:

»Tausend Dank, Maître, aber ich kann es schon, und besser als er. Ich kann es nämlich, verzeihen Sie, von Natur. Ich
dränge Sie nicht, mich auf die Probe zu stellen. Sobald Sie
sich aber dazu entschließen, werden Sie meine Worte bestätigt
finden.«

»Blagueur!« sagte er und ruckte nicht nur kurz auflachend
den Bauch, sondern sah auch dabei zu einer Dame in Grün
und mit hoher kunstblonder Frisur hinüber, die diesen
kleinen Wortwechsel beobachtet hatte, zwinkerte ihr mit
einem Auge zu und deutete dabei seitlich mit dem Kopfe auf
mich, bevor er mit seinen kurzen, betont elastischen Schritten
weiterging. Auch dabei ließ er noch einmal belustigt den
Bauch rucken.

Der Kaffee-Dienst führte mich bald auch in die Halle hinaus, wo ich ihn zweimal des Tages zusammen mit einigen
Kollegen zu versehen hatte. Er erweiterte sich binnen kurzem
zur Tee-Bedienung daselbst am Nachmittag; und da unterdessen Hector zu einer anderen Tischgruppe im Saal versetzt worden und es mir zugefallen war, an derjenigen zu
servieren, bei der ich den Aide gespielt, so hatte ich fast übermäßig viel zu tun und war abends, gegen Ende des vielfältigen Tagewerks, das man mir auferlegte, also beim Reichen
von Kaffee und Likören, Whisky-Soda und Infusion de tilleul
nach dem Diner in der Halle, meistens so müde, daß der
Sympathie-Austausch zwischen mir und der Welt an Seele
verlor, die Gefälligkeitsspannkraft meiner Bewegungen zu
ermatten drohte und mein Lächeln zu einer leicht schmerzhaften Maskenhaftigkeit erstarrte.

Am Morgen jedoch erstand meine elastische Natur aus
solcher Ermattung zu froher Frische, und schon sah man
mich wieder zwischen Frühstückszimmer, Getränkeküche und
Hauptküche hin- und hereilen, um jenen Gästen, die nicht den

Zimmerdienst in Anspruch nahmen und nicht im Bette früh-
stückten, den Tee, das Oatmeal, den Toast, das Eingemachte,
den gebackenen Fisch, die Pfannkuchen in Sirup zu servieren;
sah mich sodann im Saal, mit Hilfe eines Tölpels von Zwei-
tem, meine sechs Tische zum Luncheon instand setzen, den
Damast über die weiche Fries-Unterlage spreiten, die Couverts auflegen, und von zwölf Uhr an, den Schreibblock in
der Hand, bei denen, die sich zum Speisen eingefunden, Bestellungen entgegennehmen. Wie wohl verstand ich es doch,
Schwankende dabei mit der weichen, diskret zurückhaltenden
Stimme, die dem Kellner ansteht, zu beraten, wie wohl, allen
Darreichungen und Versehungen den lieblosen Charakter des
Vorwerfens fernzuhalten, alle vielmehr auf eine Art zu tätigen, als handle es sich um einen persönlichen Liebesdienst.
Gebeugt, eine Hand nach guter Servierschule auf dem Rücken,
bot ich meine Schüsseln an, übte zwischenein aber auch die
feine Kunst, Gabel und Löffel in geschickter Kombination nur
mit der Rechten handhabend, denen, die es liebten, selbst
vorzulegen, wobei die Betreute, er oder sie, besonders sie,
mit angenehmem Befremden meine tätige Hand beobachten
mochte, die nicht die eines gemeinen Mannes war.

Kein Wunder denn, alles in allem, daß man, wie Hector
gesagt hatte, mich »vorschob«, das Wohlgefallen ausnutzte,
das mir aus der überfütterten Luxusgesellschaft des Hauses
entgegenschlug. Man gab mich ihm preis, diesem mich um-
brodelnden Wohlgefallen, und ließ es mein Kunststück sein,
es sowohl durch schmelzendes Entgegenkommen anzuspor-
nen, als es auch wieder durch sittige Reserve einzudämmen.

Um das Bild rein zu halten, das diese Erinnerungen dem
Leser von meinem Charakter vermitteln, sei folgendes hier
zu meinen Ehren angemerkt. Niemals habe ich eitles und
grausames Gefallen gefunden an den Schmerzen von Mitmenschen, denen meine Person Wünsche erregte, welche zu
erfüllen die Lebensweisheit mir verwehrte. Leidenschaften,
deren Gegenstand man ist, ohne selbst von ihnen berührt zu
sein, mögen Naturen, ungleich der meinen, einen Überlegen-

heitsdünkel von unschöner Kälte oder auch jenen verachten-
den Widerwillen einflößen, der dazu verleitet, die Gefühle
des Anderen ohne Erbarmen mit Füßen zu treten. Wie sehr
verschieden bei mir! Ich habe solche Gefühle stets geachtet,
sie aus einer Art von Schuldbewußtsein aufs beste geschont
und durch ein begütigendes Verhalten die Befallenen zu ver-
ständiger Entsagung anzuhalten gesucht, – wofür ich aus der
hier abzuhandelnden Periode meines Lebens das zwiefache
Beispiel der kleinen Eleanor Twentyman aus Birmingham
und des Lord Kilmarnock, eines Angehörigen des schottischen
Hochadels, anführen will, – aus dem Grunde, weil beide
gleichzeitig spielende Fälle auf unterschiedliche Art Versuchungen darstellten zum vorzeitigen Ausbrechen aus der gewählten Laufbahn, Lockungen, mich in einen der Seitenpfade
zu werfen, von denen mein Pate mir gesprochen, die man
aber nicht genau genug auf ihr Wohin und Wieweit prüfen
konnte.

Twentymans, Vater, Mutter und Tochter nebst einer Zofe,
bewohnten mehrere Wochen lang eine Suite im Saint James
and Albany, was allein auf eine erfreuliche Vermögenslage
schließen ließ. Sie wurde bestätigt und unterstrichen durch
prachtvolle Juwelen, die Mrs. Twentyman beim Diner zur
Schau trug und um die es, so muß man sagen, schade war.
Denn Mrs. Twentyman war eine freudlose Frau – freudlos
für den Anschauenden und wahrscheinlich auch nach ihrem
eigenen Befinden –, welche offenbar durch den erfolggekrön-
ten Birminghamschen Gewerbefleiß ihres Gatten aus klein-
bürgerlicher Sphäre in Verhältnisse aufgestiegen war, die sie
steif und starr machten. Mehr Gutmütigkeit ging aus von
Mr. Twentyman mit seinem roten Portweingesicht; doch ver-
siegte seine Jovialität zum besten Teil in der ihn umhüllenden
Schwerhörigkeit, von welcher der leer-horchende Ausdruck
seiner wasserblauen Augen zeugte. Er bediente sich eines
schwarzen Hörrohrs, in das seine Gattin sprechen mußte,
wenn sie, was selten vorkam, ihm etwas zu sagen hatte, und
das er auch mir hinhielt, wenn ich ihn bei seiner Bestellung

beriet. Sein Töchterchen, die siebzehn- oder achtzehnjährige Eleanor, die ihm an meinem Tisch Nr. 18 gegenübersaß, pflegte zuweilen, auch wohl durch sein Winken dazu berufen, aufzustehen und sich zu einer kurzen, durchs Rohr gepflogenen Konversation zu ihm hinüberzuverfügen.

Seine Zärtlichkeit für das Kind war offensichtlich und gewinnend. Was Mrs. Twentyman betrifft, so will ich ihr mütterliche Gefühle gar nicht abstreiten, aber eher als in lieben Blicken und Worten äußerten sie sich in kritischer Überwachung von Eleanors Tun und Lassen, zu der Mrs. Twentyman öfters die Schildpattlorgnette an die Augen führte, nie ohne etwas an der Frisur der Tochter, an ihrer Haltung zu beanstanden, ihr das Kneten von Brotkügelchen, das Abnagen eines Hühnerbeines aus der Hand, das neugierige Umherblikken im Saal zu verweisen – und so fort. Aus all dieser Kontrolle sprach eine erzieherische Unruhe und Besorgnis, die Miss Twentyman beschwerlich genug sein mochte, die aber meine ebenfalls beschwerlichen Erfahrungen mit ihr mich zwingen als ziemlich berechtigt anzuerkennen.

Sie war ein blondes Ding, hübsch nach Art eines Zickleins, mit den rührendsten Schlüsselbeinen von der Welt, wenn abends ihr seidenes Kleidchen ein wenig ausgeschnitten war. Da ich von je eine Schwäche für den angelsächsischen Typ gehegt habe und sie diesen sehr ausgeprägt darstellte, so sah ich sie gern – sah sie übrigens immerfort, bei den Mahlzeiten, nach den Mahlzeiten und bei der Tee-Musik, zu der die Twentymans, wenigstens anfangs, ebenfalls Platz zu nehmen pflegten, wo ich bediente. Ich war gut zu meinem Zicklein, umgab sie mit der Aufmerksamkeit eines ergebenen Bruders, legte ihr das Fleisch vor, brachte ihr das Dessert zum zweitenmal, versah sie mit Grenadine, die sie sehr gern trank, hüllte zärtlich ihre dünnen schneeweißen Schülterchen in den gestickten Umhang, wenn sie sich vom Diner erhob, – und tat mit alldem entschieden zuviel, versündigte mich unbedacht an diesem nur zu empfänglichen Seelchen, indem ich zu wenig dem besonderen Magnetismus Rechnung trug, der, ob ich wollte oder nicht, ausging von meinem Sein auf jedes nicht völlig stumpfe Mitwesen, – ausgegangen wäre, so wage ich zu behaupten, auf jedes auch dann, wenn meine »sterbliche Hülle«, wie man's am Ende nennt, mein Lärvchen also, weniger für sich gesprochen hätte; denn dieses war nur die Erscheinung, das Gebilde tieferer Kräfte, der Sympathie.

Kurzum, gar bald mußte ich gewahr werden, daß die Kleine sich über und über in mich verliebt hatte, und das war natürlich nicht meine Wahrnehmung allein, sondern die scharf besorgte Schildpattlorgnette Mrs. Twentymans erspähte es auch, wie mir ein zischendes Flüstern bestätigte, das sich einmal beim Lunch hinter meinem Rücken vernehmen ließ:

»Eleanor! If you don't stop staring at that boy, I'll send you up to your room and you'll have to eat alone till we leave!«

Ja, leider, das Zicklein beherrschte sich schlecht, sie kam gar nicht darauf, es zu tun und irgendein Hehl daraus zu machen, daß es um sie geschehen war. Ihre blauen Augen hingen ständig an mir, verzückt und traumverloren, und wenn die meinen ihnen begegneten, so senkte sie wohl, das Gesicht mit Blut übergossen, den Blick auf ihren Teller, hob ihn aber gleich wieder, als dürfe sie es nicht fehlen lassen, gewaltsam aus der Glut ihres Angesichts hingebend zu mir auf. Man durfte die Wachsamkeit der Mutter nicht schelten; wahrscheinlich war sie gewarnt durch frühere Anzeichen dafür, daß dieses Kind Birminghamer Wohlanständigkeit zur Zügellosigkeit neigte, zu einem unschuldig-wilden Glauben an das Recht und sogar die Pflicht, sich offen der Leidenschaft zu überlassen. Gewiß tat ich nichts, dem Vorschub zu leisten, nahm mich schonend und fast ermahnend zurück, ging in meinem Verhalten zu ihr nicht über die dienstlich gebotenste Aufmerksamkeit hinaus und billigte die für Eleanor freilich sehr grausame, zweifellos von der Mutter verordnete Maßnahme, daß Twentymans, anfangs der zweiten Woche, den Tisch bei mir aufgaben und in einen entfernten Teil des Saales verzogen, wo Hector bediente.

Aber mein wildes Zicklein wußte Auskunft. Plötzlich erschien sie, schon acht Uhr früh, bei mir unten zum Petit déjeuner, während sie doch bis dahin, wie ihre Eltern, auf ihrem Zimmer gefrühstückt hatte. Gleich beim Hereinkommen
wechselte sie die Farbe, suchte mich mit ihren geröteten Augen
und fand – denn um diese Stunde war der Frühstücksraum
noch dünn besetzt – nur zu leicht Platz in meinem Dienstbe-
reich.

»Good morning, Miss Twentyman. Did you have a good
rest?«

»Very little rest, Armand, very little«, lispelte sie.

Ich zeigte mich betrübt, das zu hören. »Aber dann«, sagte
ich, »wäre es vielleicht weiser gewesen, noch ein wenig im
Bett zu bleiben und dort Ihren Tee und Ihr Porridge zu haben, die ich Ihnen nun gleich bringen werde, die Sie aber,
glaube ich, droben ungestörter würden genießen können. Es
ist so ruhig und friedlich dort im Zimmer, in Ihrem Bett ...«
Was antwortete dieses Kind?

»No, I prefer to suffer.«

»But you are making me suffer, too«, erwiderte ich leise,
indem ich ihr auf der Karte die Marmelade zeigte, die sie
nehmen sollte.

»Oh, Armand, then we suffer together!« sagt sie und schlug
ihre unausgeruhten Augen tränend zu mir auf.

Was sollte daraus werden? Ich wünschte ihr herzlich die
Abreise, aber die zog sich hin, und verständlich war es ja,
daß Mr. Twentyman sich nicht durch eine Liebesgrille seines
Töchterchens, von der er durchs schwarze Rohr gehört haben
mochte, seinen Pariser Aufenthalt verkürzen lassen wollte.
Miss Twentyman aber kam jeden Morgen, wenn ihre Eltern
noch schliefen – sie schliefen bis zehn Uhr, so daß Eleanor,
wenn ihre Mutter sich nach ihr umsah, vorgeben konnte, ihr
Frühstücksgeschirr sei vom Zimmerkellner schon wegge-
räumt –, und ich hatte meine liebe Not mit ihr, vor allem
damit, ihren Ruf zu schützen und ihren mißlichen Zustand,
ihre Versuche, mir die Hand zu drücken und anderen be-

rauschten Leichtsinn mehr, vor etwa Umsitzenden zu verbergen. Meinen Warnungen, daß die Eltern ihr doch eines Tages
auf die Schliche kommen, ihr Frühstücksgeheimnis entdecken
würden, blieb sie taub. Nein, Mrs. Twentyman schlief morgens am festesten, und wieviel lieber war sie ihr doch, wenn
sie schlief, als wenn sie wach war und sie überwachte!
Mummy liebte sie nicht, sie war nur scharf auf sie durch die
Lorgnette. Daddy, der liebte sie, nahm aber ihr Herz nicht
ernst, was Mummy immerhin tat, wenn auch im bösen, und
Eleanor war geneigt, ihr das zugute zu halten. »For I love
you!«

Ich wollte das vorläufig nicht gehört haben. Als ich aber
zu ihrer Bedienung wiederkam, sagte ich unterderhand und
redete zu ihr:

»Miss Eleanor, was Sie da vorhin fallenließen von ‚love‘,
das ist nur Einbildung und purer Nonsense. Ihr Daddy hat
ganz recht, es nicht ernst zu nehmen, wenn Ihre Mummy
auch wieder recht hat, es ernst zu nehmen, als Nonsense nämlich, und es Ihnen zu verwehren. Nehmen doch, bitte, Sie
selbst es nicht gar so ernst, zu Ihrem und meinem Leide, sondern suchen Sie ein wenig Spott dafür aufzubringen, – was
ich nicht tue, gewiß nicht, weit entfernt davon, tun Sie es
aber! Was soll es denn fruchten? Es ist ja ganz unnatürlich.
Da sind Sie nun die Tochter eines so hoch zu Reichtum ge-
kommenen Mannes wie Mr. Twentyman, der einige Wochen
mit Ihnen im Saint James and Albany wohnt, wo ich auf-
warte, ein Kellner. Ich bin doch nur ein Kellner, Miss Eleanor,
ein niederes Glied unserer Gesellschaftsordnung, der ich Ehrerbietung entgegenbringe, Sie aber verhalten sich aufrühre-
risch gegen sie und abnormal, indem Sie mich nicht nur
nicht gänzlich übersehen, wie es natürlich wäre und wie Ihre
Mummy es mit Recht verlangt, sondern, während Ihre Eltern durch friedlichen Schlummer verhindert sind, die Gesellschaftsordnung zu schützen, heimlich zum Frühstück kommen und mir von ‚love‘ reden. Das aber eine verbotene
‚love‘, zu der ich nicht die Hand bieten kann, und muß

mich sträuben gegen die Freude darüber, daß Sie mich gern
sehen. Ich darf Sie gern sehen, wenn ich's für mich behalte,
das wohl. Aber daß Sie, Mr. and Mrs. Twentymans Tochter,
mich gern sehen, das geht nicht und ist wider die Natur. Es
ist auch nur Augenverblendung und kommt größtenteils von
diesem Frack à la Saint James and Albany mit dem Sammet-
besatz und den Goldknöpfen, der nichts als der Putz meiner
niederen Stellung ist und ohne den ich nach gar nichts aussähe, ich versichere Sie! So etwas wie Ihre ‚love‘, das fliegt
einen wohl an auf Reisen und angesichts solchen Frackes, und
wenn man fort ist, wie Sie fort sein werden sehr bald, so vergißt man's bis zur nächsten Station. Überlassen Sie mir die
Erinnerung an unsere Begegnung dahier, dann ist das Gedächtnis daran irgendwo aufgehoben, ohne doch Sie zu be-
schweren!«

Konnte ich mehr für sie tun, und war es nicht liebreich
geredet? Sie aber weinte nur, so daß ich froh sein mußte,
wenn in der Nähe die Tische leer waren, zieh mich schluchzend der Grausamkeit und wollte nichts wissen von der natürlichen Gesellschaftsordnung und der Unnatur ihrer Ver-
narrtheit, sondern bestand jeden Morgen darauf, wenn wir
nur einmal ganz allein und ungestört sein könnten und freie
Hand hätten, in Wort und Tat, dann würde sich schon alles
finden und zum Glück ordnen, vorausgesetzt, daß ich sie ein
wenig lieb hätte, was ich gar nicht bestritt, jedenfalls nicht
meine Dankbarkeit für ihre Zuneigung; doch wie sollte das
Rendez-vous zum Alleinsein in Freiheit zu Wort und Tat
sich wohl herstellen lassen? Das wußte sie auch nicht, ließ
aber deshalb nicht ab von ihrem Begehren und machte es
mir zur Auflage, eine Möglichkeit zu seiner Erfüllung auszufinden.

Kurzum, meine liebe Not hatte ich mit ihr. Und wenn nur
nicht zur selben Zeit, und gar nicht nur nebenbei, die Geschichte mit Lord Kilmarnock gespielt hätte! – keine geringere
Prüfung, wahrhaftig, da es hier nicht um einen Klein-Mäd-
chen-Wildfang des Gefühls, sondern um eine Persönlichkeit

ernsten Gewichtes ging, deren Empfindungen etwas wogen
auf der Waage der Menschheit, so daß man weder ihm raten
konnte, ihrer zu spotten, noch selbst Spott darüber aufzubringen vermochte. Ich wenigstens war nicht der Jüngling dazu.

Der Lord, der vierzehn Tage bei uns wohnte und an einem
meiner Tischchen für Einzelpersonen speiste, war ein Mann
von sichtlicher Vornehmheit, um die Fünfzig, mäßig hoch
gewachsen, schlank, äußerst akkurat gekleidet, mit noch ziemlich dichtem, eisenfarbig ergrautem, sorgfältig gescheiteltem
Haar und einem gestutzten, ebenfalls leicht ergrauten Schnurrbart, der den bis zur Anmut feinen Schnitt des Mundes der
Beobachtung freigab. Gar nicht fein geschnitten und wenig
aristokratisch war die überstarke, fast klobige Nase, die, einen
tiefen Einschnitt bildend zwischen den etwas schräg gesträubten Brauen, den grün-grauen Augen, welche sich mit einer
gewissen Anstrengung und Überwindung offen zeigten, gerade
und schwer aus dem Gesicht hervorsprang. War dies zu bedauern, so erfreute wiederum die stets peinlich saubere, letzte
Weichheit erzielende Rasur von Wangen und Kinn, die überdies von einer Creme glänzten, mit der der Lord sich nach der
Säuberung einrieb. Fürs Taschentuch benutzte er ein Veil-
chenwasser, dessen Duft von unglaublicher, mir sonst nie
vorgekommener Natürlichkeit und Frühlingsfrische war.

Sein Eintritt in den Saal war immer von einer Befangenheit, die bei einem so großen Herrn hätte befremden können,
seinem Ansehen aber, wenigstens in meinen Augen, keinen
Abbruch tat. Zuviel Würde stand ihr entgegen, und sie ließ
nur vermuten, es sei etwas Besonderes mit ihm und er fühle
sich darum bemerkt und beobachtet. Seine Stimme war sanft,
und ich begegnete ihr mit einer noch sanfteren, um zu spät
gewahr zu werden, daß das nicht gut für ihn war. Sein Wesen
war von der melancholisch umflorten Freundlichkeit eines
Mannes, der viel gelitten hat; und sollte die ein gut gearteter
Mensch nicht erwidern, wie ich es zartsinnig-pfleglich bei seiner
Bedienung tat? Es war aber nicht gut für ihn. Wenig zwar
sah er mich an bei den kurzen Bemerkungen über das Wetter,

das Menu, auf die sich anfangs beim Service unser Austausch
beschränkte, — wie er überhaupt seine Augen wenig gebrauchte, sie zurückhielt und schonte, gerade als ob er besorgte, sich durch ihren Gebrauch in Ungelegenheiten zu stürzen. Eine Woche dauerte es, bis die Beziehungen zwischen
uns sich lockerten und aus dem Rahmen des rein Formellen
und Konventionellen traten; bis ich mit einem Vergnügen,
dem es an Besorgnis nicht fehlte, Anzeichen persönlicher Teilnahme an mir bei ihm wahrnahm, — eine Woche: das ist wohl
das Minimum an Zeit, dessen eine Seele bedarf, um im täglich
wiederholten Umgang mit einer fremden Erscheinung gewisse
Veränderungen zu erfahren — besonders bei so sparsamem
Gebrauch der Augen.

Nun fragte er, wie lange ich hier schon diente, fragte nach
meiner Herkunft, meinem Alter, dessen zarte Ziffer er mit
einem gerührt-achselzuckenden »Mon Dieu!« oder »Good
heavens!« — er sprach ebensooft englisch wie französisch —
zur Kenntnis nahm. Wenn ich also deutsch sei von Geburt,
erkundigte er sich, warum ich dann den französischen Namen
Armand trüge. Ich trüge ihn nicht, antwortete ich, ich führte
ihn bloß, gemäß einer Verfügung von oben. In Wirklichkeit hieße ich Felix. »Ah, hübsch«, sagte er. »Wenn es nach
mir ginge, würde Ihnen Ihr wirklicher Name zurückgegeben.«
Und es stimmte nicht recht mit seiner überlegenen Stellung
überein und gab mir den Eindruck leichter Unbalanciertheit,
daß er die Mitteilung hinzufügte, sein eigener Taufname sei
Nectan — welches nämlich der Name eines Königs der Pik-
ten, der Urbevölkerung Schottlands, gewesen sei. Ich beantwortete dies zwar mit einer Mimik achtungsvollen Inter-
esses, aber die Frage drängte sich auf, was ich damit anfangen
sollte, daß er Nectan hieß. Es war mir nichts nütze, denn ich
hatte ihn Mylord zu nennen und nicht Nectan.

Nach und nach erfuhr ich, daß er auf einem Schloß unweit
der Stadt Aberdeen zu Hause sei, wo er allein mit einer
älteren, leider kränklichen Schwester lebte, daß er außerdem
aber ein Sommerhaus an einem der Seen der Highlands be-

sitze, in einer Gegend, wo die Leute noch gälisch sprächen
(er konnte es auch ein wenig) und wo es sehr schön und
romantisch sei, die Berghänge jach und zerklüftet, die Luft
mit würzigen Heidekrautdüften erfüllt. Übrigens sei es
auch nahe Aberdeen sehr schön, die Stadt biete jedwede
Unterhaltung für den, dem es darum zu tun sei, die Luft
wehe kräftig und rein von der Nordsee. Ferner bekam ich
zu wissen, daß er die Musik liebe und Orgel spiele. Im Hause
am Bergsee zur Sommerzeit sei es freilich nur ein Har-
monium.

Für diese Eröffnungen, die nicht gesprächig-zusammen-
hängend, sondern unterderhand, hie und da, hingeworfen
und fragmentarisch kamen und, mit Ausnahme etwa von
»Nectan«, als übertriebene Mitteilsamkeit nicht auffallen
konnten bei einem Alleinreisenden, der zum Plaudern niemanden hat als den Kellner, war die Gelegenheit am günstigsten,
wenn das Lunch serviert war und der Lord, wie er mittags
zu tun pflegte, seinen Kaffee nicht in der Halle nahm, sondern
dazu, ägyptische Zigaretten rauchend, an seinem Tischchen in
dem fast leeren Saale sitzen blieb. Von dem Kaffee nahm er
stets mehrere Täßchen, hatte aber vorher weder etwas getrunken, noch irgend ausgiebig gegessen. Tatsächlich aß er fast
nichts, und man mußte sich wundern, wie er bei dem, was
er zu sich nahm, überhaupt bestehen konnte. Mit der Suppe
zwar nahm er einen guten Anlauf: starke Consommé, Mock-
turtle- und Oxtail-Soup verschwanden rasch aus seinem Teller.
Von sonst allem aber, was ich an guten Dingen ihm auflegte,
kostete er nur einen oder zwei Bissen, zündete sich sofort wieder eine Zigarette an und ließ jedes Gericht fast unberührt
abtragen. Auf die Dauer konnte ich eine Bemerkung darüber
nicht unterdrücken.

»Mais vous ne mangez rien, Mylord«, sagte ich bekümmert. »Le chef se formalisera, si vous dédaignez tous ses
plats.«

»Was wollen Sie, es fehlt an Appetit«, antwortete er. »Es
fehlt immer daran. Nahrungsaufnahme – ich habe eine aus-

gesprochene Abneigung dagegen. Vielleicht ist sie das Zeichen einer gewissen Selbstverneinung.«

Das Wort, das ich noch nie gehört hatte, erschreckte mich und forderte meine Höflichkeit heraus.

»Selbstverneinung?« rief ich leise. »Darin, Mylord, kann niemand Ihnen folgen und zustimmen. Es muß unbedingt dem lebhaftesten Widerspruch begegnen!«

»Wirklich?« frug er und wandte mir langsam den von unten, von der Tischplatte her gegen mein Gesicht aufsteigenden Blick zu. Sein Blick hatte immer etwas Erzwungenes und etwas von Überwindung. Doch diesmal war seinen Augen anzusehen, daß die Anstrengung gern geschah. Sein Mund lächelte mit feiner Schwermut. Darüber aber sprang mir gerade und schwer die überdimensionierte Nase entgegen.

Wie kann man nur, dachte ich, einen so feinen Mund und eine so klobige Nase haben?

»Wirklich!« bestätigte ich in einiger Verwirrung.

»Vielleicht, mon enfant«, sagte er, »erhöht Selbstverneinung die Fähigkeit zur Bejahung des Anderen.«

Damit stand er auf und ging aus dem Saal. In mancherlei Gedanken blieb ich am Tischchen zurück, das ich abräumte und neu instand setzte.

Es litt wenig Zweifel, daß die tägliche mehrmalige Berührung mit mir für den Lord nicht gut war. Aber ich konnte sie weder abstellen noch sie unschädlich machen, indem ich aus meinem Verhalten zu ihm alle zarte Zuvorkommenheit tilgte, es steif und schnöde gestaltete und so Gefühle verwundete, die ich großgezogen hatte. Mich über sie lustig zu machen, war ich weit weniger noch in der Lage als im Falle der kleinen Eleanor, freilich auch nicht in der, mich nach ihrem Wesen auf sie einzulassen. Dies ergab einen beschwerlichen Konflikt, der zur Versuchung werden sollte durch den unerwarteten Antrag, den er mir machte, – unerwartet, was seinen sachlichen Inhalt betraf, wenn auch sonst keineswegs.

Es geschah gegen Ende der zweiten Woche, beim Kaffee-Service nach dem Diner, in der Halle. Ein kleines Orchester

konzertierte nahe dem Eingang zum Saal hinter einem Pflan-
zengehege. Entfernt davon, am anderen Ende des Raumes
hatte der Lord ein etwas für sich stehendes Tischchen gewählt,
das er übrigens schon mehrmals benutzt und auf das ich
ihm seinen Mokka gestellt hatte. Als ich wieder an ihm
vorbeiging, verlangte er nach einer Zigarre. Ich brachte ihm
zwei Schachteln mit Importen, beringten und unberingten. Er
betrachtete sie und sagte:

»Welche soll ich denn nehmen?«

»Der Händler«, antwortete ich, »empfiehlt diese.« Und
ich deutete auf die beringten. »Persönlich würde ich, wenn
es erlaubt ist, eher zur anderen raten.«

Ich konnte es nicht unterlassen, ihm Gelegenheit zur Courtoisie zu geben.

»So werde ich mich an Ihr Urteil halten«, sagte er denn
auch, griff aber noch nicht zu, sondern ließ mich die beiden
Kistchen weiter ihm darbieten und blickte auf sie nieder.

»Armand?« fragte er leise in die Musik hinein.

»Mylord?«

Er änderte die Anrede und sagte:

»Felix?«

»Mylord befehlen?« frug ich lächelnd.

»Sie hätten nicht Lust«, kam es von ihm, ohne daß er die
Augen von den Zigarren erhoben hätte, »den Hoteldienst mit
einer Stellung als Kammerdiener zu vertauschen?«

Da hatte ich es.

»Wie das, Mylord?« fragte ich scheinbar verständnislos.

Er wollte gehört haben »Bei wem?« und antwortete mit
leichtem Achselzucken:

»Bei mir. Das ist sehr einfach. Sie begleiten mich nach Aberdeen und Schloß Nectanhall. Sie entledigen sich dieser Livree
und tauschen ein Zivil von Distinktion dafür ein, das Ihre
Stellung markiert und sie von der anderen Dienerschaft unterscheidet. Es ist allerlei Dienerschaft da: Ihre Pflichten
würden sich ganz auf die Betreuung meiner Person beschränken. Sie würden immer um mich sein, auf dem Schloß und im

Sommerhaus in den Bergen. Ihr Salaire«, fügte er hinzu,
»wird vermutlich das Doppelte und Dreifache des hier bezo-
genen ausmachen.«

Ich schwieg, ohne daß er mich durch einen Blick zum
Reden angespornt hätte. Vielmehr nahm er mir eins der
Kistchen aus der Hand und verglich diese Sorte mit der an-
deren.

»Das will sehr sorgfältig überlegt sein, Mylord«, ließ ich
mich schließlich vernehmen. »Ich brauche nicht zu sagen,
daß Ihr Anerbieten mich außerordentlich ehrt. Aber es kommt
so überraschend . . . Ich muß um Bedenkzeit bitten.«

»Zum Bedenken«, erwiderte er, »ist wenig Zeit. Wir haben Freitag: ich reise im Laufe des Montag. Kommen Sie mit
mir! Es ist mein Wunsch.«

Er nahm eine der von mir empfohlenen Zigarren, betrachtete sie rund herum und führte sie an die Nase. Kein Beobachter hätte erraten, was er dabei sagte. Er sagte leise:

»Es ist der Wunsch eines einsamen Herzens.«

Welcher Unmensch will mir meine Ergriffenheit verargen?
Und dabei wußte ich schon, daß ich mich nicht entschließen
würde, diesen Seitenpfad einzuschlagen.

»Ich verspreche Euer Lordschaft«, murmelte ich, »daß ich
die gegebene Frist zur Überlegung sorgfältig nutzen werde.«
Und zog mich zurück.

Er hat, dachte ich, eine gute Zigarre zu seinem Kaffee. Diese
Verbindung ist äußerst behaglich, und das Behagen ist immerhin eine mindere Form des Glücks. Mit der muß man sich
unter Umständen begnügen.

Der Gedanke war ein stiller Versuch, ihm behilflich zu
sein, sich zu behelfen. Aber es kamen nun einige sehr be-
drückende Tage, denn bei jeder Hauptmahlzeit und auch nach
dem Tee blickte der Lord einmal auf und fragte: »Nun?«
Entweder schlug ich nur die Wimpern nieder und hob die
Schultern, als seien sie schwer beladen, oder ich antwortete
sorgenvoll:

»Noch bin ich nicht zur Entscheidung gediehen.«

Sein feiner Mund wurde zusehends bitterer. Aber mochte
seine leidende Schwester auch einzig sein Glück im Auge haben – bedachte er die penible Rolle, die ich unter der zahlreichen Dienerschaft, von der er gesprochen, und selbst unter der gälischen Gebirgsbevölkerung zu spielen haben würde?
Nicht die Laune des großen Herrn, sagte ich mir, würde der
Hohn treffen, sondern das Spielzeug seiner Laune. Insgeheim,
bei allem Mitgefühl, beschuldigte ich ihn des Egoismus. Und
wenn ich nur nicht außerdem immerfort Eleanor Twentymans Verlangen nach freier Hand zu Wort und Tat im Zaume
zu halten gehabt hätte!

Beim Sonntagsdiner wurde viel Champagner getrunken im
Saal. Der Lord trank zwar keinen, aber bei Twentymans
drüben knallte der Pfropfen, und ich dachte bei mir, daß das
nicht gut sei für Eleanor. Es sollte sich die Berechtigung dieser
Sorge erweisen.

Nach Tische, wie gewöhnlich, servierte ich Kaffee in der
Halle, an welche, getrennt von ihr durch eine mit grüner
Seide bespannte Glastür, ein Bibliotheksraum mit Lederfau-
teuils und langem Zeitungstisch stieß. Sehr wenig war das
Zimmer benutzt; nur morgens saßen dort meistens einige
Leute und lasen die neu ausgelegten Blätter. Man sollte diese
eigentlich nicht aus der Bibliothek entfernen, aber jemand
hatte das Journal des Débats mit in die Halle genommen
und es beim Weggehen auf dem Stuhl an seinem Tischchen
liegen lassen. Ich rollte es ordnungsliebend um seine Stange
und trug es ins leere Lesezimmer hinüber. Eben hatte ich es
auf dem Langtisch in Reihe und Glied versorgt, als Eleanor
sich einfand und klar bewies, daß ein paar Gläser Moët-
Chandon ihr den Rest gegeben hatten. Sie kam auf mich zu,
schlang mit Zittern und Beben die bloßen Ärmchen um meinen Hals und stammelte:

»Armand, I love you so desperately and helplessly, I don't
know what to do, I am so deeply, so utterly in love with you
that I am lost, lost, lost . . . Say, tell me, do you love me a
little bit, too?«

»For heaven's sake, Miss Eleanor, be careful, somebody might come in ... for instance, your mother. How on earth did you manage to escape her? Of course, I love you, sweet little Eleanor! You have such moving collarbones, you are such a lovely child in every way ... But now get your arms off my neck and watch out ... This is extremely dangerous.«

»What do I care about danger! I love you, I love you, Armand, let's flee together, let's die together, but first of all kiss me ... Your lips, your lips, I am parched with thirst for your lips ...«

»Nein, dear Eleanor«, sagte ich, indem ich versuchte, ohne Gewaltanwendung ihre Arme von mir zu lösen, »wir wollen damit nicht anfangen. Ohnedies haben Sie Champagner getrunken, mehrere Gläser, schien mir, und wenn ich Sie nun auch noch küsse, so ist es gänzlich aus mit Ihnen, Sie sind dann vernünftigen Vorstellungen überhaupt nicht mehr zugänglich. Ich habe Ihnen doch so herzlich vor Augen gehalten, wie unnatürlich es ist für die Tochter eines durch Reichtum hochgestellten Elternpaars wie Mr. und Mrs. Twentyman, sich in den ersten besten Kellnerburschen zu vernarren. Es ist die reine Verirrung, und sollte sie auch Ihrer Natur und Anlage entsprechen, so müssen Sie sie doch um des gesellschaftlichen Naturgesetzes und der guten Sitte willen überwinden. Nicht wahr, nun sind Sie ein gutes, verständiges Kind und lassen mich los und gehen zu Mummy.«

»O, Armand, was sind Sie so kalt, so grausam, und haben doch gesagt, daß Sie mich ein wenig lieben? Zu Mummy, ich hasse Mummy, und sie haßt mich, aber Daddy, der liebt mich, und ich bin sicher, daß er sich in alles finden wird, wenn wir ihn vor vollendete Tatsachen stellen. Wir müssen nur einfach fliehen – fliehen wir diese Nacht mit dem Expreß, zum Beispiel nach Spanien, nach Marokko, ich bin ja gekommen, Ihnen dies vorzuschlagen. Da wollen wir uns verstecken, und ich will Ihnen ein Kind schenken, das wird die vollendete Tatsache sein, und Daddy wird sich dareinfinden, wenn wir uns ihm mit dem Kinde zu Füßen werfen, und wird uns sein Geld geben, daß wir reich und glücklich sind ... Your lips!«

Und das wilde Kind tat wahrhaftig, als wollte sie gleich hier auf der Stelle ein Kind von mir empfangen.

»Nun genug, entschieden genug, dear little Eleanor«, sagte ich und nahm endlich sanft aber ernstlich ihre Arme von mir herunter. »Das alles sind ganz verquere Träume, um derentwillen ich nicht meinen Weg verlassen und solchen Seitenpfad einschlagen kann. Es ist gar nicht recht von Ihnen und stimmt wenig mit der Versicherung Ihrer Liebe überein, daß Sie mir so zusetzen mit Ihrem Anliegen und mich durchaus in die Quere locken wollen, wo ich's doch ohnedies schwer und noch andere Sorgen, noch anderweitig meine liebe Not habe als nur mit Ihnen. Sie sind recht egoistisch, wissen Sie das wohl? Aber so seid ihr alle, und ich zürne Ihnen nicht, sondern danke Ihnen und werde die kleine Eleanor nicht vergessen. Jetzt aber lassen Sie mich meinem Dienst nachgehen in der Halle.«

»Ohuhu!« weinte sie los. »No kiss! No child! Poor, unhappy me! Poor little Eleanor, so miserable and disdained!« Und die Händchen vorm Gesicht warf sie sich in einen Ledersessel und schluchzte herzbrechend. Ich wollte zu ihr treten, um sie tröstlich zu streicheln, bevor ich ging. Das aber war einem anderen vorbehalten. Es kam nämlich in diesem Augenblick jemand herein, – nicht irgend jemand, es war Lord Kilmarnock von Nectanhall. In seinem vollkommenen Abendanzug, die Füße nicht in Lack, sondern in mattes, schmiegsames Lammleder gekleidet, die Rasur blinkend von Creme, trat er ein, die schwer starrende Nase voran. Den Kopf ein wenig zur Schulter geneigt, betrachtete er unter seinen schrägen Brauen sinnend die in ihre Hände Weinende, trat zu ihrem Stuhl und streichelte ihr mit dem Fingerrücken mildtätig die Wange. Mit überschwemmten Augen und offenen Mundes sah sie verblüfft zu dem Fremden auf, sprang vom Stuhl und lief wie ein Wiesel durch die andere Tür, die der Glastür entgegengesetzte, hinaus.

Sinnend wie zuvor, blickte er ihr nach. Dann wandte er
sich mit Ruhe und vorzüglichem Anstand zu mir.

»Felix«, sprach er, »der letzte Augenblick zur Entscheidung
ist gekommen. Ich reise morgen, schon früh. Noch in der Nacht
müßten Sie Ihre Habe packen, um mich nach Schottland zu
begleiten. Welches ist Ihr Entschluß?«

»Mylord«, erwiderte ich, »ich danke ergebenst und bitte
um Nachsicht. Ich fühle mich der mir gütigst angebotenen
Stellung nicht gewachsen und bin zu der Überzeugung gediehen, daß ich besser davon absehe, diesen von meinem Wege
abzweigenden Pfad einzuschlagen.«

»Ich kann«, sagte er hierauf, »was Sie von Unzulänglich-
keit vorgeben, nicht ernst nehmen. Im übrigen«, setzte er
hinzu und warf einen Blick auf die Ausgangstür, »habe ich
den Eindruck, daß Ihre Angelegenheiten hier abgeschlossen
sind.«

So nahm ich mich denn zusammen, ihm zu antworten:

»Ich muß auch diese hier abschließen und darf Euer Lordschaft recht glückliche Reise wünschen.«

Er senkte das Haupt und hob es nur langsam wieder, um
mir nach seiner Art, die voller Selbstbezwingung war, in die
Augen zu blicken.

»Felix!« sagte er, »Sie fürchten nicht, die größte Fehlent-
scheidung Ihres Lebens zu treffen?«

»Eben das fürchte ich, Mylord, und daher mein Entschluß.«

»Weil Sie sich der Stellung, die ich Ihnen biete, nicht gewachsen fühlen? Ich sollte mich sehr täuschen, wenn Sie nicht
mit mir in dem Gefühl übereinstimmten, daß Sie noch für
ganz andere Stellungen geboren sind. Meine Anteilnahme an
Ihnen eröffnet Möglichkeiten, die Sie bei Ihrem Nein nicht in
Rechnung stellen. Ich bin kinderlos und Herr meiner Handlungen. Es gibt Fälle von Adoption ... Sie könnten eines
Tages als Lord Kilmarnock und Erbe meiner Besitzungen erwachen.«

Das war stark. Er ließ wahrhaftig alle Minen springen.

In meinem Kopfe tummelten sich die Gedanken, aber zur
Zurücknahme meiner Absage ordneten sie sich nicht. Es
würde eine mißliche Lordschaft sein, die seine Anteilnahme
mir da in Aussicht stellte, mißlich in den Augen der Leute
und nicht von der rechten Durchschlagskraft. Aber das war
nicht die Hauptsache. Die Hauptsache war, daß ein Instinkt,
seiner selbst sehr sicher, Partei nahm in mir gegen eine mir
präsentierte und obendrein schlackenhafte Wirklichkeit –
zugunsten des freien Traumes und Spieles, selbstgeschaffen und
von eigenen Gnaden, will sagen: von Gnaden der Phantasie.
Wenn ich als Knabe erwacht war mit dem Beschluß, ein achtzehnjähriger Prinz namens Karl zu sein, und an dieser reinen
und reizenden Erdichtung, solange ich wollte, in Freiheit festgehalten hatte – das war das Rechte gewesen, und nicht, was
dieser Mann mit der starrenden Nase mir in seiner Anteilnahme bot.

Ich habe sehr rasch, abgekürzt und mit der Eile, die damals meine Gedanken antrieb, zusammengefaßt, was in mir
vorging. Ich sagte fest:

»Verzeihen Sie mir, Mylord, wenn ich meine Antwort auf
die Wiederholung meiner besten Reisewünsche beschränke.«

Da erbleichte er, und plötzlich sah ich sein Kinn erzittern.

Der Unmensch, wo ist er, der mich schilt, weil bei diesem
Anblick auch mir die Augen sich röteten, vielleicht sogar feuch-
teten, aber nein, doch wohl nur etwas röteten? Anteilnahme
ist Anteilnahme – ein Kujon, der gar keine Dankbarkeit dafür aufbringt. Ich sagte:

»Aber Mylord, nehmen Sie es sich nicht so zu Herzen! Sie
haben mich getroffen und mich regelmäßig gesehen und Anteilnahme gefaßt an meiner Jugend, und ich bin aufrichtig
erkenntlich dafür, aber es steht doch recht zufällig um diese
Anteilnahme, sie könnte ebensogut auf einen anderen gefallen
sein. Bitte – ich möchte Sie nicht verletzen, noch mir die Ehre
schmälern, aber wenn ich auch ganz genauso, wie ich geschaffen bin, nur einmal da bin – jeder ist ja nur einmal da –, so
laufen doch von meinem Alter und natürlichen Bau Millionen

herum, und abgerechnet das bißchen Einmaligkeit ist einer wie
der andere beschaffen. Ich kannte eine Frau, die nahm ausdrücklich in Bausch und Bogen Anteil an dem ganzen Genre, –
es wird bei Ihnen im Grunde ebenso sein. Das Genre ist allezeit da und überall. Sie kehren nun nach Schottland zurück –
als ob es da nicht reizend vertreten wäre, und als ob Sie mich
nötig hätten, um Anteil zu nehmen! Dort trägt es karierte
Röckchen, soviel ich weiß, zu bloßen Beinen, es muß ja ein
Vergnügen sein! Dort also können Sie sich aus dem Genre
einen brillanten Kammerdiener erwählen und können gälisch
mit ihm plaudern und ihn am Ende gar adoptieren. Vielleicht,
daß er nicht so besonders geschickt ist, den Lord abzugeben,
aber das findet sich, und wenigstens ist er doch ein Landeskind.
Ich stelle ihn mir so nett vor, daß ich überzeugt bin, es wird
Ihnen in seiner Gesellschaft unsere zufällige Begegnung hier
vollständig aus dem Sinne kommen. Lassen Sie die Erinnerung
daran meine Sache sein, bei mir ist sie wohl aufgehoben. Denn
ich verspreche Ihnen, daß ich dieser Tage, in denen ich Sie
bedienen und Sie bei der Zigarrenwahl beraten durfte, und des
gewiß flüchtigen Anteils, den Sie an mir nahmen, allezeit
mit der wärmsten Ehrerbietung gedenken werde. Und essen
Sie auch mehr, Mylord, wenn ich bitten darf! Denn was die
Selbstverneinung betrifft, darin kann kein Mensch von Herz
und Verstand Ihnen zustimmen.«

So sprach ich, und etwas wohl tat es ihm doch, wenn er
auch bei meiner Erwähnung dessen im bunten Röckchen das
Haupt geschüttelt hatte. Er lächelte ganz so feinen und traurigen Mundes wie damals, als ich ihm zuerst die Selbstverneinung verwiesen hatte. Dabei nahm er einen sehr schönen
Smaragd vom Finger – ich hatte ihn oft an seiner Hand bewundert und trage ihn diesen Augenblick, während ich die Zeilen
hier verfasse. Nicht, daß er ihn mir an den Finger steckte, er
tat das nicht, sondern gab ihn mir eben nur und sagte sehr
leise und abgebrochen:

»Nehmen Sie den Ring. Ich wünsche es. Ich danke Ihnen.
Leben Sie wohl.«

Dann wandte er sich und ging. Nicht genug kann ich die Dezenz dieses Mannes dem Publikum zur Würdigung empfehlen.

Und soviel denn also von Eleanor Twentyman und Nectan Lord Kilmarnock.

Drittes Kapitel

Ich kann mein inneres Verhalten zur Welt, oder zur Gesellschaft, nicht anders als widerspruchsvoll bezeichnen. Bei allem Verlangen nach Liebesaustausch mit ihr eignete ihm nicht selten eine sinnende Kühle, eine Neigung zu abschätzender Betrachtung, die mich selbst in Erstaunen setzte. Ein Beispiel dafür ist der Gedanke, der mich zuweilen beschäftigte, wenn ich gerade, im Speisesaal oder in der Halle, die Hände mit der Serviette auf dem Rücken, einige Minuten müßig stand und die von den Blaufräcken umschwänzelte und verpflegte Hotelgesellschaft überblickte. Es war der Gedanke der *Vertauschbarkeit*. Den Anzug, die Aufmachung gewechselt, hätten sehr vielfach die Bedienenden ebensogut Herrschaft sein und hätte so mancher von denen, welche, die Zigarette im Mundwinkel, in den tiefen Korbstühlen sich rekelten – den Kellner abgeben können. Es war der reine Zufall, daß es sich umgekehrt verhielt – der Zufall des Reichtums; denn eine Aristokratie des Geldes ist eine vertauschbare Zufallsaristokratie.

Darum gelangen mir diese Gedankenexperimente öfters recht gut, wenn auch nicht immer, da ja erstens doch die Gewohnheit des Reichtums eine wenigstens oberflächliche Verfeinerung zeigt, die mir das Spiel erschwerte, und zweitens in den polierten Pöbel der Hotelsozietät immer auch eigentliche, vom Gelde unabhängige, wenn auch mit Geld versehene Vornehmheit eingesprengt war. Zuweilen mußte ich geradezu mich selbst einsetzen und konnte niemanden sonst vom Kellner-Corps dazu brauchen, wenn der Rollentausch phantasieweise gelingen sollte: so in dem Fall eines wirklich angenehmen jungen Kavaliers von leichtem und sorglos-anmutigem Betragen, der, ohne im Hotel zu wohnen, nicht selten, ein- oder zweimal die Woche, bei uns zum Diner hospitierte, und zwar in meinem Rayon. Er hatte dann bei Machatschek, für dessen besondere Gunst er offenbar zu sorgen wußte, telephonisch ein einsitziges Tischchen bestellt, und jener pflegte mich im voraus mit den Augen auf das Gedeck hinzuweisen, indem er sagte:

»Le Marquis de Venosta. Attention.«

Auch mit mir stellte Venosta, der ungefähr meines Alters war, sich auf einen kordialen und ungezwungenen, beinahe freundschaftlichen Fuß. Ich sah ihn gern hereinkommen in seiner bequemen, unbekümmerten Manier, schob ihm den Stuhl zurecht, wenn Maître Machatschek das nicht etwa selber tat, und erwiderte mit der gebotenen Färbung von Ehrerbietung seine Frage nach meinem Ergehen.

»Et vous, Monsieur le Marquis?«

»Comme ci – comme ça. – Ißt man leidlich bei Ihnen heute abend?«

»Comme ci – comme ça, – und das will sagen: sehr gut, genau wie in Ihrem Fall, Monsieur le Marquis.«

»Farceur!« lachte er. »Sie wissen viel von meinem Wohlbefinden!«

Hübsch war er weiter nicht, wenn auch von eleganter Erscheinung, mit sehr feinen Händen und nett onduliertem braunem Haar. Aber er hatte zu dicke, gerötete Kinderbakken und kleine, verschmitzte Äuglein darüber, die mir übrigens gut gefielen und deren anschlägige Lustigkeit die Melancholie Lügen strafte, die er manchmal an den Tag zu legen liebte.

»Sie wissen viel von meinem Wohlbefinden, mon cher Armand, und haben leicht reden. Augenscheinlich sind Sie begabt für Ihr Métier und also glücklich, während mir sehr zweifelhaft ist, ob ich Talent habe zu dem meinen.«

Er war nämlich Maler, studierte an der Académie des Beaux Arts und zeichnete Akt in dem Atelier seines Professors. Das und Weiteres ließ er mich wissen bei den abgerissenen kleinen Gesprächen, die zwischen uns stattfanden, während ich ihm sein Diner servierte, beim Vorlegen, beim Tellerwechseln, und die mit freundlichen Erkundigungen von seiner Seite nach meiner Herkunft, meinen Umständen begonnen hatten. Diese Fragen gaben Zeugnis von seinem Eindruck, daß ich nicht der erste beste war, und ich beantwortete sie unter Vermeidung von Einzelheiten, die diesen Eindruck hätten abschwächen können. Abwechselnd sprach er deutsch und französisch mit mir bei diesem zerstückelten Austausch. Das erstere konnte er gut, da seine Mutter, »ma pauvre mère«, von deutschem Adel war. Er war in Luxemburg zu Hause, wo seine Eltern, »mes pauvres parents«, in der Nähe der Hauptstadt ein parkumgebenes Stammschloß aus dem siebzehnten Jahrhundert bewohnten, das nach seiner Angabe ganz so aussah wie die englischen Castles, die auf den Tellern abgebildet waren, worauf ich ihm seine zwei Bratenschnitte und sein Stück Eisbombe legte. Sein Vater war großherzoglicher Kammerherr »und all das«, hatte aber nebenbei, oder eigentlich wohl hauptsächlich, seine Hand in der Stahlindustrie und war also »hübsch reich«, wie Louis, der Sohn, naiv und mit einer Handbewegung hinzufügte, die besagte: »Was wollen Sie, daß der wäre! Hübsch reich ist er natürlich.« Als ob man es ihm und seiner Lebensweise, dem dicken goldenen Kettenarmband unter seiner Manschette mit den Edelsteinknöpfen und seinen Perlen in der Hemdbrust nicht angemerkt hätte!

»Mes pauvres parents« hießen die Eltern also in seinem Munde aus empfindsamer Konvention, aber doch auch in einem gewissen wirklich bemitleidenden Sinn, weil sie nach seiner eigenen Meinung einen recht nichtsnutzigen Sohn hatten. Er hatte eigentlich an der Sorbonne die Rechtswissenschaft betreiben sollen, hatte aber dies Studium sehr bald aus übergroßer Langerweile fallenlassen und sich unter nur halber und bekümmerter Zustimmung derer in Luxemburg den schönen Künsten zugewandt – und das bei sehr geringem Glauben an seine Befähigung dazu. Aus seinen Worten ging hervor, daß er sich mit einer gewissen betrübten Selbstgefälligkeit als ein verzogenes Sorgenkind betrachtete, das seinen Eltern wenig Freude machte und, ohne daran etwas ändern zu können und zu wollen, ihnen nur zu recht gab in ihrer Besorgnis, daß er es auf nichts abgesehen habe als zu bummeln und sich bohèmehaft zu deklassieren. Was diesen zweiten Punkt betraf, so war, wie mir bald klar wurde, dabei nicht allein sein mutlos und lässig angestrebtes Künstlertum, sondern auch ein unstandesgemäßes Liebesengagement im Spiel.

Von Zeit zu Zeit nämlich kam der Marquis zum Diner nicht allein, sondern auf allerliebste Weise zu zweit. Er hatte dann bei Machatschek einen größeren Tisch bestellt, den dieser mit Blumen besonders heiter hatte schmücken lassen, und erschien um sieben Uhr in Gesellschaft eines Persönchens, das nun wirklich ausnehmend hübsch war, – ich konnte seinen Geschmack nicht beanstanden, obgleich es ein Geschmack für die beauté de diable und für das voraussichtlich rasch Vergängliche war. Vorläufig, in ihrer Jugendblüte, war Zaza – so nannte er sie – das reizendste Ding von der Welt, – Pariserin von Geblüt, type grisette, aber gehoben durch Abendkleider aus teueren Ateliers, weiß oder farbig, die er ihr natürlich hatte machen lassen, und durch raren alten Schmuck, der selbstverständlich auch sein Geschenk war, – eine vollschlanke Brünette mit wunderschönen, immer entblößten Armen, einer etwas phantastisch gebauschten und den Nacken bedeckenden Frisur, die zuweilen durch ein sehr kleidsames, turbanartiges Kopftuch mit seitlich herabhängenden Silberfransen und einem Federaufsatz über der Stirn verhüllt war, – mit Stumpfnase, süßem Plappermäulchen und dem ausgepichtesten Augenspiel.

Es war ein Vergnügen, das Pärchen zu bedienen, so wundervoll unterhielten sie sich bei ihrer Flasche Champagner, die immer, wenn Zaza mitkam, eintrat für die halbe Flasche Bordeaux, die Venosta trank, wenn er allein war. Kein

Zweifel – und auch gar kein Wunder –, daß er bis zur
Selbstvergessenheit und zur völligen Gleichgültigkeit gegen
alle Beobachtung verliebt in sie war, behext von dem Anblick ihres appetitlichen Decolletés, ihrem Geplauder, den
kleinen Zaubereien ihrer schwarzen Augen. Und sie – ich
will es meinen, daß sie sich eine Zärtlichkeit gefallen ließ und
sie vergnügt erwiderte, sie auf alle Weise anzufeuern suchte,
mit der sie einfach das Große Los gezogen hatte und auf die
sich so glänzende Zukunftsspekulationen gründen ließen. Ich
pflegte sie »Madame« anzureden; aber einmal, beim vierten
oder fünften Mal, unternahm ich es, »Madame la Marquise«
zu ihr zu sagen, womit ich großen Effekt erzielte. Sie errötete
vor freudigem Schrecken und warf ihrem Freunde einen fragenden Liebesblick zu, den seine lustigen Augen mit sich nahmen, während sie in einiger Verlegenheit auf seinen Teller
niedergingen.

Natürlich kokettierte sie auch mit mir, und der Marquis
stellte sich eifersüchtig, obgleich er ihrer wahrhaftig sicher
sein konnte.

»Zaza, du wirst mich zur Raserei bringen – tu me feras
voir rouge –, wenn du das Äugeln nicht läßt mit diesem Armand. Es würde dir nichts ausmachen, was, an einem Doppel-
mord die Schuld zu tragen, kombiniert mit einem Selbstmord ... Gesteh es nur, du hättest nichts dagegen, wenn er
hier im Smoking mit dir am Tische säße und ich im blauen
Frack euch bediente.«

Wie seltsam, daß er von sich aus das stehende Gedanken-
experiment meiner Muße, diesen stillen Versuch des Rollen-
tausches in Worte faßte! Während ich jedem von beiden eine
Menukarte zur Auswahl des Desserts überreichte, war ich keck
genug, anstelle Zazas zu erwidern:

»Da fiele Ihnen der schwierigere Part zu, Herr Marquis,
denn die Kellnerei ist ein Handwerk, Marquis zu sein aber
eine Existenz, pure et simple.«

»Excellent!« rief sie lachend, aus dem Vergnügen ihrer
Rasse am netten Wort.

»Und Sie sind sicher«, wollte er wissen, »daß Sie der Existenz pure et simple besser gewachsen wären als ich dem Handwerk?«

»Ich glaube, es wäre weder höflich noch zutreffend«, erwiderte ich, »Ihnen eine besondere Anlage zum Aufwärter zuzuschreiben, Herr Marquis.«

Sie amüsierte sich sehr.

»Mais il est incomparable, ce gaillard!«

»Deine Bewunderung wird mich töten«, sagte er mit theatralischer Verzweiflungsgebärde. »Und dabei ist er doch schließlich nur ausgewichen.«

Ich ließ es dabei sein Bewenden haben und zog mich zurück. Der Abendanzug aber, worin er mich vorstellungsweise seinen Platz hatte einnehmen lassen, war vorhanden, – ganz kürzlich hatte ich ihn mir zugelegt und hielt ihn nebst anderen Dingen in einem Stübchen verborgen, das ich mir nun doch, nicht fern vom Hotel, in einem stillen Winkel des Zentrums gemietet hatte, nicht, um dort zu schlafen – das kam nur ganz ausnahmsweise vor –, sondern um meine Privatgarderobe dort aufzubewahren und mich ungesehen umkleiden zu können, wenn ich an meinen freien Abenden ein etwas höheres Leben führen wollte, als ich in Stankos Gesellschaft geführt. Das Haus, in dem ich gemietet hatte, lag in einer kleinen Cité, einem mit Gittertoren abgeschlossenen Häuserwinkel, in den man durch die schon stille Rue Boissy d'Anglas gelangte. Es gab da weder Läden noch Restaurants; nur ein paar kleine Hotels und Privathäuser von der Art, wo man durch die nach der Straße offenstehende Tür der Portiersloge die dicke Concierge wirtschaften sieht, und der Mann sitzt bei einer Flasche Wein, daneben die Katze. In einem solchen Hause also war ich seit kurzem Aftermieter bei einer freundlichen, mir wohlgeneigten älteren Witib, die die Hälfte der zweiten Etage, ein Appartement von vier Zimmern, bewohnte. Eines davon hatte sie mir für ein mäßiges Monatsentgelt überlassen, – eine Art von kleinem Schlafsalon mit Feldbett und Marmorkamin, dem Spiegel darüber, der Pen-

dule auf der Platte, wackeligem Polstermobiliar und verruß-
ten Samtvorhängen an dem bis zum Boden reichenden Fenster, durch das man auf einen eng umbauten, in der Tiefe von
den Glasdächern der Küchen gedeckten Hof blickte. Darüber
hinweg ging die Aussicht auf die Rückfronten vornehmer
Häuser des Faubourg Saint-Honoré, wo man am Abend in
erleuchteten Wirtschaftsräumen und Schlafzimmern Diener,
Zofen und Köche umherwandeln sah. Dort drüben irgendwo,
übrigens, residierte der Fürst von Monaco, und ihm gehörte
diese ganze friedliche kleine Cité, für die er, sobald ihm der
Sinn danach stand, fünfundvierzig Millionen bekommen
konnte. Dann würde sie abgerissen werden. Aber er schien
das Geld nicht zu brauchen, un so blieb ich, auf Abruf, Gast
dieses Monarchen und Großcroupiers, ein Gedanke, dessen
eigentümlichen Reiz ich nicht verkannte.

Mein hübsches Ausgeh-Habit aus dem »Printemps« war
in dem Schrank auf dem Gange vor dem Dortoir Nummer 4
an seinem Platz. Die neuen Errungenschaften aber, ein Smo-
king-Anzug, ein Abendmantel mit seidengefütterter Pelerine,
bei dessen Auswahl ich unwillkürlich von einem immer frisch
gebliebenen Jugendeindruck, der Erinnerung an Müller-
Rosé als Attaché und Schürzenjäger, bestimmt gewesen war,
dazu ein matter Zylinderhut und ein Paar Lackschuhe,
hätte ich im Hotel nicht sehen lassen dürfen; ich hielt sie mir
in dem »Cabinet de toilette« meines Mietszimmers bereit,
einem tapezierten Verschlage, wo ein Kretonnevorhang sie
beschützte, und etwas weiße Stärkwäsche, schwarzseidene Sok-
ken und Schleifenbinder lagen in der Louis Seize-Kommode
des Zimmers. Der Gesellschaftsanzug mit seinen Atlasrevers
war nicht gerade nach Maß gemacht, er war von der Stange
weg gekauft und nur ein wenig adaptiert, saß aber meiner
Figur so vollkommen, daß ich den Kenner hätte sehen mögen,
der nicht geschworen hätte, er sei mir vom teuersten Schneider
angemessen worden. Wozu legte ich ihn und die anderen schönen Dinge in der Stille meiner Privatwohnung an?

Aber ich sagte es schon: um darin von Zeit zu Zeit,

gleichsam versuchs- und übungsweise ein höheres Leben zu
führen, in einem eleganten Restaurant der Rue de Rivoli,
der Avenue des Champs-Élysées oder in einem Hotel vom
Range des meinigen, einem noch feineren womöglich, im Ritz,
im Bristol, im Meurice zu speisen und etwa nachher in
einem guten Theater, sei es einem dem gesprochenen Drama
geweihten oder der Opéra Comique, der Großen Oper selbst
einen Logenplatz einzunehmen. Es lief dies, wie man sieht,
auf eine Art von Doppelleben hinaus, dessen Anmutigkeit
darin bestand, daß es ungewiß blieb, in welcher Gestalt ich
eigentlich ich selbst und in welcher ich nur verkleidet war:
wenn ich als livrierter Commis de salle den Gästen des
Saint James and Albany schmeichlerisch aufwartete, oder
wenn ich als unbekannter Herr von Distinktion, der den Eindruck machte, sich ein Reitpferd zu halten, und gewiß, wenn
er sein Diner eingenommen, noch mehrere exklusive Salons
besuchen würde, mich bei Tisch von Kellnern bedienen ließ,
deren keiner, wie ich fand, mir in dieser meiner anderen
Eigenschaft gleichkam. Verkleidet also war ich in jedem Fall,
und die unmaskierte Wirklichkeit zwischen den beiden Er-
scheinungsformen, das Ich-selber-Sein, war nicht bestimmbar, weil tatsächlich nicht vorhanden. Ich will auch nicht
sagen, daß ich einer der beiden Rollen, ich meine: der des
Herrn von Distinktion, mit aller Bestimmtheit den Vorzug
gegeben hätte. Ich bediente zu gut und erfolgreich, als daß
ich mich unbedingt glücklicher hätte fühlen sollen, wenn ich
der war, der sich bedienen ließ, – wozu übrigens ebensoviel
natürlich-überzeugende Anlage gehört wie zum anderen. Aber
der Abend sollte kommen, der mich auf diese andere Anlage
und Spielbegabung, diejenige zur Herrschaftlichkeit, entscheidend und auf freilich höchst beglückende, ja berauschende
Art verwies.

Viertes Kapitel

Es war ein Juli-Abend noch vor dem Nationalfeiertag, an welchem die Theatersaison endet, und im Genuß eines der Urlaube, die mir alle vierzehn Tage einmal von meinem Etablissement gegönnt waren, beschloß ich, wie schon ein paarmal vorher, auf der hübschen, gärtnerisch geschmückten Dachterrasse des Grand-Hôtel des Ambassadeurs am Boulevard St.-Germain zu dinieren, von deren luftiger Höhe man über die Blumenkästen der Brüstung hinweg sich eines weiten Blicks über die Stadt, die Seine hin, einerseits auf die Place de la Concorde und den Madeleine-Tempel, andererseits auf das Wunderwerk der Weltausstellung von 1889, den Eiffelturm, erfreute. Man fuhr dorthinauf im Lift über fünf oder sechs Stockwerke und hatte es kühl, umgeben von gedämpft konversierender guter Gesellschaft, deren Blicke jede Neugier vermieden und in die ich mich leichthin und ohne Tadel einfügte. Und die mit Schirmlämpchen versehenen Speisetische saßen in Korbfauteuils Frauen in hellen Kleidern und modisch umfangreichen, kühn geschwungenen Hutkreationen und schnurrbärtige Herren in korrektem Abendanzug gleich mir, einige sogar im Frack. Über einen solchen verfügte ich freilich nicht, aber meine Eleganz genügte vollauf, und sorglos konnte ich mich an dem freien Tische niederlassen, den der hier amtierende Oberkellner mir anwies und von dem er das zweite Couvert entfernen ließ. Über die angenehme Mahlzeit hinaus sah ich einem genußreichen Abend entgegen, denn in der Tasche hatte ich ein Billett für die Opéra Comique, wo man heute meine Lieblingsoper, »Faust«, des verstorbenen Gounod melodienreiches Meisterwerk, gab. Ich hatte es schon einmal gehört und freute mich darauf, die lieblichen Eindrücke von damals aufzufrischen.

Das nun sollte nicht sein. Ganz anderes und für mein Leben Bedeutenderes behielt an diesem Abend das Schicksal mir vor.

Ich hatte eben dem zu mir geneigten Kellner an Hand des

Menus meine Wünsche mitgeteilt und die Weinkarte gefordert, als meine Augen bei einem lässigen und absichtlich
etwas müden Hingleiten über die Speisegesellschaft einem anderen Augenpaar begegneten, einem lustig anschlägigen, – den
Augen des jungen Marquis de Venosta, der, gekleidet wie
ich, in einiger Entfernung von mir, allein, an einem Einzel-
tischchen sein Mahl hielt. Begreiflicherweise erkannte ich ihn
früher als er mich. Wie hätte es mir auch nicht leichter fallen
sollen, meinen Augen zu trauen, als es ihm fallen mußte, zu
glauben, daß er recht sähe. Nach kurzem Stirnrunzeln malte
sich das heiterste Erstaunen in seinem Gesicht; denn obgleich
ich zögerte, ihn zu grüßen (ich war nicht ganz sicher, ob es
taktvoll sein würde), machte das unwillkürliche Lächeln, mit
dem ich seinem Spähen begegnete, ihn meiner Identität –
der Identität zwischen dem Kavalier und dem Kellner – gewiß. Mit einem schrägen Zurückwerfen des Kopfes, einem
leichten Ausbreiten der Hände deutete er seine Überraschung,
sein Vergnügen an, legte seine Serviette nieder und kam zwischen den Tischen hin zu mir herüber.

»Mon cher Armand, sind Sie es oder sind Sie es nicht?
Aber verzeihen Sie meinen flüchtigen Zweifel! Und verzeihen Sie auch, daß ich mich aus Gewohnheit Ihres Vornamens
bediene – unglücklicherweise ist mir Ihr Familienname unbekannt geblieben, oder aber er ist mir entfallen. Für uns waren Sie immer einfach Armand . . .«

Ich hatte mich erhoben und schüttelte ihm die Hand, die
er mir natürlich bisher noch nie gereicht hatte.

»Nicht einmal mit dem Vornamen«, sagte ich lachend,
»stimmt es so ganz, Marquis. Armand ist nur ein nom de
guerre oder d'affaires. Genau genommen heiße ich Felix –
Félix Kroull – entzückt, Sie zu sehen.«

»Mon cher Kroull, natürlich, wie konnte es mir aus dem
Sinn kommen! Entzückt auch meinerseits, ich versichere Sie!
Comment allez-vous? Sehr gut, allem Anschein nach, obgleich
der Anschein . . . Ich biete den gleichen, und trotzdem geht
es mir schlecht. Doch, doch, schlecht. Aber lassen wir's. Und

Sie – soll ich glauben, daß Sie Ihre uns so erfreuliche Tätigkeit in Saint James and Albany quittiert haben?«

»Nicht doch, Marquis. Die läuft nebenher. Oder dies hier läuft nebenher. Ich bin hier und dort.«

»Très amusant. Sie sind ein Zauberer. Aber ich inkommodiere Sie. Ich überlasse Sie ... Vielmehr nein, wir sollten zusammenrücken. Ich kann Sie zu mir nicht hinüberbitten, mein Tisch ist zu klein. Aber ich sehe, bei Ihnen ist Platz. Zwar habe ich mein Dessert schon gehabt, aber wenn es Ihnen recht ist, nehme ich den Kaffee bei Ihnen. Oder verlangt Sie nach Einsamkeit?«

»Nicht doch, Sie sind willkommen, Marquis«, antwortete ich gelassen. Und zum Kellner gewandt: »Einen Stuhl für diesen Herrn!« Absichtlich zeigte ich mich nicht geschmeichelt und sagte von Ehre und Auszeichnung nichts, sondern begnügte mich damit, seinen Vorschlag eine gute Idee zu nennen. Er setzte sich mir gegenüber, und während ich mein Diner bestellte, ihm aber Kaffee nebst »Fine« serviert wurde, hörte er nicht auf, mich, etwas vorgebeugt über den Tisch hin, angelegentlich zu betrachten. Offenbar beschäftigte ihn meine geteilte Existenz, an deren besserem Verständnis ihm viel gelegen schien.

»Nicht wahr«, sagte er, »meine Gegenwart geniert Sie nicht beim Essen? Ich wäre unglücklich, Ihnen lästig zu fallen. Am wenigsten möchte ich das tun durch Insistenz, die immer ein Merkmal schlechter Kinderstube ist. Ein erzogener Mensch geht leise über alles hinweg, akzeptiert die Vorkommnisse, ohne zu fragen. Das kennzeichnet den Mann von Welt, wie ich angeblich einer bin. Gut, ich bin einer. Aber bei so mancher Gelegenheit, zum Beispiel bei dieser, werde ich gewahr, daß ich ein Weltmann bin ohne Weltkenntnis, ohne Lebenserfahrung, die uns doch eigentlich erst berechtigt, über die verschiedensten Erscheinungen weltmännisch hinwegzusehen. Es ist kein Vergnügen, den Weltmann zu spielen, eingehüllt in Dummheit ... Sie werden verstehen, daß unsere Begegnung hier mir ebenso merkwürdig wie erfreulich ist und

meinen Wissensdurst reizt. Geben Sie zu, daß Ihre Redewendungen vom ,Nebenherlaufen' und vom ,Hier und dort'
etwas Intrigierendes haben – für den Unerfahrenen. Um Gottes willen, essen Sie weiter und sagen Sie kein Wort! Lassen
Sie mich schwatzen und mir die Lebensweise eines Altersgenossen versuchsweise zurechtlegen, der offenbar weit mehr
Weltmann ist als ich. Voyons. Sie sind also, wie man nicht erst
hier und heute sieht, sondern schon immer sah, aus guter
Familie – bei uns Adligen, verzeihen Sie das harte Wort, sagt
man einfach ,von Familie'; aus *guter* Familie kann nur der
Bürgerliche sein. Komische Welt! – Aus guter Familie denn –
und haben sich eine Laufbahn gewählt, die Sie zweifellos
zu Zielen führen wird, wie sie Ihrer Herkunft entsprechen,
bei der es aber besonders darauf ankommt, von der Pike
auf zu dienen und vorübergehend Stellungen einzunehmen,
die den weniger Scharfblickenden darüber täuschen können,
daß er es nicht mit einem Menschen der Unterklasse, sondern
sozusagen mit einem verkappten Gentleman zu tun hat.
Richtig? – A propos: Es ist sehr nett von den Engländern,
daß sie das Wort ,gentleman' in der Welt verbreitet haben.
So hat man doch eine Bezeichnung für den, der zwar kein
Edelmann ist, aber verdiente, es zu sein, es mehr verdiente
als so mancher, der es ist und postalisch mit ,Hochgeboren'
adressiert wird, während der Gentleman nur ,Hochwohlge-
boren' heißt, – ,nur' – und dabei um ein ,wohl' ausführli-
cher ... *Ihr* Wohl! Ich lasse mir gleich auch noch zu trinken
kommen. Das heißt, wenn Sie Ihre halbe Flasche geleert haben,
so lassen wir uns zusammen eine ganze kommen ... Mit dem
,Hochgeboren' und ,Hochwohlgeboren' ist es gerade wie mit
der ,Familie' und der ,*guten* Familie', ganz analog ... Wenn
das nicht Schwatzen ist, was ich da treibe! Es ist nur, damit
Sie in Ruhe speisen und sich um mich nicht kümmern. Nehmen Sie nicht die Ente, sie ist schlecht gebraten. Nehmen
Sie von der Hammelkeule, ich habe bestätigt gefunden, was
mir der Maître versicherte, daß sie genügend lange in Milch
gelegen hat ... Enfin! Was sagte ich in bezug auf Sie? Wäh-

rend Ihr Pikendienst Sie als einen Angehörigen der unteren Klassen erscheinen läßt – es muß Ihnen geradezu Spaß machen, denke ich mir –, halten Sie natürlich innerlich an Ihrem Stande als Gentleman fest und kehren zwischendurch auch äußerlich zu ihm zurück, wie heute abend. Sehr, sehr hübsch. Aber mir vollkommen neu und verblüffend – da zeigt sich, wie wenig man, und sei man ein Weltmann, vom Leben der Menschen weiß. Technisch, verzeihen Sie, muß das ‚Hier und dort' gar nicht ganz einfach sein. Sie sind von Hause aus bemittelt, nehme ich an – bemerken Sie wohl, ich frage nicht danach, ich nehme an, was auf der Hand liegt. So sind Sie in der Lage, sich neben Ihrer dienstlichen eine Gentlemansgarderobe zu halten, und daß Sie in der einen so überzeugend wirken wie in der anderen, ist das Interessanteste.«

»Kleider machen Leute, Marquis, – oder besser wohl umgekehrt: Der Mann macht das Kleid.«

»Und Ihre Daseinsform habe ich also ungefähr richtig gedeutet?«

»Recht zutreffend.« Und ich sagte ihm, daß ich allerdings einige Mittel besäße – oh, durchaus bescheidene – und daß ich mir in der Stadt eine kleine Privatwohnung hielte, wo ich die Verwandlung meines Äußeren vornähme, in der ich jetzt das Vergnügen hätte, ihm gegenüberzusitzen.

Ich sah wohl, daß er meine Art zu essen beobachtete, und verlieh ihr, unter Vermeidung aller Affektation, eine gewisse wohlerzogene Strenge, aufrecht, Messer und Gabel bei angezogenem Ellbogen handhabend. Daß ihn mein Betragen beschäftigte, verriet er durch einige Bemerkungen über fremde Speisesitten. In Amerika, so habe er gehört, erkenne man den Europäer daran, daß er die Gabel mit der linken Hand zum Munde führe. Der Amerikaner schneide sich alles erst einmal vor, lege das Messer dann fort und speise mit der Rechten. »Hat etwas Kindliches, nicht wahr?« Übrigens wisse er es nur vom Hörensagen. Er sei nicht drüben gewesen, habe auch gar keine Lust, zu reisen, – gar keine, – nicht die geringste. – Ob ich schon etwas von der Welt gesehen?

»Mein Gott, nein, Marquis – und ja! dann doch wieder. Außer ein paar hübschen Taunusbädern nur Frankfurt am Main. Aber dann Paris. Und Paris ist viel.«

»Es ist alles!« sagte er mit Emphase. »Für mich ist es alles, und um mein Leben möchte ich es nicht verlassen, werde es aber doch tun müssen, reisen müssen, Gott sei's geklagt, ganz wider Wunsch und Willen. Ein Familiensohn, lieber Kroull, – ich weiß nicht, wieweit Sie's noch sind und am Gängelband hängen, – sind Sie doch nur aus guter Familie, während ich, hélas, von Familie bin . . .«

Er bestellte schon, da ich noch kaum mit meiner Pêche Melba fertig war, die vorhin für uns beide in Aussicht genommene Flasche Lafitte.

»Ich fange einmal damit an«, sagte er. »Haben Sie Ihren Kaffee gehabt, so stoßen Sie zu mir, und bin ich schon zu weit vorgeschritten, so nehmen wir eine neue.«

»Nun, Marquis, Sie haben es gut vor. Unter meiner Obhut im Saint James and Albany pflegten Sie mäßig zu sein.«

»Sorgen, Kummer, Herzensnot, lieber Kroull! Was wollen Sie, da bleibt nur der Bechertrost, und man lernt die Gabe des Bacchus schätzen. So heißt er doch? ,Bacchus', nicht ,Bachus', wie man aus Bequemlichkeit meistens sagt. Ich nenne es Bequemlichkeit, um kein härteres Wort zu brauchen. Sind Sie stark in der Mythologie?«

»Nicht sehr, Marquis. Da ist zum Beispiel der Gott Hermes. Aber über den bin ich kaum hinausgekommen.«

»Was haben Sie's nötig! Gelehrsamkeit, aufdringliche zumal, ist nicht Sache des Gentlemans, das hat er vom Edelmann. Es ist gute Überlieferung aus Zeiten, wo der Mann von Adel nur anständig zu Pferde zu sitzen brauchte und sonst überhaupt nichts lernte, schon gleich nicht Lesen und Schreiben. Die Bücher überließ er den Pfaffen. Davon ist unter meinen Standesgenossen viel übriggeblieben. Die meisten von ihnen sind elegante Trottel, und nicht einmal immer charmant. – Reiten Sie? – Erlauben Sie jetzt, daß ich Ihnen einschenke von diesem Sorgenbrecher! Ihr Wohl noch einmal! Oh –

meines, da haben Sie gut wünschen und darauf trinken. Dem
ist so leicht nicht zu helfen. – Sie reiten also nicht? Ich bin
überzeugt, daß Sie aufs beste dafür veranlagt, geradezu dafür
geboren sind und im Bois jeden Kavalier ausstechen würden.«

»Ich gestehe Ihnen, Marquis: fast glaube ich es selbst.«

»Das ist nicht mehr als gesundes Selbstvertrauen, lieber
Kroull. Ich nenne es gesund, weil ich es teile, weil ich Ihnen
selbst Vertrauen entgegenbringe, nicht nur in diesem Punkt ...
Lassen Sie mich ganz offen sein. Ich habe nicht den Eindruck,
daß Sie Ihrerseits eigentlich ein Mann der Vertraulichkeit und
der Herzensergießung sind. Mit einem Letzten halten Sie zurück. Irgendwie ist es ein Geheimnis mit Ihnen. Pardon, ich
bin indiskret. Daß ich so spreche, zeigt Ihnen meine eigene
Lockerkeit und Mitteilsamkeit, eben mein Vertrauen zu
Ihnen ...«

»Für das ich Ihnen aufrichtig verbunden bin, lieber Marquis. Darf ich mir erlauben, mich nach Mademoiselle Zazas
Befinden zu erkundigen? Fast war ich erstaunt, Sie ohne sie
hier zu finden.«

»Wie nett, daß Sie nach ihr fragen! Nicht wahr, Sie finden
sie reizend. Wie sollten Sie nicht? Ich erlaube es Ihnen. Ich
erlaube der ganzen Welt, sie reizend zu finden. Und doch
möchte ich sie wieder der Welt entziehen und sie allein ganz
für mich haben. Das liebe Kind hat zu tun heute abend in
ihrem kleinen Theater, den ‚Folies musicales‘. Sie ist ja vom
Soubrettenfach, wußten Sie das nicht? Zur Zeit tritt sie auf
in ‚Le don de la fée‘. Aber ich habe das Ding schon so oft
gesehen, daß ich nicht jedesmal wieder dabei sein kann. Es
macht mich auch etwas nervös, daß sie so wenig anhat bei
ihren Couplets, – das Wenige ist geschmackvoll, aber es ist
wenig, und jetzt leide ich darunter, obgleich es anfangs gerade
Schuld daran trug, daß ich mich so unsinnig in sie verliebte.
Haben Sie jemals leidenschaftlich geliebt?«

»Ich bin ganz gut in der Lage, Ihnen zu folgen, Marquis.«

»Daß Sie in Liebesdingen Bescheid wissen, glaube ich ohne
Ihre Versicherung. Und doch scheinen Sie mir der Typ, der

mehr geliebt wird, als daß er selber liebte. Habe ich unrecht?
Gut, lassen wir's in der Schwebe. Zaza hat noch im dritten
Akt zu singen. Dann werde ich sie abholen, und wir werden
in der kleinen Wohnung, die ich ihr eingerichtet habe, den
Tee miteinander nehmen.«

»Meinen Glückwunsch! Das bedeutet aber, daß wir uns
mit unserem Lafitte werden beeilen und diese hübsche Sitzung
bald werden aufheben müssen. Für mein Teil habe ich ein
Billett für die Opéra Comique in der Tasche.«

»Wirklich? Eile hab' ich nicht gern. Ich kann der Kleinen
auch telephonieren, daß sie mich etwas später zu Hause erwarten soll. Und Sie, hätten Sie etwas dagegen, erst zum zweiten
Akt in Ihre Loge zu kommen?«

»Nicht viel. ,Faust' ist eine reizende Oper. Aber wie sollte
es mich dringlicher zu ihr ziehen, als es Sie zu Mademoiselle
Zaza zieht.«

»Ich würde nämlich gern noch etwas eingehender mit Ihnen
plaudern und Ihnen von meinen Sorgen sprechen. Denn daß
ich in einer Bredouille bin, einer schweren, einer Herzensbre-
douille, müssen Sie schon manchem Wort entnommen haben,
das mir heute abend entschlüpfte.«

»Ich tat es, lieber Marquis, und habe nur auf einen Wink
gewartet, mich nach der Art Ihrer Verlegenheiten mit Teilnahme erkundigen zu dürfen. Sie betreffen Mademoiselle
Zaza?«

»Wen denn wohl sonst! Haben Sie gehört, daß ich reisen
soll? Für ein Jahr auf Reisen gehen?«

»Ein ganzes Jahr gleich! Warum denn?«

»Ach, lieber Freund, die Sache ist diese. Meine armen Eltern – ich habe Ihnen ja gelegentlich von ihnen erzählt – sind
von meiner nun schon ein Jahr währenden Liaison mit Zaza
unterrichtet, – es bedurfte dazu gar keines Klatsches und keiner anonymen Briefe, – ich selbst war kindisch und treuherzig
genug, von meinem Glück, meinen Wünschen allerlei durch-
sickern zu lassen, wenn ich ihnen schrieb. Mir liegt das Herz
auf der Zunge, wissen Sie, und von ihm zu meiner Feder ist

auch nur ein kurzer, leichter Weg. Mit Recht haben die lieben alten Herrschaften den Eindruck, daß es mir Ernst ist mit der Affaire, daß ich vorhabe, das Mädchen – oder die ‚Person‘, wie sie natürlich sagen – zu heiraten, und sind, wie ich es nicht anders hätte erwarten dürfen, außer sich darüber. Sie waren hier, bis vorgestern noch, – ich habe schwere Tage hinter mir, eine Woche unaufhörlicher Auseinandersetzungen. Mein Vater sprach mit sehr tiefer Stimme und meine Mutter mit einer sehr hohen, von Tränen vibrierenden, – der eine französisch, die andere deutsch. O bitte, es fiel kein hartes Wort, außer dem wiederkehrenden Worte ‚Person‘, das mir allerdings weher tat, als wenn sie mich einen Narren und Unzurechnungsfähigen, einen Schänder der Familienehre genannt hätten. Das taten sie nicht; sie beschworen mich nur immer wieder, ihnen und der Gesellschaft keinen Grund zu solchen Bezeichnungen zu geben, und ich versicherte sie, mit ebenfalls sehr tiefer und vibrierender Stimme, daß es mir überaus leid ist, ihnen Kummer zu bereiten. Denn sie lieben mich ja und wollen mein Bestes, nur verstehen sie sich nicht darauf, – in der Tat so wenig, daß sie für den Fall, daß ich meine skandalösen Absichten ausführte, sogar von Enterbung sprachen. Sie gebrauchten nicht das Wort, weder auf französisch noch auf deutsch, ich sagte ja, daß sie aus Liebe überhaupt mit harten Worten zurückhielten. Aber die Sache deuteten sie umschreibend an, als Konsequenz, als Drohung. Nun glaube ich zwar, daß ich bei den Verhältnissen meines Vaters und in Anbetracht der Hand, die er in der Luxemburger Stahlindustrie hat, aufs Pflichtteil gesetzt, immer noch ganz auskömmlich zu leben hätte. Aber mit der Enterbung wäre doch weder mir noch Zaza eigentlich gedient. Es würde ihr wenig Freude machen, einen Enterbten zu heiraten, das werden Sie verstehen.«

»So ziemlich. Ich kann mich da allenfalls in Mademoiselle Zazas Seele versetzen. Aber nun, die Reise?«

»Mit der verdammten Reise ist es so: Die Eltern wollen mich loseisen, – ‚man muß dich nur einmal loseisen‘, sagte

mein Vater, indem er mitten im Französischen dies deutsche
Wort gebrauchte, – ein ganz unangebrachtes Wort, ob es
nun mit Eis oder mit Eisen zu tun hat. Denn ich sitze weder
im Eise wie ein Polarfahrer – die Wärme von Zazas Bett
und ihres süßen Körpers macht diesen Vergleich einfach lächerlich –, noch sind es eiserne Fesseln, die mich halten, sondern die lieblichsten Rosenketten, deren Festigkeit ich allerdings nicht bestreite. Ich soll sie aber zerreißen, wenigstens
versuchsweise, das ist die Idee, und dazu soll die Weltreise
dienen, die die Eltern mir ausgiebig finanzieren wollen, – sie
meinen es ja so gut! Weg soll ich einmal – und zwar für
lange – von Paris, vom Théâtre des Folies musicales und von
Zaza, soll fremde Länder und Menschen sehen und dadurch
auf andere Gedanken kommen, mir ,die Grillen aus dem
Kopfe schlagen' – ,Grillen' nennen sie das – und als ein anderer Mensch zurückkehren, ein anderer Mensch! Könnten
Sie wünschen, ein anderer Mensch zu werden, ein anderer, als
der Sie sind? Sie blicken vage, aber ich, ich wünsche es nicht
im geringsten. Ich wünsche zu bleiben, der ich bin, und mir
nicht durch eine Reisekur, wie man sie mir verordnet, Herz
und Hirn umdrehen zu lassen, mich mir selbst zu entfremden
und Zaza zu vergessen. Das ist natürlich möglich. Durch
lange Abwesenheit, eingreifenden Luftwechsel und tausend
neue Erlebnisse läßt es sich bewerkstelligen. Aber gerade weil
ich das theoretisch für möglich halte, verabscheue ich das
Experiment so gründlich.«

»Bedenken Sie immerhin«, sagte ich, »daß Sie, sollten Sie
ein anderer geworden sein, Ihr früheres Selbst, das gegenwärtige, nicht vermissen und ihm nicht nachtrauern würden, einfach, weil Sie es nicht mehr sind.«

»Ist das ein Trost für mich, wie ich da bin? Wer kann vergessen wollen? Vergessen ist das erbärmlichste, unwünsch-
barste Ding von der Welt.«

»Und doch wissen Sie im Grunde, daß Ihr Abscheu vor
dem Experiment kein Beweis gegen sein Gelingen ist.«

»Ja, theoretisch. Praktisch kommt es nicht in Betracht.

Meine Eltern wollen in aller Liebe und Fürsorge einen Gefühlsmord begehen. Sie werden scheitern, ich bin dessen so sicher wie meiner selbst.«

»Das will etwas heißen. Und darf ich fragen, ob Ihre Eltern bereit sind, das Experiment eben als Experiment gelten zu lassen und, wenn es fehlschlägt, sich in Ihre Wünsche und deren erprobte Widerstandsfähigkeit zu fügen?«

»Ich habe sie das auch gefragt. Aber ich habe kein klares Ja erlangen können. Mich erst einmal ‚loszueisen‘, darauf kommt ihnen alles an, und darüber denken sie nicht hinaus. Das ist eben das Unfaire, daß ich ein Versprechen habe geben müssen, aber keines dagegen empfangen habe.«

»Sie haben also in die Reise gewilligt?«

»Was sollte ich machen? Ich kann doch Zaza nicht der Enterbung aussetzen. Ich habe es ihr auch gesagt, daß ich versprochen habe zu reisen, und sie hat sehr geweint, teils über die lange Trennung, teils weil sie natürlich Angst hat, die Kur meiner Eltern könnte anschlagen und ich könnte anderen Sinnes werden. Ich verstehe diese Angst. Hege ich sie zuweilen doch selbst. Ach, lieber Freund, was für ein Dilemma! Ich muß reisen und will es nicht; habe mich verpflichtet zu reisen – und kann es nicht. Was soll ich tun? Wer hilft mir da heraus?«

»Wirklich, Sie sind zu beklagen, lieber Marquis«, sagte ich. »Ich fühle ganz mit Ihnen, aber was Sie auf sich genommen haben, nimmt keiner Ihnen ab.«

»Nein, keiner.«

»Keiner.«

Das Gespräch versickerte für einige Augenblicke. Er drehte sein Glas. Plötzlich erhob er sich und sagte:

»Fast hätte ich vergessen . . . Ich muß meiner Freundin telephonieren. Wollen Sie mich einen Augenblick . . .«

Er ging. Es war schon ziemlich leer geworden auf der Dachterrasse. Nur an zwei anderen Tischen wurde noch bedient. Die Mehrzahl der Kellner stand müßig. Ich vertrieb mir die Zeit mit dem Rauchen einer Zigarette. Als Venosta zurückkam, bestellte er eine neue Flasche Châtau Lafitte und begann dann wieder:

»Lieber Kroull, ich habe Ihnen da von einem Konflikt mit meinen Eltern gesprochen, einem für beide Teile sehr schmerzlichen. An der schuldigen Pietät und Achtung, hoffe ich, habe ich es dabei in meinen Ausdrücken nicht fehlen lassen, noch an der Dankbarkeit, die mir trotz allem ihre liebende Fürsorge einflößt, nicht zuletzt das großzügige Angebot, womit sie diese Fürsorge bekunden, möge es auch den Charakter einer Auflage, eines Zwangsangebots tragen. Nur meine besondere Lage macht ja diese Einladung zu einer Weltreise mit allen Bequemlichkeiten zu einer so unerträglichen Zumutung, daß ich kaum verstehe, wie ich schließlich doch darauf eingehen konnte. Für jeden anderen jungen Mann, sei er von Familie oder aus guter Familie, wäre diese Einladung ja ein in allen Farben der Neuigkeit und des Abenteuers spielendes Himmelsgeschenk. Ich selbst, selbst ich, in meiner Lage, ertappe mich zuweilen dabei – ertappe mich wie auf einem Verrat an Zaza und unserer Liebe –, daß ich mir in meiner Phantasie die bunten Reize eines solchen Reisejahres ausmale, die Fülle der Gesichte, Begegnungen, Erfahrungen, Genüsse, die es unzweifelhaft mit sich brächte, wäre man für all das nur empfänglich. Bedenken Sie – die weite Welt, der Orient, Nord- und Südamerika, Ostasien. In China soll man Dienerschaft die Fülle haben. Ein europäischer Junggeselle hat ihrer ein Dutzend. Einer ist nur dafür da, ihm die Visitenkarten voranzutragen, – er läuft damit vor ihm her. Von einem tropischen Sultan habe ich gehört, daß er bei einem Sturz vom Pferde die Vorderzähne eingebüßt hat und sich hier in Paris goldene Zähne hat machen lassen. Mitten in jeden davon ist ein Brillant eingesetzt. Seine Geliebte geht in Nationaltracht, das heißt, um die Beine hat sie ein kostbares Tuch geschlungen, vorn geknotet, unter den biegsamsten Hüften, denn überhaupt ist sie schön wie ein Märchen. Um den Hals trägt sie drei, vier Reihen Perlen und darunter ebenso viele Reihen Brillanten von Fabelgröße.«

»Haben Ihre verehrten Eltern es Ihnen beschrieben?«

»Nicht gerade sie. Sie waren ja nicht da. Aber ist es nicht sehr wahrscheinlich und ganz wie man es sich vorstellt, besonders die Hüften? Ich sage Ihnen: bevorzugten Gästen, Gästen von Distinktion, soll der Sultan seine Geliebte gelegentlich abtreten. Auch das habe ich natürlich nicht von meinen Eltern, – die wissen gar nicht, was sie mir mit der Weltreise alles bieten, aber muß ich ihnen bei noch soviel Unempfänglichkeit nicht theoretisch sehr dankbar sein für ihre großzügige Auflage?«

»Unbedingt, Marquis. Aber Sie übernehmen meine Rolle, sprechen sozusagen mit meinem Munde. Es wäre ja an mir, Sie nach Möglichkeit mit dem Gedanken der von Ihnen so verabscheuten Reise zu versöhnen, nämlich durch den Hinweis auf alle die Vorteile, die sie Ihnen böte – Ihnen bieten wird –, und während Sie telephonierten, nahm ich mir vor, gerade diesen Versuch zu machen.«

»Sie hätten tauben Ohren gepredigt – und hätten Sie mir hundertmal gestanden, wie sehr Sie mich beneiden, allein um die Hüften.«

»Beneiden? Nun, Marquis, das ist nicht ganz richtig. Der Neid hätte mich nicht inspiriert bei meinen gutgemeinten Vorhaltungen. Ich bin nicht sonderlich reiselustig. Was braucht ein Pariser in die Welt zu gehen? Sie kommt ja zu ihm. Sie kommt zu uns ins Hotel, und wenn ich um die Zeit des Theaterschlusses auf der Terrasse des Café de Madrid sitze, so habe ich sie bequem zur Hand und vor Augen. Ich brauche Ihnen das nicht zu beschreiben.«

»Nein, aber bei dieser Blasiertheit haben Sie sich zuviel vorgenommen, wenn Sie gedachten, mir die Reise plausibel zu machen.«

»Lieber Marquis, ich versuche es trotzdem. Wie sollte ich nicht darauf sinnen, mich für Ihr Vertrauen erkenntlich zu erweisen? Ich habe schon daran gedacht, Ihnen vorzuschlagen, Mademoiselle Zaza einfach auf die Reise mitzunehmen.«

»Unmöglich, Kroull. Wo denken Sie hin? Sie meinen es gut, aber wo denken Sie hin! Zazas Kontrakt mit den ‚Folies musicales' lasse ich beiseite. Kontrakte kann man brechen. Aber ich kann nicht mit Zaza reisen und sie zugleich verstecken. Ohnehin hat es seine Schwierigkeiten, eine Frau, mit der man nicht verheiratet ist, durch die Welt zu führen. Aber ich wäre ja auch nicht unbeobachtet, meine Eltern haben Beziehungen da und dort, zum Teil offizieller Art, und unvermeidlich würden sie erfahren, wenn ich durch das Mitnehmen Zazas die Reise um ihren Sinn und Zweck brächte. Sie wären außer sich! Sie würden mir die Kreditbriefe sperren. Da ist zum Beispiel ein längerer Besuch auf einer argentinischen Estancia vorgesehen, bei einer Familie, deren Bekanntschaft die Eltern einmal in einem französischen Bade gemacht haben. Soll ich Zaza wochenlang allein in Buenos Aires zurücklassen, allen Gefahren dieses Pflasters ausgesetzt? Ihr Vorschlag ist undiskutierbar.«

»Ich wußte es beinahe, als ich ihn machte. Ich ziehe ihn zurück.«

»Das heißt, Sie lassen mich im Stich. Sie ergeben sich für mich darein, daß ich allein reisen muß. Sie haben gut sich ergeben! Aber ich kann es nicht. Ich muß reisen und will dableiben. Das heißt: ich muß nach dem Unvereinbaren trachten, zugleich zu reisen und dazubleiben. Das heißt wiederum: ich muß mich verdoppeln, mich zweiteilen; ein Teil von Louis Venosta muß reisen, während der andere in Paris bei seiner Zaza bleiben darf. Ich lege Wert darauf, daß dies der eigentliche wäre. Kurzum, die Reise müßte nebenherlaufen. Louis Venosta müßte hier und dort sein. Folgen Sie dem Ringen meiner Gedanken?«

»Ich versuche es, Marquis. Mit anderen Worten: es müßte *so aussehen*, als ob Sie reisten, in Wirklichkeit aber blieben Sie zu Hause.«

»Verzweifelt richtig!«

»Verzweifelt darum, weil niemand aussieht wie Sie.«

»In Argentinien weiß niemand, wie ich aussehe. Ich habe

nichts dagegen, anderwärts anders auszusehen. Es wäre mir geradezu lieb, wenn ich dort besser aussähe als hier.«

»So müßte also Ihr Name reisen, verbunden mit einer Person, die nicht Sie wäre.«

»Die aber nicht die erstbeste sein dürfte.«

»Das will ich meinen. Man könnte da nicht wählerisch genug sein.«

Er schenkte sich voll ein, trank in großen Schlucken aus und setzte das Glas nachdrücklich auf den Tisch.

»Kroull«, sagte er, »was an mir liegt, meine Wahl ist getroffen.«

»So rasch? Bei so wenig Umschau?«

»Wir sitzen uns hier doch schon eine ganze Weile gegenüber.«

»Wir? Was haben Sie im Sinn?«

»Kroull«, wiederholte er, »ich nenne Sie bei Ihrem Namen, der der Name eines Mannes aus guter Familie ist und den man natürlich auch nur vorübergehend nicht leicht verleugnet, selbst wenn man dafür das Ansehen eines Mannes von Familie gewinnt. Wären Sie dazu fähig, um einem Freund aus der Not zu helfen? Sie haben mir gesagt, Sie seien nicht reiselustig. Aber geringe Reiselust, wie leicht fällt die ins Gewicht gegen meinen Horror, Paris zu verlassen! Sie haben mir auch gesagt, ja wir sind übereingekommen, was ich meinen Eltern versprochen, das nähme keiner mir ab. Wie, wenn Sie es mir abnähmen?«

»Mir scheint, lieber Marquis, Sie verlieren sich im Phantastischen.«

»Warum? Und warum sprechen Sie vom Phantastischen wie von einer Ihnen vollkommen fremden Sphäre? Es ist doch mit Ihnen etwas Besonderes, Kroull! Ich nannte Ihre Besonderheit intrigierend, ich nannte sie schließlich sogar geheimnisvoll. Wenn ich dafür ‚phantastisch‘ gesagt hätte, – könnten Sie mir böse sein?«

»Nein doch, da Sie es nicht böse meinen.«

»Nichts weniger als das! Und darum können Sie auch

nicht böse darüber sein, daß Ihre Person mich auf diesen Gedanken gebracht hat, – daß während dieser unserer Begegnung meine Wahl – meine sehr wählerische Wahl! – auf Sie gefallen ist!«

»Auf mich als auf denjenigen, der draußen Ihren Namen führen, Sie darstellen, in den Augen der Leute *Sie* sein soll, der Sohn Ihrer Eltern, nicht nur von Ihrer Familie, sondern Sie selbst? Haben Sie sich das überlegt, wie es überlegt zu werden verdient?«

»Wo ich wirklich bin, bleibe ich ja, der ich bin.«

»Aber in der Welt draußen sind Sie ein anderer, nämlich ich. Man sieht Sie in mir. Sie treten mir ihre Person ab für die Augen der Welt. ,Wo ich wirklich bin', sagten Sie. Aber wo wären Sie wirklich? Würde das nicht etwas ungewiß, wie für mich so für Sie? Und wenn diese Ungewißheit mir recht sein könnte, wäre sie es auch Ihnen? Wäre es Ihnen nicht unbehaglich, nur sehr lokal Sie selbst zu sein, in der übrigen Welt aber, also überwiegend, als ich, durch mich, in mir zu existieren?«

»Nein, Kroull«, sagte er mit Wärme und reichte mir über den Tisch hin die Hand. »Es wäre mir nicht – Sie wären mir nicht unbehaglich. Für Louis Venosta wäre es nicht so übel, wenn Sie ihm Ihre Person abträten und er in Ihrer Gestalt herumginge, wenn also sein Name mit Ihrer Gestalt verbunden wäre, wie es ja nun, falls es Ihnen recht ist, draußen der Fall sein soll. Ich habe den dunklen Verdacht, daß es auch anderen Leuten gar nicht mißfiele, wenn diese Verbindung von Natur bestände. Die müssen vorliebnehmen mit der Wirklichkeit, deren Schwanken mir wenig Sorge macht. Denn wirklich bin ich dort, wo ich bei Zaza bin. Sie aber sind mir recht als Louis Venosta anderwärts. Mit dem größten Vergnügen erscheine ich den Leuten als Sie. Sie sind hier und dort ein patenter Kerl, in beiderlei Gestalt, als Gentleman wie als Commis de salle. Sie haben Manieren, wie ich sie manchem meiner Standesgenossen gönnen würde. Sie sprechen Sprachen, und wenn die Rede auf Mythologie kommt, was fast nie geschieht, so reichen Sie mit Hermes vollkommen aus. Mehr verlangt kein Mensch von einem Edelmann, – sogar kann man sagen, daß Sie als Bürgerlicher zu mehr verpflichtet wären. Sie werden diese Erleichterung bei Ihren Entschlüssen in Anschlag bringen. Und also: Sie sind einverstanden? Sie werden mir diesen großen Freundesdienst erweisen?«

»Sind Sie sich klar darüber«, sagte ich, »lieber Marquis, daß wir uns bis jetzt in den luftigsten Räumen bewegen und auf nichts Gegenständliches, auf keine der hundert Schwierigkeiten, mit denen zu rechnen wäre, überhaupt schon zu sprechen gekommen sind?«

»Sie haben recht«, antwortete er. »Sie tun vor allem recht, mich zu erinnern, daß ich noch einmal telephonieren muß. Ich muß Zaza erklären, daß ich so bald nicht kommen kann, weil ich in einer Unterredung begriffen bin, bei der unser Glück auf dem Spiele steht. Entschuldigen Sie mich!«

Und er ging wieder – um länger auszubleiben als das vorige Mal. Über Paris war die Dunkelheit eingefallen, und seit längerem schon lag die Dachterrasse im weißen Licht ihrer Bogenlampen. Sie hatte sich vollends geleert um diese Stunde und würde sich wohl erst nach Schluß der Theater wieder beleben. In meiner Tasche fühlte ich mein Opernbillett verfallen – ohne dem stillen Vorgang, der mir sonst schmerzlich gewesen wäre, viel Beachtung zu schenken. In meinem Kopfe tummelten sich die Gedanken, überwacht, so darf ich sagen, von der Vernunft, die sie, wenn auch mit Mühe, zur Bedachtsamkeit anhielt und ihnen nicht gestattete, in Rausch aufzugehen. Ich war froh, ein wenig allein gelassen zu sein, um ungestört die Lage mustern und manches bei mir selbst vorwegnehmen zu können, was bei der Fortsetzung des Gesprächs zu erörtern war. Der Seitenpfad, die glückhafte Abzweigung von dem Wege, den mein Pate mir eröffnet hatte, indem er selbst auf solche Gelegenheiten hingewiesen, bot sich hier überraschend an, und zwar in so verlockender Gestalt, daß es der Vernunft recht lästig fiel, zu prüfen, ob es nicht

eine Sackgasse war, die mich lockte. Sie hielt mir vor, daß es
eine Straße der Gefahren war, die ich antreten würde, eine
Straße, zu deren Begehen ein sicherer Fuß gehörte. Sie tat es
mit bemühtem Nachdruck und erreichte damit doch nur, daß
sie den Reiz eines Abenteuers erhöhte, das alle meine Gaben
zu kühner Bewährung aufrief. Umsonst warnt man den Mu-
tigen vor einer Sache, indem man ihm nachweist, daß Mut
dazu gehöre. Ich stehe nicht an zu sagen, daß ich, lange bevor
mein Partner zurückkehrte, entschlossen war, mich in das
Abenteuer zu werfen, ja daß ich dazu entschlossen gewesen
war in dem Augenblick schon, als ich ihm sagte, daß *keiner*
ihm sein Versprechen abnähme. Und meine Sorge galt weniger den praktischen Schwierigkeiten, die sich uns bei der
Ausführung des Planes entgegenstellten, als der Gefahr,
ich möchte mich durch die Fertigkeit, mit der ich diesen
Schwierigkeiten begegnete, vor ihm in ein zweifelhaftes Licht
setzen.

Übrigens war das Licht, in dem er mich sah, zweifelhaft
ohnedies; die Bezeichnungen, mit denen er meine Existenz
versehen: »intrigierend«, »geheimnisvoll«, »phantastisch«
gar, deuteten darauf hin. Ich machte mir keine Illusionen
darüber, daß er seinen Antrag nicht jedem Kavalier gemacht
hätte und, indem er ihn mir machte, mich zwar ehrte, jedoch
auf etwas zweifelhafte Weise. Dennoch konnte ich die Wärme
des Händedrucks nicht vergessen, mit dem er mir versichert
hatte, daß es ihm »nicht unbehaglich« sein würde, draußen
in meiner Person zu wandeln; und ich sagte mir, daß, wenn
hier ein Spitzbubenstreich begangen werden sollte, er, der
darauf brannte, seine Eltern zu täuschen, mehr Anteil daran
haben werde als ich, wenn ich gleich der Aktivere dabei sei.
Als er von seinem Telephongespräch zurückkehrte, nahm ich
denn auch ganz deutlich wahr, daß ihn die Idee zum guten
Teil um ihrer selbst willen, eben als Spitzbubenstreich belebte
und begeisterte. Seine Kinderbacken waren hoch gerötet,
nicht vom Weine allein, und in seinen Äuglein glitzerte die
Verschmitztheit. Wahrscheinlich hatte er noch das silberne

Lachen im Ohr, mit dem Zaza seine Andeutungen beantwortet haben mochte.

»Mein lieber Kroull«, sagte er, indem er sich wieder zu mir setzte, »wir standen schon immer auf gutem Fuß miteinander, aber wer hätte vor kurzem gedacht, daß wir einander so nahekommen würden, – bis zur Verwechslung nahe! Wir haben uns da etwas so Amüsantes ausgedacht, oder, wenn noch nicht ausgedacht, so doch entworfen, daß mir das Herz im Leibe lacht. Und Sie? Machen Sie kein so ernstes Gesicht! Ich appelliere an Ihren Humor, an Ihren Sinn für einen guten Spaß, – für einen so guten, daß es jede Mühe lohnt, ihn auszuarbeiten, ganz abgesehen von seiner Notwendigkeit für ein liebend Paar. Daß aber für Sie, den Dritten, nichts dabei abfalle, werden Sie nicht behaupten wollen. Es fällt eine Menge – es fällt eigentlich aller Spaß für Sie dabei ab. Wollen Sie das leugnen?«

»Ich bin gar nicht gewohnt, das Leben als einen Spaß aufzufassen, lieber Marquis. Leichtlebigkeit ist nicht meine Sache, gerade im Spaß nicht; denn es gibt Späße, die sehr ernst genommen werden wollen, oder es ist nichs damit. Ein guter Spaß kommt nur zustande, wenn man all seinen Ernst an ihn setzt.«

»Sehr gut. Das wollen wir tun. Sie sprachen von Problemen, Schwierigkeiten. Worin sehen Sie sie in erster Linie?«

»Am besten, Marquis, Sie lassen mich selbst ein paar Fragen stellen. Wohin geht die Ihnen auferlegte Reise?«

»Ah, mein guter Papa hat da in seiner Fürsorge eine sehr hübsche, für jeden anderen als mich höchst attraktive Route zusammengestellt: die beiden Amerika, die Südsee-Inseln und Japan, gefolgt von einer interessanten Seefahrt nach Ägypten, Konstantinopel, Griechenland, Italien und so weiter. Eine Bildungsreise, wie sie im Buche steht, wie ich sie mir, wenn Zaza nicht wäre, nicht besser wünschen könnte. Nun sind Sie es, den ich dazu beglückwünsche.«

»Für die Kosten kommt Ihr Herr Papa auf?«

»Selbstverständlich. Er hat nicht weniger als 20 000 Francs

dafür ausgeworfen, in dem Wunsch, daß ich standesgemäß reise. Die Fahrkarte nach Lissabon und das Schiffsbillett nach Argentinien, wohin ich zuerst fahren soll, sind noch nicht einmal darin eingeschlossen. Papa hat sie mir selbst besorgt und auf der ‚Cap Arcona' eine Kajüte für mich belegt. Die zwanzigtausend hat er bei der Banque de France hinterlegt, aber in Form eines sogenannten Zirkular-Kreditbriefes, der auf die Banken an den Hauptstationen der Reise lautet, sind sie in meinen Händen.«

Ich wartete.

»Den Kreditbrief übergebe ich natürlich Ihnen«, setzte er hinzu.

Ich schwieg noch immer. Er ergänzte:

»Die schon gekauften Fahrkarten natürlich auch.«

»Und wovon«, fragte ich, »wollen Sie leben, während Sie in meiner Person Ihr Geld verzehren?«

»Wovon ich – Ach so! Sie machen mich ganz perplex. Sie haben aber auch eine Art zu fragen, als ob Sie es darauf absähen, mich in Ratlosigkeit zu versetzen. Ja, lieber Kroull, wie machen wir denn das? Ich bin wirklich nicht gewöhnt, darüber nachzudenken, wovon ich das nächste Jahr leben soll.«

»Ich wollte Sie nur darauf aufmerksam machen, daß es nicht so einfach ist, seine Person auszuleihen. Doch stellen wir die Frage zurück! Ich lasse mich ungern zu ihrer Beantwortung drängen, denn das heißt, etwas wie Gerissenheit bei mir voraussetzen, aber wo es Gerissenheit gilt, bin ich schlecht zu gebrauchen. Gerissenheit ist nicht gentlemanlike.«

»Ich hielt nur für möglich, lieber Freund, daß es Ihnen gelänge, aus Ihrer anderen Existenz etwas Gerissenheit in die als Gentleman hinüberzuretten.«

»Was die beiden Existenzen verbindet ist etwas viel Dezenteres. Es sind einige bürgerliche Ersparnisse, ein kleines Bankkonto . . .«

»Auf das ich unter keinen Umständen zurückgreifen kann!«

»Wir werden es irgendwie in unsere Kalkulation einbeziehen müssen. Haben Sie übrigens etwas zu schreiben bei sich?«
Er befühlte rasch seine Taschen.

»Ja, meinen Füllfederhalter. Aber kein Papier.«

»Hier ist welches.« Und ich riß ein Blatt aus meinem Taschenbuch. »Es würde mich interessieren, Ihren Namenszug zu sehen.«

»Warum? – Wie Sie wollen.« Hand und Feder sehr schräg nach links gestellt, malte er seine Unterschrift hin und schob sie mir zu. Schon umgekehrt war sie sehr drollig anzusehen gewesen. Sie verschmähte den Schnörkel am Schluß, fing vielmehr gleich damit an. Das zeichnerisch aufgeplusterte L setzte seine untere Schleife weit rechtshin fort, ließ sie im Bogen zurückkehren und das Initial selbst von vorn durchstreichen, um dann, eingeschlossen vom vorgebildeten Oval, in enger und links geneigter Steilschrift als – ouis Marquis de Venosta weiterzulaufen. – Ich konnte mich eines Lächelns nicht enthalten, nickte ihm aber beifällig zu.

»Vererbt oder selbst erfunden?« fragte ich, indem ich die Füllfeder an mich nahm.

»Vererbt«, sagte er. »Papa macht es geradeso. Nur nicht so gut«, fügte er bei.

»Sie haben ihn also überflügelt«, sprach ich mechanisch, denn ich war mit einem ersten Versuch der Nachahmung beschäftigt, der recht gut ausfiel. »Ich brauche es gottlob nicht besser zu machen als Sie. Das wäre sogar ein Fehler.« Dabei fertigte ich eine zweite Kopie, – zu meiner geringeren Zufriedenheit. Die dritte aber war ohne Tadel. Ich strich die beiden oberen aus und reichte ihm das Blatt. Er war verblüfft.

»Unglaublich!« rief er. »Meine Schrift, wie heruntergerissen! Und Sie wollen nichts von Gerissenheit hören! Ich bin aber selbst nicht so ungerissen, wie Sie wohl glauben, und verstehe ganz gut, warum Sie das üben. Sie brauchen meine Unterschrift zum Erheben der Kreditbrief-Beträge.«

»Wie zeichnen Sie, wenn Sie an Ihre Eltern schreiben?«
Er stutzte und rief:

»Natürlich, ich muß von einigen Stationen wenigstens den
Alten schreiben, zum mindesten Postkarten. Mensch, Sie denken an alles! Ich heiße Loulou zu Hause, weil ich mich selbst
als Kind so genannt habe. Ich mache das so.«

Er machte es nicht anders als mit dem vollen Namen: malte
das plustrige L, zog das Oval und kreuzte damit von vorn
die Arabeske, die dann im Gehäuse als – oulou schräg links
gesteilt weiterging.

»Gut«, sagte ich, »das können wir. Haben Sie irgendein
Blatt von Ihrer Hand bei sich?«

Er bedauerte, keines zu haben.

»So schreiben Sie bitte.« Ich reichte ihm frisches Papier.
»Schreiben Sie: ‚Mon cher Papa, allerliebste Mama, von diesem
bedeutenden Punkt meiner Reise, einer höchst sehenswerten
Stadt, sende ich euch meine dankbaren Grüße. Ich schwelge in
neuen Eindrücken, die mich so manches vergessen lassen,
was mir in früheren Zeiten unentbehrlich schien. Euer Loulou.‘ So ungefähr.«

»Nein, genau so! Das ist ja vorzüglich. Kroull, vous êtes
admirable! Wie Sie das aus dem Ärmel schütteln –« Und er
schrieb meine Sätze, die Hand links gedreht, in Steillettern,
die ebenso eng ineinanderhingen wie die meines seligen Vaters weit auseinandergezogen gewesen, die aber um nichts
schwerer nachzuahmen waren als diese. Ich steckte das Muster
zu mir. Ich fragte ihn nach den Namen des Dienstpersonals
auf dem Schlosse zu Hause, nach dem Koch, der Ferblantier,
und dem Kutscher, der Klosmann hieß, nach dem Kammerdiener des Marquis, einem schon zittrigen hohen Sechziger
namens Radicule, und der Zofe der Marquise, Adelaide gerufen. Selbst nach den Haustieren, den Reitpferden, dem Wind-
spiel Fripon, dem Malteser Schoßhündchen der Marquise, Minime, einem Wesen, das viel an Diarrhöe litt, erkundigte ich
mich genau. Unsere Heiterkeit wuchs, je länger die Sitzung
dauerte, aber Loulous Geistesklarheit und Unterscheidungs-
gabe erfuhr mit der Zeit eine gewisse Herabsetzung. Ich wunderte mich, daß er nicht auch nach England, nach London

gehen sollte. Der Grund war, daß er es schon kannte, in London sogar zwei Jahre als Zögling einer Privatschule verbracht hatte. »Trotzdem«, sagte er, »wäre es sehr gut, wenn London in das Programm einbezogen werden könnte. Wie leicht könnte ich dann den Alten ein Schnippchen schlagen und mitten in der Reise von dort einen Sprung nach Paris und zu Zaza tun!«

»Aber Sie sind ja die ganze Zeit bei Zaza!«

»Richtig!« rief er. »Das ist ja das wahre Schnippchen. Ich dachte da an ein falsches, das gegen das wahre nicht in Betracht kommt. Pardon. Ich bitte recht sehr um Entschuldigung. Das Schnippchen ist, daß ich in neuen Eindrücken schwelge, indessen aber bei Zaza bleibe. Wissen Sie, daß ich auf meiner Hut sein muß und mich nicht etwa von hier aus nach Radicule, Fripon und Minime erkundigen darf, während ich gleichzeitig vielleicht von Sansibar aus nach ihrem Befinden frage? Das wäre natürlich nicht zu vereinigen, obgleich eine Vereinigung der Personen – bei weiter Entfernung voneinander – stattzufinden hat ... Hören Sie, die Situation bringt es mit sich, daß wir auf den Duzfuß miteinander treten sollten! Haben Sie etwas dagegen? Wenn ich zu mir selber spreche, sage ich auch nicht Sie zu mir. Ist das ausgemacht? Trinken wir aus darauf! Dein Wohl denn, Armand – ich meine Felix – ich meine Loulou. Merke wohl, du darfst nicht von Paris aus dich nach Klosmann und Adelaide erkundigen, sondern nur von Sansibar aus. Übrigens gehe ich meines Wissens gar nicht nach Sansibar und du also auch nicht. Aber gleichviel – wo ich nun auch vorwiegend sei, soweit ich hierbleibe, muß ich jedenfalls aus Paris verschwinden. Da siehst du, wie scharf ich denke. Zaza und ich, wir müssen uns dünnemachen, um mich einer spitzbübischen Redewendung zu bedienen. Sagen die Spitzbuben etwa nicht ‚sich dünnemachen‘? Aber wie sollst du, ein Gentleman und nun ein junger Mann von Familie, das wissen! Ich muß meine Wohnung kündigen und die Zazas auch. Wir werden zusammen in eine Vorstadt ziehen, eine hübsche Vorstadt, sei es

Boulogne oder Sèvres, und was von mir übrig ist – es ist genug, denn es ist bei Zaza –, tut vielleicht gut, einen anderen
Namen anzunehmen, – die Logik scheint mir zu verlangen,
daß ich mich Kroull nenne, – allerdings muß ich dafür deine
Unterschrift erlernen, wozu hoffentlich meine Gerissenheit
reicht. Dort also, während ich reise, in Versailles oder weiter
fort, werde ich Zaza und mir ein Liebesnest einrichten, ein
glückselig spitzbübisches ... Aber, Armand, ich meine: cher
Louis«, und er machte seine Äuglein so groß wie er konnte,
»beantworte mir, wenn du kannst, eine Frage: Wovon sollen
wir leben?«

Ich antwortete ihm, wir hätten die Frage bereits gelöst,
indem wir sie nur berührten. Ich geböte über ein Bankkonto
von 12 000 Francs, das im Austausch mit dem Kreditbrief
zu seiner Verfügung stehe.

Er war zu Tränen gerührt. »Ein Gentleman!« rief er aus.
»Ein Edelmann von Kopf zu Fuß! Wenn *du* kein Recht hast,
Minime und Radicule grüßen zu lassen, wer hätte es dann? In
ihrem Namen werden unsere Eltern herzlich zurückgrüßen.
Ein letztes Glas auf das Wohl des Gentlemans, der wir sind!«

Unser Zusammensein hier oben hatte die stillen Stunden
der Theaterzeit überdauert. Wir brachen auf, als die Hochter-
rasse sich in der milden Nacht wieder zu füllen begann. Gegen
meinen Protest bezahlte er beide Diners und vier Flaschen
Lafitte. Er war sehr wirr, vor Freude zugleich und vom
Wein. »Zusammen, alles zusammen!« wies er den kassierenden
Oberkellner an. »Wir sind ein und derselbe. Armand de
Kroullosta ist unser Name.«

»Sehr wohl«, entgegnete der Mann mit allduldsamem Lächeln, das ihm um so leichter fallen mochte, als sein Trinkgeld
enorm war.

Venosta brachte mich in einem Fiacre zu meinem Revier,
wo er mich absetzte. Unterwegs hatten wir ein weiteres Zusammentreffen verabredet, bei dem ich ihm meinen Barbesitz
und er mir seinen Kreditbrief nebst den vorhandenen Fahr-
scheinen überhändigen sollte.

»Bonne nuit, à tantôt, Monsieur le Marquis«, sagte er mit betrunkener Grandezza, als er mit zum Abschied die Hand schüttelte, – ich hörte die Anrede zum erstenmal aus seinem Munde, und der Gedanke an den Ausgleich von Sein und Schein, den das Leben mir gewähren, an den Schein, den es dem Sein gebührend hinzufügen wollte, überrieselte mich mit Freude.

Fünftes Kapitel

Wie doch das erfinderische Leben die Träume unserer Kindheit zu verwirklichen – sie gleichsam aus Nebelzustand in den der Festigkeit zu überführen weiß! Hatte ich die Reize des Inkognitos, die ich jetzt kostete, indem ich noch eine kleine Weile mein dienendes Handwerk weiterbetrieb, nicht phantasieweise schon als Knabe vorweggenommen, ohne daß sonst irgend jemand von meiner Prinzlichkeit eine Ahnung hatte? Ein so lustiges wie süßes Kinderspiel. Jetzt war es Wirklichkeit geworden in dem Maße, bis zu dem Grade, daß ich für eine Frist, über die hinauszusorgen ich mich weigerte, nämlich für ein Jahr, den Adelsbrief eines Markgrafen sozusagen in der Tasche hatte, – ein köstliches Bewußtsein, das ich wie einst vom Augenblick des Erwachens an durch den Tag trug, wiederum ohne daß meine Umgebung, das Haus, in dem ich den blaubefrackten Bediensteten spielte, sich dessen im geringsten versah.

Mitfühlender Leser! Ich war sehr glücklich. Ich war mir kostbar und liebte mich – auf jene gesellschaftlich nur ersprießliche Art, welche die Liebe zu sich selbst als Liebenswürdigkeit gegen andere nach außen schlagen läßt. Einen Dummkopf hätte das Bewußtsein, in dem ich wandelte, vielleicht zur Bekundung von Dünkel, zur Unbotmäßigkeit und Frechheit nach oben, zu hochnäsiger Unkameradschaftlichkeit nach unten verführt. Was mich betrifft, so war meine Artigkeit gegen die Gäste des Speisesaals nie gewinnender, die

Stimme, mit der ich zu ihnen sprach, nie weich verhaltener,
mein Betragen gegen diejenigen, die mich für ihren Standesgenossen hielten, die Kellnerkollegen, die Schlafgenossen im
Oberstock, nie heiter-kordialer gewesen als in jenen Tagen, –
gefärbt, das mag sein, von meinem Geheimnis, umspielt von
einem Lächeln, das aber dieses Geheimnis mehr hütete als es
verriet: es hütete schon aus purer Besonnenheit, denn ich
konnte wenigstens anfangs nicht unbedingt sicher sein, ob
nicht der Träger meines nun wahren Namens vielleicht schon
am Morgen nach unserer Ratssitzung, in ernüchterter Verfassung, die Abrede bereut hatte und sie zurücknehmen werde.
Ich war vorsichtig genug, nicht von heute auf morgen meinen
Brotgebern den Dienst aufzusagen; im Grunde aber konnte
ich meiner Sache sicher sein. Zu glücklich war Venosta über die
gefundene – von mir früher als von ihm gefundene – Lösung gewesen, und Zazas Magnetismus war mir Gewähr
seiner Treue.

  Ich täuschte mich nicht. Am Abend des 10. Juli hatte unsere
große Verabredung stattgefunden, und nicht wohl vor dem
24. konnte ich mich zu der weiteren, abschließenden Begegnung mit ihm frei machen. Aber schon am 17. oder 18.
sah ich ihn wieder, da er an einem dieser Abende mit seiner
Freundin bei mir im Speisesaal dinierte, nicht ohne mich,
indem er meine Beharrlichkeit anrief, der seinen sicher zu machen. »Nous persistons, n'est-ce pas?« raunte er mir beim Servieren zu, und was ich zurückgab, war ein so bestimmtes
wie diskretes »C'est entendu«. Ich bediente ihn mit einer
Achtung, die im Grunde auf Selbstachtung hinauslief, und
nannte Zaza, die es an schelmischem Augenspiel und heimlichem Gezwinker nicht fehlen ließ, mehr als einmal »Madame
la Marquise«, – ein einfacher Tribut der Dankbarkeit.

  Danach nun hatte es nichts Leichtsinniges mehr, Monsieur
Machatschek zu eröffnen, Familienumstände nötigten mich,
am 1. August den Dienst im Saint James and Albany zu quit-
tieren. Er wollte davon nichts hören, sagte, ich hätte den vorgeschriebenen Kündigungstermin versäumt, ich sei unent-

behrlich, ich würde nach solchem Weglaufen nie wieder eine Anstellung finden, er werde mein Salaire für den laufenden Monat einbehalten, und so fort. Was er damit erreichte, war nur, daß ich mit einer scheinbar nachgiebigen Verneigung beschloß, das Haus schon vor dem Ersten, und zwar sofort, zu verlassen. Denn wenn die Zeit mir lang wurde bis zum Eintritt in meine neue und höhere Existenz, – in Wirklichkeit war sie zu kurz, nämlich für meine Reisevorbereitungen, die Beschaffung der Ausstattung, die ich meinem Stande schuldete. Ich wußte: am 15. August ging mein Schiff, die »Cap Arcona«, von Lissabon. Acht Tage vorher meinte ich doch, mich dahin begeben zu sollen, – und da sieht man, wie wenig die mir verbleibende Frist für die notwendigen Anfertigungen und Einkäufe ausreichte.

Auch dies besprach ich mit dem zu Hause bleibenden Reisenden, als ich ihn nach der Abhebung meines Barvermögens, das heißt: nach dessen Überschreibung auf seinen, auf meinen Namen, von meinem Privat-Refugium aus in seiner hübschen Drei-Zimmer-Wohnung in der Rue Croix des Petits Champs aufsuchte. Das Hotel hatte ich in aller Stille und Morgenfrühe unter verachtungsvoller Zurücklassung meiner Livree und gleichmütigem Verzicht auf meine letzte Monatslöhnung verlassen. Es kostete mich einige Selbstüberwindung, dem Diener, der mir bei Venosta öffnete, meinen abgetragenen, mir längst schon widrig gewordenen Namen anzugeben, und nur der Gedanke half mir darüber hinweg, daß ich mich zum letztenmal mit ihm zu bezeichnen hatte. Louis empfing mich mit der aufgeräumtesten Herzlichkeit und hatte nichts Eiligeres zu tun, als mir den so wichtigen Zirkular-Kreditbrief für unsere Reise zu überhändigen: ein Doppelpapier, dessen einer Teil das eigentliche Kredit-Dokument, will sagen: die Bestätigung der Bank darstellte, daß der zu ihren Lasten Reisende Abhebungen bis zur Höhe der Gesamtsumme vornehmen könne, der andere die Liste der korrespondierenden Banken in den Städten enthielt, die der Inhaber zu besuchen gedachte. In diesem Büchlein war, auf der Innenseite, als Mittel der Identifikation, die Unterschriftsprobe des Berechtigten anzubringen, und Loulou hatte die Signatur in seiner mir so ganz geläufigen Art schon geleistet. Sodann übergab er mir nicht nur das Eisenbahnbillett nach der portugiesischen Hauptstadt und die Schiffskarte nach Buenos Aires, sondern es hatte der gute Junge auch einige sehr angenehme Abschiedsangebinde für mich vorbereitet: eine flache goldene Remontoir-Uhr mit Monogramm, nebst feingegliederter Platinkette und schwarzseidener, ebenfalls mit dem L.d.V. in Gold versehener Chatelaine für den Abend, dazu eine jener unter der Weste laufenden und zur hinteren Hosentasche führenden Goldketten, an der man damals Feuerzeug, Messer, Bleistift und ein zierliches Zigaretten-Etui, golden ebenfalls, zu tragen liebte. War all dies nur erfreulich, so erhob sich zu einer gewissen Feierlichkeit der Augenblick, als er mir eine genaue Kopie seines Siegelringes, die er sinnigerweise hatte anfertigen lassen, mit dem in Malachit geprägten Familienwappen, einem von Türmen flankierten und von Greifen bewachten Burgtor, an den Finger steckte. Diese Handlung, ein pantomimisches »Sei wie ich!«, erweckte zu viele Erinnerungen an bereits unserem Kindersinn vertraute Einkleidungs- und Erhöhungsgeschichten, als daß sie mich nicht eigentümlich hätte ergreifen sollen. Aber Loulous Äuglein lachten verschmitzter dabei als je und zeigten recht deutlich, daß es ihm darum zu tun war, keine Einzelheit eines Juxes zu versäumen, der ihm an und für sich und ganz abgesehen von seinem Zweck den größten Spaß machte.

So manches besprachen wir noch, bei mehreren Gläschen Benediktiner Likör und sehr guten ägyptischen Zigaretten. Seiner Handschrift wegen machte er sich nicht die geringsten Sorgen mehr, hieß aber meinen Vorschlag sehr gut, ihm Briefe, die ich unterwegs von den Eltern empfangen würde, an seine schon feststehende neue Adresse (Sèvres, Seine et Oise, Rue Brancas) einzusenden, damit ich auf etwa vorkommende und nicht vorauszusehende Einzelheiten fami-

liärer und gesellschaftlicher Art nach seinen Winken, wenn
auch verspätet und nachträglich, einzugehen vermöchte. Was
ihm noch einfiel, war, daß er sich ja in der Malerei versuchte
und daß ich an seiner Stelle wohl auch, wenigstens gelegentlich, Anzeichen davon würde an den Tag legen müssen. Wie
ich das, nom d'un nom, denn machen wolle! – Wir dürften,
sagte ich, deswegen nicht verzagen. Und ich ließ mir sein
Skizzenbuch reichen, das einige auf rauhem Papier mit sehr
weichem Bleistift oder Kreide ausgeführte Landschaftswische-
reien, außerdem mehrere weibliche Porträtköpfe, Halb- und
Ganzakte zeigte, zu denen offenbar Zaza ihm Modell gestanden oder – gelegen hatte. Den Köpfen, entworfen – ich
möchte sagen– mit einer gewissen ungerechtfertigten Kühnheit, war Ähnlichkeit zuzugestehen, – nicht viel, aber sie war
vorhanden. Die Landschaftsskizzen angehend, so war ihnen
etwas unkontrollierbar Schattenhaftes und gegenständlich
kaum Erkennbares verliehen, einfach dadurch, daß alle Li-
nien, kaum gezogen, mit einem Wisch-Utensil so gut wie aufgehoben und ineinander genebelt waren, – eine künstlerische
oder auch schwindelhafte Methode, ich bin nicht berufen,
das zu entscheiden, wohl aber entschied ich sofort, daß, ob es
nun Mogelei zu nennen war oder nicht, ich es jedenfalls auch
könne. Ich erbat mir einen seiner weichen Stifte, dazu das mit
einer vom vielen Gebrauch schon ganz geschwärzten Filz-
kappe versehene Stäbchen, womit er seinen Produkten die
Weihe der Unklarheit gab, und zeichnete, nachdem ich flüchtig in die Luft geblickt, stümperhaft genug, eine Dorf-
kirche mit vom Sturme gebeugten Bäumen daneben, indem
ich aber schon während der Arbeit die Kinderei mit dem
Filzwisch in lauter Genialität hüllte. Louis schien etwas betreten, als ich ihm das Blatt zeigte, doch auch erfreut, und
erklärte, daß ich mich unbedenklich damit sehen lassen
könne.

Um seiner Ehre willen beklagte er es, daß mir keine Zeit
blieb, nach London zu fahren, um mir bei dem berühmten
Schneider Paul, den er selbst oft beschäftigte, die notwendigen

Anzüge, den Frack, den Gehrock, den Cutaway mit fein-
gestreiftem Beinkleid, die hellen, dunklen, marineblauen Sak-
kos machen zu lassen, zeigte sich aber desto angenehmer
berührt von meiner genauen Kenntnis dessen, was mir not tat
an standesgemäßer Equipierung mit leinener und seidener
Leibwäsche, allerlei Schuhwerk, Hüten und Handschuhen.
Vieles davon hatte ich Muße, mir noch in Paris anzuschaffen, ja hätte ganz gut ein paar sogleich benötigte Anzüge noch
hier in Maßarbeit geben können, verzichtete aber auf diese
Umständlichkeit mit der frohen Begründung, daß eine auch
nur leidliche Konfektion sich an mir ausnehme wie teuerstes
Maßwerk.

Die Beschaffung eines Teils des Erforderlichen, besonders
der weißen Tropengarderobe, wurde bis Lissabon verschoben.
Venosta überließ mir für meine Pariser Einkäufe ein paar
hundert Franken, welche die Eltern ihm für seine Reise-Ad-
justierung zurückgelassen, und vermehrte sie um einige weitere hundert von dem Kapital, das ich ihm zugebracht. Aus
freiem Anstand versprach ich, ihm diese Gelder aus meinen
Ersparnissen während der Reise zurückzuerstatten. Sein
Skizzenbuch, Zeichenstifte und den hilfreichen Wischer gab
er mir auch, ein Päckchen Visitenkarten mit unserem Namen
und seiner Adresse obendrein; umarmte mich, indem er mich
unter unbändigem Lachen auf den Rücken klopfte, wünschte
mir die erdenklichste Schwelgerei in neuen Eindrücken und
entließ mich so in die Weite. –

Zwei Wochen und wenige Tage noch, geneigter Leser, und
ich rollte ihr entgegen, dieser Weite, wohl installiert in einem
spiegelgeschmückten, grau-plüschenen Halbcoupé erster Klasse
des Nord-Süd-Expreß, am Fenster, den Arm auf die Klapp-
lehne der Sofabank gestützt, das Hinterhaupt am Spitzen-
schutz der bequemen Rückenlehne, ein Bein über das andere
geschlagen, gekleidet in wohlgebügelten englischen Flanell mit
hellen Gamaschen über den Lackstiefeln. Mein dicht gepackter
Kajütenkoffer war aufgegeben, mein Handgepäck aus Kalbs-
und Krokodilsleder, durchaus mit dem eingepreßten Mono-

gramm L.d.V. und der neunzackigen Krone versehen, lag
über mir im Netze.

Mich verlangte nach keiner Beschäftigung, keiner Lektüre.
Zu sitzen und zu sein, was ich war, – welcher Unterhaltung
sonst noch bedurfte es? Sanft und träumerisch war meine
Seele davon bewegt, aber derjenige würde fehlgehen, der
glaubte, meine Zufriedenheit habe allein, oder auch nur vorwiegend, dem Umstand gegolten, daß ich nun so sehr vornehm war. Nein, die Veränderung und Erneuerung meines
abgetragenen Ich überhaupt, daß ich den alten Adam hatte
ausziehen und in einen anderen hatte schlüpfen können,
dies eigentlich war es, was mich erfüllte und beglückte. Nur
fiel mir auf, daß mit dem Existenzwechsel nicht allein köstliche Erfrischung, sondern auch eine gewisse Ausgeblasenheit
meines Inneren verbunden war, – insofern nämlich, als ich
alle Erinnerungen, welche meinem ungültig gewordenen Dasein angehörten, aus meiner Seele zu verbannen hatte. Wie ich
hier saß, hatte ich auf sie kein Anrecht mehr, – was gewiß
kein Verlust war. Meine Erinnerungen! Es war ganz und gar
kein Verlust, daß sie nicht mehr die meinen zu sein hatten.
Nur war es nicht ganz leicht, andere, die mir jetzt zukamen,
mit einiger Genauigkeit an ihre Stelle zu setzen. Ein eigentümliches Gefühl von Gedächtnisschwäche, ja Gedächtnisleere
wollte mich ankommen in meinem luxuriösen Winkel. Ich
bemerkte, daß ich nichts von mir wußte, als daß ich meine
Kindheit und erste Jugend auf einem Edelsitz im Luxemburgischen verbracht hatte, und höchstens ein paar Namen, wie
Radicule und Minime, verliehen meiner neuen Vergangenheit
einige Präzision. Ja, wollte ich mir auch nur das Aussehen des
Schlosses, in dessen Mauern ich aufgewachsen war, genauer
vor Augen führen, so war ich genötigt, die Abbildungen englischer Castles auf dem Porzellan zu Hilfe zu nehmen, von
dem ich einst, in niedriger Daseinsform, die Speisereste abzu-
streifen gehabt hatte, – was einem ganz unzulässigen Hin-
eintragen abgelegter Erinnerungen in die mir nun allein zu-
stehenden gleichkam.

Solche Erwägungen oder Betrachtungen gingen dem Träumer durch den Sinn beim rhythmischen Stampfen und Eilen des Zuges, und keineswegs sage ich, daß sie mir Kummer bereiteten. Im Gegenteil: jene innere Leere, die verschwommene Ungefährheit meiner Erinnerung vereinigten sich, wie mir schien, auf eine gewisse melancholisch schickliche Weise mit meiner Vornehmheit, und gern erlaubte ich ihnen, dem Blick, mit dem ich vor mich hinsah, einen Ausdruck still verträumter, sanft schwermütiger und nobler Unwissenheit zu verleihen.

Der Zug hatte Paris um sechs Uhr verlassen. Die Dämmerung sank, das Licht ging an, und noch schmucker erschien darin meine Privat-Behausung. Der Schaffner, schon höher an Jahren, erbat sich die Erlaubnis zum Eintreten durch sachtes Klopfen, legte salutierend die Hand an die Mütze und wiederholte die Ehrenbezeigung, als er mir meine Fahrkarte zurückgab. Dem biederen Manne, dem eine loyale und bewahrende Gesinnung vom Gesichte zu lesen war und der auf seinem Gang durch den Zug mit allen Schichten der Gesellschaft, auch mit ihren fragwürdigen Elementen, in dienstliche Berührung kam, tat es sichtlich wohl, in mir ihre wohlgeraten-vornehme, das Gemüt durch bloße Anschauung reinigende Blüte zu grüßen. Wahrhaftig brauchte er sich keine Sorge um mein Fortkommen zu machen, wenn ich nicht mehr sein Passagier sein würde. Für mein Teil ersetzte ich die Erkundigung nach seinem Familienleben durch ein huldvolles Lächeln und Nicken von Hoch zu Nieder, das ihn gewiß in seiner erhaltenden Sinnesart bis zur Kampfbereitschaft bestärkte.

Auch der Mann, welcher Platzkarten für das Diner im Speisewagen anzubieten hatte, meldete sich durch behutsames Klopfen. Ich nahm ihm eine Nummer ab; und da wenig später draußen ein Gong zur Mahlzeit rief, zog ich zwecks einiger Erfrischung meine wohl eingerichtete Handtasche für den Nacht- und Toilettebedarf zu Rate, verbesserte vor dem Spiegel den Sitz meiner Krawatte und begab mich ein paar Wagen

weiter zum Wagon-Restaurant, dessen korrekter Vorsteher
mich unter einladendem Gestenspiel zu meinem Platz geleitete
und mir den Stuhl unterschob.

An dem Tischchen saß bereits, mit den Hors-d'œuvres beschäftigt, ein älterer Herr, zierlich von Figur, etwas altmo-
disch gekleidet (mir schwebt ein vatermörderähnlicher Kragen vor, den er trug) und mit grauem Bärtchen, der, als ich
ihm artig den Abendgruß bot, mit Sternenaugen zu mir aufblickte. Ich bin außerstande, zu sagen, worauf eigentlich das
Sternenartige seines Blickes beruhte. Waren seine Augensterne
besonders hell, milde, strahlend? Gewiß, das waren sie wohl,
– aber waren es darum schon Sternenaugen? »Augenstern« ist
ja ein geläufiges Wort, aber da es nur etwas Physisches sachlich
bei Namen nennt, deckt es sich keineswegs mit der Bezeichnung, die sich mir aufdrängte, da doch etwas eigentlich Moralisches im Spiele sein muß, wenn aus Augensternen, die jeder hat, Sternenaugen werden sollen.

Ihr Blick wich nicht so bald von mir; er begleitete mein
Niedersitzen, hielt den meinen fest, und während er anfangs
nur in einem Schauen von sanftem Ernst bestanden hatte,
erblinkte nach kurzem ein gewissermaßen zustimmendes, oder
soll ich sagen: beifälliges Lächeln darin, begleitet im Bärtchen
von einem Schmunzeln des Mundes, der, sehr verspätet, als
ich schon saß und nach der Menukarte griff, meinen Gruß erwiderte. Es war gerade, als hätte ich diese Höflichkeit verab-
säumt und der Sternenäugige ginge mir darin mit belehren-
dem Beispiel voran. Unwillkürlich wiederholte ich also mein
»Bonsoir, Monsieur«, er aber schloß daran die Worte:

»Ich wünsche recht guten Appetit, mein Herr.« Mit dem
Zusatz: »Ihre Jugend wird es daran nicht fehlen lassen.«

Bedenkend, daß ein Mann mit Sternenaugen sich an Un-
gewöhnlichem dies und das erlauben könne, erwiderte ich mit
einer lächelnden Verbeugung, übrigens schon der Platte mit
Ölsardinen, Gemüsesalat und Sellerie zugewandt, die man
mir anbot. Da ich Durst hatte, gab ich dabei eine Flasche Ale
in Auftrag, was der Graubart nun wieder, ohne den Vorwurf

unerbetener Einmischung zu scheuen, mit einigen Worten
guthieß.

»Sehr vernünftig«, sagte er. »Sehr vernünftig, daß Sie sich
ein kräftiges Bier zum Abendessen bestellen. Das beruhigt
und fördert den Schlaf, während Wein meist erregend wirkt
und den Schlaf beeinträchtigt, es sei denn, daß man sich schwer
damit betrinkt.«

»Was sehr gegen meinen Geschmack wäre.«

»Ich nahm es an. – Übrigens wird nichts uns hindern, unsere
Nachtruhe beliebig zu verlängern. Wir werden nicht vor Mittag in Lisboa sein. Oder liegt Ihr Ziel näher?«

»Nein, ich fahre bis Lissabon. Eine weite Reise.«

»Wohl die weiteste, die Sie bisher unternahmen?«

»Aber eine verschwindende Strecke«, sagte ich, ohne seine
Frage direkt zu beantworten, »im Vergleich mit all denen, die
noch vor mir liegen.«

»Sieh da!« versetzte er und stutzte scherzhaft beeindruckt
mit Kopf und Brauen. »Sie sind darauf und daran, eine ernstliche Inspektion dieses Sternes und seiner gegenwärtigen Bewohnerschaft vorzunehmen.«

Seine Bezeichnung der Erde als »Stern« tat es mir sonderbar an, im Zusammenhang mit der Beschaffenheit seiner
Augen. Dazu erregte mir gleich das Wort »gegenwärtig«, das
er der »Bewohnerschaft« beigab, ein Gefühl bedeutsamer
Weitläufigkeit. Und dabei hatte seine Redeweise nebst dem
sie begleitenden Mienenspiel viel von der Art, in der man
zu einem Kinde, allerdings einem sehr feinen, spricht, – etwas zart Neckisches. In dem Bewußtsein, noch jünger auszusehen, als ich war, ließ ich es mir gefallen.

Er hatte die Suppe abgelehnt und saß müßig mir gegenüber,
höchstens damit beschäftigt, sich von seinem Vichy-Wasser
einzuschenken, was mit Vorsicht zu geschehen hatte, da der
Wagen stark rüttelte. Ich hatte vom Essen nur etwas verdutzt
zu ihm aufgeblickt, ohne auf seine Wort weiter einzugehen.
Aber offenbar wünschte er, die Konversation nicht abrei-
ßen zu lassen, denn er fing wieder an:

»Nun, so weit Ihre Reise Sie immer führen möge, – Sie
sollten den Anfang davon nicht auf die leichte Achsel nehmen, nur weil er eben bloß ein Anfang ist. Sie kommen in
ein sehr interessantes Land von großer Vergangenheit, dem
jede Reiselust Dank schuldet, da es ihr in früheren Jahrhun-
derten so manche Wege zuerst geöffnet hat. Lissabon, in dem
Sie sich hoffentlich nicht zu flüchtig umsehen werden, war einmal die reichste Stadt der Welt, dank jenen Entdeckungsfahrten, – schade, daß Sie nicht fünfhundert Jahre früher
dort vorgesprochen haben, – Sie hätten es damals eingehüllt
gefunden in den Duft der Gewürzwaren überseeischer Reiche
und hätten es Gold scheffeln sehen. An all dem schönen
Außenbesitz hat die Geschichte betrübliche Reduktionen vorgenommen. Aber, Sie werden sehen, reizvoll sind Land und
Leute geblieben. Ich nenne die Leute, weil doch in aller Reiselust ein gut Teil Verlangen steckt nach nie erfahrener Menschlichkeit, ein gut Teil von Neubegierde, in fremde Augen,
fremde Physiognomien zu blicken, sich an einer unbekannten menschlichen Körperlichkeit und Verhaltungsweise zu erfreuen. Oder wie meinen Sie?«

Was sollte ich meinen? Zweifellos werde er recht haben,
sagte ich, wenn er die Reiselust zum Teil auf diese Art Neugier oder »Neubegierde« zurückführe.

»So werden Sie«, fuhr er fort, »in dem Lande, dem Sie
entgegenfahren, einer durch ihre Kunterbuntheit recht unter-
haltenden Rassenmischung begegnen. Gemischt war schon da
Urbevölkerung, Iberer, wie Sie natürlich wissen, mit keltischem Einschlag. Aber im Lauf von zweitausend Jahren haben
Phönizier, Karthager, Römer, Vandalen, Sueven und West-
goten, dazu besonders die Araber, die Mauren mitgearbeitet,
den Typ zu schaffen, der Sie erwartet, – einen netten Zuschuß
von Negerblut nicht zu vergessen, von den vielen schwarz-
häutigen Sklaven her, die eingeführt wurden zu der Zeit, als
man die ganze afrikanische Küste besaß. Sie dürfen sich
nicht wundern über eine gewisse Qualität des Haares, gewisse
Lippen, einen gewissen melancholischen Tierblick, die wohl

einmal auftreten. Aber das maurisch-berberische Rassenele-
ment, so werden Sie finden, wiegt entschieden vor – aus einer
langen Periode arabischer Herrschaft. Das Gesamtresultat ist
ein nicht eben reckenhafter, aber recht liebenswürdiger Schlag:
dunkelhaarig, von etwas gelblicher Haut und eher zierlich von
Statur, mit hübschen, intelligenten braunen Augen . . .«

»Ich freue mich aufrichtig«, sagte ich und fügte hinzu:
»Darf ich fragen, mein Herr, ob Sie selbst Portugiese sind?«

»Doch nicht«, antwortete er. »Aber schon lange bin ich
dort eingewurzelt. Nur auf einen Sprung war ich jetzt in
Paris, – in Geschäften. In amtlichen Geschäften. – Was ich
sagen wollte: Das arabisch-maurische Gepräge werden Sie bei
einiger Umschau auch in der Architektur des Landes überall
wiederfinden. Was Lissabon betrifft, so muß ich Sie auf seine
Armut an historischen Baulichkeiten vorbereiten. Die Stadt,
wissen Sie, liegt in einem Erdbebenzentrum, und allein das
große Beben im vorigen Jahrhundert hat sie zu zwei Drit-
teln in Schutt gelegt. Nun, sie ist wieder zu einem recht
schmucken Platz geworden und bietet Sehenswürdigkeiten, auf
die ich Sie nicht genug hinweisen kann. Unser Botanischer
Garten auf den westlichen Anhöhen, das sollte Ihr erster Gang
sein. Er hat in ganz Europa nicht seinesgleichen dank einem
Klima, worin die tropische Flora ebenso gedeiht wie die der
mittleren Zone. Von Araukarien, Bambus, Papyros, Yuccas
und jeder Art Palmen strotzt der Garten. Aber mit eigenen
Augen werden Sie Pflanzen dort sehen, die eigentlich gar
nicht der gegenwärtigen Vegetation unseres Planeten angehören, sondern einer früheren, nämlich Farnbäume. Gehen Sie
sogleich und sehen Sie sich die Baumfarne aus der Steinkohlenzeit an! Das ist mehr als kurzatmige Kulturhistorie. Das
ist Erdaltertum.«

Wieder kam das Gefühl unbestimmter Weitläufigkeit mich
an, das seine Worte mir schon einmal erregt hatten.

»Ich werde gewiß nicht verfehlen«, versicherte ich.

»Sie müssen verzeihen«, glaubte er anfügen zu sollen, »daß
ich Sie in dieser Weise mit Direktiven versehe und Ihre

Schritte zu lenken suche. Wissen Sie aber, woran Sie mich
erinnern?«

»Ich bitte, es mir zu sagen«, antwortete ich lächelnd.

»An eine Seelilie.«

»Das klingt nicht wenig schmeichelhaft.«

»Nur weil es Ihnen wie der Name einer Blume klingt. Die
Seelilie ist aber keine Blume, sondern eine festsitzende Tier-
form der Tiefsee, zum Kreis der Stachelhäuter gehörig und
davon wohl die altertümlichste Gruppe. Wir haben eine
Menge Fossilien davon. Solche an ihren Ort gebundenen Tiere
neigen zu blumenhafter Form, will sagen zu einer stern-
und blütenartigen Rundsymmetrie. Der Haarstern von heute,
Nachkomme der frühen Seelilie, sitzt nur noch in seiner Jugend
an einem Stiele im Grunde fest. Dann macht er sich frei, eman-
zipiert sich und abenteuert schwimmend und kletternd an
den Küsten herum. Verzeihen Sie die Gedankenverbindung,
aber so, eine moderne Seelilie, haben Sie sich vom Stengel gelöst und gehen auf Inspektionsfahrt. Man ist versucht, den
Neuling der Beweglichkeit ein wenig zu beraten ... Übrigens: Kuckuck.«

Einen Augenblick dachte ich, es sei nicht ganz richtig mit
ihm, verstand aber dann, daß er, obwohl so viel älter als ich,
sich mir vorgestellt hatte.

»Venosta«, beeilte ich mich mit etwas schräger Verneigung
gegen ihn zu erwidern, da man mir gerade von links den
Fisch servierte.

»*Marquis* Venosta?« fragte er mit leichtem Emporziehen der
Brauen.

»Bitte«, antwortete ich anheimstellend und beinahe abwehrend.

»Von der Luxemburger Linie, nehme ich an. Ich habe die
Ehre, eine römische Tante von Ihnen zu kennen, Contessa
Paolina Centurione, die ja eine geborene Venosta ist, vom
italienischen Stamm. Und der ist wieder mit den Széchényis in
Wien und also mit den Esterhazys von Galantha versippt.
Sie haben, wie Sie wissen, überall Vettern und Nebenver-

wandte, Herr Marquis. Meine Beschlagenheit darf Sie nicht
überraschen. Geschlechts- und Abstammungskunde ist mein
Steckenpferd, – besser gesagt: meine Profession. Professor
Kuckuck«, vervollständigte er seine Vorstellung. »Paläontolog und Direktor des Naturhistorischen Museums in Lissabon, eines noch nicht genügend bekannten Instituts, dessen
Gründer ich bin.«

Er zog sein Täschchen und reichte mir seine Karte hinüber,
was mich bestimmte, ihm auch meine, das heißt: diejenige
Loulous, zu geben. Auf seiner fand ich seine Vornamen:
Antonio José, seinen Titel, sein Amtsverhältnis und seine
Lissabonner Adresse. Was die Paläontologie betraf, so hat-
ten mir seine Reden über die Bewandtnis, die es mit diesem
Fach hatte, einige Fingerzeige gegeben.

Wir lasen beide mit dem Ausdruck von Achtung und Vergnügen. Dann steckten wir die beiderseitigen Karten zu uns,
indem wir kurz dankende Verbeugungen tauschten.

»Ich kann wohl sagen, Herr Professor«, fügte ich artig
hinzu, »daß ich Glück gehabt habe mit meiner Tischanwei-
sung.«

»Durchaus meinerseits«, erwiderte er. – Wir hatten bisher
Französisch gesprochen; jetzt erkundigte er sich:

»Ich vermute, Sie beherrschen das Deutsche, Marquis Venosta? Ihre Frau Mutter, soviel ich weiß, stammt aus dem
Gothaischen – meiner eigenen Heimat nebenbei –, eine geborene Baroneß Plettenberg, wenn ich nicht irre? Sehen Sie,
ich bin im Bilde. Wir können also wohl . . .«

Wie hatte Louis nur versäumen können, mich zu instruie-
ren, daß meine Mutter eine Plettenberg war! Ich fing es als
Neuigkeit auf und ließ es mir zur Bereicherung meines Gedächtnisses dienen.

»Aber gern«, antwortete ich, die Sprache wechselnd, auf
seinen Vorschlag. »Mein Gott, als ob ich nicht während meiner
ganzen Kindheit reichlich Deutsch geplappert hätte, nicht
nur mit Mama, sondern auch mit unserem Kutscher Klosmann!«

»Und ich«, versetzte Kuckuck, »bin meiner Muttersprache fast ganz entwöhnt und nehme nur zu gern die Gelegenheit wahr, mich wieder einmal in ihren Formen zu bewegen. Ich bin jetzt siebenundfünfzig, – fünfundzwanzig Jahre sind es schon, daß ich nach Portugal kam. Ich habe ein Landeskind geheiratet – eine geborene da Cruz, da wir schon bei Namen und Herkünften sind –, erzportugiesisches Blut, und dem liegt, wenn schon fremd geredet werden soll, das Französische entschieden näher als das Deutsche. Auch unsere Tochter, bei aller Zärtlichkeit, die sie mir trägt, ist sprachlich dem Papa nicht entgegengekommen und zieht es vor, neben dem Portugiesischen sehr reizend Französisch zu plaudern. Überhaupt ein reizendes Kind. Zouzou nennen wir sie.«

»Nicht Zaza?«

»Nein Zouzou. Es kommt von Suzanna. Woher mag Zaza kommen?«

»Ich kann es beim besten Willen nicht sagen. Ich bin dem Namen gelegentlich begegnet – in Künstlerkreisen.«

»Sie bewegen sich in Künstlerkreisen?«

»Unter anderem. Ich bin selbst ein wenig Künstler, Maler, Graphiker. Ich studierte bei Professor Estompard, Aristide Estompard von der Académie des Beaux Arts.«

»Oh, ein Künstler zu alledem. Sehr erfreulich.«

»Und Sie, Herr Professor, waren in Paris gewiß im Auftrage Ihres Museums?«

»Sie erraten es. Zweck meiner Reise war, vom Paläozoologischen Institut ein paar uns wichtige Skelettfragmente zu erwerben, – Schädel, Rippen und Schulterblatt einer längst ausgestorbenen Tapir-Art, von der über viele Entwicklungsstufen hin unser Pferd abstammt.«

»Wie, das Pferd stammt vom Tapir?«

»Und vom Nashorn. Ja, Ihr Reitpferd, Herr Marquis, hat sehr verschiedene Escheinungsformen durchlaufen. Zeitweise, obgleich schon Pferd, hatte es Liliput-Format. Oh, wir haben gelehrte Namen für alle seine früheren und frühesten Zustände, Namen, die alle auf ‚hippos‘, ‚Pferd‘, ausgehen, angefangen mit ‚Eohippos‘, – jener Stamm-Tapir nämlich lebte im Erdalter des Eozäns.«

»Im Eozän. Ich verspreche Ihnen, Professor Kuckuck, mir das Wort zu merken. Wann schrieb man das Eozän?«

»Kürzlich. Es ist Erdenneuzeit, etwelche hunderttausend Jahre zurück, als zuerst die Huftiere aufkamen. – Übrigens wird es Sie als Künstler interessieren, daß wir Spezialisten beschäftigen, Meister in ihrer Art, die nach den Skelettfunden all die vergangenen Tierformen höchst anschaulich und lebensvoll rekonstruieren, wie auch den Menschen von einst.«

»Den Menschen?«

»Wie auch den Menschen.«

»Den Menschen des Eozäns?«

»Das wird ihn schwerlich gekannt haben. Wir müssen gestehen, sein Andenken verliert sich ein wenig im Dunkeln. Daß seine Ausbildung sich spät, erst im Rahmen der Entwicklung der Säugetiere vollzogen hat, liegt wissenschaftlich auf der Hand. Er ist, wie wir ihn kennen, ein Spätkömmling dahier, und die biblische Genesis hat vollkommen recht, in ihm die Schöpfung gipfeln zu lassen. Nur kürzt sie den Prozeß ein wenig drastisch ab. Das organische Leben auf Erden ist schlecht gerechnet fünfhundertfünfzig Millionen Jahre alt. Bis zum Menschen hat es sich Zeit genommen.«

»Sie sehen mich außerordentlich gepackt durch Ihre Angaben, Herr Professor.«

Ich war es. Ich war außerordentlich gepackt – schon jetzt, und dann in immer wachsendem Maß. Mit so gespannter, mein Innerstes erfüllender Anteilnahme hörte ich diesem Manne zu, daß ich fast ganz das Essen darüber vergaß. Man bot mir die Schüsseln, und ich nahm davon auf meinen Teller, führte auch wohl einen Bissen zum Munde, hielt aber dann die Kiefer still, um seinen Worten zu lauschen, indem ich, Gabel und Messer untätig in Händen, in sein Gesicht, seine »Sternenaugen« blickte. Ich kann die Aufmerksamkeit nicht nennen, mit der meine Seele alles, was er in der Folge noch sagte, in sich sog. Aber wäre ich ohne sie, ohne diese Inständigkeit der Aufnahme, wohl heute, nach so vielen Jahren, imstande, dieses Tischgespräch wenigstens in seinen Hauptpunkten fast wörtlich, ich glaube: ganz wörtlich wiederzugeben? Er hatte von Neugier, einer Neubegier gesprochen, die den wesentlichen Bestandteil der Reiselust bilde, und schon darin hatte, so erinnere ich mich, etwas eigentümlich Herausforderndes, ins Gefühl Dringendes gelegen. Gerade diese Art von Provokation und Berührung heimlichster Fibern sollte sich im Verlauf seiner Reden und Auskünfte bis zur berauschenden Unermeßlichkeit des Reizes steigern, obgleich er ständig sehr ruhig, kühl, gemessen, zuweilen mit einem Lächeln auf den Lippen sprach . . .

»Ob ihm noch eine ebenso lange Frist bevorsteht, dem Leben«, fuhr er fort, »wie die, die hinter ihm liegt, kann niemand sagen. Seine Zähigkeit ist freilich enorm, besonders in seinen untersten Formen. Wollen Sie glauben, daß die Sporen gewisser Bakterien die unbehagliche Temperatur des Weltraums, minus zweihundert Grad, volle sechs Monate aushalten, ohne zugrunde zu gehen?«

»Das ist bewundernswert.«

»Und doch sind Entstehung und Bestand des Lebens an bestimmte, knapp umschriebene Bedingungen gebunden, die ihm nicht allezeit geboten waren, noch allezeit geboten sein werden. Die Zeit der Bewohnbarkeit eines Sternes ist begrenzt. Es hat das Leben nicht immer gegeben und wird es nicht immer geben. Das Leben ist eine Episode, und zwar, im Maßstabe der Äonen, eine sehr flüchtige.«

»Das nimmt mich ein für dasselbe«, sagte ich. Das Wort »dasselbe« gebrauchte ich aus purer Erregung und weil mir daran lag, mich über den Gegenstand formell und buchdeutsch auszudrücken. »Es gibt da«, setzte ich hinzu, »ein Liedchen: ,Freut euch des Lebens, weil noch das Lämpchen glüht.' Ich habe es früh erklingen hören und immer gern gehabt, aber durch Ihre Worte von der ,flüchtigen Episode' nimmt es nun freilich eine ausgedehntere Bedeutung an.«

»Und wie das Organische sich beeilt hat«, sprach Kuckuck

weiter, »seine Arten und Formen zu entwickeln, gerade als
ob es gewußt hätte, daß das Lämpchen nicht ewig glühen
wird. Besonders gilt das für seine Frühzeit. Im Kambrium –
so nennen wir die unterste Erdschicht, die tiefste Formation
der paläozoischen Periode – steht es um die Pflanzenwelt
freilich noch dürftig: Seetange, Algen, weiter kommt noch
nichts vor, – das Leben stammt aus dem Salzwasser, dem
warmen Urmeer, müssen Sie wissen. Aber das Tierreich ist
da sofort nicht nur durch einzellige Urtiere, sondern durch
Hohltiere, Würmer, Stachelhäuter, Gliederfüßler vertreten,
das will sagen: durch sämtliche Stämme mit Ausnahme der
Wirbeltiere. Es scheint, von den fünfhundertfünfzig Millionen Jahren hat es keine fünfzig gedauert, bis die ersten Verte-
braten aus dem Wasser an Land gingen, von dem damals
schon einiges bloßlag. Und dann ist es mit der Evolution, der
Aufspaltung der Arten dermaßen vorangegangen, daß nach
bloßen zweihundertfünfzig weiteren Jahrmillionen die
ganze Arche Noah einschließlich der Reptilien da war, – nur
die Vögel und Säugetiere standen noch aus. Und das alles
vermöge der einen Idee, die die Natur in anfänglichen Zeiten
faßte und mit der zu arbeiten sie bis hin zum Menschen nicht
abgelassen hat –«

»Ich bitte recht sehr, mir dieselbe zu nennen!«

»Oh, es ist nur die Idee des Zellenzusammenlebens, nur
der Einfall, das glasig-schleimige Klümpchen des Urwesens,
des Elementarorganismus nicht allein zu lassen, sondern, anfangs aus wenigen davon, dann aus Abermillionen, übergeordnete Lebensgebilde, Vielzeller, Großindividuen herzustellen, sie Fleisch und Blut bilden zu lassen. Was wir das
‚Fleisch‘ nennen und was die Religion als schwach und sündig, als ‚der Sünde bloß‘ mißbilligt, ist ja nichts als solche
Ansammlung organisch spezialisierter Kleinindividuen, Viel-
zelligkeitsgewebe. Mit wahrem Eifer hat die Natur diese ihre
eine, ihr teuere Grundidee verfolgt – mit Übereifer zuweilen –, ein paarmal hat sie sich dabei zu Ausschweifungen
hinreißen lassen, die sie reuten. Tatsächlich hielt sie schon bei

den Säugetieren, als sie noch eine Wucherung von Leben zuließ wie den Blauwal, groß wie zwanzig Elefanten, ein Monstrum, auf Erden gar nicht zu halten und zu ernähren, – sie schickte es ins Meer, wo es nun als riesige Trantonne, mit zurückgebildeten Hinterbeinen, Flossen und Ölaugen, seiner Daseinsmasse zu mäßiger Freude, Jagdwild der Fettindustrie, in unbequemer Lage seine Jungen säugt und Krebschen schlingt. Aber viel früher schon, anfangs des Mittelalters der Erde, Triasformation, lange bevor ein Vogel sich in die Lüfte schwang oder ein Laubbaum grünte, finden wir Ungeheuer, Reptile, die Dinosaurier, – Burschen von einer Raumbeanspruchung, wie sie hienieden nicht schicklich ist. So ein Individuum war hoch wie ein Saal und lang wie ein Eisenbahnzug, es wog vierzigtausend Pfund. Sein Hals war wie eine Palme und der Kopf im Verhältnis zum Ganzen lächerlich klein. Dieses übermäßige Körpergewächs muß strohdumm gewesen sein. Übrigens gutmütig, wie die Unbehilflichkeit es mit sich bringt . . .«

»Also wohl nicht sehr sündig, trotz so vielem Fleisch.«

»Aus Dummheit wohl nicht. – Was soll ich Ihnen noch von den Dionosauriern sagen? Vielleicht dies: sie hatten eine Neigung zum Aufrechtgehen.«

Und Kuckuck richtete seine Sternenaugen auf mich, unter deren Blick etwas wie Verlegenheit mich überkam.

»Nun«, sagte ich mit gemachter Nonchalance, »dem Hermes werden diese Herrschaften wenig geglichen haben beim Aufrechtgehen.«

»Wie kommen Sie auf Hermes?«

»Verzeihung, bei meiner Erziehung auf dem Schloß wurde aufs Mythologische immer viel Wert gelegt. Eine persönliche Liebhaberei meines Hauslehrers . . .«

»Oh, Hermes«, erwiderte er. »Eine elegante Gottheit. – Ich nehme keinen Kaffee«, sagte er zum Kellner. »Geben Sie mir noch eine Flasche Vichy! – Ein eleganter Gott«, wiederholte er. »Und maßvoll als Gebilde, nicht zu klein, nicht zu groß, von Menschenmaß. Ein alter Baumeister pflegte zu

sagen, daß, wer bauen wolle, zuerst die Vollkommenheit der
menschlichen Figur erkannt haben müsse, denn in dieser seien
die tiefsten Geheimnisse der Proportion verborgen. Mystiker
der Verhältnismäßigkeit wollen wissen, daß der Mensch –
und also der menschengestaltige Gott – nach seinem Wuchs
die genaue Mitte halte zwischen der Welt des ganz Großen
und der des ganz Kleinen. Sie sagen, der größte materielle
Körper im All, ein roter Riesenstern, sei ebensoviel größer
als der Mensch, wie der winzigste Bestandteil des Atoms, ein
Etwas, das man um hundert Billionen im Durchmesser vergrößern müßte, um es sichtbar zu machen, kleiner ist als er.«

»Da sieht man, was es hilft, aufrecht zu gehen, wenn man
das Wohlmaß nicht hält.«

»Sehr anschlägig nach allem, was man hört«, fuhr mein
Tischgenosse fort, »soll er gewesen sein, Ihr Hermes, in seiner
griechischen Proportioniertheit. Das Zellengewebe seines Gehirns, wenn man bei einem Gott davon sprechen darf, muß
also besonders pfiffige Formen angenommen haben. Aber
eben: stellt man ihn sich nicht aus Marmor, Gips oder Am-
brosia vor, sondern als lebendigen Leib von menschenförmigem
Bau, so ist doch auch bei ihm viel Natur-Altertum rückständig. Es ist ja bemerkenswert, wie urtümlich, im Gegensatz
zum Gehirn, Arme und Beine des Menschen geblieben sind.
Sie haben alle Knochen bewahrt, die man schon bei den
primitivsten Landtieren findet.«

»Das ist packend, Herr Professor. Es ist nicht die erste pak-
kende Mitteilung, die Sie mir machen, aber sie gehört zu den
packendsten. Die Knochen der menschlichen Arme und Beine
wie bei den urtümlichsten Landtieren! Nicht daß ich mich
daran stieße, aber es packt mich. Ich rede nicht von den berühmten Hermesbeinen. Aber nehmen Sie einen reizenden
vollschlanken Frauenarm, wie er uns, wenn wir Glück haben,
wohl umschließt, – zum Kuckuck – pardon, ich wollte keinen
Mißbrauch – aber man sollte nicht denken –«

»Es scheint mir, lieber Marquis, ein gewisser Extremitäten-
kult bei Ihnen vorzuliegen. Er hat seinen guten Sinn als Ab-

neigung eines entwickelten Wesens gegen die fußlose Wurm-
form. Was aber den vollschlanken Frauenarm angeht, so sollte
man bei dieser Gliedmaße sich gegenwärtig halten, daß sie
nichts anderes ist als der Krallenflügel des Urvogels und die
Brustflosse des Fisches.«

»Gut, gut, ich werde in Zukunft daran denken. Ich glaube
versichern zu können, daß ich es ohne Bitterkeit, ohne Ernüchterung, vielmehr mit Herzlichkeit tun werde. Aber der
Mensch, so hört man immer, stammt doch vom Affen ab?«

»Lieber Marquis, sagen wir lieber: er stammt aus der Natur
und hat seine Wurzel in ihr. Von der Ähnlichkeit seiner
Anatomie mit der der höheren Affen sollten wir uns vielleicht nicht zu sehr blenden lassen, man hat gar zuviel Auf-
hebens davon gemacht. Die bewimperten Blauäuglein und die
Haut des Schweines haben vom Menschlichen mehr als irgendein Schimpanse, – wie ja denn auch der nackte Körper des
Menschen sehr oft an das Schwein erinnert. Unserm Gehirn
aber, nach dem Hochstande seines Baus, kommt das der Ratte
am nächsten. Anklänge ans Tier-Physiognomische finden Sie
unter Menschen auf Schritt und Tritt. Sie sehen da den Fisch
und den Fuchs, den Hund, den Seehund, den Habicht und den
Hammel. Andererseits will alles Tierische uns, ist uns nur der
Blick dafür aufgetan, als Larve und schwermütige Verzaube-
rung des Menschlichen erscheinen ... O doch, Mensch und
Tier, die sind verwandt genug! Wollen wir aber von Abstammung reden, so stammt der Mensch vom Tier, ungefähr
wie das Organische aus dem Unorganischen stammt. Es kam
etwas hinzu.«

»Hinzu? Was, wenn ich fragen darf?«

»Ungefähr das, was hinzukam, als aus dem Nichts das
Sein entsprang. Haben Sie je von Urzeugung gehört?«

»Mir liegt außerordentlich daran, von derselben zu hören.«

Er blickte sich flüchtig um und eröffnete mir dann mit einer
gewissen Vertraulichkeit – offenbar nur, weil ich es war, der
Marquis de Venosta:

»Es hat nicht eine, sondern drei Urzeugungen gegeben: Das

Entspringen des Seins aus dem Nichts, die Erweckung des Lebens aus dem Sein und die Geburt des Menschen.«

Kuckuck nahm einen Zug Vichy nach dieser Äußerung. Er behielt das Glas dabei in beiden Händen, da wir in einer Kurve schlenkerten. Die Besetzung des Speisewagens hatte sich schon gelichtet. Die Kellner standen meist müßig. Nach einer vernachlässigten Mahlzeit nahm ich jetzt ein übers andere Mal Kaffee, schreibe aber nicht diesem Umstande allein die immer wachsende Aufregung zu, die mich beherrschte. Vorgebeugt saß ich und hörte dem kuriosen Reisegefährten zu, der mir vom Sein sprach, vom Leben, vom Menschen – und vom Nichts, aus dem das alles gezeugt sei und in das alles zurückkehren werde. Ohne Zweifel, sagte er, sei nicht nur das Leben auf Erden eine verhältnismäßig rasch vorübergehende Episode, *das Sein sei selbst eine solche* – zwischen Nichts und Nichts. Es habe das Sein nicht immer gegeben und werde es nicht immer geben. Es habe einen Anfang gehabt und werde ein Ende haben, mit ihm aber Raum und Zeit, denn die seien nur durch das Sein und durch dieses aneinander gebunden. Raum, sagte er, sei nichts weiter als die Ordnung oder Beziehung materieller Dinge untereinander. Ohne Dinge, die ihn einnähmen, gäbe es keinen Raum und auch keine Zeit, denn Zeit sei nur eine durch das Vorhandensein von Körpern ermöglichte Ordnung von Ereignissen, das Produkt der Bewegung, von Ursache und Wirkung, deren Abfolge der Zeit Richtung verleihe, ohne welche es Zeit nicht gebe. Raum- und Zeitlosigkeit aber, das sei die Bestimmung des Nichts. Dieses sei ausdehnungslos in jedem Sinn, stehende Ewigkeit, und nur vorübergehend sei es unterbrochen worden durch das raum-zeitliche Sein. Mehr Frist, um Äonen mehr, sei dem Sein gegeben als dem Leben; aber einmal, mit Sicherheit, werde es enden, und mit ebensoviel Sicherheit entspreche dem Ende ein Anfang. Wann habe die Zeit, das Geschehen begonnen? Wann sei die erste Zuckung des Seins aus dem Nichts gesprungen kraft eines »Es werde«, das mit unweigerlicher Notwendigkeit bereits das »Es vergehe« in sich geschlossen

habe? Vielleicht sei das »Wann« des Werdens nicht gar so
lange her, das »Wann« des Vergehens nicht gar so lange hin –
nur einige Billionen Jahre her und hin vielleicht ... Unterdessen feiere das Sein sein tumultuöses Fest in den unermeßli-
chen Räumen, die sein Werk seien und in denen es Entfernun-
gen bilde, die von eisiger Leere starrten. Und er sprach mir
von dem Riesenschauplatz dieses Festes, dem Weltall, diesem
sterblichen Kinde des ewigen Nichts, angefüllt mit materiellen
Körpern ohne Zahl, Meteoren, Monden, Kometen, Nebeln,
Abermillionen von Sternen, die aufeinander bezogen, zueinander geordnet waren durch die Wirksamkeit ihrer Gravita-
tionsfelder zu Haufen, Wolken, Milchstraßen und Übersyste-
men von Milchstraßen, deren jede aus Unmengen flammender
Sonnen, drehend umlaufender Planeten, Massen verdünnten
Gases und kalten Trümmerfeldern von Eisen, Stein und kos-
mischem Staube bestehe ...

Erregt lauschte ich dem, wohl wissend, daß es ein Vorzug
war, diese Mitteilungen zu empfangen: ein Vorzug, den ich
meiner Vornehmheit verdankte, dem Umstande, daß ich der
Marquis de Venosta war und in Rom eine Contessa Centurione
zur Tante hatte.

Unsere Milchstraße, vernahm ich, eine unter Billionen,
schließe beinahe an ihrem Rande, beinahe als Mauerblüm-
chen, dreißigtausend Jahreslichtläufe von ihrer Mitte entfernt,
unser lokales Sonnensystem ein, mit seinem riesigen, vergleichsweise aber keineswegs bedeutenden Glutball, genannt
»die« Sonne, obwohl sie nur den unbestimmten Artikel verdiene, und den ihrem Anziehungsfeld huldigenden Planeten,
darunter die Erde, deren Lust und Last es sei, sich mit der
Geschwindigkeit von tausend Meilen die Stunde um ihre Achse
zu wälzen und, in der Sekunde zwanzig Meilen zurücklegend,
die Sonne zu umkreisen, wodurch sie ihre Tage und Jahre
bilde, – die ihren wohlgemerkt, denn es gebe ganz andere.
Der Planet Merkur etwa, der Sonne am nächsten, vollende seinen Rundlauf in achtundachtzig unserer Tage und drehe sich
eben dabei auch einmal um sich selbst, so daß für ihn Jahr

und Tag dasselbe seien. Da sehe man, was es auf sich habe
mit der Zeit, – nicht mehr als mit dem Gewicht, dem ebenfalls
jede Allgemeingültigkeit abgehe. Beim weißen Begleiter des
Sirius zum Beispiel, einem Körper, nur dreimal größer als
die Erde, befinde sich die Materie im Zustande solcher Dich-
tigkeit, daß ein Kubikzoll davon bei uns eine Tonne wiegen
würde. Erdenstoff, unsere Felsengebirge, unser Menschen-
leib gar seien lockerster, leichtester Schaum dagegen.

Während die Erde, so hatte ich den Vorzug zu hören, sich
um ihre Sonne tummele, tummelten sie und ihr Mond sich
umeinander herum, wobei unser ganzes örtliches Sonnensystem sich im Rahmen einer etwas weiteren, immer noch sehr
örtlichen Sternenzusammengehörigkeit Bewegung mache, und
zwar keine säumige, – nicht ohne daß dieses Bezugssystem wieder, mit krasser Geschwindigkeit, sich innerhalb der Milchstraße tummele, diese aber, unsere Milchstraße, in bezug auf
ihre entfernten Schwestern mit ebenfalls unausdenkbarer
Schnelle dahintreibe, wo doch, zu dem allen, diese fernsten
materiellen Seinskomplexe so hurtig, daß der Flug eines Gra-
natsplitters, verglichen mit ihrer Fahrt, nichts weiter als Stillstand sei, nach allen Richtungen auseinanderstöben, ins Nichts,
wohinein sie im Sturme Raum trügen und Zeit.

Dies Ineinander- und Umeinanderkreisen und Wirbeln, dieses Sichballen von Nebeln zu Körpern, dies Brennen, Flammen, Erkalten, Zerplatzen, Zerstäuben, Stürzen und Jagen,
erzeugt aus dem Nichts und das Nichts erweckend, das vielleicht besser, lieber vielleicht im Schlaf geblieben wäre und auf
seinen Schlaf wieder warte, – es sei das Sein, auch Natur
genannt, und es sei eines überall und in allem. Ich möge nicht
zweifeln, daß alles Sein, daß die Natur eine geschlossene Einheit bilde, vom einfachsten leblosen Stoff bis zum lebendigsten
Leben, zur Frau mit dem vollschlanken Arm und zur Her-
mesgestalt. Unser Menschenhirn, unser Leib und Gebein –
Mosaiken seien sie derselben Elementarteilchen, aus denen
Sterne und Sternstaub, die dunklen, getriebenen Dunstwolken
des interstellaren Raumes bestünden. Das Leben, hervorgeru-

fen aus dem Sein, wie dieses einst aus dem Nichts, – das Leben,
diese Blüte des Seins, – er habe alle Grundstoffe mit der unbelebten Natur gemein, – nicht einen einzigen habe es aufzuweisen, der nur ihm gehöre. Man könne nicht sagen, daß
es sich unzweideutig gegen das bloße Sein, das unbelebte,
absetze. Die Grenze zwischen ihm und dem Unbelebten sei
fließend. Die Pflanzenzelle erweise die natürliche Möglichkeit, dem Steinreich angehörige Stoffe mit Hilfe des Sonnen-
äthers so umzubauen, daß sie in ihr Leben gewönnen. Das
urzeugerische Vermögen des Blattgrüns gebe uns also ein Beispiel von der Entstehung des Organischen aus dem Unorganischen. Es fehlte nicht am Umgekehrten. Wir hätten die
Gesteinsbildung aus tierischer Kieselsäure. Zukünftige Fest-
landgebirge wüchsen im Meere, wo es am tiefsten sei, aus den
Skelettresten winziger Lebewesen. Im Schein- und Halbleben
der flüssigen Kristalle spiele augenfällig das eine Naturreich
ins andre hinüber. Immer, wenn die Natur uns gaukelnd im
Unorganischen das Organische vortäusche, wie in den Schwe-
fel-, den Eisblumen, wolle sie uns lehren, daß sie nur eines sei.

Das Organische selbst kenne die klare Grenze nicht zwischen
seinen Arten. Das Tierische gehe ins Pflanzliche über dort,
wo es am Stengel sitze und Rund-Symmetrie, Blütengestalt
annehme, das Pflanzliche ins Tierische, wo es das Tier
fange und fresse, statt aus dem Mineralischen Leben zu sau-
gen. Aus dem Tierischen sei durch Abstammung, wie man
sage, in Wirklichkeit durch ein Hinzukommendes, das so wenig bei Namen zu nennen sei wie das Wesen des Lebens, wie
der Ursprung des Seins, der Mensch hervorgegangen. Aber
der Punkt, wo er schon Mensch sei und nicht mehr Tier, oder
nicht mehr nur Tier, sei schwer zu bestimmen. Der Mensch
bewahre das Tierische, wie das Leben das Unorganische in
sich bewahre; denn in seinen letzten Bausteinen, den Ato-
men, gehe es ins Nicht-mehr-, ins Noch-nicht-Organische über.
Im Innersten jedoch, dem untersichtigen Atom, verflüchtige
die Materie sich ins Immaterielle, nicht mehr Körperliche;
denn was dort umtreibe und wovon das Atom ein Überbau

sei, das sei fast unter dem Sein, da es keinen bestimmbaren
Platz im Raum noch einen nennbaren Betrag von Raum
mehr einnehme, wie es einem redlichen Körper gebühre. Aus
dem Kaum-schon-Sein sei das Sein gebildet, und es verfließe
ins Kaum-noch-Sein.

Alle Natur, von ihren frühesten, fast noch immateriellen
und ihren einfachsten Formen bis zu den entwickelsten und
höchst lebendigen, sei immer versammelt geblieben und bestehe nebeneinander fort, – Sternnebel, Stein, Wurm und
Mensch. Daß viele Tierformen ausgestorben seien, daß es keine
fliegenden Echsen und keine Mammuts mehr gebe, hindere
nicht, daß neben dem Menschen das gerade schon formbe-
ständige Urtier fortlebe, der Einzeller, das Infusor, die
Mikrobe, mit einer Pforte zur Einfuhr und einer zur Ausfuhr
an ihrem Zell-Leib, – mehr brauche es nicht, um Tier zu sein,
und um Mensch zu sein, brauche es meistens auch nicht viel
mehr. –

Das war ein Scherz von Kuckuck, ein kaustischer. Einem jungen Mann von Welt, wie mir, glaubte er wohl etwas kausti-
schen Scherz schuldig zu sein, und ich lachte denn auch, indem
ich mit zitternder Hand meine sechste, nein, wohl meine achte
Demi-tasse gezuckerten Mokkas zum Munde führte. Ich habe
gesagt und sage es wieder, daß ich außerordentlich erregt war,
und zwar durch eine meine Natur fast überspannende Ausdehnung des Gefühls, die das Erzeugnis der Reden meines
Tischgenossen über das Sein, das Leben, den Menschen war.
Möge es so sonderbar klingen, wie es will, aber diese mächtige
Ausdehnung hatte nahe zu tun mit dem, oder eigentlich: sie
war nichts anderes als das, was ich als Kind, oder halbes
Kind, mit dem Traumwort »Die große Freude« bezeichnet
hatte, einer Geheimformel meiner Unschuld, mit der zunächst
etwas auf andere Weise nicht nennbares Spezielles bezeichnet
werden sollte, der aber von früh an eine berauschende
Weitdeutigkeit eigen gewesen war.

Es gebe den Fortschritt, sagte Kuckuck anschließend an
seinen Scherz, ohne Zweifel gebe es ihn, vom Pithecanthropus

erectus bis zu Newton und Shakespeare, das sei ein weiter,
entschieden aufwärts führender Weg. Wie es sich aber verhalte in der übrigen Natur, so auch in der Menschenwelt:
auch hier sei immer alles versammelt, alle Zustände der Kul-
tur und Moral, alles, vom Frühesten bis zum Spätesten, vom
Dümmsten bis zum Gescheitesten, vom Urtümlichsten, Dumpf-
festen, Wildesten bis zum Höchst- und Feinstentwickelten bestehe allezeit nebeneinander in dieser Welt, ja oft werde das
Feinste müd' seiner selbst, vergaffe sich in das Urtümliche
und sinke trunken ins Wilde zurück. Davon nichts weiter.
Er werde aber dem Menschen das Seine geben und mir, dem
Marquis de Venosta, nicht vorenthalten, was den Homo sa-
piens auszeichne vor aller andern Natur, der organischen
und dem bloßen Sein, und was wahrscheinlich mit dem zusam-
menfalle, was »hinzugekommen« sei, als er aus dem Tierischen
trat. Es sei das Wissen von Anfang und Ende. Ich hätte das
Menschlichste ausgesprochen mit dem Wort, es nähme mich ein
für das Leben, daß es nur eine Episode sei. Fern davon nämlich, daß Vergänglichkeit entwerte, sei gerade sie es, die allem
Dasein Wert, Würde und Liebenswürdigkeit verleihe. Nur das
Episodische, nur was einen Anfang habe und ein Ende, sei
interessant und errege Sympathie, beseelt wie es sei von Vergänglichkeit. So sei aber alles – das ganze kosmische Sein sei
beseelt von Vergänglichkeit, und ewig, unbeseelt darum und
unwert der Sympathie, sei nur das Nichts, aus dem es hervorgerufen worden zu seiner Lust und Last.

Sein sei nicht Wohlsein; es sei Lust und Last, und alles raum-
zeitliche Sein, alle Materie habe teil, sei es auch im tiefsten
Schlummer nur, an dieser Lust, dieser Last, an der Empfindung, welche den Menschen, den Träger der wachsten Empfindung, zur Allsympathie lade. – »Zur Allsympathie«, wiederholte Kuckuck, indem er sich mit den Händen auf die
Tischplatte stützte, um aufzustehen, wobei er mich ansah mit
seinen Sternenaugen und mir zunickte.

»Gute Nacht, Marquis de Venosta«, sagte er. »Wir sind,
wie ich bemerke, die letzten im Speisewagen. Es ist Zeit, sich

schlafen zu legen. Lassen Sie mich hoffen, Sie in Lisboa wiederzusehen! Wenn Sie wollen, so mache ich dort Ihren Führer durch mein Museum. Schlafen Sie wohl! Träumen Sie vom Sein und vom Leben! Träumen Sie vom Getümmel der Milchstraßen, die, da sie da sind, mit Lust die Last ihres Daseins tragen! Träumen Sie von dem vollschlanken Arm mit dem altertümlichen Knochengerüst und von der Blume des Feldes, die im Sonnenäther das Leblose zu spalten und ihrem Lebensleib einzuverwandeln weiß! Und vergessen Sie nicht vom Steine zu träumen, vom moosigen Stein, der im Bergbach liegt seit tausend und tausend Jahren, gebadet, gekühlt, überspült von Schaum und Flut! Sehen Sie mit Sympathie seinem Dasein zu, das wachste Sein dem tiefst schlummernden, und begrüßen Sie ihn in der Schöpfung! Ihm ist wohl, wenn Sein und Wohlsein sich irgend vertragen. Recht gute Nacht!«

Sechstes Kapitel

Man wird es mir glauben, daß ungeachtet meiner angeborenen Liebe und Begabung zum Schlaf, entgegen der Leichtigkeit, mit der ich sonst in die süße und wiederherstellende Heimat des Unbewußten einzukehren pflegte, und trotz der Wohlaufgemachtheit meines Reisebettes erster Klasse, in dieser Nacht der Schlummer mich fast ganz, bis in die Morgenstunden hinein, floh. Was hatte ich auch vor Schlafengehen, der ersten Nacht entgegensehend, die ich in einem dahineilenden, schwankenden, stoßenden, bald haltenden, bald ruckweise wieder anfahrenden Zuge verbringen sollte, so viel Kaffee trinken müssen? Das hatte geheißen, mich mutwillig des Schlafs zu berauben, um den auch die mir neue gerüttelte Lage allein mich sonst nicht zu bringen vermocht hätte. Daß aber selbst sechs bis acht Täßchen Mokka von sich aus das nicht fertiggebracht hätten, wären sie nicht nur die unwillkürliche Begleithandlung gewesen zu Professor Kuckucks pak-

kender, mein Innerstes unsagbar ansprechender Tischunter-
haltung, – das verschweige ich, ob ich es gleich damals so gut
wußte, wie ich es heute weiß, – verschweige es, weil der
feinfühlende Leser (und nur für solche lege ich meine Geständnisse ab) es sich selber sagen mag.

Kurz, in meinem seidenen Schlafanzug (ein solcher bewahrt
die Person besser, als ein Hemd es vermag, vor der Berührung mit vielleicht nur flüchtig gereinigtem Bettzeug) lag
ich wach diese Nacht bis in den Morgen, unter Seufzern nach
einer Lage suchend, die mir geholfen hätte, in Morpheus'
Arme zu finden; und als ich schließlich dennoch unversehens
vom Schlummer beschlichen wurde, träumte ich viel krauses
Zeug, wie ein untiefer und keine rechte Rast bringender Schlaf
es erzeugt: Auf dem Skelett eines Tapirs reitend, bewegte ich
mich auf einer Milchstraße dahin, die ich als solche daran erkannte, daß sie wirklich aus Milch bestand oder mit Milch
bedeckt war, in der die Hufe meines knöchernen Tieres plät-
scherten. Ich saß sehr hart und schlecht auf seiner Wirbelsäule,
mich festhaltend mit beiden Händen an seinem Rippen-
korbe, dabei aber übel hin und her geschüttelt von seinem
launenhaften Gange, was eine Übertragung des eilenden Zug-
gerüttels auf meinen Traum sein mochte. Ich aber deutete es
mir dahin, daß ich eben nicht zu reiten gelernt hätte und dies
schleunigst nachholen müsse, wenn ich als junger Mann von
Familie bestehen wolle. Mir entgegen, und beiderseits an
mir vorbei, zogen, in der Milch der Milchstraße plantschend,
eine Menge bunt gekleideter Leutchen, Männlein und Weib-
lein, grazil, gelblich von Teint und mit lustigen braunen
Augen, die mir in einer unverständlichen Sprache – wahrscheinlich stellte es Portugiesisch vor – etwas zuriefen. Eine
aber rief es auf französisch, nämlich: »Voilà le voyageur cu-
rieux!«, und daran, daß sie französisch sprach, erkannte ich,
daß es Zouzou war, während doch ihre bis zu den Schultern
entblößten, vollschlanken Arme mir sagten, daß ich es vielmehr – oder auch zugleich – mit Zaza zu tun hatte. Aus allen
Kräften zog ich an den Rippen des Tapirs, damit er stehen-

bleibe und mich absteigen lasse, da es mich sehr verlangte, mich
zu Zouzou oder Zaza zu gesellen und mich mit ihr über die
Altertümlichkeit des Knochengerüsts ihrer reizenden Arme
zu unterhalten. Aber mein Reittier bockte widerspenstig gegen
mein Zerren und warf mich ab in die Milch der Milchstraße,
worüber die dunkelhaarigen Leutchen, einschließlich Zouzous oder Zazas, in helles Gelächter ausbrachen, und in diesem
Gelächter löste der Traum sich auf, um anderen, ebenso närrischen Einbildungen meines zwar schlafenden, aber nicht ruhenden Hirns Platz zu machen. So zum Beispiel kletterte ich
im Traum auf allen vieren an einer lehmigen Steilküste des
Meeres herum, indem ich einen langen, lianenartigen Stengel hinter mir dreinzog, die ängstliche Ungewißheit im Herzen, ob ich ein Tier oder eine Pflanze sei, – ein Zweifel, der
auch wieder sein Schmeichelhaftes hatte, da er auf den Namen
»Seelilie« zu bringen war. Und so fort.

Endlich, in dem Morgenstunden, vertiefte mein Schlaf sich
denn doch zur Traumlosigkeit, und so knapp erst vor Mittag und vor der Ankunft in Lissabon erwachte ich, daß an
Frühstück nicht mehr zu denken und nur eine flüchtige Benutzung der Waschtoilette und der schönen Einrichtung meiner krokodilledernen Handtasche mir vergönnt war. Professor Kuckuck sah ich nicht mehr im Trubel des Bahnsteigs,
noch auf dem Platz vor dem maurisch anmutenden Bahnhofs-
gebäude, wohin ich dem Gepäckträger zu einem offenen Ein-
spänner folgte. Der Tag war licht und sonnig, nicht allzu
warm. Der junge Kutscher, der meinen vom Träger ein-
gelösten Kajütenkoffer neben sich auf dem Bock verstaute,
hätte sehr wohl zu den Leutchen gehören können, die auf der
Milchstraße über meinen Fall vom Tapir gelacht hatten: Zierlichen Wuchses und gelblich von Gesichtsfarbe, ganz nach
Kuckuks allgemeiner Kennzeichnung, ein Zigarillo zwischen
den leicht aufgeworfenen Lippen unter einem gezwirbelten
Schnurrbärtchen, trug er eine runde Tuchmütze etwas schief
auf seinem recht struppigen und in die Schläfen hängenden
dunklen Haar, und nicht umsonst blickten seine braunen Augen

so aufgeweckt. Denn bevor ich ihm das Hotel genannt hatte,
wo ich telegraphisch Quartier gemacht hatte, nannte er selber
es mir, intelligent über mich verfügend: »Savoy Palace«. Auf
diese Unterkunft schätzte er mich ein, dorthin schien ich
ihm zu gehören, und ich konnte seine Entscheidung nur mit
einem »C'est exact« bestätigen, das er radebrechend und lachend wiederholte, indem er sich auf seinen Sitz schwang und
dem Pferd einen Klaps mit dem Zügel gab. »C'est exact –
c'est exact«, wiederholte er noch mehrmals, vergnüglich träl-
lernd, auf der kurzen Fahrt zum Hotel. Nur durch ein wenig Straßenenge ging es, dann tat ein breiter und weitläufiger
Boulevard sich auf, die Avenida da Liberdade, eine der
prächtigsten Straßen, die mir je vorgekommen, dreifach
laufend, mit einer elegant belebten Fahr- und Reitbahn in der
Mitte, zu deren Seiten noch zwei wohlgepflasterte Alleen,
geschmückt mit Blumenbeeten, Statuen und Fontänen, gar
herrlich dahingehen. An diesem Prunkcorso war mein in der
Tat palastartiges Absteigequartier gelegen, und wie so anders
gestaltete sich meine Ankunft dort als diejenige, die ich in
dem Hause der Rue Saint-Honoré zu Paris einst kümmerlich
gehalten!

Gleich waren drei, vier galonierte Grooms und grünbe-
schürzte Hausdiener um mein Gefährt beschäftigt, luden mein
großes Gepäckstück ab, schleppten Handkoffer, Mäntel und
Plaidrolle so geschwind, als hätte ich keine Minute zu verlieren, mir voran in das Vestibül, so daß ich unbeschwert
wie ein Spaziergänger, nur meinen Stock aus spanischem
Rohr mit Elfenbeinkrücke und Silberring an den Arm gehängt, durch die Halle zur Réception schlendern mochte,
wo es denn nun kein Erröten und kein »Treten Sie zurück!
Treten Sie ganz zurück!« mehr gab, sondern, als Antwort
auf meinen Namen, nichts als verständnisinnig bewillkom-
mendes Lächeln, erfreute Verbeugungen, das zarteste Ersuchen, vielleicht, wenn es genehm wäre, das Meldeblatt allenfalls mit den notwendigsten Angaben auszufüllen … Ein
Herr im Cutaway, warm interessiert an der Frage, ob meine

Reise in vollkommener Annehmlichkeit verlaufen sei, fuhr mit
mir hinauf zum ersten Stock, um mich dort in das mir reser-
vierte Appartement, Salon und Schlafzimmer nebst gekachel-
tem Bad, einzuführen. Der Anblick dieser Räume, deren Fenster auf die Avenida hinausgingen, entzückte mich mehr, als
ich mir merken lassen durfte. Das Vergnügen, oder eigentlich:
die Heiterkeit, die ihre herrschaftliche Schönheit mir erregte,
setzte ich herab zu einer Gebärde lässiger Billigung, mit der
ich meinen Begleiter entließ. Aber allein gelassen, in Erwartung meines Gepäcks, tat ich mich mit so kindlicher Freude,
wie ich sie mir eigentlich auch vor mir selbst nicht hätte erlauben dürfen, in dem mir zugewiesenen Wohnungsbereiche um.

Was einen besonderen Stolz ausmachte, war die Wanddeko-
ration des Salons – diese hohen, in vergoldete Leisten eingefaßten Stukkatur-Felder, die ich immer der bürgerlichen Tape-
zierung so entschieden vorzog und die, zusammen mit den
ebenfalls sehr hohen, weißen und mit Gold ornamentierten,
in Nischen gelegenen Türen, dem Gemach ein ausgesprochen schloßmäßiges und fürstliches Ansehen verliehen. Es war
sehr geräumig und zweigeteilt durch einen offenen Bogen, welcher vom Hauptraum einen kleineren absonderte, geeignet,
nach Wunsch Privatmahlzeiten darin einzunehmen. Dort sowohl wie in dem ungleich größeren Geviert hing ein mit
glitzernden Prismen behangener Kristall-Lüster, wie ich solche
auch immer mit Freuden gesehen habe, ziemlich tief von der
hohen Decke herab. Weiche und bunte, breitgebordete Teppiche, einer davon ungeheur groß, bedeckten die Böden, von
denen hie und da ein blank gebohnertes Stück sichtbar war.
Angenehme Malereien schmückten die Wandpartien zwischen dem Plafond und den Prunktüren, und über einer dünn-
beinigen Zier-Kommode mit Pendule und chinesischen Vasen
war an der Wand sogar ein Wirkbild-Teppich, einen sagen-
haften Frauenraub darstellend, vornehm ausgespannt. Schöne
französische Fauteuils umstanden in behaglicher Distinktion
ein ovales Tischchen mit Spitzendecke unter der Glasplatte,
auf der man zu gefälliger Erfrischung des Gastes ein wohl-

assortiertes Fruchtkörbchen nebst Obstbesteck, einen Teller mit
Biskuits und eine geschliffene Spülschale vorbereitet hatte, –
zu verstehen als Artigkeit der Hoteldirektion, deren Karte
zwischen zwei Apfelsinen stak. Ein Vitrinenschränkchen, hinter dessen Scheiben allerliebste Porzellanfiguren, Kavaliere in
galant geschraubten Stellungen und Damen in Reifröcken zu
sehen waren, von denen der einen das Kleid hinten zerrissen
war, so daß ihre rundeste Blöße, nach der sie in größtem
Embarassement sich umwandte, dort gar lüstern zum Vorschein kam; Stehlampen mit Seidenschirmen; bronzene Arm-
leuchter von figürlicher Arbeit auf schlanken Postamenten;
eine stilvolle Ottomane mit Kissen und Sammetdecke vervoll-
ständigten eine Einrichtung, deren Anblick meinen bedürftigen Augen ebenso wohltat wie der Luxus des in Blau und
Grau gehaltenen Schlafzimmers mit seinem Gardinenbett,
neben dem, zu nachdenklicher Vor-Ruhe einladend, ein breiter Lehnsessel seine gepolsterten Arme breitete, seinem dämpfenden, den ganzen Boden bedeckenden Teppich, seiner längs-
gestreiften Tapete von nervenbegütigendem Mattblau, seinem
hohen Standspiegel, dem Beleuchtungskörper aus Milchglas,
dem Toilettentisch, den weißen und breiten Schranktüren,
deren Messingklinken blitzten . . .

Mein Gepäck kam. Noch ging mir kein Kammerdiener zur
Hand, wie später wohl periodenweise mir einer zu Diensten
war. Ich räumte einigen Bedarf in die englischen Schübe der
Schränke, hängte ein paar Anzüge über Bügel, nahm ein
Bad und machte mit der Sorgfalt Toilette, die mir bei diesem
Geschäft immer eigentümlich gewesen ist. Immer hatte es ein
wenig vom Maske-Machen des Schauspielers, obgleich ich
zu eigentlicher kosmetischer Nachhilfe bei der ausdauernden
Jugendlichkeit meines Äußeren nie versucht gewesen bin. –
Angetan mit frischer Wäsche und einem dem Klima gemäßen
Habit aus leichtem, lichtem Flanell begab ich mich hinab in
den Speisesaal, wo ich mir, recht ausgehungert nach einem
durch Lauschen versäumten Reisediner und verschlafenem
Morgenimbiß, an dem Gabelfrühstück, einem Ragoût fin in

der Muschel, einem vom Rost karierten Steak und einem ausgezeichneten Schokolade-Soufflé nicht ohne Hingebung gütlich tat. Meine Gedanken aber waren ungeachtet der Angelegentlichkeit, mit der ich speiste, immer noch bei dem Gespräch
von gestern abend, dessen welthafter Reiz so tief in mein
Gemüt gedrungen war. Die Erinnerung daran bildete die höhere Freude, die sich mit dem Vergnügen an der Feinheit
meines neuen Daseins verband, und was mich mehr als mein
Frühstück beschäftigte, war die Frage, ob ich mich noch
heute mit Kuckuck in Verbindung setzen – ihn vielleicht
einfach in seinem Heim aufsuchen sollte, nicht nur, um den
Besuch seines Museums mit ihm zu verabreden, sondern auch,
und dies namentlich, um die Bekanntschaft Zouzous zu
machen.

Das hätte jedoch als ein übereifriges Mit-der-Tür-ins-Haus-
Fallen erscheinen können, und ich überwand mich, den Anruf
bei ihm auf morgen zu verschieben. Ohnehin etwas unausge-
schlafen, beschloß ich, für heute meine Aktivität auf einige
Umschau in der Stadt zu beschränken, und machte mich nach
dem Kaffee dazu auf. Zunächst nahm ich vor dem Hotel wieder einen Wagen, der mich zur Praça do Commércio und
zu meiner dort gelegenen Bank, Banco do Commércio ebenfalls genannt, bringen sollte; denn ich beabsichtigte, mit Hilfe
des Zirkular-Kreditbriefes in meinem Portefeuille eine erste
Gelderhebung zur Bestreitung der Hotelrechnung und allenfalls unterlaufender anderer Ausgaben vorzunehmen. Die
Praça do Commércio, ein sehr würdiger und eher ruhiger
Platz, ist auf einer Seite gegen den Hafen geöffnet, eine
weite Buchtung, zu der hier das Ufer des Flusses Tajo zurück-
tritt, an den drei anderen aber von Arkaden, gedeckten Lau-
bengängen umgeben, in denen man das Zollamt, die Haupt-
post, verschiedene Ministerien und auch die Bureaus der Bank
findet, bei der ich akkreditiert war. Ich hatte es dort mit
einem schwarzbärtigen, vertrauenerweckenden Manne von
guter Allüre zu tun, der meine Ausweise mit Achtung empfing, meine Forderung gern zur Kenntnis nahm, mit ge-

wandter Hand seine Eintragungen machte und mir dann
mit artigem Ersuchen seine Feder zur Unterzeichnung des
Rezipisse bot. Wahrhaftig, ich brauchte nicht nach Loulous
Signatur im Nebendokument zu schielen, um ihr genaues
Abbild, meinen schönen Namen, in schräg links geneigter
Schrift und eingehüllt in den Oval-Schwung, mit Lust und
Liebe unter den Empfangsschein zu setzen. »Eine originelle
Unterschrift«, konnte der Beamte sich nicht enthalten zu
sagen. Ich lächelte achselzuckend. »Eine Art von Erb-Über-
lieferung«, sagte ich halb entschuldigend. »Seit Generationen
unterzeichnen wir so.« Er neigte sich verbindlich, und meine
Eidechsentasche voller Milreis, verließ ich die Bank.

Von dort begab ich mich zum nahen Postamt, wo ich folgende Depesche nach Schloß Monrefuge daheim ausfertigte:
»Unter tausend Grüßen melde wohlbehaltene Ankunft dahier,
Savoy Palace. Schwelge in neuen Eindrücken, von denen bald
brieflich hoffe berichten zu können. Stelle bereits eine gewisse
Ablenkung meiner Gedanken fest, welche nicht immer die
rechten Wege gingen. Euer dankbarer Loulou.« – Auch dies
besorgt, durchschritt ich eine Art von Triumphbogen oder Mo-
numentaltor, das sich an der dem Hafen entgegengesetzten
Seite des Handelsplatzes gegen eine der schmucksten Straßen
der Stadt, die Rua Augusta, auftut, wo ich eine gesellschaftliche
Obliegenheit zu erfüllen hatte. Gewiß, dachte ich, würde es
schicklich und im Sinn meiner Eltern gehandelt sein, wenn
ich auf der hier in der Bel-Étage eines stattlichen Mietshauses
befindlichen luxemburgischen Gesandtschaft formell Besuch
ablegte, und so tat ich. Ohne viel nach der An- oder Abwesenheit des diplomatischen Vertreters meiner Heimat, eines
Herrn von Hüon, oder seiner Gattin zu fragen, übergab ich
einfach dem öffnenden Diener zwei meiner Karten, auf deren
eine ich meine Adresse kritzelte, und ersuchte ihn, sie den
Herrschaften, Monsieur und Madame de Hüon, vor Augen
zu bringen. Es war ein schon bejahrter Mann mit ergrautem
Kraushaar, Ringen in den Ohren, etwas wulstigen Lippen
und einem gewissen schwermütigen Tierblick, der mir über

die Mischung seines Geblütes Gedanken machte und ihm
meine Sympathie gewann. Besonders freundlich nickte ich ihm
zum Abschied zu, da er ja gewissermaßen aus Zeiten koloniar
ler Blüte und des goldenen Weltmonopols auf Spezereien
stammte.

Zurückgekehrt auf die Rua Augusta, verfolgte ich die viel-
begangene und -befahrene Straße weiter hinauf gegen einen
Platz, den mir der Hotelportier als den bedeutendsten der
Stadt, genannt Praça de Dom Pedro Quarto, oder im Volks-
munde »O Rocio«, empfohlen hatte. Der Anschaulichkeit
wegen sei hinzubemerkt, daß Lissabon von zum Teil recht
erheblichen Hügeln eingefaßt ist, an denen, rechts und links
der geradlinigen Straßen der Neustadt, die weißen Häuschen höherer Wohnviertel fast unvermittelt emporsteigen.
Ich wußte, daß irgendwo in diesen oberen Regionen Professor Kuckucks Heim gelegen war, und blickte darum viel
dorthinauf, ja erkundigte mich bei einem Polizisten (ich
sprach stets besonders gern mit Polizisten), mehr deutend als
redend, nach der Rua João de Castilhos, deren Namen ich
auf Kuckucks Karte gelesen. Er wies dann auch mit ausgestrecktem Arm in die Gegend dieser Villenstraße und fügte
in seinem Idiom, mir so unverständlich wie dasjenige, das
ich schon im Traum vernommen, etwas von Tram, Seilbahn
und Mulos hinzu, offenbar auf meine Beförderung bedacht.
Auf französisch dankte ich ihm vielmals für seine im Augenblick gar nicht dringliche Auskunft, und salutierend legte er
zur Beendigung des kurzen, aber gestenreichen und erfreulichen Gesprächs die Hand an seinen Sommerhelm. Wie reizend
ist es doch, die Ehrenbezeigung eines solchen schlicht, aber
schmuck uniformierten Wächters der öffentlichen Ordnung zu
empfangen!

Man lasse mich aber diesen Ausruf ins Allgemeine erheben
und denjenigen glücklich preisen, dem eine das gemeine Maß
überschreitende, immerfort und auch bei den unscheinbar-
sten Gelegenheiten wirksame Reizempfänglichkeit von der Fee
seiner Geburt zum Angebinde gemacht wurde. Zweifellos be-

deutet diese Gabe eine Erhöhung der Empfindlichkeit überhaupt, das Gegenteil der Stumpfheit, und bringt also auch
viel Peinlichkeit mit sich, die anderen erspart bleibt. Aber
froh will ich wahrhaben, daß der Gewinn in Lebensfreude,
den sie einträgt, jenem Nachteil – wenn es einer ist – mehr
als die Waage hält, und es war diese Gabe der Empfänglichkeit für leiseste und sogar alltägliche Reize, die mich den
Vornamen, gegen welchen mein Pate Schimmelpreester sich
bitter verhielt und der mein erster und eigentlicher war –
nämlich Felix –, allezeit als den mir wahrhaft zukömmlichen
betrachten ließ.

Wie wahr hatte Kuckuck gesprochen, als die vibrierende
Neugier nach nie erfahrener Menschlichkeit das Hauptin-
grediens aller Reiselust genannt hatte! Meine Umschau unter
der Population der verkehrsreichen Straße, unter diesen
Schwarzhaarigen, lebhaft die Augen bewegenden und mit den
südlichen, ihre Rede ausmalenden Händen, war die herzlichste, und ich ließ es mir angelegen sein, mit ihnen in persönlichen Kontakt zu kommen. Obgleich ich den Namen des
Platzes kannte, auf den ich zuging, stellte ich von Zeit zu
Zeit diesen oder jenen Passanten oder Anwohner nach diesem
Namen zur Rede, Kinder, Frauen, Bürger und Matrosen, –
nur um, während sie, fast immer sehr höflich und ausführlich,
antworteten, ihre Gesichter, ihr Mienenspiel zu betrachten, auf ihre fremde Rede, ihren oft etwas exotisch heiseren
Stimmklang zu lauschen und mich in gutem Einvernehmen
wieder von ihnen zu lösen. Auch legte ich eine Unterstützung,
deren Höhe ihn überrascht haben mag, in die Bettlerschale
eines Blinden, der, durch ein Pappschild ausdrücklich als solcher empfohlen, gegen ein Haus gelehnt auf dem Fußsteige
saß, und half mit noch beträchtlicherer Gabe einem älteren
Manne aus, der mich murmelnd ansprach und zwar einen
Gehrock mit einer Medaille darauf, aber zerrissene Schuhe
und keinen Kragen trug. Er zeigte sich sehr ergriffen und
weinte etwas, indem er sich auf eine Art, die anzeigte, daß
er, durch welche Charakterschwächen immer, aus höheren

Rängen der Gesellschaft in die Bedürftigkeit hinabgeglitten war, vor mir verbeugte.

Als ich dann gar den »Rocio« mit seinen beiden Bronze-Brunnen, seiner Denkmalssäule und seinem in sonderbaren Wellenlinien dahingehenden Mosaikpflaster erreicht hatte, gab es der Anlässe weit mehr zu Erkundigungen bei Flanieren-den und solchen, die, sich sonnende Nichtstuer, auf den Brun-nenrändern saßen: nach den Gebäuden, die hoch über den Saumhäusern des Platzes so malerisch ins Blau ragten, der gotischen Ruine einer Kirche und einer neueren Baulichkeit, die sich dort oben hinzog und sich als das Municipio oder Stadthaus erwies. Unten schloß die Fassade eines Theaters die eine Seite der Praça ab, während zwei andere von Läden, Cafés und Restaurants gesäumt waren. Und da ich denn, unter dem Vorwand der Wißbegier, meine Lust, mit aller-lei Kindern dieser Fremde Fühlung zu nehmen, hinläng-lich gebüßt hatte, ließ ich mich vor einem der Cafés an einem Tischchen nieder, um auszuruhen und meinen Tee zu nehmen.

Mir benachbart saß, bei Vesper-Erfrischungen ebenfalls, eine dreiköpfige Gruppe von Herrschaften, die sogleich meine gesittet verhohlene Aufmerksamkeit in Beschlag nahmen. Es waren zwei Damen, eine ältere und eine junge, Mutter und Tochter aller Vermutung nach, in Gesellschaft eines Herrn von kaum mittleren Jahren mit Adlernase und Brille, dessen Haar, unter dem Panamahut, ihm lang und künstle-risch über den Rockkragen hing. Sein Alter reichte wohl nicht aus, den Gatten der Senhora, den Vater des Mädchens in ihm zu sehen. Während er sein Gefrorenes einnahm, ver-wahrte er, offenbar aus Ritterlichkeit, auf seinem Schoß ein paar reinlich verschnürte Einkaufspakete, derengleichen, zwei oder drei, auch vor den Damen auf der Tischplatte lagen.

Wenn ich mir zwar den Anschein gab, interessiert das Was-serspiel der nächsten Fontäne zu beobachten oder die Archi-tektur der Kirchenruine dort oben zu studieren, unterderhand

aber manchen Seitenblick hingehen ließ über die Gestalten
am Nebentisch, so galt meine Neugier und zarte Anteilnahme
der Mutter, der Tochter, – denn in diesem Verhältnis sah ich
die beiden, und ihre verschiedenartigen Reize verschmolzen
mir auf eine entzückende Weise in der Vorstellung dieses
Verhältnisses. Es ist das bezeichnend für mein Gefühlsleben.
Weiter oben habe ich von der Ergriffenheit berichtet, mit
der der einsame junge Pflastertreter einst von seinem Straßen-
posten aus den Anblick eines lieblichreichen Geschwisterpaares
in sich aufnahm, das für wenige Minuten auf einem Balkon
des Hotels Zum Frankfurter Hof erschien. Ausdrücklich
merkte ich an, daß dieses Entzücken mir von keiner der
beiden Figuren für sich, weder von ihm noch von ihr allein
hätte erregt werden können, sondern daß ihre Zweiheit,
ihr holdes Geschwistertum es war, was es mir so antat. Den
Menschenfreund wird es interessieren, wie diese Neigung zur
Doppelbegeisterung, zur Bezauberung durch das Ungleich-
Zwiefache sich hier, statt am Geschwisterlichen, an der
Mutter-Tochter-Beziehung bewährte. Mich jedenfalls interessierte es sehr. Aber ich will nur hinzufügen, daß meine
Faszination durch die sehr bald auftauchende Vermutung genährt wurde, daß hier der Zufall ein wunderliches Spiel
treibe.

Die junge Person nämlich, achtzehnjährig, wie ich schätzte,
in einem schlichen und lockeren, bläulich gestreiften und mit
einem Bande desselben Stoffes gegürteten Sommerkleid, erinnerte mich auf den ersten Blick zum Stutzen an *Zaza,* –
wobei allerdings ein »Nur-daß« meiner Feder zur Pflicht
wird. Eine andere Zaza, nur daß ihre Schönheit, oder wenn
das ein stolzes Wort ist und eher (worüber ich mich sogleich
erklären werde) ihrer Mutter gebührte, – nur daß also ihre
Hübschheit sozusagen nachweisbarer war, aufrichtiger, nai-
ver als diejenige von Loulous Freundin, bei der alles bloß
Froufrou, kleines Feu d'artifice und besser nicht genau zu
prüfendes Blendwerk gewesen war. Hier war Verläßlichkeit –
wenn dieses der moralischen Welt entliehene Wort Anwen-

dung finden kann in der des Liebreizenden – eine kindliche
Geradsinnigkeit des Ausdrucks, von der mir in der Folge
verblüffende Bekundungen zuteil werden sollten ...

Eine andere Zaza – so anders in der Tat, daß ich mich
nachträglich frage, ob eine eigentliche Ähnlichkeit, wenn ich
sie auch mit Augen zu sehen glaubte, überhaupt vorlag.
Glaubte ich sie vielleicht nur zu sehen, weil ich sie sehen
wollte, weil ich – sonderbar zu sagen – nach einer Doppel-
gängerin Zazas auf der Suche war? Ich bin über diesen
Punkt nicht ganz mit mir im reinen. Sicherlich hatten in Paris
meine Gefühle denjenigen des guten Loulou keinerlei Konkurrenz gemacht; ich war in seine Zaza, so gern sie mit mir
geäugelt hatte, durchaus nicht verliebt gewesen. Kann es sein,
daß ich die Verliebtheit in sie in meine neue Identität aufgenommen, daß ich mich nachträglich in sie verliebt hatte und
in der Fremde einer Zaza zu begegnen wünschte? Wenn ich
mich meines Aufhorchens bei Professor Kuckucks erster Erwähnung seiner Tochter mit dem verwandten Namen erinnere, so kann ich diese Theorie nicht ganz von der Hand
weisen.

Ähnlichkeit? Achtzehn Jahre und schwarze Augen geben
schon Ähnlichkeit ab, wenn man durchaus will, wiewohl die
Augen hier nicht flitzten und äugelten wie dort, sondern meistens, wenn sie nicht gerade, etwas bedrängt von verdickten
Unterlidern, in amüsiertem Lachen erglänzten, mit einem gewissen unwirschen Forschen blickten, jungenhaft wie die
Stimme, die mir ein paarmal bei kurzen Einwürfen zu Ohren
kam und gar nicht silbrig, sondern auch eher unwirsch und
etwas rauh lautete, ohne alle Minauderie, vielmehr ehrlich
und geradezu, eben nach Art eines Jungen. Mit dem Näschen
stimmte es gar nicht: es war keine Stumpfnase wie Zazas, sondern von sehr feinem Rücken, wenn auch nicht so gar dünnen
Flügeln. Beim Munde, gut, da gebe ich noch heute eine Verwandtschaft zu: hier wie dort waren die Lippen (deren Le-
bensrot hier aber zweifellos reinste Natur war), dank einer
Schürzung der oberen, fast immer getrennt, so daß man die

Zähne dazwischen sah, und auch die Vertiefung darunter, die liebliche, zur weichen Kehle hinabführende Kinnlinie konnte an Zaza erinnern. Sonst war alles anders, wie die Erinnerung mir zeigt, – aus dem Pariserischen ins Iberisch-Exotische hinübercharakterisiert, besonders durch den aufragenden Schildpattkamm, mit dem das aus dem Nacken hochgeführte dunkle Haar oben befestigt war. Aus der Stirn ging es in einer Gegenbewegung zurück und ließ sie frei, hing aber, sehr reizend, in zwei Zipfeln neben den Ohren hinab, was wiederum einen südlich-fremdartigen, und zwar spanischen Effekt hervorbrachte. Diese Ohren trugen Schmuck, – nicht die langen, schaukelnden Gagatgehänge, die man bei der Mutter sah, sondern enger anliegende, aber ziemlich umfangreiche, von kleinen Perlen eingefaßte Opalscheiben, die auch etwas exotisch bei der Gesamterscheinung mitsprachen. Den südlichen Elfenbeinton der Haut hatte Zouzou – so nannte ich sie nun einmal sogleich – mit ihrer Mutter gemein, deren Typ und Tenue freilich von ganz anderer Art, imposanter, um nicht zu sagen: majestätischer war.

Höher gewachsen als das anziehende Kind, von nicht mehr schlanker, doch keineswegs übervoller Gestalt in ihrem einfachen, aber vornehmen, am Halsausschnitt und an den Ärmeln spitzenartig durchbrochenen cremefarbenen Leinenkleid, zu dem sie hohe schwarze Handschuhe trug, näherte diese Frau sich dem Matronenalter, ohne es schon erreicht zu haben, und nach gebleichten Einsprengseln im Dunkel ihres Haars unter dem nach damaliger Mode ausladenden, mit einigen Blumen aufgeputzten Strohhut hätte man wohl suchen müssen. Ein schwarzes, mit Silber ausgeziertes Sammetband, das ihren Hals umschloß, kleidete sie sehr wohl, wie auch die baumelnden Jettgehänge, und mochte zu dem Stolz ihrer Kopfhaltung beitragen, einer betonten Würde, die übrigens ihre ganze Erscheinung beherrschte und sich fast bis zur Düsternis, fast bis zur Härte in ihrem ziemlich großen Gesicht mit den hochmütig verpreßten Lippen, den gespannten Nüstern, den beiden gestrengen Furchen zwischen den Brauen malte.

Es war die Härte des Südens, die viele ganz verkennen, in der
Vorstellung befangen, der Süden sei schmeichlerisch süß und
weich und die Härte im Norden zu suchen – eine völlig verkehrte Idee. Alt-iberisches Blut, mutmaßlich, dachte ich bei
mir selbst, also mit keltischem Einschlag. Und allerlei Phöni-
zisches, Karthagisches, Römisches und Arabisches mag auch
im Spiele sein. Gut Kirschenessen ist wahrscheinlich nicht mit
der. Und ich fügte in Gedanken hinzu, daß im Schutz dieser
Mutter das Töchterchen sicherer aufgehoben sei als unter jeder
männlichen Chaperonnage.

Indessen war es mir nicht wenig willkommen, daß eine
solche – zur schicklichen Bedeckung beider Damen an diesem
öffentlichen Ort offenbar – vorhanden war. Der bebrillte
Herr mit dem langen Haar saß mir von den dreien am nächsten, beinahe Schulter an Schulter mit mir, da er seinen
Stuhl seitlich zum Tischchen gestellt hatte und mir sein sehr
ausgesprochenes Profil zuwandte. Auf den Rockkragen fallen-
des Nackenhaar sehe ich gar nicht gern, da es jenen unfehlbar
auf die Dauer speckig machen muß. Doch bezwang ich meine
Sensibilität und wandte mich, indem ich zugleich mit einem
entschuldigenden Blick die Damen streifte, an ihren Kavalier
mit diesen Worten:

»Verzeihen Sie, mein Herr, die Kühnheit eines eben erst
angelangten Fremden, der leider die Landessprache nicht beherrscht und sich mit dem Kellner, der begreiflicherweise nur
diese spricht, nicht verständigen kann. Verzeihen Sie, ich wiederhole es« – und wieder ging mein Blick, als ob er sie kaum
zu berühren wagte, über die Damen hin – »die Störung durch
einen Eindringling! Aber mir ist gar sehr an einer die lokalen
Verhältnisse betreffenden Auskunft gelegen. Ich habe den
Wunsch und die angenehme gesellschaftliche Pflicht, Besuch
zu machen in einem Hause in einer der Villenstraßen der
oberen Stadtgegend, Rua João de Castilhos mit Namen. Das
Haus, das ich meine – ich füge es gewissermaßen als Ausweis
hinzu –, ist das eines hochangesehenen Lissabonner Gelehrten,
des Professors Kuckuck. Würden Sie die außerordentliche Güte

haben, mich in aller Kürze über die Transportmittel zu infor-
mieren, die mir für den kleinen Ausflug dorthinauf zur Verfügung stehen?«

Welche Gunst ist es doch, über einen polierten und gefälligen Ausdruck zu verfügen, der Gabe der guten Form teilhaftig zu sein, die mir jene geneigte Fee mit zarter Hand in
die Wiege legte und die mir für das ganze hier laufende
Geständniswerk so sehr vonnöten ist! Ich war zufrieden mit
meiner Anrede, obgleich ich bei ihren letzten Worten etwas
ins Schwanken geraten war: aus dem Grunde nämlich, weil das
junge Mädchen bei Nennung der Straße und dann bei Erwähnung des Namens Kuckuck ein lustiges Kichern, ja eine
Art von Prusten hatte vernehmen lassen. Dies, sage ich,
brachte mich etwas aus dem Konzept, – da es doch nur danach
angetan war, die Ahnungen, die mich zum Sprechen bestimmt hatten, zu bestätigen. Hoheitsvoll vermahnend, mit
Kopfschütteln blickte die Senhora auf ihr Kind wegen dessen
Heiterkeitsausbruchs – und konnte sich dann doch selbst eines
Lächelns ihrer gestrengen Lippen nicht erwehren, auf deren
oberer ein ganz schwacher Schatten von Schnurrbart dunkelte.
Der Langhaarige aber, etwas überrascht natürlich, da er –
ich darf wohl behaupten: im Gegensatz zu den Frauen – von
meinem Dasein überhaupt noch nicht Notiz genommen hatte,
antwortete sehr höflich:

»Ich bitte, mein Herr. Es gibt da verschiedene Möglichkeiten – nicht alle gleich empfehlenswert, wie ich besser hinzu-
füge. Sie können einen Fiaker nehmen, aber die Straßen dorthinauf sind recht steil, und der Fahrgast kommt wohl in die
Lage, streckenweise neben dem Wagen hergehen zu müssen.
Rätlicher ist es schon, die Maultier-Tram zu benutzen, die die
Steigungen gut bewältigt. Aber am allergebräuchlichsten ist
die Seilbahn, zu der Sie den Eingang hier gleich in der Ihnen
gewiß schon bekannten Rua Augusta finden. Dies Verkehrs-
mittel bringt Sie bequem und geradewegs in die unmittelbare
Nähe der Rua João de Castilhos.«

»Ausgezeichnet«, erwiderte ich. »Das ist alles, was ich

brauche. Ich kann Ihnen nicht genug danken, mein Herr. Ihr
Rat ist mir maßgebend. Ich danke allerverbindlichst.«

Und damit zog ich mich gleichsam auf meinem Stuhle zurück, mit den entschiedensten Anzeichen, ganz gewiß nicht
länger lästig fallen zu wollen. Die Kleine aber, von mir schon
Zouzou genannt, die sich gar nicht vor den drohend verweisenden Blicken ihrer Mutter zu fürchten schien, fuhr einfach
noch immer fort mit den Bezeigungen ihrer Lustigkeit, so
daß schließlich die Senhora kaum umhinkonnte, zur Erklärung dieser Ausgelassenheit das Wort an mich zu richten.

»Entschuldigen Sie den Frohsinn eines Kindes, mein Herr«,
sagte sie in hartem Französisch, mit einer wohllautend beschlagenen Altstimme zu mir. »Aber ich bin Madame Kuckuck
aus der Rua João de Castilhos, dies ist meine Tochter Suzanna, dieses Herr Miguel Hurtado, ein wissenschaftlicher
Mitarbeiter meines Gatten, und ich gehe wohl nicht fehl
mit der Annahme, zu dem Reisegefährten Dom Antonio
Josés, dem Marquis de Venosta zu sprechen. Mein Mann hat
uns heute bei seiner Ankunft von der Begegnung mit Ihnen
erzählt . . .«

»Entzückt, Madame!« erwiderte ich mit ungeheuchelter
Freude, indem ich mich gegen sie, das junge Mädchen und
Herrn Hurtado verbeugte. »Das ist eine reizende Fügung
des Zufalls! Gewiß, mein Name ist Venosta, und ich hatte
mich tatsächlich auf der Fahrt von Paris hierher zeitweise
der Gesellschaft Ihres Gatten zu erfreuen. Ich kann wohl sagen, daß ich nie mit größerem Nutzen gereist bin. Das Gespräch des Herrn Professor ist herzerhebend . . .«

»Sie dürfen sich nicht wundern, Herr Marquis«, fiel die
junge Suzanna hier ein, »daß Ihre Erkundigung mich amüsierte. Sie erkundigen sich viel. Schon auf dem Platze habe ich
Sie beobachtet, wie Sie jeden dritten Passanten anhielten,
um sich nach irgend etwas zu erkundigen. Und jetzt erkundigen Sie sich bei Dom Miguel nach unserer eigenen Wohnung . . .«

»Du bist vorlaut, Zouzou«, verwies ihre Mutter ihr die

Rede – und für mich war es wundervoll, sie zum ersten Mal
mit diesem Kosenamen angeredet zu hören, den ich selbst
ihr im stillen schon längst verliehen hatte.

»Verzeih, Mama«, gab die Kleine zurück, »aber alles ist
vorlaut, was man in jungen Jahren sagt, und der Marquis,
der ja selbst noch jung ist, kaum älter als ich, wie es scheint,
ist selbst ein kleines bißchen vorlaut gewesen, indem er von
Tisch zu Tisch ein Gespräch anfing. Übrigens habe ich ihm
gar nicht gesagt, was ich sagen wollte. Vor allem wollte ich
ihm versichern, daß Papa uns beim Wiedersehen keineswegs gleich zuerst und Hals über Kopf von seiner Begegnung
mit ihm erzählt hat, wie es fast aus deinen Worten hervorzu-
gehen schien. Er hat uns erst eine Menge anderes erzählt, bevor er ganz beiläufig erwähnte, daß er mit einem Herrn
de Venosta zu Abend gegessen . . .«

»Auch mit der Wahrheit, mein Kind«, tadelte wieder kopfschüttelnd die geborene da Cruz, »darf man nicht vorlaut
sein.«

»Mein Gott, Mademoiselle«, sagte ich, »es ist eine Wahrheit, an der ich nie gezweifelt habe. Ich bilde mir nicht ein –«

»Das ist gut, das ist gut, daß Sie sich nichts einbilden!«

Die Mama: »Zouzou!«

Die Kleine: »Ein junger Mann, der so heißt, chère maman, und dabei zufällig so gut aussieht, ist sehr in Gefahr, sich
allerlei einzubilden.«

Es blieb nichts übrig, als sich der Heiterkeit zu überlassen
nach diesen Worten. Auch Herr Hurtado beteiligte sich an
ihr. Ich sagte:

»Mademoiselle Suzanna sollte die weit größere Gefahr
nicht verkennen, in der sie bei ihrem Aussehen selber schwebt,
sich etwas einzubilden. Hinzu kommt die natürliche Versuchung zum Stolz auf einen solchen Papa – und solche
Mama.« (Verneigung gegen die Senhora.) Zouzou errötete –
gewissermaßen für ihre Mutter, die an Erröten nicht im
entferntesten dachte; vielleicht aber auch aus Eifersucht auf
sie. Auf verblüffende Weise half sich die Kleine über dies

Erröten hinweg und ließ es einfach nicht wahr sein, indem
sie mit dem Kopf auf mich deutete und gleichmütig bemerkte:
»Was für hübsche Zähne er hat.«

In meinem Leben war mir eine solche Sachlichkeit nicht
vorgekommen. Und was diese etwa von Gewaltsamkeit hatte,
wußte das Mädchen ihr zu nehmen, indem sie auf das »Zouzou, vous êtes tout à fait impossible!« der Senhora die Antwort hatte:

»Aber er zeigt sie ja immer. Offenbar will er es hören. Und
man soll über so etwas auch gar nicht schweigen. Schweigen
ist nicht gesund. Die Feststellung bringt ihm und anderen
noch am wenigsten Schaden.«

Ein außerordentliches Geschöpf. Wie außerordentlich, wie
ganz persönlich aus dem Rahmen des Akzeptierten und
ihrer ganzen gesellschaftlichen und nationalen Umgebung
fallend, das sollte mir erst später klarwerden. Recht sollte
ich auch erst noch erfahren, mit welcher fast ungeheuerlichen Direktheit dieses Mädchen nach ihrem mir sehr merkwürdigen Satze »Schweigen ist nicht gesund« zu handeln
pflegte.

Es gab eine etwas verlegene Stockung des Gesprächs. Madame Kuckuck-da Cruz bewegte in leichtem Trommeln die
Fingerspitzen auf der Tischplatte. Herr Hurtado rückte an
seiner Brille. Ich half aus mit folgendem:

»Wir tun wohl alle gut, Mademoiselle Suzannas pädagogi-
sche Talente zu bewundern. Schon vorhin hatte sie vollkommen recht mit ihrem Einwurf, daß die Annahme lächerlich
wäre, ihr verehrter Herr Vater hätte seinen Reisebericht mit
der Erwähnung meiner Person begonnen. Ich wette, er hat
angefangen mit der Erwerbung, der seine Fahrt nach Paris ja
galt, nämlich einiger Skelett-Teile einer gewissen sehr wichtigen, aber leider längst ausgestorbenen Tapir-Art, die im ehrwürdigen Eozän zu Hause war . . .«

»Sie treffen es durchaus, Marquis«, sagte die Senhora.
»Eben davon hat Dom Antonio vor allem gesprochen, wie er
auch Ihnen davon gesprochen zu haben scheint, und hier

sehen Sie jemanden, der sich über diesen Erwerb besonders
freut, da er ihm Arbeit geben wird. Ich habe Ihnen Monsieur
Hurtado als einen wissenschaftlichen Mitarbeiter meines Mannes vorgestellt, – das wollte sagen: er ist ein vorzüglicher
Tiergestalter, der für unser Museum nicht nur alle möglichen
zeitgenössischen Tiere aufs natürlichste nachbildet, sondern
auch die Kunst übt, an der Hand von fossilen Resten nicht
mehr existierender Geschöpfe ihre Erscheinung höchst überzeugend wiederherzustellen.«

Daher das Haar auf dem Rockkragen, dachte ich. Es wäre
nicht unbedingt nötig. Laut sagte ich:

»Aber Madame – aber Monsieur Hurtado – besser könnte
dies alles sich gar nicht treffen! Denken Sie, auch von Ihrer
bewundernswerten Tätigkeit hat mir der Herr Professor ja
unterwegs erzählt, und nun läßt mich mein gutes Glück beim
ersten Schritt in die Stadt Ihre Bekanntschaft machen . . .«

Was sagte hier Fräulein Zouzou, abgewandten Gesichts?
Sie brachte es fertig, zu sagen:

»Welche Freude! Fallen Sie ihm doch gleich um den Hals!
Die Bekanntschaft mit uns kommt wohl gar nicht in Vergleich mit der, die Sie da bejubeln? Und dabei sehen Sie nicht
im mindesten so aus, Marquis, als ob Ihnen die Wissenschaften besonders nahelägen. Ihr Interesse gilt in Wahrheit wohl
mehr dem Ballett und den Pferden.«

Man hätte sich um ihre Reden wohl gar nicht kümmern
sollen. Aber ich erwiderte denn doch:

»Den Pferden? Erstens, mein Fräulein, hat das Pferd mit
dem Tapir des Eozäns von weitem sehr viel zu tun. Und
selbst das Ballett kann einen auf wissenschaftliche Gedanken
bringen, durch die Erinnerung nämlich an das urtümliche
Knochengerüst der hübschen Beine, die sich da produzieren.
Verzeihen Sie die Erwähnung, aber Sie waren es, die vom
Ballett anfing. Im übrigen bleibt es Ihnen unbenommen, in
mir einen Fant von den seichtesten Interessen zu sehen, der
für das Höhere, für den Kosmos und die drei Urzeugungen
und die Allsympathie gar keinen Sinn hat. Das steht Ihnen

frei, wie gesagt, nur könnte es sein, daß Sie mir Unrecht damit
täten.«

»Es wäre an dir, Zouzou«, sagte die Mama, »zu erklären,
daß das nicht deine Absicht war.«

Aber Zouzou schwieg verstockt.

Herr Hurtado dagegen, sichtlich geschmeichelt, ging nun
sehr verbindlich auf meine erfreute Begrüßung ein.

»Mademoiselle«, sagte er entschuldigend, »liebt die Nek-
kerei, Herr Marquis. Wir Männer müssen das hinnehmen,
und wer von uns wäre nicht gern bereit dazu? Mich neckt sie
auch immer und nennt mich den Ausstopfer, weil das wirklich anfangs mein ganzes Gewerbe war: ich verdiente mir
mein Brot, indem ich verendete Lieblinge, Kanarienvögel,
Papageien und Katzen ausstopfte und mit hübschen Glas-
augen versah. Dann bin ich freilich zu Besserem übergegangen, zur Dermoplastik, vom Handwerk zur Kunst, und
brauche keine toten Tiere mehr, um scheinbar höchst lebendige zur Anschauung zu bringen. Dazu gehört außer einer geschickten Hand viel Naturbeobachtung und Studium, ich
leugne das nicht. Was mir davon eigen ist, habe ich schon seit
einer Reihe von Jahren in den Dienst unseres Naturhistorischen
Museums gestellt, – übrigens nicht ich allein, noch zwei Künstler derselben Branche arbeiten wie ich für die Kuckucksche
Schöpfung. Zur Herstellung von Tieren, die anderen Erd-
altern angehören, von archaischem Leben also, ist, versteht
sich, ein fester anatomischer Anhalt erforderlich, aus dem die
Gesamterscheinung sich logisch ergibt, und darum bin ich so
sehr zufrieden, daß es dem Herrn Professor gelungen ist, in
Paris das Notwendigste vom Skelett dieses frühen Huftiers
zu ergattern. Ich will das Gegebene schon auffüllen. Das Tier
war nicht größer als ein Fuchs und hatte bestimmt noch vier
gut ausgebildete Zehen an den Vorderfüßen und drei an den
Hinterfüßen . . .«

Hurtado hatte sich ganz warm geredet. Ich beglückwünschte ihn herzlich zu der prächtigen Aufgabe und bedauerte nur, daß ich das Ergebnis dieser seiner Arbeit nicht

würde abwarten können, da schon in einer Woche mein Schiff
gehe – mein Schiff nach Buenos Aires. Aber möglichst viel
von seinem bisherigen Schaffen zu sehen, sei ich entschlossen.
Professor Kuckuck habe sich aufs hochherzigste erboten,
selbst meinen Führer durch das Museum zu machen. Um eine
bestimmte Verabredung mit ihm sei es mir eben zu tun.

Die könne sogleich getroffen werden, sagte Hurtado.
Wenn ich mich morgen vormittag, etwa um elf Uhr, zu dem
Museum, Rua da Prata, nicht weit von hier, bemühen wolle
– der Herr Professor sowohl wie auch seine Wenigkeit würden um diese Zeit dort anwesend sein, und zur Ehre werde
es ihm gereichen, sich bei dem Rundgang anschließen zu
dürfen.

Wundervoll. Ich reichte ihm geradezu die Hand zum Einverständnis, und die Damen ließen mit mehr oder weniger
Wohlwollen die Verabredung geschehen. Das Lächeln der
Senhora war herablassend, dasjenige Zouzous spöttisch. Aber
an dem noch nachfolgenden kurzen Gespräch beteiligte doch
auch sie sich ziemlich gesittet, obschon nicht ohne Einschlag
von dem, was Herr Hurtado »Neckerei« genannt hatte. Ich
erfuhr, daß »Dom Miguel« den Professor vom Bahnhof ab-
geholt, ihn nach Hause begleitet und in der Familie das Mittagsmahl eingenommen, danach dann den Damen bei ihren
Einkäufen hier unten Gesellschaft geleistet und sie schließlich
an diesen Erfrischungsort geführt hatte, den ohne männliche
Bedeckung zu betreten die Landessitte ihnen nicht erlaubt
haben würde. Auch von meinen vorhabenden Reisen war die
Rede, dieser einjährigen Weltreise, die meine lieben Eltern in
Luxemburg mir spendeten – ihrem einzigen Sohn, für den sie
nun einmal eine Schwäche hätten.

»C'est le mot«, versagte Zouzou sich nicht, einzuschalten.
»Allerdings, das kann man wohl Schwäche nennen.«

»Ich sehe Sie andauernd um meine Bescheidenheit besorgt,
mein Fräulein.«

»Das wäre wohl eine hoffnungslose Sorge«, erwiderte sie.

Ihre Mutter belehrte sie:

»Mein liebes Kind, ein junges Mädchen muß es lernen, zwischen Züchtigkeit und Stachligkeit zu unterscheiden.«

Und doch war es gerade diese Stachligkeit, die mir Hoffnung machte, eines Tages – so knapp mir die Tage waren – diese reizend geschürzten Lippen küssen zu können.

Madame Kuckuck selbst sollte es sein, die mich in dieser Hoffnung bestärkte, denn es geschah, daß sie mich in aller Form für morgen zum Mittagessen einlud. Hurtado nämlich erging sich in Überlegungen, für welche Sehenswürdigkeiten der Stadt und ihrer Umgebung ich meine bemesssene Zeit unbedingt nutzen müsse. Er empfahl den erhebenden Ausblick auf Stadt und Fluß, den man von dem öffentlichen Garten Passeio da Estrella genieße, sprach auch von einem bevorstehenden Stierkampf, rühmte besonders das Kloster Belem, eine Perle architektonischer Kunst, und die Schlösser von Cintra. Ich hingegen gestand ihm, daß, was mich nach allem, was ich davon gehört hätte, am stärksten anziehe, der Botanische Garten sei, wo es Pflanzen geben solle, die eher der Steinkohlenzeit als der gegenwärtigen Vegetation unseres Planeten angehörten, nämlich Farnbäume. Das berühre mich mehr als alles andere, und vom Naturhistorischen Museum abgesehen müsse dahin mein erster Gang sein.

»Ein Spaziergang, nichts weiter«, äußerte die Senhora. Er sei bequem zu unternehmen. Das einfachste werde sein, ich speiste nach dem Besuch des Museums in der Rua João de Castilhos en famille zu Mittag, und für den Nachmittag könne man, ob Dom Antonio José nun mitkommen wolle oder nicht, die botanische Promenade ins Auge fassen.

Mit Hoheit tat sie den Vorschlag, erließ sie die Einladung, und daß ich diese mit artigster Überraschung und Dankbarkeit annahm, brauche ich nicht zu versichern. Nie, sagte ich, hätte ich das Programm eines nächsten Tages mit mehr freudiger Voraussicht ins Auge gefaßt als heute. Nach geschehener Abmachung erhob man sich zum Gehen. Herr Hurtado ordnete beim Kellner die Rechnung für sich und die Damen. Nicht nur er, sondern auch Madame Kuckuck und Zouzou

reichten mir zum Abschied die Hand. »A demain«, hieß es
wiederholt. Selbst Zouzou sagte »A demain«. »Grâce à
l'hospitalité de ma mère«, setzte sie spottend hinzu. Und
dann, die Augen etwas gesenkt: »Ich rede nicht gern nach
Weisung. Darum schob ich es auf, Ihnen zu sagen, daß es nicht
meine Absicht war, Ihnen Unrecht zu tun.«

Ich war so verblüfft über diese plötzliche Milderung ihrer
Stachligkeit, daß ich sie aus Versehen Zaza nannte.

»Mais Mademoiselle Zaza . . .«

»Zaza!« wiederholte sie auflachend und drehte mir den
Rücken . . .

Ich mußte ihr geradezu nachrufen:

»Zouzou! Zouzou! Excusez ma bévue, je vous en prie!«

Während ich, am maurischen Hauptbahnhof vorbei,
durch die enge Rua do Príncipe, die den Rocio mit der
Avenida da Liberdade verbindet, in mein Hotel zurückkehrte,
schalt ich mich wegen des Ausgleitens meiner Zunge. Zaza!
Die war nur sie selbst gewesen, zu zweit nur mit ihrem verliebten Loulou – nicht mit einer stolzen, ur-iberischen Mutter –, und das war doch ein gewaltiger Unterschied!

Siebentes Kapitel

Das Museu Sciências Naturaes von Lissabon, in der Rua
da Prata gelegen, erreicht man von der Rua Augusta aus in
wenigen Schritten. Die Fassade des Hauses ist unscheinbar,
ohne Freitreppen-Aufgang, ohne Säulenportal. Man tritt
eben ein und findet sich sogleich, noch vor dem Durchschreiten
der Drehsperre, bei der der Geldeinnehmer seinen mit Photographien und Ansichtskarten ausgestatteten Tisch hat, überrascht von der Weite und Tiefe der Vorhalle, die den Besucher bereits mit einem das Gemüt ergreifenden Naturbilde
begrüßte. Man erblickte nämlich ungefähr in ihrer Mitte einen
bühnenartigen Aufbau mit grasigem Boden, in dessen Hinter-

grund ein Waldesdickicht, teils gemalt, teils wirklich aus
Stämmen und Laub bestehend, dunkelte. Davor aber, als sei
er eben daraus hervorgetreten, stand im Grase auf schlanken,
enggestellten Beinen ein weißer Hirsch, hochgekrönt mit ausladendem Geweih aus Schaufeln und Spießen, würdevoll und
zugleich wachsam-flüchtig von Ansehen, die Öffnung der seitlich gespannten Ohren unter dem Geweih nach vorn gewandt,
aus weit auseinanderliegenden und glänzenden, zwar ruhigen,
aber aufmerksamen Augen dem Eintretenden entgegenblik-
kend. Das Oberlicht der Halle fiel gerade auf den Grasplatz
und die schimmernde Gestalt der Kreatur, so stolz und vorsichtig. Man fürchtete, sie werde mit einem Satz im Dunkel
der Waldesdekoration verschwinden, wenn man einen Schritt
vorwärts täte. Und so verharrte ich in Scheu, gebannt von
der Scheue des einsamen Wildes dort drüben, an meinem Ort,
ohne gleich Senhor Hurtados gewahr zu werden, der, die
Hände auf dem Rücken, wartend zu Füßen des Podiums stand.
Von da kam er auf mich zu, gab dem Mann der Kasse ein
Zeichen, daß das Eintrittsgeld entfalle, und drehte die Kreuz-
Barriere für mich unter freundlichen Begrüßungsworten.

»Ich sah Sie gefesselt, Herr Marquis«, sagte er, »von unserem Empfangsherrn, dem weißen Schaufler. Sehr begreiflich. Ein gutes Stück. Nein, nicht ich habe es auf die Beine
gestellt. Das ist von anderer Hand geschehen, vor meiner Verbindung mit dem Institut. Der Herr Professor erwartet Sie.
Darf ich mir erlauben . . .«

Aber er mußte es lächelnd zulassen, daß ich erst einmal
hinüberstrebte zu der prächtigen Tiergestalt, um sie, die
glücklicherweise nicht wirklich flüchtig werden konnte, recht
aus der Nähe zu betrachten.

»Kein Damhirsch«, erläuterte Hurtado, »sondern von der
Klasse der Edel-Rothirsche, die zuweilen weiß sind. Übrigens spreche ich vermutlich zu einem Kenner. Sie sind Weid-
mann, nehme ich an?«

»Nur gelegentlich. Nur wenn gerade die gesellschaftlichen
Umstände es mit sich bringen. Hier ist mir nichts weniger als

weidmännisch zu Sinn. Ich glaube, ich könnte nicht anlegen auf den da. Er hat ja was Legendäres. Und dabei – nicht wahr, Senhor Hurtado, dabei ist doch der Hirsch ein Wiederkäuer?«

»Gewiß, Herr Marquis. Wie seine Vettern, das Rentier und der Elch.«

»Und wie das Rind. Sehen Sie, man sieht es. Er hat etwas Legendäres, aber man sieht es. Er ist weiß, ausnahmsweise, und sein Geweih gibt ihm etwas vom König des Waldes, und sein Geläuf ist zierlich. Aber der Körper verrät die Familie, – gegen die ja nichts einzuwenden ist. Vertieft man sich in den Rumpf und das Hinterteil und denkt etwa dabei an das Pferd – es ist nerviger, das Pferd, obgleich es bekanntlich vom Tapir stammt –, so kommt der Hirsch einem vor wie eine gekrönte Kuh.«

»Sie sind ein kritischer Beobachter, Herr Marquis.«

»Kritisch? Aber nein. Ich habe Sinn für die Formen und Charaktere des Lebens, der Natur, das ist alles. Gefühl dafür. Eine gewisse Begeisterung. Die Wiederkäuer haben, nach allem, was ich davon weiß, den merkwürdigsten Magen. Er hat verschiedene Kammern, und aus einer davon stoßen sie das Gefressene wieder auf ins Maul. Dann liegen sie und kauen mit Genuß die Klumpen noch einmal recht gründlich durch. Sie mögen sagen, es sei sonderbar, zum Waldeskönig gekrönt zu sein bei solcher Familiengewohnheit. Aber ich verehre die Natur in allen ihren Einfällen und kann mich ganz gut hineinversetzen in die Gewohnheit des Wiederkäuens! Schließlich gibt es etwas wie Allsympathie.«

»Zweifelsohne«, sagte Hurtado betroffen. Er war wirklich etwas verlegen ob meiner gehobenen Ausdrucksweise – als ob es eine weniger gehobene gäbe für das, was »Allsympathie« besagt. Da er aber vor Verlegenheit starr und traurig blickte, beeilte ich mich, in Erinnerung zu bringen, daß der Hausherr uns erwarte.

»Sehr wahr, Marquis. Ich täte unrecht, Sie länger hier festzuhalten. Darf ich nach links bitten . . .«

Links am Korridor lag Kuckucks Bureau. Er erhob sich
vom Schreibtisch bei unserem Eintritt, indem er die Arbeits-
brille von seinen Sternenaugen nahm, die ich mit einer Empfindung wiedererkannte, als hätte ich sie vordem im Traum
gesehen. Seine Begrüßung war herzlich. Er äußerte sein Vergnügen über den Zufall, der mich schon mit seinen Damen
zusammengeführt, und über die getroffenen Verabredungen.
Einige Minuten lang saßen wir um seinen Tisch, und er erkundigte sich nach meiner Unterkunft, meinen ersten Eindrücken von Lissabon. Dann schlug er vor: »Machen wir uns
auf unseren Rundgang, Marquis?«

So taten wir. Vor dem Hirschen draußen stand jetzt eine
Schulklasse, zehnjährige Kinder, die ihr Lehrer über das Tier
unterwies. Mit gleichmäßig verteiltem Respekt blickten sie hin
und her zwischen diesem und ihrem Mentor. Sie wurden
dann an den Glaskästen mit Käfer- und Schmetterlingssamm-
lungen vorübergeführt, welche die Halle umgaben. Wir hielten uns dabei nicht auf, sondern betraten rechtshin eine offene
Flucht ungleich großer Räume, wo denn nun freilich der
»Sinn für die Charaktere des Lebens«, dessen ich mich gerühmt hatte, sein Genüge, ja ein bedrängendes Übergenüge
finden mochte, so dicht und den Blick der Sympathie fangend
auf Schritt und Tritt war Zimmer und Saal von je und je
dem Schoß der Natur entquollenen Bildungen, welche neben
dem trüben Versuch sogleich auch das genauest Entwickelte,
in seiner Art Vollendetste gewahren ließen. Hinter Glas war
ein Stück Meeresboden dargestellt, auf dem frühestes organisches Leben, pflanzliches, zum Teil in einer gewissen Unanständigkeit der Formen, skizzenhaft wucherte. Und gleich
daneben sah man Querschnitte von Muscheln aus untersten
Erdschichten – hinweggemodert seit Millionen Jahren die
kopflosen Weichwesen, denen sie zum Schutze gedient – von
so minutiöser Ausarbeitung des Inneren der Gehäuse, daß
man sich wunderte, zu welch peinlicher Kunstfertigkeit die
Natur es in so alten Tagen gebracht.

Einzelne Besucher, Leute, die das gewiß populäre Eintritts-

geld zu erlegen gehabt hatten, begegneten uns, führerlos, da
ihr gesellschaftlicher Rang keinen Anlaß zu besonderer Betreuung gab, so daß sie sich also auf die in der Landessprache
abgefaßten Erläuterungen angewiesen fanden, mit denen die
Objekte versehen waren. Neugierig blickten sie sich um nach
unserer kleinen Gruppe und glaubten in mir wahrscheinlich
einen ausländischen Prinzen zu sehen, dem die Verwaltung
die Honneurs des Hauses machte. Ich leugne nicht, daß mir
das angenehm war; und dazu empfand ich als zarten Reiz
den Kontrast zwischen meiner Feinheit und Eleganz und der
tiefen Urtümlichkeit der oft ungeheuerlich anzusehenden fossilen Naturexperimente, deren flüchtige Bekanntschaft ich
machte, dieser Urkrebse, Kopffüßer, Armfüßer, fürchterlich
betagten Schwämme und eingeweidelosen Haarstern-Tiere.

Was mir dabei bewegend im Sinne lag, war der Gedanke,
daß dies alles erste Ansätze, in keinem noch so absurden Fall
einer gewissen Eigenwürde und Selbstzweckhaftigkeit ent-
behrende Vorversuche in der Richtung auf mich, will sagen:
den Menschen waren; und dies bestimmte die höflich zusam-
mengenommene Haltung, in der ich mir etwa den nackthäu-
tigen, spitzmäuligen Meeressaurier vorstellen ließ, von dem
ein wohl fünf Meter langes Modell in einem gläsernen Was-
serbehälter schwamm. Dieser Freund, der es weit über die
hier gezeigte Größe hatte hinaus bringen können, war ein
Reptil, aber von Fischgestalt, und ähnelte dem Delphin, der
jedoch ein Säugetier war. So zwischen den Gattungen
schwebend, glotzte er mich von der Seite an, während meine
eigenen Augen, unter Kuckucks Worten, schon in weitere
Räume voranglitten, wo, durch mehrere hindurchreichend,
von einer rotsamtenen Sperrkordel eingefaßt, wahrhaftig ein
Dinosaurier in voller Lebensgestalt aufgebaut zu sein schien.
So geht es ja in Museen und Ausstellungen: sie bieten zuviel;
die stille Vertiefung in einen oder wenige Gegenstände aus
ihrer Fülle wäre für Geist und Gemüt wohl ergiebiger; schon
wenn man vor den einen tritt, ist der Blick zu einem anderen
vorangeschweift, dessen Anziehung die Aufmerksamkeit für

jenen beirrt, und so fort durch die Flucht der Erscheinungen.
Übrigens sage ich das aus einmaliger Erfahrung, denn ich habe
später kaum je wieder solche Belehrungsstätten besucht.

Das ungefüge Wesen angehend, das, von der Natur verdros-
sen fallengelassen, hier an Hand seiner versunkenen Reste
treulich wiederhergestellt war, so hatte das Haus keinen Saal,
der seinen Dimensionen gewachsen gewesen wäre, – alles in
allem war es ja, Gott sei's geklagt, vierzig Meter lang, und
wenn man ihm zwei, durch einen weit offenen Bogen ver-
bundene Gemächer eingeräumt hatte, so hatten auch diese nur
durch eine geschickte Anordnung seiner Gliedmaßen den Ansprüchen genügt, die sie stellten. Wir gingen durchs eine Zimmer vorbei an dem riesigen, in eine Windung gelegten Leder-
schweif, den hautigen Hinterbeinen und einem Teil des
bauchigen Rumpfes; nebenan aber war der Vorderfigur ein
Baumstamm – oder war es eine stumpfe Steinsäule? – errichtet, worauf der Ärmste, halbaufgerichtet, sich nicht ohne
ungeheuerliche Grazie mit einem Fuße stützte, indes der end-
lose Hals mit dem nichtigen Köpfchen daran sich in betrüb-
tem Sinnen – aber kann man sinnen mit einem Sperlingshirn?
– zu diesem Fuß herabneigte.

Ich war sehr ergriffen vom Anblick des Dinosauriers und
sprach im Geiste zu ihm: »Laß dir's nicht nahegehen! Gewiß,
du bist verworfen worden und kassiert wegen Maßlosigkeit,
aber du siehst, wir haben dich nachgebildet und gedenken
dein.« Und doch war nicht einmal auf dieses Renommierstück
des Museums meine Aufmerksamkeit voll versammelt, sondern wurde durch gleichzeitige Anziehungen angelenkt: Von
der Decke herabhängend schwebte, die Hautschwingen ge-
spreitet, ein Flugsaurier, dazu der eben aus dem Reptilischen
hervorgegangene Urvogel mit Schweif und bekrallten Fit-
tichen. Eier gebärende Säugetiere mit Tragtaschen gab es auch
nahebei und stumpfgesichtige Riesengürteltiere weiterhin,
deren Natur sie fürsorglich mit einem Rücken- und Flanken-
panzer aus dicken Knochenplatten geschützt hatte. Aber die
Natur ihres gierigen Kostgängers, des Säbelzahntigers, hatte

ganz ebenso für diesen gesorgt und ihn so starke Kiefer und
solche Brechzähne ausbilden lassen, daß er damit dem
Knochenpanzer knackend beikommen und dem Gürteltier
große Stücke seines wahrscheinlich sehr wohlschmeckenden
Fleisches vom Leibe reißen konnte. Je größer und dicker ge-
wappnet der widerwillige Wirt wurde, desto gewaltiger wurden Kiefer und Gebiß des Gastes, der ihm freudig zum Mahl
auf den Rücken sprang. Als aber eines Tages, berichtete Kukkuck, Klima und Pflanzenwuchs dem großen Gürteltier einen
Streich spielten, derart, daß es seinen harmlosen Unterhalt
nicht mehr fand und einging, da saß, nach all dem Wett-
streit, auch der Säbelzahntiger da mit seinen Kiefern und seinen Panzerbrechern im Maul, verelendete rasch und gab die
Existenz auf. Dem wachsenden Gürteltier zuliebe hatte er alles
getan, um nicht zurückzubleiben und sich zum Knacken tüchtig zu halten. Jenes hinwiederum wäre so groß und dick be-
schient nie geworden ohne den Liebhaber seines Fleisches.
Wenn aber die Natur es schützen wollte gegen diesen durch
die immer schwerer zu zerbrechende Panzerwölbung, warum
hatte sie gleichzeitig dann immerfort die Kinnbacken und
Säbelzähne des Feindes verstärkt? Sie hatte es mit beiden gehalten – und also mit keinem von beiden –, hatte nur ihren
Scherz mit ihnen getrieben und sie, als sie sie recht auf die
Höhe ihrer Möglichkeiten gebracht, im Stich gelassen. Was
denkt die Natur sich? Sie denkt sich gar nichts, und auch der
Mensch kann sich nichts bei ihr denken, sondern sich nur verwundern über ihren tätigen Gleichmut, und dabei nach rechts
und links sein Herz verschenken, wenn er als Ehrengast unter
der Vielfalt ihrer Gestalten wandelt, wovon so wunderschöne
Modelle, zum Teil von Herrn Hurtado angefertigt, die
Räume des Kuckuckschen Museums füllten.

Mir wurden vorgestellt: mit seinen aufgebogenen Stoß-
zähnen das zottige Mammut, das es nicht mehr gibt, und,
gehüllt in lappige Dickhaut, das Nashorn, das es noch gibt,
obgleich es nicht danach aussieht. Von Baumästen herab sahen,
geduckt, aus übergroßen, spiegelnden Augen Halbaffen mich

an, das Nachtäffchen Schlanklori, das ich für immer in mein
Herz schloß, so zierliche Händchen, von den Augen ganz abgesehen, hatte es an seinen Ärmchen, die natürlich das
Knochengerüst der ältesten Landtiere bargen, und der Ko-
boldmaki mit Augen wie Teetassen, lang-dünnen Fingerchen,
die er zusammengelegt vor der Brust hielt, und ausnehmend
verbreiterten Plattzehen. Die Natur schien zum Lachen reizen zu wollen mit diesen Frätzchen; ich aber enthielt mich sogar des Lächelns bei ihrem Anblick. Denn gar zu deutlich lief
es bei ihnen allen schließlich auf mich hinaus, wenn auch auf
verlarvte und wehmütig scherzhafte Weise.

Wie könnte ich alle Tiere nennen und loben, die das Museum zur Anschauung brachte, die Vögel, die nistenden weißen
Reiher, die grämlichen Käuze, den dünngestelzten Flamingo,
die Geier und Papageien, das Krokodil, die Robben, Lurche,
Molche und warzigen Kröten, kurz, was da kreucht und
fleucht! Ein Füchslein vergesse ich nie von wegen der Witzig-
keit seines Antlitzes, und allen, Fuchs, Luchs, Faultier und
Vielfraß, ja auch dem Jaguar im Baum, mit Augen schief,
grün und falsch und einer Maulesmiene, die anzeigte, daß die
ihm zugewiesene Rolle reißend und blutig war, – allen hätte
ich gerne tröstend den Kopfpelz gestreichelt und tat es auch
hie und da, obgleich das Berühren der Objekte verboten war.
Aber welche Freiheit durfte ich mir nicht nehmen? Meine Begleiter sahen es gern, daß ich dem aufrecht tappenden Bären
die Hand reichte und dem Schimpansen, der sich auf seine
Fingerknöchel niedergelassen, ermutigend auf die Schulter
klopfte.

»Aber der Mensch«, sagte ich, »Herr Professor! Sie haben
mir doch den Menschen versprochen. Wo ist er?«

»Im Souterrain«, antwortete Kuckuck. »Haben Sie hier
alles beherzigt, Marquis, so wollen wir hinabsteigen.«

»Hinauf, wollen Sie sagen«, schaltete ich geistvoll ein.

Das Souterrain war künstlich erleuchtet. Wo wir gingen,
da waren hinter Glasscheiben kleine Theater, plastische
Szenen in natürlicher Größe aus dem Frühleben der Menschen,

in die Wand eingelassen, und vor jeder verweilten wir unter
den Kommentaren des Hausherrn, kehrten auch wohl, auf
mein Betreiben, von einer nächsten zur vorigen nochmals zurück, solange wir dort schon gestanden haben mochten. Erinnert der geneigte Leser sich wohl, wie ich in eigener Frühzeit, aus Neugier nach den Ursprüngen meiner auffallenden
Wohlschaffenheit, unter allerlei Vorfahrenbildnissen nach
ersten Hinweisen auf mein Selbst mich forschend umsah? Verstärkt kehrt immer im Leben das Anfängliche wieder, und
ganz fühlte ich mich zurückversetzt in jene Beschäftigung, als
ich nun dringlichen Auges und klopfenden Herzens das aus
grauester Ferne auf mich Abzielende besichtigte. Du mein
Gott, was hockte da klein und beflaumt in scheuer Gruppe
beisammen, als beriete man sich in schnalzender, gurrender
Vor-Sprache, wie auf dieser Erde, die man beherrscht von
weit günstiger ausgestatteten, stärker bewaffneten Wesen
vorgefunden, ein Durchkommen, ein Auskommen zu finden
sei? Hatte da die Urzeugung, von der ich gehört, die Sonderung vom Tierischen sich schon, oder noch nicht vollzogen?
Sie hatte, sie hatte, wenn man mich fragte. Dafür sprach gerade die ängstliche Fremdheit und Hilflosigkeit der Beflaum-
ten in einer fortgegebenen Welt, für die sie weder mit
Hörnern noch Hauern, mit Reißkiefern weder, noch Knochen-
panzern, noch eisernen Hackschnäbeln versehen waren. Und
doch wußten sie schon, meiner Überzeugung nach, und besprachen es heimlich im Hocken, daß sie aus feinerem Holze
geschnitzt waren als alle anderen.

Eine Höhle eröffnete sich, geräumig, da schürten Neander-
tal-Leute ein Feuer – plumpnackige, untersetzte Leute, gewiß –, aber es hätte nur sonst jemand, der herrlichste
Waldeskönig, kommen sollen und Feuer schlagen und
schüren! Dazu gehörte mehr als königliches Gebaren; es hatte
etwas hinzukommen müssen. Sehr plumpen und kurzen
Nackens war besonders das Haupt des Clans, ein Mann,
schnauzbärtig und rund von Rücken, das eine Knie blutig auf-
geschunden, die Arme zu lang für seine Statur, eine Hand am

Geweih eines Hirsches, den er erschlagen und eben zur Höhle hereinschleppte. Kurzhalsig, langarmig und wenig strack waren sie alle: die Leute am Feuer, der Knabe, der dem Ernährer und Beutebringer achtungsvoll entgegensah, und das Weib, das, ein Kind an der nährenden Brust, aus einer Hinterhöhle hervortrat. Das Kind aber, siehe, war ganz wie ein Brustkind von heute, entschieden modern und fortgeschritten über den Stand der Großen, doch würde es wachsend wohl auch noch auf diesen zurückfallen.

Nicht trennen konnte ich mich von den Neandertalern, dann aber ebensowenig von dem Sonderling, der vor vielen Jahrhunderttausenden einsam in nackter Felsenhöhle kauerte und mit seltsamem Fleiß die Wände mit Bildern von Wisenten, Gazellen und anderem Jagdgetier, auch Jägern dazu, bedeckte. Seine Gesellen betrieben wohl draußen die Jagd in Wirklichkeit, er aber malte sie mit bunten Säften, und seine beschmierte Linke, mit der er sich bei der Arbeit gegen die Felswand stützte, hatte mehrfache Abdrücke zwischen den Bildern darauf zurückgelassen. Lange sah ich ihm zu und wollte trotzdem, als wir schon weiter waren, noch einmal zu dem fleißigen Sonderling zurückkehren. »Hier ist aber noch einer«, sagte Kuckuck, »der ritzt, was ihm vorschwebt, so gut er kann in einen Stein.« Und dieser emsig ritzend über den Stein Gebückte war auch sehr rührend. Kühn und wehrhaft aber war der, der auf einem Theater mit Hunden und einem Speer das wütende Wildschwein anging, das sich, sehr wehrhaft ebenfalls, doch auf untergeordnet-natürliche Weise, zum Kampfe stellte. Zwei Hunde – es war eine kuriose, heute nicht mehr gesehene Rasse, Torfspitze, wie der Professor sie nannte, die der Mensch der Pfahlbauzeit sich gezähmt hatte – lagen schon, aufgeschlitzt von seinem Gebrech, im Grase, aber es hatte mit vielen zu tun, ihr Herr hob zielend die Lanze, und da der Ausgang der Sache nicht zweifelhaft sein konnte, gingen wir weiter und überließen das Schwein seinem untergeordneten Schicksal.

Es war eine schöne Meereslandschaft zu sehen, wo Fischer

am Strand ihrem unblutigen, doch auch überlegenen Handwerk oblagen; mit Flachsnetzen taten sie einen guten Fang.
Nebenan nun aber ging es ganz anders zu als irgendwo sonst,
bedeutender als bei den Neandertalern, dem Wildschwein-
jäger, den netzeinholenden Fischern und selbst bei dem sonderlich Fleißigen: Steinsäulen waren errichtet, eine Menge
davon; sie ragten unüberdacht, es war wie ein Säulensaal, nur
mit dem Himmel als Decke, und in der Ebene draußen ging
eben die Sonne auf, rot flammend hob sie sich über den Welt-
rand. Im dachlosen Saal aber stand ein Mann von kräftigem
Gliederbau und brachte, die Arme erhoben, der aufgehenden
Sonne einen Blumenstrauß dar! Hatte man je so etwas gesehen? Der Mann war kein Greis und kein Kind, er war im
rüstigsten Alter. Und eben daß er so rüstig und stark war,
verlieh seiner Handlung eine besondere Zartheit. Er und die
mit ihm lebten und ihn aus irgendwelchen persönlichen Gründen für sein Amt ausgesondert hatten, verstanden noch nicht
zu bauen und zu decken; sie konnten nur Steine aufeinander-
setzen zu Pfeilern, die einen Bezirk bildeten, um Handlungen
darin vorzunehmen, wie der Kräftige hier eine vollzog. Die
rohen Pfeiler waren kein Grund zum Hochmut. Der Fuchs-
und der Dachsbau und das vorzüglich geflochtene Vogelnest
zeugten sogar von mehr Witz und Kunst. Allein sie waren
nichts weiter als zweckmäßig – Schlupf und Brut, darüber
ging ihr Sinn nicht hinaus. Mit dem Pfeilerbezirk war es etwas anderes; Schlupf und Brut hatten mit ihm nichts zu tun,
sie waren unter seinem Sinn, der, abgelöst von gewitzter Bedürftigkeit, sich aufschwang zu noblem Bedürfnis, – und da
hätte wahrhaftig nur sonst in aller Natur jemand kommen
sollen und auf den Gedanken verfallen, der wiederkehrenden
Sonne einen Blumenstrauß dienstlich zu präsentieren!

Mein Kopf war heiß auf leicht fiebrige Weise von dringlichem Schauen, während ich in meinem vielverschenkten
Herzen diese Herausforderung ergehen ließ. Den Professor
hörte ich sagen, nun hätten wir alles gesehen und könnten
wieder hinaufsteigen und weiter hinauf sodann in die Rua

João de Castilhos, wo uns seine Damen zum Frühstück
erwarteten.

»Fast hätte man es vergessen können über solcher Besichtigung«, erwiderte ich und hatte es doch keineswegs vergessen,
vielmehr den Gang durchs Museum geradezu als Vorbereitung betrachtet zum Wiedersehen mit Mutter und Tochter,
– ganz ähnlich, wie Kuckucks Gespräch im Speisewagen die
Vorbereitung gewesen war zu dieser Besichtigung.

»Herr Professor«, sagte ich in dem Versuch, eine kleine
Schlußrede zu halten. »Ich habe zwar noch nicht viele Museen
besichtigt in meinem jungen Leben, aber daß Ihres eins der
ergreifendsten ist, steht mir außer Frage. Stadt und Land
schulden Ihnen Dank für die Schöpfung desselben und ich
für Ihre persönliche Führung. Auch Ihnen danke ich wärmstens, Herr Hurtado. Wie getreu haben Sie den armen maß-
losen Dinosaurier wiederhergestellt und das wohlschmeckende
Riesengürteltier! Nun aber, so ungern ich von hier scheide,
dürfen wir Senhora Kuckuck und Mademoiselle Zouzou um
keinen Preis auf uns warten lassen. Mutter und Tochter, –
auch damit hat es eine ergreifende Bewandtnis. Ein Geschwisterpaar, gut, es hat gleichfalls oft großen Zauber. Aber
Mutter und Tochter, ich sage es frei – und möge es auch etwas
fiebrig klingen –, geben doch das reizendste Doppelbild ab
auf diesem Sterne.«

Achtes Kapitel

Und so wurde ich denn in das Zuhause des Mannes eingeführt, dessen Gespräch auf der Reise mein Inneres in so starke
Bewegung versetzt hatte, – dieses Domizil, in dessen erhöhte
Gegend ich meine Blicke von der unteren Stadt schon oftmals
suchend emporgewandt hatte und das mir durch die unverhoffte Bekanntschaft mit seinen weiblichen Bewohnerinnen,
mit Mutter und Tochter, noch anziehender geworden war.

Geschwind und bequem trug uns die Seilbahn, von der Herr
Hurtado gesprochen, zu jener Region hinan, und es erwies
sich, daß sie in nächster Nähe der Rua João de Castilhos
mündete, so daß wir nach wenigen Schritten vor der Villa
Kuckuck standen, einem weißen Häuschen wie andere mehr
hier oben. Ein kleiner Rasenplatz lag davor, mit einem
Blumenbeet in der Mitte, und das Innere war das eines bescheidenen Gelehrtenheims, nach Dimensionen und Ausstattung in äußerstem Kontrast stehend zu der Pracht meiner
eigenen Unterkunft in der Stadt, so daß ich mich eines Gefühls der Herablassung nicht erwehren konnte bei den Lobsprüchen, die ich der überschauenden Lage des Hauses und
der Wohnlichkeit der Räume spendete.

Übrigens wurde dieses Gefühl rasch bis zur Zaghaftigkeit
gedämpft durch einen anderen sich aufdrängenden Kontrast:
nämlich durch die Erscheinung der Hausfrau, Senhora Kuk-
kuck-da Cruz, die uns – das heißt besonders mich – in dem
höchst bürgerlichen kleinen Salon mit so vollendeter Würde
begrüßte, als umgäbe sie ein fürstlicher Empfangssaal. Der
Eindruck, den diese Frau am Vortage auf mich gemacht, verstärkte sich beim Wiedersehen nur noch beträchtlich. Sie hatte
Wert darauf gelegt, sich in einer anderen Toilette zu zeigen
als gestern: es war ein Kleid aus sehr feinem weißem Moiré
mit schön tailliertem, an Überfällen reichem Rock, engen, aber
faltigen Ärmeln und einer schwarzen Sammetschärpe hoch
unter dem Busen. Ein alter Goldschmuck mit Medaillon lag
um ihren elfenbeinfarbenen Hals, dessen Tönung also, wie
die des großen, strengen Gesichtes zwischen den baumelnden
Ohrgehängen, um einige Nuancen dunkler von der Blüten-
weiße des Kleides abstach. Das volle schwarze Haar, in der
Stirn zu einigen Löckchen geordnet, ließ heute, ohne Hut,
denn doch Silberfäden wahrnehmen. Aber wie ohne Tadel
wohlerhalten war die Figur in ihrer Strackheit, bei hochge-
tragenem Kopf, der immer unter Lidern, fast müde vor Stolz,
auf dich hinabblickte! Ich leugne nicht, daß die Frau mich
einschüchterte und mich zugleich durch eben die Eigenschaften,

vermöge deren sie es tat, außerordentlich anzog. Ihr bis
zur Düsternis hoheitsvolles Wesen war in ihrer Stellung als
Gattin eines gewiß verdienten Gelehrten doch nur unvollkommen begründet. Es wirkte dabei etwas rein Blutmäßiges,
ein Rassedünkel mit, der etwas Animalisches und gerade dadurch Erregendes hatte.

Dabei hielt ich im Grunde nach Zouzou Ausschau, die meinem Alter und Interesse doch näher stand als Senhora Maria
Pia – den Vornamen hörte ich von dem Professor, der uns
aus einer auf der Plüschdecke des Salontisches stehenden, von
Gläsern umgebenen Karaffe Portwein einschenkte. Ich hatte
nicht lange zu warten. Zouzou trat ein, kaum daß wir von
unserem Apéritif genippt hatten, und begrüßte zuerst ihre
Mutter, dann, kameradschaftlich, Herrn Hurtado und ganz
zuletzt mich, – was wohl aus pädagogischen Gründen geschah
und damit ich mir nichts einbildete. Sie kam vom Tennisspiel
mit irgendwelchen jungen Bekannten, deren Namen etwa
Cunha, Costa und Lopes lauteten. Sie gab über das Spiel des
einen und der anderen anerkennende und abschätzige Urteile
ab, die darauf schließen ließen, daß sie selbst sich für eine
Meisterin erachtete. Mich fragte sie mit einer Kopfwendung
über die Schulter, ob ich spielte, und wiewohl ich nur manchmal, einst in Frankfurt, als Zaungast am Rande von Tennisplätzen zugesehen – allerdings sehr inständig zugesehen –
hatte, wie elegante junge Leute das Spiel betrieben, sogar
gelegentlich, des Taschengelds halber, auf solchen Plätzen den
Balljungen gemacht, verlaufene Bälle aufgehoben und sie den
Spielern zugeworfen oder sie ihnen aufs Racket gelegt hatte,
was aber auch alles war, – antwortete ich leichthin, ich sei
früher einmal, zu Hause, auf dem Spielfeld von Schloß Monrefuge kein schlechter Partner gewesen, sei aber seitdem recht
sehr aus der Übung gekommen.

Sie zuckte die Achseln. Wie freute es mich, die hübschen
Zipfel ihres Haars vor den Ohren, ihre geschürzte Ober-
lippe, den Schmelz ihrer Zähne, diese reizende Kinn- und
Kehllinie, den unwirsch forschenden Blick dieser schwarzen

Augen unter den ebenmäßigen Brauen wiederzusehen! Sie
trug ein schlichtes weißes Leinenkleid mit Ledergürtel und
kurzen Ärmeln, die ihre süßen Arme fast ganz frei ließen, –
Arme, die an Zauber für mich noch gewannen, wenn sie sie
bog und mit beiden Händen an dem goldenen Schlänglein ne-
stelte, das ihr als Haarschmuck diente. Gewiß, Senhora Maria
Pias rassige Hoheit beeindruckte mich bis zur Erschütterung;
aber der Schlag meines Herzens galt doch ihrem liebreizenden
Kinde, und die Idee, daß diese Zouzou die Zaza des auf
Reisen befindlichen Loulou Venosta sei oder werden müsse,
setzte sich immer eigensinniger in meiner Vorstellung fest,
obgleich ich mir der enormen Schwierigkeiten voll bewußt war,
die sich dieser Ordnung der Dinge entgegenstellten. Wie sollten wohl die sechs, sieben Tage, die mir bis zu meiner Einschiffung blieben, hinreichen, um es unter den sprödesten Umständen zum ersten Kuß auf diese Lippen, auf einen dieser
köstlichen Arme (mit dem urzeitlichen Knochengerüst) zu
bringen? Damals gleich drängte sich mir der Gedanke auf,
daß ich unbedingt die überknappe Frist verlängern, das Programm meiner Reise ändern, ein Schiff überschlagen müsse,
um meinem Verhältnis zu Zouzou Zeit zu geben, sich zu
entwickeln.

Welche närrischen Ideen schossen mir nicht durch den
Kopf! Die Heiratswünsche des zu Hause gebliebenen anderen
Ich schoben sich meinem Denken unter. Mir war, als müsse ich
meine Eltern in Luxemburg um die zur Ablenkung vorgeschriebene Weltreise betrügen, Professor Kuckucks reizende
Tochter freien und als ihr Gatte in Lissabon bleiben, – da mir
doch nur allzu klar und schmerzlich bewußt war, daß das zart
Schwebende meiner Existenz, ihr heikles Doppelgängertum
mir gänzlich verbot, es solcherart mit der Wirklichkeit aufzunehmen. Dies, wie gesagt, tat mir weh. Aber wie froh war
ich doch auch wieder, den neuen Freunden in dem gesellschaftlichen Range begegnen zu können, welcher der Feinheit
meiner Substanz entsprach!

Unterdessen ging man ins Speisezimmer hinüber, das von

einem für den Raum zu großen und gewichtigen, überreich
geschnitzten Nußholz-Buffet beherrscht war. Der Professor
saß der Tafel vor. Ich hatte meinen Platz neben der Hausfrau, Zouzou und Herrn Hurtado gegenüber. Ihr Nebeneinander, zusammen mit meinen leider verbotenen Heiratsträu-
men, ließ mich mit einer gewissen Unruhe das Verhalten der
beiden zueinander beobachten. Der Gedanke, daß der Langhaarige und das reizende Kind füreinander bestimmt sein
könnten, lag nur zu nahe und wollte mir Sorgen machen. Indessen sah das Verhältnis zwischen ihnen sich so spannungs-
los und gleichmütig an, daß mein Argwohn sich zur Ruhe
begab.

Eine ältere wollhaarige Magd trug das Essen auf, das recht
gut war. Es gab Hors-d'œuvres mit köstlichen heimischen Sar-
dinen, einen Hammelbraten, Rahmbaisers zum Dessert und
danach noch Früchte und Käsegebäck. Ein recht heißer Rot-
wein wurde zu dem allen geschenkt, den die Damen mit
Wasser mischten und von dem der Professor überhaupt nicht
trank. Dieser glaubte bemerken zu sollen, daß, was das
Haus zu bieten habe, natürlich nicht mit den Gerichten vom
Savoy Palace rivalisieren könne, worauf Zouzou sofort, noch
ehe ich antworten konnte, einwarf, ich hätte meinen heutigen
Mittagstisch ja freiwillig gewählt und gewiß nicht erwartet, daß man meinetwegen besondere Umstände machen
werde. Man *hatte* bestimmt einige Umstände gemacht, aber
ich überging diesen Punkt und ließ mich nur darüber aus, wie
ich so gar keinen Anlaß hätte, mich nach der Küche meines
Avenida-Hotels zu sehnen, und entzückt sei, diese Mahlzeit
in einem so distinguierten und auf alle Weise gewinnenden
Familienkreise einnehmen zu dürfen, auch wohl im Gedächtnis behielte, wem ich diese Gunst zu danken hätte. Dabei
küßte ich der Senhora die Hand, die Augen dabei auf Zouzou
gerichtet.

Sie begegnete scharf meinem Blick, die Brauen etwas zusammengezogen, die Lippen getrennt, mit gespannten Nüstern. Gern stellte ich fest, daß die Gemütsruhe, die glückli-

cherweise ihren Umgang mit Dom Miguel bestimmte, sich
keineswegs auch in ihrem Verhalten zu mir wiederfand. Sie
ließ kaum die Augen von mir, beobachtete, ohne es zu verbergen, jede meiner Bewegungen und lauschte ebenso unverhohlen, genau und gleichsam im voraus zornig, auf jede meiner
Äußerungen, wobei sie nie eine Miene – etwa zum Lächeln –
verzog, sondern nur manchmal kurz und abschätzig die Luft
durch die Nase ausstieß. Mit einem Wort: eine stachlichte
und eigentümlich streitbare Gereiztheit war es offenbar, was
meine Gegenwart ihr erregte, und wer will es mir verargen,
daß ich diese Art von – wenn auch feindseliger – Beteiligtheit
an meiner Person besser und hoffnungsvoller fand als Gleichgültigkeit?

Das Gespräch, französisch geführt, wobei der Professor
und ich manchmal ein paar deutsche Worte wechselten, drehte
sich noch um meinen Museumsbesuch und die zur Allsympathie bewegenden Eindrücke, die ich ihm zu verdanken erklärte, berührte den bevorstehenden Ausflug nach dem Botanischen Garten und fiel dann auf jene architektonischen
Sehenswürdigkeiten nahe der Stadt, die ich mir nicht entgehen
lassen dürfe. Ich beteuerte meine Neugier und daß ich den
Rat meines verehrten Reisegefährten wohl im Sinne hielte,
mich in Lissabon nicht zu flüchtig umzusehen, sondern seinem Studium genügend Zeit zu widmen. Aber um die Zeit
eben sei es mir bange; mein Reiseplan gewähre mir allzu wenig davon, und wirklich finge ich an, mit der Frage umzuge-
hen, wie er sich zur Verlängerung meines Aufenthalts dahier werde ändern lassen.

Zouzou, die es liebte, über meinen Kopf hinweg von mir
in der dritten Person zu sprechen, äußerte stachlig, man tue
gewiß unrecht, Monsieur le Marquis zur Gründlichkeit anhalten zu wollen. Nach ihrer Meinung heiße das meine Gewohnheiten verkennen, die zweifellos eher denen eines Schmetter-
lings glichen, der von Blüte zu Blüte gaukle, um überall nur
flüchtig ein wenig Süßigkeit zu nippen. Es sei reizend, erwiderte ich, indem ich ihren Redestil nachahmte, daß Made-

moiselle sich, wenn auch etwas verfehlt, mit meinem Charakter beschäftige – und besonders hübsch, daß sie es in so poetischen Bildern tue. Da wurde sie noch stachlichter und sagte, bei so viel Glanz, wie er ausstrahle von meiner Person, sei es schwer, nicht ins Poetische zu verfallen. Der Zorn sprach aus ihren Worten nebst der früher geäußerten Überzeugung, daß man die Dinge bei Namen nennen müsse und »Schweigen nicht gesund« sei. Die beiden Herren lachten, während die Mutter ihr aufsässiges Kind mit einem Kopfschütteln ermahnte. Was mich betrifft, so hob ich nur huldigend das Glas gegen Zouzou, und von Erbitterung verwirrt, wollte sie schon nach dem ihren greifen, zog aber errötend die Hand davon zurück und half sich wieder mit jenem kurz wegwerfenden Schnauben durch das Näschen.

Auch mit meinen weiteren Reisevorhaben, die mir den Aufenthalt in Lissabon so unliebsam verkürzen wollten, beschäftigte sich die Unterhaltung, besonders mit der argentinischen Estanciero-Familie, deren Bekanntschaft meine Eltern in Trouville gemacht und deren Gastfreundschaft mich erwartete. Ich gab über sie Auskunft nach den Unterweisungen, mit denen der zu Hause Gebliebene mich versehen. Diese Leute hießen einfach Meyer, aber auch Novaro, denn dies war der Name ihrer Kinder, einer Tochter und eines Sohnes, die aus Frau Meyers erster Ehe stammten. Sie war, so berichtete ich, aus Venezuela gebürtig und hatte sich, sehr jung, einem Argentinier in staatsamtlicher Stellung vermählt, der in der Revolution von 1890 erschossen worden war. Nach Einhaltung eines Trauerjahres hatte sie dem reichen Konsul Meyer die Hand zum Ehebunde gereicht und war ihm mit ihren Novaro-Kindern in sein Stadthaus zu Buenos Aires und auf seine weitläufige, von der Stadt ziemlich entfernt, in den Bergen gelegene Besitzung El Retiro gefolgt, wo die Familie fast immer lebte. Die bedeutende Witwenpension Frau Meyers war bei ihrer zweiten Heirat auf ihre Kinder übergegangen, die also nicht nur als einstige Erben des reichen Meyer, sondern schon jetzt und von sich aus vermögende junge Leute waren. Sie mochten achtzehn und siebzehn Jahre alt sein.

»Senhora Meyer ist wohl eine Schönheit?« fragte Zouzou.

»Ich weiß es nicht, Mademoiselle. Aber da sie so bald wieder einen Bewerber gefunden hat, nehme ich an, daß sie nicht häßlich ist.«

»Das steht auch von den Kindern, diesen beiden Novaros, zu vermuten. Wissen Sie schon ihre Vornamen?«

»Ich erinnere mich nicht, daß meine Eltern sie erwähnt hätten.«

»Aber ich wette, daß Sie ungeduldig sind, sie zu erfahren.«

»Warum?«

»Ich weiß nicht, Sie haben mit unverkennbarem Interesse von dem Pärchen gesprochen.«

»Dessen bin ich mir nicht bewußt«, sagte ich heimlich betroffen. »Ich habe ja noch gar keine Vorstellung von ihnen. Aber ich gebe zu, daß das Bild anmutigen Geschwistertums von jeher einen gewissen Zauber auf mich ausgeübt hat.«

»Ich bedaure, Ihnen so einzeln und allein entgegentreten zu müssen.«

»Erstens«, erwiderte ich mit einer Verbeugung, »kann das Einzelne ganz allein Zauber genug besitzen.«

»Und zweitens?«

»Zweitens? Ich habe gänzlich gedankenlos ,erstens' gesagt. Über ein ,zweitens' verfüge ich nicht. Höchstens, daß es noch andere reizende Kombinationen gibt als die geschwisterliche, ließe sich an zweiter Stelle bemerken.«

»Patatípatatá!«

»Man sagt nicht so, Zouzou«, mischte die Mutter sich in diesen Austausch. »Der Marquis wird sich Gedanken über deine Erziehung machen.«

Ich versicherte, daß meine Gedanken über Mademoiselle Zouzou nicht so leicht aus ihrer respektvollen Bahn zu werfen seien. Man hob die Frühstückstafel auf und ging zum Kaffee wieder in den Salon hinüber. Der Professor erklärte, daß er sich an unserem botanischen Spaziergang nicht beteiligen

könne, sondern in sein Bureau zurückkehren müsse. Er fuhr
denn auch nur noch mit uns zur Stadt hinunter und verabschiedete sich auf der Avenida da Liberdade – von mir mit
der artigsten Wärme, in der gewiß seine Dankbarkeit für das
Interesse zum Ausdruck kam, das ich für sein Museum an den
Tag gelegt. Er sagte, ich sei ihm und den Seinen ein sehr angenehmer, sehr schätzenswerter Gast gewesen und werde
es sein, jederzeit, solange ich eben in Lissabon verweilte.
Wenn ich Lust hätte und Zeit fände, das Tennisspiel wieder
aufzunehmen, werde seine Tochter sich ein Vergnügen daraus
machen, mich in ihren Club einzuführen.

Mit Begeisterung, sagte Zouzou, sei sie dazu bereit.

Kopfschüttelnd und mit einem Lächeln, das Nachsicht
übte und Nachsicht erbat, deutete er nach ihrer Seite, während er mir die Hand drückte.

Von da, wo wir uns trennten, findet man wirklich mit
Bequemlichkeit seinen Weg hinaus zu den sanften Höhen,
auf denen, um Seen und Teiche herum, über Hügel hin, in
Grotten und auf lichten Halden die berühmten Anlagen sich
ausbreiten, die unser Ziel waren. Wir gingen in wechselnder
Anordnung: Manchmal schritten Dom Miguel und ich zu seiten Senhora Kuckucks, während Zouzou voranschlenderte.
Manchmal fand ich mich auch allein an der Seite der stolzen
Frau und sah Zouzou mit Hurtado vor uns wandeln. Auch
kam es vor, daß ich mit der Tochter ein Paar bildete, vor
oder hinter der Senhora und dem Dermoplastiker, der sich
aber öfter zu mir gesellte, um mir Erklärungen über die Landschaft, die Wunder der Pflanzenwelt zu geben, und so, gestehe ich, war mir's am liebsten – nicht um des »Ausstopfers«
und seiner Erläuterungen willen, sondern weil dann jenes verleugnete »zweitens« zu seinem Rechte kam und ich Mutter
und Tochter in reizender Kombination vor mir sah.

Es ist der Ort, einzuschalten, daß die Natur, und sei sie
noch so erlesen, gebe sich noch so sehr als Sehenswürdigkeit,
uns wenig Aufmerksamkeit abnötigt, wenn uns das Menschliche beschäftigt und unser Sinn von diesem eingenommen ist.

Sie bringt es dann trotz aller Ansprüche nicht über die Rolle
der Kulisse, des Hintergrunds unserer Empfindung, einer bloßen Dekoration hinaus. Aber freilich, als solche war sie hier
aller Anerkennung wert. Koniferen riesenhaften Wuchses,
schätzungsweise ein halbhundert Meter hoch, forderten zum
Staunen heraus. Von Fächer- und Fiederpalmen aller Art
und aus allen Erdteilen strotzte das Lustgelände, dessen
Pflanzenüppigkeit sich an gewissen Stellen urwaldartig verschlang. Exotische Schilfarten, Bambus und Papyros, säumten
die Ziergewässer, auf denen buntfarbige Braut- und Manda-
rinenenten schwammen. Vielfach war die Palmlilie zu bewundern mit dem dunklen Grün ihres Blätterschopfes, aus dem
große Büschel weißer Glockenblüten hoch emportrieben. Und
da waren denn auch die erdaltertümlichen Baumfarne, an
mehreren Stellen zu wirren und unwahrscheinlichen Wäldchen
zusammentretend, mit wucherndem Unterholz und schlanken Stämmen, die sich zu Wedelkronen gewaltiger Blätter
breiteten, welche, wie Hurtado uns belehrte, die Behälter
ihres Sporenstaubes trugen. An sehr wenigen Plätzen der
Erde, außer diesem, bemerkte er, gebe es noch Farnbäume.
Aber den Farngewächsen überhaupt, fügte er bei, blüten-
los und eigentlich auch samenlos wie sie seien, schreibe der
Glaube primitiver Menschen seit Urzeiten allerlei geheime
Kräfte zu, besonders daß sie gut seien zum Liebeszauber.

»Pfui!« sagte Zouzou.

»Wie meinen Sie das, Mademoiselle?« fragte ich sie. Es sei
überraschend, auf eine so wissenschaftlich sachliche Erwähnung
wie das Wort »Liebeszauber«, bei dem sich gar nichts Genaueres denken lasse, eine derartig emotionelle Rückäußerung zu vernehmen. »Gegen welchen Bestandteil des Wortes
wenden Sie sich?« wollte ich wissen. »Gegen die Liebe oder
gegen den Zauber?«

Sie antwortete nicht, sondern sah mich nur zornig an,
indem sie mir sogar drohend zunickte.

Dennoch machte es sich, daß ich nun mit ihr ging, hinter
dem Tierbildner und der rassestolzen Mutter.

Die Liebe sei selbst ein Zauber, sagte ich. Was Wunder, daß
urtümliche Menschen, Farnmenschen sozusagen, die es auch
noch gebe, da auf Erden immer alles gleichzeitig und nebeneinander versammelt sei, sich versucht fühlten, Zauber damit
zu treiben?

»Das ist ein unanständiges Thema«, wies sie mich ab.

»Die Liebe? Wie hart! Man liebt das Schöne. Ihm wenden
Sinn und Seele sich zu wie die Blüte der Sonne. Sie werden
doch nicht die Schönheit mit dem einsilbigen Ausruf von vorhin bedenken wollen?«

»Ich finde es äußerst geschmacklos, auf Schönheit die Rede
zu bringen, wenn man sie selber zur Schau trägt.«

Auf diese Direktheit hatte ich folgende Antwort:

»Sie sind recht gehässig, mein Fräulein. Sollte ein anständiges Aussehen mit dem Entzug des Rechtes auf Bewunderung bestraft werden? Ist es nicht eher sträflich, häßlich zu
sein? Ich habe es immer einer Art von Nachlässigkeit zuge-
schrieben. Aus eingeborener Rücksicht auf die Welt, die mich
erwartete, habe ich im Werden acht darauf gegeben, daß ich
ihr Auge nicht kränkte. Das ist alles. Ich möchte es eine Sache
der Selbstdisziplin nennen. Im übrigen sollte man nicht mit
Steinen werfen, wenn man im Glashause sitzt. Wie schön
sind *Sie,* Zouzou, wie bezaubernd mit Ihren unvergleichlichen
Haarzipfeln vor den kleinen Ohren. Ich kann mich an diesen
Zipfeln gar nicht satt sehen und habe sie sogar schon gezeichnet.«

Das traf zu. Heute morgen, nachdem ich in dem hübschen
Speiseabteil meines Salons das Frühstück eingenommen, hatte
ich zur Zigarette Loulous Aktzeichnungen von Zaza mit
Zouzous Schläfenhaaren neben den Ohren versehen.

»Was! Sie haben sich erlaubt, mich zu zeichnen?« rief sie
gedämpft zwischen den Zähnen aus.

»Aber ja, mit Ihrer Erlaubnis – oder ohne sie. Die Schönheit ist Freigut des Herzens. Sie kann das Gefühl nicht verhindern, das sie einflößt, noch kann sie verbieten, daß man
versucht, sie nachzubilden.«

»Ich wünsche diese Zeichnung zu sehen.«

»Ich weiß doch nicht, ob das tunlich sein wird – ich meine: ob ich damit vor Ihnen bestehen kann.«

»Das ist ganz einerlei: Ich verlange, daß Sie mir dieses Blatt ausliefern.«

»Es sind mehrere. Ich werde darüber nachdenken, ob, wann und wo ich sie Ihnen vorlegen kann.«

»Das Wann und Wo muß sich finden. Das Ob ist keine Frage. Was Sie da hinter meinen Rücken gemacht haben, ist mein Eigentum, und was Sie eben von ‚Freigut' sagten, war sehr, sehr unverschämt.«

»Es war gewiß nicht so gemeint. Ich wäre untröstlich, wenn ich Ihnen Grund gegeben hätte, sich über meine Erziehung Gedanken zu machen. ‚Freigut des Herzens' sagte ich, und treffe ich es denn nicht damit? Die Schönheit ist wehrlos gegen unser Gefühl. Sie kann gänzlich ungerührt, unberührt davon sein, es braucht sie nicht das mindeste anzugehen. Aber wehrlos ist sie dagegen.«

»Sie bringen es nicht fertig, endlich das Thema zu wechseln?«

»Das Thema? Aber gern! Oder, wenn nicht gern, so doch mit Leichtigkeit. Also zum Beispiel –« setzte ich mit lauterer Stimme, in karikiertem Konversationstone an: »Darf ich fragen, ob Sie, beziehungsweise Ihre verehrten Eltern, vielleicht mit Herrn und Frau von Hüon, dem Luxemburgischen Gesandten und seiner Gattin, bekannt sind?«

»Nein, was geht uns Luxemburg an.«

»Da haben Sie wieder recht. Für mich war es schicklich, dort Besuch zu machen. Ich handelte damit im Sinn meiner Eltern. Nun habe ich wohl eine Einladung zum Déjeuner oder Diner von da zu erwarten.«

»Viel Vergnügen!«

»Ich habe dabei noch einen Hintergedanken. Es ist der Wunsch, durch Herrn von Hüon Seiner Majestät dem König vorgestellt zu werden.«

»So? Ein Höfling sind Sie auch?«

»Wenn Sie es so nennen wollen –. Ich habe lange in einer bürgerlichen Republik gelebt. Gleich, als sich herausstellte, daß meine Reise mich in ein Königreich führen werde, habe ich mir heimlich vorgenommen, dem Monarchen meine Aufwartung zu machen. Sie mögen es kindlich finden, aber es entspricht meinen Bedürfnissen und wird mir Freude machen, mich zu verneigen, wie man sich nur vor einem König verneigt, und im Gespräch recht oft die Anrede ‚Euer Majestät‘ zu gebrauchen. ‚Sire, ich bitte Euer Majestät, den untertänigsten Dank entgegenzunehmen für die Gnade, daß Euer Majestät –‘ und so immerfort. Noch lieber würde ich mir eine Audienz beim Papst erbitten und werde es bestimmt einmal tun. Dort beugt man sogar das Knie, was mir großen Genuß bereiten würde, und sagt ‚Votre Sainteté‘.«

»Sie geben vor, Marquis, mir von Ihrem Bedürfnis nach Devotion zu erzählen –«

»Nicht nach Devotion. Nach schöner Form.«

»Patatípatatá! In Wahrheit wollen Sie mir nur Eindruck machen mit Ihren Beziehungen, Ihrer Einladung auf die Gesandtschaft und damit, daß Sie überall Zutritt haben und auf den Höhen der Menschheit wandeln.«

»Ihre Frau Mama hat Ihnen verboten, Patatípatatá zu mir zu sagen. Und im übrigen . . .«

»Maman!« rief sie, so daß Senhora Maria Pia sich umwandte. »Ich muß dir mitteilen, daß ich eben wieder ‚Patatípatatá‘ zu dem Marquis gesagt habe.«

»Wenn du dich mit unserem jungen Gaste zankst«, antwortete die Ibererin mit ihrer wohllautend verschleierten Altstimme, »so wirst du nicht weiter mit ihm gehen. Komm her und laß dich von Dom Miguel führen. Ich werde unterdessen den Marquis zu unterhalten suchen.«

»Ich versichere Sie, Madame«, sagte ich nach vollzogenem Tausch, »daß es nichts einem Zanke Ähnliches gegeben hat. Wer wäre nicht entzückt von dem reizenden Geradezu, über das Mademoiselle Zouzou manchmal verfügt.«

»Wir haben Ihnen die Gesellschaft des Kindes doch wohl

zu lange zugemutet, lieber Marquis«, antwortete die königliche Südländerin, deren Jettgehänge schaukelten. »Der Jugend ist die Jugend meistens zu jung. Der Umgang mit der Reife ist ihr zuletzt, wenn nicht willkommener, so doch zuträglicher.«

»Sie ist auf jeden Fall ehrenvoller für sie«, versetzte ich, indem ich eine vorsichtige Wärme ins Formelle zu legen suchte.

»Und so werden wir«, sprach sie weiter, »diesen Spaziergang miteinander beenden. Er hat Sie interessiert?«

»Im höchsten Grade. Ich habe ihn unbeschreiblich genossen. Und es ist mir eine Gewißheit: dieser Genuß wäre nicht halb so intensiv gewesen, nicht halb so innig wäre meine Empfänglichkeit für die Eindrücke, die Lissabon mir bietet, Eindrücke durch Dinge und Menschen – ich sage besser: durch Menschen und Dinge –, ohne die Vorbereitung, die ein glückliches Geschick mir gewährte, indem es mich auf der Reise mit Ihrem hochverehrten Gatten, Senhora, ins Gespräch kommen ließ – wenn von einem Gespräch die Rede sein kann, wo dem einen Teil nur die Rolle des begeistert Lauschenden zufällt –, ohne die, wenn ich mich so ausdrücken darf, paläontologische Auflockerung, die mein Gemüt durch seine Belehrungen erfuhr und die es zu einem enthusiastisch empfänglichen Boden gemacht hat für diese Eindrücke, rassische Eindrücke etwa, die Erfahrung von Ur-Rasse, der die interessantesten Zuflüsse aus verschiedenen Zeitaltern beschieden waren und die dem Auge, dem Herzen das Bild majestätischer Blutswürde bietet ...«

Ich holte Atem. Meine Begleiterin räusperte sich sonor, nicht ohne dabei die Straffheit ihrer Haltung zu erhöhen.

»Es ist nicht zu ändern«, fuhr ich fort, »daß die Vorsilbe ‚Ur‘, le primordial, sich in alle meine Gedanken und Worte stiehlt. Das ist eben die Folge der paläontologischen Auflockerung, von der ich sprach. Was hätten mir ohne sie auch die Farnbäume bedeutet, die wir gesehen haben, selbst wenn ich darüber belehrt worden wäre, daß sie nach urtümlicher Auffassung zum Liebeszauber taugen? Alles ist mir seither so bedeutend geworden, – Dinge und Menschen – ich meine: Menschen und Dinge ...«

»Der wahre Grund Ihrer Empfänglichkeit, lieber Marquis, wird Ihre Jugend sein.«

»Wie beglückend, Senhora, in Ihrem Munde das Wort ‚Jugend‘ sich ausnimmt! Sie sprechen es mit der Güte der Reife. Mademoiselle Zouzou, wie es scheint, ärgert sich nur am Jugendlichen, ganz Ihrer Bemerkung gemäß, daß Jugend der Jugend meistens zu jung ist. Gewissermaßen gilt das sogar auch für mich. Die Jugend allein und für sich würde auch nicht das Entzücken hervorbringen, worin ich lebe. Mein Vorzug ist, daß ich die Schönheit im Doppelbilde, als kindische Blüte und in königlicher Reife mit Augen schauen darf ...«

Kurzum, ich sprach wunderhübsch, und nicht ungnädig ward meine Suade aufgenommen. Denn als ich mich am Fuße der Seilbahn, die meine Gesellschaft wieder zur Villa Kuckuck hinaufführen sollte, verabschiedete, um in mein Hotel zurückzukehren, ließ die Senhora fallen, man hoffe doch, mich vor meiner Abreise gelegentlich noch zu sehen. Dom Antonio habe ja angeregt, ich möchte, nach Gefallen, mit Zouzous sportlichen Freunden meine vernachlässigte Fertigkeit im Tennisspiel wieder auffrischen. Kein übler Gedanke vielleicht.

Wahrhaftig kein übler, wenn auch ein verwegener Gedanke! Ich befragte Zouzou mit den Augen, und da sie mit Miene und Schultern eine Neutralität bekundete, die mir die Zusage nicht geradezu unmöglich machte, wurde stehenden Fußes für einen der nächsten Tage, den dritten von heute, die Verabredung zu einem morgendlichen Gastspiel getroffen, nach welchem ich, »zum Abschied«, noch einmal das Mittagsmahl der Familie teilen sollte. Nachdem ich mich über Maria Pias Hand geneigt und diejenige Zouzous, auch die Dom Miguels mit herzlichem Freimut geschüttelt, ging ich meines Weges, die Gestaltung der nächsten Zukunft besinnend.

Neuntes Kapitel

Lisbonne, den 25. August 1895

Teuerste Eltern! Geliebte Mama! Verehrter und gleichfalls so sehr lieber Papa!

Diese Zeilen folgen dem Telegramm, mit dem ich euch mein Eintreffen an hiesigem Orte anzeigte, in zu großem Abstande, als daß ich nicht fürchten müßte, mir euer Befremden zugezogen zu haben. Es wird sich verdoppeln – ich muß dessen leider sicher sein – durch die Datierung meines Gegenwärtigen, welche so sehr eueren Erwartungen, unseren Abmachungen und meinen eigenen Vorsätzen widerspricht. Seit zehn Tagen wähnt ihr mich auf hoher See, und ich schreibe euch noch von meinem ersten Reiseziel, aus der portugiesischen Hauptstadt. Ich werde euch, liebe Eltern, diesen von mir selbst so unvorhergesehenen Tatbestand, einschließlich meines langen Schweigens, erklären und hoffe damit einen auf euerer Seite zu befürchtenden Unmut im Keim zu ersticken.

Alles fing damit an, daß ich auf der Reise hieher die Bekanntschaft eines hervorragenden Gelehrten namens Professor Kuckuck machte, dessen Gespräch, ich glaube es bestimmt, eueren Geist, euer Gemüt ebenso gefesselt und inspiriert haben würde, wie es bei euerem Sohne der Fall war.

Deutscher Herkunft, wie der Name sagt, aus dem Gothaischen stammend, gleich Dir, liebe Mama, und aus gutem Hause, wenn auch natürlich nicht von Familie, ist er Paläontolog seines Zeichens und lebt, urportugiesisch vermählt, seit langem in Lissabon, Begründer und Direktor des hiesigen Naturhistorischen Museums, das ich seither unter seiner persönlichen Führung besichtigt habe, und dessen wissenschaftliche Darbietungen sowohl in paläozoologischer wie paläoanthropologischer Beziehung (diese Ausdrücke werden euch geläufig sein) meinem Herzen außerordentlich nahegegangen sind. Kuckuck war es, der mir zuerst, indem er mich konversationell ermahnte, den Anfang meiner Weltfahrt nicht auf die leichte Achsel zu nehmen, nur weil es eben bloß ein

Anfang sei, und mich in einer Stadt wie Lissabon nicht zu
flüchtig umzusehen, die Besorgnis eingab, ich hätte mir für
den Aufenthalt an einem Ort von so großer Vergangenheit
und so mannigfaltigen gegenwärtigen Sehenswürdigkeiten
(ich nenne hier nur die eigentlich der Steinkohlenzeit angehörigen Baumfarne im Botanischen Garten) eine zu knappe
Frist gesetzt.

Als euere Güte und Weisheit, liebe Eltern, mir diese Reise
verschrieben, legtet ihr selbiger zweifellos nicht nur den Sinn
einer Ablenkung von, ich gestehe es, grillenhaften Ideen bei,
in die meine Unreife sich verfangen hatte, sondern auch
den eines Bildungserlebnisses, wie es einem jungen Mann von
Familie zur Vollendung seiner Erziehung so zukömmlich ist.
Nun denn, zu dieser Bedeutung hat sich die Reise hier sogleich
erhoben durch meinen freundschaftlichen Verkehr im Hause
Kuckuck, dessen drei, beziehungsweise vier Mitglieder (denn
ein wissenschaftlicher Assistent des Professors, Herr Hurtado,
ein Dermoplastiker, wenn euch dieses Wort etwas sagt, gehört
gewissermaßen dazu) freilich zu jener Bedeutung in unglei-
chem Maße beitragen. Ich gestehe, daß ich mit den Damen
des Hauses nicht viel anzufangen weiß. Die Beziehung zu
ihnen hat sich in diesen Wochen nicht wahrhaft erwärmen
wollen und würde das aller Voraussicht nach in noch so langer Zeit nicht tun. Die Senhora, eine geborene da Cruz und
Ur-Ibererin, ist eine Frau von einschüchternder Strenge, ja
Härte und einem zur Schau getragenen Hochmut, dessen
Gründe wenigstens mir nicht ganz erfindlich sind; die Tochter, deren Alter etwas unter dem meinen liegen mag und
deren Vornamen ich mir noch immer nicht habe merken können, ein Fräulein, das man versucht ist dem Geschlecht der
Stachelhäuter zuzuzählen, so spitzig ist ihr Gehaben. Übrigens ist, wenn meine Unerfahrenheit recht sieht, der ober-
wähnte Dom Miguel (Hurtado) wohl als ihr präsumtiver
Verlobter und Gatte zu betrachten, wobei mir einige Zweifel
bleiben, ob man ihn deswegen beneiden soll.

Nein, es ist der Hausherr, Professor K., an den ich mich

halte, und allenfalls noch sein in der ganzen tierischen For-
menwelt tief erfahrener Mitarbeiter, dessen rekonstruktivem
Ingenium das Museum so viel verdankt. Von diesen beiden,
namentlich aber, versteht sich, von K. persönlich gehen die
meiner Bildung so förderlichen Eröffnungen und Belehrungen aus, die weit über die Anleitung zum Studium Lissabons
und der architektonischen Kostbarkeiten seiner Umgebung
hinausreichen und sich buchstäblich auf alles Sein mitsamt
dem durch Urzeugung aus ihm hervorgegangenen organischen
Leben, mithin vom Stein bis zum Menschen erstrecken. Um
dieser beiden vorzüglichen Männer willen, die mit Recht in
mir etwas wie eine vom Stengel gelöste Seelilie, will sagen:
einen der Beratung bedürftigen Neuling der Beweglichkeit erblicken, ist mir die programmwidrige Verlängerung meines
Aufenthaltes dahier, deren Billigung ich auch von euch, liebe
Eltern, aufs kindlichste erbitte, geradezu lieb und wert, obgleich es zu weit ginge, zu sagen, daß sie ihre Veranlasser gewesen wären.

Die äußere Veranlassung vielmehr war die folgende. Ich
hielt es für nicht mehr als korrekt und glaubte in euerem
Sinne zu handeln, wenn ich die Stadt nicht wieder verließ,
ohne bei unserem diplomatischen Vertreter, Herrn von Hüon,
und seiner Gattin Karten abgegeben zu haben. Diese formelle
Artigkeit ließ ich mir gleich am ersten Tage meines Hierseins
angelegen sein und versah mich in Anbetracht der Jahreszeit
weiter keiner Folgen. Gleichwohl erhielt ich wenige Tage später
in meinem Hotel die Einladung zur Teilnahme an einem
offenbar schon vor meinem Besuch anberaumten Herrenabend
auf der Gesandtschaft, dessen Termin bereits recht knapp
demjenigen meiner Einschiffung nahe lag. Immerhin bestand noch nicht die Notwendigkeit, diesen zu ändern, wenn
ich dir den Wunsch erfüllen wollte, der Einladung zu
folgen.

Ich tat es, liebe Eltern, und verbrachte in den Gesandt-
schaftsräumen der Rua Augusta einen sehr angenehmen
Abend, den ich – um es euerer Liebe nicht vorzuenthalten –

als einen, natürlich euerer Erziehung zu dankenden, persönlichen Erfolg verbuchen kann. Die Veranstaltung geschah zu
Ehren des rumänischen Prinzen Joan Ferdinand, der, kaum
älter als ich, mit seinem militärischen Gouverneur, Hauptmann Zamfiresku, eben in Lissabon weilt, und hatte den
Charakter einer Herrengesellschaft aus dem Grunde, weil Frau
von Hüon sich zur Zeit in einem Seebade an der Portugiesischen Riviera aufhält, während ihr Gatte um bestimmter
Geschäfte willen seine Ferien unterbrechen und in die Hauptstadt zurückkehren mußte. Die Zahl der Geladenen war beschränkt, sie übertraf kaum zehn Personen, doch herrschte,
angefangen bei dem Empfang durch Bediente in Kniehosen
und mit Fangschnüren an den galonierten Röcken, große An-
sehnlichkeit. Dem Prinzen zu Ehren waren Frack und Di-
stinktionen vorgeschrieben, und mit Vergnügen betrachtete
ich die Halskreuze und Bruststerne all dieser mir an Jahren
und Embonpoint fast sämtlich weit voranstehenden Herren, – nicht ohne sie, ich gestehe es, um die Aufhöhung ihrer
Toilette durch den edlen Tand ein wenig zu beneiden. Doch
kann ich, ohne euch und mir zu schmeicheln, wohl versichern,
daß ich auch im schmucklosen Abendanzug von dem Augenblick an, in dem ich den Salon betrat, nicht nur durch meinen
Namen, sondern auch durch die geschmeidige Artigkeit und
gesellschaftliche Formbeherrschung, die ihm gemäß sind, mir
die einmütige Zuneigung des Hausherrn und seiner Gäste
gewann.

Beim Souper freilich, in dem getäfelten Speisesaal, im
Kreise all dieser teils einheimischen, teils ausländischen Diplomaten, Militärs und Großindustriellen, in welchem sich
ein österreichisch-ungarischer Botschaftsrat aus Madrid, ein
Graf Festetics, durch seine pelzverbrämte ungarische Nationaltracht mit Stulpenstiefeln und Krummsäbel malerisch hervortat, fand ich mich, placiert zwischen einem schnauzbärtigen
belgischen Fregattenkapitän und einem portugiesischen Weinexporteur von rouéhaftem Äußeren, dessen breitspuriges
Benehmen auf großen Reichtum deutete, einigermaßen dem

Ennui anheimgegeben, da die Unterhaltung um mir fern-
liegende politische und wirtschaftliche Gegenstände kreiste,
so daß mein Beitrag sich längere Zeit auf ein lebhaft teil-
nehmendes Mienenspiel zu beschränken hatte. Später jedoch
zog der mir schräg gegenübersitzende Prinz, ein müdes Milch-
gesicht übrigens und sowohl mit Lispeln wie mit Stottern behaftet, mich in ein Gespräch über Paris, an dem sich (denn
wer spräche nicht gern von Paris!) bald alles beteiligte und
bei dem ich, ermutigt durch das gnädige Lächeln und lispelnde
Mitstottern Seiner Hoheit, mir ein wenig das Wort zu führen
erlaubte. Nach Tische nun gar, als man es sich im Rauchsalon
des Gesandten bequem gemacht hatte, den Kaffee einnahm
und den Likören zusprach, fiel mir wie von selbst der Platz
neben dem hohen Gaste zu, an dessen anderer Seite der Hausherr saß. Das durchaus einwandfreie, aber farblose Exterieur
Herrn von Hüons mit seinem spärlichen Scheitel, seinen wasserblauen Augen und dem dünnen, lang ausgezogenen
Schnurrbart ist euch zweifellos bekannt. Joan Ferdinand
wandte sich fast gar nicht an ihn, sondern ließ sich von mir
unterhalten, was unserem Gastgeber auch recht zu sein schien.
Wahrscheinlich hatte ich meine prompte Einladung dem
Wunsch zu danken, dem Prinzen in diesem Kreise einen durch
seine Geburt zum Umgang mit ihm qualifizierten Altersgenossen zu bieten.

Ich darf sagen, daß ich ihn sehr amüsierte, und zwar mit
den einfachsten Mitteln, die für ihn gerade die rechten waren.
Ich erzählte ihm von meiner Kindheit und ersten Jugend bei
uns zu Hause auf dem Schloß, von der Taprigkeit unseres
guten alten Radicule, deren Nachahmung ihm ein kindliches
Jubeln entlockte, da er darin ganz genau die zittrig mißlin-
gende Dienstfertigkeit seines eigenen vom Vater ihm über-
kommenen Kammerdieners in Bukarest wiederzuerkennen
beteuerte; von der unglaublichen Ziererei Deiner Adelaide,
liebste Mama, deren feenhaftes Herumschweben in den Zimmern ich ihm ebenfalls zu seinem kichernden Vergnügen anschaulich machte; ferner von den Hunden, von Fripon und

dem Zähneklappern, das eine bestimmte zeitweilige Verfassung der doch so winzigen Minime ihm verursacht, und von
dieser selbst mit ihrer gerade für ein Schoßhündchen so
prekären und immer gefahrdrohenden Anlage, die Deiner
Robe, Mama, schon so manches Ungemach zugefügt hat. In
einer Herrengesellschaft konnte ich hiervon, wie auch von
Fripons Zähneklappern, natürlich in eleganten Wendungen,
wohl sprechen, und jedenfalls fand ich mich gerechtfertigt
durch die Tränen, die das königliche Geblüt sich vor Lachen
über Minimes delikate Schwäche beständig von den Wangen
wischen mußte. Es hat etwas Rührendes, ein durch Zungen-
anstoß und Stottern gehemmtes Wesen wie ihn sich einer so
gelösten Heiterkeit überlassen zu sehen.

Möglicherweise wird es Dir, liebe Mama, etwas empfindlich sein, daß ich die zarte Anfälligkeit Deines Lieblings so
der Belustigung preisgab; aber der Effekt, den ich damit erzielte, hätte Dich mit meiner Indiskretion versöhnt. Alles
wandte sich der Ausgelassenheit zu, unter der der Prinz sich
bog, wobei ihm sein Großkreuz vom Uniformkragen bau-
melte, und stimmte unwillkürlich in sie ein. Jedermann wollte
nur noch mit ihm von Radicule, Adelaide und Minime hören
und rief nach Da capos. Der pelzverbrämte Ungar hörte nicht
auf, sich mit der Hand den Schenkel derart zu klatschen, daß
es weh tun mußte, dem beleibten, für seinen Reichtum mehrfach besternten Weingroßhändler sprang durch die heftige
Bewegung seines Bauches ein Knopf von der Weste, und unser
Gesandter war höchlichst zufrieden.

Dies nun aber hatte zur Folge, daß er mir am Ende der
Soirée unter vier Augen den Antrag machte, mich noch vor
meiner Abreise Seiner Majestät dem König, Dom Carlos I.,
vorzustellen, der sich gleichfalls eben in der Hauptstadt befand, wie übrigens die auf dem Dach des Schlosses wehende
Flagge von Braganza mir angezeigt hatte. Gewissermaßen sei
es seine Pflicht, sagte Herr von Hüon, einen durchreisenden
Sohn der Luxemburger hohen Gesellschaft, der überdies, so
drückte er sich aus, ein junger Mann von »angenehmen

Gaben« sei, dem Monarchen zu präsentieren. Außerdem sei
das edle Gemüt des Königs – das Gemüt eines Künstlers,
denn Seine Majestät male gern etwas in Öl, und das Gemüt
eines Gelehrten dazu, da Höchstdieselben ein Liebhaber der
Ozeanographie, das heißt: des Studiums der Meeresräume
und der sie bevölkernden Lebewesen sei, – es sei bedrückt,
dieses Gemüt, von politischen Sorgen, die schon gleich nach
seiner Thronbesteigung, vor sechs Jahren, durch den Konflikt
der portugiesischen und englischen Interessen in Zentral-
Afrika davon Besitz ergriffen hätten. Damals habe seine nach-
giebige Haltung die öffentliche Meinung gegen ihn erregt, und
er sei geradezu dankbar gewesen für das englische Ultimatum,
das seiner Regierung erlaubt habe, den Forderungen Britan-
niens unter formellem Protest zu weichen. Es habe jedoch mißliche Unruhen deswegen in den größeren Städten des Landes
gegeben, und in Lissabon habe ein republikanischer Aufstand
unterdrückt werden müssen. Nun aber die verhängnisvollen
Defizits der portugiesischen Eisenbahnen, die vor drei Jahren
zu einer schweren finanziellen Krisis und zu einem Akt des
Staatsbankrotts, nämlich zu einer dekretierten Kürzung der
staatlichen Verpflichtungen um zwei Drittel geführt habe!
Das habe der Republikanischen Partei starken Auftrieb gegeben und den radikalen Elementen des Landes ihre Wühl-
arbeit erleichtert. Seiner Majestät sei sogar die wiederholte
betrübende Erfahrung nicht erspart geblieben, daß die Polizei
Verschwörungen zum Attentat auf seine Person eben noch
rechtzeitig aufgedeckt habe. Meine Vorstellung könne als Ein-
schaltung in den Gang der täglichen Routine-Audienzen vielleicht auf den hohen Herrn zerstreuend und erfrischend wirken. Womöglich, wenn das Gespräch es irgend erlaube, möge
ich doch das Thema von Minime anzusteuern suchen, auf das
heute abend der arme Prinz Joan Ferdinand so herzlich reagiert habe.

Ihr werdet verstehen, liebe Eltern, daß, bei meiner streng
und freudig royalistischen Gesinnung und bei meinem enthusiastischen Hang (von dem ihr vielleicht nicht einmal viel

wußtet), mich vor legitimer Majestät zu beugen, dieser Vorschlag des Gesandten starke Anziehungskraft für mich besaß. Was seiner Annahme entgegenstand, war die leidige Tatsache, daß die Anberaumung der Audienz einige Tage, vier oder fünf, in Anspruch nehmen würde, und daß damit der Termin meiner Einschiffung auf der »Cap Arcona« überschritten war. Was sollte ich tun? Mein Wunsch, vor dem König zu stehen, verschmolz mit den Ermahnungen meines gelehrten Mentors Kuckuck, einer Stadt wie Lissabon nicht zu flüchtige Aufmerksamkeit zu widmen, zu dem Entschluß, meine Dispositionen im letzten Augenblick durch das Überspringen eines Schiffes zu ändern. Ein Besuch auf dem Reisebureau lehrte mich, daß das nächstfolgende Schiff der gleichen Linie, die »Amphitrite«, die in etwa vierzehn Tagen Lissabon verlassen soll, schon stark besetzt sei und, der »Cap Arcona« nicht ebenbürtig, mir kein recht standesgemäßes Accommodement bieten würde. Das Vernünftigste, so beriet mich der Clerk, werde sein, daß ich die Rückkehr der »Cap Arcona« in etwa sechs bis sieben Wochen, vom 15. dieses an gerechnet, abwartete, meine Kajütenbelegung auf ihre nächste Reise übertragen ließe und meine Überfahrt bis Ende September oder selbst Anfang Oktober verschöbe.

Ihr kennt mich, liebe Eltern. Ein Mann der frischen Entschlüsse, trat ich dem Vorschlag des Angestellten bei, gab die entsprechenden Ordres und brauche kaum hinzuzufügen, daß ich euere Freunde, die Meyer-Novaro, in einem wohlgesetzten Kabel von der Verzögerung meiner Reise unterrichtet und sie gebeten habe, mich erst im Laufe des Oktobers zu erwarten. Auf diese Weise, wie ihr seht, ist allerdings die Frist meines Aufenthaltes in hiesiger Stadt selbst für meine Wünsche fast gar zu geräumig geworden. Doch sei es darum! Mein Hotelunterkommen ist, ohne Übertreibung gesagt, erträglich, und an belehrender Unterhaltung wird es mir hier, bis ich an Bord gehe, niemals fehlen. Darf ich mich also eures Einverständnisses versichert halten?

Ohne dieses, versteht sich, wäre es um mein inneres Wohlsein geschehen. Aber ich glaube, ihr werdet es mir um so leichter gewähren, wenn ihr von dem überaus glücklichen, ja erhebenden Verlauf der Audienz bei Seiner Majestät dem König vernehmt, die unterdessen stattgefunden hat. Von ihrer gnädigen Gewährung hatte Herr von Hüon mich in Kenntnis gesetzt, und zu guter Zeit vor der anberaumten Vormittagsstunde führte er mich in seinem Wagen von meinem Hotel zum königlichen Schloß, dessen äußere und innere Bewachung wir dank seiner Akkreditiertheit und der Amts- und Hofuniform, die er angelegt hatte, ohne Umstände und mit Auszeichnung passierten. Wir erstiegen die an ihrem Fuße mit einem Paar Karyatiden in Posen von überanstreng- ter Schönheit flankierte Freitreppe, empor zu der Flucht der Empfangsgemächer, welche, mit Büsten ehemaliger Könige, Gemälden und Kristall-Lüstern geschmückt, meist in roter Seide dekoriert und mit Möbeln eines historischen Stiles aus- gestattet, dem königlichen Audienzzimmer vorgelagert sind. Nur langsam gelangt man in ihnen von einem ins andere, und schon im zweiten wurden wir von dem diensthabenden Funktionär des Hofmarschallamtes zum vorläufigen Nieder- sitzen eingeladen. Es ist, von der Pracht des Schauplatzes ab- gesehen, nicht anders als bei einem vielgesuchten Arzt, der immer mit seinen Ordinationen in wachsenden Rückstand ge- rät, weil die Verzögerungen sich akkumulieren und der Patient weit über die Stunde der Bestellung hinaus zu war- ten hat. Die Zimmer waren bevölkert von allerlei Würden- trägern, einheimischen und ausländischen, in Uniform und Gala-Zivil, die leise plaudernd in Gruppen standen oder sich auf den Sofas langweilten. Man sah viele Federbüsche, be- treßte Kragen und Ordensbehang. In jedem neuen Salon, den wir betraten, tauschte der Gesandte kordiale Begrüßung mit diesem und jenem Diplomaten seiner Bekanntschaft und stellte mich vor, so daß mir durch die immer zu erneuernde Bewährung meiner Lebensart, an der ich Freude habe, die uns auferlegte Wartezeit von gewiß vierzig Minuten recht schnell verging.

Ein Flügeladjutant mit Schärpe, in der Hand eine Namens-
liste, ersuchte uns endlich, nahe der zum königlichen Arbeitszimmer führenden, von zwei Lakaien in gepuderten Perük-
ken flankierten Tür Aufstellung zu nehmen. Heraus trat ein
alter Herr in Gardegeneralsuniform, der sich wohl für irgendeinen Gnadenbeweis zu bedanken gehabt hatte. Der Adjutant trat ein, um uns anzuzeigen. Dann öffneten sich uns, von
den Lakaien gehandhabt, die mit Goldleisten beschlagenen
Flügel der Tür.

Der König, wiewohl erst wenig über Dreißig, hat schon gelichtetes Haar und ist von etwas dicklicher Beschaffenheit.
Gekleidet in eine olivgrüne Uniform mit roten Aufschlägen
und nur einen Stern auf der Brust, in dessen Mitte ein Adler
Szepter und Reichsapfel in den Fängen hielt, empfing er uns
stehend an seinem Schreibtisch. Sein Gesicht war gerötet von
den vielen Gesprächen. Seine Brauen sind kohlschwarz, sein
Schnurrbart jedoch, den er zwar buschig, an den Enden aber
spitz aufgezwirbelt trägt, beginnt schon leicht zu ergrauen.
Des Gesandten und meine eigene tiefe Verbeugung nahm er
mit einer tausendmal in Gnaden geübten Handbewegung entgegen und begrüßte dann Herrn von Hüon mit einem Augen-
zwinkern, in das er viel schmeichelhafte Vertraulichkeit zu
legen wußte.

»Mein lieber Ambassadeur, es ist mir ein Vergnügen wie
immer ... Auch Sie in der Stadt? ... Ich weiß, ich weiß ...
Ce nouveau traité de commerce ... Mais ça s'arrangera sans
aucune difficulté, grâce à votre habileté bien connue ... Das
Befinden der liebenswürdigen Madame de Hüon ... ist vortrefflich. Wie mich das freut! Wie mich das wahrhaft freut!
... Und so denn – was für einen Adonis bringen Sie mir da
heute?«

Ihr müßt, liebe Eltern, diese Frage als eine rein scherzhafte,
dem Tatsächlichen in nichts verpflichtete Courtoisie verstehen. Gewiß ist der Frack meiner Figur, die ich dem Papa
verdanke, von Vorteil. Gleichwohl wißt ihr so gut wie ich,
daß an mir, mit meinen Borsdorfer Apfelbacken und Schlitz-

äugelchen, die ich nie ohne Verdruß im Spiegel betrachten kann, nichts Mythologisches zu entdecken ist. Ich begegnete dem königlichen Spott denn auch mit einer Geste heiterer Resignation; und als beeile er sich, ihn auszulöschen und in Vergessenheit zu bringen, fuhr Seine Majestät, meine Hand in seiner, sogleich sehr gnädig fort:

»Mein lieber Marquis, willkommen in Lissabon! Ich brauche nicht zu sagen, daß Ihr Name mir wohlbekannt und daß es mir eine Freude ist, einen jungen Sprossen des Hochadels eines Landes bei mir zu sehen, zu dem Portugal, nicht zuletzt dank dem Wirken Ihres Herrn Begleiters, in so herzlich freundschaftlichen Beziehungen steht. Sagen Sie mir −«, und er überlegte einen Augenblick, was ich ihm sagen solle, »− was führt Sie zu uns?«

Ich will mich nun, teure Eltern, der einnehmenden, im besten Sinne höfischen, zugleich devoten und lockeren Gewandtheit nicht rühmen, mit der ich dem Monarchen Rede stand. Ich will nur zu euerer Beruhigung und Genugtuung feststellen, daß ich mich nicht linkisch und nicht auf den Mund gefallen erwies. Ich berichtete Seiner Majestät von dem Geschenk der einjährigen Welt- und Bildungsreise, das euere Großmut mir gespendet hat, dieser Reise, zu der ich mich von Paris, meinem Wohnsitz, aufgemacht und deren erste Station diese unvergleichliche Stadt sei.

»Ah, Lissabon gefällt Ihnen also?«

»Sire, énormément! Je suis tout à fait transporté par la beauté de Votre capitale qui est vraiment digne d'être la résidence d'un grand souverain comme Votre Majesté. Ich hatte die Absicht, hier nur ein paar Tage zu verweilen, aber ich habe die Torheit dieses Vorsatzes eingesehen und meinen ganzen Reiseplan umgestürzt, um wenigstens einige Wochen einem Aufenthalt zu widmen, den man überhaupt nicht abzubrechen gezwungen sein möchte. Welche Stadt, Sire! Welche Avenuen, welche Parks, welche Promenaden und Aussichten! Persönliche Beziehungen brachten es mit sich, daß ich zuallererst die Bekanntschaft von Professor Kuckucks Natur-

historischem Museum machte, – einem herrlichen Institut,
Ew. Majestät, mir persönlich nicht zuletzt interessant durch
seinen ozeanographischen Einschlag, da ja so manche seiner
Darbietungen die Herkunft alles Lebens aus dem Meerwas-
ser aufs lehrreichste anschaulich machen. Doch dann die Wunder des Botanischen Gartens, Sire, der Avenida-Park, der
Campo Grande, der Passeio da Estrella mit seinem unvergleichlichen Blick über Stadt und Strom ... Ist es ein Wunder,
daß bei all diesen idealischen Bildern vom Himmel gesegneter
und von Menschenhand musterhaft gepflegter Natur ein
Auge sich feuchtet, das ein wenig – mein Gott, ein wenig! –
das Auge eines Künstlers ist? Ich gestehe nämlich, daß ich –
sehr anders als Ew. Majestät, deren Meisterschaft auf diesem
Gebiete bekannt ist – in Paris ein kleines bißchen der bildenden Kunst obgelegen, gezeichnet, gemalt habe, als bemühter,
wenn auch nur bescheiden stümpernder Schüler Professor
Estompards von der Académie des Beaux Arts. Aber das ist
nicht erwähnenswert. Was gesagt werden will, das ist: daß
man in Euer Majestät den Herrscher eines der schönsten
Länder der Erde, wahrscheinlich des schönsten überhaupt, zu
verehren hat. Wo gibt es denn auch sonst in der Welt ein
Panorama, dem zu vergleichen, das sich dem Betrachter von
den Höhen der Königsburgen Cintras über die in Getreide,
Wein und Südfrüchten prangende Estremadura hin bietet? ...«

Ich bemerke am Rande, liebe Eltern, daß ich den Schlös-
sern von Cintra und dem Kloster Belem, dessen zierliche Bau-
art ich auch gleich erörterte, meinen Besuch noch gar nicht ab-
gestattet habe. Bisher bin ich zu diesem Besuch noch nicht
gekommen, weil ich ein gut Teil meiner Zeit dem Tennisspiel
widme, im Rahmen eines Clubs wohlerzogener junger Leute,
in den ich durch die Kuckucks eingeführt worden bin. Aber
gleichviel! Vor dem königlichen Ohr sprach ich preisend von
Eindrücken, die mir noch gar nicht zuteil geworden, und
Seine Majestät geruhte einzuschalten, daß er meine Empfänglichkeit zu schätzen wisse.

Dies ermutigte mich, mit aller Flüssigkeit, die mir gegeben

ist, oder mit der die außerordentliche Situation mich beschenkte, im Sprechen fortzufahren und dem Monarchen Land und Leute von Portugal zu rühmen. Ein Land, sagte ich, besuche man ja nicht nur eben des Landes, sondern auch — und dies vielleicht vorzugsweise — der Leute wegen, aus Neugierde, wenn ich so sagen dürfte, nach nie erfahrener Menschlichkeit, aus dem Verlangen, in fremde Augen, fremde Physiognomien zu blicken ... Ich sei mir bewußt, daß ich mich mangelhaft ausdrückte, aber was ich meinte, sei der Wunsch, sich an einer unbekannten menschlichen Körperlichkeit und Verhaltungsweise zu erfreuen. Portugal — à la bonne heure. Aber die Portugiesen, Seiner Majestät Untertanen, sie seien es erst eigentlich, die meine ganze Aufmerksamkeit fesselten. Das Keltisch-Ur-Iberische, dem dann allerlei historische Blutszutaten aus phönizischem, karthagischem, römischem und arabischem Bereich beigemischt worden seien, — eine wie reizende, den Sinn gefangennehmende Menschlichkeit bringe das doch je und je hervor, — von spröder Lieblichkeit das eine Mal, das andere Mal geadelt von einem Ehrfurcht gebietenden, ja einschüchternden Rassestolz. »Der Herrscher über ein so faszinierendes Volk zu sein, wie sehr sind Euer Königliche Majestät dazu zu beglückwünschen!«

»Je nun, nun ja, sehr hübsch, sehr artig«, sagte Dom Carlos. »Ich danke Ihnen für den freundlichen Blick, lieber Marquis, den Sie auf Land und Leute von Portugal richten.« Und schon dachte ich, er wolle mit diesen Worten die Präsentation beenden, und war freudig überrascht, als er im Gegenteil hinzufügte:

»Aber wollen wir uns nicht setzen? Cher ambassadeur, setzen wir uns doch ein wenig!«

Ohne Zweifel hatte er ursprünglich die Absicht gehabt, die Audienz im Stehen abzuhalten und sie, da es sich ja eben nur um meine Vorstellung handelte, in wenigen Minuten zu beenden. Wenn er sie nun verlängerte und bequemer gestaltete, so dürft ihr das — ich sage es mehr, um euch ein Vergnügen zu machen, als um meiner Eitelkeit zu schmeicheln — der Flüssig-

keit meiner Rede, die ihn unterhalten mochte, und der Gefälligkeit meiner Gesamt-tenue zuschreiben.

Der König, der Gesandte und ich nahmen Platz in Leder-
fauteuils vor dem mit einem Gitter geschützten Marmorkamin mit seiner Pendule, seinen Armleuchtern und seinen
orientalischen Vasen auf der Platte. Ein weiträumiges, sehr
wohlmöbliertes Arbeitszimmer umgab uns, worin es nicht an
zwei Bücherschränken mit Glastüren fehlte und dessen Fußboden mit einem Perserteppich von Riesenformat bedeckt war.
Ein paar in schwere Goldrahmen gefaßte Bilder hingen zu
seiten des Kamins, von denen eines eine Gebirgs-, das andere
eine beblümte Flachlandschaft darstellte. Herr von Hüon
wies mich mit den Augen auf die Gemälde hin, indem er zugleich auf den König deutete, der eben von einem geschnitzten Rauchtischchen einen silbernen Zigarettenkasten herüber-
holte. Ich verstand.

»Wollen Ew. Majestät«, sagte ich, »allergnädigst verzeihen, wenn meine Aufmerksamkeit vorübergehend abgelenkt wird von Ihrer Person durch diese Meisterwerke da,
die zwingend meine Blicke auf sich ziehen. Ich darf sie doch
näher in Augenschein nehmen? Ah, das ist Malerei! Das ist
Genie! Die Signatur ist mir nicht ganz erkennbar, aber eins
wie das andere muß das vom ersten Künstler Ihres Landes
stammen.«

»Dem ersten?« fragte der König lächelnd. »Wie man es
nimmt. Die Bilder sind von mir. Das links ist eine Ansicht
aus der Serra da Estrella, wo ich ein Jagdhaus habe, das
rechts bemüht sich, die Stimmung unserer moorigen Niederungen wiederzugeben, wo ich oft Schnepfen schieße. Sie sehen,
ich habe versucht, der Lieblichkeit der Ziströschen gerecht zu
werden, die vielfach diese Ebenen bedecken.«

»Man glaubt, ihren Duft zu spüren«, sagte ich. »Ja, du
mein Gott, vor solchem Können errötet der Dilettantismus.«

»Für dilettantisch eben wird es gehalten«, antwortete Dom
Carlos achselzuckend, während ich mich gleichsam widerstre-
bend von seinen Werken losriß und meinen Platz wieder ein-

nahm. »Man glaubt einem König nichts anderes als Dilettantismus. Es stellt sich da immer gleich der Gedanke an Nero und seine Qualis artifex-Ambitionen ein.«

»Bedauernswerte Menschen«, erwiderte ich, »die sich von solchem Vorurteil nicht frei zu machen vermögen! Sie sollten sich des Glücksfalles freuen, wenn sich das Höchste mit dem Höchsten, die Gunst erhabener Geburt mit derjenigen der Musen verbindet.«

Seine Majestät hörte das sichtlich gern. Dieselbe saß bequem zurückgelehnt, während der Gesandte und ich die Berührung mit den schrägen Rückenpolstern unserer Sessel gebührend vermieden. Der König äußerte:

»Ich habe meine Freude, lieber Marquis, an Ihrer Empfänglichkeit, an der genießenden Unbefangenheit, mit der Sie die Dinge, Welt, Menschen und Werke betrachten, der schönen Unschuld, mit der Sie es tun und um die Sie zu beneiden sind. Sie ist vielleicht gerade nur auf der gesellschaftlichen Stufe möglich, die Sie einnehmen. Die Häßlichkeit und Bitternis des Lebens kennt man ganz nur in den Niederungen der Gesellschaft und an ihrer höchsten Spitze. Der gemeine Mann ist darin erfahren – und der die Miasmen der Politik atmende Staatenlenker.«

»Euer Majestät Bemerkung«, erwiderte ich, »ist voller Geist. Nur bitte ich untertänigst, nicht zu glauben, daß meine Aufmerksamkeit in törichtem Genuß an der Oberfläche der Dinge haftet, ohne jeden Versuch, in ihre weniger erfreulichen Untergründe einzudringen. Ich habe Ew. Majestät meine Glückwünsche dargebracht zu dem wahrlich beneidenswerten Lose, der Herrscher über ein so glorreiches Land wie Portugal zu sein. Aber ich bin nicht blind für gewisse Schatten, die dieses Glück verdunkeln wollen, und weiß von den Tropfen Galle und Wermut, welche die Bosheit in den goldenen Trank Ihres Lebens träufelt. Es ist mir nicht unbekannt, daß es auch hier, selbst hier, muß ich sagen: gerade hier? nicht an Elementen fehlt, – Elementen, die sich die radikalen nennen, wohl weil sie wie Wühlmäuse an den Wurzeln der Gesellschaft nagen, – abscheulichen Elementen, wenn ich meinen Gefühlen gegen sie einen immerhin gemäßigten Ausdruck geben darf, denen jedes Embarrassement, jedes politische oder finanzielle Ennui des Staates gerade recht ist, um für ihre Umtriebe Kapital daraus zu schlagen. Sie nennen sich die Männer des Volkes, obgleich ihre einzige Beziehung zum Volke darin besteht, daß sie dessen gesunde Instinkte zersetzen und es, zu seinem Unglück, seines natürlichen Glaubens an die Notwendigkeit einer wohlgestuften Gesellschaftsordnung berauben. Wodurch? Indem sie ihm die ganz und gar widernatürliche und darum auch volksfremde Idee der Gleichheit einimpfen und es durch ein plattes Rednertum zu dem Wahn verführen, es sei notwendig oder auch nur im geringsten wünschenswert – von der Möglichkeit ganz zu schweigen –, die Unterschiede der Geburt, des Geblütes, die Unterschiede von Reich und Arm, Vornehm und Gering einzuebnen, – Unterschiede, zu deren ewiger Erhaltung die Natur sich mit der Schönheit verbindet. Der in Lumpen gehüllte Bettler leistet durch sein Dasein denselben Beitrag zum farbigen Bilde der Welt wie der große Herr, der in die demütig ausgestreckte Hand, deren Berührung er allerdings tunlichst vermeidet, ein Almosen legt, – und, Ew. Majestät, der Bettler weiß es; er ist sich der sonderlichen Würde bewußt, welche die Weltordnung ihm zuerteilt, und will im tiefsten Herzen nichts anders, als es ist. Die Aufwiegelung durch Übelgesinnte ist nötig, ihn an seiner malerischen Rolle irrezumachen und ihm die empörerische Schrulle in den Kopf zu setzen, die Menschen müßten gleich sein. Sie sind es nicht, und sie sind geboren, das einzusehen. Der Mensch kommt mit aristokratischen Sinnen zur Welt. Das ist, so jung ich bin, meine Erfahrung. Wer er auch sei, ein Kleriker, ein Glied der kirchlichen Hierarchie oder jener anderen, der martialischen, ein treuherziger Unteroffizier in seiner Kaserne – er läßt Blick und Sinn, ein untrügliches Tastgefühl merken für gemeine oder erlesene Substanz, für das Holz, aus dem einer geschnitzt ist ... Schöne Volksfreunde wahrhaftig, die dem Grob- und Niedriggeborenen die Freude nehmen an dem, was über ihm ist, an dem Reichtum, den edlen Sitten und Formen der oberen Gesellschaftsschicht, und diese Freude in Neid, Begehrlichkeit, Aufsässigkeit verwandeln! Die die Masse der Religion berauben, welche sie in frommen und glücklichen Schranken hält, und ihr dazu vorspiegeln, mit der Änderung der Staatsform sei es getan, die Monarchie müsse fallen und durch Errichtung der Republik werde die Natur des Menschen sich ändern und Glück und Gleichheit herbeigezaubert werden ... Aber es ist Zeit, daß ich Ew. Majestät bitte, mir den Herzenserguß zu Gnaden zu halten, den ich mir da gestattete.«

Der König nickte dem Gesandten mit hochgezogenen Augenbrauen zu, worüber dieser sich sehr freute.

»Lieber Marquis«, sagte dann Seine Majestät, »Sie legen Gesinnungen an den Tag, die nur zu loben sind, – Gesinnungen übrigens, wie sie nicht nur Ihrer Herkunft entsprechen, sondern auch Ihnen persönlich und individuell, lassen Sie mich das hinzufügen, durchaus zu Gesichte stehen. Doch, doch, ich sage es, wie ich's meine. A propos, Sie erwähnten die zündelnde Rhetorik der Demagogen, ihre gefährliche Beschwatzungskunst. In der Tat und unglücklicherweise trifft man die Gewandtheit des Wortes ganz vorwiegend bei solchen Leuten, Advokaten, ehrgeizigen Politikern, Aposteln des Liberalismus und Feinden der bestehenden Ordnung an. Das Bestehende findet selten Befürworter von Geist. Es ist eine Ausnahme und sehr wohltuend, einmal zugunsten der guten Sache gut und gewinnend sprechen zu hören.«

»Ich kann nicht sagen«, versetzte ich, »wie sehr gerade dies Wort ,wohltuend' aus Ew. Majestät Munde mich ehrt und beglückt. Möge es lächerlich scheinen, wenn ein einfacher junger Edelmann sich vermißt, einem König wohltun zu können, – ich gestehe doch, daß eben dies mein Bestreben ist. Und was hält mich zu diesem Bestreben an? Mitgefühl, Majestät. Es ist das Mitgefühl, das teilhat an meiner Ehrfurcht, – wenn das eine Kühnheit ist, so möchte ich doch behaupten, daß es kaum eine seelenvollere Mischung der Empfindungen gibt, als eben die von Ehrfurcht und Mitgefühl. Was meine Jugend von Ew. Majestät Kümmernissen weiß, von den Anfeindungen, denen das Prinzip, das Sie vertreten, und selbst Ihre erlauchte Person ausgesetzt sind, geht mir nahe, und ich kann nicht umhin, Ihnen Ablenkung von diesen trüben Störungen, so viel heitere Zerstreuung wie nur möglich zu wünschen. Das ist es zweifellos, was Ew. Majestät in der schönen Kunst, in der Malerei suchen und finden. Dazu höre ich mit Freuden, daß Sie sich gern dem Jagdvergnügen widmen . . .«

»Sie haben recht«, sagte der König. »Ich gestehe, daß ich mich am wohlsten fern der Hauptstadt und den Ränken der Politik fühle, in freier Natur, in Feld und Gebirge, umgeben von einer kleinen Zahl Vertrauter und Zuverlässiger, bei Pirsch und Anstand. Sie sind Jäger, Marquis?«

»Ich kann es nicht sagen, Majestät. Zweifellos ist die Jagd die ritterlichste Unterhaltung, aber ich bin im ganzen kein Mann des Schießgewehrs und folge nur ganz gelegentlich einmal einer solchen Einladung. Was mir dabei am meisten Freude macht, sind die Hunde. So eine Koppel von Meute- und Vorstehhunden, in ihrer Leidenschaft kaum zu halten, die Nase am Boden, die Schwänze hin und her fahrend, alle Muskeln gespannt, – der stolze Paradetrab, in dem so einer, mit angezogenem Kopf, das Flugwild oder den Hasen im Maule heranbringt, – ich sehe das für mein Leben gern. Kurzum, ich bekenne mich als warmen Hundefreund und bin von klein auf mit diesem alten Genossen des Menschen umgegangen. Die Eindringlichkeit seines Blicks, sein Lachen mit aufgesperrtem Rachen, wenn man mit ihm scherzt – er ist ja das einzige Tier, das lachen kann –, seine täppische Zärtlichkeit, seine Eleganz im Spiel, die federnde Schönheit seines Ganges, falls er von Rasse ist, – das alles erwärmt mir das Herz. Seine Herkunft vom Wolf oder vom Schakal ist bei der großen Mehrzahl der Arten völlig verwischt. Allermeist sieht man sie ihm so wenig mehr an wie dem Pferd die seine vom Tapir oder Nashorn. Schon der Torfspitz der Pfahlbauzeit erinnerte nicht mehr an diese Abstammung, und wer

ließe sich beim Spaniel, Dachshund, Pudel, beim schottischen
Terrier, der auf dem Bauche zu gehen scheint, oder beim güte-
vollen Bernhardiner den Wolf einfallen? Welche Variabilität
der Gattung! Es gibt sie in keiner anderen. Ein Schwein ist
ein Schwein, ein Rind – ein Rind. Aber sollte man glauben,
daß die dänische Dogge, groß wie ein Kalb, das gleiche Tier
ist wie der Affenpinscher? Dabei«, plauderte ich fort und
lockerte meine Haltung, indem ich mich nun doch im Stuhl
zurücklehnte, was daraufhin auch der Gesandte tat, »dabei
hat man den Eindruck, daß diese Geschöpfe sich ihres For-
mats, ob riesenhaft oder winzig, nicht bewußt sind und
ihm im Verkehr miteinander keine Rechnung tragen. Die
Liebe vollends – verzeihen Majestät die Berührung dieses
Gebietes – macht da jeden Sinn für das Passende und Unpassende zunichte. Wir haben zu Hause auf dem Schloß einen
russischen Windhund, Fripon mit Namen, einen großen Herrn,
ablehnend von Wesen und von dünkelhaft schläfriger Physiognomie, die mit der Geringfügigkeit seines Gehirns zusammenhängt. Andererseits ist da Minime, das Malteser
Schoßhündchen meiner Mama, ein Knäulchen weißer Seide,
kaum größer als meine Faust. Man sollte denken, Fripon ver-
schlösse sich nicht der Einsicht, daß dieses bebende Prinzeß-
chen in bestimmter Hinsicht keine schickliche Partnerin für
ihn sein kann. Wird aber ihre Weiblichkeit aktuell, so klappert er, obgleich in weiter Entfernung von ihr gehalten, vor
unrealisierbarer Verliebtheit derart mit den Zähnen, daß man
es zimmerweit hören kann.«

Der König erheiterte sich über das Klappern.

»Ach«, beeilte ich mich fortzusetzen, »da muß ich Ew. Majestät doch gleich von besagter Minime erzählen, einem preziösen Geschöpfchen, dessen Konstitution in einem bänglichen
Verhältnis zu seiner Rolle als Schoßhündchen steht.« Und so
denn, liebe Mama, wiederholte ich weit besser und mit drol-
ligerer Genauigkeit des Détails meine Produktion von neulich, die Schilderung der leider wiederkehrenden Tragödie in
Deinem Schoß, der Schreckensrufe, des Klingelalarms, – malte

das Herbeiflattern Adelaidens aus, deren beispiellose Affektation durch die Notlage nur noch gesteigert wird und die
den zappelnden Unglücksliebling davonträgt, die zittrigen
Dienstleistungen Radicules, der Deiner Hilflosigkeit mit einer
Handschaufel und einem Ascheneimer beizukommen sucht.
Mein Erfolg war der erwünschteste. Der König hielt sich
die Seiten vor Lachen, – und wirklich, es ist eine herzinnige
Freude, einen gekrönten Mann der Sorgen, mit einer wühleri-
schen Partei im Lande, so selbstvergessener Belustigung hingegeben zu sehen. Ich weiß nicht, was irgendwelche Horcher
im Vorzimmer sich von dieser Audienz gedacht haben mögen,
aber gewiß ist, daß Seine Majestät die unschuldige Zerstreuung, die ich ihm bot, ganz außerordentlich genoß. Dieselben
erinnerten sich zwar endlich, daß der Name des Gesandten,
dem man Stolz und Glück darüber anmerkte, daß er sich durch
meine Einführung um das Wohl des Herrschers so verdient
gemacht, und mein eigener Name keineswegs die letzten waren auf der Liste des Flügeladjutanten, und gaben, indem sie
sich die Augen trockneten, durch Erheben vom Sitze das Zeichen zur Beendigung des Empfanges. Aber während wir
unsere tiefen Abschiedsverbeugungen darbrachten, hörte ich
wohl, obgleich ich es scheinbar nicht hören sollte, das zwiefache »Charmant, charmant!«, mit dem der Monarch sich gegen Herrn von Hüon erkenntlich erwies, – und, liebe Eltern –
dies wird euch zweifellos nicht nur meine kleinen Verstöße
gegen die Pietät, sondern auch die etwas eigenmächtige Verlängerung meines Aufenthaltes dahier in milderem Licht erscheinen lassen –: Zwei Tage später erhielt ich vom Königlichen Hofmarschallamt ein Päckchen, enthaltend die Insignien
des portugiesischen Ordens vom Roten Löwen zweiter Klasse,
den Seine Majestät geruht hatte mir zu verleihen, an karmoi-
sinrotem Band um den Hals zu tragen, – so daß ich mich also
hinfort bei formellen Gelegenheiten nicht länger, wie noch
beim Gesandten, im kahlen Frackanzug darzustellen haben
werde.

Ich weiß wohl, daß ein Mann seinen wahren Wert nicht

in Emaille auf der Hemdbrust, sondern im tieferen Busen
trägt. Aber die Menschen – ihr kennt sie länger und besser als
ich – wollen das Sichtbare, den Augenschein, das Sinnbild und
tragbare Ehrenzeichen, und ich schelte sie nicht deswegen, ich
bin voll milden Verständnisses für ihre Bedürftigkeit, und es
ist reine Sympathie und Nächstenliebe, wenn ich mich freue,
ihrer kindlichen Sinnlichkeit in Zukunft mit dem Roten Löwen zweiter Klasse aufwarten zu können.

Nur soviel für heute, teuerste Eltern. Ein Schelm gibt mehr,
als er hat. Bald weiteres von meinen Erlebnissen und Welter-
fahrungen, die ich samt und sonders eurer Großmut zu danken
haben werde. Und wenn noch unter obiger Adresse ein Ge-
gengruß von euch mich erreichen und mich eueres Wohlbefin-
dens versichern würde, so wäre das der köstlichste Beitrag
zum eigenen Wohlsein

eures in Zärtlichkeit treu gehorsamen Sohnes
Loulou.

Dieses in wohlstudierter, leicht nach links geneigter Steilschrift hergestellte, teils deutsch, teils französisch abgefaßte,
eine ganze Anzahl der kleinen Briefbögen des Hotels Savoy
Palace füllende Handschreiben mit der vom Oval umhüllten
Unterschrift ging ab an meine Erzeuger auf Schloß Monrefuge
bei Luxemburg. Ich hatte mir Mühe damit gegeben, da mir
an der Korrespondenz mit diesen mir so nahestehenden Herrschaften wahrhaft gelegen war und ich mit herzlicher Neugier der Antwort entgegensah, die, wie ich mir dachte, wohl
von der Marquise kommen würde. Mehrere Tage hatte ich
an das Werkchen gewandt, das übrigens, von einigen Ver-
schleierungen am Anfang abgesehen, mein Erlebtes ganz
wahrheitsgemäß wiedergab, selbst in dem Punkte, daß Herr
von Hüon mit seinem Anerbieten, mich dem König vorzustellen, meinen Wünschen zuvorgekommen war. Die Sorgfalt,
die ich für den Bericht aufgeboten, ist um so höher einzuschätzen, als ich die Zeit dafür meinem eifrigen, nur mit
Mühe in den Grenzen der Diskretion gehaltenen Verkehr im

Hause Kuckuck abzustehlen hatte, welcher sich – wer hätte
es gedacht – hauptsächlich auf den Sport, den ich so wenig
wie einen anderen je betrieben, das Tennisspiel mit Zouzou
und ihrer Clubgesellschaft stützte.

Jene Verabredung einzugehen und einzuhalten war keine
kleine Keckheit von meiner Seite. Den dritten Tag denn aber,
zeitig am Vormittag, wie ausgemacht, fand ich mich in un-
tadeligem Sportdreß, weiß gegürteten Flanellhosen, schneei-
gem, am Halse offenem Hemd, über dem ich vorderhand
eine blaue Jacke trug, und jenen lautlosen, mit Gummi leicht
besohlten Leinwandschuhen, die eine tänzerische Beweglichkeit begünstigen, auf dem gar nicht weit von Zouzous Elternhaus gelegenen, sehr reinlich gepflegten doppelten Spiel-
felde ein, dessen Benutzung ihr und ihren Freunden tag- und
stundenweise vorbehalten war. Zumute war mir ganz ähnlich
wie einst, als ich, eine abenteuerliche, zwar beklommene, aber
auch frohe Entschlossenheit im Herzen, vor die Militärische
Aushebungskommission getreten war. Entschlossenheit ist alles. Von meiner überzeugenden Tracht, den beflügelnden Schu-
hen an meinen Füßen begeistert, machte ich mich anheischig,
auf augenverblendende Weise meinen Mann zu stehen in
einem Spiel, das ich zwar angeschaut und in mich genommen,
in Wirklichkeit aber nie geübt hatte.

Ich kam zu früh, noch fand ich mich allein auf dem Plan.
Eine Hütte war da, die als Garderobe und Aufbewahrungs-
ort für die Spielgerätschaften diente. Dort legte ich meine
Jacke ab, nahm mir ein Racket und einige der allerliebsten
kalkweißen Bälle und begann, mich auf dem Platze im tän-
delnd-vertraulichen Gebrauch dieser hübschen Gegenstände
zu versuchen. Ich ließ den Ball auf dem elastisch bespannten
Schläger tanzen, ließ ihn vom Boden springen, um ihn mit
jenem in der Luft zu fangen, und hob den liegenden damit
in der bekannten leichten Schaufelbewegung auf. Um mir den
Arm frei zu machen und die zum Schlage notwendige Kraft zu
prüfen, sandte ich einen Ball nach dem anderen mit Vor-
oder Rückhandschlag übers Netz, – womöglich über dieses,

denn meistens gingen meine Würfe ins Netz hinein oder
sträflich weit über die Grenze des Gegenhofs hinaus, ja, wenn
ich mich allzusehr ins Zeug gelegt hatte, selbst über die hohe
Umgitterung des Spielplatzes hinweg ins Freie.

So tummelte ich mich, mit Genuß den Griff des schönen
Schlaggeräts umfassend, im Single gegen niemand, wobei Zouzou Kuckuck mich betraf, die in Gesellschaft zweier ebenfalls
weiß gekleideter junger Leute, Männlein und Fräulein, her-
anschlenderte, welche aber nicht Geschwister, sondern Cousin
und Cousine waren. Wenn er nicht Costa hieß, so hieß er
Cunha, und wenn sie nicht Lopes hieß, so hieß sie Camões, –
ich weiß das nicht mehr so genau. »Sieh da, der Marquis
trainiert solo. Es sieht vielversprechend aus«, sagte Zouzou
spöttisch und machte mich mit den zwar zierlichen, ihr
selbst aber an Reiz unvergleichlich nachstehenden jungen Herrschaften bekannt, danach auch mit weiter hinzukommenden
männlichen und weiblichen Mitgliedern des Clubs, Saldacha,
Vicente, de Menezes, Ferreira und ähnlich geheißen. Wohl
ein Dutzend Teilnehmer, mich eingeschlossen, kamen im
ganzen zusammen, von denen jedoch mehrere sich gleich, zum
vorläufigen Zusehen, plaudernd auf den außerhalb der Umgitterung stehenden Bänken niederließen. Je vier traten auf
den beiden Plätzen zum Spiele an, – Zouzou und ich auf
entgegengesetzten Feldern des einen. Ein langer Jüngling erkletterte bei uns den Hochsitz des Schiedsrichters, um die Zahl
der gemachten Bälle, die Fehler und Outs, ein gewonnenes
Game oder einen Set zu notieren und auszusprechen.

Zouzou postierte sich am Netz, während ich diesen Platz
meiner Mitspielerin, einem Fräulein mit gelbem Teint und
grünen Augen, überließ und mich, in gesammelter Bereitschaft, einer Hochstimmung meines Körpers, auf dem hinteren Felde hielt. Zouzous Partner, jener kleine Cousin, servierte zuerst, recht schwierig. Aber, herzuspringend, hatte
ich zum Anfang das gute Glück, seinen Ball im flachen und
scharfen Treibschlag mit großer Präzision zurückzugeben,
so daß Zouzou »Nun also« sagte. Danach beging ich eine

Menge Unsinn und in federndes Hin- und Herspringen und
-gleiten gehüllte Stümperei, die für die Gegenseite notierte;
machte auch, in zur Schau getragenem Übermut, indem ich mit
dem Spiele mein Spiel trieb und es gar nicht ernst zu nehmen
schien, mit den springenden Bällen hundert Flausen und
Jonglierstückchen, die, wie meine heillosen Fehlschläge, die
Heiterkeit der Zuschauer erregten, – was alles mich nicht
hinderte, zwischendurch aus purem Ingenium Dinge zu leisten,
die in verwirrendem Widerspruch zu meiner so oft ersicht-
lichen Ungelerntheit standen und diese im Lichte bloßer
Nachlässigkeit und des Verbergens meiner Fähigkeiten erscheinen lassen konnten. Ich verblüffte durch einen und den anderen
Serviceball von unheimlicher Schärfe, durch das frühe Annehmen eines herankommenden Balles, durch das wiederholte
Retournieren der unmöglichsten Zumutungen, – was alles ich
meiner durch Zouzous Dasein befeuerten körperlichen In-
spiriertheit zu danken hatte. Noch sehe ich mich zum Annehmen eines tiefen Vorhanddrives, das eine Bein vorgestreckt,
mit dem anderen ins Knie gehen, was ein gar hübsches Bild
ergeben haben muß, da es mir Applaus von den Zuschauer-
bänken eintrug; sehe mich im Sprunge unglaublich empor-
schnellen, um, ebenfalls unter Bravorufen und Händeklatschen,
einen weit über den Kopf meiner Partnerin hinweggegangenen
Hochball des kleinen Cousins mit Wucht ins gegnerische Feld
zu schlagen – und was da, zwischenein, des wilden, begeisterten Gelingens noch mehr war.

Was Zouzou betrifft, die mit gutem Können und ruhiger
Korrektheit spielte, so lachte sie weder über meine Blama-
gen – wenn ich etwa an dem von mir selbst in die Luft ge-
worfenen Serviceball mit dem Racket vorbeischlug – noch
über meine ungehörigen Mätzchen, verzog aber auch keine
Miene bei meinen unerwarteten Championtaten und dem
Beifall, den sie mir gewannen. Allzu gelegentlich vorkom-
mend, reichten sie übrigens nicht aus, zu verhindern, daß
trotz der soliden Arbeit meiner Genossin Zouzous Seite nach
zwanzig Minuten vier gewonnene Games zu verzeichnen und

nach weiteren zehn den Set gemacht hatte. Wir brachen ab
danach, um andere zum Zuge zu lassen. Erhitzt allesamt,
nahmen wir vier zusammen auf einer der Bänke Platz.

»Das Spiel des Herrn Marquis ist amüsant«, sagte meine
gelbgrüne Partnerin, der ich so manches verdorben hatte.

»Un peu phantastique, pourtant«, erwiderte Zouzou, die
sich, da sie mich eingeführt hatte, für meine Aufführung ver-
antwortlich fühlte. Dabei durfte ich glauben, durch meine
»Phantastereien« in ihren Augen nichts eingebüßt zu haben.
Ich entschuldigte mich mit meinem Wieder-Anfängertum und
gab der Hoffnung Ausdruck, was ich einmal gekonnt, rasch
zurückzuerobern, um solcher Mit- und Gegenspieler würdig
zu sein. Nach einigem Geplauder, während dessen wir den
Angetretenen zusahen und uns an guten Schlägen freuten, kam
ein Herr zu uns herüber, der Fidelio genannt wurde, zu dem
Cousin und der Gelbgrünen auf portugiesisch sprach und
sie zu irgendeiner Unterredung von uns fortholte. Kaum war
ich mit Zouzou allein, als sie anhob:

»Nun, und jene Zeichnungen, Marquis? Wo sind sie? Sie
wissen, daß ich sie zu sehen, sie an mich zu nehmen wünsche.«

»Aber Zouzou«, gab ich zur Antwort, »ich konnte sie unmöglich mit hierher nehmen. Wo sollte ich sie lassen und wie
sie Ihnen hier vorlegen, wo wir jeden Augenblick Gefahr laufen würden, dabei ertappt zu werden . . .«

»Was für eine Redensart — ,ertappt zu werden'!«

»Nun ja, diese träumerischen Erzeugnisse meines Geden-
kens an Sie sind nichts für die Augen Dritter, — die Frage
ganz beiseite gelassen, ob sie etwas für die Ihren wären. Bei
Gott, ich wollte, die Umstände hier, bei Ihnen zu Hause und
überall, wären weniger der Möglichkeit entgegen, Heimlichkeiten mit Ihnen zu haben.«

»Heimlichkeiten! Sehen Sie gefälligst nach Ihren Worten!«

»Aber Sie halten mich zu Heimlichkeiten an, die, wie alles
liegt, sehr schwer zu bewerkstelligen sind.«

»Ich sage einfach, daß es Sache Ihrer Gewandtheit ist,
Gelegenheit zu finden, mir diese Blätter zu übergeben. An

Gewandtheit fehlt es Ihnen nicht. Sie waren gewandt beim
Spiel – phantastisch, wie ich vorhin beschönigend sagte, und
so pfuscherisch oft, daß man hätte glauben können, Sie hätten
Tennis überhaupt nie gelernt. Aber gewandt waren Sie.«

»Wie glücklich bin ich, Zouzou, das aus Ihrem Munde zu
hören . . .«

»Wie kommen Sie eigentlich dazu, mich Zouzou zu
nennen?«

»Alle Welt nennt Sie so, und ich liebe diesen Ihren Namen
so sehr. Ich horchte auf, als ich ihn zum erstenmal vernahm,
und habe ihn gleich in mein Herz geschlossen . . .«

»Wie kann man einen Namen ins Herz schließen!«

»Der Name ist ja mit der Person, die ihn trägt, unzertrennlich verbunden. Darum macht es mich so glücklich, Zouzou, aus Ihrem Munde – wie gern spreche ich von Ihrem
Munde! – eine duldsame, eine halbwegs lobende Kritik meines armen Spieles zu hören. Glauben Sie mir, wenn es noch
in der Pfuscherei leidlich anzusehen war, so daher, weil ich
von dem Bewußtsein ganz durchdrungen war, mich unter
Ihren lieben, reizenden schwarzen Augen zu bewegen.«

»Sehr schön. Worin Sie sich da üben, Marquis, das nennt
man ja wohl einem jungen Mädchen den Hof machen. An
Originalität fällt das ab gegen die Phantastik Ihres Spiels.
Die Mehrzahl der jungen Leute hier betrachtet das Tennis
mehr oder weniger als Vorwand für diese degoutante
Beschäftigung.«

»Degoutant, Zouzou? Warum? Schon neulich haben Sie die
Liebe ein unanständiges Thema genannt und Pfui dazu
gesagt.«

»Ich sage es wieder. Ihr jungen Männer seid alle garstige,
lasterhafte Buben, die auf das Unanständige aus sind.«

»Oh, wenn Sie aufstehen und weggehen wollen, so nehmen
Sie mir die Möglichkeit, die Liebe zu verteidigen.«

»Das will ich auch. Wir sitzen hier schon zu lange zu
zweien. Erstens schickt sich das nicht, und zweitens (denn
wenn ich erstens sage, pflege ich es nicht an einem zweitens

fehlen zu lassen), zweitens finden Sie ja wenig Geschmack am Einzelnen und entzücken sich vielmehr an Kombinationen.«

Sie ist eifersüchtig auf ihre Mutter, sagte ich nicht ohne Freude zu mir selbst, während sie mir ein »Au revoir« hinwarf und sich entfernte. Möchte doch auch die Rassekönigin es sein auf ihr Töchterlein! Das würde der Eifersucht entsprechen, die mein Gefühl für die eine oft in sich hegt auf mein Gefühl für die andere.

Die Strecke vom Spielplatz zur Villa Kuckuck legten wir zusammen mit den jungen Leuten zurück, in deren Gesellschaft Zouzou gekommen war, dem Cousin und der Cousine, deren Heimweg daran vorbeiführte. Das Déjeuner, das ein Abschiedsessen hatte sein sollen, aber als solches schon nicht mehr galt, wurde diesmal nur zu vieren eingenommen, da Herr Hurtado fehlte. Es war gewürzt mit Zouzous Hohn und Spott über mein Tennisspiel, für das Dona Maria Pia durch lächelnde Nachfragen ein gewisses neugieriges Interesse verriet, besonders da ihre Tochter sich dazu überwand, auch meine vereinzelten Großtaten zu erwähnen, – ich sage: sich dazu überwand, weil es zwischen den Zähnen und mit zusammengezogenen Brauen, gleichsam in tiefem Ärger geschah. Ich wies sie darauf auch hin, und sie antwortete:

»Ärger? Gewiß. Es kam Ihrer Nichtskönnerei nicht zu. Es war unnatürlich.«

»Sage doch gleich übernatürlich!« lachte der Professor. »Alles in allem scheint mir die Sache darauf hinauszulaufen, daß der Marquis so galant war, euerer Seite den Sieg zuzuschanzen.«

»Du stehst dem Sport, lieber Papa«, erwiderte sie verbissen, »fern genug, um zu meinen, daß der Galanterie dabei irgendeine Rolle gebühre, und hast sehr milde Erklärungen für das absurde Gebaren deines Reisegefährten.«

»Papa ist immer milde«, schloß die Senhora diesen Wortwechsel.

Es folgte kein Spaziergang auf das damalige Frühstück, das eines unter vielen war, die ich während der kommenden

Wochen im Heim der Kuckucks noch sollte genießen dürfen. Ausflüge in die Umgebung Lissabons schlossen sich an spätere an. Darüber einiges gleich weiter unten. Hier will ich nur noch der Freude gedenken, die mir, vierzehn bis achtzehn Tage nach Abgang des meinen, ein Brief meiner Frau Mutter bereitete, welchen bei meiner Rückkehr von einem Ausgange der Concierge mir überreichte. In deutscher Sprache geschrieben lautete er wie folgt:

Victoria Marquise de Venosta née de Plettenberg
                              Schloß Monrefuge, den 3. Sept. 1895
    Mein lieber Loulou!
    Dein Brief vom 25. vorigen Monats ist Papa und mir richtig zuhanden gekommen, und beide danken wir Dir für Deine gewissenhafte und unstreitig interessante Ausführlichkeit. Deine Schrift, mein guter Loulou, ließ immer zu wünschen übrig und ist nach wie vor nicht ohne Manieriertheit, aber Dein Stil hat gegen früher entschieden an Gepflegtheit und angenehmer Politur gewonnen, was ich zum Teil dem mehr und mehr bei Dir sich geltend machenden Einfluß der wort- und esprit-freundlichen Pariser Atmosphäre zuschreibe, welche Du so lange geatmet hast. Außerdem ist es wohl eine Wahrheit, daß der Sinn für gute, gewinnende Form, der Dir stets zu eigen war, da wir ihn in Dich gepflanzt haben, eine Sache des ganzen Menschen ist und nicht bei den körperlichen Manieren haltmacht, sondern sich auf alle persönlichen Lebensäußerungen, also auch auf die schriftliche wie mündliche Ausdrucksweise erstreckt.
    Übrigens nehme ich nicht an, daß Du wirklich zu Seiner Majestät König Carl dermaßen rednerisch-elegant gesprochen hast, wie Dein Bericht vorgibt. Das ist gewiß eine briefstellerische Fiktion. Nichtsdestoweniger hast Du uns ein Vergnügen damit gemacht, und zwar vor allem durch die Gesinnungen, welche Du vorzutragen Gelegenheit nahmest, und mit denen Du Deinem Vater und mir ebenso nach dem Gemüte gesprochen hast wie dem hohen Herrn. Beide teilen wir

vollkommen Deine Auffassung von der Gottgewolltheit der
Unterschiede von Reich und Arm, Vornehm und Gering auf
Erden und von der Notwendigkeit des Bettlerstandes. Wo
bliebe auch die Gelegenheit zur Wohltätigkeit und zum guten
Werke christlichen Sinnes, wenn es nicht Armut und Elend
gäbe?

Dies einleitend. Ich mache Dir kein Hehl daraus, und Du
hast es ja auch nicht anders erwartet, daß Deine in der Tat
etwas eigenwilligen Dispositionen, der beträchtliche Aufschub,
den Deine Weiterreise nach Argentinien erlitten, uns zunächst
ein wenig verstimmten. Aber wir haben uns damit abgefunden, ja ausgesöhnt, denn die Gründe, die Du dafür anführst,
lassen sich wohl hören, und mit Recht darfst Du sagen, daß
die Ergebnisse Deine Beschlüsse rechtfertigen. Natürlich
denke ich dabei in erster Linie an die Verleihung des Ordens
vom Roten Löwen, die Du der Gnade des Königs und Deinem
einnehmenden Verhalten bei ihm verdankst und zu welcher
Papa und ich Dir herzlich gratulieren. Das ist eine recht ansehnliche Dekoration, wie man sie in so jungen Jahren selten
erwirbt, und die, obgleich zweiter Klasse, nicht zweitklassig
zu nennen ist. Sie gereicht der ganzen Familie zur Ehre.

Es ist von diesem schönen Ereignis auch in einem Briefe
der Frau Irmingard von Hüon die Rede, den ich fast gleichzeitig mit dem Deinen empfing, und worin sie mir, an Hand
der Berichte ihres Gatten, von Deinen gesellschaftlichen Erfolgen Mitteilung macht. Sie wünschte damit das Mutter-
herz zu erfreuen und hat diesen Zweck auch vollkommen erreicht. Trotzdem muß ich, ohne Dich kränken zu wollen,
sagen, daß ich ihre Schilderungen, bzw. die des Gesandten,
mit einigem Erstaunen las. Gewiß, ein Spaßvogel warst Du
immer, aber solche parodistischen Talente und Gaben burles-
ker Travestie, daß Du eine ganze Gesellschaft, einschließlich
eines prinzlichen Geblütes, damit in Lachen auflösen und
einem sorgenbeladenen König das Herz damit zu einer fast
unmajestätischen Lustigkeit befreien konntest, hätten wir Dir
doch nicht zugetraut. Genug, Frau von Hüons Brief bestätigt

Deine eigenen Angaben darüber, und auch hier ist einzuräumen, daß der Erfolg die Mittel rechtfertigt. Es sei Dir verziehen, mein Kind, daß Du Deinen Darstellungen Einzelheiten aus unserem häuslichen Leben zugrunde legtest, die
besser unter uns geblieben wären. Minime liegt, während ich
schreibe, in meinem Schoß und würde sich gewiß unserer
Nachsicht anschließen, wenn man ihren kleinen Verstand mit
der Sache befassen könnte. Du hast Dir arge Übertreibungen
und groteske Lizenzen zuschulden kommen lassen bei Deiner
Produktion und besonders Deine Mutter einem recht lächerlichen Lichte ausgesetzt durch die Schilderung, wie sie kläglich verunreinigt und halb ohnmächtig im Sessel liegt und der
alte Radicule ihr mit Schaufel und Ascheneimer zu Hilfe kommen muß. Ich weiß nichts von einem Ascheneimer, er ist ein
Erzeugnis Deines Eifers, zu unterhalten, der denn ja auch so
erfreuliche Früchte getragen hat, daß es am Ende nichts ausmachen darf, wenn er etwas von meiner persönlichen Würde
mutwillig darangab.

Dem Mutterherzen zugedacht waren zweifellos auch die
Versicherungen Frau von Hüons, daß Du von allen Seiten
als so besonders bildhübsch, ja geradezu als eine Jünglings-
schönheit angesehen und bezeichnet wirst, was uns nun ebenfalls wieder bis zu einem gewissen Grade verwunderte. Du
bist, geradezu gesprochen, ein netter Bursche und setzest
Deinesteils Dein Äußeres herab, indem Du mit sympathischer
Selbstverspottung von Borsdorfer Apfelbacken und Schlitz-
äuglein sprichst. Das ist gewiß ungerecht. Aber als eigentlich
hübsch und schön kannst Du nicht gelten, nicht daß wir wüßten, und Complimente dieses Sinnes, die man mir macht, bringen mich einigermaßen aus der Fassung, wenn mir als Frau
auch nicht unbekannt ist, wie sehr der Wunsch zu gefallen ein
Äußeres von innen her zu erhöhen und zu verklären vermag,
kurz, sich als Mittel erweisen kann, pour corriger la nature.

Aber was spreche ich von Deinem Exterieur, das man
hübsch oder nur passable nennen möge! Handelt es sich doch
um Dein Seelenheil, Deine gesellschaftliche Rettung, um die

wir Eltern zeitweise zu zittern hatten. Und da ist es uns
denn eine wahre Herzenserleichterung, Deinem Brief, wie
schon Deinem Telegramm, zu entnehmen, daß wir mit dieser
Reise das rechte Mittel gefunden haben, Dein Gemüt aus dem
Banne degradierender Wünsche und Projekte zu lösen, sie
Dir im rechten Licht, nämlich in dem des Unmöglichen und
Verderblichen erscheinen zu lassen und sie mitsamt der Person, die sie Dir zu unserer Beängstigung einflößte, in Vergessenheit zu versenken!

Zuträgliche Umstände sind, Deinen Mitteilungen zufolge,
dabei behilflich. Ich kann nicht umhin, in Deiner Begegnung
mit jenem Professor und Museumsdirektor, dessen Name
allerdings spaßig lautet, eine glückliche Fügung zu sehen und
den Verkehr in seinem Hause als nutzbringend und hilfreich
zu Deiner Heilung zu betrachten. Zerstreuung ist gut; desto
besser aber, wenn sie sich mit einem Gewinn an Bildung und
brillantem Wissen verbindet, wie er sich in Deinem Briefe,
etwa durch das Gleichnis von der Seelilie (einem mir unbekannten Gewächs) oder durch Anspielungen auf die Na-
turgeschichte des Hundes und des Pferdes deutlich genug
abzeichnet. Solche Dinge sind ein Schmuck jeder gesellschaftlichen Conversation und werden nie verfehlen, einen jungen
Mann, der sie ohne Prätention und mit Geschmack einzu-
flechten weiß, angenehm zu distinguieren von solchen, denen
etwa nur das Vokabular des Sports zur Verfügung steht.
Womit nicht gesagt sein soll, daß wir von Deiner Wiederauf-
nahme des lange vernachlässigten Lawn-Tennis um Deiner
Gesundheit willen nicht mit Befriedigung Kenntnis genommen hätten.

Wenn übrigens der Umgang mit den Damen des Hauses,
Mutter und Tochter, deren Beschreibung Du mit einigen
ironischen Lichtern versiehst, Dir weniger zusagt und zu
geben hat als der mit dem gelehrten Hausherrn und seinem
Gehilfen, so brauche ich Dich nicht zu ermahnen – möchte es
aber hiermit doch getan haben –, sie Deine mindere Schätzung niemals merken zu lassen und ihnen stets mit der

Ritterlichkeit zu begegnen, die ein Kavalier dem anderen
Geschlecht unter allen Umständen schuldet.

Und somit Glück auf, lieber Loulou! Wenn Du nun in
etwa vier Wochen, nach Wiederkehr der »Cap Arcona«, zu
Schiffe gehst, so werden unsere Gebete um eine glatte, Deinen
Magen nicht einen Tag affizierende Überfahrt für Dich zum
Himmel steigen. Die Verzögerung Deiner Reise bringt es mit
sich, daß Du in den argentinischen Frühling einziehen und
wohl auch den Sommer dieser der unseren entgegengesetzten
Region erproben wirst. Du sorgst, so vertraue ich, für passende Garderobe. Feiner Flanell ist dabei am meisten zu empfehlen, denn er bietet die beste Gewähr gegen Erkältungen,
die man sich, wie es freilich nicht im Wort liegt, bei Hitze
sogar leichter zuzieht als bei Kälte. Sollten die Dir zur Verfügung gestellten Mittel sich gelegentlich als unzureichend erweisen, so vertraue, daß ich die Frau bin, eine vernünftige
Ergänzung bei Deinem Vater mit Erfolg zu befürworten.

Unsere freundlichsten Empfehlungen Deinen Gastgebern,
Herrn und Frau Consul Meyer.

Mit Segenswünschen
Maman

Zehntes Kapitel

Wenn ich der wunderbar vornehmen Fuhrwerke, der blitz-
blanken Viktorias, Phaetons und mit Seide ausgeschlagenen
Coupés gedenke, die ich später vorübergehend mein eigen
nannte, so rührt mich das kindliche Vergnügen, mit dem ich
mich während jener Lissabonner Wochen eines gerade nur
anständigen Mietswagens bediente, der mir nach Übereinkunft mit einer Lohnkutscherei zu jeweiliger Verfügung
stand, so daß ich den Concierge des Savoy Palace nur von
Fall zu Fall danach zu telephonieren lassen brauchte. Im
Grunde war es nicht mehr als eine Droschke, allerdings mit
zurücklegbarem Verdeck und eigentlich doch wohl ein ehe-

maliger, an das Fuhrgeschäft veräußerter viersitziger Herr-
schaftswagen. Pferde und Geschirr konnten sich allenfalls
sehen lassen, und eine geziemend private Tracht des Kutschers,
mit Rosettenhut, blauem Rock und Stulpenstiefeln, hatte ich
gegen ein leichtes Aufgeld zur Bedingung gemacht.

Gern bestieg ich vor meinem Hotel den Wagen, dessen
Schlag ein Page mir öffnete, während der Kutscher, wie ich
ihn angewiesen, die Hand an der Krempe seines Zylinders,
sich ein wenig vom Bocke neigte. Unbedingt brauchte ich ein
solches Gefährt, nicht nur zu Spazier- und Corsofahrten, die
ich zu meiner Unterhaltung in den Parks und auf den Promenaden unternahm, sondern auch, um mit einiger Stattlich-
keit gesellschaftlichen Einladungen folgen zu können, die der
Abend beim Gesandten nach sich zog und zu denen auch wohl
die Audienz beim König anregte. So baten mich jener reiche
Weinexporteur, der Saldacha hieß, und seine außergewöhnlich
beleibte Frau zu einer Garden Party auf ihrer prächtigen
Besitzung vor der Stadt, wo denn, da die Lissabonner Gesellschaft allgemach aus ihren Sommerfrischen zurückkehrte,
viel schöne Welt mich umgab. Ich fand sie in leichten Ab-
wandlungen und weniger zahlreich wieder bei zwei Diners,
von denen das eine der griechische Geschäftsträger, Fürst
Maurocordato, und seine klassisch schöne, dabei erstaunlich
entgegenkommende Gemahlin anboten, das andere von
Baron und Baronin Vos von Steenwyk auf der holländischen
Gesandtschaft gegeben wurde. Bei diesen Gelegenheiten
konnte ich mich denn auch im Schmuck meines Roten Löwen
zeigen, zu dem mich jeder beglückwünschte. Viel hatte ich auf
der Avenida zu grüßen, denn meine distinguierten Bekanntschaften mehrten sich; doch hielten sich all diese im Ober-
flächlichen und Formellen, – richtiger: aus Gleichgültigkeit
hielt ich sie darin, da meine wahren Interessen an das weiße
Häuschen dort oben, an das Doppelbild von Mutter und
Tochter gebunden waren.

Kaum brauche ich zu sagen, daß ich nicht zuletzt, sondern
zuerst um ihretwillen mir den Wagen hielt. Konnte ich ihnen

doch damit das Vergnügen des Spazierenfahrens bereiten,
zum Beispiel nach den historischen Stätten, deren Schönheit
ich dem König im voraus gerühmt hatte; und nichts war mir
lieber, als auf einem der Rückplätze meiner Leih-Equipage
ihnen beiden, der Mutter, hehr vor Rasse, und ihrem reizenden Kinde gegenüberzusitzen, neben Dom Miguel etwa, der
das eine und andere Mal sich zum Mitkommen frei machte, –
namentlich zu dem Schloß- und Klosterbesuch kam er als Erläuterer des Sehenswürdigen mit.

Den Fahrten und Ausflügen voran ging immer, ein- bis
zweimal die Woche, der Tennis-Sport mit anschließendem in-
timem Déjeuner im Hause Kuckuck. Mein Spiel, das ich zuweilen als Zouzous Partner, zuweilen als ihr Gegner, zuweilen auch, wie es kam, fern von ihr auf dem anderen Felde
übte, gewann sehr rasch an Ausgeglichenheit. Die Bravour-
leistungen jäher Inspiration verschwanden zusammen mit
den lächerlichsten Enthüllungen der Unkunde, und ich bot
anständiges Mittelmaß, mochte auch die spannende Gegenwart der Geliebten meinem Tun und Treiben mehr körperlichen Geist – wenn man so sagen kann – verleihen, als dem
Durchschnitt vergönnt ist. Hätten sich dem Alleinsein mit
ihr nur weniger Schwierigkeiten entgegengestellt! Die Gebote
einer südlichen Sittenstrenge waren ihm eindrucksvoll, aber
störend im Wege. Kein Gedanke daran, daß ich Zouzou von
ihrem Hause zum Spiel hätte abholen dürfen; wir trafen uns
erst an Ort und Stelle. Auch keine Möglichkeit, den Heimweg vom Spielplatz zur Villa Kuckuck mit ihr zu zweien
zurückzulegen: als verstehe sich das von selbst, hatten wir
immer Begleitung. Von der Undenkbarkeit irgendeines Tête-
à-têtes mit ihr im Hause selbst, vor oder nach Tische, im
Salon oder wo immer, schweige ich ohnehin. Nur das Ausruhen auf einer der Bänke außerhalb der Umgitterung der
Tennisplätze führte je und je einmal zu einem Gespräch mit
ihr unter vier Augen, das denn regelmäßig mit der Anmahnung der Porträtzeichnungen, der Forderung, sie ihr zu
zeigen, vielmehr: sie ihr auszuliefern, begann. Ohne die eigen-

sinnige Theorie ihres Besitzrechtes auf die Blätter zu bestreiten, wich ich ihrem Verlangen immer unter dem triftigen Vorwand aus, daß es an einer sicheren Gelegenheit, ihr die Blätter
zu unterbreiten, fehle. In Wahrheit zweifelte ich, ob ich sie
diese gewagten Darstellungen je würde sehen lassen dürfen,
und hing an diesem Zweifel, wie ich an ihrer ungestillten
Neugier — oder welches Wort hier nun einzusetzen wäre —
hing, weil die nichtgezeigten Bilder ein heimliches Band
zwischen uns bildeten, das mich entzückte und das ich bewahrt wissen wollte.

Ein Geheimnis mit ihr zu haben, irgendwie vor anderen im
Einverständnis mit ihr zu sein — ob es ihr nun gefiel oder
nicht —, war mir von süßer Wichtigkeit. So hielt ich darauf,
von meinen gesellschaftlichen Erlebnissen zuerst ihr allein zu
erzählen, bevor ich sie in ihrer Familie, bei Tische, zum besten
gab, — und es für sie genauer, intimer, mit mehr Betrachtung
zu tun als später für die Ihren, so daß ich sie dann ansehen
und mich in einem Lächeln der Erinnerung an das zuvor
mit ihr Besprochene mit ihr finden konnte. Ein Beispiel war
meine Begegnung mit der Fürstin Maurocordato, deren göttlich edle Gesichtszüge und Gestalt ein Benehmen so unerwartet machten, das keineswegs göttlich, sondern das einer Sou-
brette war. Ich hatte Zouzou erzählt, wie die Athenerin in
einem Winkel des Salons mich beständig mit dem Fächer ge-
klapst, ihre Zungenspitze dabei im Mundwinkel gezeigt, mit
einem Auge gezwinkert und mir die losesten Avancen gemacht habe, — völlig uneingedenk der Würdenstrenge, die, so
hätte man denken sollen, das Bewußtsein klassischer Schönheit einer Frau von Natur wegen zur Pflicht hätte machen
müssen. Wir hatten uns auf unserer Bank längere Zeit über
den Widerspruch ergangen, der da zwischen Erscheinung und
Aufführung klaffte, und waren übereingekommen, daß entweder die Fürstin mit ihrer mustergültigen Beschaffenheit
nicht einverstanden war, sie als langweiligen Zwang empfand und durch ihr Betragen dagegen revoltierte, — oder daß
es sich um schiere Dummheit, um den Mangel an Bewußtsein

und Sinn für sich selber handelte, den etwa ein schöner weißer Pudel zeigt, der, eben schneeig gebadet, geradeswegs eine
Lehmpfütze besucht, um sich darin zu wälzen.

All dies fiel weg, als ich denn auch, beim Déjeuner, des
griechischen Abends, der Fürstin und ihrer vollkommenen
Bildung gedachte.

»– die Ihnen natürlich einen tiefen Eindruck hinterlassen
hat«, sagte Senhora Maria Pia, wie immer sehr aufrecht, ohne
sich anzulehnen und ohne das geringste Nachgeben des Rük-
kens, mit leise schaukelnden Jettgehängen am Tische sitzend.
Ich antwortete:

»Eindruck, Senhora? Nein, gleich mein erster Tag in Lissabon hat mir Eindrücke von Frauenschönheit beschert, die
mich, ich muß es gestehen, gegen weitere recht unempfäng-
lich machen.« Dabei küßte ich ihr die Hand, während ich
gleichzeitig mit einem Lächeln zu Zouzou hinüberblickte. So
handelte ich immer. Das Doppelbild wollte es so. Wenn ich
der Tochter eine Artigkeit sagte, so sah ich nach der Mutter,
und umgekehrt. Die Sternenaugen des Hausherrn zuoberst
der kleinen Tafel blickten auf diese Vorkommnisse mit vagem
Wohlwollen, dem Erzeugnis der Siriusferne, aus der sein Zuschauen kam. Die Ehrerbietung, die ich für ihn empfand, litt
nicht den geringsten Schaden durch die Wahrnehmung, daß
sich bei meinem Werben um das Doppelbild jede Rücksicht
auf ihn erübrigte.

»Papa ist immer milde«, hatte Senhora Maria Pia zu Recht
geäußert. Ich glaube, dies Familienhaupt würde mit derselben wohlwollenden Zerstreutheit und abgerückten Milde den
Gesprächen zugehört haben, die ich mit Zouzou am Tennisplatz, oder wenn wir bei Ausflügen zu zweien gingen, führte
und die unerhört genug waren. Sie waren es dank ihrem
Grundsatz »Schweigen ist nicht gesund«, ihrer phänomenalen,
gänzlich aus dem Rahmen des Akzeptierten fallenden Direktheit – und dank dem Gegenstande, an dem diese Umschweif-
losigkeit sich bewährte: dem Thema der Liebe, zu dem sie bekanntlich »Pfui« sagte. Ich hatte deswegen meine liebe Not

mit ihr, denn ich liebte sie ja und gab ihr das auf alle Weise
zu verstehen, und sie verstand es auch, aber wie! Die Vorstellungen, die dieses reizende Mädchen von der Liebe hegte,
waren höchst seltsam und komisch verdächtigend. Sie schien
darin etwas wie das heimliche Treiben unartiger kleiner
Buben zu sehen, schien auch das »Liebe« genannte Laster ganz
allein dem männlichen Geschlecht zuzuschreiben und dafürzu-
halten, das weibliche hätte gar nichts damit zu tun, sei von
Natur nicht im mindesten dazu angelegt, und nur die jungen
Männer seien beständig darauf aus, es in dies Unwesen hin-
einzuziehen, es dazu zu verlocken, und zwar durch Cour-
macherei. Ich hörte sie sagen:

»Da machen Sie mir wieder den Hof, Louis« (ja, es ist
wahr, sie hatte angefangen, mich unter vier Augen zuweilen
»Louis« zu nennen, wie ich sie »Zouzou« nannte), »raspeln
Süßholz und sehen mich dringlich – oder soll ich sagen zu-
dringlich? nein, ich soll sagen: liebevoll, aber das ist ein
Lügenwort – mit Ihren blauen Augen an, die, wie Sie wissen,
nebst Ihrem blonden Haar so überaus wundersam mit Ihrem
brünetten Teint kontrastieren, daß man nicht weiß, was man
von Ihnen denken soll. Und was wollen Sie? Worauf haben
Sie's abgesehen bei Ihren schmelzenden Worten und Blicken?
Auf etwas unsagbar Lächerliches, Absurdes und Kindisch-
Unappetitliches. Ich sage: unsagbar, aber es ist natürlich gar
nicht unsagbar, und ich sage es. Sie wollen, ich soll darein-
willigen, daß wir uns umschlingen, der eine Mensch den anderen, von der Natur sorgsam von ihm getrennten und abgesonderten, und daß Sie Ihren Mund auf meinen drücken,
wobei unsere Nasenlöcher kreuzweis stehen und einer des anderen Atem atmet, eine widrige Unschicklichkeit und nichts
weiter, doch zum Genuß verdreht durch die Sinnlichkeit – so
nennt man das, ich weiß es wohl, und was das Wort meint,
ist ein Sumpf von Indiskretion, worein ihr uns locken wollt,
damit wir mit euch darin von Sinnen kommen und zwei ge-
sittete Wesen sich aufführen wie Menschenfresser. Das ist es,
worauf Sie hinauswollen bei der Courschneiderei.«

Sie schwieg und brachte es fertig, ganz ruhig dazusitzen
ohne beschleunigtes Atmen, ohne jedes Anzeichen von Erschöpfung nach diesem Ausbruch von Direktheit, der aber
gar nicht als Ausbruch wirkte, sondern nur als Befolgung des
Grundsatzes, daß man die Dinge bei Namen nennen müsse.
Ich schwieg auch, erschrocken, gerührt und betrübt.

»Zouzou«, sagte ich schließlich und hielt einen Augenblick
meine Hand über der ihren, ohne sie zu berühren, vollführte
auch dann mit derselben Hand wiederum in einigem Abstand,
in der Luft also, eine gleichsam schützende Bewegung über
ihr Haar hin und an ihr hinab, – »Zouzou, Sie tun mir recht
weh, indem Sie mit solchen Worten – wie soll ich sie nennen,
krude, grausam, übermäßig wahr und gerade darum nur
halbwahr, ja unwahr – die zarten Nebel zerreißen, mit denen
das Gefühl für den Reiz Ihrer Person mir Herz und Sinn
umspinnt. Moquieren Sie sich nicht über ‚umspinnt‘! Ich sage
absichtlich und bewußt ‚umspinnt‘, weil ich mit poetischen
Worten die Poesie der Liebe verteidigen muß gegen Ihre
harsche, entstellende Beschreibung. Ich bitte Sie, wie reden
Sie von der Liebe und von dem, worauf sie hinauswill! Die
Liebe will auf gar nichts hinaus, sie will und denkt nicht über
sich selbst hinaus, sie ist nur sie selbst und ganz in sich selbst
verwoben – lachen Sie nicht durch Ihr Näschen über ‚verwoben‘, ich sagte Ihnen ja, daß ich mich absichtlich poetischer
– und das heißt einfach anständiger – Worte bediene im
Namen der Liebe, denn sie ist grundanständig, und Ihre so
harschen Worte sind ihr weit voraus auf einem Wege, von
dem sie nichts weiß, selbst wenn sie ihn kennt. Ich bitte Sie,
wie reden Sie vom Kuß, dem zartesten Austausch der Welt,
stumm und lieblich wie eine Blume! Diesem unverhofften
ganz wie von selbst Geschehen, dem süßen Sichfinden zweier
Lippenpaare, über das das Gefühl nicht hinausträumt, weil es
die unglaubhaft selige Besiegelung ist seiner Einigkeit mit
einem anderen!«

Ich versichere und schwöre: so sprach ich. Ich sprach so,
weil Zouzous Art, die Liebe zu schimpfieren, mir wirklich

kindisch schien und ich die Poesie für weniger kindisch erachtete als dieses Mädchens Krudität. Die Poesie aber wurde
mir leicht von wegen des zart Schwebenden meiner Existenz,
und ich hatte gut reden davon, daß Liebe auf nichts hinauswill und nicht weiter denkt als allenfalls bis zum Kuß, weil
mir in meiner Unwirklichkeit ja nicht erlaubt war, es mit der
Wirklichkeit aufzunehmen und etwa um Zouzou zu freien.
Höchstens hätte ich mir zum Ziel setzen können, sie zu verführen, aber dem legten nicht nur die Umstände größte
Schwierigkeiten in den Weg, sondern es tat das auch ihre
fabelhaft direkte und übertrieben sachliche Meinung von der
lächerlichen Unanständigkeit der Liebe. Man höre nur, wenn
auch mit Trauer, wie sie der Poesie, die ich zu Hilfe rief,
weiter begegnete!

»Patatípatatá!« machte sie. »Umsponnen und verwoben
und der liebliche Blumenkuß! Alles nur Süßholzgeraspel, um
uns in euere Bubenlasterhaftigkeit hineinzuschwatzen! Pfui,
der Kuß, der gar zarte Austausch! Er macht den Anfang, den
rechten Anfang, mais oui, denn eigentlich ist er das Ganze
schon, toute la lyre, und gleich das Schlimmste davon, denn
warum? Weil es die Haut ist, was euere Liebe im Sinn hat,
des Körpers bloße Haut, und die Haut der Lippen ist allerdings zart, dahinter ist gleich das Blut, so zart ist sie, und daher das poetische Sichfinden der Lippenpaare – die wollen
auch sonst überallhin in ihrer Zartheit, und worauf ihr aus
seid, das ist, mit uns zu liegen nackt, Haut an Haut, und uns
das absurde Vergnügen zu lehren, wie ein armer Mensch des
anderen dunstige Oberfläche abkostet mit Lippen und Händen, ohne daß sie sich schämten der kläglichen Lächerlichkeit
ihres Treibens und dabei bedächten, was ihnen gleich das
Spiel verdürbe und was ich einmal als Verschen gelesen habe
in einem geistlichen Buch:

,Der Mensch, wie schön er sei, wie schmuck und blank,
Ist innen doch Gekrös' nur und Gestank'.«

»Das ist ein garstiges Verschen, Zouzou«, versetzte ich mit
würdig mißbilligendem Kopfschütteln, »garstig, so geistlich

es sich gebe. Ich lasse mir all Ihre Krudität gefallen, aber das Verschen, mit dem Sie mir da kommen, ist himmelschreiend. Warum, wollen Sie wissen? Doch, doch, ich nehme mit Bestimmtheit an, daß Sie das wissen wollen, und bin auch bereit, es Ihnen zu sagen. Weil dies tückische Verschen den Glauben zerstören will an Schönheit, Form, Bild und Traum, an jedwede Erscheinung, die natürlich, wie es im Worte liegt, Schein und Traum ist, aber wo bliebe das Leben und jegliche Freude, ohne die ja kein Leben ist, wenn der Schein nichts mehr gälte und die Sinnenweide der Oberfläche? Ich will Ihnen etwas sagen, reizende Zouzou: Ihr geistliches Verschen ist sündhafter als die sündlichste Fleischeslust, denn es ist spielverderberisch, und dem Leben das Spiel zu verderben, das ist nicht bloß sündlich, es ist rund und nett teuflisch. Was sagen Sie nun? Nein, bitte, ich frage nicht so, damit Sie mich unterbrechen. Ich habe Sie auch reden lassen, so krude Sie's taten, ich aber rede edel, und es strömt mir zu! Ginge es nach dem durch und durch maliziösen Verschen, dann wäre achtbar und nicht bloß scheinbar höchstens die leblose Welt, das anorganische Sein – ich sage: höchstens, denn wenn man's boshaft bedenkt, so hat es auch mit dessen Solidität seinen Haken, und ob Alpenglühen und Wasserfall so besonders achtbar sind, mehr als Bild und Traum, so wahr wie schön, will sagen: schön in sich selbst, ohne uns, ohne Liebe und Bewunderung, das läßt sich bezweifeln am Ende auch. Nun ist denn vor einiger Zeit aus dem leblosen, unorganischen Sein durch Urzeugung, um die es an und für sich schon eine dunkle Sache ist, das organische Leben hervorgegangen, und daß es damit innerlich nicht zum saubersten steht noch zugeht, das versteht sich von vornherein. Ein Kauz könnte ja sagen, die ganze Natur sei nichts als Fäulnis und Schimmel auf dieser Erde, aber das ist nur eine bissige, kauzige Anmerkung und wird bis ans Ende der Tage die Liebe und Freude nicht umbringen, die Freude am Bilde. Es war ein Maler, den ich es sagen hörte, und er malte den Schimmel in aller Ergebenheit und nannte sich Professor dafür. Die Menschengestalt hat er

sich auch Modell stehen lassen, zum Griechengott. In Paris,
im Wartezimmer eines Zahnarztes, von dem ich mir einmal
eine kleine Goldplombe machen ließ, habe ich ein Album gesehen, ein Bilderbuch mit dem Titel ‚La beauté humaine‘,
das wimmelte von Ansichten all der Darstellungen des schönen Menschenbildes, die zu allen Zeiten mit Lust und Fleiß
verfertigt worden sind in Farbe, Erz und Marmelstein. Und
warum wimmelte es so von diesen Verherrlichungen? Weil es
allezeit auf Erden gewimmelt hat von Käuzen, die sich im
geringsten nicht um das geistliche Reimwort kümmerten auf
‚schmuck und blank‘, sondern die Wahrheit erblickten in
Form und Schein und Oberfläche und sich zu deren Priester
machten und auch sehr oft Professor dafür wurden.«

Ich schwöre: so sprach ich, denn es strömte mir zu. Und
nicht nur einmal sprach ich so, sondern zu wiederholten
Malen, sobald sich Gelegenheit dazu bot und ich mit Zouzou
allein war, sei es auf einer der Bänke am Tennisplatz oder
auf einem Spaziergang zu viert, mit Senhor Hurtado, nach
einem Déjeuner, an dem er teilgenommen und an das sich
die Promenade schloß: auf den Waldwegen des Campo
Grande oder zwischen den Bananenpflanzungen und tropischen Bäumen des Largo do Príncipe Real. Zu viert mußten wir sein, damit ich abwechselnd mit dem hoheitsvollen
Teile dess Doppelbildes und mit der Tochter ein Paar bilden,
mit dieser ein wenig zurückbleiben und ihre stets mit stupen-
der Direktheit geäußerte, kindische Auffassung der Liebe als
eines unappetitlichen Bubenlasters mit edlen und reifen Worten bestreiten konnte.

An jener Auffassung hielt sie hartnäckig fest, wenn ich es
auch ein und das andere Mal durch meine Beredsamkeit zu
Anzeichen einer gewissen Betroffenheit und schwankenden
Gewonnenheit bei ihr brachte, einem stumm prüfenden
Seitenblick, den sie flüchtig auf mich richtete und der verriet,
daß mein schöner Eifer, den Fürsprech von Lust und Liebe zu
machen, nicht ganz seinen Eindruck auf sie verfehlt hatte. Ein
solcher Augenblick kam, und nie vergesse ich ihn, als wir

denn also endlich – der Ausflug war lange verschleppt worden – in meiner Kalesche hinaus zum Dörfchen Cintra gefahren waren, unter Dom Miguels belehrender Führung das alte Schloß im Dorf, danach auf den felsigen Anhöhen die weitschauenden Burgen besichtigt hatten und dann dem berühmten, von einem so frommen wie prunkliebenden König, Emanuel dem Glücklichen, zu Ehr und Andenken der einträglichen portugiesischen Entdeckungsfahrten errichteten Kloster Belem, das heißt: Bethlehem, unseren Besuch abstatteten. Offen gestanden gingen mir Dom Miguels Belehrungen über den Baustil der Schlösser und des Klosters und was sich da an Maurischem, Gotischem, Italienischem, mit einer Zutat sogar von Nachrichten über indische Wunderlichkeiten zusammengemischt hatte, wie man zu sagen pflegt, zum einen Ohr hinein und zum anderen wieder hinaus. Ich hatte an anderes zu denken, nämlich wie ich der kruden Zouzou die Liebe begreiflich machen könnte, und für das menschlich beschäftigte Gemüt ist, so gut wie die landschaftliche Natur, auch das kurioseste Bauwerk nur Dekoration, nur obenhin beachteter Hintergrund eben fürs Menschliche. Desungeachtet muß ich doch eintragen, daß die unglaubliche, aus aller Zeit fallende und in keiner bekannten wirklich angesiedelte, wie von einem Kinde erträumte Zauberzierlichkeit des Kreuzganges von Kloster Belem, mit seinen Spitztürmchen und feinfeinen Pfeilerchen in den Bogennischen, seiner gleichsam von Engelshänden aus mild patiniertem weißem Sandstein geschnitzten Märchenpracht, die nicht anders tat, als könne man mit dünnster Laubsäge in Stein arbeiten und Kleinodien durchbrochenen Spitzenzierats daraus verfertigen – daß, sage ich, diese steinerne Féerie mich wahrlich entzückte, mir den Sinn phantastisch erhöhte und bestimmt nicht ohne Verdienst an der Vortrefflichkeit der Worte war, die ich an Zouzou richtete.

Wir vier verweilten nämlich ziemlich lange in dem fabelhaften Kreuzgang, umwandelten ihn wiederholt, und da Dom Miguel wohl wahrnahm, daß wir jungen Leute auf seine Be-

lehrungen über den König-Emanuel-Stil nicht sonderlich
merkten, so hielt er sich zu Dona Maria Pia, ging mit ihr
voran, und wir folgten in einem Abstande, für dessen Zu-
nahme ich sorgte.

»Nun, Zouzou«, sagte ich, »ich meine, für die Baulichkeit
hier schlagen wohl unsere Herzen im gleichen Takt. So etwas
von Kreuzgang ist mir noch nicht vorgekommen.« (Mir war
überhaupt noch kein Kreuzgang vorgekommen, der erste aber,
den ich sah, war nun gleich ein solcher Kindertraum.) »Ich
bin sehr glücklich, ihn mit Ihnen zusammen in Augenschein
zu nehmen. Verabreden wir uns doch, mit welchem Wort wir
ihn loben wollen! ‚Schön‘? Nein, das paßt nicht, obgleich er
natürlich nichts weniger als unschön ist. Aber ‚schön‘, das
Wort ist zu streng und edel, finden Sie nicht? Man muß den
Sinn von ‚hübsch‘ und ‚reizend‘ ganz hoch hinauf, auf seinen Gipfel, aufs Äußerste treiben, dann hat man die rechten
Lobesworte für diesen Kreuzgang. Denn er tut das selbst. Er
treibt das Hübsche aufs Äußerste.«

»Da schwätzen Sie wohl, Marquis. Nicht unschön, aber
auch nicht schön, sondern nur äußerst hübsch. Aber das
äußerst Hübsche ist doch schließlich wohl schön.«

»Nein, es bleibt ein Unterschied. Wie soll ich Ihnen den
klarmachen? Ihre Mama zum Beispiel . . .«

»Ist eine schöne Frau«, fiel Zouzou geschwinde ein, »und ich
bin allenfalls hübsch, nicht wahr, an uns beiden wollen Sie mir
Ihre schwätzerische Unterscheidung doch demonstrieren?«

»Sie greifen meinem Gedankengange vor«, erwiderte ich
nach einem gemessenen Stillschweigen, »und entstellen ihn etwas dabei. Er verläuft zwar ähnlich, wie Sie andeuten, aber
nicht ebenso. Es begeistert mich, Sie ‚wir‘, ‚wir beide‘ sagen
zu hören von Ihrer Mutter und Ihnen. Aber nachdem ich die
Verbindung genossen, trenne ich doch auch wieder und schreite
zur Einzelbetrachtung. Dona Maria Pia ist vielleicht ein Beispiel dafür, daß die Schönheit, um sich zu erfüllen, aufs
Hübsche und Liebliche nicht ganz verzichten kann. Wäre das
Gesicht Ihrer Mama nicht so groß und düster und einschüch-

ternd streng vor iberischem Rassestolz, sondern hätte es ein
wenig von der Lieblichkeit des Ihren, so wäre sie eine vollkommen schöne Frau. Wie die Dinge liegen, ist sie nicht
ganz, was sie sein sollte: eine Schönheit. Sie dagegen, Zouzou,
sind das Hübsche und Reizende in Perfektion und auf seinem
Gipfel. Sie sind wie dieser Kreuzgang . . .«

»Oh, danke! Ich bin also ein Mädchen im König-Emanuel-Stil, ich bin eine kapriziöse Baulichkeit. Vielen, vielen
Dank. Das nenne ich Courschneiderei.«

»Es steht Ihnen frei, meine innigen Worte ins Lächerliche
zu ziehen, sie Courschneiderei zu nennen und sich selbst eine
Baulichkeit. Aber es darf Sie doch nicht wundern, daß dieser
Kreuzgang es mir so antut, daß ich Sie, die Sie's mir ebenfalls angetan haben, mit ihm vergleiche. Ich sehe ihn ja zum
ersten Mal. Sie haben ihn gewiß schon öfters gesehen?«

»Ein paarmal, ja.«

»Da sollten Sie sich freuen, daß Sie ihn einmal in der Gesellschaft eines Neulings sehen, dem er ganz neu ist. Denn
das erlaubt einem, das Vertraute mit neuen Augen, den Augen
eines Neulings, zu sehen, wie zum ersten Mal. Man sollte
immer versuchen, alle Sachen, auch die gewöhnlichsten, die
ganz selbstverständlich dazusein scheinen, mit neuen, erstaun-
ten Augen, wie zum ersten Mal, zu sehen. Dadurch gewinnen
sie ihre Erstaunlichkeit zurück, die im Selbstverständlichen
eingeschlafen war, und die Welt bleibt frisch; sonst aber schläft
alles ein, Leben, Freude und Staunen. Zum Beispiel die
Liebe . . .«

»Fi donc! Taisez-vous!«

»Aber warum denn? Sie haben ja auch über die Liebe gesprochen, wiederholentlich, nach Ihrem wahrscheinlich richtigen Prinzip, daß Schweigen nicht gesund ist. Aber Sie haben
sich dermaßen harsch darüber vernehmen lassen, unter Anführung garstiger geistlicher Verschen obendrein, daß man sich
wundern muß, wie es möglich ist, von der Liebe so lieblos zu
sprechen. So gröblich haben Sie es an Rührung fehlen lassen
über das Dasein dieser Sache, der Liebe, daß es auch schon

wieder nicht mehr gesund ist und man sich verpflichtet fühlt, Sie zu korrigieren, Ihnen, wenn ich so sagen darf, den Kopf zurechtzusetzen. Wenn man die Liebe mit neuen Augen ansieht, gleichwie zum ersten Mal, was für eine rührende und ganz erstaunliche Sache ist sie dann! Sie ist ja nicht mehr und nicht weniger als ein Wunder! Ganz zuletzt, im großen-ganzen und in Bausch und Bogen ist alles Dasein ein Wunder, aber die Liebe, nach meinem Dafürhalten, ist das größte. Sie sagten neulich, die Natur habe den einen Menschen vom anderen sorgsam getrennt und abgesondert. Sehr zutreffend und nur zu richtig. So ist es von Natur und in der Regel. Aber in der Liebe macht die Natur eine Ausnahme – höchst wundersam, wenn man es mit neuen Augen betrachtet. Bemerken Sie wohl, es ist die Natur, die diese erstaunliche Ausnahme zuläßt oder vielmehr veranstaltet, und wenn Sie Partei nehmen in der Sache für die Natur und gegen die Liebe, so dankt Ihnen das die Natur im geringsten nicht, es ist ein Faux-pas von Ihnen, Sie nehmen aus Versehen Partei gegen die Natur. Ich werde das ausführen, ich habe mir vorgenommen, Ihnen den Kopf zurechtzusetzen. Es ist wahr: der Mensch lebt gesondert und abgetrennt vom anderen in seiner Haut, nicht nur, weil er muß, sondern weil er es nicht anders will. Er will so abgesondert sein, wie er ist, will allein sein und will vom anderen im Grunde nichts wissen. Der andere, jeder andere in seiner Haut, ist ihm recht eigentlich widerlich, und nicht widerlich ist ihm ausschließlich und ganz allein die eigene Person. Das ist Naturgesetz, ich sage es, wie es ist. Sitzt er nachdenkend am Tisch, stützt den Ellbogen auf und den Kopf in die Hand, so legt er wohl ein paar Finger an die Wange und einen zwischen die Lippen. Gut, es ist sein Finger und sind seine Lippen, und also was weiter? Aber den Finger eines anderen zwischen den Lippen zu haben, wäre ihm unausstehlich, es würde ihm schlechthin zum Ekel gereichen. Oder nicht? Auf Ekel läuft überhaupt grundsätzlich und von Natur sein Verhältnis zum anderen hinaus. Desssen leibliche Nähe, wird sie allzu bedrängend, ist ihm fatal aufs äußerste.

Er würde lieber ersticken, als der Nähe fremder Leiblichkeit seine Sinne zu öffnen. Es nimmt darauf unwillkürlich auch jeder Rücksicht in seiner Haut und schont nur die Empfindlichkeit seiner eigenen Sonderung, indem er die des anderen schont. Gut. Oder jedenfalls wahr. Ich habe mit diesen Worten die natürliche und gemeingültige Sachlage skizzenhaft, aber zutreffend umrissen und mache in der Rede, die ich eigens für Sie vorbereitet habe, einen Abschnitt.

Denn nun tritt etwas ein, womit die Natur von dieser ihrer Grundveranstaltung dermaßen überraschend abweicht, etwas, wodurch das ganze ekle Bestehen des Menschen auf Sonderung und Alleinsein mit seiner Leiblichkeit, das eherne Gesetz, daß jeder ausschließlich sich selbst nicht widerlich ist, so völlig und wundersam aufgehoben werden, daß einem, der sich die Mühe nimmt, es zum ersten Male zu sehen – und es ist geradezu Pflicht, das zu tun –, vor Staunen und Rührung die Zähre rinnen kann. Ich sage ‚Zähre‘ und übrigens auch ‚rinnen‘, weil es poetisch und also der Sache angemessen ist. ‚Träne‘ ist mir zu ordinär in diesem Zusammenhang. Tränen vergießt das Auge auch, wenn ein Körnchen Kohlenstaub hineingeflogen ist. Aber ‚Zähre‘, das ist etwas Höheres.

Sie müssen entschuldigen, Zozou, wenn ich in der für Sie vorbereiteten Rede dann und wann pausiere und sozusagen einen neuen Paragraphen beginne. Ich schweife leicht ab, wie hier anläßlich der rinnenden Zähre, und muß mich immer aufs neue sammeln zu der Aufgabe, Ihnen den Kopf zurechtzusetzen. Also denn nun! Welche Abweichung der Natur von sich selbst ist das, und was ist es, was zum Staunen des Weltalls die Sonderung aufhebt zwischen einer Leiblichkeit und der anderen, zwischen Ich und Du? Es ist die Liebe. Eine alltägliche Sache, aber ewig neu und bei Lichte besehen nicht mehr und nicht weniger als unerhört. Was geschieht? Zwei Blicke treffen sich aus der Getrenntheit, wie sonst nie Blicke sich treffen. Erschrocken und weltvergessen, verwirrt und etwas von Scham getrübt über ihre völlige Verschiedenheit von allen anderen Blicken, aber von dieser Verschiedenheit durch nichts in der Welt abzubringen, sinken sie ineinander, – wenn Sie wollen, so sage ich: tauchen sie ineinander, aber ,tauchen' ist nicht nötig, ,sinken' ist ebensogut. Ein wenig schlechtes Gewissen ist dabei, – worauf es sich bezieht, das lasse ich dahingestellt sein. Ich bin ein einfacher Edelmann, und niemand kann verlangen, daß ich die Weltgeheimnisse ergründe. Auf jeden Fall ist es das süßeste schlechte Gewissen, das überhaupt vorkommt, und mit ihm in den Augen und Herzen gehen die beiden plötzlich aus aller Ordnung Herausgehobenen unverwandt aufeinander zu. Sie sprechen zusammen in der gewöhnlichen Sprache über dies und jenes, aber sowohl dies wie jenes ist Lüge, ebenso auch die gewöhnliche Sprache, und darum sind ihre Münder beim Sprechen leicht lügenhaft verzogen und ihre Augen voll süßer Lüge. Der Eine blickt auf das Haar, die Lippen, die Glieder des Anderen, und dann schlagen sie rasch die verlogenen Augen nieder oder wenden sie ab irgendwohin in die Welt, wo sie nichts zu suchen haben und überhaupt nichts sehen, da beider Augen blind sind für all und jedes außer ihnen beiden. Dieselben verstecken sich auch nur in der Welt, um alsbald wieder desto glänzender zu den Haaren, den Lippen, den Gliedern des Anderen zurückzukehren, denn das alles hat gegen alle Üblichkeit aufgehört, etwas Fremdes und mehr als Gleichgültiges, nämlich Unangenehmes, ja Widerwärtiges zu sein, weil es nicht des Einen, sondern des Anderen ist, und ist zum Gegenstand des Entzückens, der Begierde, des rührenden Verlangens nach Berührung geworden, – einer Wonne, von der die Augen so viel vorwegnehmen, vorwegstehlen, wie ihnen gegeben ist.

Das ist ein Paragraph meiner Rede, Zouzou, ich mache einen Abschnitt. Sie hören mir gut zu? So, als ob Sie zum erstenmal von der Liebe hörten? Ich will es hoffen. Nicht lange, so kommt denn auch der Augenblick, wo die enthobenen Leutchen der Lüge und des Gefackels mit dem und jenem und der verzogenen Münder zum Sterben satt sind, wo sie das alles abwerfen, als würfen sie schon ihre Kleider ab, und das einzig wahre Wort in der Welt, für sie das einzig wahre,

sprechen, gegen das alles übrige nur vorgewendetes Geschwätz
ist: das Wort ‚Ich liebe dich‘. Es ist eine wahre Befreiung, die
kühnste und süßeste, die es gibt, und damit sinken, man
kann auch sagen: tauchen ihre Lippen ineinander zum Kuß,
diesem so einzigartigen Geschehen in einer Welt der Getrenntheit und Vereinzelung, daß einem die Zähren kommen könnten. Ich bitte Sie, wie krude haben Sie vom Kusse gesprochen,
der doch die Besiegelung ist der wunderbaren Aufhebung
der Getrenntheit und des eklen Nichts-wissen-Wollens von
allem, was einer nicht selbst ist! Ich gebe zu, ich gebe es
zu mit der lebhaftesten Sympathie, daß er der Anfang ist
von allem übrigen und weiteren, denn er ist die stumme, erstaunliche Aussage, daß Nähe, nächste Nähe, Nähe, so grenzenlos wie möglich, genau jene Nähe, die sonst lästig bis zum
Ersticken war, zum Inbegriff alles Wünschenswerten geworden ist. Die Liebe, Zouzou, tut durch die Liebenden alles, sie
tut und versucht das Äußerste, um die Nähe grenzenlos, um
sie vollkommen zu machen, um sie bis zum wirklichen, völligen Einswerden von zweierlei Leben zu treiben, was ihr
aber komischer- und traurigerweise bei aller Anstrengung niemals gelingt. Soweit überwindet sie nicht die Natur, die es,
trotz ihrer Veranstaltung der Liebe, grundsätzlich doch mit
der Getrenntheit hält. Daß aus Zweien Eins wird, das geschieht nicht mit den Liebenden, es geschieht allenfalls außer
ihnen, als Drittes, mit dem Kinde, das aus ihren Anstrengungen hervorgeht. Aber ich spreche nicht von Kindersegen und
Familienglück; das geht über mein Thema hinaus, und ich
nehme es damit nicht auf. Ich spreche von der Liebe in
neuen und edlen Worten und suche Ihnen neue Augen für sie
zu machen, Zouzou, und Ihr Verständnis für ihre rührende
Unerhörtheit zu wecken, damit Sie sich nicht noch einmal so
krude darüber ergehen. Ich tue es paragraphenweise, weil
ich nicht alles in einem Zuge sagen kann, und mache hier abermals einen Abschnitt, um in dem Folgenden folgendes noch
zu bemerken:

Die Liebe, liebe Zouzou, ist nicht nur in der Verliebtheit,

worin erstaunlicherweise eine gesonderte Leiblichkeit aufhört,
der anderen unangenehm zu sein. In zarten Spuren und Andeutungen ihres Daseins durchzieht sie die ganze Welt. Wenn
Sie an der Straßenecke dem schmutzigen Bettlerkind, das zu
Ihnen aufblickt, nicht nur ein paar Centavos geben, sondern ihm auch mit der Hand, selbst wenn sie ohne Handschuh
ist, übers Haar streichen, obgleich wahrscheinlich Läuse darin
sind, und ihm dabei in die Augen lächeln, worauf Sie etwas
glücklicher weitergehen, als Sie vorher waren, – was ist das
anderes als die zarte Spur der Liebe? Ich will Ihnen etwas sagen, Zouzou: Dies Streichen Ihrer bloßen Hand über des Kindes Lausehaar, und daß Sie danach etwas glücklicher sind als
zuvor, das ist vielleicht eine erstaunlichere Kundgebung der
Liebe als die Liebkosung eines geliebten Leibes. Sehen Sie sich
um in der Welt, sehen Sie den Menschen zu, als täten Sie es
zum erstenmal! Überall sehen Sie Spuren der Liebe, Andeutungen von ihr, Zugeständnisse an sie von seiten der Getrenntheit und des Nichts-wissen-Wollens der einen Leiblichkeit von der anderen. Die Menschen geben einander die
Hand, – das ist etwas sehr Gewöhnliches, Alltägliches und
Konventionelles, niemand denkt sich etwas dabei, außer denen, die lieben und die diese Berührung genießen, weil ihnen
weitere noch nicht erlaubt sind. Die anderen tun es ohne Gefühl und ohne Gedanken daran, daß es die Liebe ist, die das
Gang-und-Gäbe gestiftet hat; aber sie tun es. Ihre Körper
wahren gemessenen Abstand – nur keine zu große Nähe, beileibe nicht! Aber über Abstand und streng behütetes Einzel-
leben hinweg strecken sie ihre Arme aus, und die fremden
Hände tun sich zusammen, umschlingen sich, drücken einander,
– und das ist gar nichts, das Allergewöhnlichste, es hat nichts
auf sich damit, so scheint es, so meint man. In Wahrheit
aber, bei Lichte besehen, gehört es in das Gebiet des Erstaun-
lichen und ist ein kleines Fest der Abweichung der Natur von
sich selbst, die Leugnung des Widerwillens des Fremden gegen das Fremde, die Spur der heimlich allgegenwärtigen
Liebe.«

Meine Frau Mutter in Luxemburg hätte hierzu gewiß gemeint, so könne ich nicht wohl gesprochen haben, es sei ohne
Zweifel nur eine schöne Fiktion. Aber bei meiner Ehre schwöre
ich: so sprach ich. Denn es strömte mir zu. Es mag zum Teil
aufs Konto der extremen Hübschheit und völligen Eigenart
des Kreuzganges von Belem zu setzen sein, den wir umwandelten, daß mir eine so originelle Rede gelang; dem sei wie ihm
sei. Auf jeden Fall sprach ich so, und da ich geendet, geschah
etwas ungemein Merkwürdiges. Zouzou nämlich gab mir die
Hand! Ohne mich anzusehen, den Kopf abgewandt, als
betrachte sie die steinerne Laubsägearbeit zur Seite, reichte sie
mir, der ich natürlich zu ihrer Linken ging, ihre Rechte herüber, und ich nahm sie und drückte sie, und sie erwiderte
den Druck. In demselben Augenblick aber schon zog sie mit
einem Ruck die Hand wieder aus der meinen und sagte, die
Brauen zornig zusammengezogen:

»Und jene Zeichnungen, die Sie sich erlaubt haben?
Wo bleiben sie? Warum überbringen Sie sie mir nicht
endlich?«

»Aber Zouzou, ich habe das nicht vergessen. Ich bin auch
nicht darauf aus, es in Vergessenheit zu bringen. Nur wissen
Sie selbst, es fehlt an Gelegenheit . . .«

»Ihre Phantasielosigkeit im Ausfinden einer Gelegenheit«,
sagte sie, »ist recht kläglich. Ich sehe, man muß Ihrem Unge-
schick zu Hilfe kommen. Bei etwas mehr Umsicht und Be-
obachtungsgabe wüßten Sie, ohne daß ich es Ihnen erzählte,
daß da hinter unserem Haus, im rückwärtigen Gärtchen,
verstehen Sie, eine Bank ist, in einem Oleandergebüsch, schon
mehr einer Laube, wo ich nach dem Déjeuner gern sitze. Das
könnten Sie nachgerade wissen, wissen es aber natürlich nicht,
wie ich mir schon manchmal sagte, wenn ich dort saß. Bei
der geringsten Einbildungsgabe und Anschlägigkeit hätten Sie
längst einmal, nach dem Kaffee, wenn Sie bei uns gespeist
hatten, so tun können, als ob Sie weggingen, und auch wirklich etwas weggehen, dann aber umkehren und mich in der
Laube aufsuchen können, um mir Ihre Machwerke einzuhän-

digen. Erstaunlich, nicht wahr? Eine geniale Idee? – für Ihre
Begriffe. Sie werden es also gefälligst nächstens so machen –
werden Sie?«

»Unbedingt werde ich, Zouzou! Es ist wirklich ein ebenso
glänzender wie naheliegender Einfall. Verzeihen Sie, daß ich
auf die Oleanderbank noch niemals aufmerksam geworden
bin! Sie steht so rückwärtig, ich habe nicht acht auf sie gegeben. Dort sitzen Sie also nach Tische ganz allein im Gebüsch?
Wundervoll! Ich werde es ganz so machen, wie Sie eben sagten. Ich werde mich ostentativ verabschieden, auch von Ihnen,
und mich zum Schein auf den Heimweg machen, statt dessen
aber mit den Blättern zu Ihnen kommen. Ich gebe Ihnen die
Hand darauf.«

»Behalten Sie Ihre Hand für sich! Wir können nachher
shake hands machen, nach der Rückfahrt in Ihrer Equipage.
Es hat keinen Sinn, daß wir uns zwischendurch alle Augenblicke die Hände drücken!«

Elftes Kapitel

Gewiß war ich glücklich über diese Verabredung, doch versteht es sich, daß auch Beklommenheit mich ankam bei dem
Gedanken, Zouzou die Bilder sehen zu lassen, was ja ein
starkes Stück sein würde oder eigentlich ein Ding der Unmöglichkeit war. Hatte ich doch dem hübschen Körper
Zazas, den sie verschiedentlich darstellten, durch Hinzufügung der so kennzeichnenden Schläfenfransen die Bedeutung
ihres eigenen Körpers verliehen, und wie sie diese kecke Art,
sie zu porträtieren, aufnehmen würde, stand recht ängstlich
dahin. Übrigens fragte ich mich, warum ich notwendig vor
der Zusammenkunft in der Laube bei Kuckucks gespeist haben
und die Komödie des Weggehens gespielt sein mußte. Wenn
Zouzou gewohnheitsgemäß nach Tische allein dort saß, so
konnte ich mich ja jeden beliebigen Tag um diese Zeit bei der

Oleanderbank einfinden, hoffentlich ungesehen, im Schutz der
Siesta-Stunde. Hätte ich nur ohne die verwünschten, überkühnen Kunstblätter zum Stelldichein kommen dürfen!

War es nun, weil ich das nicht durfte und Angst hatte vor
Zouzous Entrüstung, von der nicht zu sagen war, wie weitgehend sie sich äußern würde, – oder weil meine bewegliche
Seele eine Ablenkung von dem Verlangen danach erfuhr durch
neue, äußerst packende Eindrücke, auf die ich sofort zu sprechen kommen werde, – genug, ein Tag nach dem anderen ver-
strich, ohne daß ich der Vorladung Zozous Folge geleistet
hätte. Etwas kam dazwischen: ein, ich wiederhole es, ab-
lenkendes Erlebnis von düsterer Festlichkeit, das mein Verhältnis zu dem Doppelbilde von einer Stunde zur anderen
veränderte und verschob, indem es den einen Teil, den mütterlichen, mit sehr starkem Licht, einem blutroten, übergoß und
den anderen, den reizend töchterlichen, dadurch ein wenig
in den Schatten stellte.

Wahrscheinlich gebrauche ich dies Gleichnis von Licht und
Schatten, weil in der Stierkampf-Arena der Unterschied zwischen beiden, zwischen der prall besonnten und der im Schatten liegenden Hälfte eine so bedeutende Rolle spielte, wobei
nun freilich die Schattenseite den Vorzug hatte und dort wir
vornehmen Leute saßen, während das kleine Volk in die pralle
Sonne verwiessen war ... Aber ich spreche zu unvermittelt
von der Stierkampf-Arena, als ob der Leser schon wüßte, daß
es sich hier allerdings um den Besuch dieses hochmerkwürdi-
gen, ur-iberischen Schauplatzes handelt. Schreiben ist kein
Selbstgespräch. Folge, Besonnenheit und ein unüberstürztes
Heranführen an den Gegenstand sind dabei unerläßlich.

Allem voranzustellen ist, daß damals mein Aufenthalt in
Lissabon sich allgemach seinem Ende näherte; bereits schrieb
man späte Tage des September. Die Wiederkehr der »Cap
Arcona« stand nahe bevor, und bis zu meiner Einschiffung
blieb kaum eine Woche. Dies gab mir den Wunsch ein, dem
Museu Sciências Naturaes in der Rua da Prata auf eigene
Hand einen zweiten und letzten Besuch abzustatten. Ich

wollte, bevor ich reiste, den weißen Hirsch im Vestibül, den Urvogel, den armen Dinosaurier, das große Gürteltier, das köstliche Nachtäffchen Schlanklori und all das, nicht zuletzt aber die liebe Neandertal-Familie und den frühen Mann, der der Sonne einen Blumenstrauß präsentierte, noch einmal sehen; und so tat ich. Das Herz voller Allsympathie, durchwanderte ich eines Vormittags, ohn' alle Begleitung, die Zimmer und Säle des Erdgeschosses, die Gänge des Souterrains von Kuckucks Schöpfung, worauf ich nicht unterließ, beim Hausherrn, der doch wissen sollte, daß es mich wieder hierher gezogen, zu kurzer Begrüßung in seinem Bureau vorzusprechen. Wie immer empfing er mich mit vieler Herzlichkeit, lobte mich für meine Anhänglichkeit an sein Institut und machte mir dann folgende Eröffnung:

Heute, Samstag, sei der Geburtstag des Prinzen Luis-Pedro, eines Bruders des Königs. Aus diesem Anlaß sei auf den morgigen Sonntag, nachmittags drei Uhr, eine Corrida de toiros, ein Stierkampf, dem der hohe Herr beiwohnen werde, in der großen Arena am Campo Pequeno angesetzt, und er, Kukkuck, gedenke mit seinen Damen und Herrn Hurtado das volkstümliche Schauspiel zu besuchen. Er habe Karten dafür, Plätze auf der Schattenseite, und er habe auch einen für mich. Denn er meine, es treffe sich ausgezeichnet für mich als Bildungsreisenden, daß mir, gerade noch bevor ich Portugal verließe, Gelegenheit geboten sei, hier einer Corrida beizuwohnen. Wie ich darüber dächte?

Ich dachte etwas zaghaft darüber, und ich sagte es ihm. Ich sei eher blutscheu, sagte ich, und, wie ich mich kennte, nicht recht der Mann für volkstümliche Metzeleien. Die Pferde zum Beispiel – ich hätte gehört, daß ihnen der Stier öfters den Bauch aufschlitze, so daß die Gedärme heraushingen; ich würde das ungern in Augenschein nehmen, vom Stiere selbst nicht zu reden, um den es mir einfach leid sein würde. Man könne ja sagen, eine Darbietung, der die Nerven der Damen sich nicht verweigerten, müsse auch mir erträglich, wenn nicht genußreich sein. Aber die Damen, als Ibererinnen,

seien eben in diese starken Sitten hineingeboren, während
es sich bei mir um einen etwas delikaten Fremden handle –
und so weiter, in diesem Sinn.

Aber Kuckuck beruhigte mich. Ich möge mir von der Festlichkeit, versetzte er, keine zu abstoßenden Vorstellungen machen. Eine Corrida sei zwar eine ernste Sache, aber keine abscheuliche. Die Portugiesen seien tierliebende Leute und ließen
nichts Abscheuliches dabei zu. Was etwa die Pferde betreffe,
so trügen sie längst schon widerstandsfähige Schutzpolster, so
daß ihnen kaum noch Ernstliches zustoße, und der Stier sterbe
einen ritterlicheren Tod als im Schlachthause. Übrigens könne
ich ja nach Belieben wegsehen und meine Aufmerksamkeit
mehr dem Fest-Publikum, seinem Einzug, dem Bilde der
Arena widmen, das pittoresk und von großem ethnischem
Interesse sei.

Gut denn, ich sah ja ein, daß ich die Gelegenheit nicht verschmähen dürfe noch seine Aufmerksamkeit, für die ich ihm
Dank sagte. Wir kamen überein, daß ich ihn und die Seinen
zu guter Zeit mit meinem Wagen am Fuß der Seilbahn erwarten solle, um gemeinsam mit ihnen den Weg zum Schauplatz zurückzulegen. Es werde das, meinte Kuckuck vorher-
sagen zu sollen, nur langsam vonstatten gehen; die Straßen
würden bevölkert sein. Ich fand das bestätigt, als ich am
Sonntag, schon zweieinviertel Uhr für alle Fälle, mein Hotel
verließ. Wahrhaftig, so hatte ich die Stadt noch nicht gesehen,
obgleich ich so manchen Sonntag schon hier verbracht. Nur
eine Corrida, offenbar, vermochte sie derart auf die Beine zu
bringen. Die Avenida, in all ihrer splendiden Breite, war
bedeckt mit Wagen und Menschen, Pferde- und Maultierge-
spannen, Eselreitern und Fußgängern, und so waren die Straßen, durch die ich, fast immer im Schritt des Gedränges wegen, zur Rua Augusta fuhr. Aus allen Winkeln und Gassen,
aus der Altstadt, den Vorstädten, den umliegenden Dörfern
strömte Stadt- und Landvolk, festtäglich geschmückt zumeist,
in nur heute hervorgeholten Trachten und darum wohl auch
mit gewissermaßen stolzen, zwar lebhaft blickenden, doch

von Würde, ja Andacht beherrschten Gesichtern, in gesetzter Stimmung, so schien mir, ohne Lärm und Geschrei, ohne zänkische Karambolagen, einmütig in Richtung des Campo Pequeno und des Amphitheaters.

Woher das Gefühl eigentümlicher Beklommenheit, gemischt aus Ehrfurcht, Mitleid, einer melancholisch angehauchten Heiterkeit, das einem beim Anblick einer von großem Tage gehobenen, von seinem Sinn erfüllten und vereinigten Volksmenge das Herz bedrängt? Es liegt etwas Dumpfes, Urtümliches darin, das zwar jene Ehrfurcht, aber auch etwas Sorge erregt. Das Wetter war noch hochsommerlich, die Sonne schien hell und blitzte in den Kupferbeschlägen der langen Stäbe, die die Männer pilgernd vor sich hersetzten. Sie trugen farbige Schärpen und Hüte mit breiten Krempen. Die Kleider der Frauen aus glänzendem Baumwollstoff waren an der Brust, den Ärmeln, am unteren Saum vielfach mit Gold- und Silberbesatz in durchbrochener Arbeit geschmückt. Im Haare so mancher von ihnen sah man den hochragenden spanischen Kamm, nicht selten auch noch darüber jenes Kopf und Schultern bedeckende, schwarze oder weiße Schleiertuch, das Mantilha heißt. Bei pilgernden Bäuerinnen konnte das nicht überraschen, aber überrascht, ja erschrocken war ich allerdings, als mir an der Seilbahn-Station auch Dona Maria Pia – zwar nicht im volkstümlichen Glitzerkleide, sondern in eleganter Nachmittagstoilette, aber doch ebenfalls in einer schwarzen Mantilha über dem hohen Kamm entgegentrat. Sie sah keinen Grund zu entschuldigendem Lächeln ob dieser ethnischen Maskerade – und ich noch weniger. Tief beeindruckt, beugte ich mich mit bessonderer Ehrerbietung über ihre Hand. Die Mantilha kleidete sie vorzüglich. Durch das feine Gewebe malte die Sonne filigranartige Schatten auf ihre Wangen, ihr großes, südlich bleiches und strenges Gesicht.

Zouzou war ohne Mantilha. In meinen Augen genügten ja auch die reizenden Schläfensträhnen ihres schwarzen Haares als ethnische Kennzeichnung. Gekleidet aber war sie sogar dunkler als ihre Mutter, ein wenig wie zum Kirchgang; und

auch die Herren, der Professor sowohl wie Dom Miguel, der,
zu Fuße kommend, sich während unserer Begrüßung zu uns
gesellte, waren in seriösem Habit, schwarzem Cutaway und
steifem Hut, da doch ich es bei einem blauen Anzug mit hellen Streifen hatte sein Bewenden haben lassen. Das war etwas
gênant, aber der Unbelehrtheit des Fremden mochte es nachzusehen sein.

Ich befahl meinem Kutscher, den Weg über den Avenida-
Park und den Campo Grande zu nehmen, wo es stiller war.
Der Professor und seine Gemahlin saßen im Fond, Zouzou
und ich nahmen die Rücksitze ein und Dom Miguel den Platz
beim Kutscher. Die Fahrt verging in einer Schweigsamkeit
oder doch Spärlichkeit des Austausches, die hauptsächlich von
Senhora Marias außergewöhnlich würdevoller, ja starrer
und kein Geplauder aufkommen lassender Haltung bestimmt
wurde. Ihr Gatte richtete wohl einmal mit Ruhe das Wort
an mich, doch unwillkürlich blickte ich, nach Erlaubnis fragend, zu der feierlichen Frau im iberischen Kopfschmuck hinüber und antwortete mit Zurückhaltung. Die schwarzen Bern-
steingehänge ihrer Ohren schaukelten, in Bewegung gesetzt
von den leichten Stößen des Wagens.

Der Andrang von Fuhrwerken zum Eingang des Cirkus
war stark. Nur langsam vorrückend zwischen anderen Equipagen, hatten wir in Geduld unser Vorfahren und Aussteigen
zu erwarten. Dann nahm das weite Rund der Arena mit
ihren Schranken, Pfeilerbalustraden und tausendfach anstei-
genden Sitzen uns auf, von denen nur wenige noch leer waren. Bebänderte Funktionäre wiesen uns unsere Schatten-
plätze an, in mäßiger Höhe über dem gelben Ring der mit
einer Mischung aus Lohe und Sand bestreuten Manege. Das
riesige Theater füllte sich rasch bis auf den letzten Sitz. Von
der malerischen Großartigkeit seines Anblicks hatte Kuckuck
mir nicht zuviel gesagt. Es war das farbige Gesamtbild einer
nationalen Gesellschaft, in welchem die Noblesse sich wenigstens andeutungsweise und verschämt der grell besonnten
Volkstümlichkeit dort drüben anpaßte. Nicht wenige Damen,

selbst Ausländerinnen wie Frau von Hüon und die Fürstin Maurocordato, hatten sich mit dem steilen Haarkamm und der Mantilha versehen, ja einige ahmten an ihren Kleidern den bäuerlichen Gold- und Silberbesatz nach, und das Formelle im Anzug der Herren erschien als Aufmerksamkeit gegen das Volk, – jedenfalls galt es der Volkstümlichkeit der Veranstaltung.

Die Stimmung des ungeheuren Rundes schien erwartungsfroh, doch gedämpft, sie unterschied sich, auch auf der Sonnenseite und gerade dort, merklich vom üblen Geist des Pöbelhaften, der auf den Tribünen profaner Sportplätze zu Hause ist. Erregung, Spannung, ich empfand sie ja selbst; aber was davon in den abertausend auf den noch leeren Kampfplatz hinabblickenden Gesichtern zu lesen war, dessen Gelb bald von Blutlachen starren sollte, erschien gehalten, gezügelt von einer gewissen Weihe. Die Musik brach ab und wechselte von einem Konzertstück maurisch-spanischer Prägung in die Nationalhymne hinüber, als der Prinz, ein hagerer Mann mit einem Stern auf dem Gehrock und einer Chrysantheme im Knopfloch, mit seiner Gemahlin, die auch die Mantilha trug, ihre Loge betraten. Man erhob sich von den Plätzen und applaudierte. Dies sollte später noch einmal geschehen, zu Ehren eines anderen.

Der Eintritt der Herrschaften geschah eine Minute vor drei: mit dem Stundenschlage begann, bei fortspielender Musik, aus dem großen Mitteltor die Prozession der Akteure sich hervorzubewegen, voran drei Degentragende mit Schulterklappen über dem kurzen gestickten Wams, ebenfalls farbig bordierten engen Hosen, die bis zur Hälfte der Wade reichten, weißen Strümpfen und Schnallenschuhen. Bandarilheiros, spitze, bunt bebänderte Stäbe in den Händen, und im gleichen Stil gekleidete Capeadores, die schmale schwarze Krawatte übers Hemd laufend, kurze rote Mäntel über den Armen, schritten hinter ihnen. Eine Kavalkade lanzenbewehrter Picadores in Hüten mit Sturmbändern, auf Pferden, denen gesteppte Decken, matratzenähnlich, an Brust und Flanken

hingen, entwickelte sich danach, und ein mit Blumen und
Bändern aufgeputztes Maultiergespann machte den Schluß
des Zuges, der sich geradeswegs durch das gelbe Rund gegen
die prinzliche Loge hin bewegte, wo er sich auflöste, nachdem
jedermann eine chevalereske Verbeugung davor gemacht hatte.
Ich sah einige Toireadores sich bekreuzigen, während sie zu
den Schutzvorrichtungen gingen.

Auf einmal, mitten im Stück, verstummte das kleine Orchester aufs neue. Ein einzelnes, sehr helles Trompetensignal
schmetterte auf. Die Stille ringsum war groß. Und aus einem
kleinen Tor, das ich nicht beachtet und das sich plötzlich aufgetan hatte, bricht – ich wähle hier die Gegenwartsform, weil
das Ereignis mir so sehr gegenwärtig ist – etwas Elementares
hervor, rennend, der Stier, schwarz, schwer, mächtig, eine
augenscheinlich unwiderstehliche Ansammlung zeugender und
mordender Kraft, in der frühe, alte Völker gewiß ein Gott-
Tier, den Tiergott gesehen hätten, mit kleinen drohend rol-
lenden Augen und Hörnern, geschwungen wie Trinkhörner,
die aber, an seiner breiten Stirn ausladend befestigt, auf ihren aufwärtsgebogenen Spitzen offenkundig den Tod trugen.
Er rennt vor, steht still mit vorgestemmten Vorderbeinen,
glotzt mit Empörung auf das rote Manteltuch, das einer der
Capeadores, servierend gebückt, in einiger Entfernung vor
ihm auf den Sand breitet, stürzt darauf zu, bohrt seine Hörner hinein, bohrt das Tuch in den Grund, und während, in
einem Augenblick, wo er schiefen Kopfes das Stoßhorn wechseln will, der kleine Mensch, das Tuch wegziehend, hinter
ihn springt und die Kraftmasse sich schwerfällig um sich selber dreht, rammen zwei Bandarilheiros ihr je zwei bunte
Stäbe ins Nackenfettpolster. Da saßen sie nun; sie hatten
wohl Widerhaken und hielten fest; schwankend standen sie
ihm schräg vom Körper ab beim weitern Spiel. Gerad in die
Mitte des Nackens hatte ein dritter ihm einen kurzen Feder-
spieß gepflanzt, er trug fortan diesen Schmuck, der gespreizten
Taubenflügeln glich, während seines toddrohenden Kampfes
gegen den Tod am vorderen Rücken.

Ich saß zwischen Kuckuck und Dona Maria Pia. Der Professor versah mich, leise redend, mit einem und dem anderen Kommentar zu den Vorgängen. Die Namen der verschiedenen Chargen der Kampfspieler vernahm ich von ihm. Ich hörte ihn sagen, der Stier habe bis zum heutigen Tage ein Herrenleben auf freier Weide geführt, gehalten, behandelt mit größter Sorgfalt und Höflichkeit. Meine Nachbarin zur Rechten, die hehre Frau, hielt sich stumm. Von dem Zeuge- und Mordgott da unten und dem, was mit ihm geschah, wandte sie die Augen nur ab, um strafend den Kopf gegen den Gatten zu wenden, wenn er sprach. Ihr strenges, südbleiches Gesicht im Schatten der Mantilha war unbeweglich, aber ihr Busen hob und senkte sich in Beschleunigung, und ich sah, ihrer Nichtachtung gewiß, dies Gesicht, diesen in unvollkommener Beherrschtheit wogenden Busen öfter an als das bespießte, im Rücken lächerlich klein beflügelte und etwas von Blut beronnene Opfertier.

So nenne ich es, weil man sehr stumpf hätte sein müssen, um nicht die zugleich beklemmende und heilig belustigende, aus Jux, Blut und Andacht unvergleichlich gemischte Stimmung von freigegebener Ur-Volkstümlichkeit, tief heraufgeholter Todesfestlichkeit zu spüren, die über dem Ganzen lag. Später, im Wagen, als er reden durfte, äußerte der Professor sich darüber, aber meinem sehr feinen und erregbaren Spürsinn hatte seine Gelehrsamkeit nichts wesentlich Neues zu sagen. Der Jux, mit Wut vermengt, brach aus, als nach einigen Minuten der Stier, in einer Anwandlung von Einsicht offenbar, daß dies nicht gut ausgehen könne, Kraft und Witz hier ein denn doch ungleiches Spiel spielten, sich gegen die Tür wandte, durch die er herausgelassen worden, und, mit seinen bebänderten Stangen in Fett und Muskeln, lieber zurück in den Stall trotten wollte. Es gab einen Sturm entrüsteten Hohngelächters. Zumal auf der Sonnenseite, aber auch bei uns, sprang man auf die Füße, pfiff, johlte, pfuite und schimpfte ihn aus. Auch meine Hehre sprang auf, pfiff unerwartet gellend, drehte dem Feigling eine Nase und

ho-ho-hohnlachte sonor. Picadores sprengten ihm in den Weg
und stießen nach ihm mit ihren stumpfen Lanzen. Neue Bunt-
stäbe, von denen einige zur Ermunterung mit Feuerwerks-
körpern versehen waren, welche mit Knall und Gezisch auf
seinem Felle abbrannten, wurden ihm in den Hals, den Rükken, die Flanken gerammt. Unter diesen Reizungen verwandelte sein die Masse empörender kleiner Vernunftanfall sich
rasch in die blinde Rage, die seiner Kraft beim Todesspiel zukam. Er tat wieder mit dabei und wurde ihm nicht mehr untreu. Ein Pferd wälzte sich mit seinem Reiter im Sande. Ein
Capeador, der strauchelte, wurde leider auf die gewaltigen
Trinkhörner genommen und in die Luft geschleudert, von wo
er schwer zu Fall kam. Während das wilde Tier durch die
Ausnutzung seiner Idiosynkrasie gegen das rote Tuch von
dem regungslosen Körper abgelenkt wurde, hob man diesen
auf und trug ihn hinaus unter einem Ehrenapplaus, von dem
nicht ganz klar war, ob er dem Verunglückten oder dem Toiro
galt. Er galt wahrscheinlich beiden. Maria da Cruz beteiligte
sich an ihm, zwischen Händeklatschen und raschem Sichbe-
kreuzigen wechselnd und indem sie in ihrer Sprache etwas
murmelte, was eine Fürbitte für den Gestürzten sein mochte.

Der Professor meinte, es möge bei ein paar Rippen und einer
Gehirnerschütterung sein Bewenden haben. »Das ist Ribeiro«,
sagte er dann. »Ein beachtlicher Junge.« Aus der Gruppe der
Kampfspieler löste sich einer der Espadas, mit »Ah« und grü-
ßenden Zurufen empfangen, die seine Popularität bezeugten,
und nahm, da sonst jedermann sich zurückhielt, zusammen
mit dem blutend wütenden Stier allein die Manege ein. Schon
bei der Prozession war er mir aufgefallen, denn das Schöne
und Elegante sondert mein Auge sogleich aus dem Gewöhnlichen aus. Achtzehn- oder neunzehnjährig, war dieser Ribeiro
in der Tat bildhübsch. Unter schwarzem Haar, das ihm glatt
und ungescheitelt tief in die Brauen hing, trug er ein fein
geschnittenes spanisches Gesicht zur Schau, das bei einem ganz
leisen, vielleicht vom Beifall erzeugten, vielleicht nur Todes-
verachtung und das Bewußtsein seines Könnens andeutenden

Lächeln der Lippen mit stillem Ernst aus schmalen schwarzen
Augen blickte. Das gestickte Jäckchen mit den Schulterüber-
fällen und den gegen das Handgelenk sich verengenden
Ärmeln kleidete ihn – ach, mit einem ganz ebensolchen hatte
mein Pate Schimmelpreester mich einst kostümiert – kleidete
ihn so vortrefflich, wie es mich einst gekleidet. Ich sah, daß er
schlank gegliederte, durchaus noble Hände hatte, mit deren
einer er eine bloße, blanke Damaszenerklinge beim Gehen wie
einen Spazierstock aufsetzte. Mit der anderen hielt er ein ro-
tes Mäntelchen an sich. Übrigens ließ er den Degen fallen, als
er die Mitte des schon recht zerwühlten und blutbefleckten
Rundes erreicht hatte, und winkte nur ein bißchen mit dem
Mantel gegen den Stier, der in einiger Entfernung von ihm
seine Stangen schüttelte. Dann stand er unbeweglich und sah
mit jenem kaum merklichen Lächeln, jenem Ernst der Augen
dem Anrasen des furchtbaren Märtyrers zu, dem er sich einsam zum Ziele bot wie ein alleinstehender Baum dem Wetter-
strahl. Er stand wie angewurzelt – zu lange, man konnte nicht
zweifeln; gut mußte man ihn kennen, um nicht mit Schrecken
überzeugt zu sein, daß er beim nächsten Wimpernschlage zu
Boden geworfen, gespießt, massakriert, zertrampelt werden
würde. Etwas äußerst Graziöses, sanft Überlegenes und zu
einem herrlichen Bilde Führendes geschah statt dessen. Die
Hörner hatten ihn schon, sie nahmen von der Saumstickerei
seiner Jacke etwas mit, als eine einzige, leichte, sich auf die
Capa übertragende Handbewegung die mörderischen dorthin
lenkte, wo er auf einmal nicht mehr war, da ein weicher
Hüftschwung ihn neben die Flanke des Ungeheuers gebracht
hatte, mit dem nun die Menschengestalt, einen Arm längs des
schwarzen Rückens dorthin ausgestreckt, wo die Hörner gegen die flatternde Capa wüteten, zu einer Gruppe verschmolz,
die begeisterte. Die Zuschauermenge sprang jubelnd auf, rief
»Ribeiro!« und »Toiro!« und klatschte. Ich selbst tat dies und
neben mir die Rassekönigin mit dem wogenden Busen, die
ich anblickte, abwechselnd mit der rasch sich auflösenden tier-
menschlichen Schaugruppe, da die gestrenge und elementare

Person dieser Frau mir mehr und mehr eins wurde mit dem Blutspiel dort unten.

Ribeiro lieferte, im Duett mit dem Toiro, noch ein und das andere Glanzstückchen, und sehr deutlich war, daß es dabei auf tänzerisch anmutige Posen in der Gefahr und plastische Bildvereinigungen des Gewaltigen mit dem Eleganten ankam. Einmal, während der Stier, geschwächt wohl bereits und degoutiert von der Vergeblichkeit all seines Zornes, abgewandt stand und dumpf vor sich hin brütete, sah man seinen Partner, ihm den Rücken kehrend, im Sande knien und sehr schlank aus dieser Stellung aufgerichtet, mit erhobenen Armen und geneigtem Kopf den Mantel hinter sich spreizen. Das schien kühn genug, aber er war der augenblicklichen Stumpfheit der gehörnten Unterwelt wohl sicher. Einmal, vor dem Stiere herrennend, fiel er halb hin, auf eine Hand, und ließ mit der anderen das immer die Wut verführende rote Tuch weit seitwärts flattern, so daß er selbst davonkam, auf die Beine, um im nächsten Augenblick der Bestie in leichtem Schwung über den Rücken zu springen. Er hatte seinen Beifall, für den er niemals dankte, da er ihn sichtlich stets auf den Toiro mitbezog und dieser für Huldigung und Dank keinen Sinn hatte. Fast fürchtete ich, er möchte Sinn für die Unschicklichkeit haben, mit einem auf der Weide höflich gehaltenen Opfertier solchen Schabernack zu treiben. Aber das war eben der Jux, der in die Andacht zum Blute volkstümlich einschlägig war.

Das Spiel zu enden lief Ribeiro zu der liegengelassenen Klinge, stand dort, breitete in der üblichen einladenden Haltung, ein Knie gebogen, den Mantel vor sich hin und sah ernsten Auges zu, wie der Stier mit eingelegtem Gewaffen, aber in schon recht schwerfälligem Galopp sich ihm nahte. Sehr ließ er ihn nahen, ganz heran, griff im genauesten Augenblick den Degen vom Boden auf und stieß dem Tiere blitzschnell den schmalen und blanken Stahl bis halb zum Heft in den Nacken. Es sackte zusammen, wälzte sich massig, bohrte einen Augenblick die Hörner in den Grund, als gälte

es das rote Tuch, legte sich dann auf die Seite, und seine
Augen verglasten.

Es war in der Tat die eleganteste Art der Schlachtung.
Noch sehe ich Ribeiro, seinen Mantel unterm Arm, ein wenig
auf den Zehenspitzen, als wollte er leise auftreten, beiseite
gehen, indem er sich nach dem Gefällten umschaute, der sich
nicht mehr regte. Aber schon während seines kurzen Todes-
kampfes hatte alles Publikum sich wie *ein* Mann von den
Plätzen erhoben und brachte dem Helden des Todesspiels, der
sich seit jenem Versuch, sich zu drücken, ja ausgezeichnet benommen hatte, den Salut seiner Hände dar. Das dauerte an,
bis er in dem bunten Maultiergefährt, das ihn abholte, hin-
ausgekarrt worden war. Ribeiro ging mit ihm, zur Seite des
Wagens, wie um ihm die letzte Ehre zu erweisen. Er kehrte
nicht mehr zurück. Unter anderem Namen, in anderer
Lebensrolle, als Teil eines Doppelbildes ist er mir, genau er,
etwas später wiedererschienen. Doch davon an seinem Ort.

Wir sahen noch zwei Stiere an, die weniger gut waren, wie
auch der Espada, der den einen mit der Klinge so mangelhaft
traf, daß er nur einen Blutsturz bekam, aber nicht fiel. Wie
einer, der sich erbricht, stand er, die Beine vorgestemmt, mit
gestrecktem Halse und spie eine dicke Welle Bluts in den
Sand – unerfreulich zu sehen. Ein vierschrötiger, übertrieben
glitzernd gekleideter und sehr eitel sich gebärdender Matador
mußte ihm den Gnadenstoß geben, so daß die Griffe zweier
Degen ihm aus dem Leibe ragten. Wir gingen. Im Wagen
denn also versah uns Maria Pias Gatte mit gelehrten Erläuterungen zu dem, was wir – was ich – zum ersten Male gesehen. Er sprach von einem uralten römischen Heiligtum, wo
es aus dem Oberen, Christlichen, tief hinabgehe in die Kult-
schicht einer dem Blut sehr geneigten Gottheit, deren Dienst
einst um ein Haar demjenigen des Herrn Jesu den Rang als
Weltreligion abgelaufen hätte, da ihre Geheimnisse äußerst
populär gewesen seien. Getauft worden seien die Neulinge
ihres Glaubens nicht mit Wasser, sondern mit dem Blut eines
Stieres, der vielleicht der Gott selber gewesen sei, wiewohl

der auch wieder in dem gelebt habe, der sein Blut vergoß. Denn diese Lehre habe etwas unscheidbar Verkittendes, auf Tod und Leben Zusammenschmiedendes gehabt für alle ihr Angehörigen, und ihr Mysterium habe in der Gleichheit und Einheit bestanden von Töter und Getötetem, Axt und Opfer, Pfeil und Ziel ... Ich hörte alldem nur mit halbem Ohre zu, nur soweit es mich nicht störte im Anschauen der Frau, deren Bild und Wesen durch das Volksfest so sehr gehoben und gleichsam erst recht zu sich selbst gebracht, zum Anschauen reif gemacht worden war. Ihr Busen war jetzt zur Ruhe gekommen. Mich verlangte danach, ihn wieder wogen zu sehen.

Zouzou, ich verhehlte es mir nicht, war mir während des Blutspieles ganz und gar aus dem Sinn gekommen. Desto entschiedener beschloß ich, ihrer beständigen Forderung endlich Folge zu leisten und ihr in Gottes Namen die Bilder vorzulegen, die sie als ihr Eigentum ansprach, – die Aktbilder Zazas mit Zouzous Schläfenfransen. Auf den nächsten Tag war ich noch einmal bei Kuckucks zum Déjeuner geladen. Eine nach nächtlichen Regenschauern eingetretene Abkühlung berechtigte mich, einen leichten Mantel anzulegen, in dessen Innentasche ich die gerollten Blätter versorgte. Auch Hurtado war da. Bei Tische drehte sich das Gespräch noch um das gestern Geschaute, und dem Professor zu Gefallen erkundigte ich mich des weiteren nach der aus dem Felde geschlagenen Religion, zu der es vom Christentum die Treppe hinabging. Viel wußte er nicht hinzuzufügen, erwiderte aber, so ganz aus dem Felde geschlagen seien jene dienstlichen Bräuche nicht, da von Opferblut, Gottesblut immerdar alle frommen Verrichtungen der Menschheit volkstümlich gedampft hätten, und ließ Beziehungen durchblicken zwischen dem Mahl des Meßopfers und dem festlichen Blutspiel von gestern. Ich blickte auf den Busen der Hausfrau, ob der vielleicht woge.

Nach dem Kaffee verabschiedete ich mich von den Damen, indem ich mir eine letzte Visite für den nahen äußersten Tag meines Hierseins vorbehielt. In Gesellschaft der Herren, die ins Museum zurückkehrten, fuhr ich mit der Seilbahn hinab

und nahm, unten angelangt, auch von ihnen Abschied, mit
tausend Dank, dem Wohlwollen der Zukunft ein Wiedersehn
herzlich anheimgebend. Ich tat, als lenkte ich meine Schritte
gegen das Savoy-Palace, sah mich wohl um, machte kehrt und
fuhr mit der nächsten Seilbahn wieder hinauf.

Ich wußte die Gatterpforte vorm Häuschen offen. Das
Wetter hatte von früh an zu mild herbstlicher Sonnigkeit zu-
rückgefunden. Für Dona Maria Pia war es die Stunde der
Siesta. Zouzou konnte ich gewiß sein im rückwärtigen Gärt-
chen zu finden, zu dem an des Hauses Flanke vorbei ein
Kiesweg führte. Leisen und raschen Schrittes beging ich ihn.
Dahlien und Astern blühten inmitten eines kleinen Rasen-
platzes. Im Hintergrunde zur Rechten umgab das beredete
Oleandergebüsch in schützendem Halbkreis die bezeichnete
Bank. Die Liebe, etwas in Schatten Gestellte, saß dort in
einem Kleide, ganz ähnlich dem, worin ich sie am ersten Tage
gesehen, locker, wie sie es liebte, bläulich gestreift, mit dem
Hüftband aus gleichem Stoff und etwas Spitzenstickerei am
Saume der halblangen Ärmel. Sie las in einem Buch, von dem
sie, obgleich sie mein behutsames Kommen doch wohl hören
mußte, nicht aufblickte, bis ich vor ihr stand. Mir schlug das
Herz.

»Ah?« machte sie, die Lippen offen, die mir, wie der holde
Elfenbeinteint ihres Gesichtes, um etwas bleicher schienen als
sonst. »Noch hier?«

»Wieder hier, Zouzou. Ich war schon unten. Ich bin heimlich zurückgekehrt, so hatt' ich mir's vorgenommen, zur Einlösung meines Versprechens.«

»Wie löblich!« sagte sie. »Der Herr Marquis hat sich auf
seine Schuldigkeit besonnen – ohne Übereilung. Die Bank
hier ist allmählich zu einer Art von Wartebank geworden . . .«
Sie hatte zuviel gesagt und biß sich auf die Lippen.

»Wie konnten Sie denken«, beeilte ich mich zu erwidern,
»ich würde unserer Abmachung im bildhübschen Kreuzgang
die Treue nicht halten! Ich darf mich zu Ihnen setzen? Die
Bank hier im Gebüsch ist entschieden traulicher als unsere

anderen da, an den Tennisplätzen. Ich fürchte, das Spiel werde ich nun wieder vernachlässigen und verlernen . . .«

»Nun, die Meyer-Novaro drüben werden doch einen Tennisplatz haben.«

»Möglich. Dasselbe wäre es nicht. Der Abschied von Lissabon, Zouzou, wird mir schwer. Ich habe unten Ihrem verehrten Papa Adieu gesagt. Wie denkwürdig hat er vorhin über die frommen Verrichtungen der Menschheit gesprochen! Die Corrida, gestern, war doch ein – ich will mindestens sagen: kurioser Eindruck.«

»Ich habe nur wenig hingeschaut. Auch Ihre Aufmerksamkeit schien geteilt – wie sie es vorzugsweise ist. Aber zur Sache, Marquis! Wo sind meine Dessins?«

»Hier«, sagte ich. »Es war Ihr Wille . . . Sie verstehen, es sind träumerische Produkte, unwissentlich, sozusagen, entstanden . . .«

Sie hielt die wenigen Blätter, betrachtete das oberste. Es war da Zazas Körper, verliebt gezeichnet, in der und der Stellung. Die flachen Ohr-boutons stimmten, noch genauer die Haarfransen. Das Gesicht wies geringe Verwandtschaft auf, doch was galt hier das Gesicht!

Ich saß so gerade wie Dona Maria Pia, auf alles gefaßt, willigend in alles und im voraus ergriffen von allem, was da kommen mochte. Eine tiefe Röte überzog beim Anblick der eigenen süßen Nacktheit ihr Gesicht. Sie sprang auf, zerriß ritsch und ratsch, kreuz und quer die Kunstwerke und streute die flatternden Stücke in die Luft. Gewiß, das hatte alles so kommen müssen. Was aber nicht kommen mußte und dennoch kam, war dies: Einen Augenblick starrte sie mit verzweifelter Miene auf die herumliegenden Fetzen am Boden, und im nächsten gingen die Augen ihr über, sie sank auf die Bank zurück, schlang die Arme um meinen Hals und barg das glühende Gesicht an meiner Brust, unter kleinen Atemstößen, die lautlos waren und das Erdenklichste dennoch verlautbarten, während zugleich – und das war das Allerrührendste – ihre kleine geballte Faust, die linke, immerfort im Takt gegen meine Schulter hämmerte. Ich küßte ihren bloßen Arm an meinem Halse, ich hob ihre Lippen auf zu mir und küßte die erwidernden, ganz wie ich es erträumt, ersehnt, mir zum Ziel gesetzt, als ich sie, meine Zaza, zum ersten Mal auf dem Platze Rocio gesehen. Wer wohl, dessen Auge diese Zeilen durchfliegt, wird mich nicht beneiden um so süße Sekunden? Und nicht beneiden auch sie, die, wenngleich unter kleinem Faustgetrommel, zur Liebe Bekehrte? – Welche Schicksalswende nun aber! Welcher Wandel des Glücks!

Zouzou warf jäh den Kopf zur Seite, riß sich aus unsrer Umarmung. Vor Busch und Bank – vor uns – stand ihre Mutter.

Stumm, gleichwie auf die eben noch innig vereinten Lippen geschlagen, blickten wir auf zu der Hehren, neben deren großem und südbleichem Antlitz, mit dem strengen Munde, den gespannten Nüstern, den verdüsterten Brauen, die Gagatgehänge schaukelten. Vielmehr: nur ich blickte auf zu ihr; Zouzou drückte das Kinn auf die Brust und bearbeitete mit ihrem kleinen Faustgetrommel nunmehr die Bank, auf der wir saßen. Mir aber glaube man, daß ich weniger entgeistert war von der mütterlichen Erscheinung, als man hätte denken sollen. Schien sie mir doch, obgleich so unverhofft, voller Notwendigkeit, wie herbeigerufen, und in meine natürliche Verwirrung mischte sich Freude.

»Madame«, sprach ich formell, indem ich mich erhob. »Ich bedaure die Störung Ihrer Nachmittagsruhe. Dies hier geschah und vollzog sich wie von ungefähr und in aller Dezenz . . .«

»Schweigen Sie!« gebot die Herrin mit ihrer wundervoll sonoren, leicht südheiseren Stimme. Und gegen Zouzou gewandt:

»Suzanna, du gehst auf dein Zimmer und bleibst dort, bis man dich ruft.« – Dann zu mir: »Marquis, ich habe mit Ihnen zu reden. Folgen Sie mir!«

Zouzou lief über den Rasen davon, der offenbar auch die nahenden Schritte der Senhora gedämpft hatte. Jetzt schlug

diese den Kiesweg ein, und, aufs Wort gehorsam, »folgte« ich
ihr, das heißt: hielt mich nicht an ihrer Seite, sondern ein
wenig schräg hinter ihr. So ging es ins Haus und in den
Salon, von dem eine Tür ja ins Speisezimmer führte. Hinter
der entgegengesetzten, nicht ganz geschlossenen, schien ein in-
timerer Raum zu liegen. Die Hand der Gestrengen zog sie zu.

Ich begegnete ihrem Blick. Sie war nicht hübsch, aber sehr
schön.

»Luiz«, sagte sie, »das Nächstliegende wäre, Sie zu fragen,
ob dies Ihre Art ist, portugiesische Gastfreundschaft zu lohnen – Schweigen Sie! Ich erspare mir die Frage und Ihnen die
Antwort. Ich habe Sie nicht hierher befohlen, um Ihnen Gelegenheit zu törichten Entschuldigungen zu geben. Sie würden
vergebens versuchen, die Torheit Ihrer Handlungen damit
zu übertreffen. Die ist unüberbietbar, und alles, was Ihnen
nun bleibt, Ihnen einzig zukommt, ist, zu schweigen und
es reiferen Personen zu überlassen, Ihre Sache zu führen –
Sie auf den rechten Weg zu führen, hinweg von dem Wege un-
verantwortlicher Kinderei, den Sie jugendlich genug waren
einzuschlagen. Es hat wohl selten zu heilloserer Kinderei und
ärgerem Unsinn geführt, daß Jugend sich zu Jugend gesellte.
Was dachten Sie sich? Was wollen Sie mit diesem Kinde? Dank-
vergessenerweise tragen Sie Unsinn und Verwirrung in ein
Haus, das sich Ihnen um Ihrer Geburt und sonstiger an-
nehmbarer Eigenschaften willen gastlich öffnete und in dem
Ordnung, Vernunft und feste Pläne herrschen. Suzanna wird
über kurz oder lang, wahrscheinlich binnen kurzem, die Gattin Dom Miguels, des verdienten Assistenten Dom Antonio
Josés, werden, dessen maßgebender Wunsch und Wille es ist.
Ermessen Sie danach, welch eine Torheit Ihr Liebesbedürfnis beging, als es den Weg der Kinderei wählte und sich darauf kaprizierte, das Köpfchen eines Kindes zu verwirren. Das
hieß nicht wie ein Mann wählen und handeln, sondern wie
ein Kindskopf. Reife Vernunft hatte dazwischenzutreten, bevor es zu spät war. Sie haben mir einmal, im Laufe einer Konversation, von der Güte der Reife gesprochen, von der Güte,

mit der sie den Namen der Jugend nennt. Ihr mit Glück zu
begegnen bedarf es freilich des Mannesmutes. Ließe annehm-
bare Jugend diesen Mannesmut blicken, statt in der Kinderei
ihr Heil zu suchen, – sie brauchte nicht wie ein begossener
Pudel abzuziehen, nicht ungetröstet das Weite zu suchen . . .«

»Maria!« rief ich. Und:

»Holé! Heho! Ahé!« rief sie mit mächtigem Jubel. Ein
Wirbelsturm urtümlicher Kräfte trug mich ins Reich der
Wonne. Und hoch, stürmischer als beim iberischen Blutspiel,
sah ich unter meinen glühenden Zärtlichkeiten den königlichen Busen wogen.

LOTTE IN WEIMAR

ROMAN

Durch allen Schall und Klang
Der Transoxanen
Erkühnt sich unser Sang
Auf deine Bahnen!
Uns ist für gar nichts bang,
In dir lebendig,
Dein Leben daure lang,
Dein Reich beständig!

WEST-ÖSTLICHER DIVAN

Der Kellner des Gasthofes ‚Zum Elephanten' in Weimar, *Mager,* ein gebildeter Mann, hatte an einem fast noch sommerlichen Tage ziemlich tief im September des Jahres 1816 ein bewegendes, freudig verwirrendes Erlebnis. Nicht, daß etwas Unnatürliches an dem Vorfall gewesen wäre; und doch kann man sagen, daß Mager eine Weile zu träumen glaubte.

Mit der ordinären Post von Gotha trafen an diesem Tage, morgens kurz nach acht Uhr, drei Frauenzimmer vor dem renommierten Hause am Markte ein, denen auf den ersten Blick – und auch auf den zweiten noch – nichts Sonderliches anzumerken gewesen war. Ihr Verhältnis untereinander war leicht zu beurteilen: es waren Mutter, Tochter und Zofe. Mager, der, zu Willkommsbücklingen bereit, im Eingangsbogen stand, hatte zugesehen, wie der Hausknecht den beiden ersteren von den Trittbrettern auf das Pflaster half, während die Kammerkatze, Klärchen gerufen, sich von dem Schwager verabschiedete, bei dem sie gesessen hatte und mit dem sie sich gut unterhalten zu haben schien. Der Mann sah sie lächelnd von der Seite an, wahrscheinlich im Gedanken an den auswärtigen Dialekt, den die Reisende gesprochen, und folgte ihr noch in einer Art von spöttischer Versonnenheit mit den Augen, indes sie, nicht ohne unnötige Windungen, Raffungen und Zierlichkeiten, sich vom hohen Sitze hinunterfand. Dann zog er an der Schnur sein Horn vom Rücken und begann zum Wohlgefallen einiger Buben und Frühpassanten, die der Ankunft beiwohnten, sehr empfindsam zu blasen.

Die Damen standen noch, dem Hause abgekehrt, bei dem Postwagen, die Niederholung ihres übrigens bescheidenen Gepäcks zu überwachen, und Mager wartete den Augenblick ab, wo sie, beruhigt über ihr Eigentum, sich gegen den Eingang wandten, um ihnen sodann, ganz Diplomat, ein verbind-

liches und gleichwohl leicht zögerndes Lächeln auf dem käse-
farbenen, von einem rötlichen Backenbart eingefaßten Gesicht,
in seinem zugeknöpften Frack, seinem verwaschenen Halstuch im abstehenden Schalkragen und seinen über den sehr
großen Füßen eng zulaufenden Hosen, auf den Bürgersteig
entgegenzukommen.

»Guten Tag, mein Freund!« sagte die mütterliche der beiden Damen, eine Matrone allerdings, schon recht bei Jahren,
Ende Fünfzig zumindest, ein wenig rundlich, in einem weißen Kleide mit schwarzem Umhang, Halbhandschuhen aus
Zwirn und einer hohen Capotte, unter der krauses Haar, von
dem aschigen Grau, das ehemals blond gewesen, hervor-
schaute. »Logis für dreie brauchten wir also, ein zweischläfrig
Zimmer für mich und mein Kind« (das Kind war auch die
Jüngste nicht mehr, wohl Ende Zwanzig, mit braunen Kork-
zieherlocken, ein Kräuschen um den Hals; das fein gebogene
Näschen der Mutter war bei ihr ein wenig zu scharf, zu hart
ausgefallen) – »und eine Kammer, nicht zu weitab, für meine
Jungfer. Wird das zu haben sein?«

Die blauen Augen der Frau, von distinguierter Mattigkeit,
blickten an dem Kellner vorbei auf die Front des Gasthauses;
ihr kleiner Mund, eingebettet in einigen Altersspeck der Wangen, bewegte sich eigentümlich angenehm. In ihrer Jugend
mochte sie reizvoller gewesen sein, als die Tochter es heute
noch war. Was an ihr auffiel, war ein nickendes Zittern des
Kopfes, das aber zum Teil als Bekräftigung ihrer Worte und
rasche Aufforderung zur Zustimmung wirkte, so daß seine
Ursache nicht so sehr Schwäche als Lebhaftigkeit oder allenfalls beides gleichermaßen zu sein schien.

»Sehr wohl«, erwiderte der Aufwärter, der Mutter und
Tochter zum Eingang geleitete, während die Zofe, eine Hut-
schachtel schlenkernd, folgte. »Zwar sind wir, wie üblich,
stark besetzt und könnten leicht in die Lage kommen, selbst
Personen von Stand abschlägig bescheiden zu müssen, doch
werden wir keine Anstrengung scheuen, den Wünschen der
Damen aufs beste zu genügen.«

»Nun, das ist ja schön«, versetzte die Fremde und tauschte einen heiteren Achtungsblick mit ihrer Tochter ob der wohlgefügten und dabei stark thüringisch-sächsisch gefärbten Redeweise des Mannes.

»Darf ich bitten? Ich bitte sehr!« sagte Mager, sie in den Flur complimentierend. »Der Empfang ist zur Rechten. Frau Elmenreich, die Wirtin des Hauses. wird sich ein Vergnügen daraus machen. – Ich darf wohl bitten!«

Frau Elmenreich, einen Pfeil in der Frisur, die hochgegürtete Büste wegen der Nähe der Haustür von einer Strickjacke umhüllt, thronte bei Federn, Streusand und einer Rechenmaschine hinter einer Art von Ladentisch, der den nischenartigen Bureauraum von der Diele trennte. Ein Angestellter, von seinem Stehpult hinweggetreten, verhandelte seitlich auf englisch mit einem Herrn in Kragenmantel, dem die beim Eingang aufgehäuften Koffer gehören mochten. Die Wirtin, phlegmatischen Auges mehr über die Ankömmlinge hinwegblickend als von ihnen Notiz nehmend, erwiderte den Gruß der Älteren, den angedeuteten Knicks der Jungen mit würdiger Kopfneigung, vernahm die vom Kellner vermittelte Zimmerforderung hingehaltenen Ohres und ergriff einen gestielten Hausplan, auf dem sie eine Weile die Bleistiftspitze herumführte.

»Siebenundzwanzig«, bestimmte sie, gegen den grünbeschürzten Hausdiener gewandt, der mit dem Gepäck der Damen wartete. »Mit einer Einzelkammer kann ich nicht dienen. Die Mamsell müßte das Zimmer mit der Jungfer der Gräfin Larisch von Erfurt teilen. Wir haben eben viele Gäste mit Dienerschaft im Hause.«

Das Klärchen zog hinter dem Rücken ihrer Herrin ein Maul, doch diese war einverstanden. Man werde sich schon vertragen, erklärte sie und bat, schon zum Gehen gewandt, auf das Zimmer geführt zu werden, wohin gleich auch die Handkoffer gebracht werden möchten.

»Alsbald, Madame«, sagte der Kellner. »Nur eben noch diese Formalität wäre nebenher zu erfüllen. Um Lebens oder

Sterbens willen bitten wir uns ein paar Zeilen aus. Nicht unser ist die Pedanterei, sondern der heiligen Hermandad. Sie
kann nicht aus ihrer Haut. Es erben sich, möchte man sagen,
Gesetz' und Rechte wie eine ew'ge Krankheit fort. Dürfte ich
wohl um die Güte und Gefälligkeit ersuchen –?«

Die Dame lachte, indem sie wieder nach ihrer Tochter
blickte und belustigt-erstaunt den Kopf schüttelte.

»Ja, so«, sagte sie, »das vergaß ich. Alles, was sich gehört!
Übrigens ist Er ein Mann von Kopf, wie ich höre« (sie gebrauchte die Anredeform, die noch in ihrer Jugend üblich gewesen sein mochte), »wohlbelesen und citatenfest. Geb' Er
her!« Und an den Tisch zurücktretend, nahm sie mit den
feinen Fingern ihrer nur halb bekleideten Hand den an
einer Schnur hängenden Kreidestift, den die Wirtin ihr
reichte, und beugte sich, noch immer lachend, über die Melde-
tafel, auf der schon ein paar Namen standen.

Sie schrieb langsam, indem sie allmählich zu lachen aufhörte und nur noch kleine amüsierte und seufzerartige Laute
und Nachklänge ihrer verstummenden Heiterkeit nachfol-
gen ließ. Das nickende Zittern ihres Nackens machte sich dabei, wohl infolge der Unbequemlichkeit ihrer Stellung, deutlicher als je bemerkbar.

Man sah ihr zu. Von der einen Seite blickte die Tochter ihr
über die Schulter, die hübschen, ebenmäßig gebogenen Augenbrauen (sie hatte sie von der Mutter) zur Stirn gehoben, den
Mund moquant verschlossen und verzogen; und andererseits
äugte, halb nur zur Aufsicht, ob sie die rot markierten Rubri-
ken richtig benutzte, halb auch aus Kleinstädter-Neugier und
mit jener von Bosheit nicht ganz freien Genugtuung darüber,
daß für jemanden der Augenblick gekommen war, die gewissermaßen dankbare Rolle des Unbekannten aufzugeben und
sich zu nennen und zu bekennen, Kellner Mager ihr in die
Schrift. Aus irgendeinem Grunde hatten auch der Bureau-
Verwandte und der britische Reisende ihr Gespräch unterbrochen und beobachteten die kopfnickend Schreibende, die
mit fast kindlicher Sorgfalt ihre Buchstaben zog.

Mager las blinzelnd: »Hofräthin Witwe Charlotte Kestner, geb. Buff, von Hannover, letzter Aufenthalt: Goslar, geboren am 11. Januar 1753 zu Wetzlar, nebst Tochter und Bedienung.«

»Genügt das?« fragte die Hofrätin; und da man ihr nicht antwortete, beschloß sie selbst: »Das muß genügen!« Damit wollte sie den Griffel energisch auf die Tischplatte legen, vergaß, daß er nicht frei war, und riß den Metallständer um, an dem er hing.

»Wie ungeschickt!« sagte sie errötend, indem sie abermals einen raschen Blick auf ihre Tochter warf, die spöttisch verschlossenen Mundes die Augen gesenkt hielt. »Nun, das ist bald wieder hergestellt, und alles wäre getan. Machen wir endlich, daß wir aufs Zimmer kommen!« Und mit einer gewissen Hast wandte sie sich zum Gehen.

Tochter, Jungfer und Kellner, der glatzköpfige, Schachteln und Reisetaschen tragende Hausknecht hinterdrein, folgten ihr über den Flur zur Treppe. Mager hatte nicht aufgehört zu blinzeln, er fuhr unterwegs damit fort, und zwar so, daß er in Intervallen immer drei- oder viermal sehr rasch mit den Lidern nickte und dann eine Weile mit den geröteten Augen unbeweglich blickte, wobei er den Mund auf eine gewisse, nicht blöde zu nennende, sondern sozusagen fein geregelte Weise geöffnet hielt. Es war auf den Dielen des ersten Treppenabsatzes, daß er die Gruppe zum Stehen brachte.

»Um Vergebung!« sagte er. »Recht sehr um Vergebung, wenn meine Frage ... Es ist nicht gemeine und unstatthafte Neugier, die ... Sollten wir den Vorzug haben mit Frau Hofrätin Kestner, Madame Charlotte Kestner, der geborenen Buff, aus Wetzlar –?«

»Die bin ich«, bestätigte die alte Dame lächelnd.

»Ich meine ... Sehr wohl, gewiß doch, aber ich meine, – es handelt sich also am Ende doch wohl nicht um Charlotte – auch kürzer Lotte – Kestner, geborene Buff aus dem Deutschen Hause, dem Deutschordenshause zu Wetzlar, die ehemalige ...«

»Um eben die, mein Guter. Aber ich bin gar nicht ehemalig, ich bin hier sehr gegenwärtig und wünschte wohl, auf das mir zugewiesene Zimmer . . .«

»Unverzüglich!« rief Mager und nahm mit gesenkter Stirn einen Anlauf zum Weitereilen, blieb dann aber doch wieder an die Stelle gewurzelt stehen und schlang die Hände ineinander.

»Du liebe Zeit!« sagte er mit tiefem Gefühl. »Du liebe Zeit, Frau Hofrätin! Frau Hofrätin mögen verzeihen, wenn meine Gedanken sich nicht sogleich an die hier waltende Identität und die sich eröffnende Perspective . . . Dies kommt sozusagen aus heiterem Himmel . . . Das Haus hat also die Ehre und die unschätzbare Auszeichnung, die wahre und wirkliche, das Urbild, wenn ich mich so ausdrücken darf . . . Mit einem Wort, es ist mir beschieden, vor Werthers Lotte . . .«

»Dem wird wohl so sein, mein Freund«, entgegnete die Hofrätin mit ruhiger Würde, indem sie der kichernden Zofe einen verweisenden Blick zuwarf. »Und wenn es für Ihn ein Grund mehr wäre, uns reisemüden Frauen nun ungesäumt unser Zimmer zu zeigen, so wollte ich's wohl zufrieden sein.«

»Im Augenblick«, rief der Marqueur und setzte sich in Eil- schritt. »Das Zimmer, Numero siebenundzwanzig, mein Gott, es liegt über zwei Treppen. Sie sind bequem, unsere Treppen, wie Frau Hofrätin bemerken, aber hätten wir geahnt . . . Es hätte sich zweifelsohne trotz unserer Besetztheit . . . Immer- hin, das Zimmer ist ansehnlich, es blickt vornheraus auf den Markt und dürfte nicht mißfallen. Noch kürzlich haben Herr und Frau Major von Egloffstein aus Halle dort logiert, als sie zu Besuch ihrer Frau Tante, der Frau Oberkammerherrin gleichen Namens, hier weilten. Oktober dreizehn hatte es ein Generaladjutant Seiner Kaiserlichen Hoheit des Großfürsten Konstantin inne. Das ist gewissermaßen eine historische Er- innerung . . . Aber, du mein Gott, was rede ich von historischen Erinnerungen, die für einen Menschen von Senti- ment nicht im mindesten den Vergleich aushalten mit . . . Nur wenige Schritte noch, Frau Hofrätin! Von der Treppe sind es nur noch ganz wenige Schritte diesen Korridor entlang. Alles frisch geweißt, wie Frau Hofrätin sehen. Wir haben seit Ende dreizehn, nach dem Besuch der Don'schen Kosaken, durchgehend renovieren müssen, Treppen, Zimmer, Gänge und Conversationsräumlichkeiten, was vielleicht längst überfällig gewesen wäre. Nur haben die wilden Gewaltsamkeiten des Weltgeschehens es erzwungen, woraus die Lehre zu ziehen sein möchte, daß die Erneuerungen des Lebens vielleicht nicht ohne kräftig nachhelfende Gewaltsamkeit zustande kommen. Ich will übrigens nicht ausschließlich den Kosaken das Verdienst an unserer Erfrischung zuschreiben. Wir hatten auch Preußen und ungarische Husaren im Hause, von den vorangegangenen Franzosen zu schweigen ... Wir sind am Ziel. Wenn ich Frau Hofrätin bitten dürfte!«

Er beugte sich, Einlaß gewährend, mit der Tür, die er angelweit öffnete, in das Zimmer hinein. Die Augen der Frauen streiften in flüchtiger Prüfung die gestärkten Mullvorhänge der beiden Fenster, den goldgerahmten und freilich etwas blindfleckigen Konsolenspiegel zwischen ihnen, die weißgedeckten Betten, die einen kleinen gemeinsamen Himmel hatten, die übrigen Bequemlichkeiten. Ein Kupferstich, landschaftlich, mit antikem Tempel, schmückte die Wand. Der Fußboden glänzte reinlich geölt.

»Recht artig«, sagte die Hofrätin.

»Wie glücklich wären wir, wenn die Damen sich hier leidlich zu behagen vermöchten! Sollte irgend etwas mangeln, – hier ist der Glockenzug. Daß ich für heißes Wasser sorge, versteht sich am Rande. Wir wären so überaus beglückt, wenn wir die Zufriedenheit der Frau Hofrätin ...«

»Aber ja doch, mein Lieber. Wir sind einfache Leute und unverwöhnt. Habt Dank, guter Mann«, sagte sie zu dem Hausknecht, der seine Last auf den Gurtbock, den Estrich abgesetzt hatte und sich entfernte. »Und Dank auch Ihnen, mein Freund«, wandte sie sich mit entlassendem Kopfnicken an den Kellner. »Wir sind versorgt und versehen und möchten uns nun wohl ein wenig ...«

Aber Mager stand unbeweglich, die Finger ineinanderge-
schlungen, die rötlichen Augen in die Züge der alten Dame
versenkt.

»Großer Gott«, sagte er, »Frau Hofrätin, welch buchens-
wertes Ereignis! Frau Hofrätin verstehen vielleicht nicht ganz
die Empfindungen eines Menschen von Herz, dem unverhofft
und wider alles Vermuten ein solches Evenement mit seinen
ergreifenden Perspectiven ... Frau Hofrätin sind sozusagen
gewöhnt an die Verhältnisse und an Dero uns allen heilige
Identität, Dieselben nehmen die Sache möglicherweise leger
und alltäglich und ermessen nicht ganz, wie es einer fühlenden, von jung auf literärischen Seele, die sich dessen nicht im
geringsten versah, zu Mute sein muß bei der Bekanntschaft –
wenn ich so sagen darf – ich bitte um Entschuldigung –, bei
der Begegnung mit einer vom Schimmer der Poesie umflosse-
nen und gleichsam auf feurigen Armen zum Himmel ewigen
Ruhms emporgetragenen Persönlichkeit ...«

»Mein guter Freund«, erwiderte die Hofrätin mit lächelnder Abwehr, obgleich man das nickende Zittern ihres Kopfes,
das bei den Worten des Kellners wieder auffallend geworden
war, als Zustimmung hätte deuten können. (Die Zofe stand
hinter ihr und sah dem Manne mit amüsierter Neugier in das
fast zu Tränen bewegte Gesicht, während die Tochter sich mit
ostensibler Gleichgültigkeit im tieferen Zimmer mit dem Gepäck zu schaffen machte.) »Mein guter Freund, ich bin eine
einfache alte Frau ohne Ansprüche, ein Mensch wie andere
mehr; Sie aber haben eine so ungemeine, gehobene Art, sich
auszudrücken ...«

»Mein Name ist Mager«, sagte der Kellner gleichsam zur
Erläuterung. Er sagte »Mahcher« nach seiner mitteldeutsch
weichen Sprechweise; der Laut hatte etwas Bittendes und
Rührendes. »Ich bin, wenn es nicht überheblich klingt, das
Factotum in diesem Haus, die rechte Hand, wie man es zu
nennen pflegt, Frau Elmenreichs, der Besitzerin des Gasthofs,
– sie ist Witwe, schon seit Jahren, Herr Elmenreich ist ja
leider anno sechs unter tragischen Umständen, die nicht hier-

her gehören, dem Weltgeschehen zum Opfer gefallen. In meiner Stellung, Frau Hofrätin, und nun gar in Zeiten, wie unsere Stadt sie durchlebt hat, kommt man mit vielerlei Menschen in Berührung, es zieht so manche bedeutende Erscheinung, bedeutend durch Geburt oder Verdienst, an einem vorüber, und eine gewisse Abgebrühtheit, natürlicherweise, greift Platz gegen die Berührung mit hochgestellten, ins Weltgeschehen verflochtenen Personen und Trägern respecteinflößender, die Einbildungskraft aufregender Namen. So ist es, Frau Hofrätin. Allein, diese berufliche Verwöhntheit und Abgestumpftheit, – wo ist sie nun! In meinem Leben nicht, das darf ich bekennen, hat ein Empfang und eine Bedienung mir obgelegen, die mir Herz und Geist bewegt hätte wie die heutige, wahrhaft buchenswerte. Denn wie es dem Menschen ergeht, – es war mir bekannt, daß das verehrungswürdige Frauenzimmer, das Urbild jener ewig lieblichen Gestalt, unter den Lebenden verweilte, und zwar in der Stadt Hannover –, ich werde jetzt wohl gewahr, daß ich es wußte. Allein dies Wissen hatte keine Wirklichkeit für mich, und nie habe ich mir die Möglichkeit beikommen lassen, diesem geheiligten Wesen irgendeinmal von Angesicht zu Angesicht gegenüberzustehen. Ich habe es mir einfach nicht träumen lassen. Als ich diesen Morgen – es ist wenige Stunden her – erwachte, war ich überzeugt, daß es sich um einen Tag handle wie hundert andere, einen Tag durchschnittlichen Gepräges, angefüllt mit den gewöhnlichen und geläufigen Functionen meines Berufes im Flur und bei Tafel. Meine Frau – ich bin verheiratet, Frau Hofrätin, Madame Mager ist in obgeordneter Stellung in der Küche tätig – meine Frau wird bekunden können, daß ich kein Zeichen einer Vorahnung von irgend etwas Außerordentlichem gegeben habe. Ich dachte nicht anders, als daß ich mich heute abend als derselbe Mann wieder zu Bette legen würde, als der ich aufgestanden. Und nun! Unverhofft – kommt oft. Wie recht hat der Volksmund mit dieser schlichten Weltbemerkung! Frau Hofrätin werden meine Wallung verzeihen und auch meine möglicherweise unstatthafte Red-

seligkeit. Wes das Herz voll ist, des geht der Mund über,
sagt der Volksmund in seiner nicht weiter literärischen und
doch so treffenden Art. Wenn Frau Hofrätin die Liebe und
Verehrung kennten, die ich sozusagen von Kindesbeinen für
unseren Dichterfürsten, den großen Goethe, hege, und meinen Stolz als Weimarer Bürger darauf, daß wir diesen erhabenen Mann den Unsrigen nennen ... Wenn Dieselben
wüßten, was insbesondere gerade des jungen Werthers Leiden
diesem Herzen von jeher ... Aber ich schweige, Frau Hofrätin, ich weiß wohl, es kommt mir nicht zu, – wenngleich ja
die Wahrheit ist, daß ein so sentimentalisches Werk wie dieses allen Menschen gehört und hoch und niedrig mit den innigsten Wallungen beschenkt, während allerdings auf Producte
wie ,Iphigenia' und die ,Natürliche Tochter' vielleicht nur
die höheren Schichten Prätensionen mögen machen dürfen.
Wenn ich denke, wie oft Madame Mager und ich uns zusammen bei der Abendkerze mit zerflossenen Seelen über
diese himmlischen Blätter gebückt haben, und mir in einem
damit klarmache, daß in diesem Augenblick die weltberühmte
und unsterbliche Heldin derselben mir in voller Leiblichkeit,
als ein Mensch wie ich ... Ums Himmels willen, Frau Hofrätin!« rief er und schlug sich mit der Hand vor die Stirn.
»Ich rede und rede, und jählings schießt es mir ein siedend
heiß, daß ich ja noch nicht einmal gefragt habe, ob Frau Hofrätin denn überhaupt schon Kaffee getrunken haben!«

  »Danke, mein Freund«, erwiderte die alte Dame, die dem
Erguß des Biedermannes verhaltenen Blickes und dabei mit
leicht zuckendem Munde zugehört hatte. »Wir haben das zeitig getan. Im übrigen, mein lieber Herr Mager, gehen Sie
viel zu weit bei Ihren Gleichsetzungen und übertreiben gewaltig, wenn Sie mich oder auch nur das junge Ding, das ich
einmal war, einfach mit der Heldin jenes vielbeschrienen
Büchleins verwechseln. Sie sind der erste nicht, den ich darauf
hinweisen muß; ich predige es vielmehr seit vierundvierzig
Jahren. Jene Romanfigur, die freilich ein so ausgebreitetes
Leben, eine so entschiedene und gefeierte Wirklichkeit ge-

wonnen hat, daß Einer kommen und sagen könnte, sie sei die
Eigentliche und Wahre von uns beiden, was ich mir aber denn
doch verbitten wollte, – dies Mädchen unterscheidet sich gar
sehr von meinem einstigen Selbst, – mein gegenwärtiges ganz
bei Seite zu lassen. So sieht ja ein jeder, daß ich blaue Augen
habe, während Werthers Lotte bekanntlich schwarzäugig ist.«

»Eine dichterische Licenz!« rief Mager. »Man müßte ja
nicht wissen, was das ist, – ein dichterische Licenz! Und sie
vermag doch, Frau Hofrätin, von der waltenden Identität
kein Titelchen abzudingen! Möge der Dichter sich ihrer zum
Zweck eines gewissen cache-cache bedient haben, um ein
wenig die Spur zu verwischen . . .«

»Nein«, sagte die Hofrätin mit abweisendem Kopfschütteln, »die schwarzen Augen kommen woanders her.«

»Und wenn auch!« eiferte Mager. »Sei es auch so, daß diese
Identität durch solche winzigen Abweichungen ein wenig ab-
geschwächt wird . . .«

»Es gibt viel größere«, schaltete die Hofrätin nachdrücklich
ein.

»– so bleibt doch völlig unangetastet die andere, mit jener
sich überkreuzende und von ihr untrennbare, – die Identität
mit sich selbst, will sagen: mit jener ebenfalls legendären Person, von welcher der große Mann uns noch kürzlich in seinen
Erinnerungen ein so innig Bildnis gemacht hat, und wenn
Frau Hofrätin nicht bis aufs letzte Titelchen die Lotte Werthers sind, so sind Sie doch aufs Haar und ohne jeden Abzug
die Lotte Goe –«

»Mein Wertester«, sagte die Hofrätin Einhalt gebietend.
»Es hat einigen Aufenthalt gegeben, bis Sie die Freundlichkeit hatten, uns unser Zimmer zu zeigen. Es entgeht Ihnen
offenbar, daß Sie uns jetzo hindern, davon Besitz zu nehmen.«

»Frau Hofrätin«, bat der Kellner des ‚Elephanten‘ mit
gefalteten Händen, »vergeben Sie mir! Vergeben Sie einem
Manne, der . . . mein Benehmen ist unverzeihlich, ich weiß es,
und dennoch bitte ich um Ihre Absolution. Ich werde durch
meine sofortige Entfernung . . . Es reißt mich ja«, sagte er,

»es reißt mich ja ohnedies, von aller Rücksicht und Schicklichkeit abgesehen, längst von hier dahin und dorthin; denn wenn
ich denke, daß Frau Elmenreich bis zu diesem Augenblick
sicher noch keine Ahnung hat, da sie bis jetzt wohl kaum einen
Blick auf die Gästetafel geworfen und selbst ein solcher vielleicht ihrem schlichten Sinn ... Und Madame Mager, Frau
Hofrätin! Wie reißt es mich längst zu ihr in die Küche, um
ihr die große städtische und literärische Neuigkeit brüh-
heiß ... Dennoch, Frau Hofrätin, und gerade um die herz-
bewegende Neuigkeit zu vervollständigen, wage ich es, um
Vergebung zu bitten für noch eine einzige Frage ... Vierundvierzig Jahre! Und Frau Hofrätin haben den Herrn Geheimen Rat in diesen vierundvierzig Jahren nicht wiedergesehen?«

»So ist es, mein Freund«, antwortete sie. »Ich kenne den
jungen Rechtspraktikanten Doktor Goethe aus der Gewands-
gasse zu Wetzlar. Den Weimarischen Staatsminister, den großen Dichter Deutschlands habe ich nie mit Augen gesehen.«

»Es übernimmt einen!« hauchte Mager. »Es übernimmt den
Menschen, Frau Hofrätin! Und so sind denn Frau Hofrätin
nun also nach Weimar gekommen, um –«

»Ich bin«, unterbrach ihn die alte Dame etwas von oben,
»nach Weimar gekommen, um nach vielen Jahren meine
Schwester, die Kammerrätin Ridel, wiederzusehen und ihr
auch meine Tochter Charlotte zu bringen, die aus dem Elsaß,
wo sie lebt, zu Besuch bei mir ist und mich auf dieser
Reise begleitet. Mit meiner Jungfer sind wir zu dritt, – wir
können meiner Schwester, die selbst Familie hat, nicht als
Logiergäste zur Last fallen. So sind wir im Gasthofe abgestiegen, werden aber schon zu Tische bei unseren Lieben sein.
Ist Er's zufrieden?«

»Wie sehr, Frau Hofrätin, wie sehr! – Obgleich wir auf
diese Weise darum kommen, die Damen an unserer Table
d'hôte ... Herr und Frau Kammerrat Ridel, Esplanade sechs,
– o, ich weiß. Die Frau Kammerrätin ist also eine geborene –
aber ich wußte es ja! Die Verhältnisse und die Beziehungen

waren mir ja bekannt, nur daß ich sie mir nicht gegenwärtig ... Du Grundgütiger, die Frau Kammerrätin befand sich
also unter jener Kinderschar, die Frau Hofrätin im Vorsaal
des Jagdhauses umdrängten, als Werther zum ersten Male
dort eintrat, und die ihre Händchen nach dem Vesperbrot
streckten, welches Frau Hofrätin ...«

»Mein lieber Freund«, fiel Charlotte ihm wieder ins Wort,
»es gab keine Hofrätin in jenem Jagdhause. Bevor Sie nun
auch unserm Klärchen, das darauf wartet, gefälligst ihr Käm-
merlein zeigen, sagen Sie uns lieber: ist es weit von hier nach
der Esplanade?«

»Nicht im geringsten, Frau Hofrätin. Eine Kleinigkeit von
einem Wege. Bei uns in Weimar gibt es dergleichen wie weite
Wege nicht; unsere Größe beruht im Geistigen. Ich selbst bin
mit Freuden erbötig, die Damen vor das Haus der Frau
Kammerrätin zu geleiten, wenn Dieselben nicht vorziehen,
sich einer Mietskutsche oder Portechaise zu bedienen, woran
es in unserer Residenz nicht mangelt ... Aber noch eins, Frau
Hofrätin, nur dieses eine noch! Nicht wahr, wenn auch Frau
Hofrätin in erster Linie zu Besuch von Dero Frau Schwester
nach Weimar gekommen sind, so werden Frau Hofrätin doch
zweifellos Gelegenheit nehmen, auch am Frauenplan –«

»Das findet sich, mein Lieber, das findet sich! Mach' Er
nun, und bring' Er die Mamsell hier in dem ihren unter, denn
ich werde sie baldigst brauchen.«

»Ja, und sag' Er mir unterwegs«, zwitscherte die Kleine,
»wo der Mann wohnt, der den herrlichen ‚Rinaldo' geschrieben hat, das touchante Romanbuch, das ich wohl schon fünf
Mal verschlungen, und ob man ihm wohl, wenn man Glück
hat, auf der Straße begegnen kann!«

»Soll geschehen, Mamsell, soll gern geschehen«, erwiderte
Mager zerstreut, indem er sich mit ihr zur Tür wandte. Aber
hier tat er sich noch einmal Einhalt, stemmte bremsend ein
Bein auf den Boden und hielt der Balance halber das andere
in die Luft.

»Auf ein Wort noch, Frau Hofrätin!« bat er. »Auf ein

einzig letztes und rasch zu beantwortendes Wörtchen! Frau
Hofrätin müssen begreifen – Man steht unverhofft vor dem
Urbilde, es ist einem beschieden, an der Quelle selbst – man
muß es wahrnehmen, man darf es nicht ungenützt – Frau
Hofrätin, nicht wahr, jenes letzte Gespräch vor Werthers
Abreise, jene herzaufwühlende Scene zu dritt, wo von der
seligen Mutter die Rede war und von der Todestrennung und
Werther Lottens Hand festhält und ausruft: Wir werden uns
wiedersehen, uns finden, unter allen Gestalten werden wir
uns erkennen! – nicht wahr, sie beruht auf Wahrheit, der
Herr Geheime Rat hat's nicht erfunden, es hat sich wirklich
so zugetragen?!«

»Ja und nein, mein Freund, ja und nein«, sagte die Bedrängte gütig, mit zitterndem Kopfe. »Geh' Er nun! Geh' Er!«
Und der Aufgeregte enteilte mit Klärchen, dem Kätzchen.

Charlotte seufzte tief auf, indem sie sich des Hutes entledigte. Ihre Tochter, die während des vorangegangenen Gespräches beschäftigt gewesen war, ihre und ihrer Mutter Kleider ins Spind zu hängen und den Inhalt der Necessaires auf
dem Toilettetisch, den Simsen der Waschtischchen zu verteilen, blickte spöttisch zu ihr hinüber.

»Da hast du«, sagte sie, »deinen Stern entblößt. Der Effect
war nicht übel.«

»Ach Kind«, erwiderte die Mutter, »was du meinen Stern
nennst, und was mehr ein Kreuz ist, wobei es ja immerhin
ein Orden bleiben mag, – der kommt zum Vorschein ohne
mein Zutun, ich kann's nicht hindern und ihn nicht verbergen.«

»Ein wenig länger, liebe Mama, wenn nicht für die ganze
Dauer dieses etwas extravaganten Aufenthaltes, hätte er
allenfalls verhüllt bleiben können, wenn wir doch lieber bei
Tante Amalie logiert hätten anstatt im öffentlichen Gasthofe.«

»Du weißt sehr gut, Lottchen, daß das nicht anging. Dein
Onkel, deine Tante und deine Cousinen haben keinen Überfluß an Raum, ob sie auch – oder eben weil sie – in vornehmer Gegend wohnen. Es war unmöglich, ihnen zu drei Per-

sonen ins Haus zu fallen und sie, sei es auch nur für einige
Tage, zum unbehaglichen Zusammenrücken zu nötigen. Dein
Onkel Ridel hat sein Auskommen als Beamter, aber es haben
ihn schwere Schläge getroffen, anno sechs hat er alles verloren,
er ist kein reicher Mann, und es würde sich keineswegs für uns
ziemen, ihm auf der Tasche zu liegen. Daß es mich aber verlangt, meine jüngste Schwester, unsere Mali, endlich einmal
wieder in die Arme zu schließen und mich des Glückes zu
freuen, das sie an der Seite ihres wackeren Mannes genießt,
wer will mir das verargen? Vergiß nicht, daß ich mich diesen
lieben Verwandten vielleicht sehr nützlich erweisen kann.
Dein Onkel macht sich Hoffnungen auf den Posten eines
großherzoglichen Kammerdirectors, – durch meine Verbindungen und alten Freundschaften kann ich möglicherweise
hier an Ort und Stelle seine Wünsche wirksam befördern.
Und ist nicht der Augenblick, wo du, mein Kind, nach zehnjähriger Trennung wieder einmal an meiner Seite bist und
mich begleiten kannst, der allergeschickteste für diese Besuchs-
reise? Soll das eigentümliche Schicksal, das mir zuteil geworden, mich hindern dürfen, den rechtmäßigsten Trieben meines Herzens zu folgen?«

»Gewiß nicht, Mama, gewiß nicht.«

»Wer konnte auch denken«, fuhr die Hofrätin fort, »daß
wir sogleich würden einem solchen Enthusiasten in die Arme
laufen wie diesem Ganymedes im Backenbart? Da beklagt sich
der Goethe in seinen Memoires über die Plage, die er immerfort mit der Neugier der Leute gehabt, welches die rechte
Lotte denn sei und wo sie wohne, und daß er sich vor dem
Zudrang durch kein Incognito habe schützen können, – eine
wahre Pönitenz nennt er's, glaub' ich, und meint, wenn er
sich denn versündigt habe mit seinem Büchlein, so hab' er die
Sünde büßen müssen gründlich und über Gebühr. Aber da
sieht man's, daß die Männer – und die Poeten nun gar – nur
an sich denken; denn er bedenkt nicht, daß wir die Neugiers-
not auch noch auszustehen haben wie er, zu allem andern
dazu, was er uns angetan, deinem guten seligen Vater und

mir, mit seiner heillosen Vermischung von Dichtung und
Wahrheit . . .«

»Von schwarzen und blauen Augen.«

»Wer den Schaden hat, braucht für den Spott nicht zu
sorgen, am wenigsten für den seines Lottchens. Mußt' ich's
dem tollen Menschen doch verweisen, daß er mich so geradehin, wie ich da leibe und lebe, für Werthers Lotte nähme.«

»Er war impertinent genug, dich über die Unstimmigkeit
damit zu trösten, daß er dich Goethe's Lotte nannte.«

»Auch das, mein' ich wohl, habe ich ihm nicht durchgehen
lassen, sondern es ihm mit unverhohlenem Unwillen verwiesen. – Ich müßte dich nicht kennen, mein Kind, um nicht
zu fühlen, daß ich nach deiner strengeren Gesinnung den
Mann von Anbeginn hätte kürzer im Zügel halten sollen.
Aber sage mir, wie? Indem ich mich verleugnete? Indem ich
ihn bedeutete, daß ich von mir und meinen Bewandtnissen
nicht wissen wolle? Aber hab' ich auch ein Verfügungsrecht
über diese Bewandtnisse, die nun einmal der Welt gehören? –
Du, mein Kind, bist eine so andere Natur als ich, – laß mich
hinzufügen, daß das meine Liebe zu dir um kein Quentchen
mindert. Du bist nicht das, was man leutselig nennt, – und
was sich von Opferwilligkeit, von der Bereitschaft, sein
Leben für andre hinzugeben, noch gar sehr unterscheidet.
Sogar schien es mir oft, als ob ein Leben des Opfers und des
Dienstes an anderen eine gewisse Herbigkeit, ja, sagen wir
ohne Lob und Tadel, oder selbst mit mehr Lob als Tadel:
eine gewisse Härte zeitigte, die die Leutseligkeit wenig beför-
dert. Du kannst, mein Kind, an meiner Achtung vor deinem
Charakter so wenig als an meiner Liebe zweifeln. Seit zehn
Jahren bist du im Elsaß der gute Engel deines armen, lieben
Bruders Carl, der seine junge Frau und ein Bein verlor – ein
Unglück kömmt selten allein. Was wäre er ohne dich, mein
armer, heimgesuchter Junge! Du bist ihm Pflegerin, Helferin,
Hausfrau und Waisenmutter den Kindern. Dein Leben ist
Arbeit und selbstloser Liebesdienst, – wie hätte nicht sollen
ein Zug von Ernst sich darin eingraben, der müßiger Fühlsam-

keit widersteht, bei sich und andern. Du hältst von Ächtheit
mehr als von Interessantheit – wie tust du recht daran! Die
Beziehungen zur großen Welt der Leidenschaften und des
schönen Geistes, die unser Teil geworden sind –«

»Unser? Ich unterhalte solche Beziehungen nicht.«

»Mein Kind, die werden uns bleiben und unserm Namen
anhaften bis ins dritte und vierte Glied, ob's uns lieb ist oder
leid. Und wenn warmherzige Menschen uns anliegen um
ihretwillen, begeisterte oder auch nur neugierige – denn wo
ist da die Grenze zu ziehen –, haben wir ein Recht, mit uns
zu geizen und die Inständigen schnöde zurückzustoßen? Sieh,
hier ist der Unterschied zwischen unseren Naturen. Auch mein
Leben war ernst, und an Verzicht hat's ihm nicht ganz gefehlt. Ich war deinem teuren, unvergeßlichen Vater, glaube
ich, eine gute Frau, ich habe ihm elf Kinder geboren und
neune aufgezogen zu ehrbaren Menschen, denn zwei mußt'
ich hingeben. Auch ich habe Opfer gebracht, in Tun und Leiden. Aber die Leutseligkeit oder die Gutmütigkeit, wie du es
tadelnd nennen magst, hat mir das nicht verkümmert, des
Lebens Härte hat mich nicht hart gemacht, und so einem
Mager den Rücken zu drehen und ihm zu sagen: ‚Narre,
laß Er mich in Ruh'!' – ich bring' es nun einmal nicht über
mich.«

»Du sprichst genau«, erwiderte Lotte, die Jüngere, »liebe
Mama, als hätte ich dir einen Vorwurf gemacht und mich un-
kindlich vor dir überhoben. Ich habe ja gar den Mund nicht
aufgetan. Ich ärgere mich, wenn die Leute deine Güte und
Geduld auf so harte Proben stellen, wie die eben bestandene,
und dich erschöpfen mit ihrer Aufregung – willst du mir den
Ärger verargen? – Dies Kleid hier«, sagte sie und hielt eine
eben dem Gepäck der Mutter entnommene Robe, weiß, mit
Schleifen, mit blaßroten Schleifen geziert, in die Höhe,
»sollte man es nicht doch ein wenig aufplätten, bevor du es
etwa anlegst? Es ist arg zerdrückt.«

Die Hofrätin errötete, was sie gut und rührend kleidete.
Es verjüngte sie merkwürdigerweise, veränderte ihr Gesicht

ins Lieblich-Jungmädchenhafte: man glaubte auf einmal zu erkennen, wie es mit zwanzig Jahren ausgesehen hatte; die zart blickenden blauen Augen unter den ebenmäßig gewölbten Brauen, das fein gebogene Näschen, der angenehme kleine Mund gewannen in dem Licht, der rosigen Tönung dieses Errötens für einige Sekunden den reizenden Sinn zurück, den sie einst besessen; des Amtmanns wackeres Töchterchen, die Mutter seiner Kleinen, die Ballfee von Volpertshausen trat unter diesem Alt-Damen-Erröten überraschend noch einmal hervor.

Da Madame Kestner ihren schwarzen Umhang abgelegt hatte, stand sie in einem Kleide da, ebenso weiß wie das freilich gesellschaftlichere, das man ihr vorzeigte. Sie trug bei wärmerer Jahreszeit (und die Witterung war noch sommerlich) aus eigentümlicher Liebhaberei stets weiße Kleider. Dasjenige aber in der Hand ihrer Tochter wies blaßrote Schleifen auf.

Unwillkürlich hatten beide sich abgewandt, die Ältere, wie es schien, von dem Kleide, die Junge von dem Erröten der Mutter, das ihr um seiner Holdheit und seiner verjüngenden Wirkung willen peinlich war.

»Nicht doch«, antwortete die Hofrätin auf den Vorschlag Charlottens. »Machen wir keine Umstände! Diese Art Crêpe hängt sich im Schranke rasch wieder zurecht, und wer weiß denn auch, ob ich überhaupt dazu komme, das Fähnchen zu tragen.«

»Warum solltest du nicht«, sagte die Tochter, »und wozu sonst hättest du es mitgebracht? Aber eben weil du es gewiß bei einer und der anderen Gelegenheit anlegen wirst, laß mich, liebe Mama, auf meine bescheidene Frage zurückkommen, ob du dich nicht doch noch entschließen solltest, die ein wenig lichten Brust- und Ärmelschleifen durch etwas dunklere, sagen wir: solche in schönem Lila, zu ersetzen. Es wäre so rasch getan . . .«

»Ach, höre doch auf, Lottchen!« versetzte die Hofrätin mit einiger Ungeduld. »Du verstehst, mein Kind, auch gar keinen

Spaß. Ich möchte wissen, warum du mir durchaus den kleinen sinnigen Scherz, die zarte Anspielung und Aufmerksamkeit verwehren willst, die ich mir ausgedacht habe. Laß dir sagen, daß ich tatsächlich wenig Menschen kenne, die des Sinnes für Humor so sehr entbehren wie du.«

»Man sollte bei niemandem«, erwiderte die Tochter, »den man nicht kennt oder nicht mehr kennt, diesen Sinn ohne weiteres voraussetzen.«

Charlotte, die Ältere, wollte noch etwas zurückgeben, aber ihr Gespräch wurde durch die Rückkunft Klärchens unterbrochen, die heißes Wasser brachte und munter berichtete, die Jungfer der Frau Gräfin Larisch droben sei gar kein uneben Ding, mit der sie sich wohl stellen wolle, und außerdem habe der komische Herr Mager ihr fest versprochen, daß sie den Bibliothekar Vulpius, welcher den herrlichen ,Rinaldo' verfaßt habe und der übrigens ein Schwager des Herrn von Goethe sei, unbedingt zu sehen bekommen solle: wenn er zu Amte gehe, wolle er ihn ihr zeigen, und sogar sein Söhnchen, das nach dem Helden des berühmten Romans Rinaldo heiße, werde sie auf dem Schulwege beobachten können.

»Alles gut«, sagte die Hofrätin, »aber es ist hoch an der Zeit, daß ihr beide euch nun, du, Lottchen, in Klärchens Begleitung, nach der Esplanade zu Tante Amalie aufmacht, ihr unsere Ankunft zu melden. Sie ist sich ihrer wohl noch gar nicht vermutend und erwartet sie erst für den Nachmittag oder Abend, weil sie annimmt, wir hätten uns in Gotha bei Liebenaus verweilt, da wir den Aufenthalt für diesmal doch übersprangen. Geh, Kind, laß Klärchen den Weg erfragen, küß mir im voraus die liebe Tante und freunde dich unterdessen schon mit den Cousinen an. Ich alte Frau muß mich nun unbedingt erst einmal eine Stunde oder zweie aufs Bett legen und folge euch, sobald ich mich etwas erquickt.«

Sie küßte die Tochter wie zur Versöhnung, bedankte mit einem Winken den Abschiedsknicks des Zöfchens und sah sich allein. Auf dem Spiegeltisch gab es Tinte und Federn. Sie setzte sich, nahm ein Blättchen, tauchte ein und schrieb mit

eilender Hand und leicht zitterndem Kopfe die vorbereiteten
Worte:

»Verehrter Freund! Zu Besuch meiner Schwester mit
meiner Tochter Charlotte auf einige Tage in Ihrer Stadt, ist
es mein Wunsch, Ihnen mein Kind zuzuführen, wie es mich
denn freuen würde, wieder in ein Antlitz zu blicken, das,
während wir beide, ein jeder nach seinem Maße, das Leben
bestanden, der Welt so bedeutend geworden ist. – Weimar,
Hôtel zum Elephanten, den 22. September 16. – Charlotte
Kestner geb. Buff.«

Sie gab Streusand, ließ ablaufen, faltete das Blatt, indem
sie geschickt die gefalzten Enden ineinander schob, und
schrieb die Adresse. Dann zog sie die Klingel.

Zweites Kapitel

Charlotte fand lange die Ruhe nicht, die – sie wohl nicht
einmal aufrichtig suchte. Zwar verhüllte sie, nachdem sie die
oberen Kleider abgelegt und sich, mit einem Plaid bedeckt,
auf einem der Betten unter dem kleinen Mullhimmel ausgestreckt hatte, ihre Augen gegen die Helligkeit der Fenster,
die ohne dunklere Vorhänge waren, mit einem Schnupftuch
und hielt darunter die Lider geschlossen. Dabei aber trachtete
sie nach ihren Gedanken, die ihr das Herz klopfen machten,
mehr als nach dem vernünftigerweise wünschenswerten
Schlummer, und dies um so entschiedener, als sie diese Un-
weisheit als jugendlich, als Beweis und Merkmal innerster Un-
verwüstlichkeit, Unveränderlichkeit durch die Jahre empfand
und sich mit heimlichem Lächeln darin gefiel. Was jemand ihr
einst geschrieben, auf einem Abschiedszettel: »Und ich, liebe
Lotte, bin glücklich, in Ihren Augen zu lesen, Sie glauben, ich
werde mich nie verändern –«, ist der Glaube unserer Jugend,
von dem wir im Grunde niemals lassen, und daß er Stich gehalten habe, daß wir immer dieselben geblieben, daß Altwer-

den ein Körperlich-Äußerliches sei und nichts vermöge über die Beständigkeit unseres Innersten, dieses närrischen, durch die Jahrzehnte hindurchgeführten Ich, ist eine Beobachtung, die anzustellen unseren höheren Tagen nicht mißfällt, – sie ist das heiterverschämte Geheimnis unserer Alterswürde. Man war eine sogenannte alte Frau, nannte sich spöttisch auch selber so und reiste mit einer neunundzwanzigjährigen Tochter, die noch dazu das neunte Kind war, das man dem Gatten geboren. Aber man lag hier und hatte Herzklopfen genau wie als Schulmädel vor einem tollen Streich. Charlotte stellte sich Betrachter vor, die das reizend gefunden hätten.

Wer lieber nicht vorzustellen war als Beobachter dieser Herzensbewegung, war Lottchen, die Jüngere. Trotz dem Versöhnungskuß hörte die Mutter nicht auf, ihr zu zürnen der »humorlosen« Kritik wegen, die sie an dem Kleide, den Schleifen geübt, und die im Grunde dieser ganzen, so würdignatürlich zu begründenden und dennoch von ihr als »extravagant« beurteilten Reise galt. Es ist unangenehm, jemanden auf Reisen zu führen, der zu scharfblickend ist, um zu glauben, daß man seinetwegen reist, sondern sich als vorgeschoben erachtet. Denn ein unangenehmer, ein kränkender Scharfblick ist das, ein Scheelblick vielmehr, der von den verschlungenen Motiven einer Handlung nur die zart verschwiegenen sieht und nur diese wahrhaben will, die präsentablen und sagbaren aber, so ehrenwert sie seien, als Vorwände verspottet. Charlotte empfand mit Groll das Beleidigende solcher, ja vielleicht aller Seelenkunde und hatte nichts andres im Sinn gehabt, als sie der Tochter Mangel an Leutseligkeit vorgehalten.

Haben denn sie, die Scharfblickenden, dachte sie, nichts zu fürchten? Wie, wenn man den Spieß umkehrte und die Motive ihres Spürsinns zu Tage zöge, die sich vielleicht nicht ganz in Wahrheitsliebe erschöpfen? Lottchens ablehnende Kälte, – nun, auch sie mochte ein boshafter Scharfblick durchschauen, auch sie bot zu Einblicken Anlaß, und nicht zu sonderlich gewinnenden. Erlebnisse, wie sie ihr, der Mutter, zuteil geworden, waren diesem hochachtenswerten Kinde nun

einmal nicht beschieden gewesen, noch würden sie ihm seiner
Natur nach je beschieden sein: ein Erlebnis wie das berühmte
zu dritt, welches so fröhlich, so friedlich begonnen hatte, dann
aber dank der Tollheit des einen Teiles ins Quälend-Ver-
wirrende ausgeartet und zu einer großen, redlich überwun-
denen Versuchung für ein wohlschaffen Herz geworden war,
– um eines Tages, o stolzes Entsetzen, aller Welt kundzu-
werden, ins Überwirkliche aufzusteigen, ein höheres Leben
zu gewinnen und so die Menschen aufzuwühlen und zu verwirren wie einst ein Mädchenherz, ja, eine Welt in ein oft
gefährlich gescholtenes Entzücken zu versetzen.

Kinder sind hart und unduldsam, dachte Charlotte, gegen
das Eigenleben der Mutter: aus einer egoistisch verbietenden
Pietät, die fähig ist, aus Liebe Lieblosigkeit zu machen, und
die nicht löblicher wird, wenn einfach weiblicher Neid sich
darein mischt, – Neid auf ein mütterliches Herzensabenteuer,
der sich als spöttischer Widerwille gegen die weitläufigen
Ruhmesfolgen des Abenteuers verkleidet. Nein, das gestrenge
Lottchen hatte so furchtbar Schönes und schuldhaft Todsüßes
nie erfahren wie ihre Mutter an dem Abend, als der Mann
in Geschäften verritten gewesen und Jener gekommen war,
obgleich er vor Weihnachtsabend nicht mehr hatte kommen
sollen; als sie vergeblich zu Freundinnen geschickt und allein
mit ihm hatte bleiben müssen, der ihr aus dem Ossian vorgelesen hatte und beim Schmerze der Helden überwältigt
worden war von seinem eigenen allerdüstersten Jammer; als
der liebe Verzweifelte zu ihren Füßen hingesunken war und
ihre Hände an seine Augen, seine arme Stirn gedrückt hatte,
da denn sie sich von innigstem Mitleid hatte bewegen lassen,
auch seine Hände zu drücken, unversehens ihre glühenden
Wangen sich berührt hatten und die Welt ihnen hatte vergehen wollen unter den wütenden Küssen, mit denen sein
Mund auf einmal ihre stammelnd widerstrebenden Lippen
verbrannt hatte . . .

Da fiel ihr ein, daß sie es auch nicht erfahren hatte. Es war
die große Wirklichkeit, und unterm Tüchlein brachte sie sie

mit der kleinen durcheinander, in der es so stürmisch nicht zugegangen war. Der tolle Junge hatte ihr eben nur einen Kuß geraubt – oder, wenn dieser Ausdruck zu ihrer beider Stimmung von damals nicht passen wollte: er hatte sie von Herzen geküßt, halb Wirbelwind, halb Melancholicus, beim Himbeersammeln, in der Sonne, – sie geküßt rasch und innig, begeistert und zärtlich begierig, und sie hatt' es geschehen lassen. Dann aber hatte sie sich hienieden geradeso vortrefflich benommen wie droben im Schönen, – ja, eben darum durfte sie dort für immer eine so schmerzlich edle Figur machen, weil sie sich hier zu verhalten gewußt hatte, wie auch die pietätvollste Tochter es nur verlangen konnte. Denn es war in aller Herzlichkeit ein wirrer und sinnloser, ein unerlaubter, unzuverlässiger und wie aus einer anderen Welt kommender Kuß gewesen, ein Prinzen- und Vagabundenkuß, für den sie zu schlecht und zu gut war; und hatte der arme Prinz aus Vagabundenland auch Tränen danach in den Augen gehabt und sie ebenfalls, so hatte sie doch in ehrlich untadligem Unwillen zu ihm gesagt: »Pfui, schäm' Er sich! Daß Er sich so etwas nicht noch einmal beikommen läßt, sonst sind wir geschiedene Leute! Dies bleibt nicht zwischen uns, daß Er's weiß. Noch heute sag' ich es Kestnern.« Und wie er auch gebeten hatte, es nicht anzusagen, so hatte sie es doch an dem Tage noch ihrem Guten redlich gemeldet, weil er's wissen mußte: nicht sowohl, daß jener es getan, als daß sie es hatte geschehen lassen; worauf sich denn Albert doch recht peinlich berührt gezeigt hatte und sie im Lauf des Gesprächs, auf Grund ihrer vernünftig-unverbrüchlichen Zusammengehörigkeit, zu dem Beschlusse gelangt waren, den lieben Dritten nun denn doch etwas kürzer zu halten und ihm die wahre Sachlage entschieden bemerklich zu machen.

Unter ihren Lidern sah sie noch heute, nach soviel Jahren, mit erstaunlicher Deutlichkeit die Miene vor sich, die er bei dem überaus trockenen Empfang gemacht, den ihm die Brautleute am Tage nach dem Kuß und namentlich am übernächsten Tage bereitet, als er abends um zehne, da sie mit-

einander vorm Hause saßen, mit Blumen gekommen war, die
so unachtsam waren aufgenommen worden, daß er sie weg-
geworfen und sonderbaren Unsinn peroriert, in Tropen geredet hatte. Er konnte ein merkwürdig langes Gesicht haben
damals unter seinem gepuderten, über den Ohren gerollten
Haar: mit großer, betrübter Nase, dem schmalen Schatten
des Schnurrbärtchens über einem Frauenmündchen und
schwachem Kinn, auch traurig bittenden braunen Augen dazu, klein wirkend gegen die Nase, aber mit auffallend hübschen seidig-schwarzen Brauen darüber.

So hatte er dreingeschaut den dritten Tag nach dem Kuß,
als sie, dem Ratschluß gemäß, ihm in dürren Worten erklärt
hatte, damit er sich danach richte: daß er nie etwas andres
werde zu hoffen haben von ihr als gute Freundschaft. Hatte
er denn das nicht gewußt, – da ihm bei dem klaren Entscheid
geradezu die Wangen eingefallen waren und er so blaß geworden war, daß Augen und Seidenbrauen sich in sehr
dunklem Kontrast aus dieser Blässe hervorgetan hatten? Die
Reisende verbiß ein gerührtes Lächeln unter ihrem Tuch, indem sie sich dieser unvernünftig enttäuschten Kummermiene
erinnerte, von welcher sie Kestnern nachher eine Beschreibung
gemacht, die nicht wenig zu dem Entschluß beigetragen hatte,
dem lieben, närrischen Menschen zum Doppelgeburtstag,
seinem und Kestners, dem verewigten achtundzwanzigsten
August, zusammen mit dem Taschen-Homer die Schleife zu
senden, eine Schleife vom Kleide, damit er auch etwas
habe . . .

Charlotte errötete unter dem Tüchlein, und der Schlag ihres
dreiundsechzigjährigen Schulmädelherzens verstärkte, be-
schleunigte sich wieder. Dies wußte Lottchen, die Jüngere,
noch nicht, daß ihre Mutter in der Sinnigkeit so weit gegangen war, an der Brust des vorbereiteten Kleides, der Nachahmung des Lottekleides, die fehlende Schleife auszusparen.
Sie fehlte, ihr Platz war leer, denn Jener besaß sie, der Ent-
behrende, dem sie sie im Einvernehmen mit ihrem Verlobten
zum Trost hatte zukommen lassen und der das gutmütig ge-

spendete Andenken mit tausend ekstatischen Küssen bedeckt
hatte ... Die Pflegerin Bruder Carls mochte nur kritisch die
Mundwinkel senken, wenn sie diese Einzelheit der mütterlichen Erfindung entdeckte! Zu ihres Vaters Ehren war sie
erdacht worden, des Guten, Getreuen, der einst das Geschenk
nicht nur gebilligt, sondern es selber angeregt und trotz allem,
was auch er um des ungebärdigen Prinzen willen gelitten, mit
seinem Lottchen geweint hatte, als Er auf und davon war, der
ihm beinahe sein Liebstes geraubt.

»Er ist fort«, hatten sie zueinander gesagt, als sie die Zettel
gelesen, gekritzelt nachts und am Morgen: – »Ich lasse Euch
glücklich und gehe nicht aus Euern Herzen ... Adieu, tausendmal adieu!« – »Er ist fort«, sagten sie abwechselnd, und
alle Kinder im Haus gingen wie suchend umher und wiederholten betrübt: »Er ist fort!« Die Tränen waren Lotten gekommen beim Lesen der Zettel, und sie hatte ruhig weinen
dürfen und nichts zu verbergen brauchen vor ihrem Guten;
denn auch ihm waren die Augen feucht gewesen, und nur von
dem Freunde hatte er sprechen mögen den ganzen Tag: was
für ein merkwürdiger Mensch er sei, barock wohl zuweilen
von Wesen, in manchen Stücken nicht angenehm, aber so voller Genie und eigentümlich ergreifender Besonderheit, welche
zum Mitleid bewege, zur Sorge und herzlich geneigten
Verwunderung.

So der Gute. Und wie dankbar hatte sie sich zu ihm gezogen gefühlt, fester als je an seine Seite, weil er so sprach
und es völlig natürlich fand, daß sie weinte um den, der fort
war! Wie sie da lag mit geschützten Augen, erneuerte sich in
dem unruhigen Herzen der Reisenden diese Dankbarkeit in
voller Wärme; ihr Körper bewegte sich, als schmiege sie sich
an eine verläßliche Brust, und ihre Lippen wiederholten die
Worte, die sie damals gesprochen: Es sei ihr lieb, murmelte
sie, daß er fort sei, der von außen gekommene Dritte, da sie
ihm, was er von ihr gewünscht, doch nicht hätte geben können. Das hörte er gern, ihr Albert, der den Vorrang und
höheren natürlichen Glanz des Entschwundenen so stark emp-

funden hatte wie sie, stark bis zum Irrewerden an ihrer beider vernünftig-zielklarem Glücke, und ihr eines Tages in
einem Briefchen das gegebene Wort hatte zurückgeben wollen, daß sie frei wähle zwischen dem Glänzenderen und ihm.
Und sie hatte gewählt – und ob sie gewählt hatte! –, nämlich
wieder nur ihn, den schlicht Ebenbürtigen, den ihr Bestimmten und Zukommenden, ihren Hans Christian: nicht nur,
weil Liebe und Treue stärker gewesen waren als die Versuchung, sondern auch kraft eines tiefgefühlten Schreckens vor
dem Geheimnis im Wesen des Anderen, – vor etwas Unwirk-
lichem und Lebensunzuverlässigem in seiner Natur, das sie
nicht zu nennen gewußt und gewagt hätte und für das sie
erst später ein klagend-selbstanklägerisches Wort gefunden
hatte: »Der Unmensch ohne Zweck und Ruh' ...« Wie
sonderbar nur, daß ein Unmensch so lieb und bieder, ein so
kreuzbraver Junge sein konnte, und daß die Kinder nach ihm
suchten und sich betrübten: »Er ist fort!«

Eine Menge Sommerbilder jener Tage zogen an ihrem
Geist vorüber unter dem Tüchlein, sprangen auf in sprechen-
der, hell besonnter Lebendigkeit und verloschen wieder, –
Scenen zu dritt, wenn Kestner einmal vom Amte frei gewesen
war und mit ihnen hatte sein können: Spaziergänge am
Bergesrücken, wo sie auf den durch Wiesen sich schlängelnden
Fluß, das Tal mit seinen Hügeln, auf heitere Dörfer, Schloß
und Warte, Kloster- und Burgruine geschaut hatten und
Jener, in offenbarem Entzücken, mit traulichen Menschen die
holde Fülle der Welt zu genießen, von hohen Dingen geredet
und in einem damit tausend komödiantische Possen getrieben
hatte, so daß die Brautleute vor Lachen kaum weiter hatten
gehen können; Stunden des Buches in der Wohnstube oder
im Grase, wenn er ihnen aus seinem geliebten Homer oder
dem Fingal-Liede vorgelesen und plötzlich, in einer Art Be-
geisterungszorn, die Augen voll Tränen, das Buch hingeworfen und mit der Faust aufgeschlagen hatte, dann aber, da er
ihre Betretenheit sah, in ein fröhlich gesundes Lachen ausge-
brochen war ... Scenen zu zweit, zwischen ihm und ihr, wenn

er ihr in der Wirtschaft, im Krautfelde geholfen, mit ihr
Bohnen geschnitten oder im Deutschordensgarten mit ihr
Obst abgenommen hatte, – ganz guter Kerl und lieber
Kamerad, mit einem Blick oder zügelnden Wort rasch wieder ins Rechte zu bringen, wenn er sich ins Schmerzliche hatte
gehenlassen wollen. Sie sah und hörte das alles, sich, ihn, Gebärden und Mienenspiel, Zurufe, Anweisungen, Erzählungen, Scherze, »Lotte!« und »Bestes Lottchen!« und »Laß Er
die Fisimatenten! Steig' Er lieber hinauf, und werf' Er mir
in den Korb herunter!« Das Merkwürdige aber war, daß all
diese Bilder und Erinnerungen ihre außerordentliche Deutlichkeit und Leuchtkraft, die genaue Fülle ihrer Détails sozusagen nicht aus erster Hand hatten; daß das Gedächtnis
ursprünglich keineswegs so sehr darauf aus gewesen war, sie
so ins einzelne zu bewahren, sondern sie erst später aus seiner
Tiefe, Teilchen für Teilchen, Wort für Wort hatte hergeben
müssen. Sie waren erforscht, rekonstruiert, mit sämtlichem
Drum und Dran genauestens wieder hervorgebracht, blank
aufgefirnißt und gleichsam zwischen Leuchter gestellt, um der
Bedeutung willen, die sie wieder alles Vermuten nachträglich
gewonnen hatten.

Unter dem Herzklopfen, das sie erzeugten, dieser begreif-
lichen Begleiterscheinung einer Reise ins Jugendland, verflossen sie ineinander, wurden zu krausem Traumgefasel und
gingen unter in einem Schlummer, der nach überfrühem
Tagesbeginn und rumpelnder Reise die Sechzigjährige an die
zwei Stunden umfangen hielt.

Während sie schlief, ihres Zustandes tief vergessen, des
fremden Gasthofzimmers, wo sie lag, dieser nüchternen Post-
station auf der Reise ins Jugendland, schlug es zehn und halb
elf von der Hofkirche Sankt Jakob, und sie schlief noch weiter.
Ihr Erwachen geschah von selbst, ehe man sie weckte, aber
doch wohl unter dem geheimen Einfluß der sich nähernden
äußeren Störung und ihr zuvorkommend aus einer inneren
Bereitschaft, die weniger gespannt und empfindlich gewesen
wäre, wenn sich nicht das halb freudige, halb beklemmende

Vorgefühl damit verbunden hätte, daß die Wachheitsforde-
rung nicht von der Seite ihrer wartenden Schwester, sondern
aus erregenderen Anspruchsbereichen komme.

Sie saß auf, sah nach der Zeit, erschrak ein wenig über die
vorgeschrittene Stunde und dachte nicht anders, als daß sie
sich nun schleunigst auf den Weg zu ihren Verwandten
machen müsse. Eben hatte sie mit der Wiederherstellung ihrer
Toilette begonnen, als es klopfte.

»Was gibt es?« fragte sie an der Tür, einige Gereiztheit
und Klage in der Stimme. »Man kann nicht eintreten.«

»Ich bin es nur, Frau Hofrätin«, sprach es draußen. »Es ist
lediglich Mager. Um Vergebung, Frau Hofrätin, wenn man
dérangiert, allein es wäre hier eine Dame, Miss Cuzzle von
Nummer neunzehn, eine englische Dame, ein Gast des
Hauses.«

»Nun, und weiter?«

»Ich würde«, redete Mager hinter der Türe, »nicht zu in-
commodieren wagen, allein Miss Cuzzle hat von der Anwesenheit der Frau Hofrätin in hiesiger Stadt und bei uns
erfahren und ersucht dringend, Visite, wenn auch nur eine
ganze kurze, ablegen zu dürfen.«

»Sagen Sie der Dame«, erwiderte Charlotte am Spalt, »daß
ich nicht angekleidet bin, mich auch entfernen muß, sobald
ich es bin, und lebhaft bedauere.«

In einem gewissen Widerspruch zu diesen Worten legte sie
dabei einen Frisiermantel um, durchaus gewillt, die Über-
rumpelung abzuweisen, aber in dem Wunsch, sich nicht einmal bei der Abweisung im Zustande völliger Unbereitschaft
zu fühlen.

»Ich brauche es Miss Cuzzle nicht zu sagen«, antwortete
Mager auf dem Gange. »Sie hört es selbst, denn sie steht hier
neben mir. Die Sache wäre die, daß es Miss Cuzzle höchst
dringlich wäre, der Frau Hofrätin, sei es auch nur in
Minutenkürze, aufwarten zu dürfen.«

»Aber ich kenne die Dame nicht!« rief Charlotte mit leichter Entrüstung.

»Das ist es gerade, Frau Hofrätin«, versetzte der Kellner.
»Miss Cuzzle legt eben das allergrößte Gewicht darauf, sofort
Dero Bekanntschaft, in flüchtigster Form, wenn es sein muß,
zu machen. She wants to have just a look at you, if you
please«, sagte er kunstvoll verstellten Mundes, gleichsam
sprachlich in die bittstellende Persönlichkeit eintretend, – was
denn für diese das Zeichen zu sein schien, ihre Sache dem
Mittelsmann aus den Händen zu nehmen und sie selber zu
führen; denn sogleich klang draußen in bewegtem Dudeltudu
ihre hohe Kinderstimme auf, die nicht wieder absetzen zu
wollen schien, sondern unter laut hervorgehobenen »most
interesting« und »highest importance« in unerschöpflichem
Flusse weiterging, so daß die Bedrängte im Zimmer sich langsam überzeugte, am ehesten noch sei dem Einhalt zu tun, indem man sich in das zähe Verlangen der Anstehenden ergebe
und sich ihr zeige. Sie hatte gar nicht die Absicht, der Zu-
dringlichen den Raub an ihrer Zeit durch sprachliches Entgegenkommen zu erleichtern. Dennoch war sie deutsch genug,
ihre Capitulation mit einem halb scherzhaften »Well, come in,
please« zu erklären, und mußte dann lachen über Magers
»Thank you so very much«, mit dem er sich, nach seiner Art,
weit mit der Tür ins Zimmer hineinbeugte, um Miss Cuzzle an
sich vorbeizulassen.

»Oh dear, oh dear!« sagte die kleine Person, die originell
und erfreulich zu sehen war. »You've kept me waiting, Sie
haben mich warten lassen, but that is as it should be. Es hat
mich schon manchmal viel mehr Geduld gekostet, zum Ziel
zu kommen. I am Rose Cuzzle. So glad to see you.« Diesen
Augenblick, erklärte sie, habe sie vom Stubenmädchen erfahren, daß sich Mrs. Kestner seit heute morgen in dieser Stadt,
diesem Gasthaus, nur ein paar Zimmer von ihrem, befinde,
und ohne Umstände habe sie sich zu ihr auf die Beine gemacht. Sie wisse wohl (»I realise«), welche wichtige Rolle Mrs.
Kestner spiele in german literature and philosophy. »Sie sind
eine berühmte Frau, a celebrity, and that is my hobby, you
know, the reason I travel.« Ob dear Mrs. Kestner freundlich

genug sein wolle, ihr zu erlauben, daß sie eben rasch ihr reizendes Gesicht in ihr Skizzenbuch aufnähme?

Sie trug dies Buch unterm Arm: Breitformat, Leinendeckel. Ihr Kopf stand voll roter Locken, und hochrot war auch ihr Gesicht mit der sommersprossigen Stumpfnase, den dick, aber sympathisch aufgeworfenen Lippen, zwischen denen weiße, gesunde Zähne schimmerten, den blau-grünen, auf eine eben-falls sympathische Art zuweilen etwas schielenden Augen. Aus der antikisch hohen Gürtung ihres Kleides aus leichtem, geblümtem Stoff, von dem sie einen faltigen Überfluß, vom Bein hinweggerafft, überm Arm trug, schien ihr weit entblöß-ter Busen, sommersprossig wie die Nase, lustig hervorkugeln zu wollen. Um die Schultern trug sie ein Schleiertuch. Char-lotte schätzte sie auf fünfundzwanzig Jahre.

»Mein liebes Kind«, sagte sie, etwas verstört in ihrer Bürgerlichkeit durch die muntere Excentricität der Erschei-nung, aber gern bereit, duldsamen Weltsinn walten zu las-sen, – »mein liebes Kind, ich weiß das Interesse zu schätzen, das meine bescheidene Person Ihnen einflößt. Lassen Sie mich hinzufügen, daß Ihre Entschlossenheit mir sehr wohl gefällt. Aber Sie sehen, wie wenig ich gerüstet bin, Besuch zu emp-fangen, geschweige denn, zu einem Portrait zu sitzen. Ich bin im Begriffe, auszugehen, da liebe Verwandte mich dringend erwarten. Ich freue mich, Ihre Bekanntschaft gemacht zu haben – in all der Kürze, die Sie selber in Vorschlag brachten und auf der ich zu meinem Bedauern bestehen muß. Wir haben einander gesehen, – ein mehreres wäre wider die Ab-rede, und also erlauben Sie mir wohl, den Willkommsgruß sogleich mit dem Lebewohl zu verbinden.«

Es blieb ungewiß, ob Miss Rose ihre Worte auch nur ver-standen hatte; keinesfalls machte sie Miene, ihnen Rechnung zu tragen. Indem sie fortfuhr, Charlotte mit »dear« anzu-reden, schwatzte sie unaufhaltsam mit ihren drolligen Polster-lippen, in ihrer bequemen und humorig-weltsicheren Sprache auf sie ein, um ihr Sinn und Notwendigkeit ihres Besuches zu erläutern, sie mit ihrer unternehmenden, einer bestimmten

Jagd- und Sammlerleidenschaft dienstbaren Existenz vertraut zu machen.

Eigentlich war sie Irin. Sie reiste zeichnend, wobei zwischen
Zweck und Mittel zu unterscheiden nicht leicht war. Ihr
Talent mochte nicht groß genug sein, um der Unterstützung
durch die sensationelle Bedeutsamkeit des Gegenstandes entbehren zu können, ihre Lebendigkeit und praktische Regsamkeit zu groß, um sich in stiller Kunstübung genügen zu lassen. So sah man sie immerfort auf der Fahndung nach Sternen
der Zeitgeschichte und historisch namhaften Örtlichkeiten,
deren Erscheinung sie womöglich nebst der beglaubigenden
Unterschrift des Modells und oft unter den unbequemsten
Umständen in ihre Skizzenbücher einfing. Charlotte hörte
und sah mit Staunen, wo überall das Mädchen gewesen war.
Sie hatte die Brücke von Arcole, die Akropolis von Athen
und Kants Geburtshaus zu Königsberg in Kohle aufgenommen. In einer schaukelnden Jolle, für deren Miete sie fünfzig
Pfund gezahlt, hatte sie auf der Reede von Plymouth den
Kaiser Napoléon auf dem ‚Bellerophon' gezeichnet, als er,
nach dem Diner an Deck gekommen, an der Reling eine Prise
genommen hatte. Es war kein gutes Bild, sie gestand es selbst:
ein tolles Gedränge von Booten, voll von hurra schreienden
Männern, Frauen und Kindern, rings um sie her, der Wellen-
gang, auch die Kürze des kaiserlichen Aufenthaltes an Deck
waren ihrer Tätigkeit recht abträglich gewesen, und der Held,
mit Querhut, Westenbauch und gespreizten Rockschößen, sah
aus wie in einem Vexierspiegel, von oben nach unten platt
zusammengedrückt und lächerlich in die Breite gezerrt. Trotzdem war es ihr gelungen, durch einen ihr bekannten Officier
des Schicksalschiffes seine Unterschrift, oder das hastige
Krickel-Krakel, das dafür gelten mochte, zu erlangen. Der
Herzog von Wellington hatte nicht verfehlt, die seine zu
spenden. Der Wiener Kongreß hatte glänzende Ausbeute gegeben. Die große Schnelligkeit, mit der Miss Rose arbeitete,
erlaubte es dem beschäftigsten Mann, ihr zwischenein zu
willfahren. Fürst Metternich, Herr von Talleyrand, Lord

Castlereagh, Herr von Hardenberg und mehrere andere
europäische Unterhändler hatten es getan. Zar Alexander
hatte sein backenbärtiges, mit einer stark scurrilen Nase geschmücktes Bildnis wahrscheinlich darum durch Unterschrift
anerkannt, weil die Künstlerin es verstanden hatte, seinem
um die Glatze stehenden Schläfenhaar das Ansehen eines
offenen Lorbeerkranzes zu geben. Die Portraits der Frau
Rahel von Varnhagen, Professor Schellings und des Fürsten
Blücher von Wahlstatt bekundeten, daß sie in Berlin ihre Zeit
nicht verloren hatte.

Sie hatte sie überall wahrgenommen. Die Leinendeckel
ihrer Mappe umschlossen noch manche andere Trophäe, die
sie die verblüffte Charlotte unter lebhaften Kommentaren
sehen ließ. Jetzt war sie nach Weimar gekommen, angelockt
von dem Ruf dieser Stadt, »of this nice little place«, als des
Mittelpunktes der weltberühmten deutschen Geistescultur, –
die für sie ein Wechselplatz jagdbarer Celebritäten war. Sie
bedauerte, recht spät hierher gefunden zu haben. Old Wieland
sowohl wie Herder, den sie einen great preacher nannte, wie
auch the man who wrote the ‚Räuber‘, waren ihr durch den
Tod entschlüpft. Immerhin lebten ihren Notizen zufolge
noch Schriftsteller am Ort, auf die zu pürschen sich lohnte,
wie die Herren Falk und Schütze. Schillers Witwe hatte sie
tatsächlich schon in der Mappe, ebenso Madame Schopenhauer
und zwei oder drei namhaftere Actricen des Hoftheaters, die
Demoiselles Engels und Lortzing. Bis zu Frau von Heygendorf,
eigentlich Jagemann, war sie noch nicht vorgedrungen, verfolgte aber dies Ziel um so eifriger, als sie durch die schöne
Favoritin den Hof zu erobern hoffte – und um so eher hoffen
durfte, da sie Verbindungsfäden zur Großfürstin-Erbprin-
zessin schon angeknüpft hatte. Was Goethen betraf, dessen
Namen sie, wie übrigens auch die meisten anderen, so fürchterlich aussprach, daß Charlotte lange nicht begriff, wen sie
meinte, so war sie ihm auf der Spur, ohne ihn schon vor den
Lauf bekommen zu haben. Die Nachricht, daß das notorische
Modell zur Heldin seines berühmten Jugendromans sich

seit heute morgen in der Stadt, in ihrem Hotel und nahezu in Zimmernachbarschaft mit ihr befinde, hatte sie elektrisiert – nicht nur wegen des Gegenstandes selbst, sondern weil sie durch diese Bekanntschaft, wie sie ganz offen erklärte, zwei, ja drei Fliegen auf einmal zu klatschen gedachte: Werthers Lotte würde ihr zweifellos den Weg ebnen zum Autor des ‚Faust‘; diesen aber würde es ein Wort kosten, ihr die Tür Frau Chalottens von Stein zu öffnen, über deren Beziehungen zur Gestalt der Iphigenie sich zur Gedächtnisstütze in ihrem Notizbüchlein, Abteilung German literature and philosophy, einiges vorfand, was sie der gegenwärtigen namensgleichen Schwester im Reiche der Urbilder mit größter Einfalt zum besten gab.

Es ging nun so, daß Charlotte, wie sie da war, in ihrem weißen Pudermantel, mit dieser Rose Cuzzle nicht, wie allenfalls vorgesehen, einige Minuten, sondern drei Viertelstunden verbrachte. Heiter eingenommen von dem naiven Reiz, der lustigen Tatkraft der kleinen Person, beeindruckt von all der Größe, deren sie habhaft zu werden gewußt hatte und deren Spur sie aufweisen konnte, ungewiß, ob sie den Einschlag von Albernheit wahrhaben sollte, den sie diesem Kunstsport zuzuschreiben versucht war, bestärkt in dem guten Willen, darüber hinwegzusehen, durch die schmeichelhafte Erfahrung, selbst zu der großen Welt gezählt zu werden, deren Hauch ihr aus Miss Cuzzle's Jagdbuch entgegenwehte, und sich in den Ruhmesreigen seiner Blätter aufgenommen zu sehen, – kurzum, ein Opfer ihrer Leutseligkeit, saß sie lächelnd in einem der beiden mit Cretonne überzogenen Fauteuils des Gastzimmers und hörte dem Geplauder der Reisekünstlerin zu, die in dem anderen saß und sie zeichnete.

Sie tat es mit geräuschvoll-virtuosen Strichen, die nicht immer so treffend schienen wie ungeniert, da sie sie öfters, übrigens ohne Nervosität, mit einem großen Radiergummi wieder aufhob. Dem leichten Schielen ihrer Augen, die nicht bei dem waren, was sie redete, war angenehm zu begegnen, erfreulich und gesund war der Anblick ihrer kugeligen Brust und ihrer

gepolsterten Kinderlippen, die von fernen Ländern, von der
Begegnung mit berühmten Leuten erzählten, indes die hübschen Zähne schmelzweiß zwischen ihnen schimmerten. Die
Situation erschien ebenso harmlos wie interessant, – das war
es, was es Charlotten so leicht machte, längere Zeit ganz zu
vergessen, wie sehr sie sich versäumte. Hätte Lottchen, die
Jüngere, sich geärgert an diesem Besuch – Sorge um die
Seelenruhe der Mutter hätte sie nicht ihren Beweggrund nennen dürfen. Von dieser kleinen Angelsächsin war keine Indiscretion zu besorgen, – sie brachte es nicht so weit. Das war
beruhigend und gab dem Zusammensein mit ihr etwas Ver-
führerisches. Sie war es, die sprach, und Charlotte hörte ihr
heiter zu. Herzlich unterhalten, lachte sie über eine Geschichte,
die Rose bei der Arbeit hervorsprudelte: wie es ihr gelungen
war, im Abruzzen-Gebirge einen Räuberhauptmann namens
Boccarossa ihrer Galerie einzuverleiben, einen wegen seiner
Tapferkeit und Grausamkeit hochgefürchteten Bandenchef,
der, von ihrer Aufmerksamkeit nicht wenig angetan, auch
kindlich erfreut über den kühnen Anblick seines Bildnisses,
seine Leute beim Abschied eine Salve aus ihren trichterförmi-
gen Flintenrohren zu Miss Rose's Ehren hatte abgeben und
sie mit sicherem Geleit aus dem Bereich seiner Übeltaten hatte
bringen lassen. Charlotte amüsierte sich sehr über die wilde
und, wie ihr vorkam, ziemlich eitle Ritterlichkeit dieses Skiz-
zenbuch-Genossen. Lachenden Mundes und zu zerstreut, um
Erstaunen darüber zu empfinden, daß er plötzlich im Zimmer
stand, blickte sie dem Kellner Mager entgegen, dessen wiederholtes Anklopfen in Gespräch und Heiterkeit untergegangen
war.

»Beg your pardon«, sagte er. »Ich unterbreche ungern.
Allein *Herr Doktor Riemer* würde es sich zum Vorzug rechnen, der Frau Hofrätin seine Ergebenheit zu bezeigen.«

Drittes Kapitel

Charlotte erhob sich hastig aus ihrem Sessel.

»Er ist es, Mager?« fragte sie verwirrt. »Was gibt es? Herr Doktor Riemer? Was für ein Herr Doktor Riemer? Meldet Er mich gar einen neuen Besuch? Was fällt Ihm ein! Das ist ganz unmöglich! Welche Zeit haben wir? Eine sehr späte Zeit! Mein liebes Kind«, wandte sie sich an Miss Rose, »wir müssen dies freundliche Beisammensein sofort beenden. Wie sehe ich aus? Ich muß mich ankleiden – und ausgehen. Man erwartet mich ja! Leben Sie wohl! Und Er, Mager, sag' Er jenem Herrn, daß ich nicht in der Lage bin, zu empfangen, daß ich schon weg bin . . .«

»Sehr wohl«, erwiderte der Marqueur, indes Miss Cuzzle ruhig weiter schraffierte. »Sehr wohl, Frau Hofrätin. Allein ich möchte Dero Befehl nicht ausführen, ohne sicher zu sein, daß Frau Hofrätin sich über die Identität des gemeldeten Herrn im klaren sind . . .«

»Was da, Identität!« rief Charlotte erzürnt. »Will Er mich wohl mit seinen Identitäten in Frieden lassen? Ich habe durchaus keine Zeit für Identitäten. Sag' Er seinem Herrn Doktor . . .«

»Absolut!« versetzte Mager unterwürfig. »Unterdessen halte ich es für meine Pflicht, die Frau Hofrätin darüber ins Bild zu setzen, daß es sich um Herrn Doktor Riemer handelt, Friedrich Wilhelm Riemer, den Secretär und vertrauten Reisebegleiter Seiner Excellenz, des Herrn Geheimen Rates. Es erscheint nicht völlig ausgeschlossen, daß der Herr Doktor vielleicht eine Botschaft . . .«

Charlotte sah ihm verblüfft, mit geröteten Wangen und merklich zitterndem Kopfe, ins Gesicht.

»Ach so«, sagte sie geschlagen. »Aber gleichviel, ich kann diesen Herrn nicht sehen, ich kann niemanden sehen und möchte wahrhaftig wissen, Mager, was Er sich denkt und wie Er sich's vorstellt, daß ich den Herrn Doktor empfangen soll! Er hat Miss Cuzzle hier bei mir eingeschwärzt, – will Er, daß ich auch Doktor Riemers Besuch im Négligé und in der Unordnung dieses Gastzimmers entgegennehme?«

»Dazu«, versetzte Mager, »besteht keinerlei Notwendigkeit. Wir verfügen über ein Parlour, einen Parlour-room in der ersten Etage. Ich würde, die Zustimmung der Frau Hofrätin vorausgesetzt, den Herrn Doktor ersuchen, sich dort zu gedulden, bis Frau Hofrätin Dero Toilette geendigt haben, und dann um die Erlaubnis bitten, Frau Hofrätin ebenfalls auf einige Minuten dorthin zu geleiten.«

»Ich hoffe«, sagte Charlotte, »es sind nicht Minuten gemeint wie die, die ich diesem charmanten Frauenzimmer gewidmet habe. – Mein liebes Kind«, wandte sie sich an die Cuzzle, »Sie sitzen und crayonnieren ... Sie sehen meine Bedrängnis. Ich danke Ihnen aufrichtig für das angenehme Intermezzo unserer Begegnung, aber was etwa an Ihrem Dessin noch fehlt, müssen Sie unbedingt nach dem Gedächtnis ...«

Ihre Mahnung war unnötig, Miss Rose erklärte mit lachenden Zähnen, fertig zu sein.

»I'm quite ready«, sagte sie, indem sie ihr Werk mit ausgestrecktem Arm vor sich hinhielt und es mit zugekniffenen Augen betrachtete. »I think, I did it well. Wollen Sie sehen?«

Vielmehr war es Mager, der das wollte und angelegentlich herantrat.

»Ein höchst schätzbares Blatt«, urteilte er mit der Miene des Connoisseurs. »Und ein Document von bleibender Bedeutung.«

Charlotte, die sich pressiert im Zimmer nach ihrer Garderobe umsah, hatte kaum ein Auge für das Entstandene.

»Ja, ja, recht hübsch!« sagte sie. »Bin *ich* das? O doch, es hat wohl eine gewisse Verwandtschaft. Meine Unterschrift? Hier denn – nur rasch!«

Und mit dem Kohlestift leistete sie im Stehen die Signatur, die an Flüchtigkeit der Napoléonischen nicht nachstand. Sie bedankte mit eiligem Kopfnicken das Abschiedscompliment

der Irländerin. Magern beauftragte sie, Herrn Dr. Riemer zu
ersuchen, er möge sich im Sprechzimmer einige Augenblicke
gedulden. –

Als sie, zum Ausgehen fertig angekleidet – denn ausdrücklich hatte sie Straßentoilette gemacht, mit Hut und Mantille,
Ridikül und Schirm –, ihr Zimmer verließ, fand sie den Kellner schon auf dem Gange wartend. Er geleitete sie die Treppe
hinab und bot ihr im unteren Stockwerk auf seine gewohnte
Art, an seiner Person vorbei, Eintritt in das Unterhaltungs-
zimmer, wo sich bei ihrem Erscheinen der Besucher von einem
Stuhle erhob, neben den er seinen hohen Hut gestellt.

Dr. Riemer war ein Mann Anfang Vierzig, von mäßiger
Statur, mit noch vollem und braunem, nur leicht meliertem
Haar, das strähnig in die Schläfen gebürstet war, weit auseinander und flach liegenden, ja etwas hervorquellenden Augen,
einer geraden, fleischigen Nase und weichem Munde, um den
ein etwas verdrießlicher, gleichsam maulender Zug lag. Er
trug einen braunen Überrock, dessen dick aufliegender Kragen ihm hoch im Nacken stand und vorn die Pikeeweste, das
gekreuzte Halstuch sehen ließ. Seine weiße, am Zeigefinger
mit einem Siegelring geschmückte Hand hielt den Elfenbein-
knopf eines Spazierstabes mit Ledertroddel. Der Kopf stand
ihm etwas schief.

»Ihr Diener, Frau Hofrätin«, sagte er sich verneigend mit
sonorer und gaumiger Stimme. »Ich habe mir wohl den Vorwurf eines schwer verzeihlichen Mangels an Geduld und
Rücksicht zu machen, wenn ich sogleich bei Ihnen eindringe.
Es an Selbstbeherrschung fehlen zu lassen, will ohne Zweifel
dem Jugendbildner am wenigsten anstehen. Dennoch habe ich
mich damit abfinden müssen, daß diesem dann und wann der
Poet in mir ein leidenschaftliches Schnippchen schlägt, und
so hat das Gerücht Ihrer Anwesenheit, das die Stadt durch-
läuft, den unwiderstehlichen Wunsch in mir aufgeregt, sogleich einer Frau meine Huldigung darzubringen und sie
in unseren Mauern willkommen zu heißen, deren Namen
mit unserer vaterländischen Geistesgeschichte – ich möchte

sagen: mit der Bildung unserer Herzen so eng verknüpft
ist.«

»Herr Doktor«, antwortete Charlotte, indem sie seine Verbeugung nicht ohne ceremonielle Ausführlichkeit erwiderte,
»die Aufmerksamkeit eines Mannes von Ihren Verdiensten
kann nicht verfehlen, uns angenehm zu sein.«

Daß diese Verdienste ihr ziemlich dunkel waren, schuf ihr
einige gesellschaftliche Beunruhigung. Sie war froh, daran erinnert zu werden, daß er Erzieher – und zu erfahren, daß er
auch Dichter war; zugleich aber erregten diese Andeutungen
ihr etwas wie Erstaunen oder selbst Ungeduld, da ihr schien,
als würde damit des Mannes eigentlichster und einzig beden-
kenswerter Eigenschaft, dem hohen Dienst an *jener* Stelle, zu
nahe getreten. Sie spürte sofort, daß er Gewicht darauf legte,
man möge Wert und Würde seiner Person sich nicht in dieser
Eigenschaft erschöpfen sehen, – was ihr grillenhaft vorkam.
Zum mindesten mußte er begreifen, daß seine Bedeutung für
sie allein in der Frage beruhte, ob er als Träger einer Nachricht von *dort* komme oder nicht. Sie war entschlossen, das
Gespräch aufs Sachlichste, auf die Entscheidung dieser Frage
abzukürzen – und zufrieden, daß ihr Anzug über diese Absicht keinen Zweifel ließ. Sie fuhr fort:

»Haben Sie Dank für das, was Sie Ihre Ungeduld nennen
und was ich als einen sehr ritterlichen Impuls verehre! Freilich muß ich mich wundern, daß ein so privates Vorkommnis
wie meine Ankunft in Weimar Ihnen schon zu Ohren gekommen ist, und frage mich, von wem Sie die Nachricht haben
könnten – von meiner Schwester, der Kammerrätin, vielleicht«, setzte sie mit einer gewissen Überstürzung hinzu, »zu
der Sie mich unterwegs sehen und die mir meine Säumigkeit
um so eher verzeihen wird, da ich ihr gleich von einem so
schätzbaren Besuch zu berichten haben werde – und überdies zu meiner Entschuldigung anführen kann, daß ihm ein
anderer, weniger gewichtiger, wenn auch recht belustigender
schon vorangegangen ist: der einer reisenden Virtuosin des
Zeichenstiftes, die darauf bestand, in aller Eile das Portrait

einer alten Frau zu verfertigen und damit freilich, soviel ich
gesehen habe, nur recht annäherungsweise zustande kam ...
Aber wollen wir uns nicht setzen?«

»So, so«, erwiderte Riemer, eine Stuhllehne in der Hand,
»da scheinen Sie, Frau Hofrätin, es mit einer jener Naturen
zu tun gehabt zu haben, bei denen Sehnsucht und Streben
nicht proportioniert sind und die mit wenigen Strichen zuviel leisten wollen.

,Was ich ergreife, das ist heut
Fürwahr nur skizzenweise'«,

recitierte er lächelnd. »Aber ich sehe wohl, daß ich der erste
nicht auf dem Platze war, und wenn ich mich meiner Ungeduld wegen einigermaßen disculpiert fühle durch die Bemerkung, daß ich sie mit anderen teile, so geht mir die Notwendigkeit, von der Gunst des Augenblicks einen sparamen
Gebrauch zu machen, nur desto zwingender daraus hervor.
Freilich wächst für uns Menschen der Wert eines Gutes mit
der Schwierigkeit, es zu gewinnen, und ich gestehe, daß ich auf
das Glück, vor Ihnen, Frau Hofrätin, zu stehen, um so schwerer gleich wieder resignieren würde, als es gar nicht ganz
leicht ist, sich den Weg zu Ihnen zu bahnen.«

»Nicht leicht?« verwunderte sie sich. »Mir scheint, der
Mann, dem hier Gewalt gegeben ist zu binden und zu lösen,
unser Herr Mager, hat nicht die Miene eines Cerberus.«

»Das eben nicht«, versetzte Riemer. »Aber wollen Frau
Hofrätin sich selbst überzeugen!«

Damit führte er sie zum Fenster, das wie die von Charlottens Schlafzimmer auf den Markt hinausging, und lüftete
die gestärkte Gardine.

Der Platz, den sie bei ihrer Ankunft morgendlich öde gesehen, zeigte sich von Menschen stark belebt, die in Gruppen
standen und zu den Fenstern des ,Elephanten' emporblickten. Besonders vor dem Eingang des Gasthofs gab es einen
regelrechten Auflauf, ein kleines Volksgedränge, welches, be-
aufsichtigt von zwei Stadtweibeln, die sich bemühten, den

Eingang frei zu halten, sich aus Handwerkern, jungen Laden-
Verwandten beiderlei Geschlechts, Frauen mit Kindern auf
dem Arm, auch würdigeren Bürgertypen zusammensetzte und
von heranrennenden Jungen immer noch vermehrt wurde.

»Ums Himmels willen«, sagte Charlotte, deren Kopf beim
Hinausspähen stark zitterte, »wem gilt das?!«

»Wem anders als Ihnen«, antwortete der Doktor. »Das Gerücht Ihres Eintreffens hat sich mit Windeseile verbreitet. Ich
kann Sie versichern, und Frau Hofrätin sehen es selbst, daß
die Stadt wie ein aufgestörter Ameisenhaufen ist. Jedermann
hofft, einen Schimmer von Ihrer Person zu erhaschen. Diese
Leute vorm Tore warten darauf, daß Sie das Haus verlassen.«

Charlotte spürte das Bedürfnis, sich zu setzen.

»Mein Gott«, sagte sie, »das hat kein anderer als der unselige Enthusiast, dieser Mager, mir eingebrockt. Er muß unsere Ankunft an die große Glocke gehängt haben. Daß auch
die fahrende Stümperin mich hindern mußte, meiner Wege zu
gehen, solange der Ausgang noch frei war! Und diese Leute
dort unten, Herr Doktor, – haben sie nichts Besseres zu tun,
als das Quartier einer alten Frau zu belagern, die so wenig
geschaffen ist, das Wundertier abzugeben, wie ich, und gerne
in Frieden ihren privaten Geschäften nachgehen möchte?«

»Zürnen Sie ihnen nicht!« sagte Riemer. »Dieser Zudrang
zeugt denn doch von etwas Edlerem noch als gemeiner Neugier, nämlich von einer naiven Verbundenheit unserer Einwohnerschaft mit den höchsten Angelegenheiten der Nation,
einer Popularität des Geistes, die ihr Rührendes und Erfreuliches behält, auch wenn etwelches ökonomisches Interesse dabei im Spiel sein sollte. Müssen wir nicht froh sein«, fuhr er
fort, indem er mit der Verwirrten ins tiefere Zimmer zurückkehrte, »wenn die Menge, geistverachtend wie sie ihrer
ursprünglichen derben Überzeugung nach ist, auf die ihr
einzig begreifliche Weise zur Verehrung des Geistes angehalten wird, nämlich indem er sich ihr als nützlich erweist?
Dies vielbesuchte Städtchen zieht manchen handgreiflichen
Vorteil aus dem Ansehen des deutschen Genius, der sich für

die Welt in ihm – und hier wieder nachgerade fast allein in
einer bestimmten Person – concentriert: was Wunder, daß
seine brave Population sich zum Respect bekehrt findet vor
dem, was ihr sonst Firlefanz wäre, und die schönen Wissenschaften nebst allem, was damit zusammenhängt, als ihre
eigenste Angelegenheit betrachtet, – wobei sie natürlich, der
die Werke des Geistes denn doch so unzugänglich bleiben wie
jeder anderen, sich an die persönlichen Specialissima hält,
wobei und woran diese Werke entstanden sind?«

»Mir scheint«, erwiderte Charlotte, »Sie geben dieser
Menschheit mit der einen Hand nur, um ihr mit der anderen
wieder zu nehmen. Denn indem Sie eine mir so lästige Neugier im Edler-Geistigen begründen zu wollen scheinen, begründen Sie dies Bessere wieder auf eine Weise im Gemein-
Materiellen, daß mir bei der Sache nicht wohler werden kann,
ja, eine gewisse Kränkung für mich dabei abfällt.«

»Verehrteste Frau«, sagte er, »es ist kaum angängig, von
einem so zweideutigen Wesen wie dem Menschen anders als
zweideutig zu reden; eine solche Redeweise wird noch nicht
als Verstoß gegen die Humanität zu erachten sein. Ich denke,
man erweist sich nicht als mißwollender Schwarzseher, sondern als Freund des Lebens, indem man seinen Erscheinungen
ihr Gutes und Erfreuliches abgewinnt, ohne eben ihrer Kehrseite unkundig zu sein, wo denn mancher derbe Knorren
starren und manch nüchterner Faden hängen mag. Jene Gaffer dort unten aber in Schutz zu nehmen gegen Ihre Ungeduld, hab' ich alle Ursach, denn allein meine leidlich erhöhte
Stellung in der Societät sondert mich von ihnen ab, und dürfte
ich nicht neidenswerter Weise zufällig hier oben vor Ihnen
stehen, so machte ich mit dem süßen Pöbel dort unten den
Constablern zu schaffen. Derselbe Impuls, der ihn zusam-
mentreibt, bestimmte – meinetwegen in etwas gehobener und
geläuterter Gestalt – auch mein Handeln, als vor einer Stunde
mein Barbier mir beim Schaumschlagen die städtische Neuigkeit hinterbrachte, Charlotte Kestner sei früh um achte mit
der Post eingetroffen und im ‚Elephanten' abgestiegen. So

gut wie er, so gut wie ganz Weimar wußte ich und empfand es
tief, wer das sei, was dieser Name bedeute, und es litt mich
nicht in meinen vier Wänden; früher als meine Absicht gewesen war, warf ich mich in Anzug und eilte hierher, um
Ihnen meine Huldigung darzubringen, – die Huldigung eines
Fremden und eines Schicksalsverwandten, eines Bruders doch
auch wieder, dessen Existenz auf ihre männliche Art gleichfalls in das große Leben verwoben ist, das die Welt bestaunt, –
den Brudergruß eines Mannes, dessen Namen die Nachwelt
immer als den eines Freundes und Helfers wird anführen
müssen, wenn von den Herculestaten des Großen die Rede
sein wird.«

Charlotte, nicht sonderlich angenehm berührt, glaubte zu
bemerken, daß bei diesen ehrgeizigen Worten der stehend
beleidigte Zug um des Doktors Mund sich verstärkte, als sei
seine peremptorische Forderung an die Nachwelt eigentlich
Ausdruck des Mißtrauens, das er in ihre gerechte Erfüllung
setzte.

»Ei«, sagte sie, indem sie die blanke Rasur des Gelehrten
betrachtete, »Ihr Barbier hat geplaudert? Nun, am Ende ist
das seines Amtes und Standes. Aber vor einer Stunde erst?
Es scheint, ich mache da die Bekanntschaft eines Langschlä-
fers, Herr Doktor.«

»Ich gestehe es«, erwiderte er mit etwas hängendem Lächeln.

Sie hatten auf Stühlen mit gehöhlten Rückenlehnen an einem
Tischchen Platz genommen, das seitlich unter einem Portrait des Großherzogs stand, welcher, jugendlich noch, in Ka-
nonenstiefeln und Ordensband, sich auf ein mit kriegerischen
Emblemen belastetes antikes Postament stützte. Die faltig bekleidete Gipsgestalt einer Flora schmückte das sparsam mö-
blierte, aber mit hübschen mythologischen Sopraporten versehene Zimmer. Ein weißer und säulenförmiger Ofen, um den
ein Genienreigen lief, bildete in einer anderen Nische das
Gegenstück der Göttin.

»Ich gestehe«, sagte Riemer, »diese meine Schwäche für den

Morgenschlummer. Könnte man sagen, man *halte* auf eine Schwäche, so würde ich diese Ausdrucksweise wählen. Nicht beim ersten Hahnenschrei aus den Federn zu müssen, ist recht eigentlich das Zeichen des freien Mannes in begünstigter gesellschaftlicher Stellung, und ich habe mir die Freiheit, in den Tag hinein zu schlafen, jederzeit salviert, auch solange ich am Frauenplan domicilierte, – der Hausherr mußte mich darin wohl gewähren lassen, obgleich er selbst, seinem minutiösen, um nicht zu sagen pedantischen Zeitculte gemäß, seinen Tag mehrere Stunden früher begann, als ich den meinen. Wir Menschen sind verschieden. Der Eine findet seine Genugtuung darin, allen anderen zuvorzukommen und sich am Werke zu sehen, da jene noch schlafen; dem Anderen behagt es, nach Herrenart noch etwas an Morpheus' Busen zu verharren, indes sich die Notdurft schon placken muß. Die Hauptsache ist, daß man einander duldet, – und im Dulden, das muß man gestehen, ist der Meister groß, sollte einem auch nicht immer ganz wohl werden bei seiner Duldung.«

»Nicht wohl?« fragte sie beunruhigt . . .

»Habe ich ‚nicht wohl‘ gesagt?« gab er zurück, indem er, der zuletzt zerstreut im Zimmer umhergeblickt hatte, sie wie angerufen mit seinen etwas glotzenden, weitspurigen Augen ansah. »Es ist einem sogar sehr wohl in seiner Nähe, – hätte wohl sonst ein empfindlich organisierter Mensch wie ich es ausgehalten, neun Jahre lang fast unausgesetzt um ihn zu sein? Sehr, sehr wohl. Gewisse Aussagen verlangen zunächst nach der entschiedensten Steigerung, – um dann einer fast ebenso entschiedenen Einschränkung zu bedürfen. Es ist das Extrem – mit Einschluß seines Gegenteils. Die Wahrheit, verehrteste Frau, genügt sich nicht immer in der Logik; um bei ihr zu bleiben, muß man sich hie und da widersprechen. Ich bin mit diesem Satze nichts weiter als der Schüler des in Rede Stehenden, von dem man gar häufig Äußerungen vernimmt, die den Widerspruch zu sich selber schon in sich enthalten, – ob um der Wahrheit willen oder aus einer Art von Treulosigkeit und – Eulenspiegelei, das weiß ich nicht, ich

kann es jedenfalls nicht beschwören. Ich möchte das erstere
annehmen, da er es ja selber für schwerer und redlicher erklärt, die Menschen zu befriedigen, als sie zu verwirren ...
Ich fürchte abzukommen. Für meine Person diene ich der
Wahrheit, wenn ich das außerordentliche Wohlgefühl feststelle,
dessen man an seiner Seite genießt, – indem man zugleich
das beklommene Gegenteil davon zu vermerken hat, ein Unbehagen des Grades, daß man auf seinem Stuhle nicht sitzen
kann und versucht ist, davonzulaufen. Teuerste Frau Hofrätin, das sind Widersprüche, die festhalten, neun Jahre
festhalten, dreizehn Jahre festhalten, weil sie sich aufheben
in einer Liebe und Bewunderung, die, wie es in der Schrift
heißt, höher ist als alle Vernunft ...«

Er schluckte. Charlotte schwieg, da sie ihn erstens weiter-
sprechen zu lassen wünschte und zweitens damit beschäftigt
war, seine zugleich zögernden und drängend-bedrängten
Nachrichten von weitem mit ihren Erinnerungen zu vergleichen.

»Was seine Duldsamkeit angeht«, begann er wieder, »um
nicht zu sagen: seine Läßlichkeit – Sie sehen, ich habe meine
Gedanken beisammen und bin weit entfernt, den Faden zu
verlieren –, so gilt es wohl, zwischen einer Toleranz zu unterscheiden, die aus der Milde kommt, – ich meine aus einem
christlichen – im weitesten Sinne christlichen – Gefühl für die
eigene Fehlbarkeit, das eigene Angewiesensein auf Indulgenz,
oder nicht einmal das, – ich meine im Grunde: die aus der
Liebe kommt –, und einer anderen, die der Gleichgültigkeit,
der Geringschätzung entspringt und härter ist, härter wirkt
als jede Strenge und Verdammung, ja, die unerträglich und
vernichtend wäre, sie käme denn von Gott, – in welchem
Falle ihr aber nach allen unseren Begriffen die Liebe unmöglich fehlen könnte, – und das tut sie tatsächlich denn wohl
auch nicht, es mag in der Tat so sein, daß Liebe und Verachtung in dieser Duldsamkeit eine Verbindung eingehen,
die an Göttliches zum mindesten erinnert, woher es denn kommen mag, daß man sie nicht nur erträgt, sondern sich ihr hin-

gibt zu lebenslanger Hörigkeit ... Was wollte ich sagen? Würden Sie mich erinnern, wie wir auf diese Dinge kamen? Ich gestehe, daß ich für den Augenblick nun dennoch den Faden verloren habe.«

Charlotte sah ihn an, der, die Gelehrtenhände über dem Knopf seines Stockes gefaltet, sich mit seinen bemühten Rindsaugen im Leeren verlor, und erkannte plötzlich klar und deutlich, daß er gar nicht zu ihr, nicht um ihretwillen gekommen war, sondern sie als Gelegenheit nahm, von jenem, seinem Herrn und Meister, zu sprechen und dabei allenfalls der Lösung eines verjährten Rätsels, das sein Leben beherrschen mochte, näher zu kommen. Sie fand sich auf einmal in die Rolle Lottchens, der Jüngeren, eingerückt, die Vordergründe und Vorwände durchschaute, den Mund über fromme Selbsttäuschungen verzog, und war geneigt, ihr abzubitten, da sie sich sagte, daß wir nichts für Einsichten können, die uns aufgedrängt werden, und daß solche Einsichten etwas Unangenehmes haben. Das Bewußtsein, als bloßes Mittel zu dienen, war auch nicht schmeichelhaft; doch sah sie ein, daß sie dem Manne nichts vorzuwerfen hatte, da sie ihn so wenig um seinetwillen empfing, wie er sie um ihretwillen besuchte. Auch sie hatte Unruhe hierhergeführt, die Lebensbeunruhigung durch ein ungelöstes und ungeahnt groß herangewachsenes Altes, der unwiderstehliche Wunsch, es wieder aufleben zu lassen und ‚extravaganter‘ Weise die Gegenwart daran zu knüpfen. Sie waren Complicen, gewissermaßen, und in geheimem Einverständnis, der Besucher und sie, zusammengeführt durch ein quälend-beglückendes, sie beide in schmerzender Spannung haltendes Drittes, bei dessen Erörterung und möglicher Schlichtung der Eine dem Andern behilflich sein sollte. – Sie lächelte künstlich und sagte:

»Ist es denn zu verwundern, mein lieber Herr Doktor, daß Sie den Faden verlieren, da Sie sich verführen lassen, an eine so harmlos menschliche kleine Tatsache wie Ihr Langschläfertum so weitläufige moralische Reflexionen und Unterscheidungen zu knüpfen? Der Gelehrte in Ihnen spielt Ihnen einen

Streich. Aber wie ist es denn nun? Sie konnten sich jene
Schwäche, wie Sie es nennen – *ich* nenne es eine Gewohnheit
wie eine andere –, in Ihrer früheren Stellung, der neunjähri-
gen, beliebig gönnen; aber wenn mir recht ist, bekleiden Sie
heute ein städtisches Lehramt, – ich müßte mich irren, nicht
wahr, Sie sind Gymnasialdocent? Verträgt sich denn jene
Liebhaberei, auf die Sie ein gewisses Gewicht zu legen scheinen, auch mit dieser Ihrer gegenwärtigen Condition?«

»Allenfalls«, erwiderte er, indem er ein Bein übers andere
schlug und den Stock, den er an beiden Enden hielt, querhin
auf das Knie stemmte. »Allenfalls, in Ansehung nämlich
der früheren, die ja neben der neuen fast uneingeschränkt fortbesteht und die zu bekannt ist, als daß nicht einige Rücksicht
sollte darauf genommen werden. – Frau Hofrätin haben ganz
recht«, sagte er und gab sich eine gemessenere Haltung, da er
die vorige auf die Dauer als unpassend empfand und sich
nur aus Gefallen an der Rücksichtnahme, deren Gegenstand
er war, für den Augenblick hatte dazu hinreißen lassen,
»seit vier Jahren bin ich am hiesigen Gymnasium angestellt
und halte selbständig Haus, – der Augenblick zu diesem
Wechsel der Lebensform war unabweislich gekommen; bei
allen geistigen und materiellen Annehmlichkeiten und Freuden, die das Leben im Hause des großen Mannes gewährte,
war es für den schon Neununddreißigjährigen gewissermaßen zu einer Sache der Mannesehre, einer reizbaren Mannesehre, verehrteste Frau, geworden, sich so oder so auf eigene
Füße zu stellen. Ich sage: ,So oder so‘, denn meine Wünsche,
meine Träume hatten höher gegriffen als nach diesem pädagogischen Mittelstand und haben sich noch immer nicht völlig
darauf resigniert, – sie zielten auf das höhere Lehrfach, auf
die Tätigkeit an einer Universität nach dem Vorbilde meines
verehrten Lehrers, des berühmten classischen Philologen Wolf
in Halle. Es hat nicht sein sollen, hat sich bis jetzt nicht fügen
wollen. Man könnte sich darüber wundern, nicht wahr? Man
könnte die Überlegung anstellen, daß meine langjährige illustre
Mitarbeiterschaft das schnellkräftigste Sprungbrett zum Ziel

meiner Wünsche hätte abgeben müssen, – könnte sich sagen,
daß es einer so hohen und einflußreichen Freund- und Gönnerschaft ein leichtes hätte sein müssen, mir das ersehnte Lehramt an einer deutschen Hochschule zu verschaffen. Ich glaube
dergleichen Fragen in Ihren Augen zu lesen. Ich habe nichts
darauf zu erwidern. Ich kann nur sagen: Diese Förderung,
diese Protection, dies belohnende Machtwort, sie sind ausgeblieben, sie sind mir, aller menschlichen Erwartung und
Calculation entgegen, nun einmal nicht zuteil geworden. Was
hülfe es, sich bittere Gedanken darüber zu machen? Man tut
es wohl, o doch, zu mancher Tages- und Nachtstunde brütet
man über dem Problema, allein es führt zu nichts und kann zu
nichts führen. Große Männer haben an anderes zu denken
als an das Eigenleben und -glück der Handlanger, mögen diese
sich noch so verdient um sie und ihr Werk gemacht haben.
Sie haben offenbar vor allem an sich zu denken, und wenn
sie beim Abwägen der Wichtigkeit, die unsere Dienste für sie
besitzen, gegen unsere privaten Interesssen zugunsten unserer
Unabkömmlichkeit, unserer Unentbehrlichkeit für sie und ihr
Schaffen entscheiden, so ist das zu ehrenvoll, zu schmeichelhaft für uns, als daß wir nicht gern unseren Willen mit dem
ihren vereinigten, uns ihrer Entscheidung mit einer gewissen
bitteren und stolzen Freudigkeit unterwürfen. So habe ich
mich denn auch veranlaßt gesehen, eine Vocation an die
Universität von Rostock, die kürzlich an mich erging, nach
reiflicher Überlegung abzulehnen.«

»Abzulehnen? Warum?«

»Weil ich in Weimar zu bleiben wünschte.«

»Aber, Herr Doktor, verzeihen Sie, dann haben Sie sich
nicht zu beklagen.«

»Beklage ich mich denn?« fragte er ebenso überrascht wie
früher schon einmal. »Das war im mindesten meine Absicht
nicht, ich muß mich da für mißhört halten. Höchstens sinne
ich nach über des Lebens, des Herzens Widerspruch und
schätze es, ihn im Gespräch mit einer Frau von Geist zu erörtern. Von Weimar sich trennen? O, nein. Ich liebe es, ich hänge

daran, seit dreizehn Jahren bin ich bürgerlich verwachsen
mit seinem Gemeinwesen, – als Dreißigjähriger schon kam
ich hierher, direct von Rom, wo ich bei den Kindern des
Herrn Gesandten von Humboldt als Hauslehrer fungiert
hatte. Seiner Empfehlung verdanke ich meine Niederlassung
am Orte. Fehler und Schattenseiten? Weimar hat die Fehler und Schattenseiten des Menschlichen, – kleinstädtischer
Menschlichkeit vor allem. Borniert und höfisch verklatscht
möchte das Nest wohl sein, dünkelhaft oben und dumpf-
sinnig unten, und ein rechtlicher Mann hat es schwer hier
wie überall – vielleicht noch etwas schwerer als überall; die
Schelme und Tagediebe befinden sich wie üblich – und wohl
noch etwas entschiedener als üblich – obenauf. Aber darum
ist es doch ein wackeres, nahrhaftes Städtchen – ich wüßte
längst nicht mehr, wo anders ich leben wollte und könnte.
Haben Sie von seinen Merkwürdigkeiten schon etwas gesehen? Das Schloß? Den Exercierplatz? Unser Komödienhaus?
Die schönen Anlagen des Parks? Nun, Sie werden ja sehen.
Sie werden finden, daß die Mehrzahl unserer Gassen recht
krumm sind. Der Fremde darf bei der Besichtigung nie vergessen, daß unsere Merkwürdigkeiten nicht durch sich selbst
merkwürdig sind, sondern darum, weil es die Merkwürdigkeiten Weimars sind. Rein architectonisch genommen, ist es
mit dem Schloß nicht weit her, das Theater möchte man sich
wohl imposanter vorstellen, wenn man es noch nicht kennt,
und der Exercierplatz ist ohnedies eine Dummheit. An und
für sich ist nicht einzusehen, weshalb ein Mann wie ich sich
unbedingt sein Leben lang gerade zwischen diesen Coulissen
und Versatzstücken bewegen – sich hier so gebunden fühlen
sollte, daß er eine Berufung ausschlägt, die mit allen seinen
von jung auf genährten Wünschen und Träumen so rein
übereinstimmt. Ich komme auf Rostock zurück, weil ich zu
beobachten glaubte, daß Sie, Frau Hofrätin, sich von meiner
Haltung in dieser Sache befremdet fühlten. Nun denn, ich
habe sie unter einem Druck eingenommen – unter dem Druck
der Verhältnisse. Die Annahme des Rufes verbot sich mir –

ich wähle absichtlich diese unpersönliche Sprachform, denn es
gibt Dinge, die niemand einem erst zu verbieten braucht, weil
sie sich von selber verbieten, wobei immerhin dies Verbot in
einem Blick und einer Miene, an denen man hängt, zum persönlichen Ausdruck kommen mag. Nicht jeder, verehrteste
Frau, ist dazu geboren, seinen eigenen Weg zu gehen, sein
eigenes Leben zu leben, seines eigenen Glückes Schmied zu sein,
oder vielmehr: mancher einer, der es im voraus nicht wußte
und eigene Pläne und Hoffnungen glaubte hegen und pflegen
zu sollen, macht die Erfahrung, daß sein eigenstes Leben und
sein persönlichstes Glück eben darin bestehen, daß er auf
beides Verzicht leistet, – sie bestehen für ihn paradoxaler
Weise in der Selbstentäußerung, im Dienste an einer Sache,
die nicht die seine und nicht er selbst ist, es schon darum nicht
sein kann, weil diese Sache höchst persönlich, ja eigentlich
mehr schon eine Person ist, weshalb denn der Dienst daran
auch meist nur recht untergeordneter und mechanischer Natur sein kann, – Eigenschaften, die aber übrigens überwo-
gen und aufgehoben werden durch die außerordentlich hohe
Ehre, die vor Mit- und Nachwelt mit dem Dienst an dieser
wunderbaren Sache verbunden ist. Durch die gewaltige Ehre.
Man könnte sagen, die Mannesehre bestehe darin, daß einer
sein eigenes Leben lebe und seine eigene, noch so bescheidene
Sache führe. Aber mich hat das Schicksal gelehrt, daß es eine
bittere Ehre gibt und eine süße; und ich habe männlich die bittere gewählt – soweit eben der Mensch wählt, nicht wahr, so
weit es nicht das Schicksal ist, das die Wahl für ihn trifft und
ihm keine andere läßt. Unbedingt gehört viel Lebenstakt
dazu, sich mit solchen Verfügungen des Schicksals einzurichten,
mit seinem Los zu pactieren, sozusagen, und zu einem Compromiß, wenn ich mich so ausdrücken darf, zwischen der bitteren Ehre und der süßen, auf welche Sehnsucht und Ehrgeiz
doch immer gerichtet bleiben, zu gelangen. Es ist die Mannes-
empfindlichkeit, welche darauf dringt, und sie war es, die
zu den Unzuträglichkeiten, den unausbleiblichen Verstim-
mungen geführt hat, welche meinem langjährigen Aufenthalt

in dem Hause meiner ersten Niederlassung ein Ende bereiteten und mich bestimmten, das mittlere Lehramt über mich
zu nehmen, zu dem ich niemals Lust gehabt hatte. Da haben
Sie das Compromiß, – das übrigens als solches auch von den
Oberen gewürdigt wird, so daß der griechisch-lateinische
Stundenplan, wie gesagt, auf meine auch außer dem Hause
fortlaufenden Ehrenpflichten Rücksicht nimmt und mir erlaubt, wenn meine Dienste, wie etwa heute, *dort* nicht in
Anspruch genommen werden, von dem gesellschaftlichen Prä-
rogativ des Morgenschlummers Gebrauch zu machen. Sogar
habe ich das Übereinkommen zwischen bitterer und süßer
Ehre, die man auch einfach die Mannesehre nennen könnte,
noch weiter ausgebaut und befestigt, indem ich einen eigenen
Hausstand gründete. Ja, seit zwei Jahren bin ich vermählt.
Aber da sehen Sie, Verehrteste, den eigentümlichen und in
meinem Fall besonders auffallend sich hervortuenden Com-
promiß-Charakter des Lebens! Der nämliche Schritt, der bestimmt war, meiner Eigenständigkeit und männlichen Selbst-
liebe, der Emancipation von jenem Hause der bitteren Ehre
zu dienen, hat mich mit demselben auch wieder noch näher
verbunden, – richtiger gesagt, es ergab sich als selbstverständlich, daß ich mich mit diesem Schritt von gedachtem Hause
gar nicht entfernte, so daß also von einem Schritt im eigentlichen Sinn kaum die Rede sein kann. Denn Caroline, meine
Gattin – Caroline Ulrich mit ihrem Mädchennamen –, ist
ein Kind dieses Hauses, eine junge Waise, die vor einigen
Jahren als Gesellschafterin und Reisegefährtin der jüngst ver-
blichenen Geheimen Rätin darin aufgenommen wurde. Daß
ich es sein möchte, der für ihre eheliche Versorgung aufkäme,
stellte sich als der unverkennbare Wunsch des Hauses heraus, und dieser in Blick und Miene zu lesende Wunsch war
insofern danach angetan, mit meinem Bedürfnis nach Eigenständigkeit ein Compromiß zu bilden, als mir die Waise wirklich sympathisch war ... Aber Ihre Güte und Geduld, beste
Frau Hofrätin, verleiten mich dazu, viel zu viel von mir selbst
zu reden ...«

»Nicht doch, ich bitte sehr«, erwiderte Charlotte. »Ich höre mit vollem Interesse.«

In Wirklichkeit hörte sie mit gelindem Widerwillen, jedenfalls mit gemischten Gefühlen. Anspruch und Gekränktheit des Mannes, seine Eitelkeit und Ohnmacht, sein hülfloses Ringen nach Würde irritierten sie, flößten ihr Verachtung ein nebst einem ursprünglich nicht freundlichen Mitleid, das aber Mittel und Übergang bildete zu einem Gefühl der Solidarität mit dem Besucher und eine gewisse Befriedigung einschloß: die Empfindung, daß seine Redeweise ihr die Erlaubnis – ganz gleich, ob sie sich herbeilassen würde davon Gebrauch zu machen oder nicht – zu eigener Expectoration und Erleichterung gewähre.

Trotzdem erschrak sie vor der Wendung, die er, gerade als hätte er ihre Gedanken erraten, dem Gespräch mit folgenden Worten zu geben versuchte.

»Nein«, sagte er, »ich mißbrauche die heitere Blockade, die Neugiersbelagerung, deren Opfer wir sind – die Kriegsläufte liegen ja noch nicht so weit zurück, daß wir uns in solche Lage nicht sollten mit Fassung, ja mit Humor zu schikken wissen. Ich will sagen: Es heißt einen schlechten Gebrauch machen von der Gunst der Stunde, wenn ich der Pflicht, mich Ihnen darzustellen, mit übertriebener Gewissenhaftigkeit nachkomme. Wahrhaftig, was mich hierher trieb, war nicht der Wunsch zu reden, es war der zu schauen, zu hören. Ich nannte die Stunde günstig, ich hätte sie kostbar nennen sollen. Ich finde mich Aug' in Auge mit einem Wesen, dem die gerührteste, ehrfürchtigste Anteilnahme, die Schau- und Wißbegier aller Stufen, von der kindlich-volkstümlichsten bis zur geistigsten, gebührt und gehört, – mit der Frau, die am Anfang, oder fast am Anfang, der Geschichte des Genius steht, deren Name vom Gott der Liebe selbst auf ewig in sein Leben und damit in das Werden des vaterländischen Geisterreiches, des Imperiums des deutschen Gedankens verwoben ist . . . Und ich, dem es beschieden war, ebenfalls in dieser Historie Figur zu machen und auf meine männliche Art dem Helden

beirätig zur Hand zu gehen, ich, der ich sozusagen dieselbe
heroische Lebensluft mit Ihnen atme, – wie sollte ich nicht
eine ältere Schwester in Ihnen sehen, vor der mich zu neigen
es mich unwiderstehlich drängte, sobald der Geruch Ihrer
Gegenwart zu mir drang, – eine Schwester, eine Mutter, wenn
Sie wollen, eine nahe, verwandte Seele jedenfalls, der mich
redend zu erkennen zu geben mich wohl verlangt, aber weit
mehr noch, ihr zu lauschen ... Was ich fragen wollte – die
Erkundigung schwebt mir längst auf der Zunge. Sagen Sie
mir, teuerste Madame, sagen Sie es mir als Retribution für
meine freilich weniger beträchtlichen Bekenntnisse ... Man
weiß, wir wissen es alle, und die Menschheit begreift es vollkommen, daß Sie und Ihr in Gott ruhender Gatte – daß Sie
gelitten haben unter der Indiscretion des Genius, unter seiner
bürgerlich schwer zu rechtfertigenden Art, mit Ihren Personen, Ihren Verhältnissen dichterisch umzuspringen, sie vor
der Welt, buchstäblich vor dem Erdkreise unbedenklich bloß-
zustellen und dabei Wirklichkeit und Erfindung mit jener
gefährlichen Kunst zu vermischen, die sich darauf versteht,
dem Wirklichen eine poetische Gestalt zu geben und dem
Erfundenen den Stempel des Wirklichen zu verleihen, so daß
der Unterschied zwischen beiden tatsächlich aufgehoben und
eingeebnet erscheint, – gelitten, um es kurz zu sagen, unter
der Rücksichtslosigkeit, dem Verstoß gegen Treu und Glauben, deren er sich zweifellos schuldig machte, indem er hinter
dem Rücken der Freunde, in heimlicher Tätigkeit, das Zarteste, was sich unter drei Menschen begeben kann, zugleich zu
verherrlichen und zu entweihen unternahm ... Man weiß es,
verehrteste Frau, man fühlt es mit. Sagen Sie mir, ich hörte
es um mein Leben gern: Wie haben Sie und der selige Hofrat
sich auf die Dauer mit dieser bestürzenden Erfahrung, mit
dem Lose unfreiwilliger Opfer abgefunden? Ich meine: wie
und wie weit ist es Ihnen gelungen, den durch die empfangene Wunde verursachten Schmerz, die Kränkung darüber,
Ihre Existenz als Mittel zum Zweck behandelt zu sehen, in
Harmonie zu bringen mit anderen, späteren Gefühlen, die

reiche des Witzes, der Anmut, der Form, der Beredsamkeit angehören, mit mehr Glück zur Geltung zu bringen weiß, als manch anderer Gelehrte sein viel größeres Wissen . . .«

»Ich folge Ihnen«, sagte Charlotte, indem sie sich mit vielem Geschick bemühte, dem Zittern ihres Kopfes, das wieder bemerklich werden wollte, den Sinn rasch nickender Zustimmung zu geben, »ich folge Ihnen mit einer Spannung, über die ich mir zugleich Rechenschaft zu geben suche. Sie haben eine einfache Art zu sprechen, und dennoch hat sie etwas Erregendes; denn erregend ist es, von einem großen Mann einmal nicht mit gang und gäber Schwärmerei, sondern mit Ruhe und Trockenheit, einem gewissen Realism, aus der intimen Erfahrung des Alltags reden zu hören. Wenn ich mich selbst erinnere und meine eigenen Beobachtungen zu Rate ziehe – mögen sie auch lange her sein – aber sie galten gerade dem jungen Menschen, auf dessen bequeme Art sich zu bilden Sie hinwiesen –, nun, er hat es weit genug damit gebracht, um sie strengeren Systemen mit einem gewissen persönlichen Rechte vorzuziehen –, jedenfalls – diesen Jüngling, diesen Dreiundzwanzigjährigen, habe ich gut gekannt, ihm lange zugesehen, und kann nur bestätigen: mit seinen Studien, seiner Arbeitsamkeit, seinem Amtseifer war es wenig oder nichts, er hat recht eigentlich nie etwas getan zu Wetzlar, darin, das muß ich sagen, stand er all seinen Gesellen, den Praktikanten und Sollicitanten der Rittertafel nach, Kielmannsegge, Legationssecretär Gotter, der doch auch Verse schrieb, Born und den anderen, selbst dem armen Jerusalem, von Kestnern gar nicht zu reden, der schon das ernsteste, beschäftigteste Leben führte und mich denn auch wohl auf den Unterschied aufmerksam machte, indem er mir zu bedenken gab, wie Einer gut habe den Schwerenöter machen, sich frisch, lustig, glänzend und geistreich erweisen und sich in Vorteil setzen bei den Frauenzimmern, wenn er in Gottes Welt nichts zu tun habe und vollster Freiheit genieße, da andere nach ernstem Tage, von Geschäftssorgen müde, sich bei der Liebsten einfänden und sich ihr nicht mehr darzustellen vermöchten, wie sie wohl wünschten. Daß hier eine Ungerechtigkeit liege, habe ich jederzeit eingesehen und sie meinem Hans Christian zugute gehalten, wenn ich auch meine Zweifel hatte, ob die Mehrzahl der jungen Leute bei größerer Muße – und einige Muße hatten sie doch auch – sich so blühenden Geistes und warmen, innigen Witzes erwiesen hätten wie unser Freund. Von der anderen Seite aber hielt ich mich an, einen Teil seiner Feurigkeit auf Rechnung seines Müßigganges zu setzen und darauf, daß er sein Naturell so ganz ungeschmälert der Freundschaft widmen durfte, – einen Teil; denn es war da eine schöne Kraft des Herzens und – wie soll ich es nennen – ein Lebensglanz, die mir in dieser Erklärung denn doch nicht aufgehen zu wollen schienen, und selbst wenn er sein langes Gesicht hatte, traurig und bitter erschien und auf Welt und Gesellschaft schmälte, so war er immer noch interessanter als die Arbeitsamen am Sonntag. Das sagt mir meine Erinnerung mit voller Deutlichkeit. Öfters ließ er mich an eine Damascener Klinge denken – ich wüßte nicht mehr genau zu sagen, in welchem Vergleichssinne –, aber auch an eine Leidener Flasche und dies im Zusammenhang mit der Idee der Geladenheit, – denn er wirkte gleichsam geladen, hochgeladen, und es kam einem unwillkürlich die Vorstellung, man würde, wenn man ihn mit dem Finger berührte, einen Schlag empfangen, wie es bei einer Art von Fischen der Fall sein soll. Kein Wunder, daß andere, noch so vortreffliche Menschen einem leicht fade vorkamen in seiner Gegenwart oder selbst in seiner Abwesenheit. Auch hatte er, wenn ich meine Erinnerung befrage, einen eigentümlich aufgetanen Blick, – ich sage ‚aufgetan‘, nicht weil seine Augen, braun und etwas nahe beisammenliegend, wie sie waren, sonderlich groß gewesen wären, aber ihr Blick war sehr aufgetan und seelenvoll nach einer ausnehmend starken Meinung des Wortes, und sie wurden schwarz, wenn sie, wie das vorkam, vor Herzlichkeit blitzten. Ob er wohl heute noch diese Augen hat?«

»Die Augen«, sagte Dr. Riemer, »die Augen sind mächtig bisweilen.« Seine eigenen, glasig vortretenden, zwischen denen ein Kerbzeichen bemühten Grübelns stand, zeigten an, daß er schlecht zugehört und eigene Gedankengänge verfolgt hatte. Sich über das Kopfnicken der Matrone aufzuhalten, wäre ihm übrigens nicht zugekommen, denn wie er die große weiße Hand vom Stockknauf zu seinem Gesicht hob, um irgendein leichtes Jucken an der Nase nach Art des feinen Mannes durch eine zarte Berührung mit der Kuppe des Ring-fingers zu beheben, sah man deutlich, daß auch diese Hand zitterte. Charlotte selbst bemerkte es und war so wenig an-genehm berührt davon, daß sie die entsprechende Erscheinung bei sich selbst, wie es ihr durchaus möglich war, wenn sie acht-gab, sogleich abstellte.

»Es ist ein Phänomen«, fuhr der Doktor im eigenen Ge-leise fort, »wert, sich darein zu vertiefen, und fähig, einem stundenlang Gedanken, wenn auch ziemlich unersprießliche und zu nichts führende Gedanken zu machen, so daß denn auch die innere Beschäftigung damit mehr als Träumerei denn als eigentliches Nachdenken zu bezeichnen ist: dies Sigillum der Gottheit, will sagen der Anmut und Form, das die Natur einem Geiste mit einem gewissen Lächeln, so möchte man sich vorstellen, aufdrückt, wodurch er denn also zum schönen Geiste wird, – ein Wort, ein Name, den man mechanisch hin-spricht, um eine der Menschheit freundlich geläufige Kate-gorie damit zu bezeichnen, wenn es doch, aus der Nähe gesehen und recht betrachtet, ein unergründliches und beun-ruhigendes, auch persönlich etwas kränkendes Rätsel bleibt. Es war, wenn ich nicht irre, von Ungerechtigkeit die Rede; nun, auch hier, zweifellos, ist Ungerechtigkeit im Spiele, natürliche und darum ehrwürdige, ja entzückende Ungerech-tigkeit, nicht ganz ohne kränkenden Stachel aber dabei für den, dem es beschieden ist, sie tagtäglich zu beobachten und zu durchkosten. Wertveränderungen, Entwertungen und Überwertungen haben da statt, die man mit Wohlgefallen, mit unwillkürlichem Beifall wahrnimmt, denn ohne zum Empörer gegen Gott und die Natur zu werden, kann man ihnen seine freudige Zustimmung nicht versagen; allein heim-

lich und in bescheidener Stille muß man sie aus Rechtsgefühl
doch auch wieder mißbilligen. Da weiß man sich im Besitz
eines ernstlich erarbeiteten – und um des Besitzes willen erarbeiteten – Wissens, gediegener Kenntnisse, über die man
sich mehrfach in rigorosen Prüfungen auszuweisen in die
Lage kam, – um die eigentümlich herrliche, wiewohl auch bitter belachenswerte Erfahrung zu machen, daß ein so geprägter
und gesegneter Geist, ein solcher Geist des Wohlgefallens
einem lückenhaften Bruchteil davon, der ihm irgendwie an-
flog, oder den man ihm selber geliefert hat – denn so ist es:
man dient ihm als Wissenslieferant –, eben mittelst Anmut
und Form – aber das sind nur Worte – nein, einfach dadurch,
daß *er* es ist, der das Aufgefangene wieder von sich gibt, daß
er ihm, sage ich, gleichsam durch die Zutat seiner selbst und
indem er ihm sein Bildnis aufdrückt, den doppelten und drei-
fachen Münzwert verleiht, als Welt und Menschheit der ganzen Masse unserer Stubengelehrsamkeit je beigelegt hätten.
In der Tat, andere schuften, schürfen, läutern und horten;
aber der König schlägt Dukaten daraus ... Dies Königsrecht,
was ist es? Man spricht von Persönlichkeit – er selbst spricht
mit Vorliebe davon, bekanntlich hat er sie das höchste Glück
der Erdenkinder genannt. Das ist so eine Entscheidung von
ihm, die denn also nun für die Menschheit bedingungslos Geltung haben sollte. Eine Bestimmung ist es übrigens nicht, es ist
zur Not eine Beschreibung; und wie sollte man ein Mysterium auch bestimmen? Ohne Mysterien kommt offenbar der
Mensch nicht aus; hat er an den christlichen den Geschmack
verloren, so erbaut er sich an dem heidnischen oder Natur-
Geheimnis der Persönlichkeit. Von jenen will unser Geistes-
fürst nicht gar viel wissen; Dichter und Künstler, die sich mit
ihnen einlassen, müssen auf seine Ungnade gefaßt sein. Dieses
aber hält er sehr hoch, denn es ist das seine ... Das höchste
Glück, – allerdings, für nichts Geringeres muß das Geheimnis
uns Erdenkindern wohl gelten, es wäre sonst nicht zu erklären,
daß wirkliche Gelehrte und Männer der Wissenschaft es nicht
nur nicht für Raub, sondern für freudigste Ehre erachten,

sich um den Schönen Genius, den Mann der Anmut zu scharen, seinen Stab und Hofstaat zu bilden, ihm Wissen zuzutragen, seine lebenden Lexika zu machen, die sich ihm zur Verfügung halten, damit er selbst sich nicht mit Wissenskram zu schleppen braucht, – nicht zu erklären, daß ein Mann wie ich sich mit seligem Lächeln, das mich selbst manchmal blöde anmuten will, Jahr für Jahr dazu hergibt, ihm gemeine Schreiberdienst zu leisten . . .«

»Erlauben Sie, bester Herr Professor!« unterbrach ihn Charlotte, die sich keine Silbe entgehen ließ, mit Bestürzung. »Sie wollen nicht sagen, daß es wirklich nur untergeordnete und Ihrer unwürdige Kanzlistendienste waren, die Sie durch so lange Zeit bei dem Meister versehen haben?«

»Nein«, antwortete Riemer nach einer Pause der Sammlung. »Das will ich nicht sagen. Wenn ich es gesagt habe, so bin ich zu weit gegangen. Man soll die Dinge nicht überspitzen. Erstens haben die Liebesdienste, die man einem großen und teuren Menschen zu leisten gewürdigt ist, gar keine Rangordnung. Da ist einer so hoch und gering wie der andere. Davon reden wir nicht. Ferner aber ist, ihm nachzuschreiben, überhaupt kein passendes Geschäft für einen gewöhnlichen Federfuchser. Es ist durchaus zu schade für einen solchen. Irgendeinen Secretär John, Kräuter oder gar den Bedienten damit zu befassen, heißt recht eigentlich Perlen vor die Säue werfen, – den Gebildeten, den Mann von Geist und Sinn wandelt notwendig dabei die edelste Mißgunst an. Nur einem solchen, nur einem Gelehrten wie mir also, der die Situation nach ihrem ganzen Reiz, ihrer ganzen Wunderbarkeit und Würde zu schätzen weiß, kommt es zu, ein derartiges Geschäft zu versehen. Dies strömende und dramatische Dictat der geliebten, sonoren Stimme, diese stundenlang ununterbrochene, höchstens vor drängender Überstürzung stockende Hervorbringung, die Hände auf dem Rücken und den Blick in eine gesichtevolle Ferne gerichtet, dies herrscherhafte und gleichsam freihändige Beschwören des Wortes und der Gestalt, ein Walten im Geisterreich von absoluter Freiheit und

Kühnheit, dem man mit dem hastig benetzten Kiele unter
vielen Kürzungen nacheilt, so daß nachher eine schwierige
Mundierungsarbeit zu leisten bleibt, – Verehrteste, man muß
es kennen, man muß es mit Staunen genossen haben, um
eifersüchtig zu sein auf sein Amt und es keinem Hohlkopf zu
gönnen. Freilich ist zu bemerken, und zur Beruhigung muß
man sich dran erinnern, daß es sich keineswegs um eine
Schöpfung des Augenblicks handelt, daß hier kein Wunder
vom Himmel fällt, sondern daß nur ein durch Jahre, vielleicht
durch Jahrzehnte Vorbereitetes und Gehegtes zu Tage tritt,
wovon wieder ein bestimmter Teil vor der Arbeitsstunde
unter der Hand im Einzelnen fürs Dictat genauestens reif
gemacht wurde. Es ist zuträglich, sich gegenwärtig zu halten,
daß man es nicht im mindesten mit einer Stegreif-Natur zu
tun hat, sondern vielmehr mit einer zögernden und auf-
schiebenden, auch einer sehr umständlichen, unentschlossenen,
vor allem einer äußerst ermüdbaren, von desultorischer
Arbeitsweise, die nie lange bei ein und derselben Aufgabe
aushält und bei der geschäftigsten, da und dorthin sich wen-
denden Tätigkeit meist viele Jahre braucht, um ein Werk zur
Vollendung zu bringen. Es handelt sich um eine ganz auf geheimes Wachstum und stille Entfaltung angelegte Natur,
die ein Werk lange, sehr lange, womöglich seit Jugendzeiten
am Busen gewärmt haben muß, bevor sie zu seiner Verwirklichung schreitet, und deren Fleiß ganz wesentlich Geduld,
will sagen: bei größtem Bedürfnis nach Abwechslung ein zä-
hes und unablässiges Festhalten und Fortspinnen an einem
Gegenstande durch ungeheure Zeitstrecken ist. So ist es, glauben Sie mir, ich bin ein versessener Beobachter dieses Hel-
denlebens. Man sagt, und er selbst sagt es wohl, daß er
schweige über das im Geheimen sich Ausbildende, um es nicht
zu verletzen, und sich gegen niemanden darüber offenbare,
weil kein anderer sich auf den intimen productiven Reiz verstehen könne, wodurch es den entzücke, der es bewahrt. Allein
die Schweigsamkeit ist nicht so ganz unverbrüchlich. Unser
Hofrat Meyer, ich meine den Kunscht-Meyer, wie er nach

seinem Dialekt vom Zürichsee in der Stadt genannt wird, –
Meyer also, auf den er nun einmal wunder welche Stücke
hält, berühmt sich höchlichst, der Meister habe ihm aus den
‚Wahlverwandtschaften‘, als er sich noch damit trug, des
langen und breiten erzählt, und das mag wohl richtig sein,
denn auch mir hat er eines Tages den Plan auf das ergreifendste entwickelt, nämlich schon bevor er sich Meyern darüber
eröffnete, mit dem Unterschied, daß ich mich dessen nicht bei
jeder Gelegenheit laut berühme. Was mich ergetzt, was mir
wohltut an solchen Preisgebungen des Geheimnisses, an dieser Mitteilsamkeit und Durchlässigkeit, ist das menschliche
Bedürfnis, die unbezwingliche Zutraulichkeit, die sich darin
hervortut. Denn wohltuend und tröstlich bis zur Erheiterung
ist es, an einem großen Mann das Menschliche wahrzunehmen,
ihm etwa auf kleine Schliche und Doubletten zu kommen, der
Ökonomie gewahr zu werden, die auch in einem solchen
für uns unübersehbaren geistigen Haushalt waltet. Vor drei
Wochen, am sechzehnten August, bemerkte er geprächsweise
zu mir etwas über die Deutschen, etwas Bissiges, man weiß,
er ist auf seine Nation nicht immer zum besten zu sprechen:
‚Die lieben Deutschen‘, sagte er, ‚kenn‘ ich schon; erst schweigen sie, dann mäkeln sie, dann beseitigen sie, dann bestehlen
und verschweigen sie.‘ Das ist wortgetreu, ich habe es sogleich nach der Unterredung aufgezeichnet, weil ich es erstens
vorzüglich fand und weil mir's zweitens als ein glänzendes
Beispiel seiner wachen und hocharticulierten Sprechkunst erschien, wie ihm die Stadien des schlechten deutschen Benehm-
mens so scharf genau von den Lippen gingen. Dann aber erfuhr ich von Zelter – es ist Zelter in Berlin, von dem ich
spreche, der Musikant und Chordirector, den er ein wenig
befremdender Weise des brüderlichen Du würdigt – man
muß sich vor solchen Erwählungen beugen, auch wenn man
frei nach Grethchen zu sagen versucht ist: ‚Begreife nicht,
was er an ihm find't‘ – gleichviel! – Von Zeltern also höre ich,
daß er ihm diesen Satz, von mir also am sechzehnten notiert,
unterm neunten aus Bad Tennstedt in einem Briefe haar-

genau so geschrieben, so daß denn die Phrase, die ihm sehr
gefallen haben muß, längst wohlgeformt schwarz auf weiß
stand, da er sie mir im Gespräch als Impromptu servierte, –
eine kleine Mogelei, die man schmunzelnd ad notam nimmt.
Überhaupt, auch die Welt eines so gewaltigen Geistes, so weit
sie sei, ist eine geschlossene, eine begrenzte Welt, ein Einiges,
darin die Motive sich wiederholen und in großen Abständen
dieselben Vorstellungen wiederkehren. Im ‚Faust‘, bei jenem
kostbaren Gartengespräch, erzählt Margarethe dem Geliebten von ihrem Schwesterchen, dem armen Wurm, das die Mutter nicht tränken kann, und das sie denn also ganz allein er-
zieht, ‚mit Milch und Wasser‘. Wie tief in Lebensfernen liegt
das zurück, als eines Tages Ottilie Charlottens und Eduards
Knaben liebend aufzieht ‚mit Milch und Wasser‘. Mit Milch
und Wasser. Wie fest sitzt in dem ungeheueren Kopfe ein
Leben lang diese Einbildung bläulich-dünner Flaschennah-
rung! Milch und Wasser. Wollen Sie mir sagen, wie ich auf
Milch und Wasser komme, und was mich überall auf diese,
wie mir nun scheint, völlig müßigen und abwegigen Détails
gebracht hat?«

»Sie gingen von der Würde aus, Herr Doktor, die Ihrer
Hilfstätigkeit, Ihrer Mitwirkung, die gewiß einmal historisch
werden wird, an dem Werk meines großen Jugendfreundes
gebührt. Erlauben Sie mir übrigens zu leugnen, daß Sie ein
müßiges, ein uninteressantes Wort geäußert hätten!«

»Leugnen Sie nicht, Verehrteste! Man spricht immer müßiges Zeug, wenn es um einen allzu großen, allzu brennenden
Gegenstand geht, und redet auf eine gewisse fieberhafte Weise
am Rande hin, indem man zum eigentlich Wichtigen und
Brennenden nicht nur nicht gelangt, es nicht nur töricht versäumt, sondern sich dabei auch noch selbst in dem stillen Verdachte hat, daß alles, was man redet, Vorwand ist, um das
Eigentliche und Wichtige nur ja zu vermeiden. Ich weiß nicht,
welche Kopflosigkeit und Panik da waltet. Allenfalls möchte
es sich um einen Stauungsvorgang handeln: Kehren Sie eine
volle Bouteille geschwinde um, die Öffnung nach unten, und

das Liquidum wird nicht auslaufen, es wird in der Flasche
stocken, obgleich der Weg ihm offen ist. Eine Erinnerung und
Association, deren Unwesentlichkeit ich nun wieder mit Beschämung empfinde. Und doch! Wie oft ergehen viel Größere,
unsäglich Größere als ich sich nicht in unwesentlichen Associationen! Um Ihnen von meiner nebenberuflichen oder in
Wahrheit immer noch hauptberuflichen Tätigkeit ein Beispiel zu geben: Seit verwichenem Jahr legen wir eine neue
Gesamtausgabe, auf zwanzig Bände berechnet, dem Öffentlichen vor, Cotta in Stuttgart bringt sie zu Markte und zahlt
eine schöne Summe dafür, sechzehntausend Thaler, ein groß-
zügiger, ja kühner Mann, er bringt manches Opfer, glauben
Sie mir, denn unleugbar ist es nun doch einmal so, daß das
Publicum von einem großen Teil der Hervorbringungen des
Meisters einfach nichts wissen will. Nun denn, zum Behuf
dieser Gesamtausgabe sind wir zusammen, er und ich, die
‚Lehrjahre‘ wieder durchgegangen; wir lasen sie miteinander
von A bis Z, wobei ich mich durch den Hinweis auf manchen
feineren grammatischen Zweifelsfall, auch mit Ratschlägen
in Dingen der Rechtschreibung und Interpunction, worin
man durchaus nicht sehr fest ist, entschieden nützlich machen
konnte. Auch fiel manches schöne Zwischengespräch für mich
dabei ab über seinen Stil, den ich ihm zu seiner nicht geringen
Unterhaltung kennzeichnete und erläuterte. Denn er weiß
wenig von sich, ging wenigstens zu der Frist, als er den
‚Meister‘ schrieb, nach seinem eigenen Geständnis noch durchaus schlafwandlerisch zu Werke und findet ein kindliches
Vergnügen daran, über sich selber geistreich aufgeklärt zu
werden, was nun wieder einmal weder Meyers noch Zelters,
sondern des Philologen Sache ist. Es waren herrliche Stunden, Gott weiß es, die wir mit der Lectüre eines Werkes verbrachten, das den Stolz der Epoche bildet und auf Schritt
und Tritt so viel Anlaß zum Entzücken gibt, obgleich auffal-
lenderweise die Naturpoesie und das Landschaftsgemälde
fast keinen Ort darin haben. Und da wir von müßigen Associationen sprachen – meine Verehrteste, welche weitschweifig

kalte Behaglichkeit doch auch zwischenein in dem Buch! Welch ein Gespinst von unbedeutenden Gedankenfasern! Sehr oft, man muß sich darüber im klaren sein, sind Reiz und Verdienst allein in der endgültigen, der heiter treffenden und erquicklich genauen Formulierung von längst Gedachtem und Gesagtem zu suchen, womit sich denn freilich ein Neuigkeitszug und -reiz, eine träumerische Kühnheit und hohe Gewagtheit verbindet, die den Atem benimmt, – ja, dieser Widerspruch von artiger Convenienz und Verwegenheit, ja Tollheit ist gerade die Quelle der süßen Verwirrung, welche dieser einzigartige Autor uns zufügt. Als ich es ihm, mit gebotener Vorsicht, eines Tages aussprach, lachte er und erwiderte: ‚Gutes Kind‘, sagte er, ‚ich kann's nicht ändern, wenn euch zuweilen die Köpfe heiß werden von meinen Tränken.‘ Daß er mich, einen Menschen von über Vierzig, der ihn in manchen Stücken zu belehren vermag, ‚Gutes Kind‘ nennt, mag an und für sich ins Sonderbare fallen, mir aber macht es das Herz sowohl weich wie stolz, und jedenfalls beweist es eine Vertraulichkeit, worin der Unterschied von hohen und niederen, von würdigen und unwürdigen Dienstleistungen sich völlig aufhebt. Gemeine Schreiberdienste? Ich muß doch lächeln, verehrteste Hofrätin. Es ist ja an dem, daß ich durch lange Jahre einen großen Teil seiner Correspondenz nicht etwa nur dictatweise, sondern ganz selbständig für ihn, oder richtiger gesagt: *als er selbst* geführt habe, – an seiner Statt und in seinem Namen und Geiste. Hier nun kommt es, wie Sie sehen, mit der Selbständigkeit auf solchen Grad, daß sie gleichsam dialektisch in ihr Gegenteil umschlägt und zur totalen Selbstentäußerung wird, dergestalt, daß ich überhaupt nicht mehr vorhanden bin und nur er noch aus mir redet. Denn ich bewege mich in so curialisch geisterhaften und hochverschnurrten Wendungen, daß diejenigen seiner Briefe, die von mir sind, goethischer sein mögen als die von ihm dictierten; und da in der Gesellschaft meine Tätigkeit wohlbekannt ist, so herrscht oft der quälendste Zweifel, ob ein Brief von ihm ist oder von mir – eine törichte und eitle Sorge, wie man tadelnd hinzufügen muß, denn es läuft auf dasselbe hinaus. Zweifel freilich hege auch ich, und sie betreffen das Problem der Würde, das eines der schwierigsten und beunruhigendsten bleibt. In der Aufgabe des eigenen Mannes-Ich mag wohl, allgemein gesprochen, etwas Schändliches liegen – wenigstens argwöhne ich zuweilen, daß es darin liege. Wenn man aber auf diese Weise zu Goethe wird und seine Briefe schreibt, so ist eine höhere Würdigung doch auch wieder nicht vorstellbar. Auf der anderen Seite – wer ist er? Wer ist er nach allem und zuletzt, daß es nur überaus ehrenvoll und gar nichts anders sein sollte, sich in ihm zu verlieren und ihm sein Lebens-Ich aufzuopfern? Gedichte, herrliche Gedichte – Gott weiß es. Ich bin auch Poet, anch'io sono poeta, ein unvergleichlich geringerer als er, mit Zerknirschung spreche ich es aus, und ‚Es schlug mein Herz‘ geschrieben zu haben oder den ‚Ganymed‘ oder ‚Kennst du das Land‘ – nur eines davon –, o, meine Teuerste, was gäbe man nicht dafür, – gesetzt man hätte gar viel zu geben! So frankfurterische Reime freilich, wie er sich öfters leistet – denn er reimt unbedenklich ‚zeigen‘ und ‚weichen‘, weil er mündlich allerdings ‚zeichen‘, wenn nicht gar ‚zeische‘ zu sagen pflegt –, solche Reime also kommen bei mir nicht vor, zum ersten, weil ich kein Frankfurter bin, dann aber auch, weil ich sie mir nicht erlauben dürfte. Sind sie jedoch das einzig Menschliche an seinem Werk? Mitnichten, gewiß nicht, denn zuletzt ist es Menschenwerk und setzt sich keineswegs nur aus Meisterwerken zusammen. Auch ist er des Wahnes gar nicht, es tue das. ‚Wer liefert auch lauter Meisterwerke?‘ äußert er gern und mit vielem Recht. Den ‚Clavigo‘ hat ein gescheiter Jugendfreund von ihm, Merck, aber Sie kennen ihn ja, einen ‚Quark‘ genannt, und er selbst scheint nicht gar weit ab von dieser Meinung, denn er pflegt davon zu sagen: ‚Muß ja doch nicht immer alles über alle Begriffe sein!‘ Ist das nun Bescheidenheit, oder was ist es? Es ist eine verdächtige Bescheidenheit. Und doch ist er auch wieder wahrhaft bescheiden in seines Herzens Grunde, bescheiden wie ein anderer an seiner Statt es vielleicht nicht wäre,

und sogar kleinlaut hab' ich ihn schon erfunden. Nach Beendigung der ‚Wahlverwandtschaften' war er tatsächlich kleinlaut und hat erst später über diese Arbeit so hoch denken gelernt, wie es zweifellos geboten ist. Ist er doch empfänglich
für Lob und läßt sich gern überzeugen, daß er ein Meisterwerk geschaffen habe, ob er gleich vorher ernstliche Zweifel darüber gehegt. Man darf freilich nicht vergessen, daß sich
mit seiner Bescheidenheit ein Selbstbewußtsein paart, das
schlechterdings ins Stupende geht. Er ist imstande, von seiner
seltsamen Artung, von gewissen Schwächen und Schwierigkeiten seiner Natur zu sprechen und mit unbefangenster Miene
hinzuzusetzen: ‚Dergleichen möchte denn als die Kehrseite
meiner gewaltigen Vorzüge zu betrachten sein.' Der Mund
bleibt einem offen stehen, ich versichere Sie, wenn man es hört,
und fast grauen möchte es einem vor soviel Einfalt, wenn man
sich freilich gesteht, daß eben die Vereinigung außerordent-
licher Geistesgaben mit solcher Naivität es ist, die das Entzücken der Welt hervorbringt. Aber soll man sich damit
zufrieden geben? Ist es auch wohl eine hinlängliche Rechtfertigung für das Mannesopfer? Warum nur er? frage ich mich
oft, wenn ich andere Dichter lese, den frommen Claudius,
den lieben Hölty, den edlen Matthisson. Ist da nicht der
holde Laut der Natur, nicht Innigkeit und traute deutsche
Melodie wie nur je bei ihm? ‚Füllest wieder Busch und Tal'
ist ein Juwel, ich gäbe mein Doktordiplom dafür, nur zwei
Strophen davon gemacht zu haben. Aber das Wandsbeckers
‚Der Mond ist aufgegangen', ist das so viel geringer, und
müßte Er sich der ‚Mainacht' von Hölty schämen: ‚Wann der
silberne Mond durch die Gesträuche blinkt'? Durchaus nicht.
Im Gegenteil! Man kann nur froh sein, daß neben ihm
sich andere frisch behaupten, sich nicht von seiner Größe
erdrücken und lähmen lassen, sondern seiner Naivität die ihre
entgegensetzen und singen, als gäb' es ihn nicht. Man sollte ihr
Lied deswegen noch desto höher ehren, denn nicht ganz allein auf den absoluten Wert eines Productes sollte es ankommen, sondern auch eine sittliche Wertung statthaben dürfen,

alles mit Engelsmund, mit dem schön geschwungenen Götter-
mund der Vollendung gesprochen, wie ist es geprägt in jeder
Erscheinung, als Theaterstück, als Lied, als Erzählung, als
deutscher Kernspruch, mit dem Stempel persönlichster Liebenswürdigkeit, – der Egmont-Liebenswürdigkeit! Ich nenne
sie so, und es drängt sich dieses Stück in meine Gedanken, weil
hier eine besonders glückliche Einheit und innere Entsprechung waltet und die keineswegs tadelsfreie Liebenswürdigkeit des Helden genau mit der gleichfalls keineswegs tadels-
freien Liebenswürdigkeit des Werkes selbst correspondiert,
worin er wandelt. Oder nehmen Sie seine Prosa, die Erzählungen und Romane, – wir haben das Thema wohl schon berührt, ich erinnere mich dunkel, schon davon gesprochen, mich
darüber versprochen zu haben. Es gibt keine goldnere Gefälligkeit, keine bescheidnere und heiterere Genialität. Da
ist nicht Pomp noch Hochgefühl, nichts von Gehobenheit im
äußerlichen Sinn – obgleich innerlich alles wunderbar gehoben
ist und jeder andere Vortragsstil, nämlich gerade der gehobene, einem daneben platt erscheint, – von Feierlichkeit
nichts und priesterlicher Gebärde, nichts von Verstiegenheit
und Überschwang, kein Feuersturm und Geschmetter der Leidenschaft – im stillen, sanften Säuseln, meine Liebe, ist Gott
auch hier. Man möchte von Nüchternheit, von purer Nettig-
keit reden, besänne man sich nicht, daß diese Sprache allerdings
immer zum Äußersten geht, aber sie tut es auf einer
mittleren Linie, mit Gesetztheit, mit vollkommener Artigkeit,
ihre Kühnheit ist discret, ihre Gewagtheit meisterlich, ihr poetischer Takt unfehlbar. Es kann sein, daß ich mich fortwährend
verspreche, aber ich schwöre Ihnen – obgleich es der Sache
wenig gemäß sein mag, wilde Schwüre zu leisten –, daß ich
mich jetzt ebenso mühe, die Wahrheit zu sagen, wie da ich
entgegengesetzte Ausdrücke gebrauchte. Ich sage, ich versuche zu sagen: Es ist da alles in mittlerer Stimmlage und
Stärke gesprochen, mäßig durchaus, durchaus prosaisch, aber
das ist der wunderlich übermütigste Prosaism, welchen die
Welt gesehen: neuschaffen Wort hat lächelnd verwunschenen

Sinn, ins Heiter-Geisterhafte wallt es hinüber, goldig zugleich, oder ‚goldisch‘, wie’s in der Heimat heißt, und völlig sublim, – aufs angenehmste gebunden, moduliert aufs gefälligste, voll kindlich klugen Zaubers, trägt es sich vor in gesitteter Verwegenheit.«

»Sie sprechen vortrefflich, Doktor Riemer. Ich höre Ihnen mit all der Dankbarkeit zu, die die Genauigkeit erweckt. Sie haben eine Art, sich über den Sachverhalt auszudrücken, die von eindringlichster Beschäftigung damit, einem langen und scharfen Hinsehen zeugt. Und trotzdem, lassen Sie mich das gestehen, bin ich nicht sicher, ob Ihre Befürchtung, Sie möchten sich auch jetzt noch versprechen über den außerordentlichen Gegenstand, ganz ungerechtfertigt ist. Ich kann nicht leugnen, daß mein Vergnügen, mein Beifall doch recht fern davon sind, eigentliche Befriedigung, volles Genüge zu bedeuten. Ihre Lobrede hat – vielleicht gerade vermöge ihrer Genauigkeit – etwas Herabminderndes, sie hat noch immer einen Einschlag von Hechelei, der mir heimlich bange macht und auf den Widerspruch meines Herzens stößt, – dies Herz ist versucht, sie eine Fehlrede zu nennen. Möge es töricht sein, vom Großen nur immer zu sagen: ‚Groß! Groß!‘, mögen Sie es vorziehen, mit einer Genauigkeit davon zu reden, deren Charakter ich, glauben Sie mir, nicht verkenne, von der ich wohl weiß, wohl fühle, daß sie der Liebe entstammt. Aber trifft man auch wohl, halten Sie mir die Frage zugute, mit bloßer Genauigkeit das Werk der Dichter-Begeisterung?«

»Begeisterung«, wiederholte Riemer. Er nickte längere Zeit schwer und langsam auf seine Stockkrücke und die darauf liegenden Hände hinab. Plötzlich aber hielt er inne und änderte die Bewegung in ein weit nach rechts und links schwingendes Kopfschütteln.

»Sie irren«, sagte er, »er ist nicht begeistert. Er ist etwas anderes, ich weiß nicht, was, etwas Höheres vielleicht sogar, sagen wir: er ist erleuchtet; aber begeistert ist er nicht. Können Sie sich Gott, den Herrn, begeistert vorstellen? Das können Sie nicht. Gott ist ein Gegenstand der Begeisterung, aber ihm selbst ist sie notwendig fremd; man kann nicht umhin, ihm eine eigentümliche Kälte, einen vernichtenden Gleichmut zuzuschreiben. Wofür sollte Gott sich begeistern? Wofür Partei nehmen? Er ist ja das Ganze, und so ist er seine eigene Partei, er steht auf seiner Seite, und seine Sache ist offenbar eine umfassende Ironie. Ich bin kein Theolog, verehrteste Frau, und kein Philosoph, aber die Erfahrung hat mich oft zum Nachdenken veranlaßt über die Verwandtschaft, ja Einerleiheit des Alls mit dem Nichts, dem nihil, und wenn es erlaubt ist, von diesem unheimlichen Wort eine Bildung abzuleiten, die eine Gesinnungsart, ein Weltverhalten bezeichnet, so kann man den Geist der Allumfassung mit demselben Recht den Geist des ‚Nihilism‘ nennen, – woraus sich ergäbe, daß es ganz irrtümlich ist, Gott und Teufel als entgegengesetzte Principien aufzufassen, daß vielmehr, recht gesehen, das Teuflische nur eine Seite – die Kehrseite, wenn Sie wollen – aber warum die Kehrseite? – des Göttlichen ist. Wie denn auch anders? Da Gott das Ganze ist, so ist er auch der Teufel, und man nähert sich offenbar dem Göttlichen nicht, ohne sich auch dem Teuflischen zu nähern, so daß einem sozusagen aus einem Auge der Himmel und die Liebe und aus dem anderen die Hölle der eisigsten Negation und der vernichtendsten Neutralität hervorschaut. Aber zwei Augen, meine Teuerste, ob sie nun näher oder weiter beieinander liegen, ergeben *einen* Blick, und nun möchte ich Sie fragen: was für ein Blick ist es, zu dem und in dem der erschreckende Widerspruch der Augen sich aufhebt? Ich will es Ihnen sagen, Ihnen und mir. Es ist der Blick der Kunst, der absoluten Kunst, welche zugleich die absolute Liebe und die absolute Vernichtung oder Gleichgültigkeit ist und jene erschreckende Annäherung ans Göttlich-Teuflische bedeutet, welche wir ‚Größe‘ nennen. Da haben Sie es. Indem ich es ausspreche, glaube ich zu bemerken, daß es dies war, was ich Ihnen zu sagen wünschte von dem Augenblick an, da der Barbier mich von Ihrer Anwesenheit benachrichtigte; denn ich nahm an, daß es Sie interessieren werde, und auch im Interesse meiner eigenen Erleichterung trieb es mich her. Sie können sich denken, daß es keine Kleinigkeit, daß es ein wenig échauffierend ist, mit dieser Erfahrung, im Angesicht dieses Phänomens so alltäglich zu leben, – daß es eine gewisse Überanstrengung bedeutet, – von welcher jedoch sich zu trennen, um nach Rostock zu gehen, wo dergleichen bestimmt nicht vorkommt, allerdings ganz unmöglich ist ... Wenn ich Ihnen die Sache näher beschreiben soll – ich glaube es Ihnen anzusehen, daß ich nicht fälschlich Ihr Interesse dafür vorausgesetzt habe und Sie Genaueres von mir darüber zu hören verlangen – kurz, wenn ich noch ein Wort über die Erscheinung verlieren darf, so hat sie mich öfters schon an den Jakobssegen der Schrift, am Ende der Genesis, denken lassen, wo es, Sie erinnern sich, von Joseph heißt, er sei von dem Allmächtigen gesegnet ‚mit Segen oben vom Himmel herab und mit Segen von der Tiefe, die unten liegt'. Verzeihen Sie, es ist eine nur scheinbar weite Ausbeugung, daß ich auf diese Schriftstelle zu sprechen komme, – ich habe meine Gedanken beisammen und bin weniger als je in Gefahr, den Faden zu verlieren. Sprachen wir doch von der Vereinigung der mächtigsten Geistesgaben mit der stupendesten Naivität in *einer* menschlichen Verfassung und merkten an, daß es diese Verbindung sei, die das höchste Entzücken der Menschheit ausmache. Von nichts anderem ist aber mit jenem Segenswort die Rede. Es handelt sich um den Doppelsegen des Geistes und der Natur – welcher, wohl überlegt, der Segen – aber im ganzen ist es wohl ein Fluch und eine Apprehension damit – des Menschengeschlechts überhaupt ist; der Mensch gehört ja grundsätzlich mit erheblichen Teilen seines Wesens der Natur, mit anderen aber, und man kann sagen: entscheidenden, der Welt des Geistes an, so daß man mit einem etwas lächerlichen Bilde, welches jedoch das Apprehensive der Sache recht gut zum Ausdruck bringt, sagen könnte, wir stünden mit einem Bein in der einen und mit dem anderen in der anderen Welt, – eine halsbrecherische Stellung, deren Schwierigkeit das Christentum uns am tiefsten und lebhaftesten empfinden gelehrt

hat: man ist Christ, indem man sich von dieser ängstlichen und oft beschämenden Situation die klarste Rechenschaft gibt und sich nach Befreiung aus den natürlichen Ban-
den ins Reine, Geistige sehnt. Christentum ist Sehnsucht, –
ich glaube mit dieser Bestimmung nicht fehlzugehen. Ich
komme scheinbar vom Hundertsten ins Tausendste – lassen
Sie sich davon nicht beunruhigen! Ich vergesse über dem Tau-
sendsten das Hundertste nicht, noch auch das Erste, und
halte den Faden fest in der Hand. Denn da haben wir nun
das erwähnte Phänomen der Größe, des großen Menschen, –
welcher in der Tat ebensosehr *Mensch* als *groß* ist, insofern
jener Segensfluch, jene apprehensive menschliche Doppel-
situation in ihm zugleich auf die *Spitze* getrieben und *aufgehoben* erscheint, – ich sage *aufgehoben* in dem Sinne, daß
von Sehnsucht und dergleichen Hungerleiderei hier gar die
Rede nicht sein kann und die Segenscombination, oben vom
Himmel herab und von der Tiefe, die unten liegt, jedes fluch-
haften Einschlages entbehrt, zur Formel wird einer, ich will
nicht sagen: demutlosen, aber ungedemütigten und absolut
vornehmen Harmonie und Erdenseligkeit. In dem großen
Menschen culminiert das Geistige, ohne daß irgendwelche
Feindseligkeit gegen das Natürliche ihm anhaftete; denn der
Geist nimmt in ihm einen Charakter an, zu dem die Natur
Vertrauen hat wie zum Schöpfergeist selbst, weil er, auf
irgendeine Weise mit diesem verbunden, ein dem Schöpferi-
schen vertrauter Geist ist, der Bruder der Natur, dem sie
willig ihre Geheimnisse offenbart; denn das Schöpferische ist
das traulich geschwisterliche Element, das Geist und Natur
verbindet und worin sie eines sind. Dies Phänomen des großen Geistes, der zugleich der Liebling und Vertraute der
Natur ist, dies Phänomen unchristlicher Harmonie und
Menschengröße – Sie werden begreifen, daß es einen nicht
neun, nicht vierzehn Jahre, sondern eine ganze Ewigkeit zu
fesseln imstande ist und daß kein Mannesehrgeiz, mit dessen
Erfüllung der Verzicht auf seinen Umgang verbunden wäre,
sich dagegen zu behaupten und am Leben zu erhalten vermag.

Ich sprach von süßer und bitterer Ehre – ich erinnere mich,
diese Unterscheidung statuiert zu haben. Aber welche Ehre
könnte süßer sein als der Liebesdienst an diesem Phänomen,
als die Begnadung, an seiner Seite zu leben und täglich seinen
Anblick zu schlürfen, – unabgesetzt, vom ersten Zug verführt? Fragten Sie nicht, ob man sich *wohl* fühle bei ihm?
Ich glaube mich dunkel zu erinnern, daß des exceptionellen
Wohlseins Erwähnung geschah, das seine Nähe einflößt, und
das denn doch mit einiger Apprehension und Beklommenheit verbunden sei, so daß man es zeitweilig auf seinem
Stuhle nicht aushalte und davonlaufen möchte ... Jetzt erinnere ich mich genau an den Zusammenhang, – wir sprachen
davon aus Anlaß seiner Duldsamkeit, seines Geltenlassens,
seiner Concilianz – ich glaube, daß dieser Ausdruck fiel, der
aber insofern irreführend ist, als man dabei an Milde und
Christentum und dergleichen denken könnte, was eben irrig
wäre, und zwar, weil Concilianz kein Phänomen für sich bildet, sondern ihrerseits zusammenhängt mit der Einerleiheit
von All und Nichts, von Allumfassung und Nihilism, von
Gott und Teufel –, sie ist tatsächlich das Erzeugnis dieser
Einerleiheit und hat daher mit Milde nichts zu tun, sondern
läuft vielmehr auf eine ganz eigentümliche Kälte, einen vernichtenden Gleichmut hinaus, auf die Neutralität und Indif-
ferenz der absoluten Kunst, teuerste Frau, die ihre eigene
Partei ist und, wie es im Verschen heißt, ‚ihr Sach' auf nichts
gestellt' hat, will sagen: auf umfassende Ironie. Im Wagen
sagte er einmal zu mir: ‚Ironie', sagte er, ‚ist das Körnchen
Salz, durch welches das Aufgetischte überhaupt erst genießbar
wird.' Mir blieb nicht nur der Mund offen, sondern es lief
mir auch kalt den Rücken hinunter bei diesen Worten; denn
Sie sehen einen Mann in mir, Verehrteste, der in Dingen des
Gruselns nun einmal nicht so begriffsstutzig ist wie der, der
auszog, es zu lernen; mich gruselt es leicht, das gestehe ich unumwunden, und hier war ohne Zweifel ein zureichender Anlaß dazu. Überlegen Sie, was das heißen will: es sei nichts
genießbar ohne einen Beisatz von Ironie, id est von Nihilism.

Das ist der Nihilism selbst und die Vernichtung der Begeisterung, vorbehaltlich allenfalls derjenigen für die absolute
Kunst, wenn das eine Begeisterung zu nennen ist. Ich habe
diese Äußerung nie vergessen, obgleich ich im ganzen die Beobachtung gemacht habe – und es ist eine etwas unheimliche
Beobachtung –, daß man leicht vergißt, was er gesagt hat.
Man vergißt es leicht. Das mag zum Teil daher kommen, daß
man ihn liebt und zu sehr auf die Stimme, den Blick, den
Ausdruck achtet, womit er etwas sagt, als daß für das Gesagte
genug Aufmerksamkeit übrig bliebe, – richtiger: es mag vielleicht nicht genug von dem Gesagten übrig bleiben, wenn man
Blick, Stimme und Gebärde davon abzieht, denn sie gehören
zur Sache, und in einem mehr als gewöhnlichen Grade ist bei
ihm das Sachliche an das Persönliche gebunden und durch dasselbe – ich getraue mich zu sagen: bis in seine Wahrheit hinein bedingt, so daß es am Ende ohne Zutat und Halt des
Persönlichen gar nicht mehr wahr ist. Das alles mag sein, ich
sage nichts dagegen. Und doch genügt es nicht ganz, die auffallend leichte Vergeßbarkeit seiner Äußerungen zu erklären,
– es muß da noch eine Ursache sein, die in den Äußerungen
selber liegt, und hier habe ich den Widerspruch im Sinn, den
sie oftmals in sich selber tragen, eine unnennbare Zwei-
deutigkeit, die, wie es scheint, die Sache der Natur und der
absoluten Kunst ist und ihre Haltbarkeit, ihre Behältlichkeit
beeinträchtigt. Behältlich und dem armen Menschengeist dien-
lich ist nur das Moralische. Was aber nicht moralisch ist, sondern elementarisch, neutral und boshaft-verwirrend, kurzum
elbisch – lassen Sie uns an diesem Worte festhalten: ‚elbisch‘
habe ich gesagt –, was aus einer Welt des allgemeinen Geltenlassens und der vernichtenden Toleranz kommt, einer Welt
ohne Zweck und Ursach’, in der das Böse und das Gute ihr
gleiches ironisches Recht haben, das kann der Mensch nicht
behalten, weil er kein Vertrauen dazu haben kann, ausgenommen allerdings das ungeheure Vertrauen, das er nun dennoch
auch wieder dazu hat, und welches beweist, daß der Mensch
zum Widerspruchsvollen nur widerspruchsvoll sich verhalten

kann. Denn, teuerste Frau, dies grenzenlose Vertrauen entspricht einer ungeheueren Gutmütigkeit, die mit dem elbischen
Wesen verbunden ist und ihm zugleich entgegensteht, so daß
es ihm widerspricht und ihm antwortet: ‚Was weißt du, was
der Mensch bedarf!‘ Ihm antwortet: ‚Ein reines Wort erregt schöne Taten. Der Mensch fühlt sein Bedürfnis nur zu
sehr und läßt sich gern im Ernste raten.‘ So werden aus lauter Gutmütigkeit das Natur-Elbische und die umfassende
Ironie denn doch moralisch, – aber, offen gestanden, das ungeheuere Vertrauen, das man ihm entgegenbringt, ist gar nicht
moralisch – sonst wäre es nicht so ungeheuer. Es ist seinerseits elementarisch, naturhaft und umfassend. Es ist das un-
moralische, aber den Menschen ganz erfüllende Vertrauen zu
einer Gutmütigkeit, die ihren Mann zu einem geborenen
Beichtvater und Großpönitentiarius macht, welcher alles weiß
und alles kennt, und dem man durchaus alles sagen möchte
und sagen könnte, weil man spürt, daß er gar gern den Menschen etwas zuliebe tun, ihnen die Welt zugute machen und
sie leben lehren möchte – nicht aus Achtung gerade, aber eben
aus Liebe, oder sagen wir vielleicht lieber: aus Sympathie;
ziehen wir dieses Wort vor, das mir zu dem mehrfach erwähnten und ganz außerordentlichen Wohlsein, das man in
seiner Nähe empfindet, und auf das ich nur darum zurück-
komme, weil es mir noch nicht gelang, mich wirklich darüber
auszulassen, – besser zu passen, es besser zu erklären scheint
als jenes andere, pathetischere. Auch das Wohlsein ist nicht
pathetisch, will sagen: es ist nicht geistiger, sondern eher –
sehen Sie meiner Not die Worte nach! – betulicher, sinnlicher
Art, und wenn es auch seinerseits seinen Widerspruch, nämlich die äußerste Beklommenheit und Apprehension in sich
trägt; wenn ich von einem Stuhle gesprochen haben sollte, auf
dem man vor panischem Fluchtdrang nicht ruhig sitzen könne,
so muß das wohl mit dem nicht-geistigen, nicht-pathetischen
und nicht-moralischen Wesen des Wohlgefühls zusammenhängen; vor allen Dingen aber ist anzunehmen, daß dieses
Unbehagen nicht primär aus uns selber stammt, sondern von

dort, woher auch das Wohlsein, dem es zugehört, sich uns mitteilt, nämlich aus der Identität von All und Nichts, aus der Sphäre der absoluten Kunst und der umfassenden Ironie. Denn daß dort das *Glück* nicht wohnt, meine Liebe, davon hege ich eine so ungeheuere Ahnung, daß sie mir manchmal das Herz zu sprengen droht. Halten Sie Proteus, der sich in alle Formen verwandelt und in allen zu Hause ist, der zwar immer Proteus, aber immer ein anderer ist und recht eigentlich sein Sach' auf nichts gestellt hat – halten Sie ihn, erlauben Sie mir zu fragen, für ein glückliches Wesen? Er ist ein Gott, oder etwas wie ein Gott, und das Göttliche spüren wir gleich, die Alten haben uns gelehrt, daß ein eigentümlicher Wohlgeruch damit verbunden ist, woran man es gleich erkenne, und an diesem Gottesozon, den wir in seiner Nähe atmen, erkennen auch wir den Gott und das Göttliche, – es ist ein unbeschreiblich angenehmer Eindruck. Aber wenn wir sagen: ein Gott, so sagen wir schon etwas Unchristliches, und es ist bei alldem kein Christentum, das ist nun einmal gewiß, – kein Glaube an etwas Gutes in der Welt und keine Parteinahme für dieses, will sagen: kein Gemüt und keine Begeisterung, denn die Begeisterung gilt dem Ideellen, der ganz Natur gewordene Geist aber schätzt die Ideen äußerst gering, er ist ein ungläubiger Geist, ohne Gemüt, welches bloß in der Gestalt der Sympathie und einer gewissen Buhlerei bei ihm erscheint, und seine Sache ist ein alles umfassender Skepticism – der Skepticism des Proteus. Der wunderbar angenehme Eindruck, den wir verspüren, darf uns meiner Überzeugung nach nicht verleiten, zu glauben, daß hier das Glück wohnt. Denn das Glück, ich müßte denn ganz und gar irren, ist allein bei der Glaubigkeit und der Begeisterung, ja bei der Parteinahme, nicht aber bei der elbischen Ironie und dem vernichtenden Gleichmut. Gottesozon – o ja! Nie atmet man sich satt daran. Aber man läßt sich nicht neun plus vier Jahre beglücken von diesem Fluidum, ohne Erfahrungen zu machen und auf Erscheinungen zu stoßen, Erscheinungen, die man gewißlich nicht mißversteht, wenn man sie als leise schauerliche Belege deutet für das, was ich vom Glücke sagte, als da ist: viel Mürrischkeit, Unlust und hoffnungsloses Verstummen, dessen die Societät sich von ihm zu versehen hat, wenn das Unglück es will, – nicht von dem Gastgeber, nein, als solcher erlaubt er sich's nicht, wohl aber vom Gaste, der in maussades Schweigen verfällt und grämlich verschlossenen Mundes aus einem Winkel in den anderen irrt. Denken Sie sich diese Calamität und Bedrückung! Alles schweigt, – denn wenn er stumm ist, wer soll da reden? Bricht er dann auf, schleicht alles nach Haus und murmelt betreten: ‚Er war maussade.‘ Er ist es ein wenig oft. Wir haben da eine Kälte und Steifigkeit, ein gepanzertes Ceremoniell, hinter dem geheimnisvolle Verlegenheit sich verbirgt, eine seltsam rasche Ermüdbarkeit und Angegriffenheit, einen starren Cirkel und Turnus des Daseins: Weimar – Jena – Carlsbad – Jena – Weimar –, eine wachsende Neigung zur Einsamkeit, zur Verknöcherung, tyrannischen Intoleranz, Pedanterei, Sonderbarkeit, magischen Manieriertheit, – meine liebe, gute, teuerste Frau, das ist nicht das Alter allein, das Alter brauchte so nicht zu sein; was ich darin sehe, darin zu sehen gelernt habe, das sind die leise schauerlichen Merkmale vollendeter Unglaubigkeit und der elbischen All-Ironie, welche an die Stelle der Begeisterung den Zeitdienst, die wunderlichste Geschäftigkeit und die magische Ordnung setzt. Die Menschen achtet sie nicht – es sind Bestien, und ewiglich wird's nicht besser werden mit ihnen. An Ideen glaubt sie nicht – Freiheit, Vaterland, das hat keine Natur und ist leeres Stroh. Aber da sie der Sinn der absoluten Kunst ist, – glaubt sie denn auch nur an die Kunst? Das tut sie mitnichten, meine Verehrte. Sie steht im Grunde recht souverän dazu. ‚Ein Gedicht‘, habe ich ihn sagen hören, ‚ist eigentlich gar nichts. Ein Gedicht, wissen Sie, ist wie ein Kuß, den man der Welt gibt. Aber aus Küssen werden keine Kinder.‘ Danach wollte er nichts mehr sagen. Aber Sie wollten etwas bemerken, wenn ich nicht irre?«

Die Hand, die er gegen sie ausstreckte, um ihr gleichsam das Wort damit zu erteilen, zitterte in schon unerlaubtem und

Besorgnis erregendem Grade; aber er schien es nicht zu bemerken, und obgleich Charlotte dringend wünschte, er möge
die Hand doch einziehen, hielt er sie ungeachtet ihrer wie
von einer Bodenerschütterung bebenden, ja schlenkernden
Finger längere Zeit in der Luft. Der Mann schien völlig erschöpft, und das war nicht zu verwundern. Man redet nicht
dermaßen lange in einem Zuge und in so angespannter Wohl-
gesetztheit von solchen Dingen, das heißt von Dingen, die
einem so nahegehen, wie diese hier dem Doktor offenbar gingen, ohne sich übermäßig auszugeben und die Symptome zu
zeigen, die Charlotte mit Ergriffenheit und – um ein Vorzugs-
wort des Besuchers zu gebrauchen – mit ,Apprehension',
übrigens auch nicht ganz ohne Widerwillen an ihm wahrnahm:
er war bleich, Schweißtropfen standen auf seiner Stirn, seine
Rindsaugen blickten blind und glotzend, und sein offener
Mund, dessen sonst bloß maulender Zug dem Ausdruck einer
tragischen Maske ähnlicher geworden war, atmete schwer,
rasch und hörbar.

Nur langsam beruhigte sich das Schnaufen und Beben seines
Leibes, und da keine zartfühlende Frau es als angenehm und
schicklich empfindet, einen Mann in – sei es wie immer be-
gründetem – keuchendem Affecte vor sich zu sehen, so suchte
Charlotte sehr tapfer – denn auch ihre Erregung und Spannung war groß, ja abenteuerlich – der Beruhigung durch ein
heiteres Lachen nachzuhelfen, das dem Scherzwort vom Kusse
galt. Wirklich war dieses ihr gewissermaßen zum Stichwort
geworden; sie hatte darauf mit einer Bewegung reagiert, die
Riemer als Zeichen, daß sie zu sprechen wünschte, gedeutet
hatte, – nicht fälschlich, obgleich ihr nicht klar war, was sie
sagen wollte. Sie sagte jetzt und redete gleichsam aufs
Geratewohl:

»Aber was wollen Sie nur, mein lieber Herr Doktor? Es
geschieht doch der Poesie kein Übel und Unrecht, wenn man
sie mit einem Kuß vergleicht. Das ist im Gegenteil ein sehr
hübscher Vergleich, der der Poesie durchaus das Ihre gibt,
nämlich das Poetische, und sie in den gehörigen, ehrenden

Gegensatz zu Leben und Wirklichkeit bringt ... Wollen Sie
wissen«, fragte sie unvermittelt und als falle ihr etwas ein,
womit sie den échauffierten Mann zerstreuen und auf andere Gedanken bringen könnte, »wieviel Kindern ich das
Leben geschenkt habe? Elfen, – wenn ich die beiden mitzähle,
die Gott wieder zu sich nahm. Verzeihen Sie meine Ruhm-
redigkeit, – ich war eine leidenschaftliche Mutter und gehöre
zu den stolzen, die gern ihr Licht leuchten lassen und auf
ihren Segen pochen, – eine christliche Frau braucht ja nicht zu
befürchten, so verhängnisvoll damit anzustoßen wie die heid-
nische Königin, – wollen Sie meinem Namengedächtnis zu
Hilfe kommen? – Niobe, der es so übel bekam. Übrigens liegt
Kinderreichtum in meiner Familie, es ist kein persönlich Verdienst dabei. Wir daheim im Deutschordenshause wären zu
sechzehn gewesen ohne den Tod von fünfen, – die kleine
Schar, bei der ich Mutter spielte, ehe ich's war, hat ja ein gewisses Renommee erlangt in der Welt, und ich weiß noch
wohl, was für ein Gaudium mein Bruder Hans, der mit
Goethen immer auf besonders cordialem Fuß gestanden, an
dem Werther-Buch hatte, als es im Hause von Hand zu Hand
ging, – es waren zwei Exemplare, die man in Bogen und
Blätter zerlegte zum gleichzeitigen Genuß, und das jüngere
Volk, der muntere Hans zumal, ließ sich in seinem Vergnügen, die eigenen häuslichen Verhältnisse in einem Romanbuch so artig genau geschildert zu finden, nicht beikommen,
wie sehr verletzt und verschreckt wir beide, mein Guter und
ich, uns fühlen mußten über diese Ausstellung unserer Personen, über soviel Wahrheit, an die soviel Unwahrheit geklebt war ...«

»Eben hiernach«, fiel der Besucher, der sich zu erholen begann, angelegentlich ein, »eben nach diesen Gefühlen war ich
schon im Begriffe mich zu erkundigen.«

»Ich komme nur so darauf«, fuhr Charlotte fort, »ich weiß
nicht wie, und will dabei nicht verweilen. Es sind vernarbte
Wunden, und kaum die Narben noch erinnern an ehemalige
Schmerzen. Das Wort ‚angeklebt' kam mir in den Sinn, weil

es damals eine Rolle spielte in der Auseinandersetzung und
der Freund sich in Briefen gar lebhaft dagegen verwahrte. Es
schien ihm vor allem nahezugehn. ,Nicht angeklebt –: *eingewoben*', schrieb er, ,trutz euch und andern!' Nun gut, also
eingewoben. Das machte für uns die Sache nicht besser und
schlechter. Er tröstete Kestnern auch, er sei nicht Albert, beileibe nicht, – aber wenn es die Leute doch glauben mußten?
Daß ich nicht Lotte sei, hat er nicht behauptet, ließ mir aber
eine Hand geben durch meinen Guten, ganz warm von ihm,
und mir ausrichten: Meinen Namen von tausend heiligen
Lippen mit Ehrfurcht ausgesprochen zu wissen, sei doch ein
Äquivalent gegen etliches Basengeschwätz, – und da mocht' er
recht haben. Es war mir von Anfang an auch nicht so sehr um
mich als um meinen gekränkten Guten, und recht von Herzen
hab' ich ihm die Genugtuungen gegönnt, die das Leben dank
seinen vorzüglichen Eigenschaften ihm brachte, besonders
auch, daß er der Vater meiner elf oder doch neun Kinder
wurde, für die der andere übrigens immer viel Herz und
Sinn hatte, das muß man ihm nachrühmen. Er möchte, schrieb
er uns einmal, sie alle aus der Taufe heben, weil sie ihm alle
so nahe seien wie wir, und wirklich haben wir ihm bei dem
Ältesten gleich, anno vierundsiebzig, die Patenschaft zugestanden, obgleich wir den Jungen doch lieber nicht gerade
Wolfgang genannt haben, wie jener ihn durchaus genannt
haben wollte, sondern nannten ihn hinter seinem Rücken
Georg. Aber anno dreiundachtzig schickte Kestner ihm die
Scherenschnitte aller damals vorhandenen Kinder, und er hat
sich sehr darüber gefreut. Er ist auch noch vor sechs Jahren
meinem Sohne Theodor, dem Medicus, der eine Frankfurterin
zur Frau hat, die geborene Lippert, behilflich gewesen, das
Bürgerrecht zu erlangen und die Professur an der medicinisch-
chirurgischen Lehranstalt, – ja doch, verzeihen Sie, in diesem
Fall hat er seinen Einfluß geltend gemacht; und als Theodor
ihm voriges Jahr zusammen mit seinem Bruder August, dem
Legationsrat, auf der Gerbermühle beim Doktor Willemer
aufwartete, hat er die beiden sehr freundlich empfangen, sich

auch nach meinem Befinden erkundigt und ihnen sogar von
den Silhouetten erzählt, die ihr seliger Vater ihm einst geschickt habe, als sie noch böse Buben gewesen, so daß er sie
alle schon kenne. August und Theodor haben mir den Besuch
genauestens schildern müssen. Er hat sich über Silhouetten ergangen und es getadelt, daß diese sonst so gangbare Art, sich
ein Andenken zu geben, so ganz aus der Mode gekommen sei;
man habe doch einen treuen Schatten des Freundes daran gehabt. Recht sehr verbindlich soll er gewesen sein, nur etwas
unruhig bei der Conversation im Garten, wo eine kleine Gesellschaft versammelt war, ist hin und her gegangen zwischen
den Leuten auf dem Platz, eine Hand in der Tasche, die andere im Busen, und wenn er stille stand, so hat er sich doch
auf den Füßen gewiegt und sich auch wohl angelehnt.«

»Man müßt' es nicht kennen«, sagte Riemer. »Er war maussade. Und die Sentenz über das Abhandenkommen der
Scherenschnitte ist völlig bedeutungslos, gesagt, damit etwas
gesagt werde, ein unaufrichtiges Irgendwas. Wir wollen es ja
nicht aufzeichnen.«

»Ich weiß doch nicht, lieber Herr Doktor. Er mag die Reize
und Vorteile der Scherenkunst wohl schätzengelernt haben.
Wie hätte er sich anders als durch die Schattenrisse, die wir
ihm schickten, ein Bild machen sollen von meinen Kindern,
da er doch trotz seinem Attachement für sie niemals Gelegenheit genommen oder gefunden hat, ihre Bekanntschaft zu
machen und auch seinen alten Kestner wiederzusehen? Da
waren die Schnitte gar wohl am Platze. Sie müssen auch wissen, daß er zu Wetzlar auch meine Silhouette besaß (ich
wüßte gern, ob er sie noch verwahrt) und große, stürmische
Freude und Dankbarkeit bezeigte, als Kestner sie ihm
schenkte. Auch daher könnte wohl seine Anhänglichkeit an
diese Erfindung rühren.«

»O, unbedingt. Ich kann Ihnen nicht sagen, ob die Reliquie
sich noch unter dem Seinen findet. Es wäre von Wichtigkeit,
und Sie sehen mich gern erbötig, ihn einmal zu guter Stunde
darüber auszuforschen.«

»Ich hätte Lust, es selber zu tun. Auf jeden Fall ist mir bekannt, daß er zu Zeiten so recht einen Cult mit dem armen Schatten getrieben hat. ,Tausend, tausend Küsse hab' ich drauf gedrückt, tausend Grüße ihm zugewinkt, wenn ich ausging oder nach Hause kam.' So steht's geschrieben. Im ,Werther' hat er das Bild mir rückvermacht; er aber hat sich ja, dem Himmel sei Dank, uns allen zum Heil nicht erschossen, und also muß er's wohl noch besitzen, wenn's nicht die Zeit ihm verweht hat. Auch dürft' er's nicht mir zurückvermachen, denn nicht von mir hatte er's, sondern von Kestnern. Sagen Sie mir nun aber doch, Herr Doktor: Finden Sie nicht, daß in der stürmischen Freude, die er über dies nicht von mir, sondern von meinem Verlobten, von uns beiden also, empfangene Geschenk bekundete, und in seiner großen Anhänglichkeit daran eine wunderliche Genügsamkeit liegt?«

»Es ist Dichter-Genügsamkeit«, sagte Riemer, »von der Sie sprechen, und für die hoher Reichtum ist, wobei andere darbten.«

»Dieselbe offenbar«, nickte Charlotte, »die ihn auch mit den Schattenbildern der Kinder sich begnügen ließ, statt eigener, wirklicher Bekanntschaft mit ihnen, die so leicht, bei so mancher Reisegelegenheit zu machen gewesen wäre. Und hätten nicht August und Theodor die Initiative ergriffen und ihn kühnlich besucht von Frankfurt aus auf der Gerbermühle, so hätte er nie von den Leutchen eines zu sehen bekommen, die er doch, wie er sagte, am liebsten samt und sonders aus der Taufe gehoben hätte, denn so nahe seien sie ihm wie wir. Wie wir. Sein alter Kestner, mein guter Hans Christian, hat heimgehen müssen und mich allein gelassen vor sechzehn Jahren schon, ohne ihn wiedergesehen zu haben, und nach meinem Ergehen hat er sich bei den Jungen sehr artig erkundigt, hat aber nie den leisesten Versuch gemacht, sich selbst danach umzutun, durch unser beider langes Leben hin, und wenn nicht auch ich nun vor Torschluß noch die Initiative ergriffe — was zu tun ich vielleicht Anstand nehmen sollte, aber es ist meine Schwester Ridel, die ich besuche, und alles Weitere, versteht sich, läuft auf ein à propos hinaus . . .«

»Teuerste Frau« – und Dr. Riemer beugte sich näher zu ihr, ohne sie übrigens anzusehen; vielmehr hielt er die Lider gesenkt, und eine gewisse Starre nahm von seinen Zügen Besitz für das, was er vorzubringen gedachte und wozu er die Stimme dämpfte: – »Teuerste Frau, ich respectiere das à propos, ich begreife überdies die Empfindlichkeit, die leichte Bitterkeit, die sich in Ihren Worten äußern, das schmerzliche Erstaunen über einen Mangel an Initiative, der nicht ganz natürlich anmuten, dem menschlichen Empfinden vielleicht nicht ganz gelegen sein mag. Ich darf Sie bitten, sich nicht zu wundern. Oder vielmehr zu bedenken, daß, wo soviel Grund zur Bewunderung ist, immer auch einiger Anlaß zur Verwunderung, zum Befremden mit unterlaufen wird. Er hat Sie niemals besucht, Sie, die einst seinem Herzen so nahestand und ihm ein unsterbliches Gefühl einzuflößen berufen war. Das ist sonderbar. Aber wenn man die Bande der Natur, des Blutes noch höher anschlagen will als Neigung und Dankbarkeit, so liegen Tatsachen vor, deren auffallendere Ungewöhnlichkeit Sie über das Erkältende der eigenen Erfahrung trösten mag. Es gibt da eine eigentümliche Unlust, es gibt schwer qualificierbare Hemmnisse der Seele, die das menschlich Regelwidrige, ja Anstößige zeitigen. Wie hat er sich zeit seines Lebens zu seinen Blutsverwandten verhalten? Er hat sich gar nicht zu ihnen verhalten, hat sie, nach den Begriffen üblicher Pietät gesprochen, allezeit sträflich vernachlässigt. In Jugendtagen schon, als seine Eltern, seine Schwester noch lebten, erschwerte eine Scheu, die man nicht zu beurteilen wagt, es ihm, sie aufzusuchen, ja ihnen zu schreiben. Von dem einzig am Leben gebliebenen Kind dieser Schwester, der armen Cornelia, hat er niemals Notiz genommen, er kennt es nicht. Noch weniger hat er Frankfurter Oheimen und Tanten, rechten Vettern und Basen je irgendwelche Beachtung geschenkt. Madame Melber, die greise Schwester seiner seligen Mutter, lebt dort mit ihrem Sohne, – es gibt keine Verbindung zwischen ihm und ihnen, außer man spreche ein kleines Capital, das sie ihm von der Mutter her schulden, als solche an. Und diese Mutter selbst, das Mütterchen, von dem er die Frohnatur, die Lust zu fabulieren zu haben erklärt?« – Der Redende beugte sich weiter vor und senkte die Stimme noch tiefer, bei niedergeschlagenen Augen. – »Verehrteste Frau, als sie vor acht Jahren das Zeitliche segnete (er kehrte eben von einem langen, erquicklichen Aufenthalt im Carlsbade in sein geschmücktes Haus zurück), hatte er sie elf Jahre nicht mehr gesehen. Elf Jahre nicht, ich spreche die Tatsache aus – der Mensch weiß wenig damit anzufangen. Er war hingenommen, er war aufs tiefste erschüttert, wir sahen und wissen es alle und waren froh, daß Erfurt und die Begegnung mit Napoléon ihm wohltätig über den Choc hinweghalfen. Aber durch elf Jahre war es ihm nicht in den Sinn gekommen oder war es ihm nicht gelungen, in der Vaterstadt, im Elternhaus einzukehren. O, es gibt Entschuldigungen, Abhaltungsgründe: Kriegsläufte, Krankheiten, notwendige Badereisen. Ich nenne auch diese, der Vollständigkeit wegen, aber auf die Gefahr, mir eine Blöße damit zu geben; denn gerade die Badereisen hätten allenfalls zwanglose Gelegenheit zu dem Abstecher gegeben. Er hat es unterlassen, sie wahrzunehmen – fragen Sie mich nicht, warum! Uns Knaben mühte sich in der biblischen Stunde der Lehrer vergebens ein Wort des Heilands annehmbar zu machen, das seiner Mutter galt, und uns unleidlich, ja ungeheuerlich anmuten wollte: ,Weib, was habe ich mit dir zu schaffen?' Es sei nicht so gemeint, wie es klinge, versicherte er, weder die scheinbar unehrerbietige Anrede noch auch das Folgende, worin lediglich der Gottessohn das, was uns alle binde, seiner höheren, welterlösenden Sendung unterordne. Umsonst, es gelang dem Erläuterer nicht, uns mit einem Textworte zu versöhnen, das uns so wenig vorbildlich schien, daß niemand es über die Lippen bringen zu können gewünscht hätte. – Verzeihen Sie die Kindheitserinnerung! Sie ist mir geläufig in diesem Zusammenhange, und unwillkürlich mischt sie sich in meine Bemühung, Ihnen das Befremdende plausibel

zu machen, Sie über einen auffallenden Mangel an Initiative
zu trösten. Als er Spätsommer vierzehn auf seiner Rhein- und
Mainreise wieder einmal in Frankfurt Aufenthalt nahm,
hatte die Vaterstadt ihn siebzehn Jahre nicht mehr gesehen.
Was ist das? Welche Scheu, welche meidende Verlegenheit
und nachtragende Scham bestimmt das Verhältnis des Genies
zu seinem Ursprung und Ausgang, zu den Mauern, die seinen
Puppenstand sahen, und denen er ins Weltweite entwuchs?
Schämt es sich ihrer, oder schämt es sich vor ihnen? Wir können nur fragen und vermuten. Weder die Stadt aber noch die
herrliche Mutter haben sich im geringsten empfindlich gezeigt.
Die ,Frankfurter Oberpostamtszeitung' hat seiner Anwesenheit einen Artikel gewidmet (ich bewahre ihn auf); und was
vordem die Mutter betraf, – Werteste!, so ist ihre Nachsicht
mit seiner Größe jederzeit ihrem Stolz auf das Wunder, das
sie der Welt geschenkt, ihrer unendlichen Liebe gleichgekommen. Er blieb zwar fern, aber er schickte doch bandweise die
neue Gesamtausgabe seiner Werke, und der erste davon, mit
den Gedichten, kam ihr nicht von der Seite. Acht Bände hat
sie bis zum Juli ihres Todesjahres erhalten und sie in Halb-
franz binden lassen . . .«

»Mein lieber Herr Doktor«, fiel Charlotte ein, »ich verspreche Ihnen, mich weder von dem Phlegma der Vaterstadt
noch von der Mutterliebe beschämen zu lassen. Sie wollen
mich anhalten, wenn ich Sie recht verstehe, mir an ihnen beiden ein Beispiel zu nehmen – als ob ich das auch nur nötig
hätte! Meine kleinen Feststellungen habe ich in aller Gelassenheit getroffen, – nicht ohne Sinn für das Curiose daran, aber
ohne Bitterkeit. Sie sehen ja, daß ich es mache wie der Prophet,
der zum Berge kam, da der Berg nun einmal nicht zu ihm
kommen wollte. Wäre der Prophet empfindlich, er käme nicht.
Auch kommt er ja nur gelegentlich, vergessen wir das nicht;
es ist nur eben gerade, daß er den Berg nicht zu vermeiden
gedenkt, – denn eben das sähe nach Empfindlichkeit aus. Verstehen Sie mich recht, ich will mit alldem nicht sagen, daß die
mütterliche Resignation unserer teuren, in Gott ruhenden

Frau Rat so ganz nach meinem Sinn wäre. Ich bin auch Mutter, eine ganze Schar von Söhnen hab' ich geboren, und sie sind mir zu ansehnlichen, tätigen Leuten herangewachsen. Aber wenn auch nur einer sich aufführen wollte wie der Rätin ihr Mußjö Sohn und wollte mich elf Jahre nicht sehen, sondern an meiner Stätte vorbeireisen ins Bad und wieder zurück, – den würd' ich Mores lehren, glaub' Er mir, Doktor, ich würd' ihn gehörig zausen!«

Eine zornig lustige Laune schien sich Charlottens bemächtigt zu haben. Sie stieß mit ihrem Schirm auf bei ihren polternden Worten, ihre Stirn unter dem aschgrauen Haar war gerötet, ihr Mund auf eine Weise verzogen, wie ein Mund sich nicht gerade nur zum Lächeln verziehen mag, und in ihren blauen Augen standen Tränen der Energie – oder was für Tränen nun immer. Von ihnen schimmerten ihre Augen, indes sie fortfuhr:

»Nein, ich will's zugeben, solche Mutter-Genügsamkeit wäre nicht meine Sache; auch als Kehrseite noch so enormer Vorzüge würd' ich sie mir nicht bieten lassen, die Sohnesgenügsamkeit. Sie sollten sehen, ich würde angereist kommen, die Prophetin zum Berge, um ihm den Kopf zurechtzusetzen, – Sie werden mir's zutrauen, da ich ja sogar jetzt angereist komme, um nach dem Rechten zu sehen beim Berge, – nicht weil ich Ansprüche an ihn hätte, bewahre, ich bin seine Mutter nicht, und er mag Genügsamkeit üben wegen meiner, soviel ihm beliebt, wiewohl ich nicht leugnen will, daß eine alte Rechnung schwebt zwischen mir und dem Berge, eine unbeglichene, und daß möglicherweise sie es ist, die mich herführt, die alte, unbeglichene, quälende Rechnung . . .«

Riemer betrachtete sie aufmerksam. Das Wort »quälend«, das sie gesprochen, war das erste, das eigentlich zu dem Ausdruck ihres Mundes, den Tränen in ihren Augen paßte. Der schwere Mann wunderte sich und bewunderte es, wie Frauen so etwas machen und wie sie schlau bleiben im Gefühl: Im voraus hatte sie für einen Rede-Text gesorgt, der dem Ausdruck der Qual, einer lebenslangen Qual offenbar, den

Tränen, den verzogenen Lippen einen anderen Sinn unter-
legte, ihn irreführend interpretierte, so daß er zu jenem lustig-
zornigen Gerede zu gehören schien und schon lange in täu-
schendem Zusammenhange da war, wann das Wort seines
wirklichen Sinnes fiel, damit man nicht das Recht hätte, noch
auch nur darauf verfalle, ihn auf dieses zu beziehen, vielmehr
ihn immer noch im Sinn des früher Geredeten verstände,
durch welches sie sich bei Zeiten das Recht auf diesen Ausdruck gesichert und für seine Mißverständlichkeit gesorgt
hatte ... Ein raffiniertes Geschlecht, dachte Riemer. In der
Verstellung enorm geschickt, befähigt, Verstellung und Auf-
richtigkeit untrennbar zu verquicken, und recht für die Gesellschaft, die Herzensintrige geboren. Wir sind Bären und
salonunfähige Tölpel, wir anderen Männer, im Vergleich
mit ihnen. Wenn ich ihr in die Karten sehe und auf die
Schliche komme, so eben nur darum, weil ich mich allenfalls
auf die Qual, eine verwandte Qual, verstehe, und weil wir
Complicen sind, Complicen in der Qual ... Er hütete sich,
sie mit Einwürfen zu stören. Mit seinen breitspurigen Augen
blickte er erwartungsvoll auf ihre verzerrten Lippen. Sie
sagte:

»Vierundvierzig Jahre lang, mein lieber Herr Doktor, die
zu meinen neunzehn von damals hinzugekommen sind, ist sie
wie ein Rätsel geblieben, ein quälendes Rätsel, warum sollt'
ich ein Hehl daraus machen, die Genügsamkeit mit Schattenbildern, die Genügsamkeit der Poesie, die Genügsamkeit des
Kusses, aus dem, wie er sagt, keine Kinder werden, denn sie
sind woanders hergekommen, elf an der Zahl, wenn ich die
gestorbenen mitrechne: aus meines Kestners rechter und redlicher Liebe nämlich. Sie müssen das recht bedenken und
imaginieren, um zu verstehen, daß ich zeit meines Lebens
nicht fertig damit geworden bin. Ich weiß nicht, ob Ihnen die
Verhältnisse ... Kestner kam gleich bei Beginn der Kam-
mergerichts-Visitation von Hannover zu uns nach Wetzlar,
anno achtundsechzig, als Falcke's Adlat, – Falcke, das war der
herzoglich-bremische Gesandte, müssen Sie wissen, – es wird

ja das alles einmal eine Rolle spielen in der Geschichte, und
wer auf Bildung Anspruch erhebt, wird's wissen müssen,
wir wollen uns nur darüber nicht täuschen. Also denn:
Kestner kam als bremischer Legationssecretär zu uns in die
Stadt, ein ruhiger, lauterer, gründlicher junger Mensch, – ich
fünfzehnjähriges Ding – denn ich war bloße fünfzehn damals – hatte gleich ein herzliches Vertrauen zu ihm, da er
anfing, soweit seine große Geschäftslast ihm das erlaubte, bei
uns zu verkehren im Deutschen Hause und aus und ein zu
gehen in unserem vielköpfigen Hausstand, der gerade vor
einem Jahr die liebe, teure, unvergeßliche Mutter verloren
hatte, von der die Welt aus dem ‚Werther‘ weiß, so daß
unser Vater, der Amtmann, vereinsamt war im Gewimmel
der Kinder und ich, seine Zweite, selbst noch ein Küken und
nicht viel mehr, es mir ließ angelegen sein nach besten Kräften, den Platz der Seligen auszufüllen in Haus und Wirtschaft, den Kleinen die Näschen zu putzen und sie zu sättigen,
wie ich's verstand, und alles zusammenzuhalten nach bestem
Vermögen, da unsere Line, die Älteste, nun einmal nicht recht
Lust und Geschick hatte zu dem allen, – sie hat später, anno
siebenundsiebzig, den Hofrat Dietz geheiratet und ihm fünf
brave Söhne geschenkt, von denen der Älteste, Fritzchen, auch
wieder Hofrat geworden ist beim Archiv des Reichskam-
mergerichts, – man wird das alles einmal wissen müssen, weil
es erforscht werden wird aus Bildungsgründen, darum halt'
ich's schon heute fest, aber auch um Ihnen zu zeigen, daß
Caroline, unsere Älteste, später in ihrer Art noch eine ganz
prächtige Frauensperson geworden ist, man muß dafür sorgen,
daß die Geschichte auch ihr gerecht wird. Aber damals war
sie nicht prächtig, die Prächtige war ich, nach allgemeinem
Befunde, obgleich ich zu der Zeit ein recht spilleriges Ding
war, strohblond und wasserblau: erst in den nächsten vier
Jahren machte ich mich weiblich ein bißchen heraus, – mit
einem gewissen Entschluß, wie mir vorkommt, nämlich Kestnern zu Liebe und zu Gefallen, der meiner hausmütterlichen
Prächtigkeit wegen gleich ein Auge auf mich geworfen hatte,

ein verliebtes Auge, nennen wir die Dinge doch nur bei
Namen, und, wie er in allen Stücken wußte, was er wollte,
auch gleich, beinahe vom ersten Tage an, wußte, daß er mich,
das Lottchen, zur Eheliebsten und Hausfrau wollte, wenn er
einmal so weit sein und nach Amt und Salair sich würde sehen
lassen können als Freier. Das war natürlich die Bedingung
unseres guten Vaters, des Amtmanns, daß Kestner es erst
zu was Rechtem müßte gebracht haben, bevor er seinen Segen
gäbe zu unserem Bunde, und müßte erst der Mann sein,
eine Familie zu ernähren, zu schweigen davon, daß ich zur
Zeit noch ein spilleriges Küken war mit meinen fünfzehn.
Aber eine Verlobung war es doch schon damals und ein festes,
stilles Gelöbnis von beiden Seiten: Er, der Brave, wollte mich
unbedingt wegen meiner Prächtigkeit, und ich wollte ihn auch
von ganzem Herzen, weil er mich so gerne wollte, und aus
Vertrauen zu seiner Redlichkeit, – kurzum, wir waren ver-
sprochene Leute, wir bauten aufeinander fürs Leben, und
wenn ich mich in den nächsten vier Jahren körperlich ein
bißchen herausputzte und sozusagen Gestalt annahm als
Frauenzimmer, eine ganz hübsche Gestalt, so wäre das wohl
auch sonst geschehen, natürlich, die Zeit war gekommen für
mich, daß ich zum Weibe wurde aus einem Küken und mich,
poetisch gesprochen, zur Jungfrau entfaltete – das sowieso.
Aber für mein Gefühl und in meiner Vorstellung war es
doch anders, – da geschah es und vollzog sich von Tag zu
Tag nach einem gewissen Vorsatz, aus Liebe zu dem getreuen
Mann, der mich wollte, und ihm zu Ehren, damit ich zu dem
Zeitpunkt, wo er würde präsentabel geworden sein als Freier,
auch für mein Teil präsentabel sein möchte als Braut und zukünftige Mutter ... Ich weiß nicht, ob Sie verstehen, daß
ich Wert darauf lege, zu betonen, daß ich nach meiner Idee
ausdrücklich für ihn, den Guten, Getreuen, der auf mich
wartete, mich weiblich herausgemacht und zu einer hübschen
Dirne, oder einer ansehnlichen doch, geworden war?«

»Ich glaube wohl zu verstehen«, sagte Riemer mit gesenkten Augen.

»Nun denn, als es so weit war mit den Dingen, kam also der Dritte hinzu, der Freund, der liebe Teilnehmer, der soviel Zeit hatte, er kam von außen und ließ sich nieder auf diesem Verhältnis und diesen wohlbereiteten Lebensumständen, ein bunter Falter und Sommervogel. Verzeihen Sie, daß ich ihn einen Falter nenne, denn er war gewiß kein so leichter Bursche, – will sagen: leicht war er wohl auch, ein bißchen toll und eitel in seiner Kleidung, ein Schwerenöter, der auf Jugendkraft und Munterkeit gern posierte und gern den besten Gesellschafter seines Kreises machte, das artigste Spiel anzugeben, und dem die beste Tänzerin freudig die Hand reichen mochte – das alles wohl –, obgleich ihm der Übermut und Sommervogelglanz nicht einmal immer so recht wollte zu Gesichte stehen, weil er denn doch zu schwer und voll von Gemüt und Gedanken dafür war, – aber eben die Lust am tiefen Gemüt und der Stolz auf die großen Gedanken, die waren das Bindeglied zwischen Ernst und Leichtigkeit, zwischen Schwermut und Selbstgefallen, und er war allerliebst im großen ganzen, das muß man sagen: so hübsch und brav und zur redlichen Resipiscenz einer Torheit jederzeit gutherzig bereit. Kestner und ich, wir mochten ihn gleich, – alle drei mochten wir uns herzlich untereinander; denn er, der von außen Kommende, war entzückt über die Verhältnisse, in denen er uns vorfand, und voller Freude, sich darauf niederzulassen und auch mit zu nippen als Freund und Dritter, wozu er ja alle Muße hatte, da er das Kammergericht eine gute Sache sein ließ, oder auch eine abgeschmackte, und gar nichts tat, indessen der Meine, um es recht bald zu etwas zu bringen um meinetwillen, sich's sauer werden ließ in der Schreibstube bei seinem Gesandten. Ich bin überzeugt noch heute und will's maßgeblich beisteuern zur Forschung und zum Gedächtnis dieser Geschichte, daß der Freund auch *davon* entzückt war, ich meine von Kestners Geschäftslast – nicht weil sie ihm Spielraum und Chance gab bei mir, er war ja nicht untreu, niemand soll das von ihm sagen. Auch war er gar nicht verliebt in mich vorderhand, Sie müssen das

recht verstehen, sondern er war verliebt in unsere Verlobtheit
und in unser wartendes Glück, und mein Guter war sein
Bruderherz um dieser Verliebtheit willen, dem er gewiß nicht
untreu zu sein gedachte, sondern den er treulich im Arme
hielt, um mich mit ihm im Vereine zu lieben und teilzuhaben
an unseren wohlgegründeten Verhältnissen, – um seine Schulter den Arm und auf mich die Augen gerichtet, – wobei es
denn aber geschehen mochte, daß der treue Arm ein wenig
in Vergessenheit geriet auf der Schulter und nur eben noch
dalag, indes sich die Augen auf andere Weise vergaßen. Doktor, stellen Sie es sich vor mit mir, ich habe in all den Jahren
so viel und genau daran zurückgedacht, als ich die Kinder trug
und sie aufzog, und hernach immerfort bis zu diesem Tage!
Guter Himmel, ich merkte wohl und hätte kein Frauenzimmer sein müssen, um's nicht zu merken, daß seine Augen allmählich in Zwietracht gerieten mit seiner Treue und daß
er anfing, nicht mehr in unsre Verlobtheit verliebt zu sein,
sondern in mich, das heißt in das, was meinem Guten gehörte,
und wozu ich mich in diesen vier Jahren herausgemacht für
den und um dessentwillen, der mich fürs Leben wollte und
wollte der Vater meiner Kinder sein. Einmal gab jener mir
etwas zu lesen, was mir verriet und auch wohl verraten
sollte, wie alles stand und was er für mich empfand, des
Armes ungeachtet um Kestners Schulter, – etwas Gedrucktes,
was er hatte einrücken lassen –, denn er schrieb und dichtete
ja immer und hatte eine Handschrift mit nach Wetzlar gebracht, ein Ding wie ein Drama, den ‚Götz von Berlichingen
mit der eisernen Hand‘, das seine Freunde vom Mittagstisch
im ‚Kronprinzen‘ kannten, weshalb er denn unter ihnen auch
‚Götz, der Redliche‘ hieß – aber Recensionen und dergleichen schrieb er auch, und dies war eine solche, die er in die
‚Frankfurter Gelehrten Anzeigen‘ hatte einrücken lassen, und
handelte von Gedichten, die ein polnischer Jude verfaßt und
an Tag gegeben. Es war aber nicht lange vom Juden und seinen Gedichten die Rede, sondern bald kam er da, als könnt'
er nicht an sich halten, auf einen Jüngling und ein Mädchen zu

reden, das der Jüngling in ländlichem Frieden entdeckte,
und in dem ich mich in aller Scham und Bescheidenheit notgedrungen selber erkennen mußte, so dicht war der Text mit
Anspielungen gespickt auf meine Verhältnisse und Person
und auf den stillen Familienkreis häuslicher tätiger Liebe,
worin sich das Mädchen als zweite Mutter ihres Hauses in
Güte und Anmut sollte entfaltet haben, so angenehm, daß ihre
liebwirkende Seele jedes Herz unwiderstehlich an sich reiße
(ich halte mich an seine Worte) und Dichter und Weise zu
der jungen Person nur immer willig möchten in die Schule
gehen, um mit Entzücken eingeborene Tugend zu schauen
und mitgeborenen Wohlstand und Grazie. Kurzum, es war
der Anspielungen kein Ende, ich hätte müssen mit dem
Dummklotz geschlagen sein, um nicht zu merken, wo es hinauswollte, und war so ein Fall, wo Scham und Bescheidenheit
sich zwar sträuben gegen das Wiedererkennen, es aber doch
unmöglich verhindern können. Das Schlimme aber, was mir
so bange machte und mich so brennend erschreckte, war, daß
der Jüngling dem Mädchen sein Herz antrug, das er jung
und warm nannte wie das ihre, geschaffen, mit ihr nach fernern, verhülltern Seligkeiten dieser Welt zu ahnden (so
drückte er sich aus), und in dessen belebender Gesellschaft
(wie hätte ich die ‚belebende Gesellschaft‘ nicht wiedererkennen sollen!) sie nach goldnen Aussichten von ewigem Beisammensein (ich citiere wörtlich) und unsterblich webender
Liebe fest angeschlossen hinstreben möge.«

»Erlauben Sie, teuerste Hofrätin, was fördern Sie da zu
Tage!« fiel Riemer ihr hier ins Wort. »Sie teilen Dinge mit,
deren Belang für die schöne Forschung Sie nicht ganz nach
Gebühr abzuschätzen scheinen. Man weiß nichts von dieser
frühen Recension – ich höre, wie ich da sitze, zum ersten
Mal davon. Durchaus hat der Alte sie mir – hat mir der
Meister das Document unterschlagen. Ich nehme an, daß
er es vergessen hat . . .«

»Das glaube ich nicht«, sagte Charlotte. »So etwas vergißt
man nicht. ‚Mit ihr nach fernern, verhülltern Seligkeiten der

Welt zu ahnden' – das hat er bestimmt so wenig wie ich vergessen.«

»Offenbar«, eiferte der Doktor, »ist es reich an Beziehungen zum ‚Werther‘ und den ihm zum Grunde liegenden Erlebnissen. Verehrteste, das ist eine Sache von größter Wichtigkeit! Besitzen Sie das Blatt? Man muß es ausforschen, muß es der Philologie zugänglich machen . . .«

»Es sollte mich ehren«, versetzte Charlotte, »der Wissenschaft mit einem Hinweis gedient zu haben, wiewohl ich mir sagen darf, daß ich es kaum nötig habe, mir noch dergleichen Einzelverdienste um sie zu erwerben.«

»Sehr wahr! Sehr wahr!«

»Ich bin nicht im Besitz der Juden-Recension«, fuhr sie fort. »Darin muß ich Sie enttäuschen. Er gab sie mir seinerzeit eben nur zu lesen und legte Gewicht darauf, daß ich sie unter seinen Augen läse, was ich verweigert hätte, wäre ich mir des Widerstreites vermutend gewesen, in den dabei meine Bescheidenheit mit meinem Scharfblick geraten würde. Da ich ihm das Druckblatt zurückgab, ohne ihn anzusehen, weiß ich nicht, was für ein Gesicht er aufgesetzt hatte. ‚Gefällt es Ihnen?‘ fragte er mit verhaltener Stimme. – ‚Der Jude wird wenig erbaut sein‘, gab ich mit Kühle zurück. – ‚Aber Sie, Lottchen‘, drängte er, ‚ist Sie selber erbaut?‘ – ‚Mein Gemüt ist im Gleichen‘, versetzte ich. – ‚O, wäre auch das meine es noch!‘ rief er aus, als ob nicht die Recension allein schon genügt und es eines solchen Rufs noch bedurft hätte, um mich zu lehren, daß der Arm um Kestners Schulter vergessen lag und alles Leben in den Augen versammelt war, mit denen er anschaute, was Kestnern gehörte und was sich für ihn allein, unterm wärmenden, weckenden Blick seiner Liebe, an mir hervorgetan. Ja, was ich war und was an mir war und was ich wohl den Liebreiz nennen muß meiner neunzehn Jahre, gehörte dem Guten und war unsern redlichen Lebensabsichten geweiht, es blühte nicht für ‚verhülltere Seligkeiten‘ und irgendwelche ‚unsterblich webende Liebe‘, durchaus nicht. Aber Sie werden verstehen, Doktor, und die Welt, so hoffe

ich, wird es verstehen, daß ein Mädchen sich freut und es
genießt, wenn nicht Einer nur ihre bräutliche Blüte sieht, nicht
nur der, dem sie gilt und der sie, möchte ich sagen, hervorgerufen, sondern wenn auch Andere, Dritte dafür Augen haben,
denn das bestätigt uns ja unsern Wert, uns und dem, der
darüber gebietet – wie es mich denn freute, meinen guten
Lebensverbündeten sich treulich freuen zu sehen an meinen
Erfolgen bei anderen, und besonders bei dem besonderen,
genialischen Freunde, den er bewunderte und dem er vertraute wie mir – oder, besser gesagt, etwas anders als mir,
auf etwas weniger ehrenvolle Weise; denn mir vertraute er,
weil er meiner Vernunft gewiß war und annahm, ich wisse,
was ich wollte, jenem aber gerade darum, weil er das
offenkundig ganz und gar nicht wußte, sondern verworren und ziellos ins Blaue liebte, als ein Poet. Kurzum, sehen
Sie, Doktor! Kestner vertraute mir, weil er mich ernst nahm,
jenem aber vertraute er, weil er ihn nicht ernst nahm, obgleich er ihn ja doch so sehr bewunderte ob seines Glanzes
und seines Genius und Mitleid hatte mit den Leiden, die seine
ziellose Poetenliebe ihm bereitete. Mitleid hatte auch ich mit
ihm, weil er so litt um meinetwillen und aus guter Freundschaft in solche Verwirrung geraten war, aber es kränkte
mich auch um seinetwillen, daß Kestner ihn nicht ernst
nahm und ihm auf eine Weise vertraute, die ihm nicht gerade
zur Ehre gereichte, weswegen mir oft das Gewissen schlug;
denn ich fühlte, es sei ein Raub an meinem Guten, daß ich
mich in die Seele des Freundes hinein gekränkt fühlte durch
die Art von Vertrauen, das er ihm bezeigte, obgleich dies Vertrauen mich auch wieder beruhigte und es mir erlaubte, ein
Auge zuzudrücken und fünf gerade sein zu lassen, wenn ich
sah, wie die gute Freundschaft des Dritten bedenklich aus-
artete und er den Arm vergaß um des Freundes Schulter. Verstehen Sie das wohl, Doktor, und ist Ihnen durchsichtig, daß
das Kränkungsgefühl schon ein Zeichen war meiner eigenen
Entfremdung von Pflicht und Vernunft, und daß Kestners
Vertrauen und Gleichmut mich ein wenig leichtsinnig machte?«

»Ich besitze«, erwiderte Riemer, »durch meinen hohen
Dienst einige Schulung in solchen Finessen und glaube die Lage
von damals so ziemlich zu übersehen. Ich verberge mir auch
nicht die Schwierigkeiten, die diese Lage für Sie, Frau Hofrätin, mit sich brachte.«

»Dafür danke ich Ihnen«, sagte Charlotte, »und lasse mir
die Dankbarkeit für Ihr Verständnis nicht mindern dadurch,
daß das alles so lange her ist. Die Zeit spielt wirklich hier
eine so ohnmächtige Rolle wie nicht leicht sonst im Leben,
und ich darf sagen, daß in diesen vierundvierzig Jahren
die Situation von damals ihre volle Frische und eine die
Gedanken immer neu und unmittelbar anstrengende Gegenwart bewahrt hat. Ja, es ist, so voll diese vielen Jahre waren
von Freud' und Leid, wohl kein Tag vergangen, an dem ich
nicht angestrengt nachgedacht hätte über die Lage von damals, – ihre Folgen, und was daraus geworden für die geistige Welt, machen das wohl begreiflich.«

»Vollkommen begreiflich!«

»Wie schön, Herr Doktor, Ihr ,vollkommen begreiflich'.
Wie wohltuend und ermutigend. Das ist ein guter Gesprächspartner, der dies gute Wort jeden Augenblick zu sprechen
bereit ist. Es scheint, was Sie Ihren ,hohen Dienst' nennen,
hat wirklich in mancher Beziehung auf Sie abgefärbt und auch
Ihnen viel von den Eigenschaften eines Beichtvaters und
Großpönitentiarius mitgeteilt, dem man alles sagen möchte
und sagen kann, denn alles ist ihm ,vollkommen begreiflich'.
Sie machen mir Mut, Ihnen von dem Kopfzerbrechen, das
gewisse Erfahrungen mir damals und später verursacht haben, noch einiges mich Bedrängende einzubekennen, – die
Rolle und den Charakter des Dritten nämlich, der von außen
kommt und in ein gemachtes Nest das Kuckucksei seines
Gefühles legt. Ich bitte Sie, nehmen Sie keinen Anstoß an
solchen Bezeichnungen wie ,Kuckucksei' – bedenken Sie, daß
Sie das Recht verspielt haben, Anstoß daran zu nehmen, indem Sie mir mit ähnlichen Wendungen – nennen wir sie nun
mutig oder anstößig – vorangegangen sind. So haben Sie zum

Beispiel von ‚elbischem Wesen' gesprochen, – ‚elbisch', das ist
meiner Meinung nach nicht weniger bedenklich als ‚Kuk-
kucksei'. Auch ist das Wort nur der Ausdruck eines lang-
jährig-unaufhörlichen und angestrengten Kopfzerbrechens, –
verstehen Sie mich recht, ich sage nicht: sein Ergebnis! Als
solches wäre es wenig schön und würdig, das gebe ich zu.
Nein, solche Bezeichnungen sind gewissermaßen noch die Anstrengung selbst und vorerst nichts weiter ... Ich sage und
will nichts weiter gesagt haben als dies: Ein wackerer Jüngling sollte das Mädchen, dem er seine Liebe weiht, und dem
er seine Huldigung darbringt – Huldigungen, die doch auch
Werbungen sind und selbstverständlich das Mädchen beeindrucken – desto mehr, versteht sich, je besonderer und glänzender der fragliche Jüngling sich darstellt und je belebender
seine Gesellschaft ist, und die manches natürliche Entgegenkommen in ihrem Busen aufrufen: – der Jüngling, meine
ich, sollte das Mädchen seiner Wahl auch wirklich auf eigene
Hand erwählen, es selber entdecken auf seiner Lebensfahrt,
selbständig ihren Wert erkennen und sie hervorziehen aus
dem Dunkel des Unerkanntseins, um sie zu lieben. Warum
sollte ich Sie nicht fragen, was ich mich so oft gefragt in diesen
vierundvierzig Jahren: Wie steht es um die Wackerkeit eines
Jünglings – seine Gesellschaft sei sonst auch noch so belebend –,
der dieser Selbständigkeit des Findens und Liebens ermangelt, sondern kommt, den Dritten zu machen und zu lieben,
was für einen anderen und durch einen anderen erblüht ist?
Der sich in anderer Leute Verlobtheit vernarrt, sich nieder-
läßt auf anderer Lebensschöpfung und naschhaft von fremder Zubereitung profitiert? *Die Liebe zu einer Braut* – das ist
es, was mir Kopfzerbrechen gemacht hat durch all die Jahre
meines Ehe- und Witwenstandes, – eine Liebe in Treuen zum
Bräutigam übrigens, welche bei aller Werbung, die von Liebe
nun einmal unzertrennlich ist, keineswegs die Rechte des
Finders zu schmälern gedenkt – oder doch anders nicht als
höchstens durch einen Kuß –, die alle Lebensrechte und
-pflichten dem Finder und Bräutigam herzbrüderlich überläßt

und sich im voraus bescheidet, die Kinderchen, die dieser Lebensgründung entsprießen werden, samt und sonders aus der Taufe zu heben, oder wenigstens, sollte auch das nicht angehen, von ihren Schattenrissen Kenntnis zu nehmen ... Verstehen Sie nach all dem, was es besagen will: die Liebe zu einer Braut – und inwiefern es zum Gegenstand langjährigen Kopfzerbrechens werden kann? Es wurde mir dazu, weil mir dabei ein Wort nicht von der Hand zu weisen gelang, und ich beim besten Willen, trotz aller Scheu, nicht immer darum herumzukommen wußte: das Wort ‚Schmarutzertum‘ ...«

Sie schwiegen. Der Kopf der alten Dame zitterte. Riemer schloß die Augen, und auch seine Lippen preßte er eine Weile zusammen. Dann sagte er mit betonter Ruhe:

»Als Sie den Mut fanden, dies Wort auszusprechen, durften Sie darauf rechnen, daß es mir nicht an Mut fehlen werde, es zu vernehmen. Sie werden mir zustimmen, wenn ich sage, daß das Erschrecken, das uns einen Augenblick verstummen ließ, nur das Erschrecken vor den göttlichen Beziehungen und Anklängen ist, die diesem Wort innewohnen – und die Ihnen bestimmt nicht entgingen, als Sie es von den Lippen ließen. Sie finden mich ganz auf der Höhe dieses Gedankens – ich bitte, darüber beruhigt zu sein. Es gibt ein göttliches Schmarutzertum, ein Sich-Niederlassen der Gottheit auf menschlicher Lebensgründung, unserer Vorstellung wohlvertraut, ein göttlich schweifendes Participieren an irdischem Glück, die höhere Erwählung einer hier schon Erwählten, die Liebesleidenschaft des Götterfürsten für das Weib eines Menschenmannes, der fromm und ehrfürchtig genug ist, sich durch solche Teilhaberschaft nicht verkürzt und erniedrigt, sondern erhöht und geehrt zu fühlen. Sein Vertrauen, seine Gelassenheit führt sich eben auf die vagierende Göttlichkeit des Teilhabers zurück, welcher unbeschadet der Ehrfurcht und frommen Bewunderung, die sie erregt, eine gewisse reale Bedeutungslosigkeit innewohnt, – was ich erwähne, weil Sie von ‚Nicht ernst nehmen‘ sprachen. Das Göttliche ist tatsächlich nicht ganz ernst zu nehmen – sofern es nämlich im Menschlichen hospitiert. Mit Recht kann der irdische Bräutigam sich sagen: ‚Laß gut sein, es ist nur ein Gott‘, – wobei das ‚nur‘, versteht sich, von dem redlichsten Gefühl für die höhere Natur des Mitliebenden erfüllt sein mag.«

»Das war es, mein Freund, es war erfüllt davon, nur zu sehr, so nämlich, daß Kestnern, meinem Guten, öfters Scrupel und Zweifel anzumerken waren, ob er denn wohl auch vor der höheren, wenn auch nicht ganz ernst zu nehmenden Leidenschaft des Anderen des Besitzes würdig sei, ob er mich würde glücklich zu machen vermögen wie jener und nicht lieber, wenn auch mit lebhaftesten Schmerzen, die Resignation wählen solle. Ich gestehe, es gab Stunden, wo ich nicht aufgelegt, nicht von ganzem Herzen bereit und willens war, ihm diese Scrupel zu nehmen. Und dies alles, Doktor, merken Sie wohl!, dies alles, obwohl wir eine geheime Ahnung miteinander hegten, daß es sich bei dieser Leidenschaft, soviel Leiden sie bringen mochte, um eine Art von Spiel handelte, auf das gar kein menschlich Bauen war, um etwas wie ein Herzensmittel zu außerwirklichen – wir durften es kaum denken: zu außermenschlichen Zwecken.«

»Meine Teuerste«, sagte der Famulus bewegt und zugleich warnend-belehrend – und hob sogar den ringgeschmückten Zeigefinger empor –, »die Poesie ist nichts Außermenschliches, ihrer Göttlichkeit ungeachtet. Seit neun plus vier Jahren bin ich ihr Handlanger und Geheimsecretär, ich habe im vertrauten Umgang mit ihr manche Erfahrung über sie gesammelt, ich darf über sie mitreden. In Wahrheit ist sie ein Mysterium, die Menschwerdung des Göttlichen; sie ist tatsächlich ebenso menschlich wie göttlich – ein Phänomen, das an die tiefsten Geheimnisse unserer christlichen Glaubenslehre gemahnt – und an reizend Heidnisches überdies. Denn möge der Grund nun ihre göttlich-menschliche Doppeltheit sein oder dies, daß sie die Schönheit selber ist, – genug, sie neigt auf eine Weise zur Selbstbespiegelung, die uns das alte, liebliche Bild des Knaben associieren läßt, der sich entzückt über den Widerschein seiner eigenen Reize neigt. Wie

in ihr die Sprache lächelnd sich selber anschaut, so auch das
Gefühl, der Gedanke, die Leidenschaft. Selbstgefälligkeit mag
in bürgerlichen Unehren stehen, aber auf höheren Rängen,
meine Beste, weiß ihr Name von tadelndem Beiklang nichts
mehr – wie sollte das Schöne, die Poesie sich auch nicht selbst
gefallen? Sie tut es noch in der leidendsten Leidenschaft und
ist menschlich im Leiden, göttlich aber im Selbstgefallen. Sie
mag sich in sonderbaren Formen und Charakteren der Liebe
gefallen, zum Exempel in der Liebe zu einer Braut, also zum
Versagten und Verbotenen. Ich fand, daß es sie begeistert,
mit den verführerischen Zeichen ihrer Herkunft aus einer
fremden, unbürgerlichen Liebeswelt geschmückt, in ein
menschlich Verhältnis einzutreten und daran teilzunehmen,
berauscht von der Schuld, in die sie stürzt und die sie auf
sich lädt. Sie hat viel von dem sehr großen Herrn – und er
von ihr –, den es freut, vor dem geblendeten kleinen Mädchen aus dem Volk, das ihn anbetet, und bei dem sie nur
zu mühelos den schlichten Liebhaber aussticht, den Mantel
auseinanderzuschlagen und sich ihr in der Pracht des spanischen Hofkleides zu zeigen ... Solcher Art ist ihre Selbstgefälligkeit.«

»Sie scheint mir«, sagte Charlotte, »mit zuviel Genügsamkeit verbunden, diese Selbstgefälligkeit, als daß ich ihre Berechtigung ganz anzuerkennen vermöchte. Meine Verwirrung
von damals – eine nachhaltige Verwirrung, ich will es nur gestehen – galt vor allem der Mitleid erregenden Rolle, zu der
das Göttliche, wie Sie es nennen, sich da bequemte. Sie haben
es verstanden, mein Lieber, einem grassen Wort, das mir entschlüpfte, eine hohe, majestätische Deutung zu geben, und ich
bin Ihnen dankbar dafür. Aber, die Wahrheit zu sagen, wie
kläglich stand es doch auch wieder um dies göttliche Hospi-
tantentum und in welche beschämte Verwunderung stürzte
es uns schlicht zusammengehörige Leute, uns zum Mitleid
genötigt zu sehen mit diesem Dritten im Bunde, diesem
Freunde, soviel höher an Glanz als wir Sterblichen. Hatte
er's nötig, den Almosenempfänger zu machen? Denn was

waren mein Schattenriß, die Busenschleife, die Kestner ihm
schenkte, anderes als Almosen und milde Gaben? Ich weiß
wohl, sie waren zugleich auch etwas wie ein Opfer, eine Ver-
söhnungszahlung, – ich, die Braut, verstand mich durchaus
darauf, und die Gabe geschah mit meinem Einverständnis.
Dennoch, Doktor, habe ich ein Leben lang nicht aufgehört,
nachzugrübeln über des Götterjünglings Genügsamkeit. Ich
will Ihnen etwas erzählen, worüber ich ebenfalls vierzig
Jahre lang nachgegrübelt habe, ohne der Sache auf den Grund
zu kommen, – etwas, was Born mir einmal berichtet hat, –
Praktikant Born, der damals bei uns in Wetzlar war, ein
Sohn des Bürgermeisters von Leipzig, müssen Sie wissen, mit
ihm schon von der Universität her bekannt. Born meinte es
gut mit ihm und mit uns, mit Kestnern besonders, – ein
trefflicher, wohlerzogener Junge mit vielem Sinn fürs Schickliche, und der gewisse Dinge nicht gerne sah. Er machte sich
Sorgen, wie ich später erfuhr, über sein Verhältnis und Verhalten zu mir, welches doch völlig das Ansehen eines Tech-
tel-Mechtels gehabt habe, gefährlich für Kestnern, also daß
er mir den Hof gemacht habe genau, als gälte es, mich Kestnern abzuspannen und selber zu nehmen. Er hat es ihm gesagt und es ihm vorgehalten, wie er mir später vertraute, als
jener weg war. ‚Bruder‘, hat er gesagt, ‚so geht’s nicht, wo
soll das hinaus, und was stellst du an? Du bringst die Dirn
ins Gerede mit dir, und wäre ich Kestner, bei Gott, mir
gefiel’s nicht. Besinne dich, Bruder!‘ – Und wissen Sie, was
er ihm geantwortet hat? ‚Ich bin nun der Narr‘, hat er gesagt, ‚das Mädchen für was Besonderes zu halten, und wenn
sie mich betrügt‘ (wenn ich – ihn betröge, hat er gesagt),
‚wenn sie sich ordinär erwiese und den Kestner zum Fond
ihrer Handlung hätte, um desto sicherer mit ihren Reizen zu
wuchern, – der Augenblick, der mir das entdeckte, der erste,
der sie mir näherbrächte, wäre der letzte unserer Bekanntschaft.‘ Was meinen Sie dazu?«

»Das ist eine sehr edle und zarte Antwort«, sagte Riemer
mit niedergeschlagenen Augen, »die von dem Vertrauen

zeugt, welches er in Sie setzte, daß Sie nämlich seine Huldigungen nicht mißverstünden.«

»Nicht mißverstünden. Ich mühe mich noch heute, sie nicht
mißzuverstehen, aber wie versteht man sie recht? Nein, er
mochte ruhig sein, ich dachte durchaus nicht daran, mit meinen Reizen zu wuchern auf dem Fond meiner Verlobheit,
dazu war ich zu dumm oder, wenn er wollte, nicht ordinär
genug. Aber hatte nicht umgekehrt er den Kestner und mein
Verlöbnis mit ihm zum Fond seiner Handlung und seiner
Leidenschaft, welche einer Gebundenen galt, der es verwehrt
war, ihm ‚näherzukommen‘? War nicht er es, der mich betrog und mich quälte mit seiner geniegespannten und meine
Seele spannenden Anziehungskraft, der ich, wie er sicher war,
nicht folgen durfte, wollte und konnte? Auch der lange
Merck kam mal zu Besuch nach Wetzlar, – sein Freund, ich
mochte ihn nicht, sah immer spöttisch drein und halb er-
grimmt, ein widrig Gesicht, das mir das Innere zuschnürte,
aber gescheit, und *ihn* liebt' er wirklich auf seine Art, wenn
auch sonst keine Seele, das sah ich wohl und mußt' ihm denn
doch auch wohl wieder gut sein deswegen. Nun, was der ihm
gesagt hat, ist mir später auch zu Ohren gekommen. Denn
wir waren beisammen zu Tanz und Pfänderspielen mit
den Brandt'schen Mädeln, Annchen und Dorthelchen, vom
Procurator Brandt, die im vermieteten Haupthaus wohnten des Ordenshofes, meinen Nachbarinnen und nahen Freundinnen. Dorthel war schön und groß, viel stattlicher als ich,
die ich immer noch etwas spillerig war, trotz meiner Blüte
zu Kestners Ehren, – und Augen wie Schwarzkirschen hatte
sie, um die ich sie oft beneidete, weil ich wohl wußte, daß *er*
im Grunde die schwarzen Augen liebte und ihnen eigentlich
den Vorzug gab vor den wasserblauen. Nimmt sich also der
Lange den Goethe vor und sagt zu ihm: ‚Narr!‘ sagt er,
‚was poussierst du um die Braut herum, Poussierstengel du,
und verdirbst die Zeit? Da ist die Junonische, die Dorothea, die Schwarzaugige, um die nimm dich an, die wäre was
für dich und ist frei und ungebunden. Dir aber ist nicht

wohl, wenn du die Zeit nicht verdirbst!' – Annchen, Dorthels
Schwester, hat es gehört und mir später berichtet. *Er* hat
nur gelacht, berichtete sie, zu Merckens Worten und hat sich
den Vorwurf des Zeitverderbs nicht anfechten lassen, – desto
schmeichelhafter für mich, wenn Sie wollen, daß er der
Meinung nicht war, mit mir die Zeit zu verderben, und Dor-
thelchens Ungebundenheit nicht als einen Vorzug erachtete,
der über meine Vorzüge ging. Vielleicht überhaupt nicht als
einen Vorzug oder als einen, den er nicht brauchen konnte.
Aber der Lotte im Buch hat er Dorthels schwarze Augen gegeben, – wenn's nur die ihren sind. Denn es heißt ja, sie
kämen auch oder namentlich von der Maxe La Roche her,
der Brentano in Frankfurt, bei der er soviel gesessen hat,
als sie jung verheiratet war, bevor er den ,Werther' schrieb,
bis ihnen der Mann eine Scene machte, daß ihm die Lust verging, wieder ins Haus zu kommen. Deren Augen sollen es
auch sein, sagen die Leute, und manche haben die Unverschämtheit zu sagen, Werthers Lotte habe von mir nicht mehr
als von mancher anderen. Wie finden Sie das, Doktor, und
wie urteilen Sie darüber als Mann der Schönen Wissenschaften?
Ist es nicht ein starkes Stück, und muß es mich nicht bitterlich kränken, daß ich am Ende gar wegen des bißchen Augen-
schwärze die Lotte nicht einmal mehr sein soll?«

Riemer sah mit Bestürzung, daß sie weinte. In dem Gesicht der alten Dame, das sich in schräger Abwendung zu verbergen strebte, war das Näschen gerötet, ihre Lippen zitterten,
und hastig nestelten ihre feinen Fingerspitzen in dem Ridikül nach dem Tüchlein, um damit den Tränen zuvorzukommen, die den rasch blinzelnden, vergißmeinnichtfarbenen
Augen entquellen wollten. Es war aber wie früher schon
einmal, der Doktor bemerkte es wieder: sie weinte aus vor-
geschütztem Grunde. Rasch und schlau hatte sie aus weibli-
chem Vexationsbedürfnis einen improvisiert, um ratlosen
Tränen, die ihr längst nahe gewesen, Tränen über ein Unbe-
greifliches, deren sie sich schämte, einen simpler einleuchten-
den, wenn auch ziemlich törichten Sinn unterzuschieben. Sie

hielt eine kleine Weile das Tuch mit der hohlen Hand vor
die Augen gepreßt.

»Liebste, teuerste Madame«, sagte Riemer. »Ist es möglich?
Kann eine so abgeschmackte Bezweifelung Ihres Ehrenstan-
des Sie berühren, Sie auch nur einen Augenblick bekümmern?
Unsere Lage zu dieser Stunde, die Belagerung, deren gedul-
dige, und, wie ich meinen will, gutgelaunte Opfer wir sind,
sollte Ihnen keinen Zweifel darüber lassen, in wem die Nation das wahre und einzige Urbild der ewigen Figur erblickt. Ich sage das, als ob ein Zweifel an dieser Ihrer Würde
überhaupt noch bestehen könnte nach dem, was der Meister
selbst im – erlauben Sie! – im dritten Teil seiner Bekenntnisse
darüber gesagt. Muß ich Sie erinnern? Wie wohl ein Künstler, sagt er da freilich, eine Venus aus mehreren Schönheiten
herausstudiere, so habe er sich die Erlaubnis herausgenom-
men, an den Eigenschaften mehrerer hübscher Kinder seine
Lotte zu bilden; aber die Hauptzüge, fügt er hinzu, seien
von der Geliebtesten genommen, – der Geliebtesten, teuere
Frau!, und wessen Haus und Herkunft, wessen Charakter,
Erscheinung und frohe Lebenstätigkeit beschreibt er mit zärt-
lichster und keine Verwechslung zulassender Genauigkeit im –
lassen Sie sehen! – im zwölften Buche? Müßige mögen darüber
streiten, ob es nur *ein* Modell zur Lotte Werthers oder mehrere
gibt, – die Heldin einer der lieblich-ergreifendsten Episoden
im Leben des Heros, die Lotte des jungen Goethe, Verehrteste,
ist jedenfalls nur Eine . . .«

»Das habe ich heute schon einmal gehört«, sagte sie lächelnd gerötet hinterm Schnupftuch hervorkommend. »Kellner
Mager, dahier, erlaubte sich gelegentlich schon, es anzumerken.«

»Ich habe nichts dawider«, entgegnete Riemer gemessen,
»die Einsicht in die lautere Wahrheit mit der Schlichtheit zu
teilen.«

»Es ist im Grunde«, sagte sie mit leichtem Seufzer und
tupfte sich die Augen, »eine so échauffierende Wahrheit nicht,
ich sollt' es mir gegenwärtig halten. Eine Episode, versteht

sich, hat an *einer* Heldin genug. Der Episoden aber hat es eine Mehrzahl gegeben, – man sagt, es gibt ihrer noch. Es ist ein Reigen, in den ich mich füge –«

»– ein unsterblicher Reigen!« ergänzte er.

»– in den mich«, verbesserte sie, »das Schicksal gefügt hat. Ich will es nicht anklagen. Es war mir freundlicher als anderen von uns, denn es gönnte mir ein volles ersprießliches Eigenleben an der Seite des Wackeren, dem ich vernünftige Treue gehalten. Es gibt bleichere, traurigere Gestalten unter uns, die in einsamem Gram vergingen und unter einem frühen Grabhügel Frieden fanden. Wenn aber Jener schreibt, er habe sich von mir zwar nicht ohne Schmerz, aber doch mit reinerm Gewissen getrennt als von Friederike, so muß ich doch sagen: auch in meinem Fall hätte ihm schon das Gewissen ein wenig schlagen dürfen, denn nicht übel hatte er mir zugesetzt mit seiner ziellosen Werbung auf dem Fond meines Verlöbnisses und mir das Seelchen bis zum Zerspringen gespannt. Als er damals fort war und wir seine Zettel lasen, als wir uns wieder allein sahen, wir einfachen Leute, und unter uns, da war uns wohl traurig zu Mute, und nur von ihm mochten wir sprechen den ganzen Tag. Aber leicht war uns doch auch, – ja, erleichtert fühlten wir uns, und ich weiß noch genau, wie ich damals meinte und mich in dem Glauben wiegte, nun sei der uns gemäße, der natürliche, rechte und friedliche Alltag wieder hergestellt und bei uns eingekehrt für immer. Ja, prosit Mahlzeit! Da ging es erst an, denn es kam das Buch, und ich wurde die unsterbliche Geliebte, – nicht die einzige, Gott bewahre, es ist ja ein Reigen; aber die berühmteste, und nach der die Leute am meisten fragen. Und gehöre denn nun der Literärgeschichte, ein Gegenstand der Forschung und Wallfahrt und eine Madonnenfigur, vor deren Nische die Menge sich drängt im Dom der Humanität. Das war mein Los, und wenn Sie erlauben, so frage ich mich nur, wie ich dazu komme. Mußte denn auch der Junge, der mich versuchte und verwirrte jenen Sommer lang, so groß werden, daß ich so groß wurde mit ihm und mich

festgehalten finde mein Leben lang unter der Spannung und
in der schmerzenden Steigerung, in die seine ziellose Werbung mich damals versetzte? Was sind meine armen, törichten
Worte, daß ich sie soll für die Ewigkeit gesagt haben? Als
wir damals mit der Base zu Balle fuhren im Wagen, und der
Discurs auf Romanen roulierte und danach auf dem Tanz-
plaisir, schwätzte ich etwas hin über dies und jenes, ohne mir
träumen zu lassen, in Gottes Namen, daß ich für die Jahrhunderte schwätzte und daß es im Buche stehen werde für
immer. Ich hätte doch sonst den Mund gehalten oder versucht, etwas zu sagen, was für die Unsterblichkeit ein bißchen
passender gewesen wäre. Ach, ich schäme mich, wenn ich's
lese, Herr Doktor, schäme mich damit dazustehen in meiner
Nische vor allem Volk. Hätte doch auch der Junge, wenn er
denn schon ein Dichter war, meine Worte ein bißchen
idealischer und gescheiter herrichten sollen, daß ich besser mit
ihnen bestünde als Nischenfigur im Dome der Menschheit, –
es wäre doch seine Pflicht gewesen, wenn er mich schon hineinzog ungebeten in solche Ewigkeitswelt . . .«

Sie weinte wieder. Hat man es erst einmal getan, so sitzen
die Tränen locker. Abermals drückte sie, in ratloser Mißbilligung ihres Loses den Kopf schüttelnd, das Tuch in der hohlen Hand vor die Augen.

Riemer beugte sich über ihre andere Hand, die im Halbhandschuh, mit Ridikül und Schirmknauf in ihrem Schoße
lag, und legte zart die seine darauf.

»Liebste, teuerste Madame«, sagte er, »die Bewegungen, die
Ihre lieben Worte damals im Busen des Jünglings erregten,
werden immer von einer ganzen fühlenden Menschheit geteilt werden, – dafür hat er als Dichter gesorgt, und auf die
Worte kommt es nicht an. – Herein!« sagte er mechanisch und
ohne seine Haltung, noch auch den milden, tröstenden Ton
zu verändern, in dem er sprach. Es hatte geklopft.

»Lassen Sie sich's in Demut gefallen«, fuhr er fort, »daß
Ihr Name nun einmal allezeit unter den Frauennamen glän-
zen wird, die die Epochen seines erlauchten Werkes bezeich-

nen, und welche die Kinder der Bildung werden zu memo-
rieren haben wie die Amouren des Zeus. Ergeben Sie sich
darein – aber Sie haben sich längst darein ergeben –, daß Sie,
wie auch ich, zu den Menschen, den Männern, Frauen,
Mädchengestalten gehören, auf die durch ihn das Licht der
Geschichte, der Legende, der Unsterblichkeit fällt wie auf die
um Jesus ... Was gibt es?« fragte er, sich aufrichtend, mit
immer noch milder Stimme.

Mager stand im Zimmer. Da er gehört hatte, daß vom
Herrn Jesus die Rede war, stand er mit gefalteten Händen.

Viertes Kapitel

Hastig stopfte Charlotte ihr Schnupftüchlein in den Beutel. Sie blinzelte geschwinde und schnob in raschem und leichtem Schluchzen einwärts mit ihrem geröteten Näschen. Sie
liquidierte auf diese Weise den durch des Kellners Erscheinen
aufgehobenen Zustand. Die Miene, die sie dazu machte, gehörte dem neuen an: es war eine sehr ungehaltene Miene.

»Mager! Er kommt schon wieder herein?« fragte sie scharf.
»Mir ist doch, als hätte ich Ihm gesagt, daß ich mit Herrn
Doktor Riemer gewichtige Dinge zu besprechen habe und
nicht gestört zu werden wünsche!«

Das hätte Mager bestreiten können, doch verzichtete er
ehrerbietig darauf, ihre Selbsttäuschung anzufechten.

»Frau Hofrätin!« sagte er nur, indem er die ohnedies
schon gefalteten Hände gegen die alte Dame erhob. »Wollen
Frau Hofrätin sich gütigst versichert halten, daß ich die
Störung so lange wie nur immer möglich und bis zum Äußersten hinausgeschoben habe. Ich bin untröstlich, aber sie war
am Ende nicht mehr zu umgehen. Seit mehr als vierzig Minuten wartete ein weiterer Besuch, eine Dame der Weimarer
Gesellschaft, darauf, vorgelassen zu werden. Ich konnte die
Meldung nicht länger verweigern und entschloß mich daher

im Vertrauen auf das Billigkeitsgefühl des Herrn Doktors und auf Dero eigenes, das Dieselben zweifellos, wie andere hohe begehrte Personen, gewöhnt hat, Ihre Zeit und Güte einzuteilen, um vielen damit gerecht werden zu können –«

Charlotte erhob sich.

»Das ist zuviel, Mager«, sagte sie. »Seit drei Stunden oder wie lange, ich weiß es nicht, nachdem ich mich ohnehin verschlafen, bin ich im Begriffe, fortzugehen, um meine gewiß schon um mich besorgten Verwandten aufzusuchen, – und Er will mich zu neuen Empfängen anhalten! Es ist wahrhaftig zu stark. Ich zürnte Ihm schon Miss Cuzzle's wegen, und wegen des Herrn Doktors zürnte ich Ihm auch, obgleich sich herausgestellt hat, daß es sich hier allerdings um einen Besuch von außerordentlichem Interesse handelte. Nun aber sinnt Er mir eine weitere Aufhaltung an! Ernstlich muß ich die Ergebenheit in Zweifel ziehen, wovon Er sich gegen mich die Miene zu geben weiß, da Er mich in dieser Weise dem Öffentlichen preisgibt.«

»Frau Hofrätin«, sagte der Kellner mit geröteten Augen, »Dero Unzufriedenheit zerreißt ein Herz, das ohnehin zerrissen ist vom Widerstreit heiliger Pflichten. Denn wie sollte ich die Pflicht, unseren illustren Gast vor Behelligung zu schützen, nicht als heilig anerkennen! Wollen Frau Hofrätin aber doch, bevor Sie mich auf immer verurteilen, gütigst erwägen, daß ebenso heilig und herzlich begreiflich einem Manne wie mir die Empfindungen von Standespersonen sein müssen, welche die umlaufende Nachricht von Dero Anwesenheit in unserem Hause mit dem leidenschaftlichen Wunsche beseelt, vor Ihr Angesicht zu treten!«

»Es wäre«, sagte Charlotte mit strengem Blick, »erst einmal die Frage zu erörtern, durch wen diese Nachricht in Umlauf gesetzt worden.«

»Wer ist die Nachfragende?« erkundigte sich Riemer, der ebenfalls aufgestanden war. – Mager erwiderte:

»*Demoiselle Schopenhauer.*«

»Hm«, machte der Doktor. »Verehrteste, der Brave hier

hat so unrecht nicht, diese Meldung über sich zu nehmen. Es handelt sich, wenn ich erläutern darf, um Adele Schopenhauer, ein wohl ausgebildetes junges Frauenzimmer von den besten Connexionen, Tochter Madame Johanna Schopenhauers, einer reichen Witwe von Danzig, die seit einem Jahrzehnt bei uns lebt, – einer ergebenen Freundin des Meisters, übrigens Literatorin sie selbst und Inhaberin eines geistreichen Salons, wo der Meister zu Zeiten, als er dem Ausgehen noch geneigter war, gar häufig den Abend verbrachte. Sie hatten die Güte, unserem Austausche einiges Interesse zuzuschreiben. Sollten Sie sich aber davon nicht gar zu ermüdet fühlen, und sollte eben noch Ihre Zeit es erlauben, so würde ich wohl die Empfehlung wagen, dem Fräulein einige Augenblicke zu schenken. Abgesehen von dem Geschenk, das Sie einem empfänglichen jungen Herzen damit machen würden, wäre es, dafür möcht' ich mich verbürgen, eine Gelegenheit für Sie, über unsere Zustände und Verhältnisse manches zu profitieren, – eine bessere, unbedingt, als Ihnen durch die Conversation mit einem einsamen Gelehrten geboten war. Was diesen betrifft«, sagte er lächelnd, »so räumt er nun jedenfalls das Feld, – das viel zu lange behauptet zu haben er sich leider anklagen muß –«

»Sie sind zu bescheiden, Herr Doktor«, versetzte Charlotte. »Ich danke Ihnen für diese Stunde, die meinem Gedächtnis wert und wichtig bleiben wird.«

»Es waren zwei, allerdings«, bemerkte Mager, während sie Riemern die Hand reichte, der sich mit Gefühl darüber beugte. »Es waren zwei Stunden, wenn ich mir erlauben darf, das am Rand zu notieren. Und da auf diese Weise das Mittagessen sich etwas verzögert, würde es sich gewiß empfehlen, daß Frau Hofrätin, bevor ich Demoiselle Schopenhauer einführe, sich mit einer kleinen Collation wiederherstellten, einer Tasse Bouillon mit Biscuits oder einem anmutigen Gläschen Ungarwein.«

»Ich habe keinen Appetit«, sagte Charlotte, »und bin übrigens im Vollbesitz meiner Kräfte. Leben Sie wohl, Herr

Doktor! Ich hoffe Sie noch zu sehen in den kommenden
Tagen. Und Er, Mager, bitt' Er in Gottes Namen das Fräulein zu mir, – mit dem Bemerken aber, schärf' ich Ihm ein,
daß mir nur einige Minuten bleiben, sie zu begrüßen, und
daß auch diese ein kaum noch zu verantwortender Raub an
den lieben Verwandten sind, die mich erwarten.«

»Ganz wohl, Frau Hofrätin! – Dürfte ich nur eben erinnern: Appetitlosigkeit ist denn doch kein Beweis der Unbe-
dürftigkeit. Wenn Frau Hofrätin mir gestatteten, auf meine
Anempfehlung einiger Erfrischung zurückzukommen ... Es
würde Denselben gewißlich guttun, so daß Frau Hofrätin
dann allenfalls auch geneigt wären, dem Vorschlag meines
Freundes, des Stadtsergeanten Rührig, näher zu treten ... Er
versieht mit einem Kameraden den Ordnungsdienst vor unserem Haus und war vorhin bei mir im Flur. Er meinte, das
städtische Publicum würde leichter zum Abzuge zu bringen
sein und sich befriedigt zerstreuen, wenn es nur erst einmal
einen Blick auf Frau Hofrätin hätte werfen dürfen, und Dieselben würden der Obrigkeit und der öffentlichen Disciplin
einen Dienst erweisen, wenn Sie einwilligten, sich den Leuten
nur einen Augenblick im Rahmen des Haustors oder auch am
offenen Fenster zu zeigen ...«

»Auf keinen Fall, Mager! Unter gar keinen Umständen!
Das ist ein ganz lächerliches, absurdes Ansinnen! Will man
wohl gar, daß ich eine Rede halte? Nein, ich zeige mich nicht,
unter keiner Bedingung! Ich bin keine Potentatin ...«

»Mehr, Frau Hofrätin! Mehr und Erhebenderes als das.
Auf der heutigen Stufe unserer Cultur sind es nicht mehr die
Potentaten, um derentwillen die Menge zusammenläuft; es
sind die Sterne des Geisteslebens.«

»Unsinn, Mager. Lehr' Er mich die Menge kennen und die
nur allzu derben Motive ihrer Neugier, die mit Geist im
Grunde erbärmlich wenig zu tun haben. Das sind Alfanzereien.
Ich gehe aus, ohne rechts oder links zu sehen, wenn meine
Visiten beendet sind. Aber von ‚Zeigen' kann keine Rede
sein.«

»Frau Hofrätin haben allein zu befinden. Es ist nur schmerzlich, sich sagen zu müssen, daß Sie nach einer kleinen Erfrischung die Dinge vielleicht in anderem Lichte gesehen hätten ... Ich gehe. Ich benachrichtige Demoiselle Schopenhauer.«

Charlotte benutzte die knappen Minuten ihres Alleinseins, um zum Fenster zu gehen und sich durch den Mull-Vorhang, den sie mit der Hand zusammenhielt, zu überzeugen, daß auf dem Platze noch alles beim alten war und die Belagerung des Hôtel-Einganges sich kaum verringert hatte. Ihr Kopf zitterte stark beim Hinauslugen, und von den langdauernden Abenteuern des Gesprächs mit dem Famulus standen ihre Wangen in hochrosiger Glut. Sie legte, sich umwendend, die Fingerrücken beider Hände daran, um von außen die Wärme zu prüfen, die ihr die Augen trübte. Übrigens hatte sie nicht fälschlich erklärt, daß sie sich frisch und munter fühle, mochte sie sich von der etwas hektischen Natur dieser Munterkeit auch halb und halb Rechenschaft geben. Eine gelockerte Mitteilsamkeit und fiebrig entfesselte Redseligkeit beherrschte sie, eine ungeduldige Lust zu weiterem Gespräch und das fast übermütige Bewußtsein einer nicht alltäglichen Geläufigkeit des Mundes, die auch dem Heikelsten gewachsen war. Mit einer gewissen Neugier blickte sie auf die Tür, die sich vor neuem Besuch öffnen sollte. –

Adele Schopenhauer, von Mager eingelassen, versank in tiefem Knicks, aus dem Charlotte, die ihr die Hand bot, sie freundlich emporhob. Die junge Dame, Anfang Zwanzig nach Charlottens Schätzung, war recht unschönen, aber intelligenten Ansehens, – ja, schon die Art, wie sie vom ersten Augenblick an und dann immerfort das doch unverkennbare Schielen ihrer gelb-grünen Augen teils durch häufigen Lidschlag, teils durch hurtiges Umher- und namentlich Emporblicken zu verbergen suchte, erweckte den Eindruck einer nervösen Intelligenz, und ein zwar breiter und schmaler, aber klug lächelnder und sichtlich in gebildeter Rede geübter Mund konnte die hängende Länge der Nase, den ebenfalls zu langen

Hals, die betrüblich abstehenden Ohren übersehen lassen, neben denen gelockte accroche-cœurs unter dem mit Röschen umkränzten, etwas genialisch geformten Strohhut hervorkamen und in die Wangen fielen. Die Gestalt des Mädchens war dürftig. Ein weißer, aber flacher Busen verlor sich in dem kurzärmeligen Batistmieder, das in offener Krause um die mageren Schultern und den Nacken stand. Durchbrochene Halbhandschuhe, am Ende der dünnen Arme, ließen ebenfalls dürre, rötliche Finger mit weißen Nägeln frei. Sie umfaßte damit, außer dem Griff ihres Sonnenschirms, auch die in Seidenpapier gehüllten Stengel einiger Blumen nebst einem rollenförmigen Päckchen.

Sogleich begann sie zu sprechen, schnell, tadellos, ohne Pause zwischen den Sätzen und mit der Gewandtheit, deren Charlotte sich gleich von ihrem gescheiten Munde versehen hatte. Er wässerte etwas dabei, so daß es mit der fließenden, leicht sächsisch gefärbten Rede tatsächlich wie geschmiert ging und Charlotte sich einer heimlichen Besorgnis nicht erwehren konnte, ob auch ihre eigene entfachte Mitteilungslust dabei auf ihre Rechnung kommen würde.

»Frau Hofrätin«, sagte Adele, »– wie dankbar ich bin, daß Ihre Güte mir sogleich das Glück gewährt, Ihnen meine Huldigung darzubringen, – dafür fehlen mir die Worte.« Ohne Pause weiter: »Ich tue es nicht nur für meine eigene bescheidene Person, sondern auch im Namen, wenn auch nicht im Auftrage – für einen solchen Auftrag gab es noch keine Möglichkeit – unseres Musenvereins, – dessen Geist und schönes Zusammenstehen sich übrigens anläßlich des entzükkenden Ereignisses Ihrer Gegenwart glänzend bewährt hat – insofern, als eines unserer Mitglieder, meine geliebte Freundin, die Comtesse Line Egloffstein es war, die mir ungesäumt die beflügelnde Nachricht überbrachte, nachdem sie sie erst eben von ihrer Zofe vernommen. Mein Gewissen raunt mir zu, daß ich Muselinen – verzeihen Sie, das ist der Vereinsname Line Egloffsteins; wir haben alle solche Namen, Sie würden lachen, wenn ich sie Ihnen sagte, – daß ich Linen von

meinem vorhabenden Schritt wohl dankbarer Weise hätte
verständigen müssen; denn wahrscheinlich hätte sie sich ihm
angeschlossen. Aber erstens habe ich tatsächlich den Beschluß
dazu erst nach ihrem Weggang gefaßt, und zweitens hatte ich
schwerwiegende Gründe für den Wunsch, Sie, Frau Hofrätin,
allein in Weimar willkommen zu heißen und unter vier
Augen mit Ihnen zu sprechen ... Dürfte ich mir erlauben,
Ihnen diese wenigen Astern, Rittersporn und Petunien nebst
dieser bescheidenen Probe hiesigen Kunstfleißes zu überreichen?«

»Mein liebes Kind«, erwiderte Charlotte belustigt – denn
Adelens Aussprache von »Bedunien« erregte ihr Lachkitzel,
und sie brauchte ihre Heiterkeit nicht zu verbergen, da sie sich
noch auf ‚Museline‘ beziehen mochte, – »mein liebes Kind,
das ist reizend. Was für eine geschmackvolle Farbenzusam-
menstellung! Wir müssen trachten, daß wir Wasser für diese
herrlichen Blüten bekommen. So schöne Petunien« – und wieder überkam sie das Lachen – »erinnere ich mich kaum gesehen
zu haben ...«

»Wir sind eine Blumengegend«, versetzte Adele. »Flora ist
uns hold.« Und sie wies mit dem Blick auf die Gipsgestalt in
der Nische. »Die Erfurter Samenkulturen haben Weltruf seit
mehr als hundert Jahren.«

»Reizend!« wiederholte Charlotte. »Und dies hier, was Sie
ein Beispiel des Weimarer Kunstfleißes nennen, – was mag es
sein? Ich bin eine neugierige alte Frau ...«

»O, meine Bezeichnung war sehr euphemistisch. Eine Spie-
lerei, Frau Hofrätin, ein Werk meiner Hände, eine allerbe-
scheidenste Willkommsgabe. Darf ich Ihnen beim Auswickeln
behilflich sein? So herum, wenn ich bitten darf. Ein Silhouet-
tenschnitt, gefertigt aus schwarzem Glanzpapier und sorgsam
auf weißen Karton geklebt, ein Gruppenbild, wie Sie sehen.
Es ist nichts anderes als unser Musenverein, portraitähnlich
wie mir's nur irgend gelingen wollte. Dies ist die erwähnte
Museline, Line Egloffstein, wie gesagt, sie singt zum Entzücken und ist die Lieblingshofdame unserer Großfürstin-

Erbprinzessin. Das da ist Julie, ihre schöne Schwester, die Malerin, Julemuse genannt. Hier weiter bin ich, Adelmuse mit Namen, ungeschmeichelt, wie Sie mir zugeben werden, und die den Arm um mich schlingt, ist Tillemuse, will sagen: Ottilie von Pogwisch – ein liebes Köpfchen, nicht wahr?«

»Sehr lieb«, sagte Charlotte, »sehr lieb und unglaublich lebenswahr, das alles! Ich bestaune, mein bestes Kind, Ihre Fertigkeit. Wie ist das gearbeitet! Diese Rüschen und Knöpfchen, diese Tisch- und Stuhlbeinchen, die Löckchen, Näschen und Wimpern! Mit einem Wort, das ist ganz ungewöhnlich. Ich habe die Scherenkunst von jeher hochgeschätzt und war immer der Meinung, daß ihr Abhandenkommen als ein Verlust für Herz und Sinn zu beklagen wäre. Desto mehr bewundere ich den innigen Fleiß, mit dem sich hier eine offenbar außerordentliche natürliche Anlage zur Entwicklung gebracht und auf die Spitze getrieben findet . . .«

»Man muß für seine Talente schon etwas tun hierzulande und vor allem welche besitzen«, erwiderte das junge Mädchen, »sonst kommt man nicht durch in der Gesellschaft und niemand sieht einen an. Hier opfert alles den Musen, das ist guter Ton, und es ist ja ein *guter* Ton, nicht wahr? Ein schlechterer wäre denkbar. Ich hatte von klein auf ein vortreffliches Vorbild an meiner lieben Mama, die schon, bevor sie sich hier niederließ, zu Lebzeiten meines seligen Vaters, die Malerei ausgeübt hatte, aber diese Eigenschaft erst hier recht ernsthaft zu cultivieren begann, mir dazu noch energisch im Clavierspiel voranging und außerdem bei dem seither verstorbenen Fernow – dem Kunstgelehrten Fernow, der lange in Rom gelebt – italienischen Unterricht nahm. Meine kleinen poetischen Versuche hat sie immer mit größter Sorgfalt überwacht, obgleich es ihr selbst nicht gegeben ist, zu dichten, wenigstens nicht auf deutsch, – ein italienisches Sonett im Geschmack Petrarca's hat sie tatsächlich unter Anleitung Fernows einmal verfertigt. Eine bewundernswerte Frau. Welchen Eindruck mußte es nicht damals auf meine dreizehn, vierzehn Jahre machen, zu sehen, wie sie hier Fuß zu fassen und ihren

Salon im Handumdrehen zum Treffpunkt der schönsten
Geister zu machen wußte. Wenn ich im Silhouettieren etwas
leiste, so danke ich's auch nur ihr und ihrem Beispiel, denn
sie war und ist eine Meisterin im Blumenschneiden, und der
Geheime Rat selbst hatte auf unseren Tees das größte Vergnügen an ihren Schnitten . . .«

»Goethe?«

»Aber ja. Er ruhte damals nicht, bis Mama sich entschloß,
einen ganzen Ofenschirm mit geschnittenen Blumen zu deko-
rieren, und half ihr dann selbst mit dem ernsthaftesten Fleiße
beim Aufkleben. Ich sehe noch, wie er eine halbe Stunde lang
vor dem fertigen Ofenschirm saß und ihn bewunderte . . .«

»Goethe?!«

»Aber ja! Die Liebe des großen Mannes zu allem Gemachten, zum Product des Kunstfleißes und der Geschicklichkeit
jeder Art, zum Werk der Menschenhand mit einem Wort, ist
wahrhaft rührend. Man kennt ihn nicht, wenn man ihn nicht
von dieser Seite kennt.«

»Sie haben recht«, sagte Charlotte. »Sogar kenne ich ihn
von dieser Seite und sehe wohl, daß er der alte geblieben ist,
will sagen: der junge. Als wir jung waren, damals in Wetzlar,
hatte er seine Freude an meinen kleinen Stickereien in farbi-
ger Seide und ist mir bei manchem Entwurf meines Zeichen-
heftes für diese Dinge treu und emsig zur Hand gegangen.
Ich erinnere mich an einen nie fertig gewordenen Liebestempel, auf dessen Stufen eine heimkehrende Pilgerin von ihrer
Freundin begrüßt wurde, und an dessen Composition er großen Anteil hatte . . .«

»Himmlisch!« rief die Besucherin. »Was erzählen Sie da,
liebste Frau Hofrätin! Bitte, bitte, erzählen Sie weiter!«

»Stehenden Fußes denn doch nun einmal gewiß nicht,
Liebe«, antwortete Charlotte. »Es könnte mir fehlen, daß ich
vergäße, Sie zu bitten, es sich bequem zu machen, da ohnedies Ihre Aufmerksamkeit und diese lieben Gaben es mich
nur desto peinlicher empfinden lassen, daß ich Sie so lange
warten lassen mußte.«

»Durchaus hatte ich darauf gefaßt zu sein«, versetzte Adele, indem sie neben der alten Dame auf einem Canapee mit Fußbänken Platz nahm, »daß ich weder die einzige noch die erste Person sein würde, die den Cordon Ihrer Volkstümlichkeit durchbricht, um vor Ihr Angesicht zu gelangen. Sie waren in gewiß höchst interessanter Conversation begriffen. Ich habe Onkel Riemer bei seinem Weggang begrüßt . . .«

»Wie, er ist Ihr . . .«

»O, nicht doch. Ich nenne ihn so seit Kindertagen, wie ich alle so nannte und nenne, die ständige oder nur häufige Gäste von Mamas Sonntag- und Donnerstag-Tees waren: Meyers und Schützes und Falks und Baron Einsiedel, den Übersetzer des Terenz, Major von Knebel und Legationsrat Bertuch, der die ,Allgemeine Literaturzeitung' gegründet hat, Grimm und Fürst Pückler und die Brüder Schlegel und die Savignys! Ja, all diesen sagte und sage ich Onkel und Tante. Ich habe sogar Wieland Onkel genannt.«

»Und nennen auch Goethe so?«

»Den nun eben nicht. Aber die Geheime Rätin nannte ich Tante.«

»Die Vulpius?«

»Ja, die jüngst dahingegangene Frau von Goethe, die er gleich nach seiner Vermählung mit ihr bei uns einführte, nur bei Mama, denn sonst war es überall mit der Einführung ein wenig schwierig. Man kann sogar sagen, daß der große Mann selbst fast nur bei uns verkehrte, denn wenn Hof und Gesellschaft ihm das freie Zusammenleben mit der Seligen nachgesehen hatte – das gesetzliche gerade verschnupfte sie.«

»Auch die Baronin von Stein«, fragte Charlotte, deren Wangen sich leicht gerötet hatten, »war wohl verschnupft?«

»Sie am meisten. Wenigstens gab sie sich die Miene, die Legalisierung des Verhältnisses besonders zu mißbilligen, während doch in Wahrheit das Verhältnis selbst ihr von jeher empfindlichen Kummer bereitet hatte.«

»Man kann ihr das nachfühlen.«

»O, gewiß. Aber andererseits war es ein schöner Zug von

unserem Meister, daß er die arme Person zu seiner rechten
Gemahlin machte. Sie hatte ihm in den schrecklichen Franzo-
sentagen anno sechs treulich und tapfer zur Seite gestanden,
und ausdrücklich fand er, zwei Menschen, die das miteinander durchgemacht, gehörten zusammen vor Gott und den
Menschen.«

»Ist es wahr, daß ihre Conduite manches zu wünschen
übrig ließ?«

»Ja, sie war ordinär«, sagte Adele. »De mortuis nil nisi
bene, aber ordinär war sie in hohem Grade, gefräßig und
plusterig mit hochroten Backen und tanzwütig und liebte
auch die Bouteille über Gebühr, – immer mit Komödiantenvolk und jungen Leuten, als sie selbst schon nicht mehr die
Jüngste war, immer Redouten und Traktamente und Schlit-
tenfahrten und Studentenbälle, und da kam es denn vor,
daß die Jenenser Burschen der Geheimen Rätin allerhand
Polissonnerien glaubten machen zu dürfen.«

»Und Goethe tolerierte ein solches Gebaren?«

»Er drückte ein Auge zu und lachte auch wohl darüber.
Man kann sogar sagen, daß er dem losen Wandel der Frau
in gewissem Grade Vorschub leistete, – ich möchte annehmen: aus dem Grunde, weil er das Recht daraus ableitete,
sich die Freiheit des eigenen Gefühls zu salvieren. Ein Dich-
tergenie kann seine belletristischen Inspirationen nun wohl
einmal nicht ausschließlich aus seinem Eheleben schöpfen.«

»Sie verfügen über sehr großzügige, sehr starkgeistige Ge-
sichtspunkte, mein liebes Kind.«

»Ich bin Weimaranerin«, sagte Adele. »Amor gilt hier viel,
es werden ihm weitgehende Rechte zugestanden bei allem
Sinn für das Ziemliche. Man muß auch sagen, daß die Kritik unsrer Gesellschaft an der derben Lebenslust der Geheimen Rätin mehr ästhetischer als moralischer Natur war.
Wer ihr aber gerecht werden wollte, mußte gestehen, daß
sie ihrem hohen Gemahl auf ihre Art eine vortreffliche Gattin war, – auf sein leiblich Wohl, das ihm nie gleichgültig
war, jederzeit treu bedacht und voller Sinn für die Bedin-

gungen seiner Production, von der sie zwar nichts verstand – nicht ein Wort, das Geistige war ihr ein dreimal verschlossener Garten –, von deren Bedeutung für die Welt sie aber durchaus einen ehrfürchtigen Begriff hatte. Er hat sich zwar auch nach seiner Heirat des Junggesellendaseins nie entwöhnt und immer große Teile des Jahres, in Jena, Carlsbad, Töplitz, für sich gelebt. Aber als sie verwichenen Junius an ihren Krämpfen starb – in den Armen fremder Wärterinnen geschah es, denn er selbst war leidend und bettlägerig an dem Tage, wie er schon längst von anfällig schwankender Gesundheit, sie aber ein Bild des Lebens – und zwar bis zum Unästhetischen und Abstoßenden gewesen war –: als sie tot war, da hat er sich, sagt man, über ihr Bette geworfen und ausgerufen: ‚Du kannst, du kannst mich nicht verlassen!‘«

Charlotte schwieg, weshalb die Besucherin, deren Civilisation kein Stocken des Gespräches duldete, sich beeilte, für weiteres aufzukommen.

»Jedenfalls«, sagte sie, »war es sehr klug von Mama, daß sie die Frau – allein in der ganzen hiesigen Gesellschaft – bei sich empfing und ihr mit feinem Takt über alle Verlegenheit hinweghalf. Denn sie fesselte den großen Mann dadurch nur desto fester an ihren aufblühenden Salon, dessen Hauptattraction er natürlich bildete. Sie hielt mich auch an, die Vulpius ‚Tante‘ zu nennen. Zu Goethen aber habe ich niemals ‚Onkel‘ gesagt. Das fügte sich nicht. Er mochte mich zwar wohl leiden und trieb seinen Spaß mit mir. Ich durfte die Laterne ausblasen, mit der er sich zu uns geleuchtet hatte, und er ließ sich mein Spielzeug zeigen und tanzte mit meiner Lieblingspuppe eine Ecossaise. Aber trotzdem: ihn Onkel zu nennen, dazu war er doch zu sehr Respectsperson, nicht nur für mich, sondern auch für die Erwachsenen, wie ich wohl sah. Denn war er auch oft ein wenig stumm und auf eine Art befangen, wenn er kam, still für sich sitzend und zeichnend an seinem Tisch, so dominierte er doch im Salon, einfach weil alles sich nach ihm richtete, und er tyrannisierte die Gesellschaft, weniger weil er ein Tyrann gewesen wäre, als weil die anderen sich ihm unterwarfen und ihn geradezu nötigten, den Tyrannen zu machen. So machte er ihn denn und regierte sie, klopfte auf seinen Tisch und verfügte dies und das, las schottische Balladen vor und verordnete, daß die Damen den Kehrreim im Chore mitsprechen mußten, und wehe, wenn eine ins Lachen geriet: Dann blitzte er mit den Augen und sagte: ,Ich lese nicht mehr', und Mama hatte alle Mühe, die Situation wiederherzustellen, indem sie sich für gute Disciplin in Zukunft verbürgte. Oder aber er machte sich den Spaß, eine furchtsame Dame mit den grausigsten Gespenstergeschichten bis zum Vergehen zu ängstigen. Er liebte es überhaupt, zu necken. So weiß ich noch, wie er eines Abends den alten Onkel Wieland fast aus der Haut fahren ließ, indem er ihm unaufhörlich widersprach – nicht aus Überzeugung, sondern nur aus rabulistischem Schabernack; aber Wieland nahm's ernst und ärgerte sich schwer, worauf denn Goethe's Trabanten, Meyer und Riemer, ihn von oben herab trösteten oder belehrten: ,Lieber Wieland, Sie dürfen das nicht so nehmen.' Das war nicht passend, wie ich kleines Mädchen deutlich empfand, und andere mochten es auch empfinden, nur Goethe nicht, eigentümlicherweise.«

»Ja, das ist eigentümlich.«

»Ich hatte immer den Eindruck«, fuhr Adele fort, »daß die Societät, zum wenigsten unsere deutsche, in ihrem Drang nach Unterwerfung sich ihre Herren und Lieblinge selbst verdirbt und ihnen einen peinlichen Mißbrauch ihrer Überlegenheit aufdrängt, an dem schließlich beide Teile unmöglich noch Freude haben können. Einen ganzen Abend lang plagte Goethe die Gesellschaft bis zur vollkommenen Ermüdung mit dem langgezogenen Scherz, daß er sie zwang, an der Hand einzelner Requisiten den Inhalt der neuen, niemandem bekannten Stücke zu erraten, von denen er eben Probe gehalten. Es war ganz unmöglich, eine Aufgabe mit zu vielen Unbekannten, niemand brachte einen Zusammenhang zustande, und die Gesichter wurden immer länger, das Gähnen immer häufiger. Er aber ließ nicht ab zu insistieren und hielt den ganzen

Kreis immerfort auf der Folter der Langenweile, so daß man
sich fragte: Fühlt er denn nicht, welchen Zwang er den Leuten auferlegt? Nein, er fühlte es nicht, die Gesellschaft hatte
es ihm abgewöhnt, es zu fühlen, aber es ist kaum glaubhaft,
daß er selbst sich nicht sollte sterblich gelangweilt haben bei
dem grausamen Spiel. Die Tyrannei ist gewiß ein langweili-
ges Geschäft.«

»Da mögen Sie recht haben, mein Kind.«

»Er ist denn auch«, setzte Adele hinzu, »meiner Meinung
nach gar nicht zum Tyrannen geboren, sondern viel eher
zum Menschenfreund. Ich habe das immer daraus abgenommen, daß er es so besonders liebte – und es so excellent verstand, die Menschen lachen zu machen. Mit dieser Eigenschaft
ist man gewiß kein Tyrann. Als Vorleser sowohl bewährte
er sie, als auch wenn er freihin Geschichten erzählte und komische Dinge und Leute beschrieb. Sein Vorlesen ist nicht
durchweg glücklich, das finden alle. Zwar lauscht man immer
gern seiner Stimme, die eine schöne Tiefe hat, und blickt mit
Freuden in sein ergriffenes Gesicht. Aber bei ernsten Scenen
fällt er leicht zu sehr ins Pathetische, Declamatorische, auch
allzu Donnernde, es ist nicht immer erfreulich. Dagegen das
Komische bringt er regelmäßig mit solcher Drastik und Natur, so köstlicher Beobachtung und unfehlbarer Wiedergabe,
daß alle Welt hingerissen ist. Und nun gar, wenn er lustige
Anekdoten zum besten gab oder sich einfach in die Ausmalung phantastischen Unsinns verlor, dann schwamm bei uns
buchstäblich alles in Lachtränen. Es ist bemerkenswert: in
seinen Werken ist doch allgemein eine große Gesetztheit und
Feinheit der Charakteristik herrschend, die allenfalls einmal
zum Lächeln Anlaß gibt, aber zum Lachen – nicht daß ich
wüßte. Persönlich aber hat er nichts lieber, als wenn die
Leute sich wälzen vor Lachen ob seinen Hervorbringungen,
und ich hab' es erlebt, daß Onkel Wieland sich den Kopf mit
der Serviette verhüllte und ihn um Quartier bat, denn er
konnte nicht mehr, und sonst war auch alles ohne Atem am
Tische. Er selbst pflegte ziemlichen Ernst zu bewahren in

solchen Situationen; aber er hatte eine eigentümliche Art, mit blitzenden Augen und einer gewissen freudigen Neugier in das Gelächter und in die allgemeine Gelöstheit hineinzublicken. Ich habe oft darüber nachgedacht, was es bedeutet, wenn ein so ungeheuerer Mann, der so viel durchlebt und getragen und ausgeführt, die Menschen so gerne zu schallendem Gelächter bringt.«

»Die Sache wird die sein«, sagte Charlotte, »daß er jung geblieben ist in der Größe und in dem schweren Ernst seines Lebens dem Lachen die Treue bewahrt hat – es würd' mich nicht wundern, und ich würd' es schätzen. In unserer Jugend haben wir viel und ausbündig zusammen gelacht, zu zweit und zu dritt, und gerade in Augenblicken, wenn er mir hatte wollen ins Schmerzliche ausarten und sich verlieren ins Melancholische, so faßt' er sich wohl ein Herz, schlug um und bracht' uns genau so zum Lachen mit seinen Possen wie Ihrer Frau Mutter Teegesellschaft.«

»O, sprechen Sie weiter, Frau Hofrätin!« bat das junge Mädchen. »Erzählen Sie weiter von diesen unsterblichen Jugendtagen zu zweit und zu dritt! Wie ist mir denn, mir närrischem Ding? Ich wußte, zu wem ich ging, zu wem es mich unwiderstehlich antrieb, mich aufzumachen. Nun aber will es mir fast aus dem Sinn kommen, wer es ist, neben der ich auf dieser Causeuse sitze, und erst Ihre Worte jagen mir's wieder ein, beinahe zu meinem Schrecken. O, sprechen Sie weiter von damals, ich flehe Sie an!«

»Viel lieber«, sagte Charlotte, »viel lieber höre ich Ihnen zu, meine Gute. Sie unterhalten mich so allerliebst, daß ich mir immer aufs neue Vorwürfe machen muß, Sie so lange haben warten zu lassen, und Ihnen noch einmal danken muß für Ihre Geduld.«

»O, was meine Geduld betrifft ... Ich brannte so sehr von Ungeduld, Sie, hohe Frau, zu sehen und Ihnen vielleicht in mancher Beziehung mein Herz ausschütten zu dürfen, daß ich kaum zu loben bin, weil ich Geduld übte um dieser Ungeduld willen. Oft ist das Moralische nur das Product und

Mittel der Leidenschaft, und die Kunst, zum Exempel, kann man wohl als die hohe Schule der Geduld in der Ungeduld ansprechen.«

»Ei, hübsch, mein Kind. Ein artiges Aperçu. Ich sehe, zu Ihren übrigen Talenten kommt eine nicht geringe philosophische Anlage.«

»Ich bin Weimaranerin«, wiederholte Adele. »Das fliegt einem an. Wenn einer Französisch spricht, nachdem er zehn Jahre in Paris gelebt, so ist das nicht weiter bewundernswert, nicht wahr? Übrigens sind wir vom Musenverein der Philosophie und Kritik so sehr ergeben als der Poesie. Nicht nur unsere Gedichte teilen wir einander dort mit, sondern auch untersuchende und zergliedernde Aufsätze, die wir unserer Lectüre widmen, dem Neuesten im Reiche des Witzes, wie man früher sagte – jetzt sagt man ,Geist' und ,Bildung'. Der alte Geheime Rat erfährt übrigens besser nichts von diesen Zusammenkünften.«

»Nichts? Warum?«

»Es sprechen mehrere Gründe dagegen. Zum ersten hat er überhaupt eine ironische Aversion gegen schöngeistige Frauenzimmer, und wir müßten befürchten, daß er sich über diese uns so lieben Bestrebungen lustig machte. Sehen Sie, man kann doch gewiß nicht sagen, daß der große Mann unserm Geschlecht abhold wäre, – das schiene wohl eine schwer zu verfechtende Behauptung. Und doch mischt sich in sein Verhältnis zum Weiblichen ein Absprechendes, ich möchte fast sagen: Gröbliches – ein männliches Partisantum, das uns den Zugang zum Höchsten, zur Poesie und zum Geiste, verwehren möchte und unser Zartestes gerne in komischem Lichte sieht. Es möge nun hierher gehören oder nicht, aber als er einige Damen einmal auf einer Gartenwiese Blumen pflücken sah, äußerte er, sie kämen ihm vor wie sentimentale Ziegen. Finden Sie das gemütvoll?«

»Nicht just«, erwiderte Charlotte lachend. »Ich muß lachen«, erläuterte sie, »weil es ja auf boshafte Art etwas Treffendes hat. Aber man sollte natürlich nicht boshaft sein.«

»Treffend«, sagte Adele, »das ist es eben. So ein Wort hat etwas geradezu Tödliches. Ich kann mich auf einem Spaziergange nicht mehr bücken, um einige Kinder des Frühlings an meinen Busen zu nehmen, ohne mir wie eine sentimentale Ziege vorzukommen, und selbst wenn ich ein Gedicht in mein Album schreibe, sei es ein fremdes oder ein eigenes, komme ich mir so vor.«

»Sie sollten es sich so sehr nicht zu Herzen nehmen. Warum aber sonst noch soll denn der Goethe nichts wissen von Ihren und Ihrer Freundinnen ästhetischen Bestrebungen?«

»Teuerste Hofrätin – von wegen des ersten Gebotes.«

»Wie meinen Sie?«

»Das da lautet«, sagte Adele, »,Du sollst keine anderen Götter haben neben mir.' Wir sind hier, Verehrteste, wieder beim Kapitel der Tyrannei, – einer denn doch wohl nicht aufgedrängten und von der Gesellschaft verschuldeten, sondern natürlichen und von einer gewissen überherrschenden Größe wohl unabtrennbaren Tyrannei, die zu scheuen und zu schonen man guttut, ohne sich ihr eben zu unterwerfen. Er ist groß und alt und wenig geneigt, gelten zu lassen, was nach ihm kommt. Aber das Leben geht weiter, es bleibt auch beim Größten nicht stehen, und wir sind Kinder des neuen Lebens, wir Muselinen und Julemusen, ein neues Geschlecht, und sind gar keine sentimentalen Ziegen, sondern selbständige, fortgeschrittene Köpfe mit dem Mute zu ihrer Zeit und ihrem Geschmack und kennen schon neue Götter. Wir kennen und lieben Maler wie die frommen Cornelius und Overbeck, nach deren Bildern er, wie ich ihn selbst habe sagen hören, am liebsten mit der Pistole schösse, und den himmlischen David Caspar Friedrich, von dem er erklärt, man könne seine Bilder ebenso gut verkehrt herum ansehen. ,Das soll nicht aufkommen!' donnerte er, – ein rechter Tyrannendonner, wie nicht zu leugnen, den aber wir im Musenverein in aller Ehrfurcht dahinrollen lassen, indes wir in unsere Poesiebücher Verse von Uhland schreiben und entzückt miteinander die herrlich scurrilen Geschichten von Hoffmann lesen.«

»Ich kenne diese Autoren nicht«, sagte Charlotte kühl. »Sie werden nicht sagen wollen, daß sie bei aller Scurrilität den Dichter des ‚Werther' erreichen.«

»Sie erreichen ihn nicht«, versetzte Adele, »und dennoch – verzeihen Sie das Paradoxon! – übertreffen sie ihn, – nämlich einfach, weil sie weiter sind in der Zeit, weil sie eine neue Stufe repräsentieren, uns näher sind, trauter, verwandter, uns Neueres, Eigeneres zu sagen haben als eine felsstarre Größe, die gebietend und auch wohl verbietend hineinragt in die frische Zeit. Ich bitte Sie, halten Sie uns nicht für pietätlos! Pietätlos ist nur eben die Zeit, die das Alte verläßt und das Neue heranbringt. Gewiß, sie bringt das Kleinere nach dem Großen. Aber es ist das ihr und ihren Kindern Gemäße, das Lebendige und Gegenwärtige, das uns angeht und mit einer Unmittelbarkeit, deren die Pietät denn doch ermangelt, zu den Herzen, den Nerven derer spricht, denen es zugehört, und die dazu gehören, die es gleichsam mit hervorgebracht haben.«

Charlotte schwieg zurückhaltend.

»Ihre Familie, mein Fräulein«, sagte sie abbrechend und mit etwas künstlicher Freundlichkeit, »stammt, wie ich hörte, aus Danzig?«

»Ganz recht, Frau Hofrätin. Die mütterliche durchaus, die väterliche bedingt. Meines seligen Vaters Großvater ließ sich als Großkaufmann in der Republik Danzig nieder, aber die Schopenhauers sind holländischer Herkunft, und wenn es nach Papas Neigungen gegangen wäre, so wären sie noch lieber von englischer gewesen, denn er war ein großer Freund und Bewunderer alles Englischen, ein vollendeter Gentleman selbst, und sein Landhaus in Oliva war völlig im englischen Geschmack gebaut und eingerichtet.«

»Unserem Hause, den Buffs nämlich«, bemerkte Charlotte, »schreibt man englischen Ursprung zu. Belege dafür habe ich nicht auffinden können, obgleich ich aus naheliegenden Gründen mich viel mit der Geschichte unserer Familie beschäftigt, recht emsig genealogische Studien betrieben und manche einschlägige Urkunden gesammelt habe – zumal seit dem Tode meines teuren Hans Christian, wo ich denn zu solchen Nachforschungen mehr Zeit hatte.«

Adele's Gesicht blieb einen Augenblick leer, weil sie sich auf die »naheliegenden Gründe« für dieses Studium nicht gleich verstand. Dann begriff sie eifrig und rief aus:

»O wie verdienstvoll, wie dankenswert sind diese Ihre Bemühungen! Wie glücklich arbeiten Sie damit einer Nachwelt vor, die ganz genau über Ursprung und Geburtsgrund, über die familiäre Vorgeschichte einer Frau von Ihrer Erwählung, Ihrer Bedeutung für die Geschichte des menschlichen Herzens wird unterrichtet sein wollen!«

»Eben das«, sagte Charlotte mit Würde, »ist auch meine Annahme, vielmehr, es ist meine Erfahrung, denn ich sehe, daß die Wissenschaft sich schon heute zur Erforschung meiner Herkunft gedrängt fühlt, und ich halte es für meine Pflicht, ihr dabei nach Kräften zur Hand zu gehen. Tatsächlich ist es mir gelungen, unsere Familie in ihren Verzweigungen noch über die Zeit des Dreißigjährigen Krieges zurückverfolgen. So lebte ein Posthalter Simon Heinrich Buff von 1580 bis 1650 zu Butzbach in der Wetterau. Sein Sohn war ein Bäcker. Aber schon von dessen Söhnen einer, Heinrich, wurde Caplan und im Laufe der Zeit Pastor primarius zu Münzenberg, und seitdem haben die Buffs ganz vorwiegend als geistliche Herren und Consistoriales in ländlichen Pfarrhäusern gesessen, zu Crainfeld, Steinbach, Windhausen, Reichelsheim, Gladerbach und Niederwöllstadt.«

»Das ist wichtig, das ist kostbar, das ist *hoch* interessant«, sagte Adele in einem Zuge.

»Ich vermutete«, erwiderte Charlotte, »daß es Sie interessieren werde, trotz Ihrer Schwäche für kleinere Nouveautés des literarischen Lebens. Nebenbei übrigens ist es mir gelungen, einen mich selbst betreffenden Irrtum richtigzustellen, der sich unverbessert fortzuerben drohte: Als mein Geburtstag wurde immer der eilfte Januar begangen, auch Goethe hielt daran fest und tut es wahrscheinlich noch. In Wirklichkeit aber bin ich am dreizehnten geboren und am nächstfolgenden Tage getauft, – die Zuverlässigkeit des Wetzlarer Kirchenbuches leidet keinen Zweifel.«

»Man muß alles tun«, sagte Adele, »– und ich für meinen Teil bin entschlossen, mein Bestes daran zu setzen –, um die Wahrheit über diesen Punkt zu verbreiten. Vor allem wäre der Geheime Rat selbst aufzuklären, wozu ja Ihr Besuch die trefflichste Gelegenheit bieten wird. Aber jene lieben Werke Ihrer Mädchenhand, die Stickereien, die Sie in unsterblichen Tagen unter seinen Augen anfertigten, der unfertige Liebestempel und das andere – was ist, um Himmels willen, aus diesen Reliquien geworden? Wir sind zu meinem Leidwesen davon abgekommen . . .«

»Sie sind vorhanden«, antwortete Charlotte, »und ich habe Sorge getragen, daß diese an sich sehr unbedeutenden Gegenstände konserviert und in guter Obhut gehalten werden. Ich habe meinen Bruder Georg dazu verpflichtet, der schon in den letzten Lebzeiten unseres seligen Vaters die Amtmannsstelle verwaltete und im Deutschordenshause sein Nachfolger geworden ist. Ihm habe ich diese Souvenirs ans Herz gelegt: den Tempel, einen und den anderen Spruch im Girlandenkranz, ein paar gestickte Täschchen, das Zeichenbuch und anderes mehr. Es ist ja nun einmal damit zu rechnen, daß ihnen in Zukunft ein musealer Wert zukommen wird, wie dem Hause und Hof überhaupt, der Wohnstube unten, wo wir soviel mit *ihm* zusammensaßen, und ebenso das Eckzimmer oben, nach der Straße zu, das wir die gute Stub nannten, mit den Götterfiguren in der Tapete und der alten Wanduhr, deren Zifferblatt eine Landschaft zeigte, und auf deren Tick-Tack und Schlagen er so oft mit uns lauschte. Diese gute Stub eignet sich meiner Meinung nach sogar besser noch als die Wohnstube zum Museum, und wenn es nach mir geht, so vereinigt man dort jene Andenken unter Glas und Rahmen.«

»Die Nachwelt«, verhieß Adele, »die ganze Nachwelt, und nicht nur die vaterländische, sondern auch das pilgernde Ausland, wird Ihnen Ihre Fürsorge danken.«

»Ich hoffe es«, sagte Charlotte.

Das Gespräch stockte. Die Civilisation der Besucherin schien zu versagen. Adele blickte zu Boden, wo sie die Spitze ihres Sonnenschirms hin und her führte. Charlotte erwartete ihren Aufbruch, ohne ihn so lebhaft zu wünschen, wie die Lage es hätte erwarten lassen. Sie war sogar eher zufrieden, als das junge Mädchen so flüssig wie je wieder zu sprechen begann:

»Teuerste Hofrätin – oder darf ich nicht schon sagen: Ehrwürdige Freundin? – Meine Seele ist voller Selbstvorwürfe, und wenn der bedrückendste derjenige ist, das Geschenk Ihrer Zeit allzu scrupellos entgegenzunehmen, so kommt ihm der andere an Schwere fast gleich, daß ich dies Geschenk auch noch schlecht benutze ... Ich vertue sträflich eine große Gelegenheit, und ich muß an das Motiv eines Volksmärchens denken – wir jungen Leute haben jetzt viel Sinn für die Poesie des Volksmärchens –, daß jemand durch Zaubergunst drei Wünsche frei hat und sich dreimal ganz Nebensächliches und Gleichgültiges wünscht, ohne des Besten, des Wichtigsten zu gedenken. So schwätze ich in scheinbarer Sorglosigkeit vor Ihnen von diesem und jenem und versäume darüber das Eigentliche, das mir am Herzen liegt und mich – lassen Sie mich das endlich gestehen! – zu Ihnen getrieben hat, weil ich seinetwegen auf Ihren Rat, Ihre Hilfe hoffe und baue. Sie müssen erstaunt, Sie müssen ungehalten sein, daß ich Sie mit Kindereien von unserem Musenkränzchen zu unterhalten wage. Und doch wäre ich gar nicht darauf gekommen, wenn nicht eben mit ihm die Sorge und Angst zusammenhinge, die ich so namenlos gern vertraulich vor Ihnen ausschüttete.«

»Was ist das für eine Sorge, mein Kind, und auf wen oder was bezieht sie sich?«

»Auf eine teure Menschenseele, Frau Hofrätin, eine geliebte Freundin, meine einzige, mein Herzblatt, das holdeste, edelste, des Glückes würdigste Geschöpf, dessen Verstrickung in ein falsches, ein ganz und gar unnotwendiges und dennoch scheinbar unabwendbares Schicksal mich noch zur Verzweiflung bringen wird, – mit einem Worte: um Tillemuse.«

»Tillemuse?«

»Verzeihung, ja, das ist der Vereinsname meines Lieblings, ich ließ es früher schon einfließen – der Musenname meiner Ottilie, Ottiliens von Pogwisch.«

»Ah. Und von welchem Schicksal sehen Sie Fräulein von Pogwisch bedroht?«

»Sie steht vor ihrer Verlobung.«

»Nun, erlauben Sie . . . Und mit wem denn also?«

»Mit Herrn Kammerrat von Goethe!«

»Was Sie nicht sagen! Mit Augusten?«

»Ja, mit dem Sohn des Großen und der Mamsell. – Das Ableben der Geheimen Rätin ermöglicht eine Verbindung, die zu ihren Lebzeiten an dem Widerstand von Ottiliens Familie, dem Widerstand der Gesellschaft überhaupt gescheitert wäre.«

»Und worin sehen Sie das Apprehensive dieser Verbindung?«

»Lassen Sie mich Ihnen berichten!« bat Adele. »Lassen Sie mich erzählend mein bedrängtes Herz soulagieren und bei Ihnen bitten für ein liebes, gefährdetes Geschöpf, das mir solcher Fürbitte wegen wohl gar recht böse wäre, obgleich es sie so sehr benötigt als verdient!«

Und in öfterem raschem Aufblick zur Decke ihr Schielen verbergend, begann Demoiselle Schopenhauer, während zuweilen etwas Feuchtigkeit in die Winkel ihres breiten, gescheiten Mundes trat, ihre Eröffnungen wie folgt.

Fünftes Kapitel

Adele's Erzählung

»Von väterlicher Seite entstammt meine Ottilie einer holsteinisch-preußischen Officiersfamilie. Die Heirat ihrer Mutter, einer Henckel von Donnersmarck, mit Herrn von Pogwisch war ein Bund der Herzen, an welchem leider die

Vernunft zu wenig Anteil gehabt hatte. Wenigstens war das die Meinung von Ottiliens Großmutter, der Gräfin Henckel, einer Edelfrau des Schlages, wie das verflossene Jahrhundert ihn wohl hervorbrachte: von nüchtern-resolutem Verstande, der kein Federlesens machte, geistreich auf eine kaustisch-derbe, allen Flausen abholde Art. Sie war der so schönen wie unbesonnenen Folge, die ihre Tochter dem Gefühle gegeben, immer entgegen gewesen. Herr von Pogwisch war arm, die Henckels dieses Zweiges waren es auch, – was denn der Grund gewesen sein mochte, daß die Gräfin zwei Jahre vor der Schlacht von Jena in weimarische Dienste getreten und Oberhofmeisterin bei unserer jungvermählten Fürstin aus dem Osten, der Erbprinzessin, geworden war. Einen ähnlichen Posten erstrebte sie für ihre Tochter und durfte ihn ihr in Aussicht stellen, indem sie zugleich mit aller Macht die Auflösung einer Ehe betrieb, deren Glück in immer wachsenden materiellen Calamitäten zu ersticken drohte. Die geringe Besoldung des preußischen Officiers von damals machte eine standesgemäße Lebensführung unmöglich, der Versuch, sie auch nur leidlich aufrechtzuerhalten, führte zu immer schwereren pecuniarischen Unstatten, – und kurz, die Zermürbung der Ehegatten ließ die Wünsche der Mutter triumphieren: die Trennung, das Auseinandergehen nach gütlicher Übereinkunft, wenn auch vorderhand ohne gerichtliche Scheidung, wurde beschlossen.

In das Herz des Gatten, des Vaters, der zwei liebliche kleine Mädchen, Ottilie und ihr jüngeres Schwesterchen Ulrike, bei der Gefährtin seiner Nöte zurückließ, hat niemand geblickt. Die Furcht, aus dem geliebten und angestammten, ihm einzig möglichen Soldatenberuf geworfen zu werden, mag ihm den traurigen Entschluß abgerungen haben. Die Seele der Frau blutete, und es ist wahrscheinlich nicht zuviel gesagt, daß sie seit jener Capitulation vor der Notwendigkeit und dem Drängen einer mit dieser im Bunde stehenden Mutter keine glückliche Stunde mehr gehabt hat. Die Mädchen angehend, so blieb das Bild des Vaters, der ein

schöner, ritterlicher Mann gewesen war, unauslöschlich in ihre
Gemüter eingezeichnet, besonders in das tiefere und roman-
tischere der Älteren: Ottiliens ganzes Empfindungsleben und
inneres Verhalten zu den Ereignissen und Gesinnungsfragen
der Zeit blieb, wie Sie sehen werden, auf immer von der
Erinnerung an den Entschwundenen bestimmt.

Frau von Pogwisch verbrachte nach der Trennung einige
Jahre mit ihren Töchtern in stiller Zurückgezogenheit zu
Dessau und erlebte dort die Tage der Schmach und Schande,
das Désastre der Armee Friedrichs des Großen, den Untergang des Vaterlandes, die Eingliederung der süd- und west-
deutschen Staaten in das Machtsystem des furchtbaren Corsen.
Anno 1809 siedelte sie, da die alte Gräfin ihr Versprechen
der Beschaffung eines Hofamtes hatte wahr machen können,
in der Eigenschaft einer Palastdame Serenissimae, der Herzogin Luise, zu uns nach Weimar über.

Ottilie zählte damals dreizehn Jahre, ein Kind von der
lieblichsten Begabung und Ursprünglichkeit. Ihre Entfaltung vollzog sich in einiger Unruhe und Unregelmäßigkeit,
denn Fürstendienst ist der häuslichen Ordnung nicht eben
zuträglich, und bei der höfischen Gebundenheit der Mutter
waren die Mädchen viel sich selbst überlassen. Ottilie logierte
anfangs im Obergeschoß des Schlosses, dann bei ihrer Großmutter. Sie verbrachte ihre Tage abwechselnd bei der Mutter,
bei der alten Gräfin, bei allerlei Unterricht und bei Freundinnen, zu denen ich, die ein wenig Ältere, bald gehörte.
Denn des öfteren nahm sie ihre Mahlzeiten bei der Oberkammerherrin von Egloffstein, mit deren Töchtern ich auf
dem herzlichsten Fuße verkehrte, und dort fanden wir uns
zu einem Bunde der Seelen, dessen Alter uns nicht nach seinen
Jahren berechnet werden zu dürfen scheint; denn es waren
Jahre bedeutsamen Lebensfortschritts, und während seiner
Dauer sind wir aus unflüggen Nesthäkchen zu erfahrenen
Menschenkindern geworden. In gewisser Beziehung übrigens
– die Zärtlichkeit macht mir das Anerkenntnis leicht – war
Ottilie, dank der entschiedenen Eigenart ihres Charakters,

der frühzeitigen Ausgeprägtheit ihrer Gesinnungen, bei diesem Bunde der führende, geistig bestimmende Teil.

Dies gilt besonders von den politischen Dingen, welche heute, da unsere Welt nach schwersten Prüfungen und Erschütterungen, worein das Schicksal jenes geniale Ungeheuer sie zu stürzen ermächtigte, zu leidlicher Ruhe zurückgekehrt ist und im Schutze heiliger Ordnungsmächte liegt, wohl in dem öffentlichen und individuellen Bewußtsein mehr zurücktreten und dem Rein-Menschlichen größeren Raum lassen, damals aber mit fast ausschließlicher Gewalt den seelischen Schauplatz beherrschten. Ottilie war ihnen leidenschaftlich ergeben, und zwar in einem Sinn und Geist, der sie von ihrer gesamten Umgebung im Innersten absonderte, ohne daß sie von dieser ihrer geheimen Oppositionsstellung etwas hätte laut werden lassen dürfen – es sei denn gegen mich, ihre Vertraute, die sie ebenfalls mit ihren Empfindungen, ihrer Denkungsart zu erfüllen wußte, und die sie ganz in die Welt ihres Glaubens, ihrer Hoffnungen hineinzog, um mit ihr gemeinsam den schwärmerischen Reiz des Geheimnisses zu genießen.

Welches Geheimnisses? Inmitten des Rheinbundstaates, dessen Herzog von dem siegreichen Dämon Verzeihung empfangen und als sein getreuer Vasall das Land regierte; wo alles in lange nicht zu erschütternder Gläubigkeit dem Genius des Eroberers anhing und seiner Sendung als Weltenordner und Organisator des Kontinents wenn nicht mit Enthusiasmus, so doch in Ergebung vertraute, – war meine Ottilie eine begeisterte Preußin. Unbeirrt durch die schmähliche Niederlage der preußischen Waffen, war sie durchdrungen von der Superiorität des Menschenschlages im Norden über den sächsisch-thüringischen, unter dem zu leben sie, wie sie sich ausdrückte, verurteilt war und dem sie eine notgedrungen verschwiegene, nur mir vertraute Geringschätzung widmete. Die heroisch gestimmte Seele dieses lieben Kindes war von *einem* Ideal beherrscht: es war der preußische Officier. Unnütz zu sagen, daß dieses Cultbild mehr oder weniger deutlich die

von der Erinnerung verklärten Züge des verlorenen Vaters
trug. Und doch wirkten hier allgemeinere sympathetische
Empfindlichkeiten und Empfänglichkeiten ihres Geblütes mit,
die sie hellhörig machten für entfernte Vorgänge, von denen
wir anderen noch unberührt waren, sie in wissenden Contact
damit setzten und sie auf eine Weise teil daran zu nehmen
befähigten, die mich prophetisch anmutete und sich bald in
der Tat als prophetisch erwies.

Sie erraten unschwer, welche Vorgänge ich meine. Es war
die sittliche Besinnung und Wiederaufrichtung, die im Lande
ihrer Herkunft dem Zusammenbruch folgten; die entschlossene Verachtung, Verpönung und Ausmerzung all der zwar
reizenden und verfeinernden, aber auch entnervenden Tendenzen, die zu jenem beigetragen, zu ihr hingeführt haben
mochten; die heroische Reinigung des Volkskörpers von allem Flitter und Tand der Gesinnung und der Sitten und seine
Stählung für den einstigen Tag des Ruhmes, der den Sturz
der Fremdherrschaft, den Aufgang der Freiheit bringen
würde. Es war die ernste Bejahung des ohnehin Verhängten:
der Armut; und wenn man denn aus der Not ein Gelübde
machte, so galt dasselbe auch gleich den beiden anderen
mönchischen Tugenden und Forderungen: der Keuschheit
und dem Gehorsam; es galt der Entsagung, der Bereitschaft
zum Opfer, der zuchtvollen Gemeinschaft, dem Leben fürs
Vaterland.

Von diesem in der Stille sich abspielenden moralischen Pro-
cesse also, dem Feinde und Unterdrücker ebenso unzugänglich
wie die damit gleichlaufende geheime militärische Wiederherstellung, drang wenig Kunde in unsere der siegreichen Gesittung ohne viel Kummer, ja mit Überzeugung – wenn auch
mit einigem Seufzen über die von dem Zwingherrn auferleg-
ten Anforderungen und Lasten – angeschlossene Kleinwelt.
In unserem Kreise, unserer Gesellschaft war es Ottilie allein,
die in verschwiegener, enthusiastisch-empfindsamer Fühlung
damit stand. Allein nahe und ferner gab es doch auch dieses
und jenes gelehrte und mit einem Lehramt betraute Haupt,

das, der jungen Generation angehörig, sich als Träger dieser Erneuerungsbewegung zu erkennen gab, und mit dem meine Herzensfreundin denn auch alsbald in einen eifrigen Austausch der Gedanken und Gefühle trat.

Da war in Jena der Geschichtsprofessor Heinrich Luden, ein trefflicher Mann von der edelsten vaterländischen Gesinnung. Ihm war durch jenen Tag der Schmach und der Zerstörung all seine Habe und wissenschaftlich Gerät vernichtet worden, so daß er seine junge Frau in eine vollständig verödete, kalte und vom gräßlichsten Schmutze erfüllte Wohnung hatte wieder einführen müssen. Er ließ sich aber dadurch nicht niederbeugen – wie er denn laut verkündete, daß er, wäre die Schlacht nur gewonnen worden, jeden Verlust mit Freuden ertragen und auch als nackter Bettler den fliehenden Feinden würde nachgejubelt haben –, sondern blieb aufrecht im Glauben an die Sache des Vaterlandes, den er denn auch seinen Studenten aufs feurigste mitzuteilen wußte. – Da war ferner hier in Weimar der Gymnasialprofessor Passow, ein Mecklenburger von breiter und kräftiger Sprechweise, erst einundzwanzigjährig, grundgelehrt und dabei von hohem Gedankenschwunge getragen, begeistert für Vaterland und Freiheit. Er lehrte das Griechische (auch meinen Bruder Arthur, der damals bei ihm wohnte, führte er privatim darin ein), Ästhetik und Philosophie der Sprache; die neue und eigentümliche Idee seines Unterrichts aber bestand darin, eine Brücke zu schlagen zwischen Wissenschaft und Leben, vom Cult des Altertums zu einer deutsch-vaterländischen und bürgerlich-freiheitlichen Gesinnung, – mit anderen Worten: in der lebendigen Deutung und Nutzanwendung hellenischen Wesens auf unsere politische Gegenwart.

Mit solchen Männern also hielt Ottilie unter der Hand eine verstohlene, fast möchte ich sagen: conspiratorische Gemeinschaft. Zugleich aber führte sie das Leben eines eleganten Mitgliedes unserer franzosenfreundlichen, dem Imperator ergebenen Obergesellschaft, – und ich habe mich nie des Eindrucks erwehren können, daß sie diese Doppelexistenz, an der ich als ihre Freundin und Vertraute teilhatte, mit einem gewissen Sybaritismus genoß, ihr einen romantischen Reiz abzugewinnen wußte. Es war der Reiz des Widerspruchs, und er spielte meiner Meinung nach eine wichtige, eine beklagenswerte Rolle bei dem Gefühlsabenteuer, worein ich mein Herzblatt nun schon seit vier Jahren verstrickt sehen muß, und aus dessen Schlingen sie zu erretten ich mein Alles gäbe.

Zu Anfang vom Jahr des russischen Feldzuges war es denn, daß August von Goethe sich um Ottiliens Liebe zu bewerben begann. Vor Jahresfrist war er von Heidelberg zurückgekehrt und fast sogleich in den Hof- und Staatsdienst getreten: er war Hofjunker, war Wirklicher Assessor beim herzoglichen Kammer-Collegium. Aber die ,Wirklichkeit' der mit diesen Ämtern verbundenen Pflichten war nach Serenissimi Willen rücksichtsvoll eingeschränkt, sie hatten sich in Einklang zu halten mit Augusts Gehilfenschaft bei seinem großen Vater, den er von allerlei Tagesplage und wirtschaftlichen Quisquilien zu entlasten, bei gesellschaftlichen Formalitäten und selbst bei Aufsichtsreisen nach Jena zu vertreten hatte, und dem er als Custos seiner Sammlungen, als Secretär zur Hand ging, zumal da Doktor Riemer zu jener Zeit das Haus verließ, um mit der Gesellschafterin der Geheimrätin, Demoiselle Ulrich, die Ehe einzugehen.

Der junge August unterzog sich diesen Obliegenheiten mit Genauigkeit, ja – soweit sie hausväterlicher Art waren – mit einer rechnerischen Pedanterie, die der Trockenheit – ich sage für den Augenblick nur: Trockenheit, und möchte doch fast ergänzen: der geflissentlichen und betonten Trockenheit seines Charakters entsprach. Offen gestanden, verspüre ich keine Eile, auf das Geheimnis dieses Charakters einzugehen, – ich verschiebe es aus einer gewissen Scheu, die sich aus Mitleid und Abneigung eigentümlich genug zusammensetzt; und weder war noch bin ich die einzige, der der junge Mann diese Empfindungen einflößte: Riemer zum Beispiel – er hat es mir selbst bekannt – hegte schon damals einen wahren Schrecken vor ihm, und sein Entschluß zur Gründung eines eigenen

Hausstandes wurde sehr beschleunigt durch die Rückkehr seines ehemaligen Schülers ins Elternhaus.

Ottilie hatte zu jener Zeit begonnen, an Hof zu gehen, und es mag wohl sein, daß August erstlich dort ihre Bekanntschaft machte. Doch auch am Frauenplan, bei den sonntäglichen Hausconzerten, die der Geheimrat einige Jahre lang unterhielt, und bei den Proben dazu kann das geschehen sein. Denn zu den Reizungen und natürlichen Verdiensten meiner Freundin gehört eine lieblich klare Singstimme, die ich das körperliche Ausdrucksmittel und Instrument ihrer musikalischen Seele nennen möchte, und ihr verdankte sie die Berufung in das kleine Sängerchor, das einmal die Woche im Goethe'schen Hause seine Übungen abhielt und sich an den Sonntagmittagen unter Tafel und nachher vor den Gästen produzierte.

In diesen Vorzug eingeschlossen war derjenige der persönlichen Berührung mit dem großen Dichter, der, man kann sagen, von Anbeginn ein Auge auf sie hatte, gern mit ihr plauderte und scherzte und sein väterliches Wohlwollen für das ,Persönchen', wie er sie nannte, auf keine Weise verhehlte ... Ich glaube, ich habe Ihnen von dem Zauber ihrer Erscheinung noch gar kein Bild zu geben versucht – wie sollte ich auch, das malt sich mit Worten nicht –, und doch fällt die Besonderheit dieses Mädchenreizes hier gar sehr ins Gewicht, sie ist von entschiedener Bedeutung. Ein blaues, sprechendes Auge, das reichste Blondhaar, eine eher kleine, nichts weniger als junonische, sondern zierlich leichte und liebliche Gestalt – kurzum, es ist der Typus, der von jeher das Glück hatte, einem persönlichen Geschmacke zu schmeicheln, vor dem zu bestehen zu den höchsten Ehren im Reich des Gefühls und der Dichtung führen kann. Ich sage nichts weiter. Ich erinnere höchstens noch daran, daß es mit einer allerliebst mondainen Abwandlung dieses Typus bekanntlich einmal zu einer berühmten Verlobung kam, die keine Folgen hatte, aber das Ärgernis aller Hüter gesellschaftlicher Distanzen gebildet haben soll.

Wenn nun der Sohn des flüchtigen Bräutigams von damals sich um die liebliche Ottilie zu bemühen begann – der uneheliche Sproß eines sehr jungen Adels um eine von Pogwisch-Henckel-Donnersmarck –, so lag unleugbar für die aristokratische Beschränktheit ein ähnliches Ärgernis vor wie einst in Frankfurt; nur, daß es nicht laut werden durfte von wegen der völlig außerordentlichen Lagerung des Falles, der ganz besonderen Ansprüche, die dieser majestätische Neu-Adel nun einmal stellen durfte und die er denn auch für den Sohn mit Bewußtsein und Genugtuung geltend zu machen gesonnen sein mochte. Ich spreche hier nur meine persönliche Meinung aus, aber sie beruht auf schmerzlich genauer Beobachtung des Hergangs und dürfte nicht trügen. Sie geht dahin, daß der Vater der erste war, der sich für Ottilien interessierte, und daß erst die Gunst, die er ihr erwies, die Aufmerksamkeit des Sohnes auf sie lenkte, – eine Aufmerksamkeit, die rasch zur Leidenschaft wurde, und mit der er denn also denselben Geschmack bekundete wie sein Vater, – er tat das ja auch sonst in so manchen Stücken, – wenigstens scheinbar; denn in Wahrheit handelte es sich um Abhängigkeit und Übernahme, und unter uns gesagt hat er selbst überhaupt keinen Geschmack, was er in seinem Verhältnis zum Weiblichen sogar am allerklärsten bewiesen hat. Doch davon später und immer noch früh genug! Viel eher möchte ich von Ottilien sprechen.

Den Zustand zu bezeichnen, worin das liebe Geschöpf zur Zeit ihrer ersten Begegnung mit Herrn von Goethe lebte, möchte das Wort ‚Erwartung‘ das treffendste sein. Sie hatte Hofmacher gehabt schon in zartem Alter und manche Huldigung empfangen, der sie sich spielerisch halb und halb entgegengeneigt hatte. Wahrhaft geliebt hatte sie noch nicht, und sie erwartete ihre erste Liebe; ihr Herz war gleichsam geschmückt zum Empfange des allbezwingenden Gottes, und in den Gefühlen, die dieser so ganz besondere, unregelmäßig hochgeborene Bewerber ihr einflößte, glaubte sie seine Macht zu erkennen. Ihre Verehrung für den großen Dichter war selbstverständlich die tiefste; die Gunst, die er ihr erwies, schmeichelte ihr unendlich, – was Wunder, daß die Werbung des Sohnes, die mit der offenkundigen Billigung des Vaters und sozusagen in seinem Namen geschah, sie unwiderstehlich dünkte? Es war ja, als ob durch die Jugend des Sohnes, verjüngt in ihm, der Vater selbst um sie würbe. Der ‚junge Goethe' liebte sie, – sie zögerte kaum, den Erwecker, den Mann ihres Schicksals in ihm zu sehen, sie zweifelte nicht, ihn wiederzulieben.

Mir scheint: sie war davon desto überzeugter, je unwahrscheinlicher sie sich selbst von ihrer Neigung, von der Gestalt angemutet fühlte, in der das Schicksal ihr erschien. Was sie von der Liebe wußte, war, daß sie eine launische, eine unberechenbare Macht war, eine souveräne vor allem, die gern der Vernunft ein Schnippchen schlug und unabhängig von Urteilen des Verstandes ihr Recht behauptete. Sie hatte sich den Jüngling ihrer Wahl ganz anders vorgestellt: wohl mehr nach ihrem eigenen Bild geschaffen, heiterer, leichter, froher, von hellerem Wesen, als August es war. Daß er so wenig dem vorgefaßten Bilde entsprach, erschien ihr als ein romantischer Beweis der Echtheit ihrer Neigung. August war kein sehr erfreuliches Kind, kein ungemein vielversprechender Knabe gewesen. Man hatte ihm kein langes Leben gegeben, und was seine Geistesanlagen betraf, so hatte unter Freunden des Hauses der Eindruck vorgeherrscht, man dürfe sich nicht gar viel davon versprechen. Er hatte sich dann aus der halben Kränklichkeit seiner Frühzeit zu einem recht breiten und stattlichen Jüngling befestigt, – ein wenig schwer und düster von Ansehen, ein wenig lichtlos, möchte ich sagen und habe dabei vorzüglich seine Augen im Sinn, die schön waren oder eigentlich: es hätten sein können, wenn ihnen mehr Ausdruck, mehr Blick auch nur zu eigen gewesen wäre. Ich spreche von seiner Person in der Vergangenheit, um sie besser von mir abzurücken, sie gleichsam ungestörter beurteilen zu können. Aber alles, was ich von ihm sage, gilt von dem siebenundzwanzigjährigen jungen Manne in noch höherem Maß als von dem Jüngling, der er zur ersten Zeit seiner Bekanntschaft mit Ottilien war. Ein angenehmer, ein belebender Gesellschafter war er nicht. Sein Geist schien gehemmt durch Unlust, durch den Widerwillen, davon Gebrauch zu machen, durch eine Melancholie, die man richtiger Hoffnungslosigkeit genannt hätte und die eine gewisse Ödigkeit um sich ausbreitete. Daß dieser Mangel an Frohmut, dieser stumpfe Verzicht seinem Sohnesverhältnis, der Furcht vor dem immer drohend naheliegenden und entmutigenden Vergleich mit dem Vater entsprang, lag auf der Hand.

Der Sohn eines Großen – ein hohes Glück, eine schätzbare Annehmlichkeit und eine drückende Last, eine dauernde Entwürdigung der eigenen Selbstheit doch auch wieder. Dem Knaben schon hatte der Vater ein Album geschenkt und eingeweiht, das sich im Lauf der Jahre, in Weimar hier und an den Plätzen, wohin er in Gessellschaft des Sohnes reiste: in Halle und Jena, in Helmstedt, Pyrmont und Carlsbad, mit den Eintragungen aller Berühmtheiten Deutschlands und selbst des Auslandes füllte. Kaum eine war darunter, die nicht auf die Eigenschaft des jungen Menschen gedrungen hätte, die seine unpersönlichste war, aber die fixe Idee aller bildete; seine Sohnschaft. Es mochte erhebend sein – obwohl auch zugleich recht einschüchternd für ein junges Gemüt –, wenn Professor Fichte, der Philosoph, hineinschrieb: ‚Die Nation hat große Anforderungen an Sie, einziger Sohn des Einzigen in unsrem Zeitalter.‘ Aber wie soll man sich die Wirkung vorstellen, welche auf dieses Gemüt die bündige Sentenz übte, mit der ein französischer Employé das Stammbuch versah: ‚Selten zählen die Söhne eines großen Mannes in der Nachwelt‘? Sollte er es als Aufforderung nehmen, eine Ausnahme zu machen? Auch das war bedrückend. Es lag aber näher, es im Sinn der Inschrift zu verstehen, die Dante über den Eingang der Hölle setzt.

Den tödlichen Vergleich denn überhaupt nicht erst aufkommen zu lassen, schien August mit unwirscher Entschiedenheit gesonnen. Ganz besonders lehnte er jede poetische Ambi-

tion, jede Beziehung zur Welt des schönen Geistes fast mit
Erbitterung, ja grober Weise von sich ab und wollte ersichtlich
für nichts anderes gelten als für einen praktischen Alltags-
menschen, einen nüchternen Geschäfts- und Weltmann durchschnittlichen Verstandes. Sie werden sagen, daß in diesem ent-
schlossenen und abweisenden Verzicht auf das Höhere, das
er nicht anstreben durfte, das er, wenn es keimweise in ihm
vorhanden war, verleugnen und unterdrücken mußte, um
nicht auf allen Seiten den fatalen Vergleich herauszufordern,
ein gewinnender, ein achtenswerter Stolz erkennbar sei. Aber
die Ungewißheit seiner selbst, seine Unzufriedenheit und Un-
laune, sein Mißtrauen, seine Reizbarkeit waren nicht danach
angetan, zu gewinnen, und erlaubten schwerlich, ihn stolz zu
nennen. Man muß wohl sagen: er war es nicht mehr, er
krankte an gebrochenem Stolze. Zu seinem gegenwärtigen
Lebensstande war er mit Hilfe all der Erleichterungen gediehen, die seine Herkunft ihm gewährte — man sagte vielleicht richtiger: ihm aufdrängte. Er hatte sie sich gefallen lassen, ohne sie eigentlich zu billigen und ohne verhindern zu
können, daß sie an seinem Selbstbewußtsein, seiner Männlichkeit zehrten. Sein Bildungsgang war recht frei, recht locker
und nachsichtsvoll gewesen. Die Ämter, die er bekleidete,
waren ihm zugefallen, ohne daß er sich über seine Kenntnisse,
seine Fähigkeiten erst viel auszuweisen gehabt hätte; er war
sich bewußt, sie nicht eigener Tüchtigkeit, sondern der
Günstlingsschaft zu verdanken. Ein anderer hätte an solchem
Getragensein seine selbstgefällige Freude gehabt; was ihn anging, so war er geschaffen, darunter zu leiden. Das war ehren-
haft; nur daß er freilich jene Avantagen ja keineswegs von
sich gewiesen hatte.

Vergessen wir auch das andere nicht! Vergessen wir nicht,
daß August nicht nur der Sohn seines Vaters, sondern auch
der seiner Mutter war, der Sohn der Mamsell, und daß dies
eine eigentümliche Zerrissenheit in seine Stellung zur Welt
wie in sein Selbstgefühl bringen mußte, einen Widerstreit von
Auszeichnung dieser und jener Art, von Noblesse und

hybrider Unordentlichkeit der Geburt. Daran änderte nichts,
daß der Herzog schon den Elfjährigen auf Ersuchen seines
Freundes, des Vaters, propter natales mit einem Legitimations-
dekret begnadet hatte, womit der Adelstitel verbunden war;
auch nichts, daß sechs Jahre später die Trauung der Eltern
vollzogen wurde. ,Ein Kind der Liebe': das saß ebenso fest
in den Köpfen – und wohl auch in dem seinen – wie ,der
Sohn des Einzigen'. Einmal hatte er eine Art von Scandal
erregt, da er, reizend mit seinen dreizehn Jahren, bei einer
Redoute zu Ehren des Geburtstages der Herzogin, als Amor
maskiert, der hohen Frau Blumen und Verse hatte bringen
dürfen. Es waren Proteste laut geworden: ein Kind der Liebe,
hieß es, hätte nicht dürfen als Amor unter honetten Leuten
erscheinen. War die Rüge zu ihm gedrungen? Ich weiß es
nicht. Aber ähnliche Widerstände mögen ihm später im
Leben öfters aufgestoßen sein. Seine Stellung war gedeckt
durch den Ruhm, die Autorität seines Vaters, die Gnade des
Herzogs für diesen; aber sie blieb zweideutig. Er hatte
Freunde – oder was man so nennt – vom Gymnasium, vom
Amte, vom Hofdienst her. Einen Freund hatte er nicht. Er
war zu mißtrauisch dazu, zu verschlossen, allzu durchdrungen von seiner Sonderstellung im hohen und zweifelhaften
Sinn. Sein Umgang war immer gemischt gewesen: derjenige,
den seine Mutter ihm nahebrachte, war ein wenig zigeuner-
haft, – viel Schauspielervolk, viel zechfrohe Jugend, und unglaublich früh neigte er selbst zu geistigem Getränke. Unsere
liebe Baronin von Stein hat mir erzählt, daß der elfjährige
Junge in einem munteren Klub von der Klasse seiner Mutter
nicht weniger als siebzehn Gläser Champagner getrunken,
und daß sie alle Mühe gehabt habe, ihn, wenn er sie besuchte,
vom Weine abzuhalten. Es sei, meinte sie – so sonderbar sich
das von einem Kinde aussagt –, der Drang gewesen, seinen
Kummer zu vertrinken, – einen Kummer bestimmten Anlas-
ses allerdings, denn er hatte damals den Choc erfahren, seinen
Vater bei seinem Anblick weinen zu sehen. Es war die schwere
Krankheit des Meisters vom Jahre 1801, der Krampfhusten,

die Blatterrose, die ihn an den Rand des Grabes brachten. Mühsam genesend, weinte er viel vor Schwäche; besonders aber weinte er, sobald er des Knaben ansichtig wurde, – und dieser denn fand es wohltätig danach, seine siebzehn Gläser zu nehmen. Gar viel hätte übrigens sein Vater wohl nicht dagegen zu erinnern gehabt, denn sein Verhältnis zur Gottesgabe des Weines war wohlig-heiter von je, und zeitig gönnte er sie auch dem Sohn. Wir anderen freilich können nicht umhin, so manches Mißliche in Augusts Charakter, das Auffahrende, Trübe und Wilde, Rohe darin, seiner frühen und leider immer wachsenden Neigung für die Freuden des Bacchus zur Last zu legen. –

In diesem jungen Manne also, der ihr seine nicht eben anmutigen, nicht eben unterhaltsamen Huldigungen darbrachte, glaubte die liebliche Ottilie den ihr Vorbestimmten, die Verkörperung ihres Schicksals zu erkennen. Sie glaubte ihn wiederzulieben, so unwahrscheinlich das war, oder, wie ich sagte, eben weil es so unwahrscheinlich war. Ihr Edelmut, ihr poetischer Sinn für das Tragisch-Besorgniserregende seiner Existenz war ihr behilflich in diesem Glauben. Sie träumte sich als die Erlöserin seines Dämons, als seinen guten Engel. Ich sprach von dem romantischen Reiz, den sie ihrem Doppelleben als Weimarer Gesellschaftsdame und heimliche preußische Patriotin abzugewinnen wußte. Die Liebe zu August ließ sie diesen Reiz in neuer, verdichteter Form erfahren; der Widerspruch zwischen ihren Gesinnungen und denen des Hauses, dessen Sohn es ihr angetan, brachte die Paradoxie ihrer Leidenschaft auf ihren Gipfel und ließ sie ihr eben darum recht als Leidenschaft erscheinen.

Ich muß nicht sagen, daß unser Geistesheld, der Stolz Deutschlands, der den Ruhm der Nation so herrlich gemehrt, weder den Gram edler Herzen über den Fall des Vaterlandes, noch den Enthusiasmus, der uns anderen allen fast die Seele sprengen wollte, als die Stunde der Befreiung zum Schlagen ansetzte, je irgend geteilt hat, daß er sich gegen beides kalt abweisend verhielt und uns sozusagen vor dem Feinde im

Stiche ließ. Das ist nicht anders. Man muß es vergessen und verschmerzen, es von der Bewunderung verzehren lassen, die man für seinen Genius – von der Liebe, die man hegt für seine große Person. Das Unglück von Jena hatte auch ihm schwere Mißhelligkeiten gebracht, allerdings nicht erst von seiten der siegreichen Franzosen, sondern schon vor der Schlacht durch die lagernden Preußen, die in sein Gartenhaus eindrangen und dort Türen und Möbel zerschlugen, um ihre Feuer damit zu nähren. Aber auch von dem, was nachher kam, hat er sein Teil zu tragen gehabt. Man sagte, die Heimsuchung habe ihn gut und gern zweitausend Thaler gekostet, allein schon zwölf Eimer Weins, und Marodeurs belästigten ihn gar im Schlafzimmer. Geplündert jedoch war nicht bei ihm worden, denn bald bekam er Sauvegarde vors Haus, Marschälle logierten bei ihm, Ney, Augereau, Lannes, und endlich kam gar Monsieur Denon, ihm wohlbekannt von Venedig, General-Inspector der kaiserlichen Museen und Napoléons Ratgeber in Dingen der Kunst, das heißt: bei der Aneignung von Kunstwerken in den besiegten Ländern ...

Diesen Mann zum Quartiergast zu haben, war dem Meister sehr angenehm, – wie er denn nachmals Wert darauf zu legen schien, es so hinzustellen, als habe das Ganze ihn wenig berührt. Professor Luden, den es so schwer getroffen, hat mir einmal erzählt, wie er ihm vier Wochen nach stattgehabtem Graus bei Knebel begegnet sei, wo man denn von der großen Not gesprochen und Herr von Knebel ein übers andere Mal gerufen habe: ,Es ist greulich! es ist ungeheuer!' Goethe aber habe nur einige unverständliche Worte gemurmelt, und als Luden ihn darauf gefragt habe, wie denn Seine Excellenz hindurchgekommen sei durch die Tage der Schmach und des Unglücks, habe jener geantwortet: ,Ich habe gar nicht zu klagen. Wie ein Mann, der von einem festen Felsen hinab in das tobende Meer schaut und den Schiffbrüchigen zwar keine Hilfe zu bringen vermag, aber auch von der Brandung nicht erreicht werden kann – und das soll nach irgendeinem Alten sogar ein behagliches Gefühl sein –' Hier habe er dem Namen des Alten nachgedacht; aber Luden, der wohl Bescheid wußte, habe sich enthalten, ihm beizuspringen, während Knebel, trotz seiner vorherigen Ausrufungen, eingeschaltet habe: ‚Nach Lucrez!' – ‚Recht so, nach Lucrez', habe Goethe gesagt und geendigt: ‚– so habe ich wohlbehalten dagestanden und den wilden Lärm an mir vorübergehen lassen.' Luden versicherte mir, eine Eiseskälte sei ihm über die Brust gelaufen bei diesen in der Tat mit einer gewissen Behaglichkeit ausgesprochenen Worten. Der Schauder aber habe ihn nachher noch mehrmals überkommen bei diesem Gespräch; denn da er noch einiges Bebende über des Vaterlandes Schmach und Not und über seinen heiligen Glauben an die Wiedererhebung desselben geäußert, habe zwar Knebel öfters ‚Bravo! So recht!' gerufen, Goethe aber kein Wort gesagt und keine Miene verzogen, so daß der Major, nachdem er nur eben seine Ausrufungen getan, das Gespräch auf etwas Literarisches gelenkt, Luden jedoch sich bald beurlaubt habe.

So berichtete mir dieser vortreffliche Mann. Wie aber der Meister unserem Doktor Passow, dem Gymnasiallehrer, den Kopf wusch ob seinen Ansichten, das hab' ich mit eigenen Ohren gehört, denn es geschah im Salon meiner Mutter, und ich war als ganz junges Mädchen zugegen. Passow nämlich, der sehr gut sprach, hatte sich bewegten Wortes darüber ergangen, wie seine ganze Seele an dem Gedanken hänge, durch Enthüllung des hellenischen Altertums, durch Entwicklung des griechischen Geistes wenigstens im Gemüte von einzelnen das herzustellen, was den Deutschen im ganzen schmachvoll abhanden gekommen: Begeisterung für Freiheit und Vaterland. (Es ist dabei zu bemerken, wie arg- und rückhaltlos immer wieder solche Männer vor dem Gewaltigen ihr Herz eröffneten, weil sie sich gar nicht denken konnten und nicht im entferntesten für möglich hielten, daß irgend jemand an Ideen, die ihnen so gesund und wünschenswert schienen, etwas sollte auszusetzen haben. Es dauerte lange, bis sie begriffen, daß der große Mann dabei durchaus nicht mithalten wollte, und daß man vor ihm nicht davon sprechen durfte.) –

‚Hören Sie mich an!' sagte er jetzt. ‚Von den Alten bilde auch
ich mir ein etwas zu verstehen, aber der Freiheitssinn und
die Vaterlandsliebe, die man aus ihnen zu schöpfen meint,
laufen Gefahr und sind jeden Augenblick im Begriffe, zur
Fratze zu werden.' – Ich vergesse nie, mit welcher kalten Erbitterung er das Wort ‚Fratze' aussprach, das überall der
grimmigste Schimpf ist, über den er verfügt. – ‚Unsere bürgerliche Existenz', fuhr er fort, ‚unterscheidet sich gar sehr von
der der Alten, unser Verhältnis zum Staat ist ein ganz anderes. Der Deutsche, statt sich in sich selbst zu beschränken,
muß die Welt in sich aufnehmen, um auf die Welt zu wirken.
Nicht feindliche Absonderung von anderen Völkern darf
unser Ziel sein, sondern freundschaftlicher Verkehr mit aller
Welt, Ausbildung der gesellschaftlichen Tugenden, auch auf
Kosten angeborener Gefühle, ja Rechte.' – Dies letztere
sprach er mit gebietend erhobener Stimme, indem er mit dem
Zeigefinger auf das vor ihm stehende Tischchen tippte, und
fügte hinzu: ‚Sich den Obern zu widersetzen, einem Sieger
störrig zu begegnen, darum, weil uns Griechisch und Lateinisch
im Leibe steckt, er aber von diesen Dingen wenig oder nichts
versteht, ist kindisch und abgeschmackt. Das ist Professoren-
stolz, der seinen Mann ebenso lächerlich macht, als er ihm
schadet.' – Hier machte er eine Pause. Und gegen den jungen
Passow gewandt, der ganz entgeistert saß, schloß er in wär-
merem, aber beklommenem Tone: ‚Nichts ist weniger mein
Wunsch, Herr Doktor, als Ihnen wehe zu tun. Ich weiß, Sie
meinen es gut. Aber es gut und rein zu meinen, genügt nicht;
man muß auch die Folgen abzusehen vermögen seines Be-
treibens. Vor dem Ihrigen graut mir, weil es die noch edle,
noch unschuldige Vorform ist von etwas Schrecklichem, das
sich eines Tages unter den Deutschen zu den grassesten Narrheiten manifestieren wird, und wovor Sie selbst sich, wenn
etwas davon zu Ihnen dränge, in Ihrem Grabe umkehren
würden.'

Nun denken Sie sich die allgemeine Betretenheit, den Engel,
der durch das Zimmer zog! Meine Mama hatte Mühe, ein

harmloses Gespräch wieder in Gang zu setzen! Aber so war er, so hielt er sich damals und tat uns weh mit Wort und Schweigen in unserem Heiligsten. Man muß das alles wohl auf seine Bewunderung für den Kaiser Napoléon zurückführen, der ihn anno acht zu Erfurt so sichtlich auszeichnete und ihm das Zeichen der Ehrenlegion verlieh, das unser Dichter stets ausdrücklich als seinen liebsten Orden bezeichnete. Er sah in dem Kaiser nun einmal den Jupiter, das weltenordnende Haupt, und in seiner deutschen Staatenbildung, der Zusammenfassung der südlichen, alt- und eigentlich deutschen Gebiete im Rheinbunde, etwas Neues, Frisches und Hoffnungsvolles, wovon er sich Glückliches versprach für die Steigerung und Läuterung deutschen Geisteslebens im fruchtbaren Verkehr mit der französischen Cultur, der er selbst so viel zu danken erklärte. Sie müssen bedenken, daß Napoléon ihn dringen eingeladen, ja von ihm gefordert hatte, seinen Wohnsitz nach Paris zu verlegen, und daß Goethe die Übersiedelung durch längere Zeit recht ernsthaft erwog und sich nach den praktischen Modalitäten verschiedentlich erkundigte. Es war seit Erfurt zwischen ihm und dem Cäsar ein Verhältnis von Person zu Person. Dieser hatte ihn sozusagen auf gleichem Fuße behandelt, und der Meister mochte die Sicherheit gewonnen haben, daß er für sein Geistesreich, sein Deutschtum nichts von ihm zu fürchten hatte, daß Napoléons Genius der Feind des seinen nicht war – soviel Grund die übrige Welt auch immer haben mochte, vor ihm zu zittern.

Sie mögen das eine egoistische Sicherheit und Freundschaft nennen, aber zum ersten muß man einräumen, daß der Egoismus eines solchen Mannes keine Privatsache ist, sondern sich in Höherem, Allgemeinerem rechtfertigt; und zum zweiten: Stand er denn auch allein mit seinen Überzeugungen und Aspecten? Das keineswegs – wie sehr immer die Lasten drückten, die der furchtbare Protector auch unserm Ländchen auferlegte. Unser Cabinettchef, des Staatsministers von Voigt Excellenz, zum Exempel, hielt immer dafür, bald werde gewiß Napoléon den letzten Gegner zu Boden gestreckt haben, und dann könne ein geeintes Europa unter seinem Scepter des Friedens genießen. Das habe ich mehr als einmal in Gesellschaft aus seinem Munde gehört und weiß auch noch gut, wie sehr er gegen das Jahr dreizehn hin die Auftritte in Preußen mißbilligte, das man partout in ein Spanien verwandeln wolle, invito rege. ‚Der gute König!‘ rief er. ‚Wie ist er zu bedauern, und wie wird das für ihn ablaufen, so unschuldig er auch daran ist! Wir anderen werden all unsere Klugheit und Behutsamkeit nötig haben, uns ruhig, unparteiisch und dem Kaiser Napoléon treu zu verhalten, wenn wir nicht ebenfalls untergehen wollen.‘ – So dieser kluge und gewissenhafte Staatsmann, der uns noch heute regiert. Und Durchlaucht der Herzog selbst? Noch nach Moskau, als der Kaiser so rasch wieder neue Heere aufgestellt hatte und unser Fürst ihn von hier ein Stück des Wegs gegen die Elbe begleitete, wohin er ritt, um die Preußen und Russen zu schlagen, die gegen all unser Erwarten sich gegen ihn verbündet hatten, da wir ganz kürzlich noch nicht anders gedacht hatten, als daß der preußische König wieder mit Napoléon gegen die Barbaren marschieren werde: – noch von jenem Ritt kehrte Carl August in völliger Begeisterung nach Hause zurück, ganz hingerissen von ‚diesem wahrhaft außergewöhnlichen Wesen‘, wie er sich ausdrückte, das ihm wie ein von Gott Erfüllter, ein Mohammed, vorgekommen sei.

Aber nach Lützen kam Leipzig, und es war aus mit der Gotteserfülltheit: an Stelle der Begeisterung für den Heros trat eine andere, die nämlich für Freiheit und Vaterland, Passows Begeisterung; und wunderlich ist es schon zu erfahren, das muß ich sagen, wie rasch und leicht sich die Menschen belehren und umstimmen lassen durch äußere Ereignisse und durch eines Mannes Unglück, an den sie geglaubt. Aber noch seltsamer und bemühender für die Gedanken ist es, zu sehen, wie ein großer und überragender Mann ins Unrecht gesetzt wird durch die Ereignisse gegen viel Kleinere und Bescheidenere, die es gleichwohl, wie es sich herausstellt, besser wußten als er. Da hatte der Goethe nun immer gesagt: ‚Ihr Guten,

schüttelt nur an euren Ketten; der Mann ist euch zu groß!'
Und siehe da: die Ketten fielen, der Herzog zog russische Uniform an, wir trieben Napoléon über den Rhein, und die,
die der Meister mitleidig ‚Ihr Guten' genannt hatte, die
Luden und Passow, die standen groß da gegen ihn als Recht-
behaltende und als Sieger. Denn dreizehn, das war doch der
Triumph Ludens über Goethe, — man kann es nicht anders
sagen. Und er räumt' es auch ein, beschämt und reuig, und
schrieb für Berlin sein Festspiel ‚Epimenides', worin er dichtete: ‚Doch schäm' ich mich der Ruhestunden — mit euch zu
leiden war Gewinn — denn für den Schmerz, den ihr empfunden — seid ihr auch größer, als ich bin.' Und dichtete: ‚Doch
was dem Abgrund kühn entstiegen — kann durch ein ehernes
Geschick — den halben Weltkreis übersiegen — zum Abgrund
muß es doch zurück.' — Ja, sehen Sie, da schickte er seinen
Kaiser, den Weltenordner, seinen Peer, nun in den Abgrund, —
wenigstens im Festspiel; denn übrigens und im stillen sagt er,
glaub' ich, noch immer ‚Ihr Guten'.

August nun, sein Sohn, der Liebhaber Ottiliens, tat es nach
seiner politischen Gesinnung völlig dem Vater gleich; er war
darin nichts weiter als seine Wiederholung. Ganz war er ein
Mann des Rheinbunds, worin er das Deutschland vereinigt
sah, das mitzählte für die Cultur, und zeigte sich voller Verachtung für die Barbaren des Nordens und Ostens, was ihm
weniger gut zu Gesichte stand als Goethen, dem Älteren;
denn er selbst hatte in seinem Wesen einen Zug des Barbari-
schen, will sagen des Ausschreitenden, ja des Rohen, vermischt
mit einer Traurigkeit, die auch nicht edel anmutete, sondern
nur trübe. Anno eilf setzte der Kaiser einen Gesandten zu uns
nach Weimar, den Baron von Saint Aignan, einen charmanten
und humanistischen Edelmann, das muß man sagen, und einen
großen Verehrer Goethe's, der denn auch bald auf dem
freundschaftlichsten Fuße mit ihm verkehrte. August seinerseits hatte nichts Eiligeres zu tun, als sich den Secretär des Ba-
rons, Herrn von Wolbock, zum Freunde zu nehmen, was ich
erstens erwähne, um Sie sehen zu lassen, wo der junge Mann

seine Freunde suchte, und zweitens, weil dieser Herr von Wolbock es war, der Dezember zwölf, als Napoléon, von Moskau kommend, Erfurt passierte, Goethen den Gruß des Kaisers ausrichtete. Das war denn etwas für Augusten auch,
denn allezeit trieb er mit der Person des Tyrannen einen wahren Cult, – der ihm für mein Gefühl nicht recht zukam,
denn wieso, diese Anbetung hatte gar keinen rechten geistigen
Untergrund. Aber heute noch unterhält er eine Sammlung von
Napoléon-Portraits und -Reliquien, für die ihm sein Vater
denn auch das Kreuz der Ehrenlegion geschenkt hat, da er es
nicht mehr gut tragen kann.

Selten wohl, kann man sagen, hat zwei Herzen ungleiche-
ren Schlages das Band der Liebe umwunden. August betete
Ottilien an, wie er Napoléon anbetete, – ja, ich kann nicht
umhin, diesen Vergleich zu ziehen, so sonderbar er anmuten
mag; und mein armer Liebling – ich sah es mit Befremden und
Schrecken – neigte sich seinem schwerfälligen Werben zärtlich
entgegen, überzeugt von der rücksichtslosen Allmacht des
Liebesgottes, die über Meinungen und Gesinnungen lachend
triumphiert. Sie hatte es schwerer dabei als er, der seine Überzeugungen offen hervorkehren durfte, während sie die ihren
verhehlen mußte. Aber das, was sie ihre Liebe nannte, ihr
sentimentalisch-widerspruchsvolles Erleben mit dem Sohn
des großen Dichters verbarg sie nicht und brauchte es nicht
zu verbergen in unserer kleinen Welt, darin das Gefühl und
seine Cultur in zartesten Ehren steht und auf die allgemeine
Teilnahme rechnen kann. Für meine Person war ich ihre bange
Vertraute, welche die Einzel-Stadien und -Episoden ihres
Abenteuers getreulich mit ihr durchlief. Aber auch ihrer Mutter durfte sie sich desto ungescheuter eröffnen, als Frau von
Pogwisch sich seit längerem in ähnlichen Umständen befand
und ihrem Kinde bei seinen Confessionen in fraulich-freund-
schaftlichem Austausch begegnete. Ihr war es um den schönen
Grafen Edling zu tun, einen Südländer, Hofmarschall und
Staatsminister, dazu Vormund und Scherz-Väterchen ihrer
Töchter, Hausfreund und bald wohl mehr. Denn sie hoffte

auf seine Hand, und hatte auch Grund, darauf zu hoffen, und erwartete sein entscheidendes Wort, welches sich aber verzögerte. So bot Amor Mutter und Tochter Stoff zu wechselseitigen Herzensergießungen über die täglichen Freuden und Leiden, die Entzückungen, Hoffnungen und Enttäuschungen, die er so reichlich gewährt.

August und Ottilie sahen einander bei Hofe, in der Komödie, im Haus seines Vaters, bei mancherlei privater Geselligkeit. Aber auch abseits der Societät und in der Stille trafen die Liebenden zusammen, wozu die beiden alten Gärten nahe der Ilm, mit ihren Gartenhäusern, der Goethe's und der Ottiliens Großmutter gehörige, die behütetste Gelegenheit boten. Ich war immer meinem Herzblatt zur Seite bei diesen Zusammenkünften und hatte mich nur zu wundern, mit welcher seufzenden Glückseligkeit sie davon hinwegging und mit wie errötenden Umarmungen mir dankte für meine Assistenz; denn mir schien unweigerlich, nicht nur an meiner Rolle als Dritter und als Chaperon habe es gelegen, daß mir die Begegnung so unersprießlich, das Gespräch so leer, so gezwungen vorgekommen war. Lustlos und stockend hatte es auf einem Cotillon, einem Hofklatsch, einer vorhabenden oder zurückgelegten Reise rouliert und hatte noch am meisten Lebhaftigkeit gewonnen, wenn von des jungen Mannes Dienst bei seinem Vater die Rede gewesen war. Aber Ottilie gestand sich das Unbehagen, die gehabte Langeweile nicht ein. Sie tat, als hätten bei einem so öden Zusammensitzen oder Spazieren sich die Seelen gefunden, und berichtete in diesem Sinn auch wohl ihrer Mutter, von der sie vermutlich dafür die Nachricht empfing, es sprächen alle Zeichen dafür, daß das anhaltende Wort des Grafen nun unmittelbar bevorstehe.

So lagen die Dinge, als ein Ereignis in das Leben des lieben Kindes trat, von dem ich nicht ohne die herzlichst mitschwingende Bewegung zu sprechen vermag; denn alle Schönheit und Größe der Zeit versammelte sich für uns beide darin und nahm persönliche Gestalt an für uns beide in diesem Erlebnis.

Das Frührot des Jahres dreizehn brach an. Was sich im

Preußenlande Herrliches begab – die Erhebung der Patrioten, ihr Sieg über den zögernden Sinn des Königs, die Aufstellung der Freiwilligen-Corps, denen, bereit zum enthusiastischen Verzicht auf Bildung und Behagen, begierig, ihr Leben für das Vaterland in die Schanze zu schlagen, die edelste Jugend des Landes zuströmte, – von alledem, ich sagte es schon, drang anfangs nur geringe und gedämpfte Kunde zu uns herüber. Wovon ich Ihnen aber auch schon sprach, das war die empfindliche Verbindung, welche die Seele meiner Freundin mit der Sphäre ihres verschollenen Vaters unterhielt und die auch wohl durch handgreiflichere Nachrichten, die ihr durch preußische Verwandte zukamen, unterstützt werden mochte. Ihre liebliche Person erzitterte und erglühte bei der Berührung mit dem sich Vorbereitenden, dem schon sich Vollziehenden, das sie, in unserer idyllischen Mitte lebend, längst ersehnt, längst vorgeahnt hatte. Das Heldenvolk, dem sie sich zugehörig fühlte nach Blut und Geist, stand auf, um die Schmach der welschen Tyrannei von sich zu schütteln! Ihr ganzes Wesen ging in Begeisterung auf, und wie ihr Volk durch sein Beispiel ganz Deutschland für den Kampf um Ehre und Freiheit entflammte, so riß sie mich mit sich fort und machte mich ganz zur Parteigängerin ihres Hasses und ihrer glühenden Hoffnung. Doch stand sie mit beidem auch sonst in der Stadt nicht mehr so allein wie früher. Die vaterländische Verschwörung glomm auch hier schon unter der rheinbundtreuen, napoléonfrommen Decke, und junge Edelleute wie Kammerherr von Spiegel und Regierungsrat von Voigt nahmen mit den Preußen in Jena unter der Hand eine halsbrecherische Verbindung auf, um ihnen Winke über die Vorgänge in Weimar zu erteilen. Mit ihnen hatte Ottilie sich bald gefunden und nahm in flüsternder Leidenschaft teil an ihren Umtrieben. Sie spielte mit ihrem Leben, und halb um sie zurückzuhalten, halb aus eigener Ergriffenheit war ich ihr Mitgesell bei diesen politischen Geheimnissen, wie ich es bei denen ihres Mädchenherzens, bei den Zusammenkünften mit August von Goethe war. Ich wüßte nicht zu sagen, welche

von beiden mir die größere Angst und Besorgnis um sie ein-
flößten.

Es ist bekannt, wie wenig hoffnungsreich sich fürs erste die
kriegerischen Vorgänge anließen. Zwar wurde Ottilien das
Glück zuteil, preußische Uniform in Weimar zu sehen, denn
Mitte April, am sechzehnten, ich weiß es wie heute, tat eine
Abteilung Husaren und reitender Jäger jenen Handstreich
auf unsere Stadt, bei dem sie die wenigen hier liegenden
französischen Soldaten zu Gefangenen machten und, wieder
abziehend, mit sich führten. Kaiserliche Reiterei, die auf
die Nachricht von Erfurt herüberkam, fand keine Preußen
mehr in der Stadt und kehrte nach ihrem Standort zurück:
voreilig allerdings, denn am folgenden Morgen – stellen Sie
sich Ottiliens Entzücken vor! – ritten Mannschaften des jüngeren Blücher, Husaren abermals und grüne Jäger, in die Stadt
ein, von unserer Bevölkerung mit Jubel empfangen; und es
begann ein Tanzen und Zechen, dessen sorglose Ausgelassenheit dem Nachdenklichen einige Beklemmung bereitete und
sich denn auch nach wenigen Stunden bitter bestrafte. Franzosen! hieß es, und vom Gelage weg stürzten unsere Befreier zu den Waffen. Es waren Truppen des General Souham,
die in die Stadt drangen, an Zahl übermächtig, und kurz
war der Kampf, in welchem die Franzosen sich wieder zu
Herren der Stadt machten. Zitternd um das Blut unserer
Helden, denen wir eben noch fröhlich Wein und Speisen zugetragen, saßen wir in unseren Zimmern und spähten auch
wohl durch die Gardinen nach dem Tumult der Gassen, die
vom Gegell der Hörner, dem Prasseln des Gewehrfeuers
erfüllt waren, aus denen aber bald das Gefecht sich in den
Park und vor die Stadt hinaus verzog. Der Sieg war des
Feindes. Ach, er war seiner nur allzu gewohnt, und wider
Willen konnte man kaum umhin, ihn als den Sieg der Ordnung über die Rebellion – und zwar über eine knabenhaft
törichte, wie sich durch ihre Niederlage herausgestellt hatte –
zu empfinden.

Ruhe und Ordnung sind wohltätig, von wem auch immer

sie aufrechterhalten werden mögen. Wir hatten für die französische Einquartierung zu sorgen, mit welcher die Stadt sogleich bis an die Grenze ihrer Trag- und Leistungsfähigkeit belegt wurde, und die lange auf ihr lasten sollte. Aber der Friede war wiedergekehrt, der Verkehr auf den Straßen bis Sonnenuntergang frei, und im freilich bedrückenden Schutz des Siegers mochte der Bürger seinen gwohnten Geschäften nachgehen.

Ich weiß nicht, welcher geheime Antrieb, welche Ahndung Ottilien am nächsten Tage bestimmte, mich bald nach Mittagstisch zu einem Spaziergang abzuholen. Einer Nacht folgend, die regnerisch gewesen war, lockte der Apriltag mit zarter Heiterkeit, die durchsonnten Lüfte von süßer Frühlingshoffnung erfüllt. Ein Reiz der Neugier wirkte mit, in Sicherheit die Straßen zu durchwandern, in denen gestern der Schrecken des Männerkampfes getobt, die Spuren, die er darin zurückgelassen, Beschädigungen der Häuser durch einschlagende Gewehrkugeln, diesen und jenen Blutspritzer auch wohl an einer Mauer mit einem Grauen in Augenschein zu nehmen, in das sich bei uns Frauenzimmern doch auch soviel scheue Bewunderung, ja Begeisterung für den harten und wilden Mut des anderen Geschlechtes mischt.

Ins Freiere, Grünende zu gelangen, hatten wir Freundinnen, von Schloß und Markt kommend, die Ackerwand gewonnen und sie in Richtung der Ilm verlassen, deren Ufer nicht fern wir auf Wiesenpfaden und buschigen Gängen am Borkenhäuschen vorbei gegen das ‚Römische Haus' hin wandelten. Zertretener Grund, ein hie und da liegengebliebenes Waffen- und Monturstück zeigten an, daß sich Kampf, Flucht und Verfolgung bis hierher gezogen hatten. Wir sprachen von dem Durchlebten und möglicherweise Bevorstehenden, der gemeldeten Besetzung sächsischer Städte durch die östlichen Völker, der änstlichen Lage Weimars zwischen der kaiserlichen Feste Erfurt und den heranrückenden Preußen und Russen, der Verlegenheit Serenissimi des Herzogs, der Abreise des Großfürsten ins neutrale Böhmen und derjenigen

des französischen Gesandten nach Gotha. Auch von August
sprachen wir, wie ich mich erinnere, und von seinem Vater,
der den Vorstellungen der Seinen nachgegeben und gleichfalls die bedrohte Stadt verlassen hatte: gestern früh, ganz
kurz bevor die Blücherschen hier ihren Einzug gehalten,
war er in seinem Wagen nach Carlsbad abgefahren; er mußte
ihnen sogar auf der Landstraße begegnet sein.

Weiter sich ins Einsame vorzuwagen, schien nicht geheuer,
und so waren wir im Begriff, den Rückzug anzutreten, als in
unser Gespräch ein Laut, halb Ruf, halb Stöhnen, drang, der
uns die Füße fesselte. Wir standen lauschend und fuhren zusammen: aus dem Gebüsch seitlich des Weges ertönte dieselbe
Klage, derselbe Anruf. Ottilie hatte im Schreck meine Hand
ergriffen, — jetzt ließ sie sie fahren, und mit klopfenden Herzen, auch unter der wiederholten Frage ‚Ist jemand da?' brachen wir beiden Mädchen uns Bahn durch das knospende Ge-
sträuch. Wer beschreibt unsere Bestürzung, unsere Rührung
und Ratlosigkeit? Im Holz, in dem feuchten Grase lag der
schönste Jüngling, ein verwundeter Krieger, ein Glied der
vertriebenen Heldenschar, das lockige Blondhaar verwirrt und
verklebt, einen keimenden Bart um das edel geschnittene Antlitz, dessen fiebrige Wangenröte höchst schreckhaft gegen die
wächserne Blässe der Stirne stand, die durchnäßte und erdige,
im halben Trocknen starrgewordene Montur befleckt — und
zwar namentlich an den unteren Teilen — von ebenfalls halb
getrocknetem Blut. Entsetzlicher und doch auch erhebender,
das tiefste Gefühl aufrührender Anblick! Sie denken sich die
ängstlich flatternden, von Teilnahme bebenden Fragen nach
seinem Ergehen, seiner Verwundung, mit denen wir ihn über-
schütteten. ‚Sie führt der Himmel vorbei', erwiderte er in
norddeutsch scharfer Sprechweise, aber mit klappernden Zähnen, zwischen denen er öfters, wenn er eine Bewegung gemacht
hatte, unter schmerzlicher Verzerrung seines schönen Gesichtes die Luft einzog. ‚Ich hab' eine attrapiert ins obere Bein
bei dem Spaß von gestern — auf einmal hatt' ich sie weg und
mußte mal vorläufig auf die Gewohnheit des aufrechten

Ganges verzichten, – nur kriechen konnt' ich noch gerade
hierher, wo's ja soweit ganz lauschig ist, bloß etwas feucht,
wenn's pladdert wie heute nacht, – seit gestern Vormittag
lieg' ich am Fleck und täte wohl eigentlich besser, zu Bett zu
gehen, denn scheinbar hab' ich ein bißchen Fieber.'

So burschenhaft drückte der Held sich aus in seinem Elend.
Und wirklich war er Student, wie er bald erklärte. ‚Heinke
Ferdinand', sagte er schnatternd, ‚Jurist von Breslau und
Freiwilliger Jäger. Was fangen aber die Damen nun mit mir
an?' – So mochte er wohl fragen, denn selten war guter Rat
teurer gewesen, und die Benommenheit, in die das Abenteuer
uns versetzte, unser Idol, den preußischen Helden, plötzlich
in so naher und körperlich-persönlicher, salopp redender
Wirklichkeit, unter dem bürgerlichen Namen Heinke, vor uns
zu sehen, war unserer Geistesgegenwart, unserer Entschluß-
kraft nicht hilfreich. Was tun? Sie fühlen zwei jungen Frauenzimmern die Scheu nach, Hand zu legen an einen wirklichen,
am Oberschenkel verwundeten Jüngling, noch dazu einen so
schönen! Sollten wir ihn aufheben, ihn tragen? Wohin? Zur
Stadt doch nicht, die übrigens voller Franzosen war. Auch
jede nähere und vorläufigere Unterkunft aber, wie etwa das
Borkenhäuschen, war unseren Kräften so unerreichbar wie
den seinen. Die Blutung seiner Wunde war seiner Aussage
nach zwar zum Stillstand gekommen; aber das Bein schmerzte
sehr, und an ein Gehen, sei es auch mit unserer Unterstützung, war nicht zu denken. Gar nichts blieb übrig, als den
Helden – und er selbst war dieser Meinung – an Ort und
Stelle, im notdürftigen Schutz des Gesträuches, liegen zu lassen
und unsererseits nach der Stadt zurückzukehren, um vertrauenswürdigen Personen von unserem kostbaren Funde Eröffnung zu machen und mit ihnen das Erforderliche zu beraten, welches aber in aller Stille und Heimlichkeit zu bewerkstelligen sein würde. Denn wie nichts anderes verabscheute
Ferdinand den Gedanken, in Gefangenschaft zu geraten, und
sann auf nichts, als, sobald er genesen sein würde, Dienst und
Kampf wieder aufzunehmen, um ‚Nöppel', wie er den Corsen

nannte, aufs Haupt zu schlagen, das Vaterland zu befreien und Paris in Asche zu legen.

Diese Vorsätze äußerte er mit frostbebenden Kiefern, alle Schwierigkeiten überspringend, die seiner nächsten Rettung entgegenstanden. Gegen den Durst, der ihn plagte, fand Ottilie in ihrem Täschchen einigen Minzenzucker, an dem er sich denn sogleich zu delektieren begann. Ein Riechfläschchen, das ich bei mir hatte, wies er mit männlichem Spott zurück, duldete es aber, daß wir ihm unsere Umschlagtücher, das eine als Kopfkissen, das andere als allzu leichte Zudecke, zurückließen, und verabschiedete uns mit den Worten: ‚Na, sehen Sie zu, was sich machen läßt, meine Damen, daß ich aus dieser verdammten Patsche komme! Tut mir leid, Ihre werte Gesellschaft vorderhand wieder entbehren zu müssen. War mir, parole d'honneur, eine angenehme Zerstreuung in meiner Abgeschiedenheit.‘ So heldenhaft lässig war immer seine Rede – in einer Lage auf Leben und Tod. Wir darauf machten vor dem Hingestreckten unseren Knicks, den er mit einer Bewegung erwiderte, als salutiere er uns mit den Absätzen, und enteilten ...

Wie wir zur Stadt zurückgelangten, ich wußte es kaum zu sagen. Auf Flügeln der Begeisterung, der Angst und des Entzückens geschah es, – da wir uns doch sorgsam hüten mußten, daß jemand uns solche Beflügelung anmerke. Einen Plan zur Bergung des herrlichen Menschen im einzelnen ins Auge zu fassen, waren wir außerstande. Daß er nicht eine zweite Nacht hilflos unter dem Himmel liegen durfte, sondern in ein sicheres Haus verbracht und sorgsamster Pflege übergeben werden müßte, war der feste Punkt in unseren irrenden Gedanken, und mit derselben dringlichen Bestimmtheit tat sich der Wunsch darunter hervor, daß wir beide von dieser Pflege nicht ausgeschlossen sein möchten. Unsere Mütter ins Geheimnis zu ziehen, lag nahe; aber wenn wir ihrer Anteilnahme sicher sein durften, wie sollten sie raten, wie helfen? Männlicher Beistand war unumgänglich; und wir verfielen darauf, uns denjenigen jenes Herrn von Spiegel, des Kammerherrn, zu

sichern, den wir mit uns so übereindenkend wußten und der,
da er einer der Urheber des verhängnisvollen preußischen
Einmarsches war, alle Ursache hatte, sich einem Opfer desselben hilfreich zu erweisen. Er war nämlich damals noch auf
freiem Fuß; seine und seines Freundes von Voigt Verhaftung wurde erst einige Tage später durch die Denunciation
eines Vorteil suchenden Mitbürgers herbeigeführt, und beide
hätten ihren wagehalsigen Patriotismus mit dem Tode bezahlt, wenn nicht Napoléon, als er persönlich wieder in Weimar war, aus Courtoisie gegen die Herzogin ihre Begnadigung
ausgesprochen hätte.

Dies unter der Hand. Ich will mich beim Folgenden nicht
in Einzelheiten verlieren; genug, daß von Spiegel die in ihn
gesetzte Erwartung nicht enttäuschte, sondern sich sofort ener-
gisch-tätig zeigte und alles Wünschbare mit der glücklichsten
Umsicht ins Werk setzte. Eine Tragbahre ward heimlich und
sogar stückweise in den Park geschafft, trockene Kleider und
Stärkungsmittel fanden sich nach kurzer Zeit bei dem Ärmsten ein, ein Wundarzt besuchte ihn wohltätig, und bei sin-
kender Dämmerung wurde der zum Civilisten Verwandelte
unbeanstandet am Rande der Stadt hin zum Schloß geschafft,
wo ihm der Kammerherr – und zwar in dem alten Teil, dem
Torgebäude der sogenannten Bastille – ein hoch unterm Dach
gelegenes Zimmerchen als Versteck und Asyl im Einvernehmen mit der Verwaltung zubereitet hatte.

Hier vor aller Welt verborgen, hielt unser kühner Freund
sein Krankenlager ab, das sich über mehrere Wochen erstreckte; denn zu der schwärenden Beinwunde hatte sich
durch das Nächtigen im feuchten Stadtpark ein Brustkatarrh
mit schwerem Husten gesellt, welcher Fieber und Schmerzen
steigerte und dem Arzt Besorgnis hätte erregen können, wenn
nicht die Jugend und gute Natur des Patienten und seine
immer gleiche frohe Laune, die höchstens durch die Ungeduld
getrübt wurde, wieder in den Krieg ziehen zu können, die
heiterste Bürgschaft geboten hätten für sein Erstehen. Mit
dem regelmäßig vorsprechenden Doktor und dem alten Ca-

stellan, der dem Kranken seine Mahlzeiten brachte, teilten
wir beide, Ottilie und ich, uns in seine Pflege und stiegen
täglich die morsche Treppenfolge zu seinem verwunschenen
Stübchen hinauf, um ihm Wein, Eingemachtes und kleine
Leckerbissen, auch zerstreuende Lectüre zuzutragen, mit ihm
zu plaudern, sobald sein Befinden es zuließ, ihm vorzulesen und Briefe für ihn zu schreiben. Er nannte uns seine
Engel, denn hinter seiner nüchtern-flotten Art sich zu geben
verbarg sich denn doch viel weiches Gemüt, und wenn er unsere schöngeistigen Interessen nicht teilte, sie lachend von
sich wies und außer seiner Jurisprudenz nichts anderes als
das Vaterland und seine Wiederaufrichtung im Sinne hatte,
um derentwillen er jene im Stich gelassen, so gestanden wir
uns gern, daß man die Poesie wohl verschmähen mag und
nichts davon zu verstehen braucht, wenn man sie selber
verkörpert, – und als die verkörperte Poesie in der Tat, als
die Erfüllung unserer Träume erschien uns dieser schöne, gute
und edle Mensch; so daß es denn wohl geschah, daß nach
einem Besuch bei ihm Ottilie mich im Hinabsteigen stumm
und vielsagend in ihre Arme schloß und ich, in Erwiderung
ihres Geständnisses, ihr den Kuß aufs innigste zurückgab, –
ein Austausch, der uns bei den altertümlichen Eigenschaften
der Treppe übrigens um ein Haar das Gleichgewicht gekostet
hätte.

Es waren Wochen voller Rührung und Gehobenheit; sie
gaben unserem Mädchenleben den schönsten Inhalt; denn zu
sehen, wie der Heldenjüngling, um dessen Bewahrung für
das Vaterland wir uns verdient gemacht, nach kurzer Sor-
genfrist von Wiedersehen zu Wiedersehen entschiedener der
Genesung entgegenging, war überaus beglückend, und schwe-
sterlich teilten wir uns in die Freude darüber wie überhaupt
in die Empfindungen, die wir unserem herrlichen Pflegling
weihten. Daß sich bei diesen in das Charitative und Patriotische Zarteres, Unaussprechliches mischte, und zwar in unser
beider Herzen, sagt Ihnen wohl die eigene Ahndung; auch
hier aber war es so, daß meine Gefühle diejenigen der lieb-

reizenden Ottilie nur getreulich begleiteten und ihnen sozusagen den Vortritt ließen, – es lag das in der Natur der
Dinge. Ein gemessener Teil von Ferdinands Dankbarkeit
mochte auf mich unschönes Ding entfallen, – bei seiner Geistes-
schlichtheit, die ihm so wohl, so herrlich zu Gesichte stand, und
bei der daraus folgenden vollständigen Gleichgültigkeit gegen die Gaben, die ich anstatt äußeren Glanzes etwa ins
Feld zu führen hatte, tat ich von Anfang an gut daran, weiter auf nichts zu hoffen und mich weislich in diesem Roman
mit der Rolle der Vertrauten zu bescheiden. Darauf war
meine Natur eingerichtet, und vor Eifersucht war ich nicht
nur durch die Liebe zu meiner Freundin, den zärtlichen
Stolz auf ihre Reize geschützt; auch nicht nur dadurch, daß
Ferdinand uns tatsächlich mit großer Gleichmäßigkeit behandelte und, was ich denn doch mit menschlich verzeihlicher Genugtuung bemerkte, auch gegenüber meinem Herzblatt nie
den Ton einer flotten Freundlichkeit veränderte; sondern noch
etwas Drittes kam mir zu Hilfe: nämlich die Hoffnung, daß
Ottilie durch dies neue und ungeahndete Erlebnis von ihrem
Verhältnis zu August von Goethe, dieser mir so unheimlich, so
unglückselig scheinenden Bindung, wirksam abgelenkt werden
möchte. So machte ich denn kein Hehl aus meiner Zufriedenheit, meiner Erleichterung, wenn sie mir an meinem Halse
gestand, was sie für Ferdinanden empfinde, sei denn doch
etwas gänzlich anderes, als was ihr Herz bisher erfahren,
und zwischen tief besorgter Freundschaft und wahrer Liebe
habe das Leben sie nun die Unterscheidung gelehrt. Meine
Freude darüber wurde nur durch die Erwägung gedämpft,
daß Heinke nicht von Adel, sondern ganz einfach der Sohn
eines schlesischen Pelzhändlers und also durchaus keine Partie
für Ottilie von Pogwisch war. Ob allein das Bewußtsein hie-
von ihn bestimmte, an seiner flotten Freundlichkeit gegen sie
so stricte festzuhalten, war eine besondere Frage.

Da während Heinke's Besserung die gesellige Jahreszeit
zu Ende ging, die Komödie zwar noch offenhielt, aber der
Hof aufhörte, die Einladungen und Bälle, deren Matadore

zuletzt die französischen Officiere gewesen, spärlicher wurden, so sahen wir August seltener als zur Winterszeit; allein die Begegnungen, die Spaziergänge und Rendez-vous mit ihm in den Gärten waren nicht ganz unterbrochen worden, obgleich die Abwesenheit seines Vaters seine Geschäftslast eher erhöhte; und wenn aus Ferdinands Geschichte sonst ein sorgfältiges Geheimnis gemacht wurde und niemand außer den Eingeweihten und Mittätigen von dem Dasein unseres Findlings in seinem Dornröschenstübchen etwas wußte, so fühlte Ottilie sich doch gehalten, dem Kammerassessor Bericht davon abzulegen – aus Pflicht der Freundschaft und des Vertrauens gewiß vor allem, aus einer gewissen Neugier zugleich aber auch, so schien mir, wie er die Nachricht unseres Abenteuers aufnehmen, was in seiner Miene dabei vorgehen werde. Sein Verhalten war gleichmütig, ja spöttisch, besonders nachdem er sich wie von ungefähr nach Heinke's Familie erkundigt und erfahren hatte, daß er bürgerlich sei; es ließ auf so geringe Wißbegier und Teilnahme schließen, deutete vielmehr so entschieden auf den Wunsch, die Sache von sich abzuhalten, daß hinfort nur selten, obenhin und kurz abbrechend zwischen ihm und uns davon die Rede war und August über das glückliche Aufkommen unseres Helden, seinen ferneren, nur kurzen Aufenthalt in der Stadt und sein vorläufiges Wiederentschwinden in gewollter Unwissenheit oder Halbkenntnis blieb.

Ich habe mit diesen Worten dem Gang der Dinge schon vorgegriffen. Bälder als gedacht konnte Ferdinand zeitweise sein Bett verlassen und im hohen Kämmerchen umherstapfend am Invalidenstock die Beweglichkeit seines Beines üben; die freundliche Jahreszeit, die freilich nur durch ein Mansardenfenster Zutritt in sein Schutzgefängnis hatte, tat das Ihre, ihn zu fördern und zu beleben, und um ihn in freiere Berührung mit ihr zu bringen, ward ein Quartierwechsel veranstaltet: ein Vetter des Castellans, der am Kegelplatz hinterm Marstall eine Schusterei betrieb, war bereit, dem Rekonvaleszenten ein Zimmer zu gleicher Erde bei sich einzuräumen, und wohl-

gestützt siedelte dieser eines ersten Junitages aus seinem romantischen Versteck dorthin über, wo er auf einer Bank am
nahen Flusse sich sonnen und über die Brücke bequem das
Grüne und Freie, das Schießhaushölzchen, die Tiefurter Allee
gewinnen konnte.

Uns war damals eine Ruhepause in den Welthändeln beschieden, jener Waffenstillstand, der nur bis in den Hochsommer dauern sollte, – ich sage nicht leider, denn was nachher
kam, führte ja, wenn auch durch grasse Schrecknisse und unendliches Leid hindurch, zu Ruhm und Freiheit. Das Leben
in unserer Stadt war trotz fortdauernder Einquartierungslast, mit der man sich leidlich abgefunden, recht gemach unterdessen. Eine mäßige Geselligkeit nahm in den frühen
Sommer hinein ihren Fortgang, und in schlichtem Civilkleid
nahm unser Krieger, dessen Wangen sich zusehends füllten
und röteten, mit gebotener Vorsicht daran teil: Bei meiner
Mutter sowohl und der Ottiliens wie auch bei Egloffsteins, im
Salon der Frau von Wolzogen und an einigen weiteren Orten
verbrachten wir manche heitere und dabei tiefgefühlte Stunde
mit dem ob seiner Jugendhübschheit und ritterlichen Schlichtheit überall mit herzlicher Neigung und Bewunderung aufgenommenen jungen Helden. Doktor Passow namentlich war
Feuer und Flamme für ihn, weil er, seinem Schul-Ideale
gemäß, die Verkörperung hellenischer Schönheit im Verein mit
vaterländischem Freiheitsheroismus in ihm erblickte – mit vielem Recht; nur ging er als Mann für meinen Geschmack in
der Verehrung unseres Jünglings etwas weit und ließ mich,
nicht zum ersten und letzten Mal, die Bemerkung anstellen,
daß der kriegerische Nationalgeist in Beziehung steht zu
einem uns Frauen denn doch nicht erfreulichen erhöhten
Enthusiasmus des Mannes für das eigene Geschlecht, wie er
uns schon aus den Sitten der Spartaner herb-befremdlich
entgegentritt.

Ferdinand seinerseits bewahrte gegen jedermann jenes schon
gekennzeichnete gleichmäßig-sonnige Verhalten, und auch sein
Betragen gegen uns, das heißt: gegen Ottilie hätte Herrn von

Goethe keinerlei Anlaß zur Eifersucht gegeben, wenn die beiden wie Nacht und Tag verschiedenen jungen Leute jemals zusammengetroffen wären, was Ottilie jedoch zu verhindern wußte. Es war klar, daß sie sich durch die Empfindungen, die sie dem Helden entgegenbrachte, schuldig zu machen glaubte vor dem düsteren Liebhaber; daß sie sie als einen Raub an den Freundschaftspflichten gegen diesen betrachtete, so daß bei dem Zusammensein mit ihnen beiden ihr Gewissen gelitten hätte; und so sehr ich die moralische Cultur bewunderte, die sie zu dieser Auffassung bewog, mußte ich doch mit Unruhe daraus abnehmen, daß meine Hoffnung, das Erlebnis mit Heinke möchte die mir ängstlichen Bande lösen, die sie an den Sohn des Großen knüpften, sich nicht bewahrheiten wollte. ,Ja, Adele', sagte sie eines Tages zu mir, indes ihre blauen Augen sich schattig verdunkelten, ,ich habe das Glück erkannt, das Licht und die Harmonie, in der Gestalt unseres Ferdinands sind sie mir aufgegangen. Aber so edel der Zug sein mag, den sie ausüben, – tiefer sind die Ansprüche, die Dunkel und Leiden an unseren Edelmut stellen, und im Grunde meiner Seele kenne ich mein Schicksal.' – ,Möge der Himmel dich behüten, Geliebte!' war alles, was ich erwidern konnte, eine Kälte im Herzen, wie sie uns ankommt, wenn wir dem unbeweglichen Auge des Verhängnisses begegnen.

Heinke entschwand. Wir sollten ihn wiedersehen; für diesmal aber, nach einem Aufenthalt von sieben Wochen in unserer Mitte, reiste er ab: in seine schlesische Heimat zunächst, zum Besuch seiner Lieben, der Pelzhändlersleute, um bei ihnen die vollständige Wiederherstellung seines Beines abzuwarten, dann aber sogleich wieder zur Armee zu stoßen; und meine Ottilie und ich weinten innig zusammen über den Verlust seiner Gegenwart, richteten uns aber auf in dem getauschten Schwur, daß unsere Freundschaft fortan ein einziger Cult seines Heldenandenkens sein solle. Er hatte uns das Idealbild des vaterländisch entflammten deutschen Jünglings, wie der Sänger von ,Leyer und Schwert' es verkündete, in Fleisch und Blut anschauen lassen, und da Fleisch und Blut

denn doch immer dem Ideale etwas entgegen sind und eine
gewisse Ernüchterung unvermeidlich mit sich bringen, so hat
es, wenn ich ganz offen sein soll, auch sein Gutes und Vorteilhaftes, wenn sie sich durch Abwesenheit wieder zum reinen
Ideale verklären. Namentlich hatte sich uns Ferdinand in
letzter Zeit immer in schlichter Bürgertracht dargestellt, da
er unserem inneren Auge nun wieder in dem Ehrenkleid vor-
schweben mochte, worin er uns anfangs erschienen, – ein
großer Vorteil, wenn man bedenkt, wie sehr die Uniform die
männlichen Eigenschaften erhöht. Kurzum, sein Bild wurde
nach seinem Abgange in unserer Vorstellung täglich lichter, –
während zugleich, wie Sie sehen werden, die Gestalt des anderen, Augustens Gestalt, sich mit immer trüberen Wolken
umhüllte.

Am zehnten August lief der Waffenstillstand ab, während
dessen Preußen, Rußland, Österreich und auch England sich
gegen den Kaiser der Franzosen vereinigt hatten. Zu uns nach
Weimar drang nur geringe und undeutliche Kunde von den
Siegen der preußischen Heerführer, der Blücher und Bülow,
der Kleist, Yorck, Marwitz und Tauentzien. Daß irgendwo
gewiß unser Ferdinand an diesen Siegen teilhatte, erfüllte
uns Mädchen mit hochatmendem Stolz; der Gedanke, sein
junges Blut, dem Vaterlande dargebracht, möchte vielleicht
schon den grünen Plan färben, ließ uns erbeben. Wir wußten
fast nichts. Die nördlichen und östlichen Barbaren rückten
näher – das war unsere ganze Nachricht; aber je näher sie
rückten, desto seltener wurde ihnen bei uns dieser Name
‚Barbaren‘ zuteil, desto mehr wendeten sich die Sympathien
und Hoffnungen unserer Bevölkerung und Gesellschaft von
den Franzosen weg ihnen zu: zum Teil wohl einfach, weil
man die Sieger in ihnen zu sehen begann, die man schon von
weitem durch seine Ergebenheit milde zu stimmen hoffte,
namentlich aber weil die Menschen unterwürfige Wesen sind,
von dem Bedürfnis geleitet, mit den Verhältnissen und Ereignissen, mit der Macht in innerer Übereinstimmung zu
leben, und weil ihnen jetzt das Schicksal selbst den Wink und

Befehl zur Sinnesänderung zu erteilen schien. So wurden aus den gegen die Gesittung rebellierenden Barbaren binnen wenigen Tagen Befreier, deren Erfolg und Vormarsch der allgemeinen Begeisterung für Volk und Vaterland, dem Haß auf den welschen Unterdrücker zu einem stürmischen Durchbruch verhalf.

Kurz nach Mitte Oktober sahen wir, mit entsetzter Bewunderung, zum ersten Male Kosaken in Weimar. Der französische Gesandte entfloh, und wenn man ihn vor seiner Abreise nicht insultierte, so nur darum nicht, weil noch nicht absolut deutlich war, wie das Schicksal es meinte, und wie man sich zu verhalten hatte, um auch gewiß mit Macht und Erfolg in Harmonie zu sein. Aber in der Nacht vom zwanzigsten auf den einundzwanzigsten rückten ganze fünfhundert dieser hunnischen Reiter bei uns ein, und ihr Oberst, von Geismar war sein Name, stand in dieser Nacht mit schief übers Ohr gezogener Mütze im Schloß vorm Bette des Herzogs und berichtete ihm von dem großen Siege der Verbündeten bei Leipzig. Zum Schutz der Herzoglichen Familie, meldete er, sei er vom Zaren Alexander entsandt. Da wußte auch Serenissimus, was die Glocke geschlagen und wie ein kluger Fürst sich zu stellen hatte, um den Anschluß ans Schicksal und an die Macht der Ereignisse nicht zu versäumen.

Liebste, was waren das doch für Tage! – erfüllt vom Lärm der Kämpfe, die rings um die Stadt herum und bis in unsere Straßen hinein sich schreckhaft abspielten. Franzosen, Rheinländer, Kosaken, Preußen, Magyaren, Croaten, Slavonen, der Wechsel wilder Gesichter wollte nicht enden, und da der französische Rückzug auf Erfurt die Residenz den Verbündeten freigab, die sich sogleich darein ergossen, so brach eine Flut von Einquartierungen über uns herein, welche jeden Haushalt, groß und klein, mit den äußersten Ansprüchen, oft kaum erfüllbar, belastete. Die Stadt, vollgepfropft von Menschen, sah viel Glanz und Größe, denn zwei Kaiser, der russische und der österreichische, dazu der preußische Kronprinz hielten zeitweise hier Hof, der Kanzler Metternich traf ein, es wimmelte von Würdenträgern und Generalität, allein nur die Ärmsten, denen nichts abverlangt werden konnte, mochten sich der Schaulust überlassen, – wir anderen, auf engsten Raum eingeschränkt, durften nur leisten und leisten, und da alle Hände zu tun hatten und jedermann von der Sorge, wie er den Anforderungen gerecht werden möchte, aufs letzte in Atem gehalten war, so gebrach es an überschüssiger Seelenkraft, sich um den Nachbarn zu kümmern, und meist erfuhr man erst nachträglich, wie es jenem in alldem ergangen war.

Einen Unterschied jedenfalls, einen inneren, gab es bei aller äußeren Gleichheit der Bedrängnis in dieser Not und Beanspruchung: diejenigen trugen sie leichter und fröhlicher, denen ihre Gesinnung, ihr Herzensglück über den Sieg der vaterländischen Sache – und mochte er auch mit Hilfe zuweilen etwas rauh und übermütig sich gebärdender Freunde, Kosaken, Baschkiren und Husaren des Ostens, erfochten sein – Entgelt und Überentgelt bot für alle Plage und ihnen wohltätig darüber hinweghalf. Auch unsere Mütter, Ottiliens und meine, hatten hohe Commandeurs mit ihren Adjutanten und Burschen zu behausen und zu verpflegen, und wir Töchter sahen uns buchstäblich zu Mägden dieser herrischen Gäste herabgesetzt. Aber mein Liebling, befreit wahrhaftig, nämlich von dem Zwang, ihr preußisch Herz zu verbergen, strahlte bei alldem vor Freude und teilte auch mir, der zum Verzagen Geneigteren, immer wieder von ihrer Begeisterung mit über die große, die herrliche Zeit, die für uns beide geliebte und still verherrlichte Züge trug: die Züge des Heldenjünglings, den wir errettet, und der jetzt an seinem Orte, wir wußten nicht, wo, das blutige Werk der Freiheit vollenden half.

Soviel nur von unsern Empfindungen, unserem Zustand, welcher bei einiger persönlich-besonderer Färbung sich nachgerade kaum noch von dem allgemein-öffentlichen, der Volksstimmung, unterschied. Wie anders aber sah es aus in dem berühmten Hause, mit dem meine Ottilie so seltsame, mir immer so ängstliche Beziehungen verbanden! Deutschlands großer Dichter war zu jener Zeit der unglücklichste Mann in der Stadt, im Herzogtum, wahrscheinlich im ganzen, zu hohen Gefühlen hingerissenen Vaterland. Im Jahre sechs war er nicht halb so unglücklich gewesen. Unsere liebe von Stein erachtete ihn für tiefsinnig geworden. Sie warnte jeden, von politischen Sachen mit ihm zu reden, denn, milde gesagt, scheine er gar an unserm jetzigen Enthusiasmus nicht teilzunehmen. Er nannte dies Jahr unserer Erhebung, das doch rot ausgemerkt und herrlich in unserer Geschichte hervortritt, nicht anders als das ,traurige', das ,schreckensvolle' Jahr. Dabei war ihm von seinen unleugbaren Schrecken mehr als uns allen erspart geblieben. Im April, als das Kriegstheater sich herzuziehen drohte, Preußen und Russen die umliegenden Höhen besetzten und eine Schlacht bei Weimar nebst Plünderung und Brand in Aussicht stand, hatten die Seinen, August und die Geheimrätin, nicht dulden wollen, daß der Dreiundsechzigjährige, dieser zwar dauerhafte, aber stets kränkliche und längst an unverbrüchlich-unentbehrliche Gewohnheiten gebundene Mann, sich Unbilden aussetze, die schlimmer sich anlassen wollten als jene vom Jahre sechs. Die beiden bestimmten ihn zu schleuniger Abreise – in sein geliebtes Böhmen, nach Töplitz, wo er in Sicherheit seiner Arbeit leben, den dritten Band seiner Erinnerungen beenden mochte, indes Mutter und Sohn zu Hause den Schrecken der Stunde die Stirn boten. Das war in der Ordnung, ich sage nichts dagegen, – ich nicht. Es gab andere, das will ich nicht verschweigen, die seine Abreise tadelten und nur die egoistische Selbstschonung eines großen Herrn darin sahen; aber die anrückenden Blücherschen, denen sein Wagen gleich hinter Weimar begegnete und die den Dichter des ,Faust' erkannten, dachten ersichtlich anders darüber, wenn sie nicht annahmen, er führe nur spazieren. Denn sie umringten ihn und baten ihn treuherzig-keck in ihrer Ahnungslosigkeit, er möge ihre Waffen segnen, wozu er sich nach einigem Sträuben denn auch mit freundlichen Worten verstand, – eine schöne Scene, nicht wahr?, nur etwas prekär, beklemmend ein wenig durch das naive Mißverständnis, das ihr zum Grunde lag.

Bis in den Hochsommer blieb unser Meister in Böhmen. Dann, da es auch dort nicht mehr geheuer war, kehrte er zurück, doch nur für wenige Tage; denn da es eben damals schien, daß die Österreicher von Südosten her auf Weimar marschierten, so bewog August ihn gleich wieder zur Abreise: er ging nach Ilmenau und blieb dort bis in die ersten Septembertage. Von da an freilich hatten wir ihn wieder in unserer Mitte, und wenn man ihn liebt, so muß man sagen, daß er von dem, was über uns kam, immer noch genug, zuviel immer noch mitgetragen hat. Es war ja die Zeit der schlimmsten Einquartierungslast, und auch sein schönes Haus, dem man Frieden und Schonung gewünscht hätte, wurde zur Zwangsherberge: wohl eine Woche lang hatte er täglich vierundzwanzig Personen zu Tisch. Der österreichische Feldzeugmeister Graf Colloredo lag bei ihm ein; – Sie haben gewiß gehört, denn viel war damals davon die Rede: in sonderbarer Unbewußtheit – oder war es Trotz?, war es das Vertrauen, daß große Herren wie der Graf und er in ihrer eigenen, den Leidenschaften der Menge entrückten Sphäre lebten? – trat ihm der Meister zur Begrüßung entgegen, das Kreuz der Ehrenlegion auf dem Staatskleide. ‚Pfui Teufel!‘ rief Colloredo, grob genug. ‚Wie kann man so etwas tragen?!‘ Dies ihm! Er verstand es nicht. Dem Feldzeugmeister verstummte er. Zu anderen aber hernach hat man ihn sagen hören: ‚Wie? Weil der Kaiser eine Schlacht verloren hat, soll ich sein Kreuz nicht mehr tragen?‘ – Die ältesten Freunde wurden ihm unbegreiflich wie er auch ihnen. Dem Österreicher folgte Minister von Humboldt, ihm geistig verbunden seit zwanzig Jahren, ein ausgepichter Weltbürger von je, wohl mehr als der Dichter, – stets hatte er das Leben im Auslande dem in der Heimat vorgezogen. Seit anno sechs war er Preuße, ein guter, wie man wohl sagt, das heißt überhaupt nichts anderes mehr. Napoléon hatte das fertiggebracht, – man muß es ihm lassen, er hat die Deutschen sehr verändert. Die Milch weltfrommer Sinnesart hat er in gärend Drachenblut verwandelt und auch aus dem versatilen Humanisten von Hum-

boldt einen grimmigen Patrioten und Treiber zum Freiheits-
kriege gemacht. Soll man's dem Cäsar als Schuld anrechnen
oder Verdienst, wie er uns den Sinn gewendet und uns zu
uns selbst geführt? Ich will nicht urteilen.

Von dem, was damals zwischen dem preußischen Minister
und unserm Meister erörtert wurde, sickerte vieles durch, so
manches davon ging in der Gesellschaft von Mund zu Mund.
Humboldt, Berliner Luft atmend, hatte im Grunde schon seit
Frühjahr erwartet, daß, wie der junge Körner, so auch die
Söhne Schillers und Goethens für die deutsche Sache zum
Schwerte greifen würden. Jetzt forschte er nach des alten
Freundes Gesinnung, nach Augusts Entschlüssen, – um düsteren Gleichmut bei diesem, bei jenem verdrießlich tadelnden
Unglauben an das zu finden, was alle so groß, so herrlich
dünkte. ,Befreiung?' hörte er bitter fragen. Das sei eine Be-
freiung zum Untergehen. Das Heilmittel sei schlimmer als
die Krankheit. Napoléon besiegt – er sei es noch nicht, noch
lange nicht. Er sei zwar wie ein gehetzter Hirsch, aber das
mache ihm Spaß, und noch immer könne es sein, daß er die
Meute zu Boden werfe. Gesetzt aber, er unterliege – was dann?
Sei wirklich das Volk erwacht und wisse es, was es wolle? Ja,
wisse irgend jemand, was werden solle nach des Gewaltigen
Fall? Die russische Weltherrschaft statt der fränkischen?
Kosaken in Weimar – es sei unter allem nicht eben das, was
er, der Meister, hätte wünschen wollen. Ob ihre Taten wohl
lieblicher seien als die der Franzosen? Wir würden ja von unseren Freunden nicht minder gebrandschatzt als vordem vom
Feinde. Selbst unsern Soldaten raube man die mühsam be-
schafften Transporte, und unsere Verwundeten auf dem
Schlachtfeld würden von ihren Verbündeten ausgeplündert.
Das sei die Wahrheit, die man mit sentimentalen Fictionen
beschönigen wolle. Das Volk, seine Dichter einbegriffen, die
sich mit Politik ruinierten, befinde sich in einem Zustande
widerlicher und völlig unanständiger Erhitzung. Kurzum, es
sei ein Graus.

Ein Graus, meine Teuerste, war es wirklich. Das war ja

eben das Schlimme, das für den Enthusiasmus Beschämende, daß das Entsetzen des Meisters alles stündlich-unmittelbare Erleben, die Sinnlichkeit der Dinge für sich hatte. Es ist wahr: der Rückzug der Franzosen und ihre Verfolgung zeitigten die gräßlichste Zerstörung und Aussaugung. Unsere Stadt, darin ein preußischer Landwehr-Oberst, ein rechter Eisenfresser, dazu noch ein russischer und ein österreichischer Etappen-kommandant das Regiment führten, war ständig von Truppen verschiedener Völker, durchziehenden und eingelagerten, bedrückt. Vom eingeschlossenen Erfurt her strömten die Blessierten, Verstümmelten, an Ruhr und Nervenfieber Erkrankten in unsere Lazarette, und nicht lange, so griffen die Kriegsseuchen unter der Einwohnerschaft um sich. Im November hatten wir fünfhundert Typhuskranke – bei einer Population von sechstausend Seelen. Es gab keine Ärzte – all unsere Doktors hatten sich auch gelegt. Schriftsteller Johannes Falk verlor vier Kinder in einem Monat, sein Haar erbleichte. In manchem Haus kam nicht eine Seele davon. Der Schrecken, die Angst vor Ansteckung drückten alles Leben zu Boden. Eine Räucherung von weißem Pech ging zweimal täglich durch die Stadt; Totenkorb aber und Leichenwagen blieben desungeachtet in schauerlicher Tätigkeit. Zahlreiche Selbstmorde, verursacht durch Nahrungssorgen, ereigneten sich.

Das war das äußere Bild der Dinge, die Wirklichkeit, wenn Sie wollen, und wer nicht vermochte, sich über sie zu den Ideen der Freiheit und des Vaterlandes zu erheben, war übel daran. Manche vermochten es doch: die Professoren Luden und Passow voran; mit ihnen Ottilie. Daß unser Dichterfürst es nicht vermochte oder ablehnte, es zu tun, war unter all unsern Kümmernissen vielleicht das bitterste. Wie er sich stellte, erfuhren wir von seinem Sohne nur zu genau, – er war ja nichts als des Vaters Echo, und wenn dieser kindlich genaue Anschluß an die väterliche Gesinnung sein Rührendes hatte, so lag doch auch etwas Unnatürliches darin, das uns noch über den Schmerz hinaus beklemmte, welchen seine

Worte selbst uns verursachten. Gesenkten Hauptes, nur manchmal den Blick, dessen Bläue in Tränen schimmerte, zu ihm erhebend, nahm Ottilie es hin, wenn er schneidend von sich aus all das wiederholte, was sein Erzeuger zu Humboldt und anderen über der Zeiten Jammer und Irrtum geäußert. Auch über ihre Absurdität und Lächerlichkeit. Denn es ist wahr, wenn man wollte, wenn man es über sich brachte, so konnte man Absurdes, konnte Lächerliches finden in dem Gebaren der aufgeregten, berauschten, von einheitlicher Leidenschaft zugleich erhobenen und geistig herabgesetzten Menschen. In Berlin gingen Fichte, Schleiermacher und Iffland bis an die Zähne bewaffnet umher und ließen ihre Säbel auf dem Pflaster klirren. Herr von Kotzebue, unser berühmter Theaterdichter, wollte eine Amazonenschar gründen, und ich bezweifle nicht, daß Ottilie, wär' es ihm gelungen, imstande gewesen wäre, sich dazu anwerben zu lassen, ja wohl gar auch mich dazu hingerissen hätte, so excentrisch mich heute bei kühlerem Kopf die Idee auch anmutet. Es war nicht eben eine Zeit des guten Geschmacks, das nicht, und wem es nur um diesen zu tun war, nur um Cultur, Besonnenheit, zügelnde Selbstkritik, der kam nicht auf seine Kosten. Er kam zum Exempel nicht darauf bei den Poesien, die jene aufgewühlte Epoche zeitigte, und die wir heute wohl widrig fänden, ob sie uns gleich damals Tränen popularischer Ergriffenheit in die Augen trieben. Das ganze Volk dichtete, es schwelgte und schwamm in Apokalypsen, Prophetengesichten, in blutigen Schwärmereien des Hasses und der Rache. Ein Pfarrer gab ein Spottpoem auf den Untergang der Großen Armee in Rußland an Tag, das im Ganzen wie in seinen Einzelheiten geradezu anstößig war. Liebste, die Begeisterung ist schön, allein wenn es ihr gar zu sehr an Erleuchtung fehlt und exaltierte Spießbürger in heißem Feindesblut schwelgen, weil eben die historische Stunde ihnen ihre bösen Lüste freigibt, so hat das selbstverständlich sein Peinliches. Man muß es gestehen: was damals von wütenden Reimergüssen das Land überflutete zur Verhöhnung, Erniedrigung, Beschimpfung des Mannes, vor dem die Tobenden noch jüngst in Furcht und Glauben erstorben waren, das ging über Spaß und Ernst, durchaus über Vernunft und Anstand, um so mehr, als es sich vielfach gar nicht so sehr gegen den Tyrannen wie gegen den Emporkömmling, den Sohn des Volkes und der Revolution, den Bringer der neuen Zeit richtete. Selbst meiner Ottilie bereiteten die so holprigen wie schamlosen Schand- und Schimpfoden auf den ‚Schneidergesellen Nicolas‘ stille Verlegenheit, ich merkte es ihr ab. Wie hätte da der Augustus deutscher Cultur und Bildung, der Dichter der ‚Iphigenie‘ nicht Betrübnis empfinden sollen über die Geistesverfassung seines Volkes? ‚Was nicht nach Lützows wilder Jagd klingt‘, klagte er – und klagte es uns durch den Mund seines Sohnes –, ‚dafür hat kein Mensch keinen Sinn.‘ Es tat uns weh; aber vielleicht hätten wir begreifen sollen, daß er zugleich mit dem blutdürstigen Gestümper auch die Lieder der talentierten Freiheitssänger, der Kleist und Arndt, verwarf und sie ein schlechtes Beispiel nannte, – daß er sich vom Untergang seines Helden nur des Chaos und der Barbarenherrschaft versah.

Sie sehen, ich suche, so wunderlich es mir zu Gesichte stehen mag, den großen Mann zu verteidigen, ihn zu entschuldigen von der Kälte und Unteilnahme, die er uns damals merken ließ, – ich tue es um so lieber, als seine Gesinnungsvereinsamung ihm selber viel Leid verursacht haben muß, mochte er auch in literarischer Hinsicht der Volksentfremdung, der classischen Distanz zum Popularischen schon längst in gewissem Grade gewohnt gewesen sein. Was ich ihm aber nicht verzeihen kann, nie und nimmer, das ist, was er damals an seinem Sohne tat und was für dessen ohnedies dunkles Gemüt – und damit für Ottiliens Liebe – so schwere, so qualvolle Folgen haben sollte.

Ende November des großen, furchtbaren Jahres denn also erließ der Herzog nach preußischem Muster seinen Aufruf zum Freiwilligendienst, gedrängt dazu durch das öffentliche Begehren, durch die Kampfeslust namentlich der Jenenser

Professoren und Studenten, die darauf brannten, die Muskete zu tragen, und eine schwungvolle Fürsprecherin in der Geliebten Serenissimi, der schönen Frau von Heygendorf, eigentlich Jagemann, hatten, – da allerdings andere Ratgeber des Fürsten der Sache entgegen waren. Minister von Voigt hielt dafür, das jugendliche Feuer sei weislich zu dämpfen. Nicht nötig, nicht wünschbar, meinte er, daß gebildete Menschen marschierten; Bauernburschen täten es auch und besser. Die Studenten, die sich herandrängten, seien gerade die wohlbegabtesten, wissenschaftlich versprechendsten von Jena. Sie seien zurückzuhalten.

Der Meinung war auch unser Meister. Man konnte ihn über die Freiwilligenfrage höchst mißfällig reden und gegen die Favoritin Ausdrücke gebrauchen hören, die ich gar vor Ihnen nicht wiederholen kann. Vor dem Stand des Berufssoldaten, sagte er, habe er alle Achtung, aber das Freiwilligenwesen, der Kleinkrieg auf eigene Hand und außer der Reihe, das sei eine Anmaßung und ein Unfug. Im Frühjahr war er bei Körners in Dresden gewesen, deren junger Sohn mit den Lützowern ritt – ohne Genehmigung, jedenfalls ohne Billigung des Kurfürsten, der dem Kaiser in treuer Verehrung anhing. Das sei im Grund ein rebellisches Benehmen und dies ganze eigenmächtige Treiben von Liebhaber-Soldaten eine Pfuscherei, mit der den Behörden nur Ungelegenheiten bereitet würden.

So der Gewaltige. Und mochte auch seine Distinction zwischen regulärem und freiwilligem Dienst ein wenig künstlich, ein wenig vorgeschoben sein, da ja überall sein Herz nicht bei der vaterländischen Sache war, so muß man doch eines sagen. Man muß sagen und zugeben, daß er im Punkte der Freiwilligen – sachlich, wenn auch nicht ideell gesprochen – vollkommen recht behielt. Ihre Ausbildung war oberflächlich, sie leisteten, offen gesstanden, so gut wie nichts und erwiesen sich praktisch als überflüssig. Sie hatten unfähige Officiere, zahlreiche Desertionen kamen unter ihnen vor, die längste Zeit war ihre Fahne überhaupt im Dépôt, und nach dem Siege in Frankreich schickte der Herzog die jungen Leute mit einem Dankschreiben nach Hause, das eben nur Rücksicht nahm auf die volkstümlich-poetische Vorstellung von ihrer kriegerischen Herrlichkeit. Auch sind sie voriges Jahr, vor Waterloo, keineswegs wieder aufgeboten worden. Aber dies nur am Rande. Ohne Begeisterung wie er war, hatte unser Dichter gut nüchtern und klar sehen in dieser Sache, und wenn er von vornherein gegen das Freiwilligenwesen war und der Heygendorf Lüsternheit und Soldatentollheit nachsagte – da sind mir nun doch ein paar von seinen argen Ausdrücken entschlüpft –, so eben hauptsächlich darum, weil er im Grund seines Herzens gegen den Befreiungskrieg überhaupt und die Wallungen war, die er mit sich brachte, – mit immer erneutem Kummer muß man es aussprechen.

Genug, der allerhöchste Aufruf erging, die Einschreibungen begannen, und siebenundfünfzig Jäger zu Pferd, zu Fuße aber sogar siebenundneunzig kamen zusammen. All unsere Cavaliere, die ganze jüngere Herrenwelt trug sich ein: Kammerjunker von Groß, Oberhofmeister von Seebach, die Herren von Helldorf, von Häseler, Landrat von Egloffstein, Kammerherr von Poseck, den Vizepräsidenten von Gersdorff nicht zu vergessen, – kurz, alle. Es war guter Ton, es war de rigueur, aber eben, daß es das war, daß die patriotische Pflicht die gesellschaftliche Form unerläßlichen Chics annahm, war das Schöne und Große. August von Goethe konnte gar nicht umhin, sich anzuschließen, – auf private Gesinnung kam es nicht an, sondern auf den Chic, den Ehrenpunkt, und er schrieb sich ein, ziemlich spät, als fünfzigster Jäger zu Fuß, ohne die Zustimmung seines Vaters eingeholt zu haben, – mit welchem es denn auch gleich nach geschehenem Schritt zu einer hitzigen Scene gekommen sein soll: schwachköpfig und pflichtvergessen, so habe er, hörten wir, diesen Schritt genannt und vor Ärger dann tagelang mit dem Armen, der doch auch im entferntesten nicht aus Enthusiasmus gehandelt, kein Wort gesprochen.

Wirklich war er ohne den Sohn wohl schwierig daran, und

es gab nichts in ihm, was ihn über die Unbequemlichkeit hin-
weggehoben hätte. Seit Doktor Riemer das Haus verlassen
und die Ulrich geheiratet hatte (nicht zuletzt Augusts wegen, der unverzeihlich hochfahrend, ja roh gegen den empfindlichen Mann gewesen war), versah ein gewisser John
Secretärdienste bei dem Dichter, – ein wenig gern gesehener
Mann, neben dem der Vater den Sohn zu schriftlichen Arbeiten und hundert Besorgungen wohl ernstlich brauchte.
Aber ebenso gewiß ist, daß die Vorstellung, ihn entbehren zu
sollen, ihn ganz unverhältnismäßig erregte, und daß diese
Unverhältnismäßigkeit eben mit seiner Animosität gegen die
Freiwilligenidee zusammenhing – und mit weitergehenden
Animositäten, von denen jene wiederum nur ein Ausdruck,
für die sie ein Vorwand war. Um keinen Preis wollte er, daß
August ins Feld zöge, und setzte von Stund an alles daran,
es zu verhindern. Er wandte sich an den Minister von Voigt,
an Durchlaucht den Herzog selbst. Die Briefe, in denen er es
tat und von deren Inhalt wir durch August Kenntnis erhiel-
ten, kann man nicht anders als tassohaft bezeichnen, – sie
hatten die desperate und ausschreitende Maßlosigkeit dieses
seines anderen Ich. Der Verlust des Sohnes, schrieb er, die
Nötigung, einen Fremden in das Innerste seiner Correspondenz, seiner Production, all seiner Verhältnisse einzulassen,
würde seine Lage unerträglich, sie würde sein Dasein unmöglich machen. Es war unverhältnismäßig, aber er warf sein
Dasein in die Waagschale, – ein gewaltiges Dasein: die Schale,
in die es fiel, mußte tief hinabgedrückt werden, und der
Minister, der Herzog beeilten sich, ihm zu willfahren. Nicht
gerade, daß August seinen Namen von der Liste der Freiwilligen wieder löschen sollte, – das ging ehren- und schandenhalber nicht an. Was aber Voigt in Vorschlag brachte
und was Serenissimus, nicht ohne Mundverziehen über Augusts Bereitwilligkeit, darauf einzugehen, genehmigte, das
war, daß der junge Herr vorderhand einmal mit Kammerrat
Rühlmann zu den Verhandlungen über die militärischen Ver-
pflegungsgelder nach Frankfurt, dem Hauptquartier der

Verbündeten, gehen, zurückgekehrt aber beim Erbprinzen
Carl Friedrich, dem nominellen Chef der Freiwilligen, einen
ebenso nominellen Adjutantendienst versehen und seinem Vater zur Verfügung bleiben sollte.

So geschah es, – und Gott sei's geklagt, daß es also geschah!
Zu Neujahr ging August nach Frankfurt, damit er nur nicht
in Weimar wäre an dem Tage – es war Ende Januar vierzehn –, da in der Stadtkirche seine Standesgenossen, die Jäger zu Fuß und zu Pferd, vereidigt wurden, und eine Woche
nach ihrem Abmarsch gen Flandern kehrte er zurück, um sich
zum Adjutantendienst beim Prinzen zu melden. Er legte,
wie dieser, Jägeruniform dazu an, und das nannte sein Vater
‚dem Hifthorn folgen'. ‚Mein Sohn ist dem Hifthorn gefolgt', erklärte er und tat, als sei alles in schönster Ordnung.
Ach, leider, das war es nicht. Das Achselzucken über den
Vierundzwanzigjährigen, der zu Hause blieb, war ganz allgemein, und jedermann tadelte einen Vater, der nicht allein
selbst das neue patriotische Leben des deutschen Volkes so
gar nicht teilte, sondern auch den Sohn zur Absonderung
zwang. Die Schiefigkeit von dessen Stellung zu seinen Gesellen,
den anderen Inscribierten, die draußen Gefahren ertrugen,
war von vornherein klar. Heimgekehrt, waren sie zu seinen
Amts- und Lebensgenossen bestimmt. War ein reines Verhältnis zwischen ihm und ihnen denkbar? Würden sie ihm
Achtung, ihm Kameradschaft gewähren wollen? Der Vorwurf der Feigheit lag in der Luft – – und hier muß ich doch
eine gefühlte Bemerkung einschalten über des Lebens Ungerechtigkeit und darüber, wie es bei Einem recht und natürlich
sein läßt, was es beim Andern als unnatürlich verpönt und
rächt, – was aber freilich wohl auf der Verschiedenartigkeit
der Menschen und darauf beruht, daß aus tiefen persönlichen
Gründen, welche unser sittliches und ästhetisches Urteil bestimmen, dem Einen keineswegs recht ist, was dem Anderen
billig, vielmehr beim Einen als peinliche Verzerrung erscheint,
was man dem Anderen als ganz gemäß und selbstverständlich
hingehen läßt. Ich habe einen Bruder, verehrte Frau, Arthur

mit Namen, – er ist ein junger Gelehrter, ein Philosoph, – nicht von Hause aus, er war zum Geschäftsmann bestimmt und hatte denn also manches nachzuholen: ich ließ schon einfließen, daß er bei Doktor Passow in die griechische Schule ging. Ein guter Kopf, ohne Zweifel, wenn auch ein wenig bitter in seinem Urteil über Welt und Menschen, – ich kenne Leute, die ihm eine große Zukunft verheißen, und wer ihm die größte verheißt, das ist er selbst. Nun denn: mein Bruder war auch von der Generation, die ihre Studien fahren ließ, um sich in den Kampf zu werfen fürs Vaterland, – aber keine Seele mutete es ihm zu, niemand dachte auch nur daran, daß er's tun könnte, und zwar aus dem eigentümlichsten Grunde, weil, wer am wenigsten, wer schon ganz und gar nicht daran dachte, Arthur Schopenhauer war. Er gab Geld her für die Ausrüstung der Freiwilligen; mit ihnen zu ziehen, kam ihm überhaupt nicht in den Sinn, mit der größesten Natürlichkeit überließ er das jener Menschenart, die er ‚die Fabrikware der Natur‘ zu nennen pflegt. Und niemand wunderte sich. Der Gleichmut, mit dem die Menschen sein Verhalten hinnahmen, war vollkommen, er unterschied sich durch nichts von der Gutheißung, und nie ist mir klarer geworden, daß, was uns sittlich, uns ästhetisch beruhigt, uns Billigung abnötigt, die Harmonie, die Stimmigkeit ist.

Über die nämliche Handlungsweise war in Augustens Fall des scandalisierten Naserümpfens kein Ende. Ich höre noch unsere liebe von Stein: ‚Der Goethe hat seinen Sohn nicht wollen mit den Freiwilligen gehen lassen! Was sagen Sie dazu? Der einzige junge Mensch von Stand, der hier zu Hause geblieben!‘ – Ich höre noch Frau von Schiller: ‚Um keinen Preis, um nichts in der Welt hätte ich meinen Carl gehindert, hinauszugehen! Seine ganze Existenz, sein Wesen wäre zerknickt gewesen, – der Junge wäre mir melancholisch geworden.‘ – Melancholisch, – und wurde denn unser armer Freund es nicht? Er war es immer gewesen. Aber von diesem unseligen Zeitpunkt an vertiefte die Trübigkeit seiner armen Seele sich mehr und mehr und nahm Formen an, worin

zerstörerische Neigungen, die seiner Natur schon immer nahe
gelegen, zum Durchbruch kamen: der unmäßige Weingenuß,
der Umgang (ich fürchte, Ihr Ohr zu verletzen!) mit schlechten Weibern; denn seine Bedürftigkeit in dieser Hinsicht ist
immer stark gewesen, und wonach ein sauberes Gemüt sich
fragt, ist nur, wie sie sich mit seiner Schwermut und seiner von
ihr überschatteten Liebe zu Ottilien vertrug. Wenn Sie mich
fragen – denn ungefragt würde ich Bedenken tragen, mich
darüber zu äußern –, so war bei diesen Debauchen der Wunsch
im Spiel, sich seinen Manneswert, den die Gesellschaft be-
zweifelte, auf anderem, freilich weniger edlem Feld zu beweisen.

Meine Empfindungen bei alldem, wenn ich von ihnen reden darf, waren die zusammengesetztesten. Mitleid und Widerwillen stritten, was August betraf, um mein Herz; mit
der Verehrung für seinen großen Vater stritt darin, wie gewiß bei vielen, die Mißbilligung seines zeitfremden Verbots
an einen nur allzu gehorsamen Sohn, dem großen Zuge seiner
Generation zu folgen. In all dies aber mischte sich heimlich
die Hoffnung, Augusts schmähliche Rolle, sein erschütter-
tes Ansehen, seine stadtbekannten Ausschweifungen möchten
ihm das Gefühl meines Lieblings entfremden, ich möchte
des Kummers über dies ungemäße, gefahrdrohende Verhältnis endlich durch Ottiliens Verzicht, durch ihren Bruch mit
einem jungen Mann überhoben sein, dessen Verhalten ihren
heiligsten Überzeugungen so sehr entgegen war, und dessen
Umgang derzeit eine so zweifelhafte Ehre brachte. – Meine
Teuerste – diese Hoffnung ging fehl. Ottilie, die Patriotin,
die Verehrerin Ferdinand Heinke's, stand zu August, sie
hielt fest an der Freundschaft mit ihm, sie entschuldigte, ja
verteidigte ihn in Gesellschaft bei jeder Gelegenheit. Wenn
man ihr Übles über ihn hinterbrachte, weigerte sie sich entweder zu glauben, oder sie legte es hochherzig im Sinn einer
romantischen Traurigkeit aus, einer Dämonie, zu deren Erlöserin das liebe Kind sich berufen fühlte. ‚Adele‘, sagte sie
wohl, ‚glaube mir, er ist nicht schlecht, auf keine Weise,

mögen die Menschen auch schmälen über ihn, wie sie wollen! Ich verachte sie und wollte, daß er besser diese Verachtung zu teilen wüßte, – dann würde er ihrer Bosheit weniger Stoff zum Hecheln liefern. Im Widerstreit zwischen den kalten, heuchlerischen Menschen und einer einsamen Seele wirst du deine Ottilie immer auf der Seite des Einsamen finden. Kann man zweifeln an dem edlen Seelengrund des Sohnes dieses Vaters? Auch liebt er mich ja, Adele, und ich, sieh, bin ihm Liebe schuldig geblieben. Ich habe das große Glück – unser großes Glück mit Ferdinand genossen, und indem ich es in der Erinnerung weiter genieße, kann ich nicht umhin, es Augusten als ein Guthaben anzurechnen, als eine Schuld, an deren Einlösung sein dunkler Blick mich mahnt. Ja, ich bin schuldig vor ihm! Denn wenn wahr ist, was man ihm nachsagt und wovor mir freilich schaudert, – ist es nicht die Verzweiflung um meinetwillen, die ihn dazu vermag? Denn, Adele, solange er an mich glaubte, war er ja anders!'

So sprach sie mehr als einmal zu mir, und auch hier waren meine Empfindungen geteilt und strittig. Denn es grämte mich, zu sehen, daß sie nicht loskam von dem Unseligen, und daß der Gedanke, sich ihm nach dem Wunsch seines großen Vaters auf ewig zu ergeben, wie ein Angelhaken in ihrer Seele saß. Aber auch süßen Trost wiederum und sittliche Beruhigung flößten ihre Worte mir ein; denn wenn mich bei ihrem Preußentum, ihrem kriegerisch-vaterländischen Sinn zuweilen heimlich eine Bangigkeit hatte anwandeln wollen, ob wohl gar in ihrem feinen und lichten Körper ein rohes, barbarisches Seelchen wohne, so ließ ihr Verhalten zu August, das Gewissen, das sie sich seinetwegen aus ihrer Neigung zu der schönen, einfachen Heldengestalt unseres Heinke machte, mich den verfeinerten Edelmut, die zarte Schichtung ihrer Seele erkennen, und ich liebte sie deswegen noch einmal so herzlich, wodurch freilich wieder auch meine Sorge um sie sich verdoppelte. –

Im Mai dieses Jahres vierzehn kam die Calamität mit August auf ihren Gipfel. Der Feldzug war beendet, Paris

erobert, und am Einundzwanzigsten des Monats kehrten die
Weimarer Freiwilligen, verdient nicht gerade zum höchsten
um das Vaterland, aber doch ruhmgekrönt und gefeiert, in
die Heimat zurück. Ich hatte diesen Augenblick immer gefürchtet, und er bewährte alle ihm innewohnende Mißlichkeit.
Die Herren scheuten sich nicht, die zu Hause gebliebenen
Standesgenossen ihren Hohn und Spott unverblümt und
aufs grausamste merken zu lassen. Einmal mehr ward ich bei
dieser Gelegenheit gewahr, wie gering mein Glaube ist an die
übermäßige Echtheit der Empfindungen, aus welchen die
Menschen zu handeln vorgeben. Nicht aus sich selbst handeln
sie, sondern nach Maßgabe einer Situation, die ihnen ein bestimmtes, conventionelles Verhaltungscliché an die Hand
gibt. Ist es Grausamkeit, wozu die Situation Erlaubnis gibt –
desto besser. Unbedenklich und gründlich nützen sie diese
Erlaubnis aus, machen so ausgiebig Gebrauch von ihr, daß
man nicht zweifeln kann: die meisten Menschen warten nur
darauf, daß endlich einmal die Umstände ihnen Roheit
und Grausamkeit freigeben und ihnen gestatten, nach Herzenslust brutal zu sein. – August hatte die Naivität oder
Trutzigkeit, den Kameraden in der Uniform der Freiwilligen
Jäger entgegenzutreten, wie es ihm als Adjutanten des prinzlichen Ehren-Chefs durchaus gebührte. Besonders damit aber
– man kann es auch wieder verstehen – forderte er den Hohn
der Kämpfer, ihre Beleidigungen heraus. Nicht umsonst sollte
Theodor Körner gedichtet haben: ‚Pfui über den Buben hinter dem Ofen, unter den Schranzen und hinter den Zofen!
Bist doch ein ehrlos erbärmlicher Wicht!' Die Verse paßten
vortrefflich und wurden laut genug citiert. Besonders tat ein
Rittmeister von Werthern-Wiehe sich in dem Eifer hervor,
einer der Roheit so günstigen Situation das Letzte abzugewinnen. Er war es, der eine Anspielung auf Augustens Geburt
und Blut machte, welche, so sagte er, sein feiges und uncava-
liersmäßiges Betragen denn wohl zur Genüge erklärten. Herr
von Goethe hätte sich mit dem nie gebrauchten Säbel auf ihn
gestürzt, wenn man ihm nicht in den Arm gefallen wäre. Eine

Duellforderung unter schweren Bedingungen war das Ergebnis der Scene.

Der Geheime Rat saß um diese Zeit im Bade Berka hier in der Nähe und schrieb am ‚Epimenides'. Er hatte den vom Berliner Intendanten Iffland ihm gemachten Antrag, ein Festspiel zur Heimkehr des preußischen Königs abzufassen, für so ehrenvoll und verlockend erachtet, daß er andere poetische Geschäfte zurückgestellt hatte, um seine mehrdeutig-seltsame, von allen Festspielen der Welt so hochpersönlich unterschiedene Siebenschläfer-Allegorie zu entwerfen. ‚Doch schäm' ich mich der Ruhestunden', dichtete er, und: ‚Zum Abgrund muß er doch zurück'. Hierbei betraf ihn der Brief einer Verehrerin und Dame des Hofs, Frau von Wedel, der ihm die Lage Augusts, seinen Zusammenstoß mit dem Rittmeister und was sich daraus zu ergeben im Begriffe war, warnend meldete. Sofort traf der große Vater Gegenmaßnahmen. Seine Verbindungen spielen zu lassen, sein Ansehen in die Schanze zu schlagen, um den Sohn, wie vom Schlachtendienst, so auch vom Duell zu befreien, bereitete ihm, wie ich ihn zu kennen glaube, eine gewisse Genugtuung noch über die Sorge um Augusts Leben hinaus; denn immer hat er seine Freude an der aristokratischen Ausnahme, an distinguierter Ungerechtigkeit gehabt. Er ersuchte die Warnerin um ihre Vermittlung, er schrieb an den Ersten Minister. Ein hoher Beamter, Geheimrat von Müller, kam nach Berka, der Erbprinz wurde, der Herzog selbst mit dem Handel befaßt, der Rittmeister zu einer Entschuldigung angehalten, der Streitfall applaniert. August, von höchster Stelle gedeckt, war unangreifbar, die kritischen Stimmen senkten sich, aber sie verstummten nicht; der unterbliebene Zweikampf verschärfte eher die öffentliche Geringschätzung seines Mannestums, man zuckte die Achseln, man mied ihn, kein harmlos gemütlicher Verkehr zwischen ihm und den Kameraden war hinfort auch nur denkbar, und obgleich Herr von Werthern gerade wegen jener rücksichtslosen Anspielung von oben her eine scharfe Nase erhalten hatte, ja mit Arrest bestraft worden

war, so tat sich doch auch der Gedanke an Augusts unregelmäßige Geburt, seine Halbblütigkeit, wenn man so sagen
darf, der fast vergessen gewesen war, wieder stärker im Bewußtsein der Menschen hervor und ging in den Tadel seines
Verhaltens ein. ,Da sieht man es', hieß es. Und ,Woher soll's
denn auch kommen?' Hinzufügen muß man freilich, daß die
Geheime Rätin in ihrer Lebensführung dem Ernst der Zeiten
wenig Rechnung getragen und durch ihre Vergnügungssucht
dem Gerede immerfort Stoff – nicht bösen, aber doch lächer-
lich-unwürdigen – gegeben hatte. –

Am Ende sprach es für das Ehrgefühl von Ottiliens
schwerfälligem Hofmacher, daß er sich die Sache tief und
leidvoll zu Herzen nahm; und zwar ließ er uns, *daß* er es
tat, auf eine sonderbar indirecte Weise gewahr werden:
nämlich an seiner zunehmend leidenschaftlichen, ja verbohr-
ten Verehrung für den besiegten Heros, den Mann von Elba.
In der schwärmerischen Treue zu ihm, der Verachtung der
,Abtrünnigen', die nicht erinnert sein wollten, daß sie eben
noch den Napoléonstag als des Jahres höchsten begangen,
suchte er seinen Trotz und Stolz – begreiflicherweise; denn
litt er nicht mit ihm und für ihn? Trug er nicht Spott und
Schande, weil er nicht mit den anderen gegen ihn zu Felde
gezogen war? Gegen einen über die Stimmungen und Tages-
moden der Menge erhabenen Vater konnte er offen den Gram
über seine Bemakelung in der Form anhänglicher Begeisterung
für den Kaiser zum Ausdruck bringen: er tat es auch gegen
uns, rücksichtslos und in hartnäckigem Drange, ungeachtet
er durch solche Reden Ottiliens Empfindungen mit Füßen
trat; und so duldend sie, freilich Tränen in ihren schönen
Augen, seine egoistischen Excesse über sich ergehen ließ (denn
sich selbst tat er ein Gutes damit, gleichgültig gegen den
Schmerz, den er anderen zufügte, ja vielleicht noch angespornt
durch ihn), – so schien meinen geheimen Wünschen nun dennoch Erfüllung zu winken; denn daß das zart-gewissenhafte
Gefühl meiner Freundin für August diesen Mißhandlungen
auf die Dauer standhalten würde, war um so unwahrscheinli-

cher, als sich hinter seinem insistenten Napoléoncult noch
etwas anderes verbarg, oder vielmehr kaum verbarg, – sich
darein kleidete und auch wieder nackt und bloß daraus hervortrat: nämlich die Eifersucht auf den jungen Heinke, der
wieder unter uns weilte, und den August unablässig vor unseren Ohren als den Erztyp des der Barbarei verbündeten
und Cäsars kontinentalen Heilsplan stupide durchkreuzenden
Teutomanen verhöhnte.

Ja, unser Findling war wieder in Weimar, – genau gesagt:
schon zum zweitenmal war er wieder da. Nach der Schlacht
bei Leipzig bereits hatte er einige Wochen lang als Adjutant
des preußischen Befehlshabers in unserer Stadt Dienst getan,
auch wieder in der Gesellschaft verkehrt und sich der allgemeinen Beliebtheit erfreut. Jetzt, nach dem Fall von Paris,
war er aus Frankreich zurückgekehrt, geschmückt mit dem
Eisernen Kreuz; und Sie verstehen wohl, daß dieses heilige
Zeichen auf seiner Brust zu sehen, unsere mädchenhaften Gefühle, und namentlich diejenigen Ottiliens, für den herrlichen
Jüngling zum freudigsten Aufflammen brachte. Was dabei
ein wenig dämpfend wirkte, war das gleichmäßig-sonnig-
freundliche, das immer dankbare, aber einigermaßen zurück-
haltende Betragen, dessen er sich bei häufigem Zusammensein, wie immer schon, gegen uns befleißigte und das, wir gestanden es uns, mit den Empfindungen, die wir ihm entgegen-
brachten, nicht ganz übereinstimmen wollte. Gar bald sollte es
seine natürliche und für uns – auch das sei gestanden – leise
ernüchternde Lösung finden. Ferdinand entdeckte uns, was
er uns bisher, sei es aus welchem Grunde immer, verhehlt
hatte, was uns zu offenbaren er nun doch wohl für seine
Pflicht hielt: daß daheim in preußisch Schlesien eine geliebte
Braut seiner warte, die er nächstens heimzuführen gedachte.

Die gelinde Verlegenheit des Gefühls, in die diese Eröffnung uns Freundinnen versetzte, wird zu begreifen sein. Ich
rede nicht von Schmerz, von Enttäuschung, – dergleichen
konnte nicht statthaben, denn unser Verhältnis zu ihm war
das einer ideellen Begeisterung und Bewunderung, vermischt

allenfalls mit dem Bewußtsein jenes Anrechtes auf seine liebenswürdige Person, das uns als seinen Erretterinnen zustand. Er war uns mehr eine Personification als eine Person – möge auch das eine vom andern nicht immer klar zu
trennen, sondern zu erwägen sein, daß es am Ende die Eigenschaften der Person sind, die sie befähigen, zur Personification
zu werden. Auf jeden Fall hatten unsere Empfindungen für
den jungen Helden – oder, da ich hier billig zurücktrete –
hatten die Ottiliens sich niemals mit concreten Hoffnungen und Wünschen verbinden können, da solche bei Ferdinands schlichter Herkunft als Pelzhändlerssohn nicht hatten aufkommen können. Unter diesem Standesgesichtspunkt
war, wie ich zuweilen wohl dachte, immer noch eher ich es, die
solche Gedanken hätte hegen können; ja, in schwachen Stunden träumte ich davon, daß der Liebreiz meiner ihm uner-
reichbaren Freundin für den mir fehlenden eintreten und mir
den Jüngling zu einem Bunde gewinnen möchte, vor dessen
gräßlichen Gefahren ich freilich sofort erschaudernd zurück-
schrecken mußte ... nicht ohne sie mit einem gewissen belletristischen Interesse ins Auge zu fassen; denn ich sagte mir,
daß meine Träumerei wohl würdig sei, von einem Goethe zum
Gegenstand einer zartesten sittlich-sinnlichen Darstellung
gemacht zu werden.

Kurzum, nichts von Enttäuschung und keine Rede davon,
daß wir uns im mindesten von unserem Teueren hätten verraten fühlen können und dürfen! Mit der herzlichst beglück-
wünschenden Teilnehmung begegneten wir seinem Geständnis, etwas beschämt nur durch die Schonung, die er uns so
lange hatte angedeihen lassen und – die wir doch gern auch
weiter genossen hätten. Denn eine gewisse Verwirrung und
Verwunderung, ein halb eingeständliches Leidwesen war dennoch mit der Erfahrung von Ferdinands Gebunden- und
Vergebensein verknüpft; etwas Unbestimmtes, nicht zu Be-
stimmendes an Traum und Hoffnung kam in Wegfall, was
bisher unseren freundschaftlichen Umgang mit ihm versüßt
hatte. Wir aber, ohne es ausdrücklich zu vereinbaren und

doch wie auf Verabredung, suchten diesem leisen Mißgefühl zu entrinnen, indem wir entschlossen seine Braut in unsere Verehrung, unsere Schwärmerei mit einbezogen, welche denn fortan zu einem Doppelcult des Heldenjünglings und seiner Trauten wurde, – dieses deutschen Mädchens, an dessen Würdigkeit wir uns jeden Zweifel verboten und das wir uns halb wie eine Thusnelda, halb aber auch, oder vorwiegend, wie Goethe's Dorothea vorstellten – allerdings natürlich mit blauen und nicht mit schwarzen Augen.

Wie soll ich es erklären, daß wir Augusten Heinke's Verlobtheit ebenso verschwiegen, wie dieser selbst sie uns lange verschwiegen hatte? Ottilie wollte es so, und wir sprachen uns über die Gründe nicht aus. Ich muß sagen: es wunderte mich; denn sie empfand doch ihre patriotische Neigung zu dem jungen Krieger dem melancholischen Liebhaber gegenüber als eine Schuld, – daß aber diese Neigung, selbst noch abgesehen von den gesellschaftlichen Umständen, keinerlei Gefahr für diesen berge, daß man sie ziel- und aussichtslos nennen konnte, wollte sie ihn nicht wissen lassen, obgleich doch die Nachricht seiner Beruhigung entschieden gedient und ihn möglicherweise sogar gegen Ferdinand gleichgültig-freundlicher gestimmt hätte. Bereitwillig übrigens folgte ich ihrer Vorschrift. Des Kammerassessors Mißgunst, seine gehässige Art, von Ferdinand zu sprechen, verdienten den Trost, die Genugtuung nicht. Und dann: würde seine Gereiztheit ihn nicht eines Tages zu weit – die unausgesetzte Beleidigung von Ottiliens Gefühl nicht endlich zu dem Bruche führen, den ich um ihres Seelenheiles willen im stillen ersehnte?

Verehrte Zuhörerin, so geschah es. Zunächst einmal wenigstens und für den Augenblick ging es nach meinen geheimen Wünschen. Unsere Begegnungen und Zusammenkünfte mit Herrn von Goethe nahmen um diese Zeit einen immer prekäreren, immer streitbareren Charakter an; Scene folgte auf Scene; August, düster leidend unter seiner Diffamierung, seiner ungetrösteten Eifersucht, ermüdete nicht, sich in Vorwürfen und Klagen über den Verrat an unserer Freundschaft mit ihm zu ergehen, begangen mit einem gut gewachsenen Dummkopf und teutschen Michel; Ottilie, freilich immer ohne ihm von Heinke's schlesischen Bewandtnissen etwas zu sagen, zerfloß, in ihrer Treue gekränkt, an meinem Halse in Tränen, und endlich kam es zum Eclat, in dem, wie immer, Politisches und Persönliches sich vermischten: Eines Nachmittags im Garten der Gräfin Henckel erging August sich wieder einmal in frenetischer Verherrlichung Napoléons, nicht ohne die Ausdrücke, deren er sich zur Herabsetzung seiner Gegner bediente, deutlichst auf Ferdinand zu münzen. Ottilie erwiderte ihm, indem sie ihrem Abscheu vor jener Völkergeißel freien Lauf ließ und der Jugend, die glorreich wider sie aufgestanden, auch ihrerseits durchaus die Züge unseres Helden verlieh; ich secundierte ihr; August, bleich vor Zorn, erklärte mit erstickter Stimme, alles sei zwischen ihm und uns zu Ende, er kenne uns nicht mehr, wir seien Luft für ihn von nun an, und verließ in voller Rage den Garten.

Ich, obwohl erschüttert, fand mich am Ziel meiner Wünsche, bekannte Ottilien auch offen, daß ich mich dort sah und suchte sie unter Aufbietung all meiner Beredsamkeit über das Zerwürfnis mit Herrn von Goethe zu trösten, indem ich ihr vorhielt, daß das Verhältnis mit ihm nie und nimmer zu etwas Gutem hätte führen können. Ich hatte gut reden. Mein Liebling befand sich in der grausamsten Lage und dauerte mich unaussprechlich. Bedenken Sie! Der Jüngling, den sie mit Begeisterung liebte, gehörte einer anderen, und derjenige, dem sie in schönem Erlösungsdrange das Opfer ihres Lebens zu bringen bereit war, hatte ihr den Rücken gewandt, nachdem er ihr in wilden Worten die Freundschaft vor die Füße geworfen. Nicht genug damit! Wenn sie sich in ihrer Verlassenheit an den Busen ihrer Mutter warf, so wandte sie sich an ein Herz, das selbst soeben von furchtbarer Enttäuschung getroffen war und seinerseits des Trostes zu bedürftig war, als daß es welchen auszuspenden hätte die Kraft haben sollen. Ottilie war nach dem vernichtenden Auf-

tritt mit August auf meinen Rat für einige Wochen zu ihren
Verwandten nach Deassau gereist, mußte aber, von einem
Eilboten zurückgerufen, über Hals und Kopf nach Hause
kehren. Niederschmetterndes war geschehen. Graf Edling,
der zärtliche Hausfreund und Vormund, das Vize-Väterchen,
der schönste Mann des Herzogtums, auf dessen Freierwort,
dessen Hand Frau von Pogwisch so entschieden gerechnet
und zu rechnen soviel Grund gehabt, hatte Knall und Fall,
ohne über die Hoffnungen, die er erregt, auch nur ein Wort
zu verlieren, eine zugereiste Prinzessin Stourdza aus der Moldau geheiratet!

Welch ein Herbst und Winter, meine Teuere! Ich rufe dies
aus – nicht sowohl weil im Februar Napoléon von Elba
floh und aufs neue besiegt werden mußte, sondern im Hinblick auf die Zumutungen, welche das Schicksal an Mutter und
Tochter – die Proben, auf die es die Kraft und Würde ihrer
Seelen stellte, und die sehr verwandt waren. Frau von Pogwisch war genötigt, bei Hofe fast täglich mit dem Grafen,
sehr häufig auch mit seiner Jungvermählten zusammenzutreffen und, den Tod im Herzen, äußerlich nicht nur lächelnde Freundschaft zu wahren, sondern dies auch unter den
Augen einer mit ihren gescheiterten Hoffnungen sehr wohl
vertrauten schadenfrohen Welt zu tun. Ottilie, berufen, ihr in
dieser fast über Menschenkraft gehenden Bewährung zu as-
sistieren, hatte dabei in möglichst guter Haltung die ebenfalls
der Gesellschaft bald bekannte und von ihr mit Neugier
beobachtete Brouillerie mit Herrn von Goethe zu bestehen,
der sie nicht ansah, sie in finsterer Ostentation brüskierte und
schnitt. Und mein Teil war es, mich zwischen diesen Mißver-
hältnissen beklommen hindurchzuwinden, – verödeten Herzens auch meinerseits; denn kurz vor Weihnachten hatte Ferdinand uns verlassen, um sich nach Schlesien zu begeben und
seine Thusnelda oder Dorothea – in Wirklichkeit hieß sie
Fanny – heimzuführen, und so wenig die Natur mich seinetwegen zu irgendwelchen eigenen Hoffnungen berechtigt, so
karg sie mich immer auf die Rolle der Vertrauten verwiesen

hatte: den vollen Schmerz über seinen Verlust gestattete sie auch mir, mochte sie ihm in meinem Fall auch in gewisses Erleichterungsgefühl, ja etwas wie sanfte Genugtuung beimischen. Denn immerhin ist es für eine Häßliche leichter, zusammen mit einer Schönen den Cult der Erinnerung an den entschwundenen Helden ihrer Träume zu betreiben, wie wir es nun wieder taten, als sich mit ihr in das ungleiche Glück seiner körperlichen Gegenwart zu teilen.

War also mir durch unseres Jünglings Entfernung und seine Vereinigung mit einer Dritten bei aller Entbehrung doch auch eine willkommene Beruhigung gewährt, so sah ich mit Befriedigung dergleichen auch für Ottilien aus dem Zerwürfnis mit August erwachsen. Ja, bei aller gesellschaftlichen Peinlichkeit, die es mit sich brachte, gestand sie mir doch, es tue ihr wohl, sie empfinde es als Glück und Befreiung, daß nun alles zwischen ihr und jenem zu Ende sei und ihr Herz sich in gleichgültigem Frieden ausruhen möge von den entnervenden Zwiespältigkeiten, worin dies Verhältnis es je und je gehalten. Desto ungestörter könne sie nun das hehre Angedenken Ferdinands feiern und ihrer bedauernswerten Mutter sich tröstlich widmen. – Das war gut zu hören; allein meine Zweifel, ob ich wirklich ihretwegen ausgebangt haben dürfe, wollte es nicht gänzlich beschwichtigen. August war Sohn, – das war die Haupteigenschaft seines Lebens. In ihm hatte man es mit dem großen Vater zu tun, der ganz gewiß den Bruch mit dem ‚Persönchen‘ nicht billigte, ohne dessen Erlaubnis ganz gewiß der Sohn ihn vollzogen hatte, und der ebenso gewiß seine Autorität spielen lassen würde, um ihn wieder zu heilen. Daß er eine Verbindung wünschte und betrieb, vor der mir graute, war mir bekannt; des Sohnes trübe Leidenschaft für Ottilie war nur der Ausdruck, das Resultat dieses Wunsches und Willens. Er liebte in ihr den Typ seines Vaters; seine Liebe war Nachahmung, Überkommenheit, Hörigkeit, ihre Verleugnung ein Akt falscher Selbständigkeit, eine Auflehnung, deren Nachhaltigkeit und Widerstandskraft ich leider gering anschlagen mußte. Und Ottilie? Hatte

sie sich wirklich von dem Sohn dieses Vaters gelöst? Durfte ich
sie wirklich als gerettet betrachten? Ich zweifelte – und zweifelte mit Recht.

Die Erschütterung, mit der sie gewisse, damals sich häufende
Nachrichten über Augustens Lebensart aufnahm, ließ mich
die Berechtigung meines Unglaubens nur zu klar erkennen.
Vieles kam ja zusammen, den jungen Mann des moralischen Halts zu berauben, ihn die Betäubung suchen zu lassen
und ihn Lastern in die Arme zu treiben, zu denen seine auf
eine zweifelhafte Art robuste, auf eine unheimliche Art sen-
suelle Natur von jeher geneigt hatte. Seine gesellschaftliche
Bemakelung durch die unselige Freiwilligengeschichte, sein
Zerwürfnis mit Ottilie, der innere und wahrscheinlich auch
äußere Conflict, in den er durch dieses mit seinem Vater und
also recht eigentlich mit sich selbst geraten war: ich reihe das
auf – nicht um das Wüstlingsleben zu entschuldigen, dem er
sich nach allgemeinem Gemunkel überließ, aber doch, um es zu
erklären. Wir hörten davon von vielen Seiten, unter anderem
durch Schillers Tochter Caroline und ihren Bruder Ernst, im
Zusammenhang mit Klagen über Augustens schon nicht mehr
leidliches, streitsüchtig wild und grob auffahrendes Wesen.
Es hieß, er spreche dem Weine maßlos zu und sei bei Nacht
in trunkenem Zustande in eine schimpfliche Schlägerei ver-
wickelt worden, die ihn sogar Bekanntschaft mit dem Po-
lizeiarrest habe machen lassen, – nur um seines Namens
willen sei er alsbald wieder in Freiheit gesetzt und die üble
Sache vertuscht worden. Sein Umgang mit Frauen, die man
nur als Weibsstücke bezeichnen kann, war stadtbekannt. Der
Pavillon des Gartens an der Ackerwand, den der Geheime
Rat ihm zur Ausbreitung seiner Mineralien- und Fossilien-
sammlung eingeräumt hatte (denn August wiederholte und
betrieb den Sammeleifer des Vaters auf eigene Hand), diente
ihm, wie es scheint, öfters bei seinen Abirrungen. Man wußte
von einer Liebschaft mit einer Husarenfrau, deren Mann
das Verhältnis duldete, weil das Weib Geschenke nach Hause
brachte. Es war eine Latte, lang und eckig, wenn auch sonst

eben nicht häßlich, und die Leute lachten, weil er Worte zu
ihr gesagt haben sollte wie: ‚Du bist der Tag meines Lebens!‘,
was sie aus Eitelkeit selbst herumbrachte. Man lachte auch
über eine halb scandalöse, halb gewinnende Geschichte: daß
der alte Dichter dem Paare eines Tages gegen Abend im
Hausgarten unversehens begegnet sei und bloß gesagt habe:
‚Kinder, laßt euch nicht stören!‘, worauf er sich unsichtbar
gemacht habe. Ich kann mich für das Vorkommnis nicht verbürgen, halte es aber für echt, denn es stimmt überein mit
einem gewissen moralischen Wohlwollen – um nichts andres
zu sagen – des großen Mannes, das viele ihm zum Vorwurf
machen, über das aber ich mich jedes Urteils enthalte.

Nur *ein* Diesbezügliches lassen Sie mich auszusprechen
versuchen, worüber ich oft gegrübelt habe – nicht mit dem
besten Gewissen übrigens, vielmehr unter Zweifeln, ob es
mir oder überhaupt jemandem anstehe, solchen Gedanken
nachzuhängen. Ich meinte nämlich zu sehen, daß gewisse
Eigenschaften, die sich beim Sohn höchst unglücklich und zer-
störerisch hervortun, schon bei dem großen Vater sich vorgebildet finden, ob es gleich schwer ist, sie als die nämlichen
wiederzuerkennen, und ob auch Ehrfurcht und Pietät von
solchem Wiedererkennen abschrecken möchten. Denn in dem
väterlichen Falle halten sie sich in einer noch glücklichen,
fruchtbaren und liebenswürdigen Schwebe und gereichen der
Welt zur Freude, da sie als Sohneserbe auf eine grobe, geist-
verlassene und unheilvolle Weise sich manifestieren und in ihrer sittlichen Anstößigkeit offen und unverschämt zu Tage
treten. Nehmen Sie ein so herrliches und bezauberndes, ja,
auch sittlich bezauberndes Werk wie den Roman ‚Die Wahlverwandtschaften‘. Oft ist gegen diese geniale und höchst-
verfeinerte Ehebruchsdichtung von philisterlicher Seite der
Vorwurf der Unmoral erhoben worden, und Sache eines classischen Gefühls war es selbstverständlich, ihn als plump und
bigott zurückzuweisen oder auch nur die Achseln darüber
zu zucken. Und doch, meine Teuere, ist es zuletzt weder mit
dem einen noch mit dem anderen getan. Wer wollte, bei sei-

nem Gewissen genommen, leugnen, daß tatsächlich in diesem erlauchten Werk ein Element des sittlich Fragwürdigen, Betulichen, uja – verzeihen Sie mir das Wort! – des Heuchlerischen waltet, ein bedenkliches Versteckspiel mit der Heiligkeit der Ehe, ein laxes und fatalistisches Zugeständnis an die Naturmystik . . . Selbst der Tod, sehen Sie, – er, den wir wohl als das Mittel der sittlichen Natur verstehen sollen, sich ihre Freiheit zu salvieren –, ist er nicht in Wahrheit als Vorschub und letzte süßeste Zuflucht der Concupiscenz empfunden und dargestellt? – Ach, ich weiß wohl, wie absurd, wie lästerlich es scheinen muß, in Augustens Zügellosigkeit und Wüstlingsleben eine andere, unerfreulich gewordene Erscheinungsform von Anlagen zu sehen, aus denen ein Geschenk an die Menschheit wie jenes Romanwerk kam. Auch sprach ich ja schon von den Gewissensscrupeln, womit zuweilen die kritische Erforschung der Wahrheit verbunden ist, und in denen das Problem sich aufwirft, ob die Wahrheit etwas durchaus Erstrebenswertes und unserer Erkenntnis zur Aufgabe Gesetztes ist, oder ob es verbotene Wahrheiten gibt. –

Ottilie nun zeigte sich von den Nachrichten über Herrn von Goethe's Wandel viel zu bewegt und schmerzlich verstört, als daß ihr wirkliches Désintéressement an seiner Person mir hätte glaubhaft sein können. Ihr Haß auf die Husarenfrau war offenkundig, – ein Haß, dem man auch einen genaueren Namen hätte geben mögen. Die Gefühle eines reinen Frauenzimmers für solche Geschöpfe, denen der Mann ihrer Aufmerksamkeit seine Sinnengunst zuwendet, und die sich gegen sie in einem so niedrigen wie factischen Vorteil befinden, sind gewiß ein Abgrund. Verachtung und Abscheu können die verworfene Rivalin nicht tief genug unter die eigene Lebenswürde herabsetzen; aber jene furchtbar spezielle Form des Neides, die Eifersucht heißt, hebt sie wider Willen doch auch wieder zur eigenen Schicht empor und macht einen ebenbürtigen Gegenstand des Hasses aus ihr, – ebenbürtig durch das Geschlecht. Auch läßt sich vermuten, daß die Sittenlosigkeit des Mannes, bei allem Grauen, das sie erregt, doch

auch wieder eine tiefe, furchtbare Anziehungskraft auf eine
solche Seele ausübt, welche selbst eine schon absterbende Neigung aufs neue anzufachen vermag und, da im Edlen alles
edel wird, die Gestalt der Opferbereitschaft, des Wunsches
annimmt, durch die eigene Hingabe den Mann seinem besseren Selbst wiederzugeben.

Mit einem Worte: ich war alles andere als sicher, daß mein
Liebling einen Wiederannäherungsversuch Augusts nicht günstig aufnehmen werde, – und er, würde er nicht früher oder
später zu einem solchen Schritte angehalten sein durch den
höheren Willen, der hinter dem seinen stand, und gegen den
er durch den Bruch mit ihr eine nutzlose Revolte versucht
hatte? – Meine Erwartungen, meine Befürchtungen erfüllten
sich. Juni vorigen Jahres – ich erinnere mich des Abends, als
wär's der gestrige gewesen – standen wir bei Hofe zu viert in
der Spiegelgalerie: Ottilie und ich, dazu unsere Freundin Caroline von Harstall und ein Herr von Groß, als August, den
ich längst sich um uns bewegen, sich hatte heranpirschen sehen, zu unserer Gruppe trat und sich ins Gespräch mischte.
Er sprach im Anfang zu niemandem besonders, richtete dann
aber – es war ein äußerst gespannter und von uns allen Beteiligten viel Selbstbeherrschung fordernder Augenblick –
einige Fragen und Äußerungen direct an Ottilie. Die Conversation ging im Weltton, sie roulierte auf Krieg und Frieden,
die Totenlisten, die Lebensbekenntnisse seines Vaters, den
preußischen Ball und seinen vorzüglichen Cotillon; August
aber hatte dabei ein Himmeln der Blicke, das zu der formellen Gleichgültigkeit seiner und unserer Worte nicht paßte,
und auch bei der Verabschiedung, als wir unseren Knicks vor
ihm machten (denn ohnehin hatten wir weggehen wollen),
himmelte er stark.

,Hast du sein Himmeln gesehen?' fragte ich Ottilien auf
der Treppe. – ,Ich sah es', erwiderte sie, ,und es hat mir Besorgnis gemacht. Glaube mir, Adele, ich wünsche nicht, daß
er zur alten Liebe zurückkehrt, denn ich würde die alte Qual
gegen eine Gleichgültigkeit tauschen, in der ich mich wohl-

befinde.' – So ihre Worte. Aber der Bann war gebrochen, die öffentliche Fehde beendet. Im Theater und sonst in der Gesellschaft suchte Herr von Goethe weitere Annäherungen; und wenn Ottilie auch das Alleinsein mit ihm vermied, das er anstrebte, so gestand sie mir doch, daß sie vom Blick seiner Augen, der sie an alte Zeiten erinnere, sich oft seltsam gerührt fühle, und daß bei dem grenzenlos unglücklichen Ausdruck, mit dem er sie manchmal ansehe, das alte Schuldgefühl gegen ihn sich in ihrem Herzen erneue. Sprach ich ihr dann von meiner Angst, von dem Unheil, dessen ich mich von dem Umgang mit dem wilden, zerstörenden Menschen versähe, mit dem keine Freundschaft denklich sei, weil er immer mehr fordern werde, als, wenn ich ihr glauben dürfe, sie zu geben bereit sei, so antwortete sie: ,Sei ruhig, mein Herz, ich bin frei und bleibe es für immer. Sieh, da hat er mir ein Buch geliehen, ,Pinto's Wunderliche Weltreise in einundzwanzig Tagen', – und noch hab' ich's nicht angesehen. Wenn es von *Ferdinand* wäre – wüßt' ich's nicht auswendig?' – Das war schon recht. Daß sie ihn nicht liebte, glaubte ich wohl. Aber war das ein Trost, eine Sicherheit? Sah ich doch, daß sie gebannt war von ihm und von dem Gedanken, die Seine zu werden, wie das Vögelchen von der Schlange.

Mir war der Kopf verrückt, wenn ich sie als Augusts Frau dachte; und doch, worauf sonst sollte das alles hinauslaufen? Dinge geschahen, die mir das Herz zerrissen, unfaßliche Dinge. Meine Überzeugung, daß dieser Unglückliche sie zerstören werde, schien sich im voraus bewähren zu sollen, denn vorigen Herbst erkrankte mein Liebling ernstlich, wahrscheinlich infolge des inneren Zwiespalts. Drei Wochen lag sie mit Gelbsucht, einen Bottich mit Teer unterm Bett, worin sich zu spiegeln bei dieser Krankheit heilsam sein soll. Als sie aber, genesen, mit jenem wieder in Gesellschaft zusammentraf, da schien er sie überhaupt nicht vermißt, ihre Absenz nicht bemerkt zu haben! Kein Wort, nicht eine Silbe zeugte vom Gegenteil!

Ottilie war außer sich, sie erlitt einen Rückfall und mußte

sich noch einmal acht Tage im Teere spiegeln. ,Dem Himmel', schluchzte sie an meiner Brust, ,hätte ich für ihn entsagen können, – und er betrog mich!' Was denken Sie aber?
Was glauben Sie? Vierzehn Tage später kommt das arme
Geschöpf totenbleich zu mir und berichtete mir starren Blicks,
August habe ihr von der zukünftigen Verbindung mit ihm in
aller Ruhe wie von einer abgemachten Sache gesprochen!
Wie wird Ihnen dabei zu Mute? Ist etwas Unheimlicheres
denkbar? Er hatte sich ihr nicht erklärt, sie nicht um ihre Liebe
gebeten, man kann auch nicht sagen, er hätte *gesprochen* von
der Heirat mit ihr; er hatte ihrer vielmehr mit schauriger Bei-
läufigkeit *Erwähnung* getan. – ,Und du?' rief ich. ,Ich be-
schwöre dich, Tillemuse, mein Herz, was hast du ihm geantwortet?!' – Verehrteste, sie gestand mir, das Wort habe sich
ihr versagt.

Begreifen Sie, daß ich mich empörte gegen die düstere
Unverfrorenheit des Verhängnisses? *Ein* Bollwerk wenigstens
stand ihr denn doch noch entgegen in der Person der Frau,
deren Existenz zweifellos ein ernstes Hindernis bilden würde,
wenn Herr von Goethe, wie es schließlich erforderlich war,
bei Ottiliens Mutter und Großmutter um sie anhielt: in der
Person der Geheimen Rätin, Christianens, der Demoiselle. –
Meine Teuerste, verwichenen Juni ist sie gestorben. Dahinge-
fallen ist dieser Anstoß, ja mehr noch: bedrohlich hat durch
den Todesfall die Lage sich zugespitzt, denn Augusts Sache
ist es nunmehr, in das väterliche Haus eine neue Herrin einzuführen. Durch Trauer gebunden, dazu bei stille werdender
Jahreszeit, sah er Ottilie den Sommer hin freilich nur selten.
Dafür trat ein Begebnis ein, von dem ich Ihnen keine genauere Rechenschaft zu geben weiß, weil es von halb heiterem
und halb beklemmendem Geheimnis umgeben ist, über dessen
fatale Wichtigkeit aber kein Zweifel bestehen kann. Anfang
August hatte Ottilie an der Ackerwand eine Begegnung mit
dem Geheimen Rat, Deutschlands großem Dichter.

Ich wiederhole: über ihren Verlauf muß ich die Auskunft
schuldig bleiben, denn ich besitze keine. Mit einer Scherzhaf-

tigkeit, die nichts Erheiterndes hat, verweigert Ottilie sie
mir; ihr gefällt es, das Vorkommnis in eine Art von neckisch
feierlichem Geheimnis zu hüllen. ,Will er doch selbst', antwortet sie lächelnd, wenn ich in sie dringe, ,über sein Gespräch
mit dem Kaiser Napoléon sich nie recht auslassen, sondern
verschließt das Gedächtnis daran vor der Welt und vor
Freunden selbst als ein eifersüchtig gehütet Gut. Vergib mir,
Adele, wenn ich mir ihn darin zum Muster nehme, und laß
dir mit der Nachricht genügen, daß er reizend zu mir war.'

Er war reizend zu ihr, – ich überliefere es Ihnen, teuerste
Frau. Und mit dieser Zeitung schließe ich meine Novelle, die,
wie Sie sehen, von der charmanten Sorte ist, an deren Ende
eine Verlobung steht oder doch als nahe Verheißung winkt.
Wenn kein Wunder geschieht, wenn nicht der Himmel sich
ins Mittel legt, so dürfen Hof und Stadt das Ereignis zu
Weihnachten, gewiß aber zu Sylvester erwarten.«

Sechstes Kapitel

Dem Bericht Demoiselle Schopenhauers ist hier ungestörter
Zusammenhang gewahrt worden. In Wirklichkeit wurde
der sächsisch gefärbte Redefluß ihres breiten, geübten Mundes zweimal unterbrochen: in der Mitte und gegen das Ende
hin, beide Male durch Kellner Mager, der, sichtlich leidend
unter seiner Pflicht, und unter inständigen Entschuldigungen,
im Parlour-room erschien, um neue Meldungen vorzubringen.

Zum ersten war es die Zofe der Frau Geheimen Kammerrätin Ridel, die er ansagen mußte. Die Abgesandte befinde
sich im untern Flur, berichtete er, und frage dringend nach
dem Befinden und Verbleib der Frau Hofrätin, um deren
Person an der Esplanade, wo das Mittagessen verderbe, schon
große Beunruhigung herrsche. Vergebens habe Mager ihr klar-
zumachen versucht, das Eintreffen des illustren Gastes des

‚Elephanten' bei ihrer Frau Schwester verzögere sich durch
wichtige Empfänge, in denen zu stören er, Mager, der Mann
nicht sei. Die Mamsell habe ihn dennoch, nach einigem Warten, zu diesem Schritte gezwungen und auf der Kundmachung
ihrer Anwesenheit lebhaft bestanden, da sie die stricte Ordre
habe, sich der Frau Hofrätin zu bemächtigen und sie nach
Hause zu bringen, wo Unruhe und Hunger schon übergroß
seien.

Charlotte hatte sich geröteten Angesichts erhoben, mit einer
Miene, einer Bewegung, die den Beschluß: ‚Ja, es ist unverantwortlich! Welche Zeit ist es denn? Ich muß fort! Wir
müssens's diesmal unterbrechen', aufs bestimmteste anzu-
kündigen schien. Überraschenderweise aber setzte sie sich nach
diesem Anlauf gleich wieder und äußerte das Gegenteil des
Erwarteten.

»Es ist gut, Mager«, sagte sie, »ich weiß, Er platzt uns
nicht gern da schon wieder herein. Sag' Er der Mamsell, sie
soll sich gedulden oder gehen – am besten, sie geht und richtet
der Frau Kammerrätin aus, man möge doch ja mit dem Essen nicht auf mich warten, ich folge nach, sobald die Geschäfte
es mir erlauben, und zur Beunruhigung meinetwegen sei kein
Anlaß. Natürlich sind Ridels beunruhigt, wer wäre es nicht,
ich bin es auch, denn ich weiß längst nicht mehr, was die
Glocke ist, und habe mir selbst das alles durchaus nicht so
vorgestellt. Es ist aber, wie es ist, und ich bin nun einmal
keine Privatperson, sondern muß höhere Ansprüche anerkennen als ein wartendes Mittagessen. Sag' Er das der Mamsell, und sie möge ausrichten, ich hätte mich müssen abzeichnen lassen und dann mit Herrn Doktor Riemer über wichtige
Dinge deliberieren, jetzt aber hätte ich hier dem Vortrag dieser Dame zu folgen und könne nicht mittendrin auf und davon gehen. Sag' Er ihr das nebst dem von den höheren
Ansprüchen und dem von der Beunruhigung, die mir auch
nicht fremd sei, nur müsse ich mich damit einrichten und ließe
bitten, ein Gleiches zu tun.«

»Sehr wohl, ich danke«, hatte Mager befriedigt und voller

Verständnis erwidert und sich entfernt, worauf dann Mlle.
Schopenhauer ihre Erzählung etwa dort, wo die jungen Mädchen nach ihrem Funde im Park auf Flügeln des Entzückens
stadtwärts getragen worden waren, mit ausgeruhtem Munde
wieder aufgenommen hatte.

Daß der Kellner zum zweitenmal klopfte, geschah erst in
der Gegenwart der Geschichte, wo es sich um die ‚Husarenfrau‘ und die ‚Wahlverwandtschaften‘ drehte. Er hatte entschiedener geklopft als vorhin und trat mit einer Miene
herein, die zeigte, daß er diesmal zur Störung sich voll legitimiert fühlte und keine Scrupel noch Zweifel ihn deswegen
plagen dürften. Seiner Sache sicher, verkündigte er:

»*Herr Kammerrat von Goethe.*«

Es war Adele, die bei dieser Meldung vom Sofa aufgesprungen war, wiewohl auch Charlottens Sitzenbleiben auf nichts
weniger als Gelassenheit, sondern eher auf ein gewisses Versagen der Kräfte gedeutet hatte.

»Lupus in fabula!« rief Fräulein Schopenhauer. »Ihr guten
Götter, was nun? Mager, ich darf dem Herrn Kammerrat
nicht begegnen! Sie müssen das einrichten, Mann! Sie müssen
mich auf irgendeine Weise an ihm vorbeibugsieren! Ich verlasse mich auf Ihre Umsicht!«

»Mit Grund, Fräulein«, hatte Mager erwidert, »mit Grund.
Ich habe von ohngefähr mit einem solchen Wunsche gerechnet,
denn ich kenne die Zartheit der gesellschaftlichen Beziehungen und weiß, daß man niemals wissen kann. Ich habe dem
Herrn Kammerrat eröffnet, daß Frau Hofrätin im Augenblick noch beschäftigt ist, und ihn in die untere Trinkstube
gebeten. Er nimmt ein Gläschen Madeira, und ich habe die
Flasche dazugestellt. So bin ich in der Lage, den Damen anheimzugeben, ihre Conversation zu beenden, und werde
dann um den Vorzug bitten, das Fräulein über den Flur zu
geleiten, bevor ich den Herrn Kammerrat benachrichtige, daß
Frau Hofrätin ihn empfangen kann.«

Für diese Anordnung war Mager von beiden Damen belobt
worden und war wieder gegangen. Adele aber hatte gesagt:

»Teuerste Frau, ich bin mir der Größe des Augenblicks bewußt. Der Sohn ist da – das bedeutet Botschaft vom Vater. Auch ihm, den sie am meisten angeht, ist Ihre Anwesenheit schon bekanntgeworden, – wie denn auch nicht, das Aufsehen ist groß, und Weimars Fama ist eine leichtgeschürzte Göttin. Er sendet nach Ihnen, er präsentiert sich Ihnen in der Person seines Sprossen, – ich bin tief bewegt, ich halte, erschüttert wie ich ohnedies von den Gegenständen bin, die ich Ihnen darlegen durfte, kaum die Tränen zurück. Diese Annäherung ist von so unvergleichlich größerer Bedeutung und Dringlichkeit als die meine, daß ich gar nicht daran denken darf, Sie – etwa in Berücksichtigung des Umstandes, daß der Kammerrat mit Madeira versehen ist – zu bitten, meinen Bericht zu Ende zu hören, bevor Sie die Botschaft entgegennehmen. Ich denke nicht daran, Verehrteste, und beweise durch mein Verschwinden ...«

»Bleiben Sie, mein Kind«, hatte Charlotte mit Bestimmtheit geantwortet, »und nehmen Sie, wenn's gefällig ist, Ihren Platz wieder ein!« – Pastellröte bedeckte die Wangen der alten Dame, und ihre sanften blauen Augen schimmerten fiebrig, aber ihre Haltung auf dem Sofasitz war außerordentlich aufrecht, beherrscht und zusammengenommen. »Der Gemeldete«, fuhr sie fort, »möge sich ein kleines gedulden. Ich beschäftige mich ja mit ihm, indem ich Ihnen zuhöre, und bin übrigens gewöhnt, in meinen Geschäften Ordnung und Reihenfolge zu halten. Ich bitte, fahren Sie fort! Sie sprachen von einem Sohneserbe, von einer liebenswürdigen Schwebe –«

»Ganz recht!« hatte sich Demoiselle Schopenhauer in raschem Niedersitzen erinnert. »Nehmen Sie ein so herrliches Werk wie den Roman ...«, und in erhöhtem Tempo, in den flüssigsten Cadenzen und mit unglaublicher Zungenfertigkeit hatte Adelmuse ihre Erzählung zum Abschluß gebracht, ohne sich übrigens nach dem letzten Wort mehr als ein kurzes Atemholen zu gönnen. Vielmehr geschah es ohne jeden Verzug, nur mit einem gewissen Wechsel des Tonfalls, daß sie nun fortfuhr:

»Dies sind die Dinge, die vor Sie zu bringen, teuerste Frau,
es mich unwiderstehlich drängte, sobald ich von Ihrer Gegenwart erfuhr. Der Wunsch, es zu tun, wurde sogleich eins
mit dem, Sie zu sehen, Ihnen meine Huldigung darzubringen,
und um seinetwillen habe ich mich schuldig gemacht vor Line
Egloffstein, indem ich ihr mein Vorhaben verschwieg und
sie von diesem Besuch ausschloß. Liebste! Verehrteste! Das
Wunder, von dem ich sprach, ich erhoffe es von Ihnen. Wenn
sich, wie ich sagte, der Himmel noch im letzten Augenblick
ins Mittel legen will, um eine Verbindung zu verhüten, deren
Verkehrtheit und Gefahren mir die Seele abdrücken, – Ihrer,
so fuhr es mir durch den Sinn, möchte er sich wohl zu diesem Ende bedienen und hat Sie vielleicht dazu hergeführt.
Sie werden in wenigen Minuten den Sohn, in wenigen Stunden, wie ich vermute, den großen Vater sehn. Sie können
Einfluß nehmen, können warnen, Sie dürfen es! Sie könnten
Augustens Mutter sein, – Sie sind es nicht, weil Ihre berühmte
Geschichte anders verlief, weil Sie sie anders wollten und lenk-
ten. Die reine Vernunft, den heilig-festen Sinn für das Richtige und Gemäße, mit dem Sie es taten, – führen Sie ihn auch
hier ins Feld! Retten Sie Ottilien! Sie könnte Ihre Tochter
sein, sie scheint es zu sein: eben darum schwebt sie heute in
einer Gefahr, der Sie selbst einst die ehrwürdigste Besonnenheit
entgegensetzten. Seien Sie Mutter dem Ebenbilde Ihrer Jugend, – denn das ist sie, als solches wird sie geliebt – von
einem Sohn, durch einen Sohn. Behüten Sie das ‚Persönchen',
wie der Vater sie nennt – behüten Sie sie, gestützt auf das,
was Sie diesem Vater einst waren, davor, das Opfer einer
Fascination zu werden, die mir so unaussprechlich bange
macht! Der Mann, dem Sie in Ihrer Weisheit folgten, ist
dahin, die Frau, die Augustens Mutter wurde, ist auch nicht
mehr. Sie sind allein mit dem Vater, mit dem, der Ihr Sohn
sein könnte, und der Lieblichen, die Ihr Tochterbild ist. Ihr
Wort kommt dem einer Mutter gleich, – legen Sie es ein
gegen das Falsche, Verderbliche! Dies meine Bitte, meine Be-
schwörung . . .«

»Mein bestes Kind!« sagte Charlotte. »Was verlangen Sie
von mir? Worein wollen Sie, daß ich mich mische? Als ich
mit schwankenden Gefühlen, aber freilich mit der lebhaftesten Anteilnahme Ihrer Erzählung lauschte, dachte ich nicht,
daß sich ein solches Zutrauen, um nicht zu sagen ein solches
Ansinnen daran knüpfen werde. Sie verwirren mich – nicht
nur durch Ihre Bitte, sondern auch durch die Art, wie Sie sie
begründen. Sie stellen mich in Beziehungen hinein ... wollen
mich verpflichten, indem Sie mich alte Frau eine Wiederkehr
sehen lassen meiner selbst ... Sie scheinen wahrhaben zu
wollen, daß durch den Hingang der Geheimen Rätin mein
Verhältnis zu dem großen Mann, den ich ein Leben lang nicht
gesehen, sich geändert habe – und zwar in dem Sinn, daß
es mir Mutterrechte gewähre an seinem Sohn ... Geben Sie
das Absurde und Erschreckende dieser Auffassung zu! Es
könnte ja scheinen, als ob ich diese Reise ... Wahrscheinlich
habe ich Sie mißverstanden. Verzeihen Sie! Ich bin müde von
den Eindrücken und Anstrengungen dieses Tages, deren mich,
wie Sie wissen, noch eine oder die andere erwartet. Leben
Sie wohl, mein Kind, und haben Sie Dank für Ihre schöne
Mitteilsamkeit! Glauben Sie nicht, daß diese Verabschiedung
eine Abweisung bedeutet! Die Aufmerksamkeit, mit der ich
Ihnen zuhörte, möge Ihnen dafür bürgen, daß Sie sich an
keine Teilnahmlose wandten. Vielleicht habe ich Gelegenheit,
zu raten, zu helfen. Sie werden verstehen, daß ich vor Empfang der Botschaft, die ich erwarte, nicht wissen kann, ob
ich überall in die Lage kommen werde, Ihnen zu dienen ...«

Sie blieb sitzen, während sie Adelen, die aufgesprungen
war, um ihren Hofknicks zu executieren, gütig lächelnd die
Hand hinstreckte. Ihr Kopf hatte sein zitterndes Nicken
über dem des jungen Mädchens, das, ebenso hoch erhitzt
wie sie, sich zu einem verehrenden Kuß über die dargereichte
Hand beugte. Dann ging Adele. Charlotte verharrte einige
Minuten allein, gesenkten Hauptes, in dem Zimmer ihrer
Empfänge auf ihrem Sofaplatz, bis Mager kam und wiederholte:

»Herr Kammerrat von Goethe.«

August trat ein, die braunen, nahe beisammenliegenden Augen in neugierigem Glanz, aber mit schüchternem Lächeln auf Charlotte gerichtet. Auch sie sah ihm mit einer Dringlichkeit entgegen, die sie durch ein Lächeln abzuschwächen suchte. Das Herz klopfte ihr bis zum Halse, – zusammen mit der Hitzigkeit ihrer Wangen, mochte sie auch von Überanstrengung herrühren, war das zweifellos lächerlich, wenn hoffentlich zugleich auch reizend für einen Beobachter von einiger Leutseligkeit. Ein solches Schulmädel gab es wohl kaum noch einmal bei dreiundsechzig Jahren. Er selbst war siebenundzwanzig – vier Jahre älter geworden gegen damals, – confuserweise war ihr, als trennten sie von jenem Sommer nur die vier Jahre, die dieser hier vor dem jungen Goethe von damals voraushatte. Lächerlich abermals – es waren vierundvierzig. Eine ungeheure Zeitmasse, das Leben selbst, das lange, einförmige und doch so bewegte, so reiche Leben, – reich, das heißt kinderreich, mit elf mühsamen Segenszeiten, elf Kindbetten, elf Zeiten der nährenden Brust, die zweimal verwaist und nutzlos zurückgeblieben, weil man den allzu zarten Kostgänger wieder der Erde hatte zurückerstatten müssen. Und dann noch das Nachleben von allein schon sechzehn Jahren, die Wittib- und Matronenzeit, würdig verblühend, allein, ohne den Gatten und Vielvater, der schon voran war in den Tod und den Platz neben ihr leer gelassen hatte, – Zeit der Lebensmuße, nicht mehr beansprucht von Tätigkeit und Gebären, von einer Gegenwart, stärker als das Vergangene, von einer Wirklichkeit, die den Gedanken ans Mögliche überherrscht hätte, so daß denn für die Erinnerung, für alles unerfüllte ‚Wenn nun aber‘ des Lebens, für das Bewußtsein ihrer andern Würde, der außerbürgerlichen, geisterhaften, die nicht Wirklichkeits- und Mutterwürde, sondern Bedeutung und Legende war und in der Vorstellung der Menschen eine von Jahr zu Jahr größere Rolle gespielt hatte, weit mehr Raum und erregende Einbildungskraft war gelassen worden als in der Epoche der Geburten ...

Ach, die Zeit – und wir, ihre Kinder! Wir welkten in ihr
und stiegen hinab, aber Leben und Jugend waren allezeit
oben, das Leben war immer jung, immer war Jugend am Leben, mit uns, neben uns Abgelebten: wir waren noch zusammen mit ihr in derselben Zeit, die noch unsere und schon
ihre Zeit war, konnten sie noch anschauen, ihr noch die run-
zellose Stirn küssen, der Wiederkehr unserer Jugend, aus uns
geboren ... Dieser hier war nicht von ihr geboren, hätte es
aber sein können, was sich besonders gut denken ließ,
seitdem dahin war, was dagegen sprach, seitdem nicht nur
der Platz an ihrer, sondern auch der an der Seite des
Vaters, des Jungen von einstmals, leer war. Sie prüfte ihn
mit den Augen, die Hervorbringung der andern, kritisch,
mißgünstig, musterte seine Gestalt, ob sie ihn nicht besser
würde in die Welt gesetzt haben. Nun, die Demoiselle hatte
ihre Sache passabel gemacht. Er war stattlich, er war sogar
schön, wenn man wollte. Ob er Christianen ähnlich sah? Sie
hatte den Bettschatz nie gesehen. Möglicherweise kam die
Neigung zur Dicklichkeit von ihr, – er war zu stark für seine
Jahre, wenn auch die Größe es leidlich balancierte: der Vater
war schlanker gewesen zu ihrer Zeit, – der verschollenen Zeit,
die ihre Kinder noch ganz anders geprägt und costümiert
hatte, schicklich gebundener sowohl, mit den gerollten Pu-
derhaaren und der Zopfschleife im Nacken, wie zugleich auch
lockerer, den Hals genialisch offen im Spitzenhemd – statt des
braunlockichten Wuschelhaars, das dem Gegenwärtigen unge-
pudert, in nachrevolutionärem Naturzustande, die halbe
Stirn bedeckte und von den Schläfen als krauses Backenbärtchen in den spitz hochstehenden Hemdkragen verlief, worin
das jugendlich weiche Kinn sich mit fast drolliger Würde barg.
Unbedingt würdiger und gesellschaftlich gemessener, ja offi-
cieller gab sich der gegenwärtige Junge in seiner hohen, die
Öffnung des Kragens füllenden Binde. Der braune, modisch
weit aufgeschlagene Überrock mit Ärmeln, die an den Schultern hochstanden, und an deren einem ein Trauerflor saß,
umspannte knapp und korrekt die etwas feiste Gestalt. Ele-

gant, den Ellbogen angezogen, hielt er den Cylinderhut, die Öffnung nach oben, vor sich hin. Und dabei schien diese formelle und allem Phantastischen abholde Tadellosigkeit gegen ein nicht ganz Geheueres, bürgerlich nicht ganz Einwandfreies, wenn auch recht Schönes aufkommen und es in Vergessenheit bringen zu sollen: – das waren die Augen, weich und schwermütig, von einem, man hätte sagen mögen unerlaubt feuchten Glanz. Es waren die Augen Amors, der anstößigerweise der Herzogin Geburtstagsverse hatte überreichen dürfen, die Augen eines Kindes der Liebe ...

Das genau vererbte Dunkelbraun dieser leicht ungehörigen Augen und ihr nahes Beisammenliegen war es, was – immer noch im Spielraum der Sekunden, in denen der junge Mann hereintrat, sich vorläufig verbeugte und sich ihr näherte – sie plötzlich empfänglich machte für Augusts Ähnlichkeit mit seinem Vater. Es war eine anerkannte Ähnlichkeit und so frappant wie im einzelnen schwer nachweisbar: gegen eine geringere Stirn, eine schwunglosere Nase, einen kleinern und weiblicheren Mund behauptete sie sich unverkennbar, – eine schüchtern getragene, im Bewußtsein ihrer Herabgesetztheit etwas traurig gefärbte und gleichsam um Entschuldigung bittende Ähnlichkeit, die sich aber auch in der Körperhaltung, den zurückgenommenen Schultern, dem vorgespannten Rumpf, sei es copierenderweise, sei es als echt constitutionelle Mitgift, nicht verleugnete. Charlotte war tief gerührt. Der abgewandelt-unzulängliche Versuch des Lebens, den sie vor sich sah, sich zu wiederholen und wieder obenauf in der Zeit, wieder Gegenwart zu sein, – dieser erinnerungsvolle Versuch, der, ebenbürtig dem Einstigen freilich nur hierin, Jugend und Gegenwart gewinnend für sich hatte, erschütterte die alte Frau so sehr, daß während der Sohn Christianens sich über ihre Hand beugte – es ging ein Duft von Wein und von Eau de Cologne dabei von ihm aus –, ihr Atem zu einem kurzen, bedrängten Schluchzen wurde.

Zugleich fiel ihr ein, daß in gegenwärtiger Gestalt die Jugend von Adel war.

»Herr von Goethe«, sagte sie »seien Sie mir willkommen! Ich weiß Ihre Aufmerksamkeit zu schätzen und freue mich, so bald nach meiner Ankunft in Weimar die Bekanntschaft des Sohnes eines lieben Jugendfreundes zu machen.«

»Ich danke für gütigen Empfang«, erwiderte er und ließ einen Augenblick in conventionellem Lächeln seine etwas zu kleinen, weißen, jungen Zähne sehen. »Ich komme von meinem Vater. Er ist im Besitz Ihres sehr angenehmen Billetts und hat es vorgezogen, statt Ihnen briefweise zu antworten, Sie, Frau Hofrätin, durch meinen Mund in unsrer Stadt willkommen zu heißen, wo Ihre Anwesenheit, wie er sagte, zweifellos höchst belebend sein wird.«

Sie mußte lachen in ihrer Rührung und Benommenheit.

»O, das heißt viel erwarten«, sagte sie, »von einer lebensmüden, alten Frau! Und wie geht es unserem verehrten Geheimen Rat?« fügte sie hinzu und deutete auf einen der Stühle, auf denen sie mit Riemer gesessen. August nahm ihn und setzte sich umständlich zu ihr.

»Danke der Nachfrage«, sagte er. »Soso. Wir wollen und müssen zufrieden sein. Er ist im ganzen guter Dinge. Grund zur Sorge oder doch Vorsorge gibt es immer, die Labilität, die Anfälligkeit bleiben beträchtlich, und große Regelmäßigkeit der Führung wird sich immer empfehlen. – Darf ich mich meinerseits erkundigen, wie Frau Hofrätin gereist sind? Ohne Zwischenfall? Und auch das Logis befriedigt? Die Nachricht wird meinem Vater sehr lieb sein. Man hört, der werte Besuch gehört Ihro Frau Schwester, der werten Geheimen Kammerrätin Ridel. Er wird das gefühlteste Vergnügen erregen in einem Hause, das die Oberen schätzen und die Unterstellten einhellig verehren. Ich darf mir schmeicheln, mit dem Herrn Geheimen Kammerrat amtlich und persönlich in reinstem Vernehmen zu stehen.«

Charlotte fand seine Ausdrucksweise altklug und unnatürlich gemessen. Schon »höchst belebend« war seltsam gewesen; das »gefühlteste Vergnügen« und »reinste Vernehmen« lächerten sie auch. Dies und ähnliches hätte Riemer sagen können, nur daß es sich im Munde des blutjungen Menschen viel sonderbarer, in seiner Pedanterie geradezu excentrisch ausnahm. Charlotte fühlte deutlich, daß es eine angenommene Redeweise war, – offenbar ohne daß der Redende sich der Affection im geringsten bewußt war; denn sie stellte fest, daß er sich aus dem unwillkürlichen Zucken in ihrem Gesicht nichts machte, es nicht beachtete, weil er es nicht verstand und seine Ursache ihm fernlag. Dabei konnte sie nicht umhin, die Würde und Steifigkeit seiner Worte gegen das zu halten, was sie von seinen Bewandtnisse wußte, was sie aus jenem großen befeuchteten Munde über ihn gehört hatte. Sie dachte an sein penchant zur Flasche, an die Husarenfrau, daran, daß er einmal auf der Wache gewesen, daß Riemer vor seiner Grobheit geflohen war; sie mußte zugleich damit an seine prekäre, nur künstlich gedeckte gesellschaftliche Stellung seit der Freiwilligengeschichte denken, an den unterdrückten Vorwurf der Feigheit und Uncavaliersmäßigkeit, den er zu tragen hatte; und über dem allen war da der Gedanke an seine trübe Neigung zu jener Ottilie, dem ,Persönchen', der zierlichen Blondine, – diese Liebe, die nun freilich zu seiner besonderen Art, sich auszudrücken, eigentlich nicht mehr im Verhältnis des Gegensatzes stand, sondern, wie ihr schien, weitläufig und doch unmittelbar damit zusammenhing und übereinstimmte. Zugleich aber hatte sie auch mit ihr, der alten Charlotte, will sagen mit ihrem weiteren und allgemeineren Selbst auf eine sehr rührende und die Situation complicierende Weise zu tun, dergestalt, daß die Charaktere des Sohnes und des Liebhabers sich vermischten, wobei aber der Sohn in hohem Grade Sohn blieb, das hieß: sich gleich dem Vater gebärdete. Mein Gott! dachte Charlotte, indem sie in sein ziemlich schönes und ähnlichkeitsvolles Gesicht blickte. Mein Gott! In diesen bittenden Ausruf faßte sie innerlich die Rührung und erbarmende Zärtlichkeit zusammen, die die Gegenwart des jungen Menschen ihr erregte, und auch das Lächerliche seiner Redeweise begriff sie mit ein.

Übrigens erinnerte sie sich auch des Auftrags, mit dem man

sie beschwert, der Bitte, die man ihr ans Herz gelegt, in gewisse Verhältnisse womöglich einzugreifen, einen bestimmten Lauf der Dinge aufzuhalten und – sei es dem ‚Persönchen‘ den Liebhaber oder dem Liebhaber das ‚Persönchen‘ auszureden. Aber offen gestanden spürte sie keine Lust und Berufung dazu, sondern fand es zuviel verlangt, daß sie gegen das ‚Persönchen‘ intrigieren sollte, um es zu ‚retten‘ – da es doch vielmehr die offenkundige Sendung eben dieses ‚Persönchens‘ war, die Husarenfrau und andere penchants aus dem Felde zu schlagen, und sie, die alte Charlotte, sich in diesem Ziele ganz solidarisch mit dem ‚Persönchen‘ fühlte.

»Es freut mich zu hören, Herr Kammerrat«, sagte sie, »daß zwei so wackere Männer wie Sie und mein Schwager einander schätzen. Übrigens höre ich's nicht zum erstenmal. Auch briefweise« (sie wiederholte unwillkürlich und fast, als wollte sie ihn aufziehen, eine von den Schnurrigkeiten seiner Rede), »auch briefweise ist's mir schon zugekommen von meiner Schwester. Darf ich Ihnen bei dieser Gelegenheit gratulieren zu Ihren kürzlichen Avancements als Hof- und Geschäftsmann?«

»Ich danke zum schönsten.«

»Gewiß sind es verdiente Gnaden«, fuhr sie fort. »Man hört viel Lobenswertes von Ihrem Ernst, Ihrer Genauigkeit im Dienst Ihres Fürsten und Landes. Für Ihre Jahre, wenn ich das sagen darf, sind Sie ein vielbelasteter Mann. Es ist mir nicht unbekannt, daß Sie auch Ihrem Vater noch, zu allem übrigen, sehr löblich zur Seite stehen.«

»Man muß froh sein«, erwiderte er, »dazu überall noch die Möglichkeit zu haben. Seit seinen schweren Krankheiten von anno eins und fünf ist es nichts weniger als eine Selbstverständlichkeit, daß wir ihn noch den Unseren nennen. Ich war noch sehr jung in beiden Fällen, aber ich erinnere mich der Schrecknisse wohl. Die Blatterrose, das erstemal, brachte ihn an den Rand des Grabes. Sie war mit einem Krampfhusten compliciert, der ihm das Bett verwehrte, denn dort wollt' er ersticken. In stehender Stellung hatte er's durchzufechten.

Eine große Nervenschwäche blieb lange zurück. Vor eilf
Jahren sodann war es das Brustfieber mit Krämpfen, das
uns durch lange Wochen an seinem Leben zweifeln ließ.
Doktor Stark von Jena behandelte ihn. Eine kränkliche Genesung zog sich nach überstandener Krise durch Monate hin,
und Doktor Stark proponierte eine italienische Reise. Aber
der Vater erklärte, sich bei seinen Jahren zu einem solchen
Unternehmen nicht mehr entschließen zu können. Sechsund-
fünfzig war er damals.«

»Das heißt zu früh entsagen.«

»Finden Sie nicht auch? – Uns scheint, daß er auch seinem
rheinischen Italien entsagt hat, wo ihm doch voriges und vor-
voriges Jahr so wohl gewesen ist. Haben Sie von seinem
Unfall gehört?«

»Nicht doch! Was ist ihm zugestoßen?«

»O, es ist gut abgelaufen. Diesen Sommer, nach meiner
Mutter Abscheiden –«

»Lieber Herr Kammerrat«, unterbrach sie ihn, noch einmal
erschrocken, »ich habe bis zu dieser Erwähnung – es ist mir
kaum verständlich, warum – versäumt, Ihnen meine innigste
Condolenz zu diesem schweren, unersetzlichen Verlust auszusprechen. Nicht wahr, Sie sind der herzlichen Anteilnahme
einer alten Freundin gewiß –«

Er warf ihr aus seinen dunklen, weichen Augen einen raschen
und scheuen Blick zu und senkte sie dann.

»Ich danke zum besten«, murmelte er.

Einige Trauersekunden vergingen im Schweigen.

»Wenigstens«, sagte sie dann, »hat dieser harte Schlag der
unschätzbaren Gesundheit des lieben Geheimen Rates also
nichts Ernstliches anhaben können.«

»Er war selbst unpäßlich in den letzten Tagen ihrer Krankheit«, erwiderte August. »Er war von Jena, wo er arbeitete,
herbeigeeilt, als die Nachrichten ärger lauteten, aber eine
Fiebrigkeit zwang ihn, am Tage des Hinscheidens das Bett
zu hüten. Es waren Krämpfe, wissen Sie, an denen – oder
unter denen – die Mutter starb, ein sehr schwerer Tod. Auch

ich durfte nicht zu ihr hinein, noch waren von ihren Freundinnen zuletzt welche um sie. Die Riemer, die Engels und die
Vulpius hatten sich zurückgezogen. Der Anblick war wohl
nicht auszustehen. Zwei Wärterinnen kamen von außen, in
deren Armen das Letzte geschah. Es war etwas, ich darf es
kaum sagen, wie eine schwere, schreckliche Frauensache, wie
eine Fehl- oder Totgeburt, eine Todesniederkunft. So kam
es mir vor. Es mögen die Krämpfe gewesen sein, die mich
den Vorgang in diesem Licht erblicken ließen, und auch wohl,
daß man mich discret davon ausschloß, trug zu dem Eindruck
bei. Wieviel mehr denn aber hätte man den Vater mit seinem
empfindlichen System, das alles Düstere und Verstörende zu
meiden genötigt ist, davor bewahren müssen, selbst wenn er
nicht von sich aus bettlägrig gewesen wäre. Auch als Schiller
im Sterben lag, hütete er das Bett. Es ist seine Natur, die ihn
die Berührung mit Tod und Gruft meiden läßt, – ich sehe da
eine Mischung von Fügung und Vorsatz. Sie wissen, daß vier
Geschwister von ihm im Säuglingsalter gestorben sind? Er
lebt – man kann sagen: er lebt im höchsten Grade; aber mehrmals von jung auf war er selbst dem Tode nahe, augenblicksweise und zeitweise. Mit ‚zeitweise‘ meine ich die Werther-
zeit –« Er besann sich, verwirrte sich etwas und setzte hinzu:
»Aber ich habe vielmehr die physischen Krisen im Sinn, den
Blutsturz des Jünglings, die schweren Erkrankungen in seinen
Fünfzigerjahren – nicht zu gedenken der Gichtanfälle und
Nierensteinkoliken, die ihn schon so früh in die böhmischen
Bäder führten, noch auch die Perioden, wo es ohne greifbares
Detriment doch immer auf Spitze und Knopf mit ihm stand,
so daß die Gesellschaft sich sozusagen täglich seines Verlustes versah. Auf ihn waren vor eilf Jahren aller Augen
bänglich gerichtet – da starb Schiller. Meine Mutter glich
immer dem blühenden Leben neben ihm, dem Kränkelnden;
aber sie war es, die starb, und wer lebt, das ist er. Er lebt
sehr stark bei aller Gefährdung, und öfters denke ich, er
werde uns alle überleben. Er will vom Tode nichts wissen,
er ignoriert ihn, sieht schweigend über ihn hinweg, – ich bin

überzeugt: wenn ich vor ihm stürbe – und wie leicht möchte das geschehen; ich bin zwar jung, und er ist alt, aber was ist meine Jugend gegen sein Alter! Ich bin nur ein beiläufiger, mit wenig Nachdruck begabter Abwurf seiner Natur –, wenn ich stürbe, er würde auch darüber schweigen, sich nichts anmerken lassen und nie meinen Tod bei Namen nennen. So macht er's, ich kenne ihn. Es ist, wenn ich so sagen darf, eine gefährdete Freundschaft, die er unterhält mit dem Leben, und das macht es wohl, daß er sich gegen macabre Bilder, Agonie und Grablegung so sorglich entschieden abschließt. Er hat nie mögen zu Begräbnissen gehen und wollte nicht Herder, nicht Wieland, nicht unsere arme Herzogin Amalie, an der er doch so sehr gehangen, im Sarge sehen. Bei Wielands Exequien, zu Oßmannstedt, vor drei Jahren, hatte ich die Ehre, ihn zu vertreten.«

»Hm«, machte sie, eine geistliche Unzufriedenheit im Herzen, die fast auch menschliche Auflehnung war. »In mein Büchlein«, sagte sie nach einigem Blinzeln, »hab' ich ein Wort eingetragen, wie manches, das ich liebe. Es heißt: ,Seit wann begegnet der Tod dir fürchterlich, mit dessen wechselnden Bildern wie mit den übrigen Gestalten der gewohnten Erde du gelassen lebtest?' – Es steht im ,Egmont'.«

»Ja, Egmont!« sagte er nur. Danach sah er zu Boden, schlug gleich die Augen wieder auf, Charlotte groß und forschend damit anzusehen, und senkte den Blick aufs neue. Nachträglich hatte sie den Eindruck, daß es seine Absicht gewesen war, ihr die Empfindungen zu erregen, mit denen sie kämpfte, und daß die rasche Nachschau ihn des Erfolges hatte versichern sollen. Dann freilich schien er einlenken und die Wirkung seiner Worte abschwächen und berichtigen zu wollen, denn er sagte:

»Natürlich hat Vater die Mutter im Tode gesehen und sich aufs ergreifendste von ihr verabschiedet. Wir besitzen auch ein Gedicht, das er auf ihren Tod verfaßt hat, – wenige Stunden nach dem Ende hat er es niederschreiben lassen, – leider nicht von mir, er dictierte es seinem Bedienten, da ich

anderweitig beschäftigt war, eigentlich nur ein paar Verse,
aber sehr ausdrucksvoll: ‚Du suchst, o Sonne, vergebens –
Durch die düstern Wolken zu scheinen, – Der ganze Gewinn
meines Lebens – Ist, ihren Verlust zu beweinen.'«

»Hm«, sagte sie wieder und nickte mit zögernder Ein-
fühlung. Im Grunde gestand sie sich, daß sie das Gedicht
einerseits wenig bedeutend, andrerseits übertrieben fand. Und
dabei hatte sie wiederum den Verdacht – und las mit einer
gewissen Deutlichkeit in den Augen, mit denen er sie ansah –, daß er ein solches Urteil hatte herausfordern wollen:
natürlich nicht, daß sie es ausspräche, aber daß sie es dächte,
und daß sie es einer dem andern in den Augen läsen. Sie schlug
darum die ihren nieder und murmelte ein undeutliches Lob.

»Nicht wahr?« sagte er, obgleich er nicht verstanden hatte.
»Es ist von höchster Wichtigkeit«, fuhr er fort, »daß dies
Gedicht existiert, ich freue mich täglich darüber und habe
mehrere Abschriften davon in die Gesellschaft lanciert. Sie
wird – gewiß mit Ärger und vielleicht doch auch zu ihrer
endlichen Beschämung und Belehrung – daraus ersehen, wie
innig zugetan – bei aller Freiheit und allem Für-sich-Sein,
die er sich selbstverständlich salvieren mußte – Vater der
Mutter war und mit wie großer Rührung er ihr Andenken
ehrt, – das Andenken einer Frau, die sie allzeit mit ihrem
Haß, ihrer Bosheit und mißgünstigen Médisance verfolgt hat.
Und warum?« fragte er sich ereifernd. »Weil sie sich in ihren
gesunden Tagen gern ein wenig distrahierte, gern ein Tänz-
chen machte und gern in fröhlicher Gesellschaft ein Gläschen
trank. Ein schöner Grund! Vater hat sich darüber amüsiert
und wohl manchmal mit mir gescherzt über Mutters ein
wenig derbe Lebenslust, hat auch darüber einmal ein Verschen
verfaßt, wie immer bei ihr der Freudenkreis sich schlösse,
aber das war herzlich und eher beifällig gemeint, und schließlich ging er ja auch seine eigenen Wege und war mehr weg
von uns, in Jena und in den Bädern, als er bei uns zu Hause
war. Es kam vor, daß er selbst über Weihnachten, was doch
auch mein Geburtstag ist, im Jenaer Schloß bei seiner Arbeit

blieb und nur Geschenke schickte. Wie aber Mutter für sein leiblich Wohl gesorgt, ob er nun nah war oder fern, und wie sie des Hauses Last getragen und von ihm abgehalten, was ihn in seinem heiklen Werk hätte stören können, wovon sie nicht vorgab, was zu verstehen – verstehen es denn die andern? –, wovor sie aber den reinsten Respect hatte –, das wußte Vater wohl und wußte ihr Dank dafür, und auch die Gesellschaft hätte ihr Dank wissen sollen, wenn auch sie wahrhaft Respect hatte vor seinem Werk, aber daran fehlt es eben in ihrer schnöden Seele, und sie zog es vor, Mutter zu hecheln und durchs Geschwätz zu ziehen, weil sie nicht ätherisch war und nicht sylphisch, sondern in Gottes Namen dick, mit roten Backen, und nicht Französisch konnte. Aber das war alles bloß Neid und gar nichts anderes, der grüne, gelbe Neid, weil sie das Glück gehabt hatte, sie wußte nicht, wie, und war der Hausgeist und die Frau des großen Dichters und großen Herrn im Staat geworden. Bloß Neid, bloß Neid. Und darum bin ich so froh, daß wir dies Gedicht haben auf Mutters Tod, denn unsere Gesellschaft wird sich gelb und grün darüber ärgern, weil es so schön und bedeutend ist«, stieß er wild und wütend hervor, mit geballter Faust, die Augen getrübt, die Stirnadern hoch geschwollen.

Charlotte konnte sehen, daß sie einen jähzornigen, zu Excessen geneigten jungen Mann vor sich hatte.

»Mein guter Herr Kammerrat«, sagte sie, indem sie sich zu ihm neigte, die Faust nahm, die bebend auf seinem Knie lag, und zart ihre Finger öffnete – »mein guter Herr Kammerrat, ich kann ganz mit Ihnen fühlen und tu' es um so lieber, als es mir recht von Herzen wohlgefällt, daß Sie zu Ihrer lieben seligen Mutter halten und nicht die Genügsamkeit üben, nur mit begreiflichem Stolz Ihrem großen Vater anzuhangen. Es ist sozusagen kein Kunststück, einem Vater, wie Sie ihn den Ihren nennen, ein guter Sohn zu sein. Aber daß Sie ritterlich, auch gegen die Welt, das Andenken einer Mutter hochhalten, die mehr nach unser aller gemeinem Maß gemacht war, das schätze ich wärmstens an Ihnen, die ich selbst Mutter bin und

Ihre Mutter sein könnte, den Jahren nach. Und dann der
Neid! Mein Gott, ich bin mit Ihnen ganz eines Sinnes darüber.
Ich habe ihn immer verachtet und ihn mir nach Kräften fern-
gehalten – ich kann wohl sagen: es ist mir unschwer gelungen.
Neidisch zu sein auf das Los eines anderen – welche Torheit!
Als ob wir nicht alle das Menschliche auszubaden hätten, und
als ob es nicht Irrtum und Täuschung wäre, andern ihr Schick-
sal zu neiden. Dazu ist es ein erbärmlich untüchtig Gefühl.
Unseres eigenen Schicksal wackerer Schmied sollen wir sein
und uns nicht entnerven in müßiger Scheelsucht auf andere.«

   August nahm mit verschämtem Lächeln und einer kleinen
Verbeugung zum Dank für den mütterlichen Dienst, den sie
ihm geleistet, die aufgelöste Hand wieder an sich.

   »Frau Hofrätin haben recht«, sagte er. »Mutter hat genug
gelitten. Friede sei mit ihr. Aber es ist gar nicht nur ihretwegen, daß ich mich erbittere. Es ist auch um des Vaters
willen. Nun ist ja alles vorüber, wie eben das Leben vergeht
und alles zur Ruhe kommt. Der Anstoß ist endlich unter der
Erde. Aber was für ein Anstoß war es einmal und blieb's
immerdar für die Gerechten, die Pharisäer und Sittenwächter,
und wie haben sie Vater gehechelt und ihm moralisch am
Zeuge geflickt, weil er's gewagt, gegen den Stachel zu löcken
und gegen den Sittencodex, und hatte das einfache Mädchen
aus dem Volke zu sich genommen und vor ihren Augen mit
ihr gelebt! Wie haben sie's auch mich fühlen lassen, wo sie
konnten, und mich schief angesehen mit Spott und Achselzucken und tadelndem Erbarmen, der ich dieser Freiheit mein
Dasein verdankte! Als ob ein solcher Mann wie der Vater
nicht das Recht hätte, nach eigenem Gesetz zu leben und nach
dem classischen Grundsatz der sittlichen Autonomie ... Aber
die wollten sie ihm nicht gelten lassen, die christlichen Patrioten und tugendsamen Aufklärer, und jammerten über den
Widerstreit zwischen Genie und Moralität, wo doch das Gesetz der freien und autonomen Schönheit eine Lebenssache ist
und nicht eine Sache der Kunst nur – das ging ihnen nicht bei
und schnackten von Discrepanzen und schlechtem Beispiel.

Fraubasereien! Und haben sie denn das Genie und den Dichter gelten lassen, wenn nicht die Person? Bewahre Gott! Da war der ‚Meister' ein Hurennest und die ‚Römischen Elegien' ein Sumpf der laxen Moral und ‚Der Gott und die Bajadere' sowohl wie ‚Die Braut von Korinth' priapischer Unflat – was Wunder denn auch, da schon des Werthers Leiden der verderblichste Immoralismus gewesen waren.«

»Er ist mir neu, Herr Kammerrat, daß man sich unterfangen haben sollte –«

»Man hat, Frau Hofrätin, man hat. Und bei den ‚Wahlverwandtschaften' wieder, auch da hat man sich unterfangen und sie ein liederlich Werk betitelt. Da kennen Sie wahrlich die Menschen schlecht, wenn Sie denken, die unterfingen sich nicht. Und wenn's nur die Leute gewesen wären, die blöde Menge. Aber alles, was gegen das Classische war und gegen die ästhetische Autonomie, der selige Klopstock, der selige Herder und Bürger und Stolberg und Nicolai und wie sie heißen, sie alle haben dem Vater moralisch am Zeug geflickt nach Werk und Wandel, und haben scheel geblickt auf Mutter von wegen der Selbstgesetzlichkeit seines Lebens mit ihr. Und nicht nur Herder, sein alter Freund, der Präsident des Consistorii, hat das getan, obgleich er mich confirmiert hat, sondern der selige Schiller sogar, der doch mit Vater die ‚Xenien' herausgegeben, – auch er, das weiß ich recht wohl, hat ein Gesicht gemacht über Mutter und den Vater heimlich getadelt um ihretwillen – wohl, weil er nicht auch ein adlig Fräulein genommen, wie Schiller, sondern war unter seinen Stand gegangen. Unter seinen Stand! Als ob ein solcher Mann wie mein Vater überhaupt einen Stand hätte, da er doch einzig ist! Geistig muß solch ein Mann auf jeden Fall unter seinen Stand gehen – warum dann nicht auch gleich gesellschaftlich? Und Schiller war doch selbst der erste, den Vorzug des Verdienstadels zu behaupten vor dem Geburtsadel, und hat sich eifriger darin hervorgetan als mein Vater. Warum verzog er dann den Mund über Mutter, die sich gar wohl den Adel des Verdienstes erworben hat um Vaters Wohlergehen!«

»Mein lieber Herr Kammerrat«, sagte Charlotte, »ich kann
Ihnen menschlich vollkommen folgen, obgleich ich besser tue,
zu gestehen, daß ich nicht weiß, was das ist, die ästhetische
Autonomie, und daß ich Bedenken trage, durch eine übereilte
Zustimmung zu diesem mir nicht ganz klaren Dinge in Widerstreit mit so würdigen Männern wie Klopstock, Herder und
Bürger oder gar mit Moral und Patriotismus zu geraten. Das
möchte ich nicht. Aber ich denke, diese Vorsicht braucht mich
nicht zu hindern, ganz und gar auf Ihrer Seite zu sein gegen
alle, die unserm lieben Geheimen Rat etwas am Zeuge flicken
und seinem Ruhm etwas anhaben möchten als großer Dichter
des Vaterlandes.«

Er hatte nicht zugehört. Seine dunklen Augen, um ihre
Schönheit und Weichheit gebracht durch die erneute Wut, die
sie quellend vortrieb, gingen rollend von einer Seite zur andern.

»Und ist nicht alles aufs beste und würdigste geregelt worden?« fuhr er mit gepreßter Stimme fort. »Hat Vater die
Mutter nicht zum Altar geführt und sie zu seiner gesetzlichen
Frau gemacht, und war ich nicht schon vorher durch aller-
höchstes Rescript legitimiert und zum rechten Sohn von Vaters
Verdienstadel erklärt worden? Aber das ist es eben, daß die
vom Geburtsadel im Grunde vor Animosität bersten gegen
Verdienstadel, und darum nimmt denn wohl so ein reitender Laffe die erste, schlechteste Gelegenheit wahr, mir
freche Sottisen zu machen mit Anspielungen auf Mutter, nur
weil ich aus persuasorischen Gründen und in vollem Einverständnis mit Vater nicht habe mögen zu Felde ziehen gegen
den großen Monarchen Europas. Für solche Frechheit der
bloßen Geburt und Natur und des blauen Blutes gegen den
Adel des Genies ist Arrest eine viel zu gelinde Strafe. Da
müßte der Büttel her, der Profoß, da müßte das glühende
Eisen her . . .«

Außer sich, hochrot im Gesicht, hämmerte er mit der geballten Faust auf sein Knie.

»Bester Herr Kammerrat«, sagte Charlotte beschwichtigend
wie vorhin und beugte sich zu ihm, wich aber sogleich wieder

etwas zurück, da sie den Duft von Wein und Eau de Cologne empfing, der sich durch seine Rage verstärkt zu haben schien. Sie wartete ab, daß die zitternde Faust wieder einmal unten lag, und legte sanft ihre Hand im fingerfreien Halbhandschuh darauf. »Wer wird so hitzig sein? Weiß ich doch kaum, wovon Sie reden, aber fast scheint mir, als verlören wir uns in Farfarellen und Grillen. Wir sind abgekommen. Oder vielmehr: Sie sind es. Denn ich halte im stillen noch immer bei Ihrer Erwähnung eines Unfalls, den der liebe Geheime Rat erlitten haben — oder dem er vielmehr entronnen sein soll, wie ich Sie zu verstehen glaubte; denn hätte ich es nicht so verstanden, so hätte ich schon längst auf den Punkt insistiert. Was war es also damit?«

Er schnob noch ein paarmal und lächelte über ihre Güte.

»Mit dem Unfall?« fragte er. »O, nichts, ich kann Sie vollkommen beruhigen. Ein Reiseaccident ... Es war so: Mein Vater wußte diesen Sommer gar nicht recht, wohin. Er scheint der böhmischen Bäder müde, 1813, im allertraurigsten Jahr, war er zum letztenmal dort, in Töplitz, seither nicht mehr, was wohl zu bedauern — die häusliche Trinkcur ist doch kein Ersatz, und Berka und Tennstedt sind es wohl auch nicht. Wahrscheinlich wäre Carlsbad besser auch gegen den Rheumatism in seinem Arm als der Tennstedter Schwefel, den er eben wieder benutzt hat. Aber er ist irre geworden am Sprudel von Carlsbad, weil er dort anno zwölf an Ort und Stelle einen Anfall von Nierenkoliken bekam, den schwersten seit langer Zeit, das hat er verübelt. So hat er denn Wiesbaden entdeckt: Sommer vierzehn fuhr er zum erstenmal in die Rhein-, Main- und Neckargegenden, die Reise beglückte und erquickte ihn ganz über Erwarten. Seit vielen Jahren war er zum erstenmal wieder in seiner Vaterstadt.«

»Ich weiß«, nickte Charlotte. »Wie ist es nicht zu bedauern, daß er damals seine liebe, unvergeßliche Mutter, unsere gute Frau Rat, nicht mehr am Leben fand! Mir ist auch bekannt, daß die ‚Frankfurter Oberpostamtszeitung‘ einen gediegenen Artikel einrückte zu Ehren des großen Sohnes der Stadt.«

»Gewiß! Will sagen, das war, als er von Wiesbaden wiederkam, wo er mit Zelter und Oberbergrat Cramer eine gute Zeit verbracht. Er hatte die Rochuskapelle besucht von dort aus, für die er dann hier bei uns ein heiteres Altargemälde entwarf: der heilige Rochus, wie er als junger Pilger das Schloß seiner Väter verläßt und liebreich sein Gut und Gold an Kinder verteilt. Es ist gar zart und gemütlich. Professor Meyer und unsere Freundin Luise Seidler von Jena haben es ausgeführt.«

»Eine Künstlerin von Profession?«

»Ganz recht. Dem Frommann'schen Hause nahestehend, dem Hause des Buchhändlers, und nahe befreundet mit Minna Herzlieb.«

»Ein zärtlicher Name. Sie nennen ihn ohne Erläuterung. Die Herzlieb — wer ist das?«

»Verzeihung! Es ist die Pflegetochter der Frommanns, bei denen der Vater zu Jena viel aus und ein ging zur Zeit, als er an den ,Wahlverwandtschaften' schrieb.«

»Wahrhaftig«, sagte Charlotte, »nun kommt es mir vor, als hätte ich auch den Namen schon nennen hören. Die ,Wahlverwandtschaften'! Ein Werk von der zartesten Bemerkungsgabe. Man kann nur bedauern, daß es ein solches weltbewegendes Aufsehen denn doch nicht gemacht hat wie ,Werthers Leiden'. Ich wollte Sie nicht unterbrechen. Wie ging's also weiter mit dieser Reise?«

»Sehr heiter, sehr glücklich, wie ich schon sagte. Sie brachte eine wahre Verjüngung für meinen Vater mit sich, und es war, als ahnte er's, da er sie antrat. Er hatte heitere Tage bei Brentanos zu Winkel am Rhein, bei Franz Brentano —«

»Ich weiß. Ein Stiefsohn der Maxe. Von den fünf Kindern eines, die sie aus des guten alten Peter Brentano erster Ehe übernommen. Ich bin im Bilde. Man sagt, daß sie ausnehmend hübsche, schwarze Augen hatte; saß aber viel allein, die Arme, in ihres Mannes großem, altem Kaufmannshaus. Es freut mich zu hören, daß ihr Sohn Franz mit Goethen auf einem besseren Fuße steht als damals ihr Mann.«

»Auf einem so guten wie seine Schwester Bettina in Frankfurt, die sich um Vaters Lebenserinnerungen so sehr verdient gemacht, indem sie tagtäglich die selige Großmutter auspreßte nach Einzelheiten aus seiner Jugend und alles für ihn notierte. Es ist ein Trost, daß doch auf viele Bessere unter der neuen Generation die Liebe und Ehrfurcht für ihn sich vererbt hat, bei allen wunderlichen Veränderungen, die sonst in ihren Gesinnungen vor sich gegangen.«

Sie mußte lächeln über die distanzierte Art, in der er der eigenen Generation gedachte; aber er übersah es.

»In Frankfurt, das zweitemal«, fuhr er fort, »logierte er bei Schlossers – der Schöffin Schlosser, müssen Sie wissen, einer Schwester Georgs, der meine arme Tante Cornelia zur Frau hatte, und ihren Söhnen Fritz und Christian, braven, gemütvollen Jungen, die gute Beispiele sind für meine Bemerkung: der absurden Zeit unterworfen und heillos romantisch – sie führten am liebsten das Mittelalter wieder herauf, als ob's keine Auflebung gegeben hätte, und Christian ist schon in die Arme der katholischen Kirche zurückgekehrt, die denn auch wohl auf Fritz nebst Ehefrau nicht lange mehr wird zu warten haben. Allein die überlieferte Liebe und Bewunderung für Vater hat unter diesen modischen Schwächen nie gelitten, und das mag der Grund denn sein, weshalb er sie ihnen nachsieht und sich recht behaglich fühlte bei dem frommen Völkchen.«

»Ein Geist wie er«, sagte Charlotte, »ist des Verständnisses fähig für jede Gesinnung, wenn sie nur einer tüchtigen Menschlichkeit angehört.«

»Vollkommen«, erwiderte August mit einer Verneigung. »Er war aber, glaube ich«, setzte er hinzu, »dann doch froh, als er auf die Gerbermühle, nahe Frankfurt, am Obermain, den Landsitz der Willemers, übersiedelte.«

»O, richtig! Dort war es, wo meine Söhne ihn aufsuchten und er endlich ihre Bekanntschaft machte, wobei sie viel Güte von ihm erfuhren.«

»Ich glaub' es. September vierzehn kam er zuerst dorthin

und wieder im nächsten Monat von Heidelberg. In die knappe
Zwischenzeit aber war das Ereignis von Geheimrat Willemers
Heirat mit Marianne Jung, seinem Pflegekinde, gefallen.«

»Das klingt nach einem Roman.«

»Es war dergleichen. Der Geheimrat, verwittibt und Vater
zweier noch kindlicher Töchter, ein vortrefflicher Mann,
Volkswirt, Pädagog und Politiker, ein Philanthrop, ein Dichter sogar und tätiger Freund der dramatischen Muse, – nun
denn, er hatte schon zehn Jahre und länger zuvor die junge
Marianne, ein Linzer Theaterkind, zu sich ins Haus genommen, und zwar, um sie vor den Gefahren der Bühne zu bewahren. Es war eine philanthropische Handlung. Mit den
jüngeren Töchtern des Hauses bildet die braunlockige Sech-
zehnjährige sich reizend aus; sie singt zum Entzücken, sie
weiß mit Anmut und Energie eine Soirée zu leiten, und wie
sich's so fügt, aus dem Philanthropen, dem Pädagogen wird
unversehens ein Liebhaber.«

»Nur menschlich. Auch schließt das eine das andere nicht
aus.«

»Wer sagt das? Immerhin ließen die häuslichen Verhältnisse zu wünschen übrig, und wer weiß, wie lang sich das
hingezogen hätte ohne Vaters Dazwischenkunft und seinen
ordnenden Einfluß, auf den man es ganz offenbar zurückführen muß, daß, als er wiederkam, Anfang Oktober, von
Heidelberg, der Pflegevater das Pflegekind nur ein paar
Tage zuvor fast Hals über Kopf zu seiner Gattin gemacht
hatte.«

Sie sah ihn groß an und er sie auch. Ihr erhitztes und er-
müdetes Gesicht war etwas ins Unsicher-Schmerzliche verzogen, als sie sagte:

»Sie scheinen durchblicken lassen zu wollen, daß diese Veränderung der Situation etwas wie eine Enttäuschung für
Ihren Vater bedeutet hätte?«

»Im geringsten nicht!« antwortete er erstaunt. »Ganz im
Gegenteil konnte sich auf dem Hintergrund der so geordneten, bereinigten und geklärten Verhältnisse sein Behagen als

Gast in diesem schönen Erdenwinkel erst recht entwickeln. Da war ein prächtiger Altan, ein schattiger Garten, ein naher Forst, ein erquickender Blick auf Wasser und Gebirge, da war freieste, freigebigste Gastfreundschaft. Vater hat sich selten so glücklich gefühlt. Noch Monate später schwärmte er von den milden, würzigen Abenden, wenn sich der breite Mainstrom im Abendschein rötete und die junge Wirtin ihm seine ‚Mignon‘, sein Mondlied, seine ‚Bajadere‘ sang. Auch können Sie sich das Vergnügen denken, womit der neuschaffene Gatte auf die Freundschaft blickte, deren die kleine Frau, die er entdeckt und der Gesellschaft geschenkt hatte, da gewürdigt wurde, – er blickte darauf nach allem, was ich mir vorstelle, mit einem heiteren Stolze, der eben ohne die vorangegangene Ordnung und Sicherung der Verhältnisse nicht möglich gewesen wäre. Wovon besonders der Vater ein Preisens zu machen wußte, das war der Abend des achtzehnten Oktober, an dem man gemeinsam von Willemers Aussichtsturm die Höhenfeuer zum Jahresgedenken der Schlacht bei Leipzig genoß.«

»Die Freude daran«, sagte Charlotte, »widerlegt manches, mein lieber Herr Kammerrat, was man mir wohl gelegentlich über Ihres Vaters Mangel an vaterländischer Wärme hat hinterbringen wollen. Man vermutete an dem hohen Jahrestage nicht, daß wenige Monate später Napoléon von Elba entweichen und die Welt in neuen Trouble stürzen würde.«

»Wodurch eben«, nickte August, »wodurch Vaters Sommerpläne fürs nächste Jahr drohten über den Haufen geworfen zu werden. Er sann diesen ganzen Winter nichts anderes und sprach von nichts anderm, als daß er, wo irgend möglich, die Reise in jene lieblichen Gegenden erneuern wolle. Auch fand alle Welt, daß Wiesbaden ihm besser anschlage als Carlsbad. Seit langem hatte er keinen Weimarer Winter so heiter hingenommen. Bringt man vier Wochen in Abzug, während deren ein freilich heftiger Katarrh ihn plagte, so befand er sich prächtig und jugendlich all die Zeit, auch deswegen wohl,

weil schon von längerer Hand her, schon seit dem Elends-
jahre dreizehn, ein neues Feld des Studiums und der Dichtung sich ihm eröffnet hatte, nämlich die orientalische und
namentlich die persische Poesie, worein er sich auf seine productive und nachbildende Art immer mehr vertiefte, so daß
eine Menge Sprüche und Lieder höchst merkwürdigen Geschmacks, wie er sie noch nie geschrieben, darunter viele, die
vorgeben, von einem Dichter des Ostens, Hatem, an eine
Schöne namens Suleika gerichtet zu sein, sich in seiner Mappe
versammelten.«

»Eine gute Nachricht, Herr Kammerrat! Der Literatur-
freund muß sie freudig begrüßen — und mit Bewunderung
für ein Ausharren, eine Erneuerungsfähigkeit der hervorbrin-
genden Kräfte, die als ein rechtes Gnadengeschenk des Himmels anzusprechen. Als Frau, als Mutter hat man allen
Grund, mit Neid — oder doch eben mit Bewunderung — auf
eine soviel größere Beständigkeit des Männlichen, auf die
Ausdauer zu blicken, mit der geistige Fruchtbarkeit gegen die
weiblich-creatürliche im Vorteil ist. Wenn ich denke — es sind
nicht weniger als einundzwanzig Jahre her, daß ich meinem
jüngsten Kinde (es war Fritzchen, mein achter Sohn) das
Leben schenkte.«

»Vater hat mir vertraut«, sagte August, »daß der Name
des weinfrohen Dichters, in dessen Maske er diese Lieder verfaßt — Hatem —, ,der reichlich Gebende und Nehmende' bedeutet. Auch Sie, Frau Hofrätin, wenn ich so anmerken darf,
sind eine reichlich Gebende gewesen.«

»Es ist nur eben«, sagte sie, »schon so wehmütig lange her.
— Aber fahren Sie fort! Der Kriegsgott wollte Hatemen einen
Strich durch die Rechnung machen?«

»Er wurde aus dem Felde geschlagen«, versetzte August.
»Er wurde von einem anderen Gotte besiegt, so daß nach
einigem Bangen alles nach Wunsche ging. Ende Mai vorigen
Jahres fuhr Vater nach Wiesbaden, und während er dort bis
Juli die Cur gebrauchte, tobte das Kriegsgewitter sich aus —
gleichviel wie, aber es tobte sich aus; und bei dem klarsten

politischen Horizont konnte er den Rest des Sommers am
Rheine genießen.«

»Am Maine?«

»Am Rheine und Maine. Er war auf Burg Nassau Gast
des Ministers vom Stein, er fuhr mit diesem nach Cöln, den
Dom zu studieren, für dessen Ausbau er sich neuestens interessiert, und hatte eine seiner Schilderung nach höchst angenehme Rückreise über Bonn und Coblenz, die Stadt des
Herrn Görres und seines ,Rheinischen Mercur', welcher die
Stein'schen Verfassungspläne propagiert. Daß er mit diesen
sonderlich sollte harmoniert haben, würde mich mehr noch
wundern als die Anteilnahme an der Vollendung des Doms,
die man ihm einzuflößen gewußt hat. Ich schiebe die glückliche Stimmung, worin er all diese Zeit hin schwebte, vielmehr auf das schöne Wetter, die Freude an einer liebenswürdigen Landschaft. Er war noch einmal in Wiesbaden, war
auch in Mainz, und endlich denn, im August, nahm wieder
Frankfurt, nahm der behagliche Landsitz mit den längst
glücklich geordneten Verhältnissen ihn wieder auf, wo nun
fünf Wochen lang, ganz wie er's erträumt, das Wohlsein vom
vorigen Jahr, befördert von freigebiger Hospitalität, sich
wieder erzeugte. Der August ist der Monat seiner Geburt –
es mag wohl sein, daß ein sympathetisch Band den Menschen
an die Jahreszeit knüpft, die ihn hervorgebracht, und daß sie
wiederkehrend seine Lebensgeister erhöht. Ich kann aber nicht
umhin, zu denken, daß in den August auch des Kaisers Napoléon Geburtstag fällt, der noch vor kurzem in Deutschland so
hoch begangen wurde, und mich zu wundern, richtiger sag'
ich: zu freuen, wie sehr doch in heiterem Vorteil die Helden
des Geistes sind vor den Helden der Tat. Da hatte nun die
blutige Tragödie von Waterloo meinem Vater den Weg frei
gemacht zur gastlichen Gerbermühle, und der mit ihm zu
Erfurt conversiert, saß gefesselt an den Felsen im Meer,
indessen jenen ein liebendes Geschick den günstigen Augenblick von Grund aus ließ genießen.«

»Da waltet Gerechtigkeit«, sagte Charlotte. »Unser teurer

Goethe hat den Menschen nichts als Liebes und Gutes getan, da jener Weltgewaltige sie mit Skorpionen gezüchtigt hat.«

»Dennoch«, erwiderte August, indem er den Kopf zurückwarf, »lasse ich es mir nicht nehmen, daß auch mein Vater ein Gewaltiger und ein Herrscher ist.«

»Das nimmt Ihnen niemand«, versetzte sie, »und niemand nimmt's ihm. Nur ist es wie in der römischen Geschichte, wo wir von guten und bösen Kaisern lernen, und Ihr Vater, mein Freund, ist so ein guter und sanfter Kaiser, der andere dagegen ein blutrünstig-höllenentstiegener. Das spiegelt sich in dem Unterschied der Geschicke, auf den Sie geistreich hinwiesen. – Fünf Wochen also blieb Goethe im Hause der Jungvermählten?«

»Ja, bis in den September und bis er sich nach Carlsruhe begab, in Serenissimi Auftrag das dortige berühmte Mineraliencabinett zu visitieren. Er ging dahin in der Erwartung, Frau von Türckheim zu begegnen, will sagen der Lili Schönemann von Frankfurt, die manchmal zum Besuche ihrer Verwandten aus dem Elsaß herüberkam.«

»Wie, es hat nach so vielen Jahren ein Wiedersehen stattgefunden zwischen ihm und seiner einstigen Verlobten?«

»Nein, die Baronin blieb aus. Leicht mag es Kränklichkeit gewesen sein, die sie vom Kommen abhielt. Unter uns gesagt, hat sie die Auszehrung.«

»Arme Lili«, sagte Charlotte. »Ist doch bei dem Verhältnis nicht gar viel herausgekommen. Einige Lieder, aber kein weltbewegendes Werk.«

»Es ist«, fügte Herr von Goethe seiner vorigen Bemerkung hinzu, »die nämliche Krankheit, an der auch die arme Brion, jene Friederike von Sesenheim gestorben ist, deren nun schon dreijährigem Grabe im Badischen Vater damals so nahe war. Sie hat ein trauriges Leben abgesponnen, da sie bei ihrem Schwager, dem Pfarrer Marx, eine stille Zuflucht gefunden. Ich frage mich, ob Vater wohl des nahen Grabes gedachte und allenfalls tentiert war, es aufzusuchen, mochte aber ihn nicht danach fragen und muß daran zweifeln, da er in seinen

Geständnissen äußert, daß ihm an die Tage des Abschieds vorm letzten Adieu ihrer Peinlichkeit wegen keine Erinnerung geblieben sei.«

»Ich bedaure dieses Frauenzimmer«, sagte Charlotte, »dem es an Resolutheit gebrach, sich zu einem Leben ehrbaren Glückes aufzuraffen und in einem ländlich tüchtigen Mann den Vater ihrer Kinder zu lieben. Der Erinnerung zu leben, ist eine Sache des Alters und des Feierabends nach vollbrachtem Tagwerk. In der Jugend damit zu beginnen, das ist der Tod.«

»Sie können versichert sein«, erwiderte August, »daß, was Sie von Resolutheit sagen, ganz nach dem Sinn meines Vaters ist, der ja in diesem Zusammenhang bemerkt, daß man Verletzungen und Krankheiten, wozu denn wohl auch die Schuld und die peinliche Erinnerung gehören mögen, in der Jugend rasch überwindet. Er führt die körperlichen Übungen, Reiten und Fechten und Schlittschuhlaufen, als dienliche Hilfsmittel zu frischem Ermannen an. Aber die glücklichste Handhabe, mit dem Beschwerlichen für die eigene Person fertig zu werden und es zur Absolution zu bringen, bietet ja doch gewiß das dichterische Talent, die poetische Beichte, worin die Erinnerung sich vergeistigt, sich ins Menschlich-Allgemeine befreit und zum bleibend bewunderten Werke wird.«

Der junge Mann hatte die zehn Fingerspitzen aneinandergelehnt und bewegte die so sich berührenden Hände, bei angezogenen Ellenbogen, mechanisch vor der Brust hin und her, während er sprach. Das gezwungene Lächeln seines Mundes stand im Widerspruch zu den Falten zwischen seinen Brauen, über denen die Stirn sich flockig gerötet hatte.

»Es ist ein eigen Ding«, fuhr er fort, »um die Erinnerung; ich habe zuweilen darüber nachgesonnen, da ja die angeborene Nähe eines solchen Wesens, wie mein Vater es ist, zu mancherlei gemäßem und ungemäßem Nachdenken Anlaß gibt. Die Erinnerung spielt gewiß eine wichtige Rolle im Werk und Leben des Dichters, welche so weitgehend eins sind, daß man, genau genommen, nur eines zu nennen brauchte und von dem Werke als seinem Leben, von dem Leben aber als seinem Werk sprechen könnte. Nicht nur das Werk ist von der Erinnerung bestimmt und gestempelt, und nicht nur im ‚Faust‘, in den Marien des ‚Götz‘ und des ‚Clavigo‘ und in den schlechten Figuren, die ihre beiden Liebhaber machen, tut sie sich wiederholentlich als fixe Idee hervor. Sie wird, wenn ich recht sehe, zur fixen Idee, die immer sich wiederholen will, auch des Lebens; ihr Gegenstand, als zum Exempel die Resignation, die schmerzliche Entsagung oder das, was der beichtende Dichter selbst als verlassende Untreue, ja Verrat im Bilde geißelt, ist das Anfängliche, Entscheidende und Schicksalbestimmende, es wird, wenn ich mich so ausdrücken darf, zum Generalmotiv und Prägemuster des Lebens, und alles weitere Verzichten, Entsagen und Resignieren ist nur Folge davon, wiederholende Erinnerung daran. O, ich habe dem öfters nachgesonnen, und mein Gemüt weitete sich vor Schrecken – es gibt solche Schrecken, die die Seele erweitern –, wenn ich bedachte, daß der große Dichter ein Herrscher ist, dessen Schicksal dessen Werk und Lebensentscheidungen weit übers Persönliche hinauswirken und die Bildung, den Charakter, die Zukunft der Nation bestimmen. Da wurde mir ängstlich-groß zu Sinn bei dem Bilde, das wir alle nimmer vergessen, ob wir schon nicht dabei gewesen, sondern zwei Menschen allein es verhängnisvoll darstellten, – wie der Abreitende dem Mädchen, das ihn von ganzer Seele liebt, und von dem sein Dämon ihm die grausame Trennung gebietet, – wie er der Tochter des Volkes noch vom Pferde herab die Hand reicht und ihre Augen voll Tränen stehen. Das sind Tränen, Madame – auch wenn mir die Seele am schreckhaftweitesten ist, denke ich den Sinn dieser Tränen nicht aus.«

»Für mein Teil«, versetzte Charlotte, »sage ich mir mit etwas Ungeduld, daß dieses gute Ding, die Tochter des Volkes, des Geliebten eben nur dann würdig gewesen wäre, wenn sie hinlänglich Resolutheit besessen hätte, sich ein rechtes Leben zu zimmern, da er fort war, statt sich dem Allerschrecklichsten anheimzugeben, was da unter dem Himmel ist, nämlich der Verkümmerung. Mein Freund, Verkümmerung ist das Schrecklichste. Es danke Gott, wer sie zu meiden wußte, wenn aber nicht jedes sittliche Urteil schon Überhebung sein soll, dürfen wir denjenigen tadeln, der sich ihr überlassen. Ich höre Sie von Entsagung sprechen – nun, die Kleine da unter ihrem Hügel wußte schlecht zu entsagen, für sie war Entsagung – Verkümmerung und nichts weiter.«

»Die beiden«, sagte der junge Goethe, indem er die zehn Fingerspitzen voneinander entfernte und sie wieder zusammentat, »die beiden wohnen wohl nahe beieinander, und es möchte überall schwer sein, sie ganz voneinander entfernt zu halten in Leben und Werk. Mein Nachsinnen betraf zuweilen auch dies, wenn nämlich der Sinn jener Tränen mir die Seele schreckhaft ausdehnte, es betraf – ich weiß nicht, ob es mir gelingen wird, mich mitzuteilen – das Wirkliche, das wir kennen, so, wie es geworden ist, und das Mögliche, das wir nicht kennen, sondern nur ahnden können – mit einer Trauer zuweilen, die wir aus überwältigendem Respect vor dem Wirklichen uns und anderen verhehlen und ins Unterste unseres Herzens verweisen. Was ist denn auch das Mögliche gegen das Wirkliche, und wer will es wagen, ein Wort einzulegen für jenes, da er Gefahr läuft, die Ehrfurcht vor diesem dadurch zu verletzen! Und doch scheint mir hier öfters eine Art von Ungerechtigkeit zu walten, erklärlich aus der Tatsache – o ja, man kann hier wohl von Tatsachen sprechen! –, daß das Wirkliche allen Raum einnimmt und alle Bewunderung auf sich zieht, da das Mögliche, als nicht geworden, nur ein Schemen ist und eine Ahndung des ,Wenn nun aber'. Wie muß man nicht fürchten, mit derlei ,Wenn nun aber' die Ehrfurcht vor dem Wirklichen zu verletzen, als welche ja zu einem guten Teil auf der Einsicht beruht, daß all Werk und Leben von Natur ein Product der Entsagung ist. Aber daß es das Mögliche gibt, wenn auch nur als Tatsache unserer Ahndung und Sehnsucht, als ,Wie nun erst' und als flüsternder Inbegriff dessen, was allenfalls hätte sein können, das ist das Wahrzeichen der Verkümmerung.«

»Ich bin und bleibe«, antwortete Charlotte mit abweisendem Kopfschütteln, »für Resolutheit und dafür, daß man sich rüstig ans Wirkliche halte, das Mögliche aber auf sich beruhen lasse.«

»Da ich die Ehre habe, hier mit Ihnen zu sitzen«, erwiderte der Kammerrat, »will es mir nicht ganz gelingen zu glauben, daß nicht auch Sie die Neigung kennen sollten, sich nach dem Möglichen umzusehen. Sie ist so begreiflich, dünkt mich, diese Neigung, denn gerade die Großheit des Wirklichen und Gewordenen ist es, die uns verführt, auch noch dem Verkümmert-Möglichen nachzuspeculieren. Das Wirkliche bietet große Dinge, natürlich, wie sollte es nicht, bei solchen Potenzen – da ging es auf alle Weise. Es ging auch so, und zwar herrlich genug, es war auch aus der Entsagung und der Untreue etwas zu machen. Doch wie nun erst, fragt sich der Mensch – und fragt sich in Anbetracht der herrscherlich prägenden Bedeutung von Werk und Leben für alles Leben und alle Zukunft mit Recht danach –, was hätte erst werden können und wieviel glücklicher wären vielleicht wir alle geworden, wenn die Idee des Verzichtes nicht maßgebend gewesen, das frühe Trennungsbild nicht gewesen wäre mit der Hand vom Pferde herunter und den unvergeßlichen Abschiedstränen. Es ist ja nur darum, und es geschah im Zusammenhang damit, daß ich mich fragte, ob Vater zu Carlsruhe vielleicht des nahen, noch ziemlich frischen Hügels im Badischen gedacht habe.«

»Man muß«, sagte Charlotte, »den Hochsinn schätzen, der sich des Möglichen annimmt gegen das Wirkliche, so sehr es – und gerade weil es so sehr – im Vorteil ist gegen jenes. Wir werden es wohl eine Frage müssen bleiben lassen, welchem von beiden der sittliche Vorrang gebührt: der Resolutheit oder Hochsinnigkeit. Leicht könnte da auch wieder Ungerechtigkeit unterlaufen, denn das Hochsinnige hat so viel Einnehmendes, da doch vielleicht die Resolutheit die reifere sittliche Stufe ist. Aber was rede ich? Es fließt mir heute so zu. Im ganzen ist es der Frauen Teil, sich bloß zu verwundern, was so ein Mann nicht alles, alles denken kann. Sie

aber könnten mein Sohn sein, den Jahren nach, und eine
tapfere Mutter läßt nicht ihren sich mühenden Sohn im Stich.
Daher meine Redseligkeit, die am Ende gar wider das Sitt-
sam-Weibliche verstößt. Wollen wir nun aber nicht doch dem
Möglichen Frieden gönnen unter seinem Hügel und uns wieder dem Wirklichen zuwenden, will sagen: der erfrischenden
Reise Ihres Vaters am Rheine und Maine? Ich hörte gern
noch mehr von der Gerbermühle; ist sie doch der Ort, wo
Goethe die Bekanntschaft zweier meiner Kinder machte.«

»Leider weiß ich von dieser Begegnung nichts zu berichten«, erwiderte August; »dagegen weiß ich, daß der Aufenthalt, wie sich das ganz selten nur im Leben ereignen will,
eine vollkommene Wiederholung, ja noch eine Steigerung des
Wohlseins brachte, das Vater beim erstenmal genossen hatte
– dank nämlich den gesellschaftlichen Gaben einer zierlichen
Hausfrau und der vollendeten Gastfreiheit des Wirtes, auf
dem Hintergrund wohlgeordnete Verhältnisse. Wieder glühte
der Mainstrom am würzigen Abend, und wieder sang die
zierliche Marianne zum Fortepiano Vaters Lieder. Diesmal
aber war er an solchen Abenden nicht nur ein Nehmender,
sondern auch ein reichlich Gebender; denn er ließ sich erbitten oder erbot sich auch wohl, aus seinem immer sich mehrenden Schatze von Suleika-Gesängen vorzulesen, die Hatem
an jene Rose des Ostens gerichtet, und die Gatten wußten die
Ehre dieser Mitteilungen wohl zu schätzen. Die junge Wirtin,
die keineswegs zu den Frauenzimmern zu gehören scheint,
welche sich nur darüber verwundern, was so ein Mann nicht
alles denken kann, ließ es ihrerseits nicht beim Nehmen bewenden, sondern brachte es in der Empfänglichkeit so weit,
daß sie die leidenschaftlichen Ansprachen in Suleika's Namen
geradezu ebenbürtig zu erwidern begann, und ihr Gatte hörte
dem Wechselgesang mit dem gastlichsten Wohlwollen zu.«

»Er ist gewiß ein wackerer Mann«, sagte Charlotte, »mit
gesundem Sinn für die Vorteile und Rechte des Wirklichen.
Das Ganze aber, bekannt, wie es mir vorkommt, scheint mir
eine gute Illustration für das zu sein, was Sie von der

Erinnerung sagten, die auf Wiederholung dringt. Und schließlich? Die fünf Wochen nahmen, versteht sich, ein Ende, und der große Gast entschwand?«

»Nach einem Mondschein-Abschiedsabend, ja, der reich war an Gesängen, und an dessen spätem Ende, wie ich unterrichtet bin, die junge Wirtin selbst in fast ungastlicher Weise zum Abschied drängte. Aber der Wiederholungswunsch wußte sich auch hier noch und abermals Genüge zu schaffen, indem es zu Heidelberg, wohin Vater sich gewandt hatte, zu einem aberneuen Wiedersehen kam. Denn das Ehepaar fand sich überraschend dort ein, und es gab einen überletzten Abschiedsabend im vollen Monde, bei welchem die kleine Frau zum freudigen Erstaunen des Gatten sowohl wie des Freundes ein Erwiderungsgedicht von solcher Schönheit zutage förderte, daß es ebensogut von Vater hätte sein können. Wir sollten uns wohl bedenken, ehe wir dem Wirklichen entschiedene Vorteile, überlegene Rechte zusprechen vor dem Poetischen. Die Lieder, die Vater damals in Heidelberg und nachher für seinen Persischen Divan dichtete, sind sie nicht die Krone des Wirklichen und das Allerwirklichste selbst? Ich habe den vertraulichen Vorzug, sie zu kennen und einige zu besitzen, früher als alle Welt. Beste Dame, sie sind von ungeheurer, von unaussprechlicher Merkwürdigkeit. Es gab nie dergleichen. Sie sind ganz der Vater, aber von einer völlig neuen, wieder einmal ganz unvermuteten Seite. Nenne ich sie geheimnisvoll, so bin ich zugleich genötigt, sie kindlich klar zu nennen. – Es ist – ja, wie es mitteilen – die Esoterik der Natur. Es ist das Persönlichste mit den Eigenschaften des Sterngewölbes, so daß das All ein Menschenantlitz gewinnt, das Ich aber mit Sternenaugen blickt. Wer will das aussagen! Immer gehen zwei Verse mir nach aus einem davon – hören Sie!«

Er recitierte mit zaghafter und wie erschrocken gesenkter Stimme:

> »Du beschämst wie Morgenröte
> Dieser Gipfel ernste Wand –«

»Was sagen Sie dazu?« fragte er, noch immer mit der erschrockenen Stimme. »Sagen Sie nichts, bevor ich hinzugefügt habe, daß auf die ‚Morgenröte‘ sein eigener gesegneter Name gereimt ist – das heißt, es steht ‚Hatem‘ da, aber durch die Maske des Unreims tönt schalkhaft-innig der ichvolle Reim hindurch: ‚Und noch einmal fühlet Hatem –‘ Wie mutet Sie das an? Wie berührt Sie diese sich feierlich ihrer bewußte Größe, von Jugend geküßt, von Jugend beschämt?« – Er wiederholte die Verse. »Welche Weichheit, mein Gott, und welche Majestät!« rief er. Und vornübergebeugt preßte der junge Goethe die Stirn in die flache Hand, deren Finger in seinen Locken wühlten.

»Es ist nicht zu bezweifeln«, sagte Charlotte mit Zurückhaltung, da ihr dieses leidenschaftliche Gebaren anstößiger war als sein früherer Jähzorn, »daß die öffentliche Welt Ihre Bewunderung teilen wird, wenn diese Collection einmal zutage tritt. Freilich wird noch so schalkhaft bedeutenden Poesien eine derart ausgreifende Weltwirksamkeit wohl niemals zuteil werden können wie einem noch dazu von eigener Jugend beschwingten Romanbuch. Man mag das beklagen, wenn man will. – Und die Wiederholungen? – Sie haben Ihre Frisur lädiert. Ich reiche Ihnen mein Kämmchen, wenn Sie wollen. Nein, es scheint, dieselben Finger, die sie zerstörten, können sie auch wiederherstellen. – Und mit den Wiederholungen also hatte es damit ein Ende?«

»Sie sollten ein Ende haben«, erwiderte August. »Diesen Sommer, nach Mutters Tode, war Vater recht sehr in Zweifel, wo er die Badecur brauchen solle. Wiesbaden? Töplitz? Carlsbad? Man merkte ihm wohl an, daß es ihn stark gen Westen, ins Rheinische zog, und es war, als wartete er auf ein Zeichen der günstigen Gottheit, die voriges Mal den Dämon des Krieges paralysiert, daß er seinem Hange folgen dürfe. Auch fand sich dergleichen. Sein Freund, der unterhaltende Zelter, reiste nach Wiesbaden und setzte ihm zu, ihm zu folgen. Er aber wollte das Zeichen nicht annehmen, nicht geradezu. ‚Sei es der Rhein‘, sagte er, ‚aber nicht Wiesbaden, sondern Baden-

Baden, wo der Weg denn doch einmal über Würzburg, nicht
über Frankfurt führt.' Gut denn, der Weg brauchte nicht just
über Frankfurt zu führen, um allenfalls auch dorthin zu
führen. Kurzum, am zwanzigsten Juli reiste Vater ab. Er
bestimmte Meyern, den Kunstprofessor, zu seinem Begleiter,
der darob nicht wenig strahlte und prahlte. Aber was geschieht? Zeigte jene so günstige Gottheit sich gar empfindlich
und spielte den Kobold? Zwei Stunden hinter Weimar wirft
der Wagen um –«

»Du meine Güte!«

»– und beide Insassen purzeln übereinander auf die mit
soviel Selbstbeherrschung gewählte Straße, wobei Meyer recht
blutig an der Nase verletzt wurde. Trotzdem denke ich nicht
an ihn, der für die Freuden der Eitelkeit bezahlen mochte.
Aber es ist beschämend, obgleich es auch wieder zu einer
peinlichen Heiterkeit reizt, sich die feierlich ihrer bewußte
Größe vorzustellen, wie sie, längst gewohnt, sich nur noch in
bedachter Gemessenheit zu bewegen, mit besudelten Kleidern und aufgelöster Kragenbinde in einem Straßengraben
krabbelt.«

Charlotte wiederholte:

»Um Gottes willen!«

»Es war nichts«, sagte August. »Das Mißgeschick, der
Schabernack, wie soll ich es nennen, lief vollkommen glimpf-
lich ab. Vater, für sein Teil ganz unverletzt, brachte Meyern,
dem er zu seinem Taschentuch auch das eigene herzlich geliehen, nach Weimar zurück und gab die Reise auf – nicht
bloß für diesen Sommer, sondern es scheint, daß er, durch das
Omen bestimmt, dem Rheinischen ein für allemal entsagt hat:
ich entnehme das seinen Äußerungen.«

»Und die Liedersammlung?«

»Was braucht die noch weiteren Antrieb durchs Rheinische!
Die wächst und gedeiht zum ungeheuer Merkwürdigsten
längst auch ohne dieses, ja vielleicht besser als mit ihm, – was
denn die freundliche Kobold-Gottheit im Grunde auch wohl
wußte. Vielleicht wollte sie die Lehre statuieren, daß gewisse

Dinge nur als Mittel zum Zweck erlaubt und gerechtfertigt sind.«

»Als Mittel zum Zweck!« sprach ihm Charlotte nach. »Kann ich die Redensart doch nicht ohne Beklemmung hören! Das Ehrenvolle vermischt sich darin mit dem Erniedrigenden auf eine Weise, daß niemand sie scheidet und niemand weiß, was für ein Gesicht er zu der Sache machen soll.«

»Und doch«, erwiderte August, »gibt es im Lebenskreis eines Herrschers, ob's nun ein guter oder ein böser Kaiser sei, gar vieles, was man zu dieser zweideutigen Kategorie zu zählen genötigt ist.«

»Wohl«, sagte sie. »Nur kann man auch alles so oder so beziehen; es kommt auf den Gesichtswinkel an. Und ein irgend resolutes Mittel wird denn auch wohl einen Zweck aus sich selber zu machen wissen. – Aber wie muß man Sie nicht«, setzte sie hinzu, »lieber Herr Kammerrat, um die vor-öffentliche Kenntnis jenes merkwürdigen Liederschatzes beneiden! Das ist ein wahrhaft schwindelnder Vorzug. Ihr Vater vertraut Ihnen vieles an?«

»Das mag man wohl sagen«, antwortete er mit kurzem Lachen, bei dem er seine kleinen, weißen Zähne zeigte. »Die Riemer und Meyer bilden sich zwar das Erdenkliche ein und wissen sich dies und das vor der Welt mit ihren Weihegraden, allein mit einem Sohn ist es denn doch immer noch ein ander Ding als mit solchen Zufallsadlaten – man ist von Natur und Stand zum Gehilfen und Repräsentanten berufen. Da fällt einem, sobald man nur irgend in Jahren ist, manche schickliche Negotiation und hausväterische Sorge zu, die von einer Würde zu entfernen sind, darin der Genius sich mit dem Alter verbindet. Es gibt die laufenden Wirtschaftsrechnungen, den Umgang mit liefernden Handelsleuten, die Stellvertretung bei den und den abzulegenden oder zu empfangenden Visiten und anderen Opportunitäten und Obliegenheiten dieser Art – ich erinnere mich nur an die Begräbnisse. Da ist die Custodenschaft über die wohlgeordneten und immerfort wachsenden Privatsammlungen, unser Mineralien- und Münzcabinett, den Augentrost von geschnittenen Steinen und Kupferstichen, und plötzlich will über Land gesprengt sein, weil irgendwo in einem Steinbruch ein wichtiger Quarz oder gar ein Fossil sich hervorgetan. O nein, der Kopf steht einem nicht leer. Sind Sie, Frau Hofrätin, allenfalls über die Verhältnisse in unserer Hoftheaterintendanz unterrichtet? Ich soll da jetzt beiträtig werden.«

»Beiträtig?« wiederholte sie fast entsetzt . . .

»Allerdings. Die Lage ist ja so, daß Vater zwar rangältester Minister ist, aber seit vielen Jahren, eigentlich schon seit seiner Rückkehr aus Italien, kein Geschäftsressort mehr verwaltet. Mit einiger Regelmäßigkeit befragen läßt er sich nur noch in Sachen der Universität Jena, aber schon Titel und Pflichten eines Curators würden ihn belästigen. Es waren im Grunde nur noch zwei Geschäfte, die er bis vor kurzem ständig versah: die Direction des Hoftheaters und die Oberaufsicht über die unmittelbaren Anstalten für Kunst und Wissenschaft, will sagen die Bibliotheken, die Zeichenschulen, den Botanischen Garten, die Sternwarte und die naturwissenschaftlichen Cabinette. Es sind das Anstalten ursprünglich fürstlicher Gründung und Unterstützung, müssen Sie wissen, und Vater besteht immer noch streng auf ihrer Unterscheidung und Abtrennung vom Landeseigentum, er lehnt es selbst theoretisch ab, irgendeinem andern Rechenschaft darüber zu schulden als Serenissimo, von dem allein er abhängig sein will, und kurz, Sie sehen, seine Oberaufsicht ist ein wenig ein Relict aus vergangenen Zeiten, er demonstriert damit gegen den neuen Verfassungsstaat, von dem er – ich gebrauche die Redensart mit Bedacht – nichts wissen will. Er ignoriert ihn, verstehen Sie.«

»Ganz leicht verstehe ich das. Er bleibt den alten Verhältnissen anhänglich, es liegt in seiner Natur und Gewohnheit, den herzoglichen Dienst als einen Dienst von Person zu Person zu verstehen.«

»Sehr wahr. Ich finde auch, daß es ihm wunderbar wohl ansteht. Was mich zuweilen etwas beunruhigen will – ich muß wohl Ihres Erstaunens gewärtig sein, daß ich mich Ihnen so vertraulich eröffne –, ist das Licht, das auf mich selber, seinen geborenen Adlaten, bei diesen Geschäften fällt. Denn ich muß manchen Weg machen an seiner Statt und manchen Auftrag verrichten, nach Jena reiten, wenn dort ein Bau im Gange ist, die Wünsche der Professoren einholen, und was nicht noch. Ich bin nicht zu jung dafür, ich bin siebenundzwanzig, stehe im Mannesalter. Aber ich bin zu jung für den Geist, worin es geschieht. Verstehen Sie mich recht, – ich besorge manchmal, in ein schiefes Licht zu geraten durch die Assistenz bei einer altmodischen Oberaufsicht, die sich nicht wohl vererben läßt, weil sie den Erben unzukömmlicher Weise gleichfalls zum Opponenten des neuen Staatsgeistes zu machen scheint . . .«

»Sie sind zu scrupulös, mein guter Herr Kammerrat. Ich möchte den sehen, der im Anblick so natürlich gegebener Hilfeleistungen auf verfängliche Gedanken käme. Und nun also werden Sie auch noch beiträtig werden bei der Leitung des Hoftheaters?«

»So ist es. Meine Vermittlung ist hier sogar am allernötigsten. Sie denken sich den Verdruß nicht aus, den Vater von jeher mit diesem scheinbar heitren Amt gehabt hat. Da sind die Torheiten und Anmaßungen der Komödianten, der Verfasser, ich will nur hinzufügen: des Publicums. Da ist die Rücksicht auf Launen und Ansprüche von Personen des Hofes, schlimmstenfalls solchen, die diesem und dem Theater zugleich angehören – ich habe, mit Respect zu melden, die schöne Jagemann im Auge, Frau von Heygendorf, deren Einfluß beim Herrn den seinen jederzeit ausstechen konnte. Kurz, das sind complicierte Verhältnisse. Dann war auch Vater von seiner Seite, man muß es zugeben, niemals ein Mann rechter Stetigkeit – in keiner Beziehung und auch in dieser nicht. Alljährlich war er viele Wochen der Spielzeit nicht da, auf Reisen, in Bädern, und kümmerte sich um das Spiel überhaupt nicht. Es war und ist in ihm gegen das Theater ein sonderbarer Wechsel von Eifer und Gleichgültigkeit, von

Passion und Geringschätzung, – er ist kein Theatermensch,
glauben Sie mir, wer ihn kennt, der weiß und versteht, daß
er mit dem Komödiantenvolk gar nicht umgehen kann, –
man muß, und stünde man noch so hoch über den Leutchen,
auf eine Weise von ihrer Art und ihrem Geblüte sein, um
mit ihnen zu leben und auszukommen, was man von Vater
nun wahrlich beim besten Willen nicht – aber genug! Ich
rede so ungern davon, als ich dran denke. Mit Mutter, da
war's etwas anderes, die wußte den Ton, die hatte Freunde
und Freundinnen unter ihnen, und ich war von klein auf
auch öfters dabei. Mutter und ich, wir hatten denn auch die
Brustwehr zu machen zwischen ihm und der Truppe, berich-
teten ihm und vermittelten. Aber schon früh auch nahm er
sich überdies einen Beamten vom Hofmarschallamt zum Gehilfen und Stellvertreter, Hofkammerrat Kirms, und sie
beide wieder zogen noch andere Personen hinzu, um sich
besser zu decken, und führten eine Collegialverwaltung ein,
die nun, unterm Großherzogtum, zur Hoftheaterintendanz
geworden ist; neben Vater gehören Kirms, Rat Kruse und
Graf Edling ihr an.«

»Graf Edling, hat er nicht eine Prinzessin aus der Moldau
zur Frau?«

»O, ich sehe, Sie sind ganz unterrichtet. Aber, glauben Sie
mir, Vater ist den drei andern oft im Wege. Es ist halb
lächerlich – sie stehen unter dem Druck einer Autorität, die
sie sich am Ende gefallen ließen, wenn sie nicht obendrein
spürten, daß diese Autorität sich im Grunde auch noch zu
gut weiß, um ausgeübt zu werden. Er selber stellt es so hin,
daß er zu alt sei für das Geschäft. Er möchte es abwerfen –
sein Freiheitsbedürfnis, sein Hang zum Privaten war eigentlich immer der stärkste – und mag sich doch wieder nicht
davon trennen. So ist der Gedanke denn aufgetaucht, mich
einzuschalten. Von Serenissimo selbst ist er ausgegangen. ‚Laß
Augusten eintreten‘, haben Dieselben gesagt, ‚so bist du dabei, alter Kerl, und hast doch deine Ruh’!‘«

»Sagt der Großherzog ‚alter Kerl‘ zu ihm?«

»Doch, so sagt er.«

»Und wie sagt Goethe?«

»Er sagt ‚Gnädigster Herr‘ und ‚Empfehle mich Durchlauchtigster Hoheit zu Gnaden‘. Es wäre nicht nötig, der Herzog lacht ihn öfters deswegen ein bißchen aus. – Eine unpassende Association kommt mir übrigens da, ich weiß es wohl, fällt mir aber eben ein und mag Sie auch wohl interessieren: daß nämlich Mutter immer ‚Sie‘ sagte zu Vater, er zu ihr aber ‚du‘.«

Charlotte schwieg. »Lassen Sie mich über dem curiosen Détail«, sagte sie dann, »– denn es ist curios, wenn auch rührend zugleich und im Grunde ganz wohl verständlich – meine Gratulation nicht vergessen zu der neuen Ernennung und Beiträtigkeit.«

»Meine Lage«, bemerkte er, »wird etwas delicat sein. Der Altersunterschied zwischen mir und den andern Herren der Intendanz ist beträchtlich. Und da soll ich nun unter ihnen jene Autorität vertreten, die sich zu gut weiß.«

»Ich halte mich überzeugt, daß Ihr Takt, Ihre Weltläufigkeit die Lage meistern werden.«

»Sie sind sehr gütig. Ennuyiere ich Sie mit der Aufzählung meiner Pflichten?«

»Ich höre nichts lieber.«

»Gar manche Correspondenz fällt mir zu, die hoher Würde nicht zu Gesichte stünde: die Schreibereien zum Beispiel im Kampf gegen die eklen Nachdrucke, die unsere Gesamtausgabe in zwanzig Bänden concurrenzieren, und dann, sehen Sie, gerade jetzt möchte Vater gern ehrenhalber von den Abzugsgeldern befreit sein, die er zu zahlen hätte, wenn er ein Capital, das noch von der Großmutter her auf Frankfurter Grundstücken steht, und das er in Frankfurt versteuern muß, unter Aufgabe seines Bürgerrechtes nach Weimar zöge. Zum Teufel, es sind fast dreitausend Gulden, die man ihm abziehen würde, und da sollicitiert er nun, daß die Stadt ihm die Auflage schenke, zumal er sie noch kürzlich in seiner Lebensbeschreibung so liebevoll geehrt. Zwar will er das

Bürgerrecht aufgeben, aber wie hat er nicht zuvor noch die
Vaterstadt geehrt und verewigt! Versteht sich, er kann darauf
nicht pochen und hinweisen, das läßt er mich machen, ich
führe den Briefwechsel, ich führe ihn mit Geduld und Schärfe
und habe nicht wenig Unmut davon. Denn was antwortet
man mir – und also doch ihm, vor den ich mich stelle? Die
Stadt bedeutet uns, daß der Erlaß des Abzuges einer Beraubung der übrigen Frankfurter Bürger gleichkäme. Was
sagen Sie dazu? Ist das nicht ein Zerrbild der Gerechtigkeit?
Ich bin nur froh, daß ich die Negotiation nicht mündlich zu
führen habe; ich stünde nicht für meine Ruhe und Höflichkeit
bei solchen Antworten. Allein, die Sache wird weiter betrieben, es ist noch nicht aller Tage Abend. Scharf und geduldig werde ich duplicieren, und schließlich werden wir
sowohl das Druckprivileg wie den Erlaß der Abzugssummen
erzielen, ich gebe mich eher nicht zufrieden. Vaters Ein-
kommen entspricht nicht seinem Genie. Es ist zeitweise nicht
gering, natürlich nicht, Cotta zahlt sechzehntausend Thaler
für die Gesamtausgabe, gut, das ist allenfalls angemessen.
Aber eine Stellung, ein Ruhm wie Vaters müßte ganz anders
sich realisieren lassen, ganz anders müßte eine so freigebig
beschenkte Menschheit dem Spender sich tributär erweisen
und der größte Mann auch der reichste sein. In England ...«

»Als praktische Frau und langjährige Hausmutter kann ich
Ihren Eifer nur loben, lieber Herr Kammerrat. Bedenken wir
aber, daß, wenn eine wirkliche Relation zwischen den Gaben
des Genies und ökonomischem Entgelt überall aufzustellen
und durchzuführen wäre – was nicht der Fall ist –, das schöne
Wort von der beschenkten Menschheit nicht mehr am Platze
wäre.«

»Ich räume die Incongruenz der Gebiete ein. Auch sehen
die Menschen es ja nicht gern, daß große Männer sich wie
ihresgleichen gebärden, und verlangen vom Genius, daß er
sich gegen weltlichen Vorteil edelmütig-gleichgültig verhalte.
Die Menschen kommen mir albern vor in ihrer egoistischen
Verehrungssucht. Ich habe sozusagen von Kindesbeinen an

unter großen Männern gelebt und fand, daß solche Gesinnung gar nicht zum Genius gehört – im Gegenteil, der hochfliegende Geist hat auch einen hochfliegenden Geschäftssinn, und Schillers Kopf steckte immer voll von pecuniarischen Speculationen, was auf Vater nicht einmal zutrifft, vielleicht weil sein Geist nicht dermaßen hochfliegend ist, und dann auch, weil er es nicht so nötig hatte. Aber als ‚Hermann und Dorothea‘ einen so schönen popularischen Erfolg hatte im Lande, sagte er zu Schiller, man sollte einmal ein Theaterstück in diesem gemütlichen Geiste schreiben, das im Triumph über sämtliche Bühnen gehen und ein großes Stück Geld bringen müßte, ohne daß es dem Autor gerade sonderlich ernst damit gewesen zu sein brauchte.«

»Nicht ernst?«

»Nicht ernst. Schiller fing auch gleich an, aus dem Stegreif ein solches Stück zu entwerfen, und Vater secundierte ihm munter dabei. Aber es wurde dann nichts daraus.«

»Doch eben wohl, weil es kein rechter Ernst damit war.«

»Das mag sein. Gleichwohl habe ich kürzlich einen Brief an Cotta ins Reine geschrieben, des Inhalts, man sollte doch die Zeitconjunctur der gegenwärtigen vaterländischen Erhebung benutzen, um ein Gedicht, das so artig damit harmoniere wie ‚Hermann und Dorothea‘, buchhändlerisch kräftiger zu propagieren.«

»Einen Brief Goethe's?« Charlotte schwieg einen Augenblick. »Da sieht man wieder«, sagte sie dann mit Nachdruck, »wie falsch es ist, ihm Entfremdung vom Zeitgeist nachzusagen.«

»Ach, der Zeitgeist«, erwiderte August geringschätzig. »Vater ist ihm weder entfremdet, noch ist er sein Partisan und Sklave. Er steht hoch über ihm und sieht von oben auf ihn herab, weshalb er ihn denn auch gelegentlich sogar vom mercantilischen Standpunkt zu betrachten vermag. Längst hat er sich vom Zeitlichen, Individuellen und Nationellen zum Immer-Menschlichen und Allgemein-Gültigen erhoben – das war es ja, wobei die Klopstock und Herder und Bürger

nicht mitkonnten. Aber nicht mitzukönnen, das ist nur halb
so schlimm, wie sich einzubilden, voran zu sein und über das
Zeitlos-Gültige hinaus zu sein. Und da sind nun unsere Ro-
mantiker, Neuchristen und neupatriotischen Schwarmgeister,
die glauben, weiter zu sein als Vater und das Neueste zu
repräsentieren im Reich des Geistes, das er nicht mehr verstünde, und in dem Publicum glaubt's mancher Esel auch.
Gibt es wohl auch etwas Elenderes als den Zeitgeist, der das
Ewige und Classische möchte überwunden haben? Aber Vater
gibt's ihnen, Sie können versichert sein, er gibt es ihnen unter
der Hand, ob er sich gleich die Miene gibt, als achtete er der
Beleidigungen nicht. Versteht sich, er ist zu weise und vornehm, sich in literarische Händel einzulassen. Aber unter der
Hand und für die Zukunft hält er sich schadlos – nicht nur
an den Gegnern und am Zeitgeist, sondern auch an der eigenen
Vornehmheit. Sehen Sie, er hat nie mögen die Welt vor den
Kopf stoßen und die ‚Mehrzahl guter Menschen‘, wie er sich
gnädig ausdrückt, verwirren. Aber insgeheim war er immer
ein anderer noch als der große Schickliche, als den das Öffentliche ihn kannte, – nicht artig und zugeständlich, sondern
unglaublich frei und kühn. Ich muß Ihnen das sagen: die
Leute sehen den Minister, den Höfling in ihm, und dabei
ist er die Kühnheit selbst – wie denn auch nicht? Hätte er den
‚Werther‘, den ‚Tasso‘, den ‚Meister‘ und all das Neue und
Ungeahnte riskiert ohne den Grundzug, die Liebe und Kraft
zum Verwegenen, von der ich ihn mehr als einmal habe sagen
hören, in ihnen recht eigentlich bestehe, was man Talent
nenne? Immer hatte er ein geheimes Archiv wunderlicher
Productionen: früher lagen da die Anfänge des ‚Faust‘ mit
‚Hanswurstens Hochzeit‘ und dem ‚Ewigen Juden‘ zusammen, aber auch heute fehlt's nicht an solchem Walpurgis-
beutel, verwegen-anstößig in mancherlei Hinsicht, wie zum
Exempel ein gewisses ‚Tagebuch‘-Gedicht, das ich behüte, nach
italienischem Muster geschrieben und hübsch gewagt in seiner
Mischung aus erotischer Moral und, mit Verlaub gesagt, Ob-
scönität. Ich hüte das alles mit Sorgfalt, die Nachwelt kann

sich darauf verlassen, daß ich acht habe auf alles, – an mich muß sie sich wohl halten, denn auf Vater selbst ist da wenig Verlaß. Sein Leichtsinn mit Manuscripten ist sträflich, es ist, als habe er gar nichts dagegen, daß sie verlorengingen, er gibt sie dem Zufall preis und schickt, wenn ich's nicht verhindere, das einzig vorhandene Exemplar nach Stuttgart. Da heißt es achtgeben und zusammenhalten: das Unveröffentlichte, nicht zu Veröffentlichende, die freien Heimlichkeiten, die Wahrheiten über seine lieben Deutschen, das Polemische, die Diatriben wider geistige Feinde und wider das Zeitlich-Närrische in Politik, Religion und Künsten ...«

»Ein treuer, ein guter Sohn«, sagte Charlotte. »Ich habe mich auf Ihre Bekanntschaft gefreut, lieber August – ich hatte mehr Grund dazu, als ich wußte. Die Mutter, die alte Frau, die ich bin, muß aufs angenehmste berührt sein von dieser schönen, fürsorglichen Ergebenheit der Jugend ans Väterliche, diesem unverbrüchlichen Zusammenstehen mit ihm gegen das respectlos Nachrückende, das ihres Alters ist. Man kann dafür nichts als Lob und Dank haben ...«

»Ich verdiene sie nicht«, erwiderte der Kammerrat. »Was kann ich meinem Vater sein? Ich bin ein aufs Praktische gestellter Durchschnittsmensch und bei weitem nicht geistreich und gelehrt genug, ihn zu unterhalten. Tatsächlich bin ich nicht viel mit ihm zusammen. Mich innerlich zu ihm zu bekennen und seine Interessen zu wahren, ist das wenigste, was ich tun kann, und es beschämt mich, dafür Lob zu empfangen. Auch unsere teuere Frau von Schiller ist immer beschämend gut und liebevoll zu mir, weil ich in der Literatur einer Meinung mit ihr bin – als sei ein Verdienst dabei, als sei es nicht einfach eine Sache des eigenen Stolzes, daß ich treu bei Schiller und Goethe bleibe, da andere junge Leute sich in neueren Moden gefallen mögen.«

»Weiß ich doch«, versetzte Charlotte, »kaum etwas von diesen neueren Moden und nehme an, daß meine Jahre mich vom Verständnis dafür ausschließen würden. Es soll da fromme Maler und scurrile Schriftsteller geben – genug, ich

kenne sie nicht und sorge mich nicht ob dieser Unkenntnis,
denn daß ihre Anerbietungen den Werken nicht gleichkom-
men, die zu meiner Zeit entstanden und die Welt eroberten,
ist mir gewiß. Immerhin ließe sich sagen, daß sie das große
Alte nicht zu erreichen brauchen, um es in gewissem Sinn
dennoch zu übertreffen – verstehen Sie mich recht, ich bin
nicht die Frau, Paradoxe zu machen, ich meine das Übertreffen einfach so, daß diese neuen Dinge Zeit und Gegenwart
für sich haben, deren Ausdruck sie sind, so daß sie den Kindern der Zeit, der Jugend, unmittelbarer und beglückender
zum Herzen sprechen. Aufs Glücklichsein aber schließlich
kommt's an.«

»Und darauf«, antwortete August, »worin man es findet,
das Glück. Etliche suchen und finden es nur im Stolze, in der
Ehre und Pflicht.«

»Gut, vortrefflich. Und doch hat die Erfahrung mich gelehrt, daß ein Leben der Pflicht und des Dienstes an anderen
öfters eine gewisse Herbigkeit zeitigt und der Leutseligkeit
nicht zuträglich ist. Mit Frau von Schiller verbindet Sie, wie
es scheint, ein Verhältnis der Freundschaft und des Vertrauens?«

»Ich will mich eines Wohlwollens nicht rühmen, das ich
nicht meinen Eigenschaften, sondern meinen Gesinnungen zu
danken habe.«

»O, das hängt wohl zusammen. Mich will fast Eifersucht
ankommen, da ich den Platz der stellvertretenden Mutter,
auf den ich ein wenig ambitioniere, besetzt finde. Verzeihen
Sie mir, wenn ich mir trotzdem die mütterliche Anteilnahme
nicht ganz verwehren lasse und frage: Haben Sie wohl auch
unter Personen, die Ihnen dem Alter nach näherstehen als
Schillers Witwe, den einen oder andern Freund und Vertrauten?«

Sie neigte sich gegen ihn bei diesen Worten. August sah sie
mit einem Blicke an, in dem Dankbarkeit und verlegene Scheu
sich mischten. Es war ein weicher, trüber, trauriger Blick.

»Das hat sich«, antwortete er, »freilich nie so recht fügen

und geben wollen. Wir berührten's ja schon, daß unter meinen Altersgenossen sich so mancherlei Gesinnungen und Strebungen hervortun, die einem reinen Vernehmen im Wege sind und zu immerwährenden Accrochements führen würden, ohne die Zurückhaltung, die ich mir auferlege. Die Zeitläufte, finde ich, verdienen als Motto gar sehr den lateinischen Spruch von der siegreichen Sache, die den Göttern – und der besiegten, die dem Cato gefallen hat. Ich leugne nicht, daß ich dem Verse seit langem die gefühlteste Sympathie entgegenbringe – der heiteren Gefaßtheit wegen, womit die Vernunft sich darin ihre Würde salviert gegen die Entscheidung des blinden Schicksals. Dies ist das Seltenste auf Erden; das Gemeine ist eine schamlose Untreue gegen die causa victa und ein Capitulieren vor dem Erfolge, das mich erbittert wie nichts auf der Welt! Ach die Menschen! Welche Verachtung hat die Epoche uns lehren können für die Lakaienhaftigkeit ihrer Seelen. Vor drei Jahren, anno dreizehn, im Sommer, als wir Vater bewogen hatten, nach Töplitz zu gehen, war ich in Dresden, das damals von den Franzosen besetzt war. Die Bürger feierten folglich den Napoléonstag mit Fensterbeleuchtung und Feuerwerk. Im April noch hatten sie den Majestäten von Preußen und Rußland mit weißgekleideten Jungfrauen und Illumination gehuldigt. Und der Wetterhahn brauchte sich nur aufs neue zu drehen ... Es ist gar zu erbärmlich. Wie soll sich denn auch ein junger Mensch den Glauben an die Menschheit bewahren, wenn er die Verräterei der deutschen Fürsten erlebt hat, die Felonie der berühmten französischen Marschälle, die ihren Kaiser in der Not verließen ...«

»Sollte man sich auch wohl erbittern, mein Freund, über das, was gar nicht anders sein kann, und gleich den Glauben an die Menschheit über Bord werfen, wenn Menschen sich wie Menschen benehmen – nun gar gegen einen Unmenschen? Treue ist gut und mit dem Erfolge zu laufen nicht schön; aber ein Mann wie Bonaparte steht und fällt nun freilich einmal mit dem Erfolge. Sie sind sehr jung, aber mütterlich wünschte ich Ihnen, Sie möchten sich an dem Verhalten Ihres

großen Vaters ein Beispiel nehmen, der damals am Rheine
oder Maine die Feuer zum Gedenken der Leipziger Schlacht
so heiter genoß und es ganz natürlich fand, daß, was dem
Abgrund kühn entstiegen, schließlich doch zum Abgrund
zurück müsse.«

»Er hat aber nicht geduldet, daß ich gegen den Mann des
Abgrundes zu Felde zöge. Und, lassen Sie mich das hinzufügen, er hat mir väterliche Ehre damit erwiesen; denn die
Jünglingsart, die sich dazu drängte und dafür paßte, die
kenne ich und verachte sie aus Herzensgrund – diese Laffen
vom preußischen Tugendbund, diese begeisterten Esel und
Hohlköpfe in ihrer schmucken Dutzendmännlichkeit, deren
platten Burschenjargon ich nicht hören kann, ohne vor Wut
zu zittern . . .«

»Mein Freund, ich mische mich nicht in die politischen
Streitfragen der Zeit. Aber lassen Sie mich's gestehen, daß
Ihre Worte mich auf eine Weise traurig machen. Vielleicht
sollte ich mich freuen, wie die liebe Schillern es tut, daß Sie
zu uns Alten stehen, und doch will es mich schmerzlich, mich
schreckhaft berühren, wie die leidige Politik Sie von Ihren
Altersbrüdern, Ihrer Generation isoliert.«

»Ist doch«, erwiderte August, »die Politik ihrerseits nichts
Isoliertes, sondern steht in hundert Bezügen, mit denen sie
ein Ganzes und Untrennbares an Gesinnung, Glauben und
Willensmeinung bildet. Sie ist in allem übrigen enthalten und
gebunden, im Sittlichen, Ästhetischen, scheinbar nur Geistigen und Philosophischen, und glücklich die Zeiten, wann sie,
ihrer unbewußt, im Stande gebundener Unschuld verharrt,
wann nichts und niemand, außer ihren engsten Adepten,
ihre Sprache spricht. In solchen vermeintlich unpolitischen
Perioden – ich möchte sie Perioden politischer Latenz nennen – ist es möglich, das Schöne frei und unabhängig von
der Politik, womit es in stiller, doch unverbrüchlicher Entsprechung steht, zu lieben und zu bewundern. Es ist leider
nicht unser Los, in einer so milden, Duldung gewährenden
Zeit zu leben. Die unsrige hat ein scharfes Licht von unerbitt-

licher Deutlichkeit und läßt in jedem Dinge, jeder Menschlichkeit, jeder Schönheit die ihr inhärente Politik aufbrechen und manifest werden. Ich bin der letzte, zu leugnen, daß daraus mancher Schmerz und Verlust, manche bittere Trennung entsteht.«

»Was besagen will, daß Sie nicht unbekannt mit solchen Bitternissen geblieben sind?«

»Allenfalls«, sagte der junge Goethe nach kurzem Schweigen, indem er auf die wippende Spitze seiner Stiefelette niederblickte.

»Und würden Sie wohl wie ein Sohn zur Mutter davon sprechen mögen?«

»Es ist Ihre Güte«, erwiderte er, »die mir schon das Allgemeine entlockt hat; warum sollte ich nicht das Besondere hinzufügen? Ich kannte einen Jüngling, etwas älter als ich, den ich mir zum Freunde gewünscht hätte: von Arnim mit Namen, Achim von Arnim, aus preußischem Adel, sehr schön von Person, sein ritterlich froh enthusiastisches Bild drückte sich schon früh in meine Seele ein und blieb ihr gegenwärtig, ob ich ihn gleich immer nur sporadisch, in längeren Abständen wiedersah. Ich war noch ein Knabe, als er erstmals in meinen Gesichtskreis trat. Es war in Göttingen, wohin ich meinen Vater hatte begleiten dürfen, und wo der Student sich uns heiter bemerkbar machte, indem er, am Abend nach unserer Ankunft, auf der Straße ein Vivat auf Vater ausbrachte. Seine Erscheinung konnte den lebhaft-angenehmsten Eindruck auf uns ausüben, und der Zwölfjährige vergaß sie nicht, weder im Träumen noch im Wachen.

Vier Jahre später kam er nach Weimar, kein Unbekannter mehr im poetischen Reich: der romantisch-altdeutschen Geschmacksrichtung mit geistreicher Schwärmerei, oder sage ich: mit gemütvollem Witze hingegeben, hatte er unterdessen, in Heidelberg, zusammen mit Clemens Brentano, jenen Volksliederschatz, genannt ,Des Knaben Wunderhorn‘, gesammelt und an Tag gegeben, welchen die Zeit mit Rührung und Dankbarkeit aufnahm – war doch die Compilation aus ihren eigensten Neigungen geboren. Der Verfasser legte Besuch ab bei meinem Vater, herzlich belobt von diesem für seinen und seines Genossen reizvollen Beitrag, und wir Jungen schlossen uns aneinander. Es waren glückliche Wochen. Niemals bin ich froher gewesen, meines Vaters Sohn zu sein, als damals um seinetwillen, da es den Nachteil an Jahren, Ausbildung, Verdiensten wettmachte, worin ich gegen ihn stand, und mir seine Aufmerksamkeit, seine Achtung und Freundschaft zuwandte. Es war Winter. In allen Leibeskünsten geschickt, auch hierin dem Jüngeren sonst weit überlegen, konnte er, zu meiner Wonne, in einer doch bei mir in die Schule gehen: er lief nicht Schlittschuh, ich durfte es ihn lehren, und diese Stunden frischer Regung, in denen ich es dem Bewunderten zuvortun, ihn unterweisen konnte, waren die glücklichsten, die mir das Leben gebracht hat – ich erwarte, offen gestanden, keine glücklicheren von ihm.

Abermals vergingen drei Jahre, bis ich Arnimen wieder begegnete – in Heidelberg, wohin ich anno acht als Student der Rechte kam, wohl empfohlen an mehrere ansehnliche und geistreiche Häuser, vor allem an das des berühmten Johann Heinrich Voß, des Homeriden, mit welchem Vater seit seinen Jenaer Tagen befreundet war, und dessen Sohn Heinrich zu Zeiten den Doktor Riemer bei uns als Hauslehrer vertreten hatte. Ich will nur gestehen, daß ich Voß den Jüngeren nicht sonderlich liebte; die vergötternde Hingabe, die er meinem Vater widmete, langweilte mich eher, als daß sie mich ihm gewonnen hätte; ich muß ihn eine zugleich enthusiastische und langweilige Natur nennen (diese Mischung kommt vor), und ein Lippenleiden, das ihn noch zu der Zeit, als ich in Heidelberg eintraf, hinderte, seine akademischen Vorlesungen abzuhalten, machte ihn nicht eben anziehender. – In seinem Vater, dem Rector von Eutin, dem Dichter der ‚Luise', tat eine andere Zusammengesetztheit des Charakters sich hervor: es war die von Idyllik und Polemik. Die häuslich-gemütlichste Natur, gehegt und gepflegt von der wackersten Gattin und Hausmutter, war er im Öffentlichen, Gelehrten und Literarischen

ein Kampfhahn, der außerordentlich den Federkrieg, die
Disputation, die scharfen Aufsätze liebte und beständig in
frohem und verjüngendem Zorn gegen Gesinnungen zu Felde
zog, welche einem aufgeklärten Protestantismus, der antikisch
klaren Menschlichkeit, die er meinte, zuwider waren. – Das
Vossische Haus also, meinem Vaterhause nahe befreundet,
war mir in Heidelberg ein zweites Vaterhaus und ich ihm ein
zweiter Sohn.

So war es nicht nur ein freudig Erschrecken, sondern auch
Betroffenheit und Bedenklichkeit, die mich ankamen, als ich,
schon bald nach meiner Ankunft, dem Schwarmbilde meiner
Knabenzeit, dem Genossen frischer Winterlust, auf der Straße
von ungefähr in die Arme lief. Ich hatte auf die Begegnung
gefaßt sein dürfen oder müssen und in der Tiefe meiner Seele
stündlich mit ihr gerechnet, denn ich wußte, daß Arnim hier
lebte, daß er hier seine ‚Zeitung für Einsiedler', ein witzig
verträumtes und rückgewandtes Organ, die Stimme der neuen
romantischen Generation, herausförderte, und wenn ich mich
recht prüfte, mußte ich mir gestehen, daß eben dies mein
erster, heimlicher Gedanke gewesen war, als man mir Heidelberg zum Schauplatz meiner Fuchsenzeit bestimmt hatte. Wie
nun der Freund vor mir stand, beengten mich Glück und Verlegenheit, und ich glaube wohl, daß ich rot und blaß wurde
vor ihm. Aller Zwiespalt und Parteihader der Zeit und ihrer
nebeneinander wohnenden Geschlechter fiel mir aufs Gewissen.
Ich wußte wohl, wie man bei Vossens über den frommen,
verschönenden Cultus der Vorzeit, der deutschen und christlichen, dachte, als dessen Repräsentant Arnim sich mehr und
mehr hervorgetan hatte. Ich fühlte auch, daß die Zeiten freier
Kindheit, da ich mich in Unschuld hatte zwischen den Lagern
bewegen dürfen, vorüber seien, und die Herzlichkeit, mit der
jener, schöner und ritterlicher von Erscheinung als je, die Bekanntschaft mit mir wieder aufnahm, beseligte und verstörte
mich auf gleiche Weise. Er ergriff meinen Arm und nahm mich
mit sich zum Buchhändler Zimmer, wo er seinen Tisch hatte;
aber obgleich ich ihm anfangs einiges über Bettina Brentano

zu berichten hatte, die ich kürzlich zu Frankfurt bei meiner
Großmutter oft gesehen, half sich doch bald ein stockendes
Gespräch nur mühsam weiter, und ich litt schwer darunter,
ihm den Eindruck unjugendlicher Stumpfheit erwecken zu
müssen, der sich denn schließlich in seinen Blicken, seinem
unwillkürlichen Kopfschütteln zu meiner Verzweiflung unverhohlen kundtat.

In den Händedruck, mit dem ich mich von ihm verabschiedete, suchte ich etwas von dieser Verzweiflung und von der
Sehnsucht zu legen, ihm die Zärtlichkeit, die mein Knaben-
herz für ihn gehegt, bewahren zu dürfen. Bei Vossens aber,
denselben Abend noch, konnte ich nicht umhin, von der Begegnung Bericht abzulegen, und fand die Lage schlimmer, als
ich sie mir vorstellte. Der Alte war im Begriffe, gegen ,diesen
Burschen‘, wie er sich ausdrückte, diesen ,Jugendverderber
und dunkelmännischen Beschöniger des Mittelalters‘ literarisch
vom Leder zu ziehen und eine Streitschrift gegen ihn loszu-
lassen, die ihm, so hoffte er, Aufenthalt und Wirksamkeit in
Heidelberg verleiden werde. Sein Haß auf das tückisch-
spielerische, verführerisch-widersacherische Treiben der romantischen Literatoren entlud sich in polternden Worten.
Er nannte sie Gaukler ohne wahren historischen Sinn, ohne
philosophisches Gewissen und von verlogener Pietät, da sie
die alten Texte, die sie ans Licht zögen, frech verfälschten,
unter dem Vorgeben, sie zu verjüngen. Vergebens wandte ich
ein, daß Vater doch einst das ,Wunderhorn‘ sehr freundlich
aufgenommen habe. Von seiner gleichmütigen Güte abgesehen, versetzte Voß, ehre und schätze mein Vater die Folklore
und jedwedes Nationelle in einem ganz anderen Sinne und
Geist als jene deutschtümelnden Poetaster. Im übrigen stehe
sein alter Freund und Gönner ganz ebenso wie er zu diesen
patriotischen Frömmlern und Neokatholiken, deren Verherrlichung des Vergangenen nichts als eine tückische An-
schwärzung der Gegenwart, und deren Verehrung für den
großen Mann höchst unrein sei, da sie einzig darauf abziele,
ihn auszubeuten und ihren Zwecken vorzuspannen. Kurzum,

wenn mir an seiner, des Rectors, väterlicher Freundschaft und seiner Liebe und Fürsorge irgend gelegen sei, so hätte ich mich jedes Umganges und Wiedersehens mit Arnimen strict zu entschlagen.

Was soll ich Ihnen weiter sagen? Ich hatte zu wählen zwischen diesem würdigen Mann, den alten Freunden des Vaterhauses, die mir ein Heim in der Fremde boten, und dem abenteuerlichen Glück einer verbotenen Freundschaft. Ich resignierte. An Arnimen schrieb ich, daß der Platz, den ich nach Geburt und eigener Überzeugung in den Parteiungen der Zeit einnähme, es mir verwehre, ihn wiederzusehen. Es war eine Knabenträne, die das Papier dieses Briefes netzte, und sie zeigte mir, daß die Neigung, der ich nun absagte, einer Lebensepoche angehörte, der ich entwachsen war. Ich suchte und fand Entschädigung in der brüderlichen Verbindung mit Heinrichen, dem jüngeren Voß, über dessen Langweiligkeit und Lippenleiden mir die Gewißheit hinweghalf, daß seine Begeisterung für Vater rein von aller Verschmitztheit war.« –

Charlotte ließ es sich angelegen sein, dem Erzähler für diese kleine Beichte zu danken und ihn ihrer Teilnahme zu versichern an einer Prüfung, die er, so dürfe man sagen, wie ein Mann bestanden habe. »Wie ein Mann«, wiederholte sie. »Es ist eine recht männliche Geschichte, die Sie mir da vertrauten, aus einer Männerwelt, will sagen einer Welt der Principien und der Unerbittlichkeit, vor der wir anderen Frauen denn doch immer mit halb respectvollem, halb lächelndem Kopfschütteln stehen. Wir sind Kinder der Natur und der Toleranz im Vergleiche mit euch Gestrengen, und ich fürchte, wir kommen euch dessentwegen manchmal wie elbische Wesen vor. Ob nicht aber ein gut Teil der Anziehung, die unser armes Geschlecht auf euch ausübt, sich aus der Erholung vom Principiellen erklärt, die ihr bei uns findet? Wenn wir euch sonst gefallen, pflegt euere Principienstrenge ein Auge zuzudrücken, sie pflegt sich dann als wenig stichhaltig zu erweisen, und die Geschichte der Empfindsamkeit lehrt, daß alte Familien- und Ehrenzwiste, hergebrachte Gegnerschaft der Gesinnungen und so fort durchaus kein Hindernis bilden für unzerstörbar leidenschaftliche Herzensbedürfnisse zwischen den Kindern solcher ungleichen Überlieferung, ja daß dergleichen Hindernisse dem Herzen gar noch ein Anreiz sind, ihnen ein Schnippchen zu schlagen und seine eigenen Wege zu gehen.«

»Das mag denn eben wohl sein«, sagte August, »wodurch die Liebe sich von der Freundschaft unterscheidet.«

»Gewiß. Und nun lassen Sie mich fragen ... Es ist eine mütterliche Frage. Sie haben mir von einer verhinderten Freundschaft berichtet. Geliebt – haben Sie niemals?«

Der Kammerrat blickte zu Boden und wieder zu ihr auf.

»Ich liebe«, sagte er leise.

Charlotte schwieg mit dem Ausdruck von Bewegtheit.

»Ihr Vertrauen«, sagte sie, »rührt mich ebensosehr wie der Inhalt dieser Nachricht. Offenheit gegen Offenheit! Ich will Ihnen gestehen, warum ich mich zu der Frage entschloß. August, Sie haben mir von Ihrem Leben erzählt, Ihrem so lobenswerten, so bevorzugten, so hingebungsvollen Sohnesleben – wie Sie Ihrem lieben, großen Vater ein so treuer Helfer sind, seine Wege machen, seine Schriften hüten, den Prellbock abgeben zwischen ihm und der Welt der Geschäfte. Sie sollen nicht glauben, daß ich, die schließlich auch weiß, was Opfer ist und Verzicht, ein solches Leben selbstlosen Liebesdienstes nicht sittlich zu schätzen wüßte. Und doch, daß ich's nur sage, waren die Gefühle, mit denen ich Ihnen zuhörte, nicht ganz ungemischt. Es schlich sich etwas wie Sorge, wie Ängstlichkeit und Unzufriedenheit zwischen sie hinein, ein Widerstreben, wie man es gegen das nicht recht Natürliche, nicht recht Gottgewollte empfindet. Ich meine, Gott hat uns nicht geschaffen – er hat uns das Leben nicht gegeben, damit wir uns seiner entäußern und es in einem anderen, sei es auch das teuerste und erhabenste, gänzlich aufgehen lassen. Unser eigenes Leben sollen wir führen – nicht in Selbstsucht und indem wir andere nur als Mittel dazu betrachten, aber doch auch nicht in Selbstlosigkeit, sondern selbständig und aus eigenem Sinn, in vernünftigem Ausgleich unserer Pflichten

gegen andere und gegen uns selbst. Habe ich nicht recht? Es
ist unsere Seele nicht – es ist nicht einmal durchaus unserer
Güte und Milde zuträglich, nur für andere zu leben. Gerade
heraus, ich wäre glücklicher gewesen, wenn ich aus Ihren
Mitteilungen einige Zeichen einer vorhabenden Emancipation
und Verselbständigung vom Vaterhause hätte ablesen können,
wie sie Ihren Jahren wohl zukäme. Sie sollten einen eigenen
Hausstand begründen, sollten heiraten, August.«

»Ich gedenke in den Stand der Ehe zu treten«, sagte der
Kammerrat mit einer Verbeugung.

»Vortrefflich!« rief sie. »Ich rede mit einem Bräutigam?«

»Das ist vielleicht zuviel gesagt. Wenigstens ist die Sache
noch nicht public.«

»Ich bin jedenfalls hocherfreut – und sollte Ihnen böse sein,
daß Sie mir erst jetzt Gelegenheit geben, meine Glückwünsche
anzubringen. Ich darf wissen, wer die Erwählte ist?«

»Ein Fräulein von Pogwisch.«

»Mit Vornamen –?«

»Ottilie.«

»Wie reizend! Es ist wie im Roman. Und ich bin dazu die
Tante Charlotte.«

»Sagen Sie nicht Tante; sie könnte Ihre Tochter sein«, erwiderte August, wobei der Blick, mit dem er sie betrachtete,
nicht nur starr, sondern eigentümlich glasig wurde.

Sie erschrak und errötete. »Meine Tochter ... Was fällt
Ihnen ein«, stammelte sie, von einem Gefühl der Spukhaftig-
keit angerührt bei der Wiederkehr dieses Wortes und dem
Blick, der es begleitete, und der den Eindruck machte, als
sei es ohne Willen und Bewußtsein, aus der Tiefe gesprochen
worden.

»Aber ja!« beteuerte er, indem er sich in heitere Bewegung
setzte. »Ich scherze nicht oder nur wenig, ich spreche übrigens
nicht von Ähnlichkeit, die wäre freilich mysteriös, sondern
von Verwandtschaft, und die kommt in der Welt millionen-
fach vor. Offenkundig, Frau Hofrätin, gehören Sie zu den
Personen, deren Grundbilde die Jahre wenig anhaben können,

die sich in der Zeit wenig verändern, oder richtiger, deren reifere Erscheinung für ihr Jugendbild besonders durchsichtig bleibt. Ich bin nicht so dreist, Ihnen zu sagen, daß Sie aussehen wie ein junges Mädchen, aber man muß nicht das Zweite Gesicht haben, um durch die Hülle der Würde ganz leicht des jungen Mädchens, beinahe des Schulmädels gewahr zu werden, das Sie einst waren, und alles, was ich behaupte, ist, daß dieses junge Mädchen Ottiliens Schwester sein könnte, woraus denn mit mathematischer Schlüssigkeit folgt oder vielmehr: womit zusammenfällt, was ich behauptete, nämlich, daß sie – Ihre Tochter sein könnte. Was ist Ähnlichkeit! Ich behaupte keine Gleichheit der Einzelzüge, sondern die Schwesterlichkeit der Gesamterscheinung, die Identität des Typus, dies allem Junonischen Ferne, dies Leichte, Liebliche, Zierliche, Zärtliche – das ist es, was ich das Schwesterliche, das Töchterliche nenne.«

War es eine Art von Nachahmung, von Ansteckung? Charlotte sah den jungen Goethe mit demselben starr gewordenen und etwas gläsernen Blick an, den er vorhin auf sie gerichtet hatte.

»Von Pogwisch – von Pogwisch –«, wiederholte sie mechanisch. Und dann fiel ihr ein, daß sie über Charakter und Herkunft des Namens nachgedacht haben könnte. »Das ist preußischer Adel, Schwertadel, Officiersadel, nicht wahr?« fragte sie. »Diese Verbindung wird also etwas sein wie die von Leyer und Schwert. Ich achte den Geist des preußisch-militärischen Menschenschlages aufrichtig. Wenn ich sagte: Geist, so meine ich Gesinnung, Zucht, Ehrliebe, Vaterlandsliebe. Wir verdanken diesen Eigenschaften unsere Befreiung vom Joch der Fremden. In diesem Geist, dieser Überlieferung ist Ihre Verlobte – wenn ich ihr diesen Namen denn geben darf – also aufgewachsen. Ich überlege, daß sie unter diesen Umständen nicht gerade eine Bewundrerin des Rheinbundes, eine Anhängerin Bonaparte's sein wird.«

»Diese Fragen« erwiderte August ablehnend, »sind ja durch den Gang der Geschichte überholt und beigelegt.«

»Gottlob!« sagte sie. »Und die Verbindung erfreut sich der Gönnerschaft, der väterlichen Zustimmung Goethe's?«

»Vollkommen. Er ist der Meinung, daß sie die entschiedensten Aussichten eröffnet.«

»Aber er wird Sie verlieren – oder doch viel von Ihnen. Erinnern Sie sich, ich habe Ihnen die eigene Lebensgründung eben noch selber angeraten! Wenn ich mich nun aber in meinen alten Jugendfreund, unsern teuern Geheimen Rat versetze – er wird des vertrauten Helfers, des trefflichen Commissionärs verlustig gehen, wenn Sie das Haus verlassen.«

»Es ist an nichts dergleichen gedacht«, erwiderte August, »und nichts, zu Ihrer Beruhigung sei es gesagt, wird sich zum Nachteil meines Vaters verändern. Er verliert den Sohn nicht, indem er eine Tochter gewinnt. Es ist vorgesehen, daß wir die bisherigen Gastzimmer droben im zweiten Obergeschoß beziehen – es sind allerliebste Stuben mit dem Blick auf den Frauenplan. Aber Ottiliens Reich wird, versteht sich, nicht auf sie beschränkt sein; sie wird auch in den darunter gelegenen Gesellschaftsräumen walten als Dame des Hauses. Daß das Haus wieder ein weibliches Oberhaupt, – daß es endlich eine Herrin bekommt, ist ja nicht der letzte Gesichtspunkt, unter dem meine Heirat für begrüßenswert gilt.«

»Ich verstehe – und kann mich nur wundern, wie meine Gefühle schwanken. Eben noch war ich besorgt für den Vater und bin es auf einmal nun wieder für den Sohn. Meine Wünsche für diesen erfüllen sich auf eine Weise, die, ich will es nur gestehen, manches von einer Enttäuschung, von einer Nichterfüllung hat, – eben weil eine Beruhigung von wegen des Vaters damit verbunden ist. Ich bin nicht sicher, ob ich Sie recht verstand: Sie haben das Wort Ihrer Erkorenen?«

»Es ist«, erwiderte August, »einer der Fälle, in denen es der Worte am Ende nicht mehr bedarf.«

»Nicht einmal bedarf? Der Worte – der Worte. Sie entwerten, mein Freund, ein feierlich Ding, indem Sie es in die

Mehrzahl versetzen. Das Wort, mein Lieber, das ist etwas anderes als Worte, das will gesprochen sein – und zwar nach reiflicher Überlegung, nach sorglichstem Zögern. Drum prüfe, wer sich ewig bindet. Sie lieben, Sie haben es mir alten Frau, die Ihre Mutter sein könnte, zu meiner tiefen Rührung gestanden. Daß Sie wiedergeliebt werden – ich zweifle nicht daran. Ihre angeborenen Verdienste bieten mir dafür die einleuchtendste Gewähr. Wonach ich mich aber mit einer gewissen mütterlichen Eifersucht frage, ist, ob Sie wahrhaft und nur um Ihrer eigensten Eigenschaften willen, ganz als Sie selbst geliebt werden. Als ich jung war, habe ich mich oft mit Schrecken in die Seele reicher und darum vielumworbener junger Mädchen versetzt, die zwar in der glücklichen Lage sind, nach Belieben unter des Landes Jünglingen zu wählen, aber niemals ganz sicher sein können, ob die Huldigungen, die sie empfangen, ihnen selbst oder ihrem Gelde gelten. Nehmen Sie irgendeinen körperlichen Mangel, ein Schielen, ein Hinken, eine kleine Verwachsenheit hinzu, und Sie denken sich ganze Tragödien aus, die sich in der Seele eines solchen unselig gesegneten Geschöpfes abspielen, – Tragödien des Schwankens zwischen der Sehnsucht zu glauben und nagendem Zweifel. Mir schauderte, wenn ich daran dachte, daß solche Wesen zu der Frivolität gelangen müssen, ihren Reichtum als persönliche Eigenschaft aufzufassen und sich zu sagen: Liebt er auch nur mein Geld, so ist dieses doch mein und unabtrennbar von mir, es kommt für mein Hinken auf, und also liebt er mich trotz meinem Hinken ... Ach, verzeihen Sie, dieses gedachte und unausdenkbare Dilemma ist eine alte, fixe Idee, der ständige Angst- und Mitleidstraum meiner Mädchentage, so daß ich noch heute mich in der Geschwätzigkeit verliere, wenn ich darauf komme – ich komme aber einzig darauf, weil Sie, lieber August, mir als der reiche Jüngling erscheinen, der zwar so glücklich ist, wählen zu können unter den Töchtern des Landes, aber auch allen Grund hat, zu prüfen, warum er gewählt wird: ob wahrhaft seinetwegen oder um hinzukommender Eigenschaften willen. Dieses

Persönchen ... sehen Sie mir die nonchalante Bezeichnung
nach, es ist Ihre eigene anschauliche und bildhafte Beschreibung der Kleinen, die sie mir eingibt –, diese bestimmt mich,
sie ein Persönchen zu nennen, und daß Sie ihr Bild in eine
gewisse töchterliche oder schwesterliche Beziehung zu meiner
eigenen Person gebracht haben, gibt mir ja ein Anrecht auf
nachlässige Redeweise, so als spräche ich von mir selbst ...
Verzeihen Sie, ich werde gewahr, daß ich nicht ganz genau
mehr weiß, was ich sage. Dieser Tag hat mir große geistige
und gemütliche Anstrengungen gebracht – ich kann mich an
seinesgleichen nicht erinnern. Was ich aber zu sagen angefangen, das muß ich zu Ende führen. Kurzum, dies Persönchen
Ottilie – liebt sie Sie, wie Sie da sind, ohne Umstände, oder
liebt sie Ihre Umstände, die die eines berühmten Sohnes sind,
so daß sie eigentlich den Vater liebte? Wie sorgsam geprüft
will eine solche Sache sein, bevor man sich bindet! Mir, die
ich Ihre Mutter sein könnte, liegt es ob – es ist meine Pflicht
und Aufgabe, Sie auf die Bedenklichkeiten hinzuweisen. Denn
auch des Persönchens Mutter könnte ich Ihrer Schilderung
nach ja sein, und wenn in Goethe's Augen diese Verbindung
die entschiedensten Aussichten eröffnet, wie Sie sich ausdrücken oder wie er sich ausgedrückt hat, so mag das immerhin damit zusammenhängen, daß ich, das ehemalige Persönchen, diesen Augen einst wohlgefiel, woraus ja eben folgt,
daß ich Ihre Mutter sein könnte, und was es so sehr genau
zu prüfen gilt, das ist, ob Sie es eigentlich sind, der sie liebt,
oder ob Sie am Ende auch hier nur Repräsentant und Com-
missionär Ihres Vaters sind. Daß Sie den Ritter Arnim liebten und gerne sein Freund hätten sein mögen, wenn es nach
Ihrem Herzen gegangen wäre, sehen Sie, das war eine eigene
Sache und eine Sache Ihrer Generation, aber dieses hier, so
kommt mir vor, ist vielleicht nur eine Sache zwischen uns
Alten. Daher meine Sorge. Glauben Sie nicht, daß ich ohne
Sinn für den Reiz einer Verbindung bin, mit der, wenn ich
so sagen darf, was die Alten sich versagten und versäumten,
von den Jungen nachgeholt und verwirklicht würde. Und

doch muß ich Sie auch wieder auf das höchst Bedenkliche der Sache entschieden hinweisen, da es sich sozusagen um Geschwister handelt . . .«

Sie legte die Hand im gehäkelten Halbhandschuh über die Augen.

»Nein«, sagte sie, »verzeihen Sie, mein Kind, es ist, wie ich vorhin schon gestehen mußte, daß ich nämlich meiner Worte und, um die Wahrheit zu sagen, schon meiner Gedanken nicht mehr in vollem Umfange sicher bin. Sie müssen mich alte Frau entschuldigen – ich kann nur wiederholen, daß ich mich eines Tages wie dieses, mit Anforderungen, wie er sie mir brachte, überhaupt nicht entsinne. Es focht mich eben ein veritabler Schwindel an . . .«

Der Kammerrat, der während der letzten Minuten sehr gerade, ja starr auf seinem Stuhle gesessen hatte, raffte sich bei diesen Worten eiligst auf.

»Um Gott«, rief er, »ich muß mich anklagen – ich habe Sie ermüdet, es ist ganz unverzeihlich! Wir haben vom Vater gesprochen, das ist meine einzige Entschuldigung, denn dieses Thema, obgleich gar keine Aussicht ist, damit zu Rande zu kommen, läßt einen so leicht nicht . . . Ich ziehe mich zurück – und hätte es« (er schlug sich mit der Handwurzel gegen die Stirn), »und hätte es nun gar beinahe getan, ohne mich des Auftrages zu entledigen, der meine einzige Legitimation war, Ihnen zur Last zu fallen.« Er nahm sich zusammen und sagte leise, in leicht vorgebeugter Haltung: »Ich habe die Ehre, der Frau Hofrätin die Willkommensgrüße meines Vaters zu übermitteln und sein Bedauern zugleich, daß er sich nicht sogleich wird blicken lassen können. Er sieht sich durch einen Rheumatism im linken Arm etwas in seiner Bewegungsfreiheit eingeschränkt. Er würde es sich aber zur Ehre und Freude rechnen, wenn Frau Hofrätin nebst Dero Lieben, Kammerrat Ridels und respectiven Demoiselles Töchtern, den kommenden Freitag, also in drei Tagen von heute, um halber drei in kleinem Kreise bei ihm zu Mittag speisen wollten.«

Charlotte hatte sich, leicht schwankend, ebenfalls erhoben.

»Recht gern«, antwortete sie, »vorausgesetzt, daß meine Verwandten auf den Tag noch frei sind.«

»Ich darf mich beurlauben«, sagte er in geschlossener Verbeugung und in Erwartung ihrer Hand.

Sie trat, etwas schwankend, auf ihn zu, nahm seinen jungen Kopf mit dem Backenbärtchen, dem Wuschelhaar zwischen ihre Hände und küßte ihn, wie es bei seiner entgegengeneigten Haltung nicht unbequem war, mit zarten Lippen auf die Stirn.

»Leb' Er wohl, Goethe«, sagte sie. »Hab' ich Ungereimtes geredet, so vergess' Er's, ich bin eben die Frischeste nicht. Vorher waren schon Rose Cuzzle und Doktor Riemer und die Schopenhauerin da, und außerdem gab es noch Mager und das Weimarer Publicum, und alles war für meine Verhältnisse übertrieben interessant. Geh' Er, mein Sohn, über drei Tage komm' ich zu Mittag – warum denn nicht? Hat er doch so manches Mal seine saure Milch bei uns gehabt im Deutschordenshause. Mögt ihr euch leiden, ihr Jungen, so nehmt euch, tut's ihm zu Liebe und seid glücklich in eueren Oberstuben! Ich habe keinen Beruf, euch davon abzureden. Gott mit Ihm, Goethe, Gott mit ihm, mein Kind!«

Das siebente Kapitel

O, daß es schwindet! Daß das heitere Gesicht der Tiefe sich endigt, schleunig, wie auf den Wink eines launisch gewährenden und entziehenden Dämons, in nichts zerfließt und ich emportauche! Es war so reizend! Und nun, was ist? Wo kommst du zu dir? Jena? Berka? Tennstedt? Nein, das ist die Weimarer Steppdecke, seiden, die heimische Wandbespannung, der Klingelzug ... Wie, in gewaltigem Zustande? In hohen Prachten? Brav, Alter! So sollst du, muntrer Greis, dich nicht betrüben ... Und ists denn ein Wunder? Welche herrlichen Glieder! Wie sich der Busen der Göttin, elastisch

eingedrückt, an die Schulter des schönen Jägers – sich ihr
Kinn seinem Hals und der schlummererwärmten Wange
schmiegte, ihr ambrosisches Händchen das Handgelenk seines
blühenden Armes umfaßte, womit er sie wackerst umschlingen
wird, Näschen und Mund den Hauch seiner traumgelösten
Lippen suchten, da zur Seite erhöht das Amorbübchen halb
entrüstet, halb triumphierend seinen Bogen schwang mit Oho!
und Halt ein! und zur Rechten klug die Jagdhunde schauten
und sprangen. Hat dir das Herz doch im Leibe gelacht ob
der prächtigen Composition! Woher gleich? Woher? Versteht
sich, es war der l'Orbetto, der Turchi wars auf der Dresdener
Galerie, Venus und Adonis. Sie haben ja vor, die Dresdener
Gemälde zu restaurieren? Vorsicht, Kinderchen! Das kann
ein Unglück geben, wenn ihrs übers Knie brecht und Stümper
heranlaßt. Gestümpert wird in dieser Welt – daß auch der
Teufel. Weil sie vom Schweren und Guten nicht wissen und
alle sichs leicht machen. Keine Bedürftigkeit – was soll denn
dabei herauskommen? Muß ihnen von der Restaurations-
akademie in Venedig erzählen, ein Director und zwölf Professoren, die sich ins Kloster schlossen zum allerprekärsten
Geschäfte. Venus und Adonis ... ‚Amor und Psyche' wäre
zu machen, längst schon, von den Guten erinnert mich manchmal einer daran, wie ichs befohlen; können mir aber auch
nicht sagen, woher ich die Zeit nehm. Sieh dir die Psyche-
Kupfer von Dorigny im Gelben Saal einmal wieder genauestens an, die Idee zu erfrischen, dann magst dus wieder verschieben. Warten und verschieben ist gut, es wird immer
besser, und dein Geheimstes und Eigenstes nimmt dir keiner;
keiner kommt dir zuvor, und macht' er dasselbe.

Was ist auch Stoff? Stoff liegt auf der Straße. Nehmt ihn
euch, Kinder, ich brauch ihn euch nicht zu schenken, wie ich
Schillern den ‚Tell' geschenkt, daß er in Gottes Namen sein
hochherzig aufwiegelnd Theater damit treibe, und ihn mir
doch vorbehielt fürs Läßlich-Wirkliche, Ironische, Epische,
den herculischen Demos, den Herrschaftsfragen nichts angehn,
und den behäglichen Tyrannen, der mit des Landes Weibern

spaßt. Wartet, ich mach es bestimmt noch, und der Hexameter
sollte auch reifer und mit der Sprache einiger sein als je im
‚Reineke‘ und im ‚Hermann‘. Wachstum, Wachstum. Solange
man wächst und die Krone breitet, ist man jung, und auf
unserer gegenwärtigen Stufe, bei so schöner Erweiterung
unseres Wesens, sollten wir ‚Amor und Psyche‘ angreifen: aus
hochfähigem Alter, tief erfahrener Würde, von Jugend geküßt, sollte das Leichteste, Lieblichste kommen. Niemand
ahnt, wie hübsch das würde, bis er hervorträte. Vielleicht in
Stanzen? Aber ach, man kann nicht alles leisten im Drang
der Geschäfte, und manches muß sterben. Willst du wetten,
daß auch die Reformations-Cantate dir noch verkümmert?
Donner auf Sinai . . . Der Morgenduft weiter Einsamkeit, das
ist mir sicher. Zu den Hirtenchören, den kriegerischen, könnte
‚Pandora‘ helfen. Sulamith, die Geliebteste in der Ferne . . .
Einzig ist mir das Vergnügen – seiner Liebe Nacht und Tag.
Das sollte schon Spaß machen. Aber die Hauptsache bleibt Er
und die gesteigerte Lehre, das Geistige, immerfort mißverstanden vom Volk, die Verlassenheit, das Seelenleiden, die
höchste Qual – und dabei trösten und stärken. Sollten merken,
daß man, alter Pagane, vom Christentum mehr los hat als sie
alle. Aber wer macht die Musik? Wer redet mir zu, versteht
es und lobts, bevor es vorhanden? Hütet euch, so ungetröstet
werd ich die Lust verlieren, und dann seht zu, womit ihr auch
nur irgend würdig den Tag begeht! Wär Er noch da, der vor
so manchen Jahren – schon zehne sinds – von uns sich weg-
gekehrt! Wär Er noch da, zu spornen, zu fordern und geistreich aufzuregen! Hab ich euch nicht den ‚Demetrius‘ hingeworfen wegen der albernen Schwierigkeiten, die ihr mir mit
den Aufführungen machtet, da ich ihn doch vollenden wollte
und konnte zur herrlichsten Totenfeier auf allen Theatern?
Ihr seid schuld, mit euerer stumpfen Alltagszähigkeit, daß ich
wütend verzagte und Er mir auch zum zweitenmal und endgültig starb, da ichs aufgab, sein Dasein aus genauester Kenntnis fortzusetzen. Wie ich unglücklich war! Unglücklicher
wohl, als man sein kann durch andrer Verschulden. Täuschte

dich die Begeisterung? Widerstand dir heimlich der eigene
Herzenswunsch und redlichste Vorsatz? Nahmst du die äußeren Hindernisse zum Vorwand und spieltest den Groller im
Zelte? Er, er wäre imstande gewesen, starb ich vor ihm, den
‚Faust‘ zu vollenden. – Um Gottes willen! Man hätte testa-
mentarische Vorkehrungen treffen müssen! – Aber ein bitter-
ster Schmerz war es eben doch und bleibts, ein schlimmes Versagen, eine abscheuliche Niederlage. – Allworüber denn auch
der ausdauernde Freund sich beschämt zur Ruhe begeben.

Was ist die Uhr? Erwacht ich in der Nacht? Nein, vom
Garten blinzelt es schon durch den Laden. Es wird sieben Uhr
sein oder nicht weit davon, nach Ordnung und Vorsatz, und
kein Dämon wischte das schöne Tableau hinweg, sondern
mein eigener Sieben-Uhr-Wille wars, der zur Sache rief und
zum Tagesgeschäft, – wachsam geblieben dort unten im nährenden Tal, wie der wohlgezogene Jagdhund, der so groß und
fremdverständig auf Venus' Verliebtheit blickte. Achtung, das
ist, wie er bleibt und lebt, der Hund des Gotthardus, der für
den siechen Sankt Rochus das Brot wegschnappt vom Tisch
seines Herrn. Die Bauernregeln sind heute einzutragen ins
‚Rochus-Fest‘. Wo ist das Taschenbuch? Links im Fach vom
Schreibsecretär. Trockner April ist nicht des Bauern Will’.
Wenn die Grasmücke singt, ehe der Weinstock sproßt – ein
Gedicht. Und die Hechtsleber. Ist ja Eingeweideschau ur-
ältesten Schrotes und Kornes. Ach, das Volk. Erbreich-traulich-
heidnisch Naturelement, nährendes Tal des Unbewußten und
der Verjüngung! Mit ihm zu sein, umschlossen von ihm beim
Vogelschießen und Brunnenfest oder wie damals zu Bingen
am langen, geschirmten Tisch beim Wein, im Dunst des
schmorenden Fetts, des frischen Brotes, der auf glühender
Asche bratenden Würste! Wie sie den verlaufenen Dachs, den
blutenden, unbarmherzig erwürgten am allerchristlichsten
Fest! Im Bewußten kann der Mensch lange nicht verharren;
er muß sich zuweilen wieder ins Unbewußte flüchten, denn
darin lebt seine Wurzel. Maxime. Davon wußte der Selige
nichts und wollte nichts davon wissen, – der stolze Kranke,

der Aristokrat des Geistes und der Bewußtheit, der große
rührende Narr der Freiheit, den sie darum, absurd genug,
für einen Volksmann halten (und mich für den vornehmen
Knecht), da er doch vom Volke rein nichts verstand und auch
von Deutschheit nichts – nun, dafür liebt ich ihn, ist mit den
Deutschen ja nicht zu leben, sei es in Sieg oder Niederlage –
sondern in zarter, hochkränklicher Reine spröde dagegen-
stand, unfähig unterzutauchen, immer vielmehr nur in Sanft-
mut gemeint, das Geringe als Seinesgleichen zu nehmen,
es zu sich und zum Geiste emporzusteigern auf Heilands-
armen. Ja, Er hatte viel von ihm, auf den ich mich verstehen
will in der Cantate, – und ambitionierte auch noch auf den
erfinderischen Geschäftsmann in kindlicher Großheit. Kindlich? Nun, er war Mann gar sehr, Mann im Übermaß und
bis zur Unnatur, denn das rein Männliche, Geist, Freiheit,
Wille, ist Unnatur, da er denn vor dem Weiblichen einfach
albern war: seine Weiber sind ja zum Lachen, – und dabei das
Sinnliche als anstachelnde Grausamkeit. Schrecklich, schrecklich und unausstehlich! Und ein Talent in alldem, eine hochfliegende Kühnheit, ein Wissen ums Gute, weit über alles
Gesinde und Gesindel hinaus, einzig ebenbürtig, einzig verwandt, – ich werde nicht Seinesgleichen sehen. Der Geschmack
im Geschmacklosen, die Sicherheit im Schönen, die stolze Prä-
senz aller Fähigkeiten, Facilität und Fertigkeit des Sprechens,
unbegreiflich unabhängig von jedem Befinden, der Freiheit
zu Ehren, – verstehend aufs halbe Wort und antwortend mit
äußerster Klugheit, dich zu dir selber rufend, dich über dich
selbst belehrend, immer sich vergleichend, sich kritisch be-
hauptend, lästig genug: der speculative, der intuitive Geist,
weiß schon, weiß schon, sind sie nur beide genialisch, so
werden sie sich auf halbem Wege – Weiß schon, darauf kams
an, daß auch der Naturlose, der Nichts-als-Mann, ein Genie
sein könne, daß Er eines sei und an meine Seite gehöre, –
auf den großen Platz kams an und die Ebenbürtigkeit und
auch darauf, aus der Armut herauszukommen und sich ein
Jahr für jedes Drama leisten zu können. Unangenehmer,

diplomatisierender Streber. Mocht ich ihn jemals? Nie. Mochte
den Storchengang nicht, das Rötliche, die Sommersprossen, die
kranken Backen, nicht den krummen Rücken, den verschnupf-
ten Haken der Nase. Aber die Augen vergeß ich nicht, solange
ich lebe, die blau-tiefen, sanften und kühnen, die Erlöser-
Augen ... Christus und Speculant. War ich voller Mißtraun!
Merkte: er wollte mich exploitieren. Schrieb mir den erz-
gescheiten Brief, um den ‚Meister' für die ‚Horen' zu kriegen,
die er darauf gegründet, wo du doch, Lunte riechend, heimlich schon mit Unger zum Abschluß gekommen. Und dann
insistierte er wegen ‚Faust' für die ‚Horen' und für Cotta,
ärgerlichst, – da er doch ganz allein unter allen begriff, um
was es ging bei dem objectiven Stil seit Italien, wissen mußte,
daß ich ein andrer und der Lehm trocken geworden. Lästig,
lästig. War hinter mir her und urgierte, weil *er* keine Zeit
hatte. Aber nur die Zeit bringts heran.

Zeit muß man haben. Zeit ist Gnade, unheroisch und gütig,
wenn man sie nur ehrt und sie emsig erfüllt; sie besorgt es im
Stillen, sie bringt die dämonische Intervention ... Ich harre,
mich umkreist die Zeit. Täte aber das Ihre allenfalls schneller,
wär er noch da. Ja, mit wem sprech ich über ‚Faust', seitdem
der Mann aus der Zeit ist? Er wußte alle Sorgen, die ganze
Unmöglichkeit und die Mittel und Wege wohl auch, – unendlich geistreich und duldsam-frei, voll kühnen Einverständnisses den großen Spaß betreffend und die Emancipation vom
nichtpoetischen Ernst, da er mich nach Helena's Auftritt tröstlich bedeutete, aus der Cohobierung des Spuks und der Fratze
zum Griechisch-Schönen und zur Tragödie, der Verbindung
des Reinen und des Abenteuerlichen möchte wohl ein nicht
ganz verwerflicher poetischer Tragelaph entstehen. Er hat
Helena noch gesehen, hat ihre ersten Trimeter noch gehört
und seinen großen und vornehmen Eindruck bekundet, das
soll mich stärken. Er hat sie gekannt, wie Chiron, der Rastlose, den ich nach ihr fragen will. Er hat gelächelt beim Zuhören, wie ichs fertig gebracht, jedes Wort mit antikischem
Geist zu durchtränken ... ‚Vieles erlebt ich, obgleich die

Locke – Jugendlich wallet mir um die Schläfe! – Durch das
umwölkte, staubende Tosen – Drängender Krieger hört ich
die Götter – Fürchterlich rufen, hört ich der Zwietracht –
Eherne Stimme schallen durchs Feld, – Mauerwärts!' Da
lächelte er und nickte: ,Vortrefflich!' Das ist sanctioniert,
darüber bin ich beruhigt, das soll unangetastet sein, er hats
vortrefflich gefunden – und hat gelächelt, so daß ich auch
lächeln mußt und mein Lesen zum Lächeln wurde. Nein, auch
darin war er nicht deutsch, daß er lächelte über das Vortreffliche. Das tut kein Deutscher. Die schauen grimmig drein
dabei, weil sie nicht wissen, daß Cultur Parodie ist – Liebe
und Parodie ... Er nickte und lächelte auch, als der Chor
Phöbos ,den Kenner' nannte. ,Doch tritt immer hervor; –
Denn das Häßliche sieht er nicht, – Wie sein heiliges Aug –
Niemals den Schatten sieht.' Das gefiel ihm, darin erkannt er
sich, fand es auf sich gemünzt. Und dann wandte er ein und
tadelte, es sei nicht recht gesagt, daß Scham und Schönheit nie
zusammen, Hand in Hand, den Weg verfolgen: Schönheit sei
schamhaft. Sagt ich: Warum sollte sie? Sagt er: Im Bewußtsein, daß sie, dem Geistigen entgegen, das sie repräsentiert,
Begierde erregt. Sag ich: Soll die Begierde sich schämen; aber
die tuts auch nicht, im Bewußtsein vermutlich, daß sie das
Verlangen nach dem Geistigen repräsentiert. Hat er mit-
gelacht. Es lacht sich mit niemandem mehr. Hat mich dahier
gelassen in dem Vertrauen, daß ich den Weg ins Holz schon
wissen, den bindenden Reif schon finden würde für die To-
talität der Materie, die das Unternehmen erfordert. Sah der
alles. Sah auch, daß der Faust ins tätige Leben geführt werden
muß – leichter gesagt als getan, aber wenn Sie dachten, mein
Bester, das sei mir neu –. Hab ich ihn doch gleich damals, als
alles noch ganz dumpf und kindisch-trübe war, beim Luther-
werk statt ,Wort', ,Sinn' und ,Kraft' übersetzen lassen: ,die
Tat'.

Dunque! Dunque! Was ist heute zu tun? Ermanne dich zu
fröhlichem Geschäft! Sich zur Tätigkeit erheben, Nach der
Ruhe sanftem Schatten Wieder in das rasche Leben Und zur

Pflicht, o welche Lust! Kling-klang. Das ist der ‚kleine Faust‘,
– die ‚Zauberflöte‘, wo Homunculus und der Sohn noch Eines
sind im leuchtenden Kästchen ... Was gab es also, was
fordert der Tag? O Tod, es ist ja das Gutachten über den
‚Isis‘-Scandal, die widrigste Calamität, für Serenissimum
abzufassen. Wie man vergißt dort unten! Nun kommt der
Tag-Spuk wieder herauf, das ganze Zeug, – da ist auch das
Concept zum Geburtstagscarmen an Excellenz von Voigt –
Himmel, es will ja gemacht und mundiert sein, am siebenund-
zwanzigsten ist der Geburtstag, und viel ist es nicht, was ich
habe, eigentlich nur ein paar Verse, wovon einer taugt: ‚Ob
nicht Natur zuletzt sich doch ergründe?‘ Das ist gut, das läßt
sich hören, das ist von mir, das mag den ganzen Quark tragen, denn natürlich wirds ein schicklicher Quark wie so vieles,
es ist nur, daß das ‚poetische Talent‘ gesellig vorspricht, man
erwartets von ihm. Ach, das poetische Talent, zum Kuckuck
damit, die Leute glauben, das sei es. Als ob man noch vierundvierzig Jahre lebte und wüchse, nachdem man mit vierundzwanzig den ‚Werther‘ geschrieben, ohne hinauszuwach-
sen über die Poesie! Als ob es die Zeit noch wäre, daß mein
Caliber sich im Gedichte-machen genügte! Schuster, bleib bei
deinem Leisten. Ja, wenn man ein Schuster wäre. Die aber
schwätze, man werde der Poesie untreu und verzettele sich in
Liebhabereien. Wer sagt euch, daß nicht die Poesie die Liebhaberei ist und der Ernst bei ganz was anderem, nämlich
beim Ganzen? Dummes Gequak, dummes Gequak! Wisse
nicht, die Dusselköppe, daß ein großer Dichter vor allem
groß ist und dann erst ein Dichter, und daß es ganz gleich
ist, ob er Gedichte macht oder die Schlachten schlägt dessen,
der mich in Erfurt ansah, mit lächelndem Munde und finsteren Augen, und hinter mir her sagte, absichtlich laut, daß
ichs hören sollte: ‚Das ist ein Mann‘ – und nicht ‚Das ist ein
Dichter‘. Aber das Narrenvolk glaubt, man könne groß sein,
wenn man den ‚Divan‘ macht, und bei der ‚Farbenlehre‘, da
wär mans nicht mehr ...

Teufel, was gab es da? Was kommt da herauf von gestern?

Das Pfaffenbuch, das Professoren-Opus gegen die ‚Farbenlehre', Pfaff heißt der Tropf, schickt mir bestens seine dreisten Abstreitungen zu, hat die Unverschämtheit, sie mir ins
Haus zu schicken, taktlose deutsche Zudringlichkeit, hätt ich
zu sagen, man wiese solche Leute aus der Gesellschaft. Aber
warum sollen sie nicht meine Forschung bescheißen, da sie
meine Dichtung beschissen haben, was ihre Bäuche hergaben?
Haben die ‚Iphigenie' so lange mit dem Euripides verglichen,
bis sie ein Trödel war, haben mir den ‚Tasso' verhunzt und
die ‚Eugenie' leidig gemacht mit ihrem Gewäsche von ‚mar-
morglatt und marmorkalt', Schiller auch, Herder auch, und
die schnatternde Staël auch, – von der Niedertracht nicht zu
reden. Dyk heißt die scribelnde Niedertracht. Demütigung,
daß ich den Namen weiß, seiner gedenke. Niemand wird ihn
wissen nach fünfzehn Jahren, wird so tot sein, wie ers heute
schon ist, aber ich muß ihn wissen, weil er mit mir in der
Zeit ist ... Daß sie urteilen dürfen! Daß jeder urteilen darf.
Sollte verboten sein. Ist eine Polizeisache, meiner Meinung
nach, wie Okens ‚Isis'. Hört sie urteilen, und dann verlangt
von mir, daß ich für Landstände sei und Stimmrecht und
Preßfreiheit und Ludens ‚Nemesis' und ‚Des teutschen Burschen fliegende Blätter' und den ‚Volksfreund' von Wielands
filius. Greuel, Greuel. Zuschlagen soll die Masse, dann ist sie
respectabel, Urteilen steht ihr miserabel. Aufschreiben und
secretieren. Überhaupt secretieren. Warum gab ichs an Tag
und gabs preis zu öffentlichen Handen? Man kann nur lieben, was man noch bei sich hat und für sich, was aber be-
schwätzt ist und besudelt, wie soll man dran weitermachen?
Hätte euch die merkwürdigste Fortsetzung gemacht von der
‚Eugenie', wollt aber ja nicht, daß man euch ein Gutes tue, so
willig man wäre. Man wollte sie schon amüsieren, wenn sie
nur amüsabel wären! Ist aber ein mürrisch ungespäßig Geschlecht und versteht nicht das Leben. Weiß nicht, daß nichts
davon übrig bleibt ohne etwelche Bonhomie und Indulgenz,
ohne daß man in Gottes Namen ein Auge zudrückt und fünfe
gerade sein läßt, damits nur bestehe. Was ist denn all

Menschenwerk, Tat und Gedicht, ohne die Liebe, die ihm zu
Hilfe kommt, und den parteiischen Enthusiasmus, ders zu
was aufstutzt? Ein Dreck. Die aber tun, als wären sie wohl
auf dem Plan, das Absolute zu fordern, und hätten den Anspruch verbrieft in der Tasche. Verdammte Spielverderber.
Je dümmer, je saurer das Maul. Und doch kommt man immer
wieder, das Seine vor ihnen auszubreiten, vertrauensvoll –
‚mög es auch nicht mißfallen'.

Da ist mir die morgenfreundliche Laune getrübt und cor-
rosiv angehaucht von ärgerlichem Sinnieren –! Wie stehts
denn überall? Was ist mit dem Arm? Tut als brav weh, wenn
ich ihn hintüberlege. Immer denkt man, die gute Nacht wirds
bessern, aber es hat der Schlaf die alte Heilkraft nicht mehr,
muß es wohl bleiben lassen. Und das Ekzem am Schenkel?
Meldet sich auch zur Stelle mit gehorsamstem Guten Morgen.
Weder Haut noch Gelenke wollen mehr mittun. Ach, ich sehn
mich nach Tennstedt zurück ins Schwefelwasser. Früher sehnt
ich mich nach Italien, jetzt in die heiße Brühe, daß sie die
verhärtenden Glieder löse: so modificiert das Alter die Wünsche und bringt uns herunter. Es muß der Mensch wieder
ruiniert werden. Ist aber doch ein groß, wunderbar Ding um
diesen Ruin und um das Alter und eine lächelnde Erfindung
der ewigen Güte, daß der Mensch sich in seinen Zuständen
behagt und sie selbst ihn sich zurichten, daß er einsinnig mit
ihnen und so der Ihre wie sie die Seinen. Du wirst alt, so
wirst du ein Alter und siehst allenfalls mit Wohlwollen, aber
geringschätzig auf die Jugend herab, das Spatzenvolk. Möchtest du wieder jung und der Spatz sein von dazumal? Schrieb
den ‚Werther', der Spatz, mit lächerlicher Fixigkeit, und das
war denn was, freilich, für seine Jahre. Aber leben und alt
werden danach, das ist es erst, da liegt der Spielmann begraben. All Heroismus liegt in der Ausdauer, im Willen zu
leben und nicht zu sterben, das ists, und Größe ist nur beim
Alter. Ein Junger kann ein Genie sein, aber nicht groß.
Größe ist erst bei der Macht, dem Dauergewicht und dem
Geist des Alters. Macht und Geist, das ist das Alter und ist

die Größe – und die Liebe ists auch erst! Was ist Jugendliebe gegen die geistige Liebesnacht des Alters? Was für ein Spatzenfest ist das, die Liebe der Jugend, gegen die schwindlichte Schmeichelei, die holde Jugend erfährt, wenn Altersgröße sie liebend erwählt und erhebt, mit gewaltigem Geistesgefühl ihre Zartheit ziert – gegen das rosige Glück, worin lebensversichert das große Alter prangt, wenn Jugend sie liebt? Sei bedankt, ewige Güte! Alles wird immer schöner, bedeutender, mächtiger und feierlicher. Und so fortan!

Das heiße ich sich wiederherstellen. Schaffts der Schlaf nicht mehr, so schaffts der Gedanke. Schellen wir also nun dem Carl, daß er den Kaffee bringt; ehe man sich erwärmt und belebt, ist gar der Tag nicht einzuschätzen und nicht zu sagen, wies heut um den Guten steht und was er wird leisten mögen. Vorhin war mir, als wollt ich marode machen, im Bett bleiben und alles sein lassen. Das hatte der Pfaff gemacht, und daß sie meinen Namen nicht wollen dulden in der Geschichte der Physik. Hat sich aber wieder auf die Beine zu bringen gewußt, die liebe Seele, und der Labetrank mag ein übriges tun ... Das denk ich jeden Morgen beim Schellen, daß der vergoldete Griff vom Glockenzug gar nicht hierher paßt. Wunderlich Stückchen Prunk, gehört eher nach vorn in den Weltempfang als ins klösterlich Geistige hier, ins Reservat des Schlafs und die Hamsterhöhle der Sorge. Gut, daß ich die Stuben hier einrichten ließ, das stille und karge, das ernste Reich. Auch gegen die Kleine wars gut, daß sie sähe: nicht nur für sie und die Ihren war das Hinterhaus recht als retiro, sondern auch für mich selbst, wiewohl aus anderen Gründen. Das war – laß sehen – Sommer vierundneunzig, zwei Jahre nach dem Wiedereinzug in das geschenkte Haus und dem Umbau. War die Epoque der ‚Beiträge zur Optik‘, – o, mille excuses, ihr Herren von der Gilde, – zur Chromatik natürlich nur allenfalls, denn wie sollte wohl einer sich an die Optik wagen, der nicht in der Meßkunst beschlagen, und sollte sich unterfangen, Newtonen zu widersprechen, dem Falschen, Captiosen, dem Lügenmeister und

Schutzherrn des Schulirrtums, dem Verleumder des Himmels-
lichts, der da wollte, daß sich das Reinste aus lauter Trüb-
nissen, das Hellste aus Elementen zusammensetze, die dunkler allsamt als es selber. Der schlechte Narr, der hartstirnige
Irrlehrer und Weltverdunkeler! Man darf nicht müde werden, ihn zu verfolgen. Da ich das trübe Mittel begriffen, und
daß das Durchsichtigste selbst schon des Trüben erster Grad,
da ich erfunden, daß Farbe gemäßigt Licht, da hatt ich die
Farbenlehre am Schnürchen, der Grund- und Eckstein war da
gesetzt, und konnt auch das Spectrum mir keine Pein mehr
machen. Als ob es kein trübes Mittel wäre, das Prisma! Weißt
du noch, wie du das Ding vor die Augen nahmst im geweiß-
ten Zimmer und die Wand, der Lehre entgegen, weiß blieb
wie eh und je, wie auch der lichtgraue Himmel draußen nicht
eine Spur von Färbung zeigte und nur wo ein Dunkles ans
Helle stieß, Farbe entsprang, so daß das Fensterkreuz am
allerlustigsten bunt erschien? Da hatt ich den Schuft und
sprachs zum erstenmal vor mich hin mit den Lippen: Die
Lehre ist falsch!, und es bewegten sich mir vor Freude die
Eingeweide, wie damals, als sich mir klar und unverleugbar,
nicht anders als ichs in gutem Einvernehmen mit der Natur
zuvor gewußt, das Zwischenknöchlein kund tat für die Schnei-
dezähne im Kiefer des Menschen. Sie wolltens nicht wahrhaben und wolltens aber nicht wahrhaben jetzt mit den Farben. Glückliche, peinliche, bittere Zeit. Man machte sich
lästig, wahrhaftig, man spielte den insistierenden Querulan-
ten. Hattest du nicht gezeigt mit dem Knöchlein und der
Metamorphose der Pflanzen, daß Natur dirs nicht abschlug,
den einen und anderen Blick in ihre Werkstatt zu tun? Aber
sie wollten dir den Beruf zu der Sache nicht glauben, sie
zogen abgeneigte Gesichter, sie ruckten die Schultern, wurden
verdrießlich. Du warst ein Störenfried. Und du wirsts bleiben. Sie lassen dich alle grüßen und hassen dich bis in den
Tod. Nur die Fürsten, das war ein anderes. Soll ihnen unver-
gessen sein, wie sie meine neue Passion respectierten und förderten. Des Herzogs Hoheit, so brav wie immer, – gleich bot

er Raum und Muße, mein Aperçu zu verfolgen. Die beiden Gothaer, Ernst und August, – der eine ließ mich in seinem physikalischen Cabinett laborieren, der andere verschrieb mir aus England die schönen, zusammengesetzten, die achromatischen Prismen. Herren, Herren. Die Schulfüchse wiesen mich ab wie einen Pfuscher und Quengler, aber der Fürst-Primas in Erfurt hat all mein Experimentieren mit der gnädigsten Neugier verfolgt und den Aufsatz damals, den ich ihm schickte, mit eigenhändigen Randbemerkungen beehrt. Das macht, sie haben Sinn für Dilettantism, die Herren. Liebhaberei ist nobel, und wer vornehm ein Liebhaber. Dagegen gemein ist alles, was Gilde und Fach und Berufsstand. Dillettantism! Über euch Philister! Ahndete euchs wohl je, daß Dilettantism ganz nah verwandt dem Dämonischen und dem Genie, weil er ungebunden ist und geschaffen, ein Ding zu sehen mit frischem Aug, das Object in seiner Reinheit, wies ist, nicht aber wie Herkommen will, daß mans sehe, und nicht wie der Troß es sieht, der von den Dingen, den physischen und den moralischen, immer nur ein Bild hat aus zweiter Hand? Weil ich von der Poesie zu den Künsten kam und von denen zur Wissenschaft und mir bald Baukunst und Bildhauerkunst und Mahlerey war wie Mineralogie, Botanik und Zoologie, so soll ich ein Dilettant sein. Laß dirs gefallen! Als Junge hab ich dem Straßburger Münster abgesehen, daß dem Turm eine fünfspitzige Krönung zugedacht war, und der Riß hats bestätigt. Der Natur aber soll ichs nicht abmerken? Als obs nicht all eines wäre, das alles; als ob nicht nur der was davon verstünde, der Einheit hat, und die Natur sich nicht dem nur vertraute, der selber eine Natur . . .

Die Fürsten und Schiller. Denn der war ein Edelmann auch, von Kopf bis zu Füßen, ob er es gleich mit der Freiheit hielt, und hatte die Natürlichkeit des Genies, ob er der Natur gleich ärgerlich-sträflichen Hochmut erwies. Ja, der nahm teil und glaubte und trieb mich an, wie immer mit seiner reflectierenden Kraft, und als ich ihm nur den ersten Entwurf sandte zur ‚Geschichte der Farbenlehre‘, da hat er mit großem Blick das Symbol einer Geschichte der Wissenschaften, den Roman des menschlichen Denkens darin erkannt, der draus wurde in achtzehn Jahren. Ach, ach, der hat was gemerkt, der hat was verstanden. Weil er den Rang hatte, das Auge, den Flug. Wär der noch, er risse mich hin, den ‚Kosmos‘ zu schreiben, die umfassende Geschichte der Natur, die ich schreiben müßte, auf dies mit der Geologie bei mir von jeher hinauswollte. Wer kanns denn als ich? Das sag ich von allem und kann doch nicht alles tun – unter Verhältnissen, die mir die Existenz machen und sie mir rauben zugleich. Zeit, Zeit, gib mir Zeit, gute Mutter, und ich tu alles. Als ich jung war, sagte mir einer: Du gibst dir die Miene auch, als sollten wir hundertundzwanzig Jahre alt werden. Gib sie mir, gute Natur, gib mir so wenig nur von der Zeit, über die du verfügst, Gemächliche, und ich nehm allen andern die Arbeit ab, die du getan sehen möchtest und die ich am besten mache . . .

Zweiundzwanzig Jahre hab ich die Stuben, und nichts hat sich bewegt darin, als daß das Canapee wegkam aus dem Studio, weil ich die Schränke brauchte bei sich mehrenden Acten, und der Armstuhl hier am Bett kam hinzu, den die Oberkammerherrin mir schenkte, die Egloffstein. Das war aller Wechsel und Wandel. Aber was ist nicht hindurchgegangen durchs Immergleiche und hat drin getobt an Arbeit, Geburt und Mühsal. Solche Mühe hat Gott dem Menschen gegeben! Daß du redlich dich beflissen, was auch werde, Gott mags wissen. Aber die Zeit, die Zeit ging drüber hin. Steigts dir doch auf siedendheiß, jedesmal, wenn du ihrer gedenkst! Zweiundzwanzig Jahre – ist was geschehen darin, haben was vor uns gebracht unterweilen, aber es ist ja beinah schon das Leben, ein Menschenleben. Halte die Zeit! Überwache sie, jede Stunde, jede Minute! Unbeaufsichtigt, entschlüpft sie, dem Eidechslein gleich, glatt und treulos, ein Nixenweib. Heilige jeden Augenblick! Gib ihm Helligkeit, Bedeutung, Gewicht durch Bewußtsein, durch redlich-würdigste Erfüllung! Führe Buch über den Tag, gib Rechenschaft von jedem Gebrauch! Le temps est le seul dont l'avarice soit louable. Da ist die

Musik. Hat ihre Gefahren für die Klarheit des Geistes. Aber ein Zaubermittel ist sie, die Zeit zu halten, zu dehnen, ihr eigentümlichste Bedeutendheit zu verleihen. Singt die kleine Frau ‚Der Gott und die Bajadere‘, sollte sie nicht singen, ist ja beinah ihre eigene Geschichte. Singt sie ‚Kennst du das Land‘ – mir kamen die Tränen und ihr auch, der Lieblich-Hochgeliebten, die ich mit Turban und Schal geschmückt, – sie und ich, wir standen in Tränenglanz unter den Freunden. Sagt sie, der gescheite Schatz, mit der Stimme, mit der sie gesungen: Wie langsam geht doch die Zeit bei Musik, und ein wie vielfaches Geschehen und Erleben drängt sie in einen kurzen Zeitraum zusammen, da uns bei interessiertem Lauschen eine lange Weile verflossen scheint! Was ist Kurzweil und Langweil? Lobte sie weidlich fürs Aperçu und stimmte ihr zu aus der Seele. Sagte: Liebe und Musik, die beiden sind Kurzweil und Ewigkeit – und solchen Unsinn. Las ich den ‚Siebenschläfer‘, den ‚Totentanz‘, aber dann: ‚Nur dies Herz, es ist von Dauer‘; aber dann: ‚Nimmer will ich dich verlieren‘; aber dann: ‚Herrin, sag, was heißt das Flüstern‘; aber endlich: ‚So, mit morgenroten Flügeln, Riß es mich an deinen Mund‘. Es wurde spät in der Vollmondnacht. Albert schlief ein, Willemer schlief ein, die Hände über dem Magen gefaltet, der Gute, und wurde gefoppt. Es war ein Uhr, als wir uns trennten. War so munter, daß ich dem Boisserée durchaus noch auf meinem Balcon mit der Kerze den Versuch mit den farbigen Schatten zeigen mußte. Merkte wohl, daß sie uns belauschte auf ihrem Söller. Euch im Vollmond zu begrüßen Habt ihr heilig angelobet –. Jetzt hätte er auch noch etwas draußen bleiben können. Avanti! –

»Recht guten Morgen, Ew. Excellenz.«

»Ja, hm. Guten Morgen. Setz es nur hin. – Sollst auch einen guten Morgen haben, Carl.«

»Besten Dank, Ew. Excellenz. Bei mir kommt’s ja nicht so drauf an. Aber haben Ew. Excellenz wohl geruht?«

»Passabel, passabel. – Ist das curios, jetzt hab’ ich doch wieder gedacht aus alter Gewohnheit, du wärst der Stadel-

mann, als du hereinkamst, der langjährige Carl, von dem du
den Namen geerbt hast. Muß doch wunderlich sein, Carl
gerufen zu werden, wenn man eigentlich – das mein' ich eben,
wenn man eigentlich Ferdinand heißt.«

»Dabei fällt mir gar nichts mehr auf, Ew. Excellenz. Das
ist unsereiner gewohnt. Ich hab' auch schon mal Fritz geheißen. Und eine Zeitlang sogar Battista.«

»Accidente! Nenn' ich ein bewegtes Leben. Battista Schreiber? Aber deinen zweiten Namen sollst du dir nicht nehmen
lassen, Carl. Machst ihm Ehre, schreibst eine nette, reinliche
Hand.«

»Danke ergebenst, Ew. Excellenz. Steht zur Verfügung wie
immer. Wollen Ew. Excellenz vielleicht gleich wieder aus dem
Bett heraus was dictieren?«

»Weiß noch nicht. Laß mich erst einmal trinken. Mach vor
allem den Laden auf, daß man sieht, was mit dem Tage los
ist. Dem neuen Tag. Ich habe doch nicht verschlafen?«

»Keine Spur, Ew. Excellenz. Es ist knapp nach sieben.«

»Also doch nach? Das kommt, weil ich noch etwas gelegen
hab' und Gedanken gesponnen. – Carl?«

»Wünschen, Ew. Excellenz?«

»Haben wir von den Offenbacher Zwiebacken noch einen
ausreichenden Vorrat?«

»Ja, Ew. Excellenz, was meinen Ew. Excellenz mit ,aus-
reichend'? Ausreichend wie lange? Für einige Tage reichen
sie schon noch.«

»Du hast recht, ich habe mich nicht ganz gehörig ausgedrückt. Aber das Gewicht lag auf ,Vorrat'. ,Einige Tage', das
ist kein Vorrat.«

»Ist es auch nicht, Ew. Excellenz. Oder doch nur ein beinahe erschöpfter Vorrat.«

»Ja, siehst du? Mit anderen Worten: für einen Vorrat
reicht es nicht mehr.«

»Genau so, Ew. Excellenz. Ew. Excellenz wissen es eben
schließlich doch am besten.«

»Ja, ganz zuletzt wird es wohl meistens darauf hinauslaufen. Aber ein Vorrat, der zu Ende geht, und bei dem man den Boden sieht, das hat was Schreckhaftes, dazu darf man es gar nicht kommen lassen. Man muß vorsorgen, damit man nicht aufhört, aus dem Vollen zu schöpfen. Vorsorgen ist überall so wichtig.«

»Da haben Ew. Excellenz ein wahres Wort gesprochen.«

»Freut mich, daß wir consentieren. Und also müssen wir an die Frau Schöffin Schlosser in Frankfurt schreiben, daß sie neue schickt, einen derben Kasten voll, ich bin ja postfrei. Vergiß nicht, mich an den notwendigen Brief zu erinnern. Ich genieße diese Offenbacher sehr gern. Sind eigentlich das einzige, was mir um diese Stunde schmeckt. Weißt du, frische Zwiebacke sind schmeichelhaft für alte Leute, denn sie sind rösch, und rösch ist hart, aber spröde und beißt sich leicht, und so hat man die Illusion, mit Leichtigkeit Hartes zu beißen wie die liebe Jugend.«

»Aber Ew. Excellenz, solche Illusionen haben Ew. Excellenz doch wahrhaftig nicht nötig. Wenn einer noch aus dem Vollen schöpft, dann, mit Verlaub, doch wohl Ew. Excellenz.«

»Ja, das sagst du so. – Ah, das hast du gut gemacht, kömmt gar holde Luft herein, Morgenluft, süß und jungfräulich, wie das einen lieblich zutraulich umfächelt. Ist doch himmlisch jedesmal wieder aufs neue, die Verjüngung der Welt aus der Nacht für uns alle, für alt und jung. Da sagt man immer, daß Jugend nur zu Jugend gehöre, aber die junge Natur kommt ganz unbefangen zum Alter auch: Kannst du dich freuen, so bin ich dein, und dein mehr als der Jugend. Denn die hat ja gar für die Jugend den rechten Sinn nicht, den hat nur das Alter. Wär' ja auch schauerlich, wenn nur das Alter zum Alter käme. Soll für sich bleiben, soll außen bleiben ... Wie sieht der Tag denn aus? Eher dunkel?«

»Eher ein bißchen dunkel, Excellenz. Die Sonne ist bedeckt, und weiter oben haben wir auch nur hie und da ein Stückchen –«

»Warte einmal. Geh erst hinüber und sieh nach dem Barometer und nach dem Thermometer außen vorm Fenster. Aber mach deine Augen auf.«

»Gleich, Ew. Excellenz. – Es hat 722 Millimeter Barometerstand, Ew. Excellenz, und dreizehn Grad Réaumur Außentemperatur.«

»Sieh mal an. Dann kann ich mir die Troposphäre schon denken. Ziemlich feucht dünkt das Windchen mich auch, wie's hereinkommt, Westsüdwest, nehm' ich an, und der Arm spricht sein Wörtchen desgleichen. Wolkenmenge fünf oder sechs, die grauliche Nebel-Bedeckung mag früh gar sehr nach Niederschlag ausgesehn haben, aber jetzt hat der Wind sich lebhafter erhoben, wie auch die Wolken zeigen, die ziemlich schnell aus Nordwest ziehen, wie gestern abend, und ist im Begriff, die Decke zu zerreißen, sie flüchtig fortzutreiben. Es sind langezogene Cumuli, Haufenwolken in der untern Region, stimmt das? Und höher stehen leichte Cirri und Windbäume und Besenstriche bei stellenweise durchblickendem Himmelsblau – entspricht's ungefähr?«

»Entspricht ausgezeichnet, Ew. Excellenz. Die Besenstriche oben erkenn' ich aufs Wort – so hingefegt.«

»Ich vermute nämlich, der obere Wind geht aus Ost, und auch wenn der untere im Westen bleibt, werden die Cumuli allmählich aufgelöst, wie sie sich vorwärtsbewegen, und statt dessen wird es die schönsten Schäfchen streifen- und reihenweise geben. Kann sein, daß wir mittags reinen Himmel haben, der sich aber nach Tisch wieder trüben kann. Es ist ein wankelmütiger, ungewisser Tag von widersprechenden Tendenzen ... Siehst du, das muß ich noch vollkommen lernen, nach dem Barometerstand die Wolkengestalt zu beurteilen. Früher hat man sich für diese oberen Beweglichkeiten gar nicht recht interessiert, aber jetzt hat ein gelehrter Mann ein ganzes Buch drüber geschrieben und eine hübsche Nomenclatur aufgestellt, – ich hab' auch was dazu beigetragen: die paries, die Wolkenwand, die hab' ich namhaft gemacht, und so mögen wir das Unbeständige anreden und ihm auf den

Kopf zusagen, zu welcher Klasse und Art es gehört. Denn
das ist des Menschen Vorrecht auf Erden, daß er die Dinge
bei Namen nennt und ins System bringt. Da schlagen sie
sozusagen die Augen nieder vor ihm, wenn er sie anruft.
Name ist Macht.«

»Soll ich das nicht aufschreiben, Ew. Excellenz, oder haben
es schon Herrn Doktor Riemer gesagt, daß er es sich vielleicht notiert?«

»Ach was, ihr müßt nicht so aufpassen.«

»Man soll aber doch nichts umkommen lassen, Ew. Excel-
lenz, auch nicht in einem großen Haushalt. Und das Buch
über die Wolken, das hab' ich wohl liegen sehn nebenan.
Worum Ew. Excellenz sich alles kümmern, da muß der
Mensch sich schon wundern. Den Interessenbezirk von Ew.
Excellenz, den kann man geradehin universell nennen.«

»Dummkopf, wo nimmst du denn solche Ausdrücke her?«

»Ist aber doch wahr, Ew. Excellenz. – Soll ich nun nicht
erst mal eben nachsehen, was die Raupe macht, das schöne
Exemplar von der Wolfsmilchraupe, ob sie auch frißt?«

»Die frißt nicht mehr, die hat genug gefressen, erst draußen und dann bei mir in der Observation. Die hat schon
angefangen, sich einzuspinnen, wen du nachgucke willst, so
tu's, man sieht ganz deutlich, wie sie den Spinnsaft absondert
aus ihrer Drüse, bald wird sie verpuppt sein, ein Cocon, und
es soll mich doch wundern, ob wir's erleben, daß sich die
Wandlung vollzieht und die Psyche draus hervorschlüpft, ihr
kurzes, leichtes Flatterleben zu führen, wofür sie als Wurm
so viel gefressen.«

»Ja, Ew. Excellenz, das sind so die Wunder der Natur.
Wie ist es denn nun mit dem Dictieren?«

»Recht, ja, es sei. Ich muß das Gutachten für Seine Königliche Hoheit den Großherzog machen wegen der vermaledeiten Zeitschrift. Nimm das weg hier, sei so gut, und gib mir
die Notizblätter und den Bleistift, die ich da gestern bereit
gelegt.«

»Hier, Ew. Excellenz. Daß ich Ew. Excellenz nur lieber die

Wahrheit sage: Herr Schreiber John ist nämlich auch schon da und hat fragen lassen, ob es nicht was für ihn aufzunehmen gibt. Aber ich tät' mich so freuen, wenn ich dableiben dürft' und kriegte das Gutachten erst mal dictiert. Für Herrn Bibliotheks-Secretär wird ja nach dem Aufstehen immer noch Dienst genug –«

»Ja, bleib nur, mach dich nur fertig. John kommt mir immer früh genug – ob er schon meistens zu spät kommt. Mag nachher drankommen.«

»Danke Ew. Excellenz recht von Herzen.«

Ganz angenehmer Mensch, von leidlicher Gestalt und geschickten Manieren bei der Aufwartung und im näheren Dienst meiner Person. Und das Einschmeichelnde kommt nicht aus Berechnung – oder nur zum Teil –, sondern aus redlicher Ergebenheit, mit einiger Eitelkeit gemischt, und aus natürlichem Liebesbedürfnis. Eine zärtliche Seele, gutartig und sinnlich, und hats mit den Weibern. Ich glaub, daß er quacksalbert, weil er sich nach der Rückkehr von Tennstedt was zugezogen. Vermut ich recht, so kann er nicht bleiben. Werd mit ihm reden müssen – oder August beauftragen – nein, den nicht, – Hofmedicus Rehbein. Im Bordell trifft der Jüngling das Mädchen wieder, das er geliebt, und das ihn auf alle Weise geknechtet und gequält hat, wofür er nun Wiedervergeltung übt. Hübscher Vorwurf. Wäre was gar Heiter-Hartes und Eindringliches daraus zu machen, gerade in bester Form. Ach, was könnte man Starkes und Merkwürdiges anbieten, wenn man in einer freien, geistreichen Gesellschaft lebte! Wie ist die Kunst gebunden und durch matte Rücksichten eingeschränkt in ihrer natürlichen Kühnheit! Das ist ihr aber vielleicht auch wieder gut, und sie bleibt geheimnisvollmächtiger, gefürchteter und geliebter, wenn sie nicht nackend geht, sondern schicklich verhüllt und nur hie und da ihre angeborene Verwegenheit erschreckend und entzückend einen Augenblick offenbart. Grausamkeit ist ein Haupt-Ingrediens der Liebe und ziemlich gleichmäßig auf die Geschlechter verteilt: die Grausamkeit der Wollust, die Grausamkeit des

Undanks, der Unempfindlichkeit, des Unterjochens und Maltraitements. Die Lust am Leiden und am Erdulden der Grausamkeit übrigens ebenso. Und noch fünf, sechs andere Verkehrtheiten – wenn es Verkehrtheiten sind – aber das mag ein moralisches Vorurteil sein –, welche in chymischer Verbindung, ohne daß noch was andres hinzukäme, die Liebe machen. Wäre die liebe Liebe aus lauter Perhorrescibilitäten zusammengesetzt, das Lichteste aus lauter uneingeständlichen Dunkelheiten. Nil luce obscurius? Sollte Newton doch recht haben? Nun, laß gut sein, jedenfalls ist der Roman des europäischen Gedankens dabei herausgekommen.

Zudem kann man nicht sagen, daß jemals das Licht soviel Irrsal, Unordnung, Verwirrung, solche Bloßstellung des Unentbehrlich-Respectablen für den boshaften Angriff angerichtet hätte, wie überall und täglich die Liebe tut. Carl Augusts doppelte Familie, die Kinder, – dieser Oken hat den Fürsten innerhalb der Staatsverhältnisse angegriffen, wird er säumen, wenn man ihn reizt, und eben nur reizt, die Familienverhältnisse anzugreifen? Muß dem Herrn das unverblümt zu verstehen geben, um ihn zu lehren, daß das Verbot des Blattes, der chirurgische Schnitt, das einzig Raisonable und Heilsame – und nicht der Verweis, die Bedrohung oder gar die Aufregung des Fiscals gegen den catilinarischen Frechdachs, daß man ihn auf dem Wege Rechtens belange, wie der würdige Vorsitzende der Landesdirection es will. Wollen mit dem Geiste anbinden, die Guten. Sollten die lieber bleiben lassen. Haben keine Ahnung. Der redet ebenso gewandt und unverschämt, wie er drucken läßt, gibt ihnen Repliquen, wenn er sich überall bequemt, der Vorladung zu folgen, – viel besser, als sie je eine zu parieren wissen, und dann haben sie die Wahl, ihn auf die Hauptwache zu setzen oder ihn triumphierend abziehen zu lassen. Ist auch ganz unschicklich und unleidlich, einen Schriftsteller herunterzuputzen wie einen Schulknaben. Dem Staate hilfts nichts, und der Cultur schadets. Das ist ein Mann von Kopf, von Verdienst; wenn er außerdem den Staat untergräbt, muß man ihm das Instrument

dazu nehmen, punctum, aber ihn nicht bedrohen, daß er
in sich gehe und sich in Zukunft bescheidener halte. Gebt
doch einem Mohren bei Strafe auf, daß er sich weiß wasche!
Wo soll denn die Beschränkung, die Bescheidenheit herkommen, wo doch Verwogenheit und Frechheit ihrer Natur nach
unbedingt? Treibt ers nicht einfach fort wie bisher, so wirft
er sich auf die Ironie, und vor der steht ihr vollends hilflos.
Ihr kennt die Auswege des Geistes nicht. Zwingt ihn mit
halben Maßnahmen zu einer Verfeinerung, die nur ihm zuträglich und nicht euch. Wäre einer Behörde grad anständig,
hinter seinen Finten herzulaufen, wenn er sich in Charaden
und Logogryphen ergeht, und den Ödipus zu machen zu
solcher Sphinx! Würde mich für sie in Grund und Boden
schämen.

Und die fiscalische Klage? Wollen ihn vor das Sanhedrin
ziehen, – aus welcher causa? Hochverrat, sagen sie. Wo in
aller Welt ist hier Hochverrat? Kann man Verrat heißen, was
einer in aller bürgerlichen Öffentlichkeit verübt? Schafft doch
Ordnung in eueren Köpfen, ehe ihrs im Namen der Ordnung
aufnehmt mit einem geistreichen Destructeur! Der druckt
euch die Klage mit Noten ab und deponiert, er wolle alles
haarklein als wahr erweisen, was er geschrieben, da denn
wegen Aussage der Wahrheit keiner bestraft werden könne.
Und wo ist das Gericht, dem ihr in dieser gespaltenen Zeit
euch getrauen könnt, die Sache zu unterwerfen? Sitzen nicht
in Facultäten und Dikasterien Leute, von demselben revolutionären Geiste belebt wie der Sünder, und wollt ihrs erleben,
daß er freigesprochen und gar noch belobt aus dem Saale
geht? Wär noch schöner, daß ein souveräner Fürst innerste
Fragen einem zeiterschütterten Gerichtshof sollte zur Entscheidung vorlegen! Nimmermehr ists eine Rechtssache und
darf es nicht werden. Polizeilich, unter der Hand und ohne
Aufregung der Öffentlichkeit ist zu handeln. Man ignoriere
den Herausgeber ganz und gar, man halte sich an den Druk-
ker und verbiete dem bei persönlicher Haftung den Druck
des Blattes. Still durchgreifende Ausmerzung des Übels – und

keine Rache. Sie sprechen wirklich von Selbstrache und fühlen das Schreckliche nicht eines solchen Bekenntnisses! Wollt ihr in falschem Ordnungsdienst die Greuel dieser Tage vermehren und die Roheit einladen, sich ein Fest zu machen? Wer steht euch dafür, daß nicht die gereizte Stupidität einen Mann, der immer verdient, in der Wissenschaft eine glänzende Rolle zu spielen, mit Hetzpeitschen lederweich traktiert und gräßlich mißhandelt? Da sei Gott vor und mein lebhaft beweglich Gutachten! – »Bist du's, Carl?«

»Bin's, Ew. Excellenz.«

»Ew. Königlichen Hoheit gnädigste Befehle so schnell und genau, als in meinen Kräften steht, auszuführen, habe ich jederzeit für meine erste Pflicht –«

»Etwas langsamer vielleicht, wenn man bitten darf, Ew. Excellenz!«

»Mach, du Tranfunzel, und abbrevier wie du kannst, sonst ruf' ich den John!«

»Und so weiter. Euer Königlichen Hoheit untertänigst treu Gehorsamster. – Das wär's erst einmal. Ist alles durchgestrichen, was ich notiert hab'. Schreib's vorderhand so ins Halbreine! Es ist nicht fertig, ist noch zu expressiv und auch noch nicht recht componiert. Ich muß, wenn ich's vor mir habe, noch mildernd und ordnend darüber hingehen. Mach's leserlich; wenn du kannst, noch vor Tische. Jetzt will ich aufstehen. Kann jetzt weiter keine Briefe dictieren, nein. Das hat zuviel Zeit genommen, und ich hab' für den Morgen noch eine Menge andere. Une mer à boire – und dann sind's täglich nur ein paar Schluck. Mittags brauch' ich das Geschirr, verstehst du, sag es im Stall. Zur Nimbusbildung wird es nicht kommen, wird heut nicht regnen. Ich will im Park die neuen Baulichkeiten besehen mit Herrn Oberbaurat Coudray; kann sein, daß er mit zum Essen kommt, kann sein auch Herr von Ziegesar. Was haben wir denn?«

»Gansbraten und Pudding, Ew. Excellenz.«

»Stopft tüchtig Maroni in die Gans, das sättigt.«

»Will's ausrichten, Ew. Excellenz.«

»Es kommt vielleicht auch von den Professoren der
Zeichenschule noch einer oder der andere mit. Ein Teil der
Schule zieht ja von der Esplanade ins Jägerhaus. Muß das
inspicieren. Leg mir den Schlafrock hier über den Stuhl. Ich
schelle, wenn ich dich zum Haarmachen brauche. Geh. Und
Carl? Laß mir die Collation schon etwas vor zehn Uhr an-
richten oder doch keine Minute später. Ich will vom kalten
Rebhuhn haben und ein gutes Glas Madeira dazu. Man ist
doch kein ganzer Mensch, ehe man nicht was Herzstärkendes
im Leibe hat. Der Coffee in der Früh ist mehr für den Kopf,
aber fürs Herz ist erst der Madeira.«

»Versteht sich, Ew. Excellenz, und für die Poesie ist beides
benötigt.«

»Mach dich aus dem Staube!«

– – – Heiliges Wasser, kalt und rein, heilig nicht minder in
deiner Nüchternheit als die sonnenfeuerbindende Labe-Gabe
des Weins! Heil dem Wasser! Heil dem Feuer! Heil dem
starken und treuen Herzen, sagen wir doch: der Treuherzigkeit, die das Frühe, Reine und Erstgegebene, das Ursprüngliche langweilig und gering vernutzter Verfeinerung, täglich
wieder als seltenes Abenteuer erleben mag! Heil der Verfeinerung, welcher Treuherzigkeit froh-gewaltig integriert! –
Nur sie ist Cultur, nur sie ist Größe. Fische sie wimmeln da,
Vögel sie himmeln da – das war hübsch. Vögel sie himmeln
da war ein recht feierlich hochräumiger Spaß. Sie sprechen
wohl von himmelnden Augen – hab ich aus der dummen
Schwärmerei, dem ins Frömmelnde verspötteltem Zeitwort im
Handumdrehen ein luftig-heiter-großes Schau- und Daseins-
bild gemacht. Könnte beiträgig sein zur Definition des Einfalls ... Wasser es fließe nur! Erde sie steht so fest! Ströme
du, Luft und Licht! Feuer nun flammts heran – Feier des
Elements auch in der ‚Pandora‘ schon, darum hieß ichs ein
Festspiel. Wollen bestimmt das Fest gesteigert erneuern in
der zweiten ‚Walpurgisnacht‘ – Leben ist Steigerung, das
Gelebte ist schwach, geistverstärkt muß mans noch einmal

leben. Hoch gefeiert seid allhier – Element' ihr alle vier! Das
steht fest, das soll den Schlußchor machen des mythologisch-
biologischen Ballets, des satyrischen Natur-Mysteriums. Leichtigkeit, Leichtigkeit ... höchste und letzte Wirkung der
Kunst ist Gefühl der Anmut. Nur nicht die stirnrunzelnde
Erhabenheit, die, seis auch in Glanz und Schiller, tragisch erschöpft dasteht als Product der Moral! Tiefsinn soll lächeln
... Er soll überhaupt nur mit unterlaufen, sich für den Eingeweihten heiter ergeben –, so wills die Esoterik der Kunst.
Bunte Bilder dem Volk, dahinter für die Wissenden das Geheimnis. Sie waren ein Demokrat, mein Bester, der den Vielen
so geradehin glaubte das Höchste bieten zu sollen – edel und
platt. Aber Menge und Cultur, das reimt sich nicht. Cultur,
das ist auserlesne Gesellschaft, die sich über das Höchste discret verständigt mit einem Lächeln. Und das Augurenlächeln
gilt der parodischen Schalkheit der Kunst, die das Frechste
gibt, gebunden an würdigste Form, und das Schwere, gelöst
in läßlichen Scherz ...

Den Badeschwamm hab ich lange schon –, handsames
Exemplar festsitzender Tief-Tierheit in thaletischer Urfeuchte.
Bis zum Menschen hat das Zeit. In welchem Grunde bildetest
du und deuchtest dich groß, sonderbar Lebensgerüst, dem
man das weiche Seelchen nahm? Am Ägäischen Meere gar?
Hattest du wohl ein Plätzchen an Kypris' irisierendem
Muschel-Thron? Mit Augen, blind überschwemmt von der
Flut, die ich aus deinen Poren drücke, seh ich den neptunischen
Trionfo, das triefende Getümmel von Hippokampen und
Wasserdrachen, von Grazien des Meeres, Nereiden und horn-
stoßenden Tritonen um Galatea's farbenstreuenden Wagen
hinziehen durchs Wellenreich ... Das ist eine gute Gewohnheit, dies Ausdrücken überm Genick, abhärtend fürs Ganze;
solang du da den kalten Sturz schreckhaft-behaglich duldest,
ohne daß es dir den Atem verschlägt, gingest du auch, wenns
nur der neuralgische Arm erlaubte, ohne Zagen ins Flußbad,
wie vormals, wenn du, ungezogener Narr, mit nächtlichem
Aufrauschen, langen, triefenden Haars, den späten Bürger

phantastisch erschrecktest. Alles geben die Götter, die Unendlichen, ihren Lieblingen ganz – Alt ist die Mondnacht, da du es, aus der Flut steigend, tief belebt und im reinen Rausch deiner Haut, in die Silberluft redetest aus begeisterter Selbstergriffenheit. So verhalfen dir eben die Nackengüsse zum Galateagesicht. Eingebung, Einfall, Idee als Geschenk physischer Stimulation, gesunder Erregung, glücklicher Durchblutung, antäischer Berührung mit Element und Natur. Geist – ein Product des Lebens, – das auch wieder in ihm erst wahrhaft lebt. Sind auf einander angewiesen. Lebt eines vom anderen. Macht nichts, wenn der Gedanke vor Lebensfreude sich besser dünkt, als er ist – auf die Freude kommts an, und Selbstgefälligkeit macht ihn zum Gedicht. Freilich, Sorge muß bei der Freude sein, Sorge ums Rechte. Ist ja doch der Gedanke auch der Kummer des Lebens. Wäre das Rechte also des Kummers und der Freude Sohn. Vom Mütterchen die Frohnatur ... Aller Ernst entstammt dem Tode, ist Ehrfurcht vor ihm. Aber Grauen des Todes, das ist das Verzagen der Idee – weil das Leben versagt. Wir gehen all in Verzweiflung unter. Ehre denn auch die Verzweiflung! sie wird dein letzter Gedanke sein. Dein ewig letzter? Frömmigkeit wäre, zu glauben, daß ins schwarze Verzagen des lebensverlassenen Geistes einst der Freudenstrahl höheren Lebens bricht.

Mit dem Staube nicht der Geist zerstoben ... Ließe mir Frömmigkeit schon gefallen, wenn nur die Frommen nicht wären. Wär schon ein gut Ding darum und um die still hoffende, ja vertrauende Verehrung des Geheimnisses, hätten nur nicht die Narren in ihrem Dünkel eine Tendenz und arrogante Zeitbewegung daraus gemacht, einen dreisten Jugendtrumpf, – Neufrömmigkeit, Neuglaube, Neuchristentum, – und hättens mit jederlei Duckmäuserei, Vaterländerei und feindselig bigottem Gemütsmuff verbunden zur Weltanschauung sinistrer Grünschnäbel ... Nun, nun, wir waren auch arrogant, mit Herder damals in Straßburg gegen das Alte, wo du den Erwin besangst und sein Münster und dir den Sinn für das bedeutende Rauhe und Charakteristische nicht wolltest verzärteln lassen durch die weiche Lehre neuerer Schönheitelei. Wär den Heutigen wohl nach dem Herzen, ginge den gotischen Frömmlern recht lieblich ein, weshalben eben dus unterdrücktest und schlossest es aus vom Gesammelten, da dir erst der Sulpiz, mein guter und wohltuender, mein traulich-gescheiter Boisserée, das Gewissen geschärft für die Weglassung und Verleugnung und dich in heilsame Beziehung gesetzt zum Alten-Neuen, in Beziehung zur eigenen Jugend. Sei dankbar dem oberen Wohlwollen, der eingeborenen Begünstigung, daß das Ärgerlich-Bedrohliche zu dir kam in feinster und redlichster, gesittet ehrerbietiger Gestalt, als der Gute von Cöln mit seinem Treusinn für würdiges, kirchliches und volkstümliches Wesen, altdeutsche Baukunst und Bilder, und dir Augen machte für vieles, was du nicht hattest sehen wollen, für den Eyck und die zwischen ihm und Dürer und fürs Byzantinisch-Niederrheinische. Da hatte man auf seine alten Tage sich mühsam von der Jugend, die das Alter zu stürzen kommt, abgesperrt um des eigenen Bestehens willen und sich vor allen Eindrücken neuer und störender Art zu hüten gesucht, um sich zu bewahren –, und auf einmal tut sich dir, zu Heidelberg damals, bei Boisserées auf dem Saal, eine neue Welt auf von Farben und Gestalten, die dich aus dem alten Geleis deiner Anschauungen und Empfindungen zwingt – die Jugend im Alten, das Alte als Jugend –, und du fühlst, was für eine gute Sache das ist, die Capitulation, wenn sie Eroberung ist, und die Unterwerfung, wenn sie die Freiheit schenkt, weil sie aus Freiheit geschieht. Sagt ich dem Sulpiz. Dankt es ihm, daß er gekommen war in aller festen, bescheidenen Freundlichkeit, mich zu gewinnen – mich vorzuspannen, versteht sich, dazu kommen sie alle – seinen Plänen mit der Vollendung des Doms von Cöln. Gab sich alle Müh, mich die eigene vaterländische Erfindung des altdeutschen Bauwesens sehen zu lassen, und daß die Gotik mehr gewesen als die Frucht der verfallenen römischen und griechischen Architectur.

Hier soll meist das Fratzenhafte,
Das ein düstrer Wahnsinn schaffte,
Für das Allerhöchste gelten.

Macht' aber seine Sache so geschickt und gescheit, der Junge,
so bestimmt und artig, und kam alles bei ihm bei aller Diplomatie aus solcher Redlichkeit, daß ich ihn liebgewann – und
seine Sache gleich mit. Ist ja so schön, wenn der Mensch eine
Sache hat, die er liebt! Macht ihn selber schön – und sogar
die Sache – selbst wenns eine Fratze. Muß ich doch in mich
hineinlachen, wenn ich denk, wie wir bei seinem ersten Besuch, anno eilf, hier miteinand laborierten, über seine nieder-
rheinischen Kupfer gebückt, die Straßburger und Cölnischen
Risse und des Cornelius Illustrationen zum ‚Faust', und uns
Meyer erwischt bei so fragwürdigem Geschäft. Kommt herein, guckt auf den Tisch, und ich ruf: Da sehen Sie einmal,
Meyer, die alten Zeiten stehen leibhaftig wieder auf! Der
wollt seinen Augen nicht trauen, womit ich mich abgab.
Murrt und murmelt Mißbilligung über das Fehlerhafte, das
der junge Cornelius aus dem altdeutschen Stil fromm übernommen, und sieht mich groß an ein übers andere Mal, da ich
gleichgültig darüber hingehe, den Blocksberg, Auerbachs Kel-
ler lobe, und die Bewegung von Faustens Arm, wie er ihn der
Kleinen bietet, einen guten Einfall nenne. Ist vollends verblüfft und schnappt nach Luft, da ers erlebt, daß ich die
christliche Bau-Barbarei nicht vom Tische fege, sondern die
Grundrisse der Türme denn doch erstaunlich finde und mich
zur Bewunderung verstehe der Großheit der Pfeilerhalle.
Lenkt ein, knurrt, nickt, sieht die Risse an, sieht mich an, gibt
zu, macht den Polonius – It is back'd like a camel – Ein Anhänger, ein im Stich gelassener, verratener Anhänger. Gibts
etwas Lustigeres als den Verrat an den Anhängern? Ein Vergnügen, diebischer als dies, ihnen zu entkommen, sich von
ihnen nicht festhalten zu lassen, sie zum Narren zu haben, –
einen größeren Spaß als ihre offenen Mäuler, wenn man sich
selbst überwindet und die Freiheit gewinnt? Die ist freilich

leicht mißzuverstehen, mag wohl aussehen, als ob man damit
auf die falsche Seite geriete, und die Frömmler glauben, man
frömmle mit ihnen, da uns doch nur auch das Absurde freut,
wenn wir uns drüber aufklären. Narrheiten sind interessant,
und es soll einem nichts unzugänglich sein. Wies denn wohl
eigentlich mit den neuen katholisch gewordenen Protestanten
sei, hab ich den Sulpiz gefragt: das möcht ich näher kennen,
ihren Weg, und wie sie denn so dazu kommen. Meint er: Viel
hat da Herder getan und seine ‚Philosophie der Geschichte
der Menschheit‘, aber die Gegenwart auch, die welthistorische Richtung – Nun, das sollt ich kennen, das ist was
Gemeinsames, ist immer was Gemeinsames da, auch mit den
Narren, nur nimmt sichs verschiedentlich aus und zeitigt Ver-
schiednes. Die welthistorische Richtung – Throne bersten,
Reiche zittern – darauf sollt ich mich auch verstehen, das ist
mir, irr ich nicht, auch ins Leben gefahren –, nur schenkts
dem einen den Jahrtausendgeist, macht ihn vertraut mit der
Größe, den andern macht es katholisch. Hat freilich auch mit
der Tradition zu tun, der Jahrtausendgeist, wer sich auf die
nur verstünde. Wollen die Tradition mit Gelehrsamkeit und
Historie stützen, die Narren, – als wär das nicht gegen alle
Tradition! Die nimmt man an, und dann gibt man von vornherein etwas zu, oder man nimmt sie mitnichten an und ist
ein rechter kritischer Philister. Aber die Protestanten (sagt
ich zum Sulpiz) fühlen die Leere und wollen drum einen
Mysticismus machen –, da doch, wenn etwas entstehen muß
und nicht gemacht werden kann, es der Mysticismus ist.
Absurdes Volk, versteht nicht einmal, wie die Messe geworden
ist, tut, als könne man eine Messe machen. Wer drüber lacht,
ist frömmer als die. Werden nun aber glauben, du frömmelst
mit ihnen. Werden dein altdeutsch Büchlein, das Rhein- und
Mainheft über den Hergang der Kunst durch die dunkle Zeit,
für sich in Anspruch nehmen und deine Ernte geschwinde aus-
dreschen, um mit den Strohbündeln im patriotischen Ernte-
fest einherzustolzieren. Laß sie, sie wissen nichts von Freiheit. Die Existenz aufgeben, um zu existieren, das Kunststück

will freilich gekonnt sein; gehört mehr dazu als ‚Charakter‘,
gehört Geist dazu und die Gabe der Lebenserneuerung aus
dem Geist. Das Tier ist von kurzer Existenz; der Mensch
kennt die Wiederholung seiner Zustände, die Jugend im
Alten, das Alte als Jugend; ihm ist gegeben, das Gelebte noch
einmal zu leben, geistverstärkt, sein ist die erhöhte Verjüngung, die da der Sieg ist über Jugendfurcht, Ohnmacht und
Lieblosigkeit, der todverbannende Kreisschluß . . .

Bracht er mir alles, der gute Sulpiz, in seiner Artigkeit
und lieben Erfülltheit, bloß gemeint, mich vorzuspannen, –
wußte nicht, was er mir alles brachte und nicht hätte bringen
können, hätt nicht die Lampe der Flamme geharrt, die sie
entzündet, wär ich nicht in Bereitschaft gewesen für die Intervention, mit der so Vieles begann, die mehr in die Wege leitete als bloß das altdeutsche Büchlein. Anno eilf war er hier
bei mir, und Jahr für Jahr darauf kam die Hammer'sche
Übersetzung mit der Vorrede über den von Schiras, kam das
Geschenk der Begeisterung, das spiegelnde Wiedererkennen,
das heiter-mystische Traumspiel der Metempsychose, gehüllt
in Jahrtausendgeist, den der Timur des Mittelmeers, mein
düster-gewaltiger Freund erregte, – die Vertiefung kam in die
Jugend der Menschheit – Glaube weit, eng der Gedanke –,
die fruchtende Fahrt hinab zu den Patriarchen und die andere Reise dann, ins Mutterland, angetreten in vorwissender
Bereitschaft: doch wirst du lieben, – es kam Marianne.
Braucht er nicht zu wissen, wie alles zusammenhängt, sag ihm
nicht, wies mit seinem Kommen begann vor fünf Jahren, wär
auch nicht recht, tät ihm was in den Kopf setzen, war nur ein
Instrument und ein Vorspann selbst, da er mich vorspannen
wollt in aller Ergebenheit. Wollt eines Tages sogar bei mir
schreiben lernen, damit er besser könnt seine Sache propagieren, und hatte sichs in den Kopf gesetzt, den Winter in Weimar zu leben, daß er mirs abgucke und sich zum Schreiben
Rats hole bei mir. Laßt das, Freund, sagt ich, meine Heiden
da machen mirs, der ich doch selbst ein Heide bin, oft zu arg.
Wär nichts für Euch, würdet bloß auf mich reduciert sein,

und das wär zu wenig, denn ich kann nicht allezeit mit Euch sein. War ein Liebeswort. Gab ihm solche wohl mehr. Lobte seine kleinen Beschreibungen und sprach: Gut sind sie und recht, denn sie haben den Ton, und der ist immer die Hauptsach. Ich könnts wahrscheinlich nicht halb so gut, weil ich den frommen Sinn nicht habe. Und dann las ich ihm aus der ‚Italienischen Reise‘, wo ich den Palladio gepriesen nach Herzenslust und das Deutsche vermaledeit mit Klima und Architectur. Hatt er Tränen in den Augen, der Gute, und ich versprach ihm flugs, die wütige Stelle zu streichen, damit er sähe, was für ein braver Kerl ich sei. Hab ich doch ihm zu Gefallen auch aus dem ‚Divan‘ die Diatribe weggelassen aufs Kreuz; das Bernsteinkreuz, die westlich-nordische Narrheit. Zu bitter fand ers und hart und bat um Verwerfung. Gut, sagt ich, weil Ihr es seid, solls außen bleiben. Ich wills meinem Sohn geben, wie manches sonst, womit ich die Welt hätte vor den Kopf gestoßen. Der verwahrt es mit Pietät, so laß ich ihm den Spaß, und ist eine Auskunft zwischen Verbrennen und vor den Kopf stoßen ... Aber er liebt mich auch – war so glücklich über meine Teilnahme an seinen frommen Scharteken, nicht nur um seiner Sache, nein, auch um meinetwillen. Ein Zuhörer comme il faut, – wie war er angemutet von der Kürzesten Nacht und dem Liebeschnaufen Aurora's nach Hesperus, da ichs ihm las zu Neckarelz auf der Reise im kalten Zimmer. Treffliche Seele! Hat mir über die Verwandtschaft des ‚Divan‘ mit ‚Faust‘ die hübschesten, instinctivsten Dinge gesagt und war allerwege ein guter Reisegefährte und -vertrauter, dem man sich gern eröffnete im Wagen und bei der Einkehr über die Geschichten des Lebens. Weißt du die Fahrt von Frankfurt nach Heidelberg, wo du ihm von Ottilien sprachst bei erscheinenden Sternen, wie du sie lieb gehabt und um sie gelitten, und geheimnisvoll faseltest vor Kälte, Excitation und Schläfrigkeit? Ich glaube, er hat sich gefürchtet ... Schöne Straße von Neckarelz die Höhe hinauf durchs Kalkgebirge, wo wir Versteinerungen fanden und Ammonshörner. Oberschefflenz – Buchen – Wir aßen in

Hardheim zu Mittag im Wirtsgarten. Da war die junge Be-
dienerin, die es mir antat mit ihren verliebten Augen, und an
der ich ihm demonstrierte, wie Jugend und Eros aufkommen
fürs Schöne, denn sie war unhübsch, aber erz-attractiv, und
wurd es noch mehr vor schämig-spöttischer Erhöhtheit, da sie
merkt, der Herr spräch von ihr, was sie ja merken sollt, und
er merkte auch natürlich, daß ich nur sprach, damit sie merke,
ich spräche von ihr, hatt aber eine musterhafte Haltung in
solcher Bewandtnis, weder gêniert noch unfein – das ist
katholische Cultur –, und war von der heiter-günstigsten
Gegenwart, als ich ihr den Kuß gab, den Kuß auf die
Lippen.

Himbeeren, auf denen die Sonne steht. Erwärmter Frucht-
geruch, unverkennbar. Kochen sie ein im Hause? Ist doch die
Jahreszeit nicht. Ich hatts in der Nase. Ist ein gar lieber Duft
und reizend die Beere, schwellend vom Saft unter der samtenen Trockenheit, warm vom Lebensfeuer wie Frauenlippen.
Ist die Liebe das Beste im Leben, so in der Lieb das Beste der
Kuß, – Poesie der Liebe, Siegel der Inbrunst, sinnlich-plato-
nisch, Mitte des Sakraments zwischen geistlichem Anfang und
fleischlichem End, süße Handlung, vollzogen in höherer
Sphäre als das da, und mit reinern Organen des Hauchs und
der Rede, – geistig, weil noch individuell und hoch unter-
scheidend, – zwischen deinen Händen das einzigste Haupt,
rückgeneigt, unter den Wimpern den lächelnd ernst vergehen-
den Blick in deinem, und es sagt ihm dein Kuß: Dich lieb und
mein ich, dich, holde Gotteseinzelheit, ausdrücklich in aller
Schöpfung dich, – da das Zeugen anonym-creatürlich, im
Grund ohne Wahl, und Nacht bedeckts. Kuß ist Glück, Zeugung Wollust, Gott gab sie dem Wurme. Nun, du würmtest
nicht faul zu Zeiten, aber deine Sache ist eher doch das Glück
und der Kuß, – flüchtiger Besuch der wissenden Inbrunst auf
rasch verderblicher Schönheit. Auch ists der Unterschied von
Kunst und Leben, denn die Fülle des Lebens, der Menschheit,
das Kindermachen ist nicht Sache der Poesie, des geistigen
Kusses auf die Himbeerlippen der Welt ... Lottens Lippen-

spiel mit dem Kanarienvogel, wie sich das Tierchen so lieblich
in die süßen Lippen drückt und das Schnäbelchen dann den
Weg von ihrem Munde zum anderen macht in pickender Berührung, ist gar artig infam und erschütternd vor Unschuld.
Gut gemacht, talentvoller Grasaff, der schon von Kunst so
viel wußt wie von Liebe und heimlich jene meint, wenn er
diese betrieb, – spatzenjung und schon ganz bereit, Liebe,
Leben und Menschheit an die Kunst zu verraten. Meine Lieben, meine Erzürnten, es ist getan, zur Leipziger Messe ists
ausgegeben, verzeiht mir, wenn ihr könnt. Muß, meine Besten,
noch euch und euern Kindern ein Schuldner werden für die
bösen Stunden, die euch meine – nennts, wie ihr wollt, gemacht hat. Haltet, ich bitt euch, stand! – War um die Jahreszeit, daß ichs schrieb, in grauen Spatzenzeiten. Fiel mir genau
wieder ein, der Brief, wie mir dies Frühjahr die Erstausgabe
wieder zu Händen kam und ich das tolle Gemächte zum
erstenmal wieder durchging nach soviel Jahren. War kein Zufall, mußte mir vorkommen, gehört zum Übrigen als letztes
Glied, die Lectüre, von alldem, was begann mit Sulpizens
Besuch, gehört zur wiederkehrenden Phase, zur Lebenserneuerung, geistverstärkt, zur hochheiteren Feier der Wiederholung ... Übrigens glänzend gefügt, das Ding, Respect,
mein Junge, vorzüglich das psychologische Gewebe, der dichte
Reichtum an seelischem Beleg. Gut das Herbstbild des Blumen
suchenden Irren. Nett, wie die liebe Frau ihre Freundinnen
durchdenkt für den Freund und an jeder was auszusetzen findet, ihn keiner gönnt. Könnte schon aus den ,Wahlverwandt-
schaften' sein. Soviel gescheite Sorgfalt bei soviel Gefühlsver-
lorenheit und Sehnsuchtsstürmen gegen die Schranken des
Individuums, die Kerkermauern des Menschseins. Verstehe
schon, daß es einschlug, und wer damit anfing, ist eben doch
keine Katze. Wie etwas sei leicht, weiß, der es erfunden und
der es erreicht. Leicht, glücklich wie Kunst, ists durch die
briefliche Composition, das Momentane, das Immer-neu-An-
setzen, – ein welthaft Beziehungssystem lyrischer Einheiten.
Talent ist, sichs schwer zu machen – und zu verstehn auch

wieder, wie man sichs leicht macht. Mit dem ‚Divan‘ ists ganz
dasselbe, – wunderlich, wie es immer wieder dasselbe ist.
‚Divan‘ und ‚Faust‘, schon recht, aber ‚Divan‘ und ‚Werther‘
sind ja Geschwister noch mehr, besser gesagt: dasselbe auf ungleichen Stufen, Steigerung, geläuterte Lebenswiederholung.
Mög es immer und ins Unendliche so weitergehen, sich ein
büßendes Gewinnen in die Ewigkeiten steigern! ... Vom
Küssen ist reichlich die Rede, im frühen, im späten Liede.
Lotte am Clavier, und ihre Lippen, die man nie so reizend
gesehen, da es war, als ob sie sich lechzend öffneten, die süßen
Töne zu schlürfen, – war das nicht Marianne schon, accurat,
oder richtiger: wars diese nicht wieder, wie sie ‚Mignon‘ sang,
und Albert saß auch dabei, schläfrig und duldsam? War schon
wie ein Festbrauch diesmal, Ceremonie, Nachahmung des
Urgesetzten, feierlicher Vollzug und zeitlos Gedenkspiel, –
weniger Leben als erstmals, und auch wieder mehr, vergei-
stigtes Leben ... Gut denn, die hohe Zeit ist geschlossen, und
diese Verkörperung seh ich nicht wieder. Wollts, ward aber
bedeutet, ich sollts nicht, da heißt es entsagen, neuer Erneuerung ausdauernd gewärtig. Bleiben wir! Die Geliebte
kehrt wieder zum Kuß, immer jung, – (eher apprehensiv nur
freilich, zu denken, daß sie in ihrer der Zeit unterworfenen
Gestalt, alt, auch daneben noch irgendwo lebt, – nicht eben
ganz so behäglich und billigenswert, wie daß auch der
‚Werther‘ fortbesteht neben dem ‚Divan‘).

Aber dieser ist besser, zur Größe gereift, übers Pathologische rein hinaus, und das Paar ist musterhaft worden,
höheren Sphären entgegengesteigert. Wird dir der Kopf doch
heiß, wenn du denkst, was sich der Grünschnabel damals
im Motivierungsraptus alles geleistet. Gesellschaftsrebellion,
Adelshaß, bürgerliche Gekränktheit, – mußtest du das hin-
einmengen, Tölpel, ein politisch Gezündel, das alles herab-
setzt? Der Kaiser hatte ganz recht, es zu tadeln: Warum habt
Ihr doch das gemacht? Ein Glück nur, daß mans nicht achtete, es mit den übrigen Leidenschaftlichkeiten des Buchs in
den Kauf nahm und sich versichert hielt, es sei auf unmittel-

bare Wirkung nicht abgesehn. Dummes, grünes Zeug und obendrein subjectiv unwahr. War doch meine Stellung gegen die oberen Stände sehr günstig, – will ich unbedingt nachher für den vierten Teil des Lebens dictieren, daß ich dank dem ‚Götz‘, was auch an Schicklichkeiten bisheriger Literatur darin mochte verletzt sein, gegen die obern Stände sogar vorzüglich gestellt war ... Wo ist mein Schlafrock? Schellen dem Carl zum Frisieren. The readiness is all – es könnte Besuch kommen. Angenehmer weicher Flanell, auf dem sichs so gut die Hände im Rücken verschränkt. Ging darin morgens den Bogengang gegen den Rhein auf und ab zu Winkel bei den Brentanos und den Altan bei Willemers auf der Mühle. Traute sich niemand, mich anzureden dabei, aus Scheu vor meinen Gedanken, obgleich ich manchmal an gar nichts dachte. Ist ganz behaglich, alt und groß zu sein, und Ehrfurcht ist notwendig. Ja, wohin nicht schon überall hat mich der milde Rock begleitet, – häusliche Gewohnheit, die man mit sich auf Reisen nimmt, um sein bleibend Selbst damit zu verteidigen und Trutz zu bieten dem Fremden. So mit dem silbernen Becher, den ich mir einpacken laß überallhin und den erprobten Wein auch dazu, daß mirs nirgend fehle und sich die übrigens lehr- und genußreiche Fremde nicht stärker erweise als ich und meine Gewohnheit. Man hält auf sich, man beharrt auf sich, – mäkelt da einer was von Erstarrung, ists dumm gemäkelt, denn gar kein Widerspruch ist zwischen Beharren, dem Trachten nach Lebenseinheit, dem Zusammenhalten des Ich – und der Erneuerung, der Verjüngung: all'incontro, diese gibts nur in der Einheit, im sich schließenden Kreis, dem todverbannenden Zeichen ... »Mach mich schön, Figaro, Battista, oder wie du schon heißt! Mach mir das Haar, das Stoppelfeld hab' ich mir selber schon weggestrichen, – du nimmst einen ja bei der Nase, wenn's an die Lippe kommt, bäurische Gewohnheit, kann ich nicht ausstehen – kennst du die Geschichte von dem Studenten und Suitenreißer, der sich vor seinen Kumpanen vermaß, den alten Herrn von Stande an der Nase zu ziehen, und sich als

Bartscherer bei ihm introduziert', da er ihn denn heimlich vor
aller Augen am Giebel nahm und ihm das würd'ge Gesicht
daran hin und her zog, worauf der Streich aufkam und den
alten Herrn vor Verdruß der Schlag rührte, der Suitier aber
vom Sohn im Duell fürs Leben was abkriegte?«

»Kenn' ich nicht, Ew. Excellenz. Kommt aber doch auf den
Geist und Sinn an, worin man jemanden an der Nase faßt,
und Ew. Excellenz können versichert sein –«

»Na, schon gut, ich hab's lieber eigenhändig. Ist ja auch bei
mir von einem Tage zum andern nicht gar viel vorfindig.
Sorg aber fürs Haar, ich will's gepudert, und auch ums Eisen
magst du es hier und hier ein bißchen legen, man ist ein ganz
anderer Mensch, wenn das Haar aus der Stirn und den
Schläfen ist und seinen Sitz hat, da ist die Fregatte erst klar
zum Gefecht, ist der Kopf erst klar, denn zwischen Haar
und Hirn, da gibt's Relationen, ein ungekämmt Hirn, was
soll das taugen. Weißt du, am adrettesten war's doch in der
Frühzeit, mit Cadogan und Haarbeutel, davon weißt du
nichts mehr, bist gleich in die Epoche des Schwedenkopfes
hineingeplatzt, aber ich komm' weit her, hab' mich durch soviel Läufte hindurchgeschlagen, den langen, den kurzen Zopf
mitgemacht, die steifen, die schwebenden Seitenlocken – man
kommt sich vor wie der Ewige Jude, der durch die Zeiten
wandert, immer derselbe, indes ihm, er merkt's kaum, die
Sitten und Trachten am Leibe wechseln.«

»Muß Ew. Excellenz gut gelassen haben, das gestickte
Kleid dazumal, der Zopf und die Ohrrollen.«

»Ich will dir sagen: es war eine nette, schicklich gebundene
Zeit, und Tollheit war mehr wert auf dem Hintergrunde als
heutzutag. Was ist denn die Freiheit auch, sag, wenn sie nicht
Befreiung ist. Ihr müßt auch nicht glauben, daß es damals
kein Menschenrecht gab. Herren und Knechte, nun ja, aber
das waren Gottesstände, würdig ein jeglicher nach seiner Art,
und der Herr hatte Achtung vor dem, was er nicht war,
vorm Gottesstande des Knechtes. Insonderheit weil in den
Zeiten die Einsicht noch mehr verbreitet war, daß man, ob

vornehm oder gering, das Menschliche immer ausbaden muß.«

»Na, Ew. Excellenz, ich weiß nicht, am Ende hatten wir Kleinen doch mehr auszubaden, und ist immer sicherer, daß man's nicht gerad' so ankommen läßt auf die Achtung des großen Gottesstandes vorm kleinen.«

»Sollst recht haben. Wie willst du, daß ich mit dir streite? Du hast mich, deinen Herrn, unter dem Kamm und unter dem heißen Eisen und kannst mich zwicken und brennen, wenn ich dir opponier', so halt' ich klüglich den Mund.«

»Haben gar feines Haar, Ew. Excellenz.«

»Du meinst wohl: dünn.«

»Bah, dünn fängt's grad' nur erst an über der Stirn ein bißchen zu werden. Ich meine: fein, das einzelne; ist ja seidenweich, wie sonst bei Mannsbildern selten.«

»Auch gut. Bin aus dem Holz, aus dem Gott mich geschnitzt hat.«

Gleichmütig-mißmutig genug gesagt? Unbeteiligt genug an meinen natürlichen Eigenschaften? Parrucchieri müssen immer schmeicheln, und der Mann nimmt die Gewohnheiten des Standes an, dessen Hantierung er eben übt. Will meiner Eitelkeit Zucker geben. Denkt wohl kaum, daß auch Eitelkeit verschieden Format hat und verschiedenen Impetus, daß sie tiefe Beschäftigung, ernstlichst nachdenkliche Selbstbeschaulichkeit, auto-biographischer Furor sein kann, insistenteste Neugier nach dem Um und Auf deines physisch-sittlichen Seins, nach den weitläufig-verschlungenen Wegen und Dunkellaborationen der Natur, die zu dem Wesen führten, das du bist, und das die Welt bestaunt, – also daß ein Schmeichelwort wie seines, unsre creatürliche Beschaffenheit berührend, nicht als leichter, oberflächlicher Ich-Reiz und Kitzel wirkt, wie er meint, sondern als heraufstörende Anmahnung glücklich-schwersten Geheimnisses. Bin aus dem Holz, aus dem Natur mich schnitzte. Punctum. Bin wie ich bin und lebe, des Wortes gedenk, daß wir unbewußt stets am weitesten kommen, frisch ins Blaue. Schon recht, schon brav. Und

all das inständig auto-biographische Betreiben? Stimmt nicht
just zum resoluten Princip. Und wills auch dem Werden nur
gelten, der didaktischen Darweisung, wie ein Genie sich bildet (was auch schon scientifische Eitelkeit), so liegt doch immer die Neugier zum Grund nach dem Stoff des Werdens,
dem Sein, das ein Gewordensein auch und weither kommendes Lebensergebnis. Denken die Denker doch über das Denken, – wie sollte der Werkende nicht über den Werker denken, wenn wieder Werk daraus wird und wohl einmal all
Werk nur hoch-eitle Vertiefung sein mag ins Phänomen des
Werkers, – ein egocentrisch Werk? – Fein-feines Haar. Da
liegt meine Hand auf dem Pudermantel. Paßt zum feinfeinen Haare gar nicht, ist kein schmalvergeistigt Edel-
pfötchen, sondern breit und fest, Handwerkerhand, vermacht von Hufschmied- und Metzgergeschlechtern. Was
muß an Zartheit und Tüchtigkeit, an Schwäche und Charakter, infirmité und Derbheit, Wahnsinn und Vernunft,
ermöglichter Unmöglichkeit sich glücklich-zufällig verbunden, durch die Jahrhunderte sich familiär herangemischt
haben, damit am Ende das Talent, das Phänomen erscheine?
Am Ende. Erst eine Reihe Böser oder Guter bringt endlich das Entsetzen, bringt die Freude der Welt hervor.
Den Halbgott und das Ungeheuer, – dacht ich sie nicht
zusammen, als ich das schrieb, nahm ich nicht eins fürs
andere, und wußt ich nicht, daß es ohne einiges Entsetzen in
der Freude, ohne das Ungeheuer im Halbgott nicht abgeht?
Böse oder gut – was weiß Natur davon – da sie nicht einmal
von Krankheit und Gesundheit viel weiß und aus dem Kranken Freude und Belebung schafft? Natur! Zuerst bist du mir
durch mich selbst gegeben – ich ahnde dich am tiefsten durch
mich selbst. Darüber gabst du mir Bescheid: Erhalten Geschlechter sich lange, so kommts, daß, ehe sie aussterben, ein
Individuum erscheint, das die Eigenschaften seiner sämtlichen
Ahnen in sich begreift und alle bisher vereinzelten und angedeuteten Anlagen vereinigt und vollkommen ausspricht. Sauber formuliert, sorgsam-lehrhaft bemerkt, den Menschen

zu besserer Kenntnis, – Wissenschaft der Natur, besonnen ab-
gezogen vom eignen nicht geheueren Sein. Egocentrisch –! Es
soll wohl einer nicht egocentrisch sein, der sich Naturziel,
Résumé, Vollendung, Apotheose weiß, ein Hoch- und Letzt-
ergebnis, das herbeizuführen Natur sich das Umständlichste
hat kosten lassen! Aber war nun diese ganze Anzucht und
Bürgerhecke, dies Sichkreuzen und -gatten der Sippen durch
die Jahrhunderte, wo der aus Nachbarlandschaft zugewandert
Gesell nach Brauch die Meisterstochter freite, die gräflich
Lakai- und Sartorsdirn dem geschwornen Landmesser oder
studierten Amtswalter sich copuliert, – war dies Quodlibet
von Stammesblutwerk nun so sonderlich glückhaft günstig
und gottbetreut? Die Welt wirds finden, da es zu mir führt,
in dem Anlagen, gefährlichste, durch Charakterkräfte, die
man woanders hernahm, überwunden, genützt, verklärt, ver-
sittlicht wurden, zum Guten und Großen gewendet und
gezwungen. Ich – ein Balance-Kunststück genauer Not, knapp
ausgewogener Glücksfall der Natur, ein Messsertanz von
Schwierigkeit und Liebe zur Facilität, ein Nur-gerade-Mög-
lich, das gleich auch noch Genie – mag sein, Genie ist immer
ein Nur-eben-Möglich. Sie würdigen, wenns hoch kommt, das
Werk, – das Leben würdigt keiner. Ich sag euch: Machs einer
nach und breche nicht den Hals!

Was wars mit deiner Ehescheu, deinem fliehenden Verbots-
und Unsinnsgefühl vor bürgerlich fortsetzender Verbindung
nach dem Muster der Ahnen, zwecklosem Weiter-Laborieren
über das Ziel hinaus? Mein Sohn, Frucht lockeren Behelfs,
mißbilligt libertinischer Bettgenossenschaft, – er ist ein Drü-
berhinaus, ein Nachspiel, weiß ich das nicht? Natur schaut
kaum noch hin – und ich hab die Grille, zu tun, als dürft
und könnt ichs in ihm noch einmal beginnen, verkuppel ihn
mit dem Persönchen, weils vom Schlage derer, vor denen ich
floh, oculier uns das preußisch Blut, damit das Nachspiel noch
einen Ausklang auch habe, bei dem Natur gähnend und achselzuckend nach Hause geht. Ich weiß Bescheid. Aber Bescheid
wissen ist eins, ein anderes das Gemüt. Das will sein Recht

quand même – auch gegen das kalte Wissen. Es wird stattlich und freundlich aussehen vorerst, im Hause wird eine Lili
walten, mit der galant der Alte scherzt, und will es Gott, so
wird man Enkel haben, lockige Enkel, Schattenenkel, den
Keim des Nichts im Herzen, – ohne Glauben und Hoffnung
wird man sie lieben von Gemütes wegen.

Sie war ohne Glauben, Liebe und Hoffnung, Cornelia, das
Schwesterherz, mein weiblich Neben-Ich, zum Weibe nicht
geschaffen. War nicht ihr Gattenekel das physische Gegenstück zu deiner Eheflucht? Indefinibles Wesen, bitter-fremd
auf Erden, sich selbst nicht und keinem verständlich, harte
Äbtissin, im unnatürlichen, verhaßten Kindbett wunderlich
verdorben und gestorben – das war dein leiblich Geschwister, – das einzige, das mit dir, zu seinem Unheil, von vier
anderen, die frühsten Tage überlebte. Wo sind die anderen,
das allzu schöne Mägdlein, der stille, eigensinnige, fremdartige Knabe, der mein Bruder war? Längst nicht mehr da, entschwunden gleich wieder und kaum beweint, soweit ich mich
entsinne. Geschwistertraum, kaum noch erkennbar, dreivier-
tel vergessen. Zum Bleiben ich, zum Scheiden ihr erkoren,
gingt ihr voran – und habt nicht viel verloren. Ich lebe an
eurer Statt, auf eure Kosten, wälze den Stein für fünfe. Bin
ich so egoistisch, so lebenshungrig, daß ich mördrisch an mich
zog, wovon ihr hättet leben können? Es gibt tiefere, verbor-
genere Schuld, als die wir wissentlich empirisch auf uns laden.
Oder rührt dies seltsam Gebären für *ein* bedeutend Leben,
sonst aber für den Tod, daher, daß der Vater doppelt so alt
war als die Mutter, da er sie freite? Gesegnet Paar, begnadet,
den Genius der Welt zu schenken. Unglücklich Paar! Das
Mütterchen, die Frohnatur, verbrachte die besten Jahre als
Pflegenonne eines decrepiten Tyrannen. Cornelia haßte ihn –
vielleicht nur, weil er sie in die Welt gesetzt; war aber der
morose, berufsuntätige Halbnarr, der Eigenbrötler und la-
stende Pedant, dem jeder Luftzug die mühsame Ordnung
störte, der querulierende Hypochondrist, nicht hassenswert
auch sonst? Du hast viel von ihm, Statur und manches Ge-

haben, die Sammel-Lust, die Förmlichkeit und Polypragmo-
syne, – verklärtest seine Pedanterie. Je älter du wirst, je mehr
tritt der gespenstische Alte in dir hervor, und du erkennst ihn,
bekennst dich zu ihm, bist mit Bewußtsein und trotziger Treue
wieder er, das Vatervorbild, das wir ehren. Gemüt, Gemüt,
ich glaubs und wills. Das Leben wäre nicht möglich ohne etwelche Beschönigung durch wärmenden Gemütstrug, – gleich
drunter aber ist Eiseskälte. Man macht sich groß und ver-
haßt durch Eiseswahrheit und versöhnt sich zwischenein, versöhnt die Welt durch fröhlich-barmherzige Lügen des Ge-
müts. Mein Vater war ein dunkler Ehrenmann – will sagen,
er war das späte Kind betagter Eltern und hatte einen Bruder, der klärlich verrückt war und in Verblödung starb –
wie schließlich auch der Vater. Urahnherr war der Schönsten
hold, – o ja, von fröhlich aufstutzenden Gemütes wegen, der
Textor war es, meiner Mutter Vater, ein Schlemmer, kalt gedacht, und Schürzenjäger, schimpflich ertappt von grimmigen Gatten, aber ein Wahrträumer dabei, der Gabe der Weis-
sagung teilhaftig. Wunderlich Gemisch! Wahrscheinlich mußt
ich all meine Geschwister töten, damit in mir ansprechend-
genehmere Formen annahm, weltgewinnende – ist aber hinlänglicher Wahnsinn übrig in mir, als Untergrund des Glanzes,
und hätt ich das Aufrechthalten in Ordnung nicht ererbt, die
Kunst sorgfältiger Schonung, eines ganzen Systems von
Schutzvorrichtungen – wo wär ich! Wie ich den Wahnsinn
hasse, die verrückte Genialität und Halbgenialität und schon
das Pathos, die excentrische Gebärde, die Lautheit verachte
und in der Seele meide, ich kanns nicht sagen, es ist unaussprechlich. Kühnheit – das Best und Einzige, unentbehrlich –
aber ganz still, ganz schicklich, ganz ironisch, in Convention
gebettet, so will und bin ichs. Da war der Kerl, wie hieß
er, von Sonnenberg, den sie den Cimbrier nannten, von Klopstock kommend, wild und wüst gebarend, wenn auch gutherzig im Grund. Sein groß Geschäft war ein Gedicht vom
Jüngsten Tag, tolles Unternehmen, toll ohne Höflichkeit, apo-
kalyptisch Unwesen, entsetzlich energumenisch vorgetragen.

Mir ward übel, wie mir beim ‚Armen Heinrich' übel wurde. Schließlich stürzt das Genie sich aus dem Fenster. Abwehr, Abwehr. Fahr hin!

Nur gut, daß er mich anständigst zurechtgemacht, würdig elegant ein wenig nach alter Zeit. Wenn Besuch kommt, werd ich mit gemessener Stimme zu beiderseitiger Beruhigung gleichgültige Dinge reden und nach nichts weniger aussehn als nach Genie und Umbratilität, woran die liebe Mittelmäßigkeit halb ängstlich, halb belustigt sich auferbauen möchte. Sie haben einander dann immer noch genug zu melden von meinem Mäsklein, dieser Stirn, den vielbeschrienen Augen, die ich, zufolg den Bildern, nebst Kopfgestalt und Mund und mittelmeerländischem Teint ganz einfach von Mutters Mutter habe, der selig Lindheimerin, verehelichten Textor. Was ist es mit unsrer physiognomischen Hülle? Das alles war vor hundert Jahren schon da und wollte damals nicht mehr besagen als eine rüstig-gescheite, braun-handsame Weibsnatur. Dann schliefs in der Mutter, die von ganz andrem Schlag, und wurde in mir zum Ausdruck, zur Persona und Apparence dessen, was ich bin, – nahm eine geistige Repräsentanz an, die es sonst keineswegs besaß und nie hätt zu gewinnen brauchen. Mit welcher Notwendigkeit spricht mein Physisches mein Geistiges aus? Könnt ich nicht meine Augen haben, ohne daß es just Goethe's Augen wären? – Auf die Lindheimers aber halt ich; wahrscheinlich sind sie das Brävst und Beste in mir. Freut mich zu denken, daß der Frühsitz, nach dem sie sich nannten, dem römischen Grenzwall ganz nah ist, in der Wettersenke, wo antikes und Barbarenblut von je zusammenfloß. Daher kommts und daher hast dus, den Teint, die Augen und die Distanz vom Deutschen, den Blick für seine Gemeinheit, die an tausend nährenden Wurzeln zerrende Antipathie gegen das Sackermentsvolk, aus dem – und dem zuwider – du lebst, zu dessen Bildung berufen du dies unbeschreiblich prekäre und penible, nicht nur durch Rang, auch durch Instinct schon isolierte Leben führst, erzwungenen Ansehns, ungern zugestanden, daß sie dran flicken, wo sie können, – ich sollt

nicht wissen, daß ich im Grunde euch sämtlichen zur Last? –
Wie versöhnt man sie? Ich habe Stunden, wo ich sie herzlich
gern versöhnte! Es müßt doch gehen – und ging zuweilen –
da doch von ihrem Mark, dem Sachs'schen, Lutherschen, so
vieles auch in dir, woran du dich in breitem Trotze freust,
aber nach deines Geistes Form und Siegel nicht umhin kannst,
es in Klarheit und Anmut und Ironie emporzuläutern. So
traun sie deinem Deutschtum nicht, spürens wie einen Mißbrauch, und der Ruhm ist unter ihnen wie Haß und Pein.
Leidig Dasein, im Ringen und Widerstreit mit einem Volks-
tum, das doch auch wieder den Schwimmer trägt. Soll wohl
so sein, wehleidig bin ich nicht. Aber daß sie die Klarheit hassen, ist nicht recht. Daß sie den Reiz der Wahrheit nicht kennen, ist zu beklagen, – daß ihnen Dunst und Rausch und
all berserkerisches Unmaß so teuer, ist widerwärtig, – daß
sie sich jedem verzückten Schurken gläubig hingeben, der ihr
Niedrigstes aufruft, sie in ihren Lastern bestärkt und sie
lehrt, Nationalität als Isolierung und Roheit zu begreifen, –
daß sie sich immer erst groß und herrlich vorkommen, wenn
all ihre Würde gründlich verspielt, und mit so hämischer
Galle auf die blicken, in denen die Fremden Deutschland sehn
und ehren, ist miserabel. Ich will sie gar nicht versöhnen. Sie
mögen mich nicht – recht so, ich mag sie auch nicht, so sind
wir quitt. Ich hab mein Deutschtum für mich – mag sie mitsamt
der boshaften Philisterei, die sie so nennen, der Teufel holen.
Sie meinen, sie sind Deutschland, aber ich bins, und gings
zugrunde mit Stumpf und Stiel, es dauerte in mir. Gebärdet
euch, wie ihr wollt, das Meine abzuwehren, – ich stehe doch
für euch. Das aber ists, daß ich für die Versöhnung weit eher
geboren, als für die Tragödie. Ist nicht Versöhnung und Ausgleich all mein Betreiben und meine Sache Bejahen, Gelten-
lassen und Fruchtbarmachen des einen wie des anderen,
Gleichgewicht, Zusammenklang? Nur alle Kräfte zusammen
machen die Welt, und wichtig ist jede, jede entwickelnswert, und
jede Anlage vollendet sich nur durch sich selbst. Individuali-
tät und Gesellschaft, Bewußtsein und Naivität, Romantik

und Tüchtigkeit, – beides, das andre immer auch und gleich
vollkommen, – aufnehmen, einbeziehen, das Ganze sein, die
Partisanen jedes Princips beschämen, indem man es vollendet
– und das andre auch ... Humanität als universelle Ubiqui-
tät, – das höchste, verführerische Vorbild als heimlich gegen
sich selber gerichtete Parodie, Weltherrschaft als Ironie und
heiterer Verrat des Einen an das Andre, – damit hat man
die Tragödie unter sich, sie fällt dorthin, wo noch nicht Meisterschaft, – wo noch *mein* Deutschtum nicht, das in dieser
Herrschaft und Meisterschaft besteht, – repräsentativerweise
besteht, denn Deutschtum ist Freiheit, Bildung, Allseitigkeit
und Liebe, – daß sies nicht wissen, ändert nichts daran.
Tragödie zwischen mir und diesem Volk? Ah, was, man zankt
sich, aber hoch oben, im leichten, tiefen Spiel will ich exempla-
rische Versöhnung feiern, will das magisch reimende Gemüt
umwölkten Nordens mit dem Geist trimetrisch ewiger Bläue
sich gatten lassen zur Erzeugung des Genius. So sage denn,
wie sprech ich auch so schön? – Das ist gar leicht, es muß von
Herzen gehn –

»Meinten Ew. Excellenz grad was zu mir?«

»Wie? Nein. Ich sagte wohl irgend was? Dann war es nicht
zu dir. Dann war's bei mir selbst gesprochen. Ist das Alter,
weißt du, da fängt der Mensch an, mit sich selbst zu
mummeln.«

»Das ist wohl nicht das Alter, Ew. Excellenz, sondern bloß
die Lebhaftigkeit des Denkens. Haben gewiß auch in der Jugend gern mal schon mit sich selbst gesprochen.«

»Da hast du auch recht. Kam sogar viel öfter vor als heute
bei gesetzten Jahren. Ist ja ein bißchen närrisch, mit sich selbst
zu reden, und Jugend ist närrische Zeit, da paßt es, aber
später eigentlich nicht mehr. Ich rannt' herum, es pochte was
in mir, da sprach ich den Halb-Unsinn mit, und es war ein
Gedicht.«

»Ja, Ew. Excellenz, das war ja nun wohl eben, was man
die geniale Eingebung nennt.«

»Meinetwegen. So nennen's, die's nicht haben. Später dann

müssen Vorsatz und Charakter aufkommen für die närrische Natur, und was sie leisten, ist uns im Grunde verständigwerter. – Läßt du mich endlich? Mußt doch mal fertig werden. Ist schon recht, von dir aus, daß du dein Geschäft für die Hauptsache hältst, müssen aber die Vorbereitungen zum Leben im richtigen Verhältnis bleiben zu ihm selbst.«

»Seh' ich ein, Ew. Excellenz. Es soll aber doch alles noch advenant sein. Schließlich weiß man, wen man unter den Händen hat. – Hier wär' der Handspiegel.«

»Schön, schön. Gib mir das Cölnisch Wasser für mein Taschentuch! Ah ja, ah gut! Ist eine gar liebliche, belebende Erfindung, gab's schon in Haarbeutels Zeiten, hab' mein Leben lang die Nase hineingesteckt. Der Kaiser Napoléon roch auch von oben bis unten danach, – wollen hoffen, daß es ihm auch auf Helena nicht dran mangelt. Die kleinen Beihilfen und Wohltaten des Lebens, mußt du wissen, werden zur Hauptsache, wenn's mit dem Leben selbst und den Heldentaten gar und zu Ende. So ein Mann, so ein Mann. Da haben sie nun seine Unbändigkeit eingeschlossen in unbezwingliche Meeresweiten, damit die Welt Frieden habe vor ihr und wir hier in Ruhe ein bißchen cultivieren mögen ... Ist auch ganz recht, denn es ist die Zeit der Kriege und Epopöen nicht mehr, der König flieht, der Bürger triumphiert, kommt jetzt ein nützliches Aevum herauf, ihr sollt sehen, daß es mit Geld und Verkehr, Geist, Handel und Wohlstand zu tun hat, wo man denn glauben und wünschen könnte, daß selbst die liebe Natur zur Vernunft gekommen sei und allen verrückten, fieberhaften Erschütterungen für immer abgesagt hätte, damit Frieden und Wohlhaben für immer gesichert wären. Ganz erquickliche Idee, habe gar nichts dagegen. Aber wenn man sich einbildet, wie's so einem Stück Element zu Mute sein muß, dessen Kräfte in der Stille zwischen Wasserwüsten erstickt werden, so einem gefesselten, an aller Tat gehinderten Riesen und zugeschütteten Ätna, in dem es kocht und wühlt, ohne daß das feurige Innere mehr einen Ausweg findet, wo du denn wissen mußt, daß zwar die Lava vernichtet, aber auch düngt, – da wird's einem doch gar beklommen zu Sinn, und man fühlt sich zum Mitleid versucht, ob denn schon Mitleid gar kein zulässig Gefühl in solchem Fall. Aber daß er seine Eau de Cologne noch habe, wie er's gewohnt ist, das möcht' man doch wünschen. Ich geh' hinüber, Carl, sag es Herrn John, er soll sich blicken lassen.«

– Helena, Sankt Helena, daß der da sitzt, daß das so heißt, daß ich sie suche, die mein einziges Begehren, so schön wie reizend, wie ersehnt so schön – daß sie den Namen mit des Prometheus Marter-Felsen teilt, die Tochter und Geliebte, die ganz mir und nicht dem Leben, nicht der Zeit gehört, und nach der allein das dichtende Verlangen mich schmiedet an dies lebensgraue, unbezwingbare Werk – ist doch ein wunderlich Ding das Gewebe des Lebens, der Schicksale. – Siehe, die ausgeruhte Arbeitsstätte, morgendlich ernüchtert, neuer Besitzergreifung gewärtig. Da sind die Subsidia, die Hilfsquellen, die Stimulantien, die Mittel zur Eroberung gelehrter Welten zu productivem Zweck. Wie brennend interessant alles Wissen wird, das ein Werk bereichern und unterbauen mag und zum Spiele taugt. Dem Unzugehörigen verschließt sich der Geist. Aber freilich wirds immer mehr, was dazu gehört, je älter man wird, je mehr man sich ausbreitet, und treibt mans so fort, wirds bald nichts Unzugehöriges mehr geben. Das hier über Mißbildung der Gewächse und Pflanzenkrankheiten muß ich weiter lesen, heut nachmittag, wenn ich dazu komme, oder abends; die abweichenden Bildungen und das Monstrose sind höchst bedeutend dem Freunde des Lebens, über die Norm belehrt das Pathologische vielleicht am tiefsten, und dir ahnt zuweilen, als möchten von der Seite der Krankheit her die kühnsten Vorstöße ins Dunkel des Lebendigen zu vollbringen sein ... Schau, da wartet manch Stück Geist und Welt der kritischen Freude, Byrons ‚Corsar‘ und ‚Lara‘, schönes, stolzes Talent, darin ist fortzufahren, in der Gries'schen Calderon-Übersetzung auch, und des Ruckstuhl ‚Über die deutsche Sprache‘ regt manches auf, will auch bestimmt Ernesti's ‚Technologia rhetorica‘ weiter studieren.

Dergleichen klärt das Bewußtsein und schürt die Lust. Auf
all die Orientalia wartet herzogliche Bibliothek schon ein bißchen lange. Sind längst die Termine zur Rückgabe abgelaufen.
Geb sie aber nicht her, keines davon, kann mich vom Rüst-
zeug nicht entblößen, solang ich im ,Divan' lebe, und Blei-
stiftstriche mach ich auch noch hinein, wird niemand mucksen.
Carmen panegyricum in laudem Muhammedis – Teufel noch
mal, das Geburtstagsgedicht! Anfang: Von Berges Luft, dem
Äther gleichzuachten, Umweht, auf Gipfelfels hochwaldiger
Schlünde – Ist eine etwas herrische Zusammenziehung: ein
Gipfel von Schlünden, müssens mir durchgehen lassen, ist doch
ein kühn aufrufend Bild, Schlund ist Schluck, sollens nur
schlucken. Dieser Gipfel ernste Wand war auch schon so was.
Zweitens kommt der Dichtergarten, nicht ganz geheuer durch
luftige Geschosse der Eroten, drittens die cultivierte Geselligkeit, die Mars zerschmettert, und endlich bei tröstend wieder-
kehrendem Frieden kehrt, zweimal kehrt, machen wir aus der
Not eine Absicht, kehrt unser Sinn sich treulich zu dem Alten, worauf sich *erhalten* reimt, und rasch auch noch die
Menge, von der jeder nach eigenem Willen *schalten* will, –
gut, wenn du dich nach dem Dictat dahinterstellst, bringst
du die Strophen in zwanzig Minuten zusammen.

  Das Stützwerk und Roh-Material, das hielt sich gar nicht
für roh, gedachte durchaus schon an und für sich was zu
sein, Zweck seiner selbst und nicht dazu da, daß einer komme
und presse ein einzig Fläschchen Rosenöl aus dem Wust,
worauf man den Trödel auch könnte wegwerfen. Woher
nimmt man die Frechheit, sich einen Gott zu dünken, um den
alles rings umher eine Fratze sein soll, die er nach seinem
Gefallen braucht, – einzig rückstrahlendes All im All der Natur, der auch seine Freunde, oder was ihm vorkommt, bloß
als Papier ansieht, worauf er schreibt? Ist es Frechheit und
Hybris? Nein, es ist auferlegte und in Gottes Namen getragene Wesensform – so verzeiht und genießt, es ist nur zur
Freude ... Warings ,Reise nach Schiras', recht nützlich; ,Me-
morabilien des Orients' von Augusti, verhalf zu manchem;

Klaproths ‚Asiatisches Magazin‘; ‚Fundgruben des Orients‘,
bearbeitet durch eine Gesellschaft von Liebhabern, – für in-
ständigere Liebhaberei wars eine Fundgrube allerdings, gesellige Kärrner. Die Doppelzeilen des Scheichs Dschelâl-eddîn
Rumi muß ich wieder durchgehen, die ‚Hellstrahlenden Ple-
jaden am Himmel Arabiens‘ auch, und bei den Noten wird
das Repertorium für Biblische und Morgenländische Literatur entschiedne Dienste leisten. Da ist auch die Arabische
Sprachlehre. Muß mich in der Zierschrift wieder ein bißchen
üben, das stärkt die Contactnahme. Contactnahme, tiefes
Wort, viel aussagend über unsere Art und Weise, dies bohrende Sichvertiefen in Sphäre und Gegenstand, ohne das mans
nicht leistete, dies Sichvergraben und Schlürfen besessener
Sympathie, die dich zum Eingeweihten macht der liebend er-
griffenen Welt, so daß du mit freier Leichtigkeit ihre Sprache
sprichst und niemand das studierte Détail vom charakteristisch erfundenen soll unterscheiden können. Wunderlicher
Heiliger! Die Leute würden sich wundern, daß einer für ein
Büchlein Gedichte und Sprüche mit so viel Reisebeschreibun-
gen und Sittenbildern sich nähren und aufhelfen muß. Wür-
dens schwerlich genialisch finden. In meiner Jugend, der ‚Werther‘ macht eben Furor, war einer, der Bretschneider, ein
Grobian, besorgt um meine Demut. Sagt mir über mich die
letzten Wahrheiten, oder was er dafür hielt. Bild dir nichts
ein, Bruder, mit dir ist nicht soviel los, wie dich das Lärmen
will glauben machen, das dein Románchen erregt. Was bist
du schon für ein Kopf? Ich kenne dich. Urteilst meist schief
und weißt im Grunde, daß dein Verstand ohne langes Nachdenken nicht zuverlässig ist, bist auch klug genug, Leuten, die
du für einsichtig hältst, lieber gleich recht zu geben, als daß
du eine Materie mit ihnen durchdiscuriertest und zögst es
dir auf den Hals, deine Schwäche zu zeigen. So bist du. Bist
auch ein unbeständig Gemüt, das bei keinem System beharrt, sondern von einem zum andern Extremo überspringt
und ebenso leicht zum Herrnhuter wie zum Freigeist zu bereden wäre, denn beeinflußbar bist du, daß Gott erbarm. Hast

dabei eine Dosis Stolz, schon unerlaubt, daß du fast alle Leut
außer dir für schwache Creaturen hältst, da doch du der
Allerschwächste, nämlich zu dem Effect, daß du bei den wenigen, die dir gescheit gelten, gar nicht imstand bist, selbst
zu prüfen, sondern richtest dich nach dem allgemeinen Urteil der Welt. Heut sags ich dir einmal. Einen Samen von
Fähigkeit hast du schon, ein poetisches Genie, das dann
würkt, wenn du sehr lange Zeit einen Stoff mit dir herumge-
tragen und in dir bearbeitet und alles gesammelt hast, was
zu deiner Sache dienen kann – dann gehts allenfalls, dann
mag es was werden. Fällt dir etwas auf, so bleibts hängen
in deinem Gemüt oder Kopf, und alles, was dir nun aufstößt, suchst du mit dem Klumpen Ton zu verkneten, den du
in der Arbeit hast, denkst und sinnst auf nichts anderes
als dies Object. Damit machst dus, und weiter ist nichts an dir.
Laß dir keine bunten Vögel in Kopf setzen von deiner Popularität! – Ich hör ihn noch, den Kauz, war so ein Wahr-
heitsnarr und Fex der Erkenntnis, gar nicht boshaft, litt
wohl noch selber gar unter der Schärfe seines kritischen
Einblicks, der Esel – gescheiter Esel, melancholisch-scharf-
sinniger Esel, hatt er nicht recht? Hatt er nicht dreimal recht,
oder doch zweieinhalbmal mit allem, was er mir unter
die Nase rieb von Unbeständigkeit, Unselbständigkeit und
Bestimmbarkeit und dem Genie, das eben nur zu empfangen
und lange auszutragen, Subsidia zu wählen und zu brauchen
weiß? Wär all das Studien-Werkzeug dir überall bereit gewesen; hätt nicht die Zeit schon eine Schwäche und Neugier fürs Orientalische gehabt, bevor du ankamst? Hast du
den Hafis entdeckt auf eigene Hand? Der von Hammer hat
ihn dir entdeckt und artig übersetzt; als du ihn lasest, anno
Rußland, wardst du ergriffen und bezaubert von einem
Buche geistiger Mode, und da du nicht lesen darfst, ohne
gestimmt, befruchtet und verwandelt zu werden, ohne die
Lust zu kosten, auch dergleichen zu machen und productiv
zu werden an dem Erlebten, begannst du persisch zu dichten
und fleißig-unersättlich an dich zu ziehen, was du zu dem

neuen reizenden Geschäft und Maskenspiele brauchtest. Selbständigkeit, möcht wissen, was das ist. Er war ein Original, und aus Originalität – Er andern Narren gleichen tät. Da war ich Zwanzig und ließ schon die Anhänger im Stich, machte mich lustig über die Originalitätsgrimasse der genialen Schule. Ich wußte, warum. Ist ja Originalität das Grauenhafte, die Verrücktheit, Künstlertum ohne Werk, empfängnisloser Dünkel, Altjungfern- und Hagestolzentum des Geistes, sterile Narrheit. Ich verachte sie unsäglich, weil ich das Productive will, das Weibheit und Mannheit auf einmal, ein empfangend Zeugen, persönliche Hochbestimmbarkeit. Nicht umsonst seh ich dem wackren Weibe ähnlich. Ich bin die braune Lindheimerin in Mannsgestalt, bin Schoß und Samen, die androgyne Kunst, bestimmbar durch alles, aber, bestimmt durch mich, bereichert das Empfangene die Welt. So solltens die Deutschen halten, darin bin ich ihr Bild und Vorbild. Weltempfangend und welt-beschenkend, die Herzen weit offen jeder fruchtbaren Bewunderung, groß durch Verstand und Liebe, durch Mittlertum, durch Geist – denn Mittlertum ist Geist – so sollten sie sein, und das ist ihre Bestimmung, nicht aber als Originalnation sich zu verstocken, in abgeschmackter Selbstbetrachtung und Selbstverherrlichung sich zu verdummen und gar in Dummheit, durch Dummheit zu herrschen über die Welt. Unseliges Volk, es wird nicht gut ausgehen mit ihm, denn es will sich selber nicht verstehen, und jedes Mißverstehen seiner selbst erregt nicht das Gelächter allein, erregt den Haß der Welt und bringt es in äußerste Gefahr. Was gilts, das Schicksal wird sie schlagen, weil sie sich selbst verrieten und nicht sein wollten, was sie sind; es wird sie über die Erde zerstreuen wie die Juden, – zu Recht, denn ihre Besten lebten immer bei ihnen im Exil, und im Exil erst, in der Zerstreuung werden sie die Masse des Guten, die in ihnen liegt, zum Heile der Nationen entwickeln und das Salz der Erde sein ... Es hüstelt und klopft. Das ist der Dämpfige. »Nur vorwärts. Nur in Gottes Namen herein!«

»Ergebenster Diener, Herr Geheimer Rat.«

»So John, sind Sie's. Willkommen und näher. Früh aus den Federn heut'.«

»Ja, Excellenz treibt's immer zeitig zu den Geschäften.«

»Nicht doch. Euch mein' ich. Ihr seid früh an der Sonne heut'.«

»Oh, ich, Verzeihung, ich war mir's nicht vermutend, daß von mir sollte die Rede sein.«

»Wie denn, das nenn' ich ein überbescheiden Mißverstehn. Ist der Studiengenosse meines Sohnes, der wackere Lateiner und Rechtsgelehrte, der flüssige Kalligraph der Rede nicht wert?«

»Ich danke gehorsamst. Und wenn so, so war ich nicht gewärtig, daß das erste Morgenwort aus so verehrtem Munde sollte ein Vorwurf sein. Denn anders kann ich die werte Bemerkung nicht deuten, daß ich *heute* mich zeitig zur Arbeit gemeldet. Wenn der Zustand meiner Brust und längerer Husten vor Einschlafen, so daß dieses erst spät erfolgt, mich manchmal zu längerer Ruhe nötigen, so dacht' ich mich versichert halten zu dürfen, daß die hohe Menschlichkeit des Herrn Geheimen Rates – Und übrigens ist festzustellen, daß trotz meiner gemeldeten Anwesenheit die Dienste des Carl zum Früh-Dictat bevorzugt wurden.«

»Ei, geht doch, Mann, wie stellt Er sich und trübt sich unnütz den Morgen. Insinuiert mir Schonungslosigkeit der Worte und macht zugleich den Bittern über allzuviel Schonung der Tat. Dem Carl hab' ich aus dem Bett was dictiert, weil ich ihn eben um mich hatte. Es war nur was Amtliches, für Euch kommt viel was Besseres dran. Auch hab' ich nichts Übles gedacht bei meinen Worten und wollt' Euch nicht hecheln. Wie sollt' ich Euerer leidigen Schwäche nicht achten und ihr nicht Rechnung tragen. Wir sind doch Christen. Er ist lang aufgeschossen, ich muß ja aufblicken zu Ihm, wenn ich vor Ihm stehe, und dann das viele Sitzen im Bücherstaube überm Papier. Da wird die junge Brust denn leicht dämperich, – es ist überhaupt eine Jugendkrankheit, und reifend besiegt man's. Ich hab' auch Blut gespuckt mit Zwanzig und steh'

heut' noch recht fest auf den alten Beinen, wobei ich gern die
Händ' auf den Rücken tu' und die Schultern zurück, daß die
Brust sich wölbt, – seht Ihr, so, Ihr seid zu nachgiebig, – in
aller christlichen Humanität sei's Euch gesagt. Sie sollten
dem Staube ein Gegengewicht suchen, John, sich, wann es nur
gehen will, aus dem Staube machen, hinaus in Wiese und
Wald, untern offenen Himmel, zu wandern, zu reiten, ich
hab's auch so gemacht und mich hinausgerappelt. Ins Freie
gehört der Mensch, wo er die bloße Erde unter den Sohlen
hat, daß ihre Säfte und Kräfte können in ihn aufsteigen,
über seinem Kopfe die himmelnden Vögel. Die Civilisation
und das Geistige sind gute Dinge, sind große Dinge, wir
möchten's uns ausgebeten haben. Allein ohne die antäische
Compensation, wie wir's einmal nennen wollen, sind sie rui-
nös für den Menschen und schaffen Krankheit, auf die er dann
wohl noch stolz ist um ihretwillen und hangt ihr an wie etwas Ehrenvollem und sogar Vorteilhaftem; denn Krankheit
hat ja auch ihr Vorteilhaftes, sie ist ein Dispens und eine Befreiung, aus Christentum muß man ihr vieles verzeihen, und
ist so einer dann prätentiös, speisewählerisch, genäschig,
trunkliebend, lebt sich selbst statt der Herrschaft und ar-
beitet selten zur rechten Zeit, so kann er gewiß sein, daß man
sich's dreimal überlegt, ehe man sich den christlichen Mund
verbrennt und ihm Vorhaltungen macht, etwa weil er die
kränkelnde Brust auch noch mit Tobak reizt, so daß der
Dampf davon zuweilen sogar aus seiner Stube dringt, ins
Haus hinein und denen zur Last fällt, die ihn durchaus nicht
leiden können. Ich meine den Tobakdampf, nicht Euch, denn
ich weiß, daß Ihr mich bei alldem leiden könnt, daß ich Euch
lieb bin und es Euch schmerzt, wenn ich mit Euch hadere.«

»Sehr, Excellenz, Herr Geheimer Rat! Bitterlich, dessen
bitt' ich versichert zu sein! Ich höre es mit wahrem Entsetzen,
daß der Rauch meiner Studierpfeife trotz allen Vorsichtsmaß-
regeln soll durch die Ritzen gedrungen sein. Ich kenne doch
die Aversion des Herrn Geheimen Rates –«

»Die Aversion. Und eine Aversion ist eine Schwäche. Sie

bringen die Rede auf meine Schwächen. Es ist aber von Ihren die Rede.«

»Ausschließlich, verehrtester Herr Geheimer Rat. Ich leugne keine davon und unterwinde mich keines Versuches, sie zu entschuldigen. Nur bitte ich, mir gütigst zu glauben: wenn ich ihrer noch nicht Herr zu werden vermochte, so gewißlich nicht, weil ich dabei auf meine Krankheit pochte. Ich habe keinen Anlaß, auf meine Brust zu pochen, ich habe Anlaß, daran zu schlagen ... Das ist mein tiefster Ernst, wenn Excellenz sich auch zu belustigen belieben. Meine Schwächen, ich will sogar Laster sagen, sind unverzeihlich; aber keineswegs unter Berufung auf mein körperliches Leiden überlasse ich mich ihnen zuweilen, sondern aus Verstörung der lieben, leidigen Seele. Wär' es doch vermessen, die ungeheure Menschenkenntnis meines Wohltäters daran zu erinnern, daß wohl die plane Führung, die dienstliche Pünktlichkeit eines junge Mannes darunter leiden mögen, wenn er sich in einer Krisis des Gemütes, einer Umwälzung seiner Gesinnungen und Überzeugungen befindet, die sich unter dem Einfluß, – ich möchte beinah sagen: unter dem Drucke einer neuen und zwingend bedeutenden Umgebung in ihm vollzieht und die ihn sich fragen läßt, ob er eigentlich im Begriffe ist, sich zu verlieren oder sich zu finden.«

»Nun, mein Kind, Ihr habt mich von den kritischen Wandlungen, die in Euch vorgehen, bis dato nicht viel wissen und merken lassen. Worin sie bestehen, worauf Ihr mit Euren Allusionen hinauswollt, vermut' ich. Laßt mich offen sein, Freund John. Ich habe von dem politischen Ikarusflug, den perfectionistischen Leidenschaften Eurer frühen Tage nichts gewußt. Daß Ihr es wart, der vordem jenes wagehalsige und fürstenhassende Libellum gegen die Bauerfron und zugunsten einer höchst radicalen Verfassung an Tag gegeben, war nicht zu meiner Kenntnis gelangt, – ich hätte Euch sonst, trotz Euerer guten Handschrift und Kenntnisse, nicht in meinen Hausstand aufgenommen, wofür mir denn von würdigen Männern in hohen und höchsten Behörden manch Wörtchen

der Verwunderung, ja des Tadels zuteil geworden. Versteh'
ich recht – und auch mein Sohn hat mir dergleichen Andeutungen wohl schon gemacht –, so seid Ihr im Begriffe, Euch
diesen Dünsten zu entringen, Euere umstürzlerischen Verirrungen abzutun und Euch in Dingen der Staatsraison und
irdischen Regimentes redlich ins Rechte und würdig Erhal-
tende zu denken. Allein ich schätze, daß dieser Klärungs-
und Reifevorgang, den Ihr stolz genug sein solltet, Euch
selbst und Euerem tüchtigen Verstande und Herzen, nicht
aber irgendwelchen Einflüssen oder gar einem geflissentlichen
Drucke von außen zuzuschreiben, – ich schätze, daß er unmöglich zur Erklärung sittlichen Troubles und gestörter Conduite dienen kann, da er ja offenkundig ein Vorgang der Genesung ist und für Seele wie Leib nur heilsame Wirkungen
zeitigen kann. Sind doch diese beiden so innig aufeinander
bezogen und ineinander verwoben, daß keine Wirkung auf
das eine auszugehen vermag, ohne auch das andre segensreich
oder unselig zu afficieren. Meint Ihr, Euere revolutionären
Grillen und Excesse hätten nichts zu schaffen gehabt mit dem,
was ich den Mangel an antäischer Ausgleichung nannte für
Civilisation und Geist, den Mangel an frischem und gesundem Leben am Busen der Natur, und Euere Kränkelei und
Dämpfigkeit sei im Leiblichen nicht ganz dasselbe gewesen
wie im seelischen Bereiche jene Grillen? Das ist all eines. Tum-
melt und lüftet Euren Körper, verschont ihn mit Brannte-
wein und Tobaksbeize, und Ihr werdet in Eurem Gehirne
auch die rechten, der Ordnung und Obrigkeit gefälligen Gedanken hegen, entschlagt Euch vollends des leidigen Wider-
sprechungsgeistes, des verunnaturenden Dranges nach Welt-
verbesserung, cultiviert den Garten Euerer Eigenschaften,
trachtet, Euch im wohltätig Bestehenden tüchtig zu erweisen,
und Ihr werdet sehen, wie auch Euer Leibliches sich zu heiterer
Stämmigkeit befestigen, zum soliden Gefäße des Lebensbe-
hagens erstarken wird. So weit mein Rat, wenn Ihr ihn hören
wollt.«

»Oh, Excellenz, wie sollt' ich nicht! Wie sollt' ich so tief er-

fahrenen Rat, so weise Direction nicht mit der gefühltest
dankbaren Aufmerksamkeit empfangen! Auch halt' ich mich
überzeugt, daß auf die Länge die tröstlichen Zusicherungen,
die ich vernehmen durfte, sich vollauf bewähren und erfüllen werden. Nur eben jetzt noch, vorderhand – daß ich's gestehe –, wo in der erlauchten Atmosphäre dieses Hauses die
Wandlung meiner Gedanken und Meinungen sich kritisch-
mühsam vollzieht, – in dieser Zeit des Überganges von einer
Gesinnungswelt zur anderen ist begreiflicherweise mein Zustand noch reichlich verworren, von Qual und Abschiedsweh
nicht frei und so denn auch vielleicht nicht ohne Anspruch
auf milde Nachsicht. Was sag' ich – Anspruch! Welchen Anspruch hätt' ich! Aber die Hoffnung auf solche Nachsicht wag'
ich submissest zu bekunden. Ist ja mit jener Wandlung und
Bekehrung der Verzicht auf manche weit größere, wenn auch
unreife und knäbische Hoffnung und Gläubigkeit verbunden,
die zwar Schmerzen und Zorn mit sich brachte, zwar den
Menschen in leidenden Widerstreit zum wirklichen Leben versetzte, aber doch auch seine Seele tröstete und trug und sie
zum Einklang mit höhern Wirklichkeiten stimmte. Dem
Schwärmerglauben zu entsagen an eine revolutionäre Reinigung der Nationen, an eine zur Freiheit und zum Rechte geläuterte Menschheit, kurz an ein Reich des Glückes und Friedens auf Erden unter dem Scepter der Vernunft, – sich in die
harte, wenn auch wohl stählende Wahrheit zu finden, daß
immer und ewig der Drang der Kräfte ungerecht und blindlings hin und wider wogen und erbarmungslos die eine der
andern Übermacht betätigen wird, – das ist nicht leicht, das
stürzt in bitteren und ängstigenden innern Widerstreit, und
wenn bei so beschaffnen Umständen, in solchen Wachstums-
nöten der junge Mensch einmal bei der Kümmelbouteille Erheiterung sucht oder seine abgemüdeten Gedanken in den
Rauch der Tobakspfeife wohltätig einzuhüllen trachtet, –
sollte er nicht bei Oberen, deren gewaltige Autorität nicht
ohne Anteil ist an solchen Umwälzungen, auf einiges milde
Nachsehen rechnen dürfen?«

»Nun, nun, das nenn' ich Rhetorik! An Euch ist ja ein pathetisch listenreicher Advocat verloren – oder vielleicht noch nicht verloren gegangen. Ihr wißt Eure Schmerzen für andre unterhaltend zu machen, und also seid Ihr ja nicht nur ein Redner, sondern sogar ein Dichter – obgleich zu diesem Titel der politische Furor nicht stimmen will, denn Politiker und Patrioten sind schlechte Dichter, und die Freiheit ist kein poetisches Thema. Aber daß Ihr Euere angeborene Redner-kunst, die Euch zum Literaten und Volksmann disponierte, dazu benutzt, mich in ein so schlechtes Licht zu setzen und es so hinzustellen, als hätte mein Umgang Euch des Glaubens an die Menschheit beraubt und Euch ihrer Zukunft wegen in cynische Hoffnungslosigkeit gestürzt, – hört, das ist nicht wohlgetan. Mein' ich's nicht gut mit Euch, und wollt Ihr's mir verargen, wenn meine Ratschläge Euer individuelles Wohl unmittelbarer im Auge haben als das der Menschheit? Bin ich darum ein Timon? Mißversteht mich nicht! Ich eracht' es durchaus für möglich und wahrscheinlich, daß unser neun-zehntes Jahrhundert nicht einfach die Fortsetzung des frühe-ren sei, sondern zum Aufgang einer neuen Ära bestimmt erscheint, worin wir an dem Anblick einer ins Reinste vor-schreitenden Menschheit uns werden erquicken dürfen. Frei-lich sieht's auch wieder gar sehr danach aus, als wollte eine mittlere Cultur gemein werden, um nicht zu sagen eine mit-telmäßige, zu deren Gepräge es unter anderm gehört, daß viele, denen es nichts angeht, sich ums Regiment bekümmern. Von unten haben wir den Wahn der jungen Leute, in die höchsten Angelegenheiten des Staates mit einwürken zu wol-len, und von oben die Neigung, aus Schwäche und übertriebe-ner Liberalität überall mehr nachzugeben als billig. Lehrt mich aber die Schwierigkeiten und Gefahren eines zu großen Liberalismus kennen, der die Anforderungen der einzelnen hervorruft, so daß man vor lauter Wünschen zuletzt nicht weiß, welche man befriedigen soll. Man wird immer finden, daß man von oben herab mit zu großer Güte, Milde und moralischer Délicatesse auf die Länge nicht durchkommt, bei

Nötigung, eine gemischte und mitunter verruchte Welt in Ordnung und Respect zu halten. Mit Strenge auf dem Gesetze zu bestehen, ist unerläßlich. Hat man nicht sogar angefangen, in Dingen der Zurechnungsfähigkeit von Verbrechern weich und schlaff zu werden, indem ärztliche Zeugnisse und Gutachten oft dahin gehen, dem Übeltäter an der verwirkten Strafe vorbeizuhelfen? Es gehört Charakter dazu, in solcher allgemeinen Erweichung fest zu bleiben, und so lob' ich mir den jungen Physicus, den man mir neulich recommandierte, Striegelmann mit Namen, welcher in ähnlichen Fällen immer Charakter zeigt und noch kürzlich bei dem Zweifel eines Gerichtes, ob eine gewisse Kindsmörderin für zurechnungsfähig zu halten, sein Zeugnis dahin ausgestellt hat, daß sie es allerdings sei.«

»Wie beneid' ich Physicus Striegelmann um das Lob, das Euer Excellenz ihm spenden! Ich werde von ihm träumen, ich weiß es, und mich an seiner Charakterfestigkeit erheben und gewissermaßen berauschen. Ja, auch berauschen! Ach, ich habe meinem Gönner nicht alles gestanden, als ich ihm von den Schwierigkeiten meiner inneren Umbildung sprach; es drängt mich, Ihnen wie einem Vater und Beichtiger alles zu bekennen. Mit meiner Gesinnungswandlung, meinem neuen Verhältnis zu Ordnung, Erhaltung und Gesetz ist nicht nur Kummer und Abschiedsweh verbunden um der unreifen Träume willen, denen es gilt Valet zu sagen, sondern noch andres, id est – es ist pénible auszusprechen – ein ungekannter, ein herzklopfend schwindlichter Ehrgeiz, unter dessen Zudrang ich ebenfalls wohl zur Bouteille, zum Pfeifenrohr greife, teils um ihn zu betäuben, teils auch wieder, um mich mit ihrer Hilfe tiefer und heißer in die so neuen Träume zu versenken, in denen er sich manifestiert.«

»Hm. Ein Ehrgeiz? Und welcher Art?«

»Er hat seinen Ursprung in dem Gedanken an die Vorteile, die das innere Bekenntnis zur Macht und zum Gesetz vor dem Widersprechungsgeiste voraus hat. Dieser ist Martyrertum, aber die Bejahung der Macht bedeutet für das

Gemüt schon den Dienst an ihr und die Teilhaberschaft an ihrem Genusse. Dies sind die neuen, herzauftreibenden Träume, worein dank meinem Reifeproceß die alten sich verwandelt haben. Item, da die Bejahung der Autorität allbereits den geistigen Dienst an ihr bedeutet, so werden Excellenz es begreiflich finden, daß es meine Jugend unwiderstehlich drängt, die Theorie ins Praktische zu übertragen, und das führt mich zu der Bitte, zu der dies unverhoffte Privatgespräch mir erwünschte Gelegenheit gibt.«

»Die wäre?«

»Ich brauche gewiß kein Wort darüber zu verlieren, wie teuer mir meine gegenwärtige Condition und Beschäftigung ist, die ich der Studienbekanntschaft mit Dero Herrn Sohn verdanke, und wie unendlich ich die Förderung durch den zweijährigen Aufenthalt in diesem mir und der Welt teueren Hause zu schätzen weiß. Andrerseits wäre es absurd, mir meine Unentbehrlichkeit einzubilden, denn ich bin einer unter mehreren, die Euerer Excellenz für die Hilfsarbeiten zur Verfügung stehen, als da sind der Herr Kammerrat selbst, Herr Doktor Riemer, Herr Bibliotheks-Secretär Kräuter, sowie auch noch der Bediente. Zudem bin ich mir wohl bewußt, Euerer Excellenz in letzter Zeit Anlaß zur Klage gegeben zu haben, eben infolge meiner Wirren und Dämpfigkeit, und habe überall nicht das Gefühl, daß Excellenz besonderes Gewicht auf meine Gegenwart legen, wobei unter andrem die übertriebene Länge meiner Person, meine Brille und die leidige Blattrigkeit meines Gesichtes eine Rolle spielen mögen.«

»Nun, nun, was das betrifft –«

»Meine Idee und brennendes Desideratum ist, aus dem Dienst Eurer Excellenz in den Staatsdienst hinüberzuwechseln, und zwar in eine Sparte desselben, die meinen neuen gereinigten Überzeugungen eine besonders günstige Gelegenheit zur Betätigung bietet. In Dresden lebt ein Freund und Gönner meiner armen, wenn auch würdigen Eltern, Herr Hauptmann Verlohren, als welcher persönliche Beziehungen zu einigen Spitzen der preußischen Censur-Behörde unterhält. Wenn ich Excellenz gehorsamst bitten dürfte, bei dem Herrn Hauptmann Verlohren ein brieflich Wort der Recommandation, das meiner politisch-sittlichen Metamorphose anerkennend gedächte, für mich einzulegen, damit er mich vielleicht für eine Weile bei sich aufnimmt und seinerseits mich an gehörigem, erwünschtem Orte empfiehlt, so daß mein passionierter und urgenter Wunsch, just auf der Stufenleiter der Censur-Behörde meinen Weg zu machen, sich erfüllte – ich wäre dem Herrn Geheimen Rat, wie schon immer, nun aber zu wahrhaft unsterblicher Dankbarkeit verbunden.«

»Nun, John, das wird sich machen lassen. Auf den Brief nach Dresden soll's mir nicht ankommen, und es sollte mich freuen, wenn ich dazu helfen könnte, diejenigen, die bestellt sind, gegen das Gesetzlose zu wirken, trotz Eueren eigenen einstigen Versündigungen zu mildem Entschlusse zu bewegen. Was Ihr mir von dem Ehrgeiz gesteht, der mit Euerer Sinnesänderung verbunden ist, will mir denn freilich nicht ganz behagen. Aber ich bin's gewohnt, daß manches an Euch mir nicht behagt, und Ihr mögt es zufrieden sein, denn es trägt bei zu meiner Bereitwilligkeit, Euch weiterzuhelfen. Ich werde schreiben – laßt sehen, wie es sich fassen läßt –, daß es mich höchlich freuen sollte, wenn einem fähigen Menschen Zeit und Raum gelassen würde, seine Verirrungen einzusehen, zu vermeiden und in reine Tätigkeit aufzulösen, und wie ich nur wünschen könne, daß dieser humane Versuch gelingen und zu ähnlichen in der Folge Überzeugung und Mut geben möge. Wird es so recht sein?«

»Herrlich schön, Euer Excellenz! Ich ersterbe wahrhaft in –«

»Und meint Ihr wohl, daß wir nun für den Augenblick von Eueren Geschäften könnten zu meinen übergehen?«

»Oh, Excellenz, es ist ganz unverzeihlich –«

»Ich stehe hier und blättere in den Gedichten des ‚Divan‘, der sich letzthin um ein paar ganz artige Stückchen vermehrt. Ich habe da einiges suppliert und geordnet, auch war schon die Masse bedeutend genug, sie in Bücher zu teilen – seht Ihr,

,Buch der Parabeln', ,Buch Suleika', ,Buch des Schenken' –
Da soll ich nun einiges für den Damenkalender geben – Im
Grund widersteht mir's. Ich mag die Steine nicht aus der sich
rundenden Krone brechen und zwischen Zeiger und Daumen
vorweisen. Auch zweifl' ich, ob sich das Einzelne wird schätz-
bar erweisen; das Einzelne ist's nicht, es ist das Ganze; ist ja
ein drehend Gewölbe und Planetarium; und ich zögre zudem, einem befremdeten Publico etwas vorzulegen von diesen Machenschaften ohne die Noten, den didactischen Commentar, den ich vorbereite, um die Leserschaft in Gesinnung,
Sitten und Sprachgebrauch des Ostens historisch einzuführen
und sie so zum gründlich-heiteren Genuß des Gebotenen
tüchtig zu machen. Andererseits mag man ja auch wieder
nicht den Spröden spielen, und der Wunsch, mit seinen kleinen Neuigkeiten und gefühlten Scherzen vertrauensvoll her-
vorzutreten, ist der Verbündete der äußern Neugier. Was,
meint Ihr, soll ich in den Kalender geben?«

»Dies hier vielleicht, Excellenz: ,Sagt es niemand, nur den
Weisen –' Es ist so geheimnisvoll.«

»Nein, das nicht. Ist mir zu schade. Ist eine gar wunderliche Einflüsterung und Caviar fürs Volk. Möge im Buch
stehen, aber nicht im Kalender. Ich halt's mit Hafisen, der
auch der reinen Überzeugung war, daß man den Menschen
nur alsdann behagt, wenn man ihnen vorsingt, was sie gern,
leicht und bequem hören, wobei man ihnen denn auch etwas
Schweres, Schwieriges, Unwillkommenes gelegentlich mit
unterschieben darf. Ohne Diplomatie geht's auch in der Kunst
nicht ab. Ist ja ein Damenkalender. ,Behandelt die Frauen
mit Nachsicht' – Das würde passen, geht aber auch nicht von
wegen der krummen Rippe. ,Willst du sie biegen, sie bricht.
Läßt du sie ruhig, sie wird noch krümmer' – Das verstieße
auch gegen die Diplomatie, und man kann's nur im Buche
mit unterschieben. ,Möge meinem Schreiberohr Liebliches ent-
fließen'. Das wär' so dergleichen. Und sonst dies und jenes
Heitere, Artige oder Innige, wie hier: ,Hans Adam war ein
Erdenkloß', und dies vielleicht von dem bangen Tropfen,

dem Kraft und Dauer geschenkt wird, daß er als Perle in Kaisers Krone prangt, – sowie noch dies hier von vorigem Jahr: ‚Bei Mondenschein im Paradeis‘, von Gottes zwei lieblichsten Gedanken. Was meint Er?«

»Sehr wohl und schön, Excellenz. Ferner vielleicht das bewundernswerte ‚Nimmer will ich dich verlieren‘? Sie sind so schön, diese Verse: ‚Magst du meine Jugend zieren – Mit gewalt'ger Leidenschaft‘.«

»Hm. Nein. Das ist der Frauen Stimme. Ich nehme an, daß die Damen lieber die des Mannes und Dichters vernehmen. Also das Vorhergehende: ‚Findet sie ein Häufchen Asche, – Sagt sie: der verbrannte mir‘.«

»Sehr wohl. Ich gestehe, daß ich gern mit einem eigenen Vorschlag durchgedrungen wäre. So habe ich mich mit froher Zustimmung zu begnügen. Warnen möchte ich vor ‚Die Sonne, Helios der Griechen‘, das mir der Revision zu bedürfen scheint. ‚Helios der Griechen‘ und ‚das Weltall zu besiegen‘ ist kein sprachreiner und gebildeter Reim.«

»Ei, der Bär brummt, wie's Brauch seiner Höhle. Lassen wir's gut sein. Wir werden sehen. Setzt Euch, wenn's gefällig, ich will aus meinem Leben dictieren.«

»Fertig zu Diensten, Euer Excellenz.«

»Lieber Freund, steht noch einmal auf! Sie sitzen auf dem Schoß Ihres Rockes. Geht das eine Stunde, so sieht es nachher abscheulich aus, zerdrückt und zerknautscht, und in meinen Diensten habt Ihr Euch's zugezogen. Laßt beide Schöße in schonender Freiheit vom Stuhle hängen, ich bitte Euch.«

»Verbindlichsten Dank der Fürsorge, Excellenz.«

»So können wir anfangen, oder vielmehr fortfahren, denn anfangen ist schwerer.

In dieser Zeit – war meine Stellung gegen die obern Stände – sehr günstig. – Wenn auch im Werther die Unannehmlichkeiten an der Grenze zweier bestimmten Verhältnisse –«

Froh, daß er fort ist, daß der Eintritt des Frühstücks uns unterbrach. Kann ich den Kerl doch nicht leiden, Gott verzeih mirs, könnt sich keine Denkungsart zulegen, in der er mir nicht wider die Duldsamkeit ginge, ist mir mit der neuen eher fataler noch als mit der alten, und wärs nicht leicht gewesen heut, mit dem Brief des Hutten an Pirkheimer, den ich in den Papieren hatt, mit den tüchtigen Gesinnungen unseres Adels von damals und mit den Frankfurter Zuständen – ich wär mit dem Menschen nicht durchgekommen. Nehmen wir zu den Vogelmüsklein einen derben Schluck dieser sonnigen Gabe gegen den üblen Geschmack in der Seele, den mir der Bursche zurückließ! Warum hab ich ihm eigentlich den Brief nach Dresden versprochen? Ärgere mich, daß ichs tat. Es ist nur, daß mich gleich die gefällige Abfassung reizte, – die Freude am Ausdruck und an der artigen Wendung ist eine Gefahr, leicht läßt sie uns das Handlungsgemäße des Wortes vergessen, und dramatisch formuliert man Meinungen für einen, der sie allenfalls hätte. Mußt ich ihm zusagen, seinem unappetitlichen Ehrgeiz Succurs zu leisten? Was gilts, der wird ein Zelot der Ordnung, ein Torquemada der Gesetzlichkeit. Der wird die Jungens secciren, die auch mal von Freiheit träumten. Ich mußt das Gesicht wahren und ihn loben für seine Bekehrung, ist aber ein gar dämlicher Jammer damit. Warum bin ich gegen die Freiheit süß der Presse? Weil sie nur Mittelmäßigkeit bewirkt. Das einschränkende Gesetz ist wohltätig, weil eine Opposition, die keine Grenzen hat, platt wird. Die Einschränkung aber nötigt sie, geistreich zu sein, und das ist ein sehr großer Vorteil. Gerade und grob mag der sein, der durchaus recht hat. Eine Partei aber hat nicht durchaus recht – dafür ist sie Partei. Ihr steht die indirecte Weise wohl an, worin die Franzosen Meister und Muster sind, da die Deutschen nicht meinen, sie hätten das Herz auf dem rechten Fleck, wenn sie mit ihrer werten Meinung nicht gerade herausfallen. So bringt mans nicht weit im Indirecten. Cultur, Cultur! Die Nötigung regt den Geist auf, mehr mein ich nicht, und dieser John ist ein dämprichter Schafskopf. Ministeriell oder oppositionell, es ist bei ihm gehupft wie gesprungen – und denkt noch, es wär ein ergreifend Ereignis, die Umwälzung seiner dämlichen Seele...

War ein widrig quälend Gespräch mit dem Menschen, wie ich erst nachträglich recht gewahr werde. Hat mir das Mahl geschändet mit Harpyendreck. Was denkt der von mir? Wie denkt er, daß ich denke? Denkt wohl, er denkt nun wie ich? Esel, Esel — aber was ärger ich mich so über ihn? Kann das sein, daß ich über *den* einen Ärger hab, der schon mehr einem Gram ähnlich sieht oder doch der gründlichsten Sorge und Selbstbefragung, die sich nicht auf so was wie ihn — die sich nur auf das Werk zu beziehen pflegt und alle Abschattungen der Besorgnis und des bangen Zweifels umfaßt — da denn das Werk das objectivierte Gewissen —? Tatengenuß, das ists. Die schöne, die große Tat, das ists. (Was denkt der von mir?) Faust muß ins Tatleben, ins Staatsleben, ins menschheitsdienliche Leben geführt werden, sein Streben, um dessentwillen er erlöst werden soll, muß großpolitische Form annehmen, — der andere, der große Dämprichte sahs und sagts und sagt mir nichts Neues damit; nur daß er freilich, wie er schon war, gut reden hatt, weil ihm dies Wort ‚Politik‘ nicht Mund und Seele verzog wie sauer Obst — ihm nicht ... Aber wozu hab ich Mephistopheles? Der ist gut, mich schadlos zu halten dafür, daß Fausten die Geister des Ruhms erscheinen, der großen Tat. ‚Pfui, schäme dich, daß du nach Ruhm verlangst!‘ Im Pult die Notizen, laß sehen. ‚Mitnichten! Dieser Erdenkreis — Gewährt noch Raum zu großen Taten. — Erstaunenswürdiges soll geraten, — Ich fühle Kraft zu kühnem Fleiß ...‘ Ist gut. ‚Zu kühnem Fleiß‘ ist trefflich, — wärs nur nicht eben leider aufs Leidige bezogen. Doch kanns und darfs nicht fehlen, daß dieser Stürmische, Enttäuschte sich von der metaphysischen Speculation zum Idealisch-Praktischen wendet, soll er die Schule des Menschlichen an Teufels Hand ergründend durchschmarutzen. Was war er, und was war ich, als er in seiner Höhle steckte und philosophisch die Himmel stürmte, dann seine eng-erbärmliche Geschichte mit dem Misel hatt? Der Knabendumpfheit, der genialischen Läpperei wollen Lied und Held entwachsen ins Objective, in handelnden Weltsinn und Mannesgeist. Aus der Gelehrtenspelunke, der

Grübel-Grube an Kaisers Hof ... Schranken hassend, das
höhere Unmögliche begehrend, so muß der ewig Bemühte
sich denn bewähren auch hier. Nur frag ich mich, wie Weltsinn und Mannesreife sich mit der alten Unbändigkeit vertragen? Politischer Idealism, Weltbeglückerpläne – ist er ein
sehnsuchtsvoller Hungerleider geblieben nach dem Unerreich-
lichen? Das war ein Einfall. Sehnsuchtsvolle Hungerleider,
notieren wir das, an schicklicher Stelle solls eingeflochten sein.
Liegt eine Welt von aristokratischem Realism darin, und nicht
deutscher kanns zugehen, als wo Deutsches mit Deutschem
gezüchtigt wird ... Bund mit der Macht denn, um handelnd
das Bessere, das Edel-Wünschbare herzustellen auf Erden.
Daß er scheitert, daß Herr wie Hof bei seinen Expectora-
tionen für Gähnen vergehen wollen und der Teufel eingreifen
muß, durch freches Radotieren die Situation zu retten, ist
ausgemacht. Der politische Schwärmer wird gleich zum
maître de plaisir, physicien de la cour und magischen Feuer-
werker herabgesetzt. Auf das Carneval freu ich mich. Kann
da einen reichen Maskenzug mit mythologischen Figuren
nebst geistreicher Narrenteiding entwickeln, die in Wirklichkeit, an Serenissimi Geburtstag oder bei kaiserlicher Anwesenheit, zu teuer kämen. Auf diese Späße läufts bitter-
satirischer Weise hinaus. Vorher aber muß es ihm Ernst sein,
muß er zum Glücke der Menschen regieren wollen, und die
Laute des Glaubens wollen gefunden sein, aus dieser Brust
sind sie zu schöpfen. Wo hab ichs? ‚Die Menschheit hat ein
fein Gehör, Ein reines Wort erreget schöne Taten. Der Mensch
fühlt sein Bedürfnis nur zu sehr und läßt sich gern im Ernste
raten.‘ Laß ich mir gefallen. Gott selber, das Positive, die
schöpferische Güte könnte im Vorspiel dem Teufel so erwidern, und mit ihm halt ichs, mit dem Positiven halt ichs –
ich habe nicht das Unglück, in der Opposition zu sein. Auch
ists die Meinung gar nicht, daß Mephisto zu Worte komme in
Kaisers Pfalz. Faust will nicht, daß er die Schwelle zum
Audienzsaal überschreite. Verbittet sichs, daß in Gegenwart
der Majestät Verblendung und Gaukelei in Wort und Tat

sich irgend hervortun. Magie soll endlich und Teufelstrug entfernt sein von seinem Pfad – hier wie bei Helena. Denn der
auch gestattet Persephone die Wiederkehr nur unter dem Be-
ding, daß alles übrige mit redlich menschlichen Dingen zugehe
und der Werber sich ihre Liebe rein aus eigener Kraft und
Leidenschaft gewinne. Bemerkenswerte Correspondenz. Einen
weiß ich, der über die Clausel wachen würd, wenn er noch
wachte ... Und doch ist da eine andere, an der alles hängt,
von der allein allüberall die Möglichkeit abhängt, das Stok-
kend-Jugendalte wieder in Fluß zu bringen – die Bedingnis
des Leichtmuts und absoluten Scherzes. Nur im Spiel und in
der Zauberoper ist Rettung; nur wenn ich denken darf: die
Possen da, kann ichs vollenden. Und was können denn auch
Sie, mein Bester, gegen das Spiel, den höhern Leichtsinn
haben, der Sie das Wort vom ‚nicht-poetischen Ernst‘ so
gern im Munde führten und in den Erziehungsbriefen,
autorisiert von Ihrem Denker, das ästhetische Spiel schon allzu lehrhaft fast gefeiert haben? Zwar ist es leicht, doch ist das
Leichte schwer. Und wo man schwer nimmt das Leichte, ist
auch der Ort, das Schwerste leicht zu nehmen.

     Ist das nicht meines Gedichtes Ort, so hat es keinen. Die
classische Walpurgisnacht ... (ich komme ab in meinen Gedanken von der politischen Scene, merks wohl, daß ich nicht
ungern mich davon abtreiben lasse, und fühl im Grunde, daß
mir wohler wäre, hätt ich erst beschlossen, sie auszulassen, –
was ich eben schon im Gespräch mit dem dämprichten Esel
fühlte – und mich drob ärgerte – allein schon weil es schad ist
um die vorgemerkten Verse) ... Die classische Walpurgisnacht, um denn an Freudiges, höchst Hoffnungsvolles zu denken, – ah, das soll mir ein grandioser Spaß werden, der denn
doch den höfischen Mummenschanz gewaltig überbieten soll,
– ein Spiel, schwer von Idee, von Lebensgeheimnis und wit-
zig-träumerischer, ovidischer Erläuterung der Menschwerdung, – ohne alle Feierlichkeit, stilistisch aufs Allerleichteste
und -lustigste geschürzt, menippeische Satire – ist ein Lukian
im Hause? ja, nebenan, weiß wo er steht, Subsidium, ich

will ihn wieder lesen. Wies in der Magengrube zieht bei dem
Gedanken, wozu mir, ganz unvorhergesehenerweise, durch
träumerischste Erfindung der Homunculus noch gut geworden, – wer hätte denken können, daß er zu ihr, der Schönsten,
in unbändig-lebensmystische Beziehung treten, gut werden
würde zu neckisch-scientifischer, neptunisch-thaletischer Begründung und Motivierung des Erscheinens sinnlich höchster
Menschenschönheit! ,Das letzte Product der sich immer stei-
gernden Natur ist der schöne Mensch.' Der Winckelmann
verstand was von Schönheit und sinnlichem Humanismus.
Hätte seine Freude gehabt an diesem Übermut, die bio-
logische Vorgeschichte des Schönen in seine Erscheinung aufzunehmen; an der Imagination, daß Liebeskraft der Monade
zur Entelechie verhilft, und daß sie, als Klümpchen organischen Schleims im Ocean beginnend, durch namenlose Zeiten
des Lebens holden Metamorphosen-Lauf durchmißt hinauf
zum edel-liebenswürdigsten Gebilde. Das Witzig-Geistigste
im Drama ist Motivierung. Sie liebten sie nicht, mein Bester,
empfanden sie als ungroß, hieltens für kühn, sie zu verachten.
Allein, Sie sehen, es gibt eine Kühnheit der Motivation, die
sie dem Vorwurf des Kleinlichen denn doch entrückt. Ist je
der Auftritt einer dramatischen Gestalt so vorbereitet worden? Versteht sich, es ist die Schönheit selbst, da sind besondere Anstalten geraten und geboten. Versteht sich ferner: es
will ganz unter der Hand, ganz ahndungsweise nur zu verstehen gegeben sein. Auf mythologischen Humor, auf Travestie ist alles zu stellen, und tiefsinnig naturphilosophische
Insinuation widerspreche hier der leichten Form, wie strenge
Pracht des Vortrags, der Tragödie entliehen, im Helena-Act
der intriganten Trughandlung satirisch widerspreche. Parodie ... Über sie sinn ich am liebsten nach. Viel zu denken,
viel zu sinnen gibts beim zarten Lebensfaden, und bei allen
Besinnlichkeiten, die die Kunst begleiten, ist diese die selt-
samst-heiterste und zärtlichste. Fromme Zerstörung, lächelnd
Abschiednehmen ... Bewahrende Nachfolge, die schon Scherz
und Schimpf. Das Geliebte, Heilige, Alte, das hohe Vorbild

auf einer Stufe und mit Gehalten zu wiederholen, die ihm
den Stempel des Parodischen verleihen und das Product sich
späten, schon spottenden Auflösungsgebilden wie der nach-
euripideischen Komödie annähern lassen . . . Curioses Dasein,
einsam, unverstanden, gespielenlos und kalt, auf eigene Hand
in einem noch rohen Volke die Cultur der Welt von gläubi-
ger Blüte bis zum wissenden Verfall persönlich zu umfassen.

Winckelmann . . . ‚Genau genommen kann man sagen, es
sei nur ein Augenblick, in welchem der schöne Mensch schön
sei.' Merkwürdiger Satz. Wir erwischen im Metaphysischen
den Augenblick des Schönen, da es, bewundert viel und viel
gescholten, in melancholischer Vollkommenheit hervortritt, –
die Ewigkeit des Augenblicks, den der vergangene Freund
schmerzlich vergöttlichte mit jenem Wort. Teurer, schmerzlich
scharfsinniger Schwärmer und Liebender, ins Sinnliche geistreich vertieft! Kenn ich dein Geheimnis? Den inspirierenden
Genius all deiner Wissenschaft, den heute bekenntnislosen
Enthusiasmus, der dich mit Hellas verband? Denn dein
Aperçu paßt ja eigentlich so recht nur aufs Männlich-Vor-
männliche, auf den im Marmor nur haltbaren Schönheits-
moment des Jünglings. Was gilts, du hattest das gute Glück,
daß ‚der Mensch' ein masculinum ist, und daß du also die
Schönheit masculinisieren mochtest nach Herzenslust. Mir
erschien sie in Jugend-, in Frauengestalt . . . Aber auch nicht
durchaus, und ich versteh mich schon auf deine Schliche, denk
auch mit heiterster Offenheit des artigen blonden Kellnerburschen vorigen Sommer auf dem Geisberg oben in der Schenke,
wo Boisserée wieder dabei war in katholischer Discretion.
Singe du den andern Leuten und verstumme mit dem
Schenken! . . .

Gibts irgend was in der sittlichen, der sinnlichen Welt, worein vor allem mein Sinnen sich innigst versenkt hat in Lust
und Schrecken dies ganze Leben lang, so ists die Verführung –,
die erlittene, die tätig zugefügte –, süße, entsetzliche Berührung, von oben kommend, wenns den Göttern so beliebt:
es ist die Sünde, deren wir schuldlos schuldig werden, schul-

dig als ihr Mittel und als ihr Opfer auch, denn der Verführung widerstehen, heißt nicht aufhören, verführt zu sein, – es ist die Prüfung, die niemand besteht, denn sie ist süß, und als Prüfung schon selbst bleibt sie unbestanden. So beliebt es den Göttern, uns süße Verführung zu senden, sie uns erleiden, sie von uns ausgehn zu lassen als Paradigma aller Versuchung und Schuld, denn eines ist schon das andre. Ich habe nie von einem Verbrechen gehört, das ich nicht hätte begehen können ... Dadurch, daß man eine Tat nicht begeht, entzieht man sich dem irdischen Richter, nicht dem oberen, denn im Herzen hat man sie begangen ... Die Verführung durchs eigene Geschlecht möchte als Phänomen der Rache und höhnender Vergeltung anzusehen sein für selbstgeübte Verführung – des Narkissos Betörung ist sie ewig durch das Spiegelbild seiner selbst. Rache ist ewig mit der Verführung, mit der durch Überwindung nicht zu bestehenden Prüfung verbunden – so hat Brahma dies gewollt. Daher die Lust, das Entsetzen, womit ichs bedenke. Daher das productive Grauen, das mir das Gedicht erregt, das früh geträumte, immer verschobene, noch zu verschiebende, vom Weib des Brahmen, der Paria-Göttin, worin ich Verführung feiern und schaurig verkünden will, – daß ichs bewahre und immer vertage, ihm Jahrzehnte des In-mir-Ruhens und Werdens gönne, ist mir das Merkmal seiner Wichtigkeit. Ich mags nicht abtun, hege es bis zur Überreife, trage es durch die Lebensalter, – möge die junge Empfängnis eines Tags sich hervortun als geheimnisschweres Spätproduct, – ausgeläutert, condensiert durch die Zeit, knapp aufs äußerste, gleich einer aus Stahldrähten geschmiedeten Damascenerklinge, so schwebt mir sein Endbild vor.

Weiß sehr genau die Quelle, woher mirs kam vor unzähligen Jahren, wie ‚Der Gott und die Bajadere‘ auch: die verdeutschte ‚Reise nach Ostindien und China‘, productive Scharteke, irgendwo unterm literarischen Althausrat muß sie schimmeln. Weiß aber kaum mehr, wie sichs ausnahm an seinem Orte, sondern nur noch, wie sichs bang gestaltet in mir

zu geistigstem Zwecke, – das Bild hochedler, selig-reiner Fraue,
die zum Flusse wandelt, tägliche Erquickung zu schöpfen,
und dabei nicht Krugs noch Eimers bedarf, da sich ihren frommen Händen die Welle herrlich zur krystallnen Kugel ballt.
Ich liebe diese köstliche Kugel, die das reine Weib des Reinen täglich in heiterer Andacht nach Hause trägt, kühl-tast-
bares Sinnbild der Klarheit und Ungetrübtheit, der unange-
fochtenen Unschuld und dessen, was sie in Einfalt vermag.
Schöpft des Dichters reine Hand, Wasser wird sich ballen . . .
Ja, ich wills ballen zur krystallnen Kugel, das Gedicht der
Verführung, denn der Dichter, der vielversuchte, der verfüh-
rerisch-vielverführte, kanns immer noch, ihm bleibt die Gabe,
die das Zeichen der Reinheit. Nicht auch dem Weibe. Da die
Flut ihr den Himmelsjüngling gespiegelt, da sie sich im An-
schaun verloren, göttlich einziges Erscheinen ihr das tiefste
Leben verwirrt, versagt sich ihr die Welle zur Formung, sie
strauchelt heim, der hohe Gatte durchschauts, Rache, Rache
waltet, die Heimgesuchte, die Schuldlos-Schuldige schleppt
er zum Todeshügel, schlägt ihr das Haupt ab, womit sie
ewige Reize erblickt, aber dem Rächer droht der Sohn, wie die
Witwe dem Gatten ins Feuer, so der Mutter ins Schwert
zu folgen. Nicht so, nicht so! Es ist wahr, am Schwerte starrt
nicht das Blut, es fließt wie aus frischer Wunde. Eile! Füge
wieder zum Rumpf das Haupt, sprich dazu dies Gebet,
segne mit dem Schwerte die Fügung, und sie ersteht. Grauen
der Stätte. Überkreuz zwei Körper, der Mutter edler Leib,
Der Leib der gerichteten Verbrecherin vom Pariastamm.
Sohn, o Sohn, welch Übereilen! Das Haupt der Mutter setzt
er auf der Verworfenen Leichnam, heilts mit dem Richt-
schwert, und eine Riesin, Göttin erhebt sich, – die Göttin
der Unreinen. Dichte dies! Balle dies zu federnd gedrängte-
stem Sprachwerk! Nichts ist wichtiger! Sie ward zur Göttin,
aber unter Göttern wird ihr Wollen weise und wild ihr
Handeln sein. Vor dem Auge der Reinen wird das Gesicht
der Versuchung, das selige Jünglingsbild, weben in Himmels-
zartheit; aber senkt sichs ins Herz der Unreinen hinab, regt

es Lustbegier, rasend-verzweifelte, darin auf. Ewig dauert
Verführung. Ewig wird sie wiederkehren, die verstörend
göttliche Erscheinung, die sie vorübereilend streifte, immer
steigend, immer sinkend, sich verdüsternd, sich verklärend, –
so hat Brahma dies gewollt. Vor Brahma steht die Grausen-
hafte, mahnt ihn freundlich, schilt ihn wütend aus verworre-
nem, geheimnisüberlastetem Busen, – aller leidenden Creatur
kommts bei des Höchsten Erbarmen zugute.

Ich denke, Brahma fürchtet das Weib, denn ich fürcht es, –
wie das Gewissen fürcht ich ihr freundlich-wütendes Vor-
mir-Stehen, ihr weises Wollen und wildes Handeln, und so
fürcht ich das Gedicht, verschiebs durch Jahrzehnte, wissend
doch, daß ichs einmal werd machen müssen. Sollt das Geburtstagscarmen manipulieren, die ‚Italienische Reise' weiter zusammenstellen; will aber dies Alleinsein am Pult und
die gute Madeirawärme zu curios-geheimerem Werke nutzen.
Schöpft des Dichters reine Hand – – –

»Wer ist's?«

»Einen recht schönen Tag, Vater.«

»August, du. Nun, sei willkommen.«

»Stör' ich? Ich will nicht hoffen. Du packst so geschwinde
weg.«

»Ja, Kind, was heißt stören. Störung ist alles. Kommt drauf
an, ob die Störung dem Menschen lieb oder leid ist.«

»Eben das ist die Frage auch hier. Und ich schwanke in
ihrer Beantwortung, denn nicht mir muß ich sie stellen, sondern dem, was ich bringe. Ohne das wär' ich zu zweifelhafter
Stunde nicht eingebrochen.«

»Ich freue mich, dich zu sehen, was du auch bringst. Was
bringst du denn?«

»Da ich denn da bin, ist mein erstes: Hast du gut geschlafen?«

»Dank' dir, bin soweit erquickt.«

»Hat dir das Frühstück geschmeckt?«

»Ganz kräftig. Du frägst ja wie Rehbein.«

»Laß, ich frage für eine ganze Welt. Verzeih auch, was hattest du gerade Interessantes vor? War's die Lebensgeschichte?«

»Nicht accurat. Lebensgeschichte ist's immer. Aber was bringst du? Muß ich dir's extorquieren?«

»Es ist Besuch gekommen, Vater. Ja. Besuch von auswärts und aus der Vorzeit. Abgestiegen im ‚Elephanten'. Ich hört' es schon, bevor das Billet kam. In der Stadt ist der Trouble groß. Eine alte Bekannte.«

»Bekannte? Alt? Mach nicht solche Anstalten!«

»Hier ist das Billet.«

»Weimar, den zweiundzwanzigsten – wieder in ein Antlitz zu blicken – So bedeutend geworden – Geborene – Hm. Hm, hm. Curios. Nenn' ich eine recht curiose Vorfallenheit. Du nicht auch? Aber laß einmal, ich hab' auch was für dich, worüber du dich wundern und wozu du mir gratulieren sollst. Gib nur acht! – Hier, wie gefällt dir's?«

»Ah!«

»Gelt, da machst du große Augen. Und die soll man machen. Ist recht etwas zum Große-Augen-Machen, eine Sache des Lichtes, des Schauens. Hab's aus Frankfurt geschenkt bekommen für meine Sammlung. Gleichzeitig kamen einige Mineralien vom Westerwald und vom Rhein. Aber dies ist das Schönste. Wofür hältst du's?«

»Ein Krystall –«

»Das will ich meinen! Ist ein Hyalit, ein Glasopal, aber ein Prachtexemplar nach Größe und Ungetrübtheit. Hast du so ein Stück schon gesehn? Ich kann's nicht genug angucke und nicht ohne Sinnen. Das ist Licht, das ist Präcision, das ist Klarheit, was? Das ist ein Kunstwerk oder vielmehr ein Werk und Offenbarungsgebilde der Natur, des Kosmos, des geistigen Raumes, der seine ewige Geometrie darauf projiciert und sie räumlich macht! Siehst du die genauen Kanten und schimmernden Flächen, – durch und durch ist das genaue Kante und schimmernde Fläche, ideelle Durchstructuriertheit nenn' ich

mir das. Denn es hat ja das Ding nur eine, es gänzlich durchdringende, es von innen nach außen ganz und gar ausma-
chende, sich immer wiederholende Form und Gestalt, die seine
Achsen bestimmt, das Krystallgitter, und das macht ja eben
die Durchsichtigkeit, die Affinität solcher Verkörperung zum
Licht und zum Schauen! Willst du meine Meinung hören, so
sag' ich, daß die kolossalisch-gediegene Kanten- und Flächen-
geometrie der ägyptischen Pyramiden auch diesen geheimen
Sinn hatte: die Beziehung zum Licht, zur Sonne, es sind Son-
nenmale, Riesenkrystalle, ungeheuere Nachahmung geistig-
kosmischer Ein-Bildung von Menschenhand.«

»Das ist hochinteressant, Vater.«

»Und ob. Und ob. Hat es ja auch mit der Dauer zu tun,
mit Zeit und Tod und Ewigkeit, da wir denn gewahr werden, daß bloße Dauer ein falscher Sieg ist über Zeit und Tod,
denn sie ist totes Sein und kein Werden mehr seit ihrem Beginn, weil sich bei ihr der Tod gleich an die Erzeugung an-
schließt. So dauern die krystallinischen Pyramiden hinaus in
die Zeit und überdauern die Jahrtausende, aber das hat nicht
Leben noch Sinn, es ist tote Ewigkeit, es hat keine Biographie.
Aufs Biographische kommt's an, und allzu kurz und arm ist
die Biographie des Frühvollendeten. Siehst du, so ein sal, ein
Salz, wie die Alchymisten alle Krystalle einschließlich der
Schneeflocken nannten (es ist aber kein Salz in unserem Fall,
es ist Kieselsäure), so ein sal hat nur einen einzigen Augenblick des Werdens und der Entwicklung, es ist der, da die
Krystall-Lamelle aus der Mutterlauge herausfällt und den
Ansatzpunkt abgibt zur Ablagerung weiterer Lamellen, wodurch denn der geometrische Körper schneller oder langsamer
wächst und eine ansehnlichere oder geringere Größe gewinnt,
allein relevant ist das weiter nicht, denn das kleinste dieser
Gebilde ist ebenso perfect wie das größte, und seine Lebensgeschichte war abgeschlossen mit der Geburt der Lamelle, nun
dauert es nur noch in die Zeit, wie die Pyramiden, vielleicht
Millionen Jahre, hat aber die Zeit nur außer ihm, nicht in
ihm selbst, will sagen: es wird nicht älter, was ja nicht

übel wäre, aber es ist tote Beständigkeit, und daß es kein Zeitleben hat, kommt daher, daß ihm zum Aufbau der Abbau fehlt und zum Bilden das Einschmelzen, das heißt: es ist nicht organisch. Allerkleinste Krystallkeime sind zwar noch nicht geometrisch, nicht kantig und flächig, sondern rundlich und ähneln organischen Keimen. Allein das ist nur Ähnelei, denn der Krystall ist Structur ganz und gar, von Anfang an, und Structur ist licht, durchsichtig und gut zu schauen; hat aber einen Haken damit, denn sie ist der Tod, oder führt zum Tode, – welcher sich beim Krystall gleich an die Geburt schließt. Niemals Tod und ewige Jugend, das wäre, stünde die Waage ein zwischen Structur und Entbildung, Aufbau und Einschmelzung. Steht aber nicht ein, die Waage, sondern von Anbeginn überwiegt im Organischen auch die Structurierung, und so krystallisieren wir und dauern nur noch in der Zeit, gleich den Pyramiden. Und das ist öde Dauer, Nachleben in der äußeren Zeit, ohne innere, ohne Biographie. Tiere auch dauern so, wenn sie ausstructuriert und erwachsen sind, – nur mechanisch noch wiederholen sich dann Ernährung und Propagation, immer dasselbe, wie die Auflagerung beim Krystall, – die ganze Zeit, die sie noch leben, sind sie am Ziele. Auch sterben sie ja früh, die Tiere, – wahrscheinlich aus Langerweile. Halten die Ausstructuriertheit und das Am-Ziele-Sein nicht lange aus, es ist zu langweilig. Öde und sterbenslangweilig, mein Lieber, ist alles Sein, das in der Zeit steht, statt die Zeit in sich selbst zu tragen und seine eigene Zeit auszumachen, die nicht geradeaus läuft nach einem Ziel, sondern als Kreis in sich selber geht, immer am Ziel und stets am Anfang, – ein Sein wäre das, arbeitend und wirkend in und an sich selber, so daß Werden und Sein, Wirken und Werk, Vergangenheit und Gegenwart ein und dasselbe wären und sich eine Dauer hervortäte, die zugleich rastlose Steigerung, Erhöhung und Perfection wäre. Und so fortan. Nimm es als Randbemerkung zu dieser lichten Anschaulichkeit und verzeih mein Didactisieren. – Wie steht's mit dem Heumachen im großen Garten?«

»Ist getätigt, Vater. Aber ich bin mit dem Bauersmann überquer, der wieder nicht zahlen will, weil er sagt, mit dem Mähen und Abfahren sei's schon beglichen, und es sei eigentlich er, der noch was zu fordern habe. Aber ich lass' es dem Schelmen nicht durchgehn, sei ruhig, er soll dir das gute Grummet schon angemessen entgelten, und sollt' ich ihn vor Gericht schleppen.«

»Brav. Du bist im Recht. Man muß sich wehren. A corsaire, corsaire et demi. Hast du schon nach Frankfurt geschrieben wegen des Abzugsgeldes?«

»Noch nicht de facto, Vater. Mein Kopf ist voller Entwürfe, aber ich zögere noch etwas, Hand ans Rescript zu legen. Was für ein Brief muß das nicht sein, womit wir die Sottise von der Beraubung der übrigen Bürger zurückweisen wollen! Würde und Ironie müssen da eine niederschmetternde, zur Besinnung zwingende Verbindung eingehen. Das darf man nicht übers Knie brechen . . .«

»Du hast recht, ich verzögert' es auch. Die günstige Stunde will dafür abgewartet sein. Noch bin ich guten Muts der Erlassung wegen. Könnte man nur direct und persönlich schreiben, aber das kann ich nicht, ich darf nicht hervortreten.«

»Auf keinen Fall, Vater! In solchen Affairen bedarfst du der Deckung, des Wandschirms. Das ist eine hohe Bedürftigkeit, der Genüge zu tun ich geboren zu sein die Ehre habe – Was schreibt denn die Frau Hofrätin?«

»Und bei Hofe, wie steht's?«

»Ach, es ist viel Kopfzerbrechens in Sachen der ersten Redoute beim Prinzen und der Quadrille, die wir erst heut' nachmittag wieder üben müssen. Keineswegs herrscht schon ein klarer Beschluß der Costüme wegen, die zuerst bei der Polonaise ihre Wirkung tun sollen, – von dieser aber steht eben nicht fest, ob sie eine bunte Parade ad libitum sein oder eine bestimmte Idee veranschaulichen soll. Vorläufig sind, auch wohl des praktisch greifbaren Materials wegen, die Wünsche sehr individuell. Der Prinz selber insistiert darauf, einen Wilden vorzustellen, Staff will einen Türken geben, Marschall einen französischen Bauern, Stein einen Savoyarden, die Schumannin besteht auf griechischer Tracht und die Actuarius Rentschin auf einem Gärtnermädchen.«

»Höre, das ist du dernier ridicule. Die Rentschin ein Gärtnermädchen! Sie sollte ihre Jahre kennen. Man muß dagegen einschreiten. Eine römische Matrona ist alles, was man ihr bewilligen kann. Wenn der Prinz auf den Wilden prätendiert, so weiß man ohnedies, wie er's im Sinne hat. Er würde sich mit dem verhutzelten Gärtnermädchen Späße erlauben, daß es zum Scandal käme. Ernstlich, August, ich hätte Lust, die Sache selbst in die Hand zu nehmen, zum wenigsten die Polonaise, als welche nach meinem Dafürhalten nicht bunt und willkürlich sein dürfte, sondern auf einen Nenner gebracht werden oder doch eine lose, sinnige Ordnung aufweisen müßte. Wie in der persischen Poesie, so ist's überall, daß nur das Vorwalten eines oberen Leitenden, kurz, was wir anderen Deutschen ‚Geist' nennen, wahre Genugtuung bringt. Ich hätte einen artigen Mummenschanz im Kopf, wovon ich wohl der Ordner und auch der ansagende Herold sein möchte, denn mit sinnig kurzem Wort und auch mit einiger Musik von Mandolinen, Guitarren und Theorben müßte alles begleitet sein. Gärtnermädchen – gut, es könnten nette florentinische Gärtnerinnen kommen und in grünen Laubgängen bunten Flitter künstlicher Blüten feilbieten. Gärtner, bräunlichen Gesichts, müßten sich den Zierlichen anpaaren und strotzend Obst zu Markte bringen, so daß in geschmückten Lauben die ganze Fülle des Jahres, Knospe, Blätter, Blume, Frucht, sich den heiteren Sinnen anböte. Nicht genug damit, müßten einige Fischer und Vogelsteller mit Netzen, Angeln und Leimruten sich unter die schönen Kinder mischen, und es gäbe ein wechselseitiges Gewinnen und Fangen, Entgehen und Festhalten artigsten Styls, das von dem Aufzuge ungeschlachter Holzhauer zu unterbrechen wäre, denen die Rolle zufiele, im Feinen die unentbehrliche Grobheit zu vertreten. Alsdann, so sollte der Herold die griechische Mythologie hervorrufen, und den

Anmut verkündenden Grazien folgten auf dem Fuß die besinnlichen Parzen, Atropos, Klotho und Lachesis, mit Rokken, Schere und Weife, und kaum sind dann auch die drei Furien vorüber, welche aber, versteh mich recht, sich nicht wüst und anstößig darstellen, sondern als einnehmende, wenn auch leidlich schlangenhafte und boshafte junge Frauenzimmer erscheinen müßten, so schleppte sich auch schon wuchtend ein wahrer Berg und lebender Koloß mit Teppichen behängt und turmgekrönt heran, ein veritabler Elephant, dem eine zierliche Frau mit stachelndem Lenkstabe im Nacken säße, während droben auf der Zinne die hehrste Göttin –«

»Ja, aber Vater! Wo nehmen wir denn einen Elephanten her, und wie könnte ein solcher im Schloß –«

»Geh, sei kein Spielverderber! Das fände sich schon, das ließe sich schon fingieren und ein tierisches Aufgebäude mit Rüssel und Zähnen bei einigem guten Willen zum abenteuerlichen Schein sich allenfalls auf Räder stellen. Die geflügelte Göttin, mein' ich, dort oben, das wäre Victoria, die Meisterin aller Tätigkeiten. Aber zur Seite schritten in Ketten zwei edle Frauengestalten, deren Bedeutung der Herold amtsgemäß zu entfalten hätte, denn es sind Furcht und Hoffnung, in Ketten gelegt von der Klugheit, welche sie beide dem Publico als arge Menschenfeinde dar- und bloßstellen müßte.«

»Die Hoffnung auch?«

»Unbedingt! Mindestens mit soviel Recht wie die Furcht würde sie bloßgestellt. Bedenke doch, wie läppisch süß und entnervend sie die Menschen illusioniert und ihnen einflüstert, daß sie sorgenfrei und nach Belieben werden leben dürfen und das Beste sicherlich irgendwo zu finden sein müsse. – Was aber die rühmliche Victoria angeht, so nähme gleich Thersites sie zum Ziel seines widrig verkleinernden Gegeifers, – unerträglich dem Herold, der den Lumpenhund mit seinem Stabe züchtigen müßte, so daß die Zwerggestalt sich kreischend krümmte und sich zum Klumpen ballte, aus dem Klumpen aber würde vor aller Augen ein Ei, das blähte sich und platzte auf, und ein greulich Zwillingspaar kröche her-

aus, Otter und Fledermaus, wovon die eine im Staube davon-
kröche, die andere schwarz zur Decke flöge –«

»Aber bester Vater, wie sollten wir das wohl machen und
auch nur scheinbar zur Anschauung bringen, das platzende
Ei und die Otter und Fledermaus!«

»Ei, mit nur etwas Lust und Liebe zum sinnigen Augenschein wäre auch das zu leisten. Aber damit dürfte der Über-
raschungen noch keineswegs ein Ende sein, denn nun sollte ein
vierbespannter Prachtwagen heranglänzen, vom charmante-
sten Buben gelenkt, und darauf säße ein König mit gesundem
Mondgesicht unter dem Turban, welche beide zu präsentieren ebenfalls Herolds Hofgeschäft wäre: das Mondgesicht,
das wäre König Plutus, der Reichtum. Aber in dem entzükkenden Lenkerknaben mit dem Glitzergeschmeid im schwarzen Haar hätten all-alle die Poesie zu erkennen, in ihrer
Eigenschaft nämlich als holde Verschwendung, welche dem
König Reichtum Fest und Schmaus verschönt, und er brauchte
nur mit den Fingern zu schnippen, der Racker, so blitzten
und sprängen goldne Spangen und Perlenschnüre und Kamm
und Krönchen und köstliche Juwelenringe, um die die liebe
Menge sich balgte, unter den Schnippchen hervor.«

»Du machst es gut, Vater! Spangen, Juwelen und Perlenschnüre! Du meinst wohl: ‚Ich kratz' den Kopf, reib' an den
Händen' –«

»Es könnten ja billige Faxen und Rechenpfennige sein. Mir
ist es nur darum zu tun, die spendende und verschwendende
Poesie zum Reichtum in allegorische Beziehung zu bringen,
wobei denn etwa an Venedig zu denken wäre, wo die Kunst
wie eine Tulipane wuchs, genährt vom üppigen Boden des
Handelsgewinns. Der Plutus im Turban müßte zum reizenden Buben sagen: ‚Mein lieber Sohn, ich habe Wohlgefallen
an dir!'«

»So dürfte er's aber keinesfalls fassen und ausdrücken, Vater. Es wäre –«

»Es wäre sogar zu wünschen, daß man's einzurichten vermöchte und könnte kleine Flämmchen auf dem und jenem

Kopfe erscheinen lassen, welche der schöne Lenker als die
größesten Gaben seiner Hand umhergesandt hätte: Flämmchen des Geistes, sich haltend an einem, entschlüpfend dem andern, rasch aufleuchtend da, nur selten dauernd, den meisten
traurig ausgebrannt wieder verlöschend. So häten wir Vater, Sohn und Heiligen Geist.«

»Das ginge beileibe und absolut nicht, Vater, von der
mechanischen Unausführbarkeit noch ganz abgesehen! Der
Hof würde unruhig. Es wäre gegen die Pietät und entschieden blasphemisch.«

»Wieso? Wie magst du solche Huldigungen und artigen
Allusionen blasphemisch nennen? Die Religion und ihr Vor-
stellungsschatz sind ein Ingrediens der Cultur, dessen man sich
denn heiter-bedeutsam bedienen mag, um ein Allgemein-Gei-
stiges im behaglich-vertrauten Bilde sichtbar und fühlbar zu
machen.«

»Aber doch kein Ingrediens wie ein anderes, Vater. Das
mag das Religiöse wohl sein für deine Überschau, aber nicht
für den durchschnittlichen Festteilnehmer und auch nicht für
den Hof, oder doch heute nicht mehr. Es richtet sich zwar
die Stadt nach dem Hof, aber doch auch der Hof nach der
Stadt, und gerade heut', wo in Jugend und Gesellschaft die
Religion so sehr wieder zu Ehren gekommen –«

»Nun, basta, so will ich mein kleines Theater wieder einpacken, mitsamt den Spiritusflämmchen, und zu euch sprechen wie die Pharisäer zum Judas: ,Da sehet ihr zu!' Es hätte
zwar noch allerlei angenehmes Getümmel folgen sollen, der
Zug des großen Pan, das wilde Heer mit spitzohrigen Faunen und Satyrn auf dürren Beinen und wohlmeinenden
Gnomen und Nymphen und wilden Männern vom Harz, –
allein das alles lass' ich auf sich beruhen und muß sehen,
es anderswo unterzubringen, wo mich eure modischen Scrupel in Frieden lassen, denn wenn ihr keinen Spaß versteht,
bin ich nicht euer Mann. – Wovon sind wir denn abgekommen?«

»Abgekommen sind wir vom überbrachten Billet, Vater,

über das man sich wohl zu beraten und zu verständigen hätte. Was schreibt Frau Hofrätin Kestner?«

»Ja, so, das Billet. Du hast mir ja ein billet-doux gebracht. Was sie schreibt? Nun, ich hab' auch was geschrieben, lies das lieber erst, un momentino, hier, es ist für den ‚Divan'.«

»‚Man sagt, die Gänse wären dumm! – O, glaubt mir nicht den Leuten: – Denn eine sieht einmal sich rum – Mich rückwärts zu bedeuten.' – Ja, ja, recht hübsch, Vater, recht artig – oder auch unartig, wie man es nimmt, und zur Antwort will es nicht sonderlich taugen.«

»Nicht? Ich dachte. Dann müssen wir uns eine andere ausdenken, und sie darf prosaisch sein, denk' ich, – die übliche an distinguierte Weimar-Pilger: eine Einladung zum Mittagessen.«

»Das ohnehin. – Das Briefchen ist sehr wohl geschrieben.«

»O, sehr. Was meinst du, wie lange das Seelchen daran gesponnen.«

»Man sieht wohl nach seinen Worten, wenn man dir schreibt.«

»Ein unbehaglich Gefühl.«

»Es ist die Zucht der Cultur, die du den Menschen auferlegst.«

»Und wenn ich tot bin, werden sie Uff! sagen und sich wieder ausdrücken wie die Ferkel.«

»Das ist zu befürchten.«

»Sag nicht ‚befürchten'. Du solltest ihnen ihre Natur gönnen. Ich bedrück' sie nicht gerne.«

»Wer spricht von Bedrücken? Und wer nun gar von Sterben? Du wirst uns noch lange ein zum Guten und Schönen anhaltender Herrscher sein.«

»Meinst du? Ich fühl' mich heut' aber gar nicht zum besten. Der Arm tut weh. Hab' auch mit dem Dämpfigen wieder ennui gehabt und auf den Ärger lange dictiert, das schlägt sich unweigerlich dann aufs Nervensystem.«

»Das heißt: hinübergehen und der Billetschreiberin auf-

warten wirst du nicht; möchtest auch den Beschluß über das
Billet lieber noch aufschieben.«

»Das heißt, das heißt. Du hast eine Art, Folgerungen zu
ziehen – nicht sehr zart. Du rupfst sie förmlich, die
Folgerungen.«

»Verzeih, ich taste im Dunkeln wegen deiner Empfindungen und Wünsche.«

»Nun, ich auch. Und im Dunkeln munkelt's denn wohl gespenstisch. Wenn Vergangenheit und Gegenwart eins werden, wozu mein Leben von je eine Neigung hatte, nimmt
leicht die Gegenwart einen spukhaften Charakter an. Das
wirkt wohl recht schön im Gedicht, hat in der Wirklichkeit
aber doch was Apprehensives. – Du sagst, das Vorkommnis
macht Rumor in der Stadt?«

»Nicht wenig, Vater. Wie willst du, daß es keinen machte?
Die Leute rotten sich vorm Gasthaus zusammen. Sie wollen
die Heldin von ‚Werthers Leiden‘ sehen. Die Polizei hat
Mühe, die Ordnung aufrechtzuerhalten.«

»Närrisches Volk! Die Cultur steht aber doch unglaublich
hoch in Deutschland, daß es solch Aufsehen macht und solche
Neugier erregt. – Pénible, Sohn. Eine pénible, ja greuliche
Sache. Die Vergangenheit verschwört sich mit der Narrheit
gegen mich, um Trouble und Unordnung zu stiften. Konnt'
sie sich's nicht verkneifen, die Alte, und mir's nicht ersparen?«

»Du fragst mich zuviel, Vater. Du siehst, die Frau Hofrätin ist völlig in ihrem Recht. Sie besucht ihre lieben Verwandten, die Ridels.«

»Natürlich doch, die besucht sie – genäschigerweise. Denn
Ruhm möcht' sie naschen, ohne Gefühl dafür, wie Ruhm und
Berüchtigtheit peinlich ineinandergehen. Und da haben wir
nur erst einmal den Auflauf der Menge. Wie wird die Gesellschaft sich erst excitieren und sich moquieren, die Hälse
recken, tuscheln und äugen! – Kurzum, man muß das nach
Kräften verhüten und unterbinden, muß die besonnenste,
festeste und zügelndste Haltung einnehmen. Wir geben ein
Mittagessen in kleinem Cirkel, mit jenen Verwandten, halten

uns sonst aber fern und bieten der Gier nach Aufregung keinerlei Handhabe. —«

»Wann soll es sein, Vater?«

»In ein paar Tagen. Demnächst einmal. Das rechte Maß, die rechte Distanz. Man muß einerseits Zeit haben, die Dinge ins Auge zu fassen und sich von weitem an sie zu gewöhnen, andererseits sie nicht zu lange sich vorstehen lassen, sondern sie hinter sich bringen. — Gegenwärtig sind Köchin und Hausmagd ohnedies mit der im Schwunge seienden Wäsche beschäftigt.«

»Übermorgen werden wir die in den Schränken haben.«

»Gut, so sei es über drei Tage.«

»Wen laden wir ein?«

»Das Nächste — mit einer kleinen Zutat von Fremderem. Eine leicht erweiterte Intimität wird sich in diesem Falle empfehlen. Item: Mutter und Kind nebst schwägerlichem Paare; Meyer und Riemer mit Damen; Coudray oder Rehbein dazu allenfalls; Hofkammerrat und Hofkammerrätin Kirms — und wen denn noch?«

»Onkel Vulpius?«

»Abgelehnt, du bist nicht klug!«

»Tante Charlotte?«

»Charlotte? Du meinst die Stein? Über deine Vorschläge! Zwei Charlotten sind eine Kleinigkeit zuviel. Sagt' ich nicht: Vorsicht, Besonnenheit? Kommt sie, so haben wir eine höchst zugespitzte Situation. Sagt sie ab, so gibt's auch dem Gerede Nahrung.«

»Aus der Nachbarschaft sonst: Herrn Stephan Schütze.«

»Gut, lad den Schriftsteller ein. Auch ist Herr Bergrat Werner von Freiberg, der Geognostiker, in der Stadt. Den könnte man bitten, daß ich eine Ansprache hab'.«

»So sind wir — zu sechzehn.«

»Mag Absagen geben.«

»Nein, Vater, sie kommen schon alle! — Der Anzug?«

»Parüre! Den Herren wird Frack mit Distinctionen empfohlen.«

»Wie du befiehlst. Die Gesellschaft trägt zwar amicales Gepräge, aber ihre Anzahl rechtfertigt einige Formalität. Auch ist's eine Aufmerksamkeit für die von auswärts.«

»So denk' ich.«

»Nebenbei hat man das Vergnügen, dich wieder einmal mit dem Weißen Falken zu sehen, – dem Goldnen Vlies, hätt' ich fast gesagt.«

»Das wäre ein sonderbarer, für unsern jungen Brustschmuck allzu schmeichelhafter Lapsus gewesen.«

»Er wäre mir trotzdem beinahe untergelaufen – wahrscheinlich weil diese Begegnung mich anmutet wie eine nachzuholende Egmontscene. Du hattest in den Wetzlarer Tagen noch keinen spanischen Hofprunk, dich diesem Klärchen darin zu zeigen.«

»Du bist bei Laune. Sie dient nicht eben, deinen Geschmack zu bessern.«

»Ein überschärfter Geschmack läßt auf verdrießliche Laune schließen.«

»Wir haben wohl beide noch Geschäfte heut' morgen.«

»Dein nächstes wäre, ein Kärtchen hinüber zu schreiben?«

»Nein, du sprichst vor. Ist weniger und mehr. Du präsentierst meine Empfehlung, meinen Willkommsgruß. Es werde mir nächstens zu Mittag viel Ehre sein.«

»Eine sehr große wird es für mich sein, dich zu vertreten. Ich durft' es selten bei bedeutenderem Anlaß tun. Nur Wielands Begräbnis wäre allenfalls zum Vergleiche heranzuziehn.«

»Ich seh' dich bei Tische.«

Achtes Kapitel

Charlotte Kestner hatte es nicht schwer gehabt, die allerdings unmäßige Verspätung, mit der sie am Zweiundzwanzigsten an der Esplanade bei Ridels eingetroffen war, aufzuklären und zu entschuldigen. Einmal an Ort und Stelle, endlich in den Armen ihrer jüngsten Schwester, neben der gerührten Blickes der Gatte stand, war sie von jedem genaueren Rechenschaftsbericht über die Erlebnisse entbunden gewesen, die sie den Vormittag, ja einen Teil des Nachmittags gekostet hatten, und erst in den folgenden Tagen kam sie unter der Hand und von Gelegenheit zu Gelegenheit, teils befragt, teils ihrerseits sich erkundigend, auf die geführten Gespräche zurück. Selbst der von dem letzten Besucher im ‚Elephanten' überbrachten Einladung auf den dritten Tag entsann sie sich erst nach Stunden mit einem »Ja, richtig!«, nicht ohne mit einer gewissen Dringlichkeit die Zustimmung der Ihren zu dem Billet einzufordern, das sie nach ihrer Ankunft in das berühmte Haus gesandt.

»Ich habe nicht zuletzt und vielleicht zuerst an dich dabei gedacht«, sagte sie zu ihrem Schwager. »Ich sehe nicht ein, weshalb man nicht Beziehungen wahrnehmen sollte, die, mögen sie noch so überaltert sein, lieben Verwandten nützlich werden könnten.«

Und der Geheime Landkammerrat, der auf den Kammerdirector in herzoglichen Diensten aspirierte, namentlich weil durch diese Ernennung sein Gehalt, auf das allein er seit den Verlusten der Franzosentage angewiesen war, eine bedeutende Aufbesserung erfahren würde, hatte dankbar gelächelt. Tatsächlich würde es nicht das erste Mal sein, daß der Jugendfreund seiner Schwägerin sich seiner Laufbahn günstig erwies. Goethe schätzte ihn. Er hatte dem jungen Hamburger, der Hauslehrer in einer gräflichen Familie gewesen war, die Stellung als Erzieher des Erbprinzen von Sachsen-Weimar verschafft, die er einige Jahre lang eingenommen. Bei den Abendgesellschaften der Madame Schopenhauer war Dr. Ridel öfters mit dem Dichter zusammengetroffen, hatte aber in seinem Hause selbst nie verkehrt, und es war ihm mehr als angenehm, daß Charlottens Erscheinen ihm den Zutritt dazu verschaffte.

Übrigens war von dem bevorstehenden Mittag am Frauenplan, zu dem auch Ridels denselben Abend noch eine schriftliche Einladung erhalten hatten, in den folgenden Tagen

immer nur flüchtig und unter der Hand, so, als sei die Sache
der Familie zwischendurch ganz aus dem Gedächtnis entschwunden, und mit einer gewissen abbrechenden Hast die
Rede. Daß nur das kammerrätliche Ehepaar, nicht auch ihre
Töchter, gebeten war, deutete ebenso wie die Vorschrift des
Fracks auf einen mehr als familiären Charakter der Veranstaltung, was mitten in anderen Gesprächen von ungefähr
angemerkt wurde, worauf man nach einer Pause, während
der die Erfreulichkeit oder Unerfreulichkeit der Feststellung
allerseits still erwogen zu werden schien, den Gegenstand
wieder wechselte.

Es gab nach langer, durch Briefwechsel nur notdürftig
überbrückter Trennung so viel zu berichten, zu gedenken und
auszutauschen. Die Schicksale und Zustände von Kindern,
Geschwistern und Geschwisterkindern standen zur Erörterung. Manchem Gliede der kleinen Schar, deren Bild, wie
Lotte ihnen das Brot austeilte, in die Dichtung eingegangen
und zum heiteren Besitz der allgemeinen Anschauung geworden war, blieb nur wehmütig nachzutrauern. Vier Schwestern
waren schon in der Ewigkeit, voran Caroline, die Älteste, eine
Hofrätin Dietz, deren fünf hinterbliebene Söhne jedoch allesamt stattliche Lebensstellungen an Gerichten und an Magis-
traturen einnahmen. Unvermählt war nur die vierte, Sophie,
geblieben, verstorben gleichfalls vor nun schon acht Jahren
im Hause ihres Bruders Georg, des prächtigen Mannes, nach
dem Charlotte, gewissen Wünschen entgegen, ihren Ältesten
genannt, und der, nachdem er eine reiche Hannoveranerin
geheiratet, als Nachfolger seines Vaters selig, des alten Buff,
die Amtmannsstelle zu Wetzlar zur eigenen und allgemeinen
Zufriedenheit verwaltete.

Überhaupt hatte der männliche Teil jener bildhaft gewordenen Gruppe sich entschieden lebensbräver, zum Ausharren
tüchtiger erwiesen als der weibliche – die beiden älteren
Damen ausgenommen, die in Amalie Ridels Stube saßen und
über ihren Handarbeiten das Gewesene und Gegenwärtige
besprachen. Ihr ältester Bruder Hans, derselbe, der einst mit

dem Dr. Goethe so besonders herzlich gestanden und an dem Werther-Buch, als es eintraf, so kindlich-unbändiges Vergnügen gehabt hatte, übte als Kammerdirector beim Grafen von Solms-Rödelheim eine ansehnlich-auskömmliche Tätigkeit; Wilhelm, der zweite, war Advocat, und wieder ein anderer, Fritz, stand als Hauptmann in niederländischen Heeresdiensten. Was gab es beim Sticheln und beim Geklapper der Holznadeln über die Brandt-Mädel zu sagen, Annchen und Dorthel, die Junonische? Hörte man von ihnen? Gelegentlich. Dorthel, die schwarzaugige, hatte nicht jenen Hofrat Cella genommen, über dessen abgecirkeltes Werben der muntere Kreis von damals, voran ein unbeschäftigter Rechtspraktikant, der auch für schwarze Augen nicht unempfindlich gewesen war, sich so derb lustig gemacht hatte, sondern den Dr. med. Hessler, der ihr aber früh durch den Tod war entrissen worden, so daß sie denn nun lange schon einem Bruder in Bamberg den Hausstand führte. Annchen hieß seit fünfunddreißig Jahren Frau Rätin Werner, und Thekla, eine dritte, hatte an der Seite Wilhelm Buffs, des Procurators, ein zufriedenstellendes Leben verbracht.

All dieser wurde gedacht, der Lebenden und der Geschiedenen. Aber so recht belebte Charlotte sich doch jedesmal erst, das zarte Pastellrot, das sie so verjüngend gut kleidete, trat auf ihre Wangen, und sie befestigte mit würdiger Kinnstütze den immer etwas zum Wackeln geneigten Kopf, wenn auf ihre Kinder, ihre Söhne die Rede kam, Leute, die jetzt in den vierziger Jahren und in so stattlichen Lebensverhältnissen standen wie Theodor, der Medicinprofessor, und Dr. August, der Legationsrat. Des Besuches dieser beiden bei ihrer Mutter Jugendfreund auf der Gerbermühle wurde aufs neue erwähnt, – wie denn überhaupt der Name des nahe wohnenden Gewaltigen, dessen Existenz, so hoch sie sich immer abgesondert, mit diesem ganzen Lebens- und Schicksalskreise seit Jugendtagen verflochten blieb, sich, halb vermieden, immer wieder in das Gespräch der Schwestern stahl. Zum Beispiel gedachte Charlotte einer Reise, die sie vor fast vier-

zig Jahren mit Kestnern von Hannover nach Wetzlar getan,
und auf der sie zu Frankfurt die Mutter des flüchtigen Freundes besucht hatten. Sie waren einander so gut geworden, das
junge Paar und die Rätin, daß diese sich in der Folge zur
Gevatterschaft beim jüngsten Kestner'schen Töchterchen bereit erklärt hatte. Derjenige, der seiner eigenen Aussage nach
am liebsten all ihre Kinder aus der Taufe gehoben hätte, war
damals in Rom gewesen, und die Mutter, die eben eine kurze,
überraschende Anzeige seines großen Aufenthaltes von ihm
empfangen, hatte sich in innig stolzen Reden über das außerordentliche Kind ergangen, die Lotte wohl behalten hatte und
jetzt ihrer Schwester wiederholte. Wie fruchtbar-förderlich
und höchsten Gewinn bringend, hatte sie gerufen, müsse nicht
eine solche Reise für einen Menschen seines Adlerblicks für
alles Gute und Große sein, – segenvoll nicht nur für ihn, sondern für alle, die das Glück hätten, in seinem Wirkungskreis
zu leben. Ja, so war dieser Mutter das Los gefallen, daß sie
laut und offen diejenigen glücklich pries, denen es vergönnt
war, dem Lebenskreis ihres Kindes anzugehören. Sie hatte
die Worte einer Freundin, der seligen Klettenbergerin, ange-
führt: Wenn ihr Wolfgang nach Meintz reise, bringe er mehr
mit als andere, die von Paris und London zurückkämen. Er
habe, verkündete die Glückliche, ihr in seinem Briefe versprochen, sie auf der Rückreise zu besuchen. Dann müsse er
alles haarklein erzählen, und dazu sollten sämtliche Freunde
und Bekannte ins Haus geladen sein und herrlich tractiert
werden – pompös solle es hergehen und Wildpret, Braten,
Geflügel sollten wie Sand am Meer sein. – Es sei dann wohl
nichts daraus geworden, vermutete Amalie Ridel, und ihre
Schwester, die auch dergleichen gehört zu haben meinte,
lenkte das Gespräch wieder auf ihre eigenen Söhne, deren gut
gezogene Anhänglichkeit und schicklich regelmäßige Besuche
denn auch ihr Gelegenheit zu einiger mütterlicher Ruhmredig-
keit gaben.

Daß sie die Schwester damit nachgerade etwas langweilte,
mochte ihr bewußt werden. Und da ohnedies die Toiletten-

frage für den bewußten Mittag natürlich zu besprechen war,
so verriet Charlotte der Kammerrätin unter vier Augen ihren
vorhabenden sinnigen Scherz, diese heiter-bedeutsame Idee
des Volpertshausener Ballkleides mit der ausgesparten rosa
Schleife. Es geschah so, daß sie die Jüngere nach ihren eigenen
Plänen fragte, und danach selbst befragt, sich erst in ein
zögernd-verschämtes und lächelndes Schweigen hüllte, dann
aber mit ihrer literarisch und persönlich erinnerungsvollen
Absicht errötend hervortrat. Übrigens hatte sie dem Urteil
der Schwester vorgegriffen, ihm gewissermaßen dadurch
vorgebaut, daß sie deren Mißbilligung für Lottchens, der
Jüngeren, kaltes und kritisches Verhalten zu ihrem Einfall
im voraus eingefordert hatte. So wollte es freilich nicht viel
besagen, daß Amalie ihn allerliebst fand – mit einem diesem
Urteil nicht genau zugehörigen Gesichtsausdruck und indem
sie gleichsam tröstend hinzufügte, falls der Hausherr selbst
die Anspielung nicht auffassen sollte, so werde sicher einer
der Seinen sie bemerken und ihn darauf hinweisen. Übrigens
war sie dann nicht mehr auf den Punkt zurückgekommen.

Soviel von den Unterhaltungen der wiedervereinigten
Schwestern. Es steht fest, daß diese ersten Tage von Charlotte
Buffs Aufenthalt in Weimar ganz aufs Häusliche beschränkt
blieben. Die neugierige Gesellschaft hatte auf ihr Erscheinen
zu warten; das Publicum sah sie auf kleinen Gängen, die sie
mit der Kammerrätin durch die ländliche Stadt und den Park
unternahm, beim Tempelherrenhaus, bei der Lauterquelle
und an der Klause, auch abends wohl noch, wenn sie, abge-
holt von ihrer Zofe, in Gesellschaft ihrer Tochter und etwa
noch Dr. Ridels von der Esplanade zu ihrem Gasthof am
Markte zurückkehrte; und viel wurde sie erkannt – wenn nicht
unmittelbar als sie selbst, so durch Schlußfolgerung von ihrer
Begleitung auf ihre Person, und, die sanften, distinguiert
blickenden blauen Augen still geradeaus gerichtet, hatte sie
manch scharrendes Umwenden von Leuten zu erlauschen, die
eben mit plötzlich hochgezogenen Brauen oder auch einem
Lächeln an ihr vorübergegangen waren. Ihre würdig-gütige,

ein wenig majestätische Art, Grüße zu erwidern, die ihren stadtbekannten Verwandten galten, und in die man mit Genugtuung sie mit einbezog, wurde viel bemerkt.

So kam, nur mit Zurückhaltung vorerwähnt, eher in innerlich gespanntem Schweigen erwartet, der Mittag oder Nachmittag der ehrenvollen Einladung heran; eine Mietskutsche, die Ridel teils mit Rücksicht auf den Staat der Damen und auf seine eigenen Schuhe – denn dieser verhängte fünfundzwanzigste September neigte zum Regnerischen –, teils aus allgemeinem Respect vor dem Anlaß bestellt hatte, hielt vor dem Hause, und die Familie, die am späteren Vormittag einem kalten Frühstück nicht viel Ehre erwiesen hatte, bestieg sie gegen halb drei unter den Augen einiger halb Dutzend kleinresidenzlicher Neugieriger, die sich wie zu einer Hochzeit oder einer Beerdigung unvermeidlich um den wartenden Wagen versammelt hatten, auch von dem Kutscher sich über das Ziel der Fahrt hatten unterrichten lassen. Bei solchen Gelegenheiten begegnet die Bewunderung der Gaffer für die an der Ceremonie stattlich Teilhabenden meistens dem Neide ebendieser auf die Unbeschwerten im Alltagskleide, die nichts damit zu tun haben und sich im stillen sogar selbst ihres Vorteils bewußt sind, so daß bei den Einen Geringschätzung mit dem Gefühl von ‚Ihr habt's gut!‘, bei den Anderen Hochachtung und Schadenfreude sich mischen.

Charlotte und ihre Schwester nahmen den hohen Fond ein, Dr. Ridel, den Seidenhut auf dem Schoß, im Frack mit modischen Schulterwülsten und in weißer Binde, ein Kreuzchen und zwei Medaillen auf der Brust, hatte mit seiner Nichte auf der recht harten Rückbank Platz genommen. Auf der kurzen Fahrt, die Esplanade entlang, durch die Frauenthorstraße zum Frauenplan, ward kaum ein Wort gewechselt. Eine gewisse Aufsparung persönlicher Lebendigkeit, eine innere Vorbereitung, gleichsam hinter den Coulissen, auf die zu bewährende gesellschaftliche Activität herrscht gewöhnlich auf solchen Wegen, und hier gab es besondere Umstände, die Stimmung nachdenklich, ja unbehaglich zu dämpfen.

Das Verwandtenpaar ehrte Charlottens Schweigen. Vierundvierzig Jahre. Sie hingen dem nach mit teilnehmendem Lebensgefühl, nickten der Lieben von Zeit zu Zeit lächelnd zu und berührten auch wohl einmal streichelnd ihr Knie, was ihr Gelegenheit gab, eine rührende Alterserscheinung, das allerdings ungleichmäßig auftretende, zuweilen verschwindende, zuweilen recht auffallende Wackeln ihres Kopfes in einem freundlichen Zurück-Grüßen aufgehen und sich darin rechtfertigen zu lassen.

Dann wieder betrachteten sie verstohlen ihre Nichte, deren Distanzierung von diesem ganzen Unternehmen zu Tage lag und offenbar bis zur Mißbilligung ging. Lottchen die Jüngere war dank ihrer ernsten, tugendhaften und opferbereiten Lebensführung eine Respectsperson, deren Zufriedenheit oder Unzufriedenheit ins Gewicht fiel, und die ablehnende Verschlossenheit ihres Mundes war mitbestimmend für die allgemeine Schweigsamkeit. Daß ihre Strenge insbesondere der anzüglichen, jetzt unter einem schwarzen Umhang verborgenen Toilette ihrer Mutter galt, wußten alle. Am besten wußte es Charlotte, und der unwiederholte Beifall ihrer Schwester hatte sie auch nicht ganz über die Vortrefflichkeit ihres Scherzes beruhigen können. Oftmals hatte sie zwischendurch die Lust daran verloren und nur aus Hartköpfigkeit, weil die Idee einmal gefaßt war, daran festgehalten, wobei es ihr zur Beruhigung diente, daß ja nur geringe Vorkehrungen nötig gewesen waren, um ihre Erscheinung von damals wiederherzustellen, denn Weiß war ja ein für allemal ihre notorisch bevorzugte Tracht, auf die sie ein Recht hatte, und nur in den rosa Schleifen, besonders in der an der Brust fehlenden, bestand der Schulmädelstreich, der ihr denn doch, wie sie da saß, mit ihrer hohen, aschfarbenen, in einen Schleierstreifen gefaßten und in rundlichen Locken zum Halse hängenden Frisur, bei einigem Neide auf die nichtssagende Kleidung der anderen, ein Herzklopfen trotzig-diebischer und erwartungsvoller Freude verursachte.

Da war der unregelmäßige Kleinstadt-Platz, auf dessen

Katzenköpfen die Räder rasselten, die Seifengasse, das gestreckte Haus mit leicht abbiegenden Seitenflügeln, an dem Charlotte mit Amalie Ridel schon mehrmals vorübergegangen war: Parterre, Bel-Etage und Mansardenfenster im mäßig hohen Dach, mit gelbgestreiften Einfahrttoren in den Flügeln und flachen Stufen zur mittleren Haustür hinauf. Während die Familie von der Kutsche stieg, gab es vor diesen Stufen schon eine Begrüßung zwischen anderen Gästen, die, aus entgegengesetzten Richtungen zu Fuße herangekommen, hier zusammentrafen: Zwei reifere Herren in hohen Hüten und Pelerinenmänteln, in deren einem Charlotte den Dr. Riemer erkannte, schüttelten dort einem dritten, jüngeren die Hand, der ohne Mantel, im bloßen Frack und nur einen Regenschirm in der Hand, aus der Nachbarschaft gekommen zu sein schien. Es war Herr Stephan Schütze, »unser trefflicher Belletrist und Taschenbuch-Editor«, wie Charlotte erfuhr, als die Fußgänger sich den Vorgefahrenen zuwandten und unter Verbindlichkeiten, bei seitlich geschwungenen Cylindern, eine erfreute Bewillkommnung mit obligaten Vorstellungen sich abspielte. Riemer wehrte humoristisch hochtrabend ab, als man ihn mit Charlotte bekannt machen wollte, indem er der Zuversicht Ausdruck gab, daß die Frau Hofrätin sich eines schon drei Tage alten Freundes erinnern werde, und tätschelte väterlich die Hand Jung-Lottchens. Das tat auch sein Begleiter, ein etwas gebückter Fünfziger mit milden Gesichtszügen und strähnig erblichenem langem Haar, das unter seinem hohen Hut hervorhing. Es war kein Geringerer als Hofrat Meyer, der Kunstprofessor. Er und Riemer waren direct von beiderseitigen Amtsgeschäften hierhergekommen, während ihre Damen auf eigene Hand sich einfinden würden.

»Nun wollen wir hoffen«, sagte Meyer, während man ins Haus trat, in dem bedächtig staccierten Tonfall seiner Heimat, worin sich etwas Bieder-Altdeutsches mit ausländisch-halbfranzösischen Accenten zu mischen schien, »daß wir die Chance haben, unseren Meister in guter und heiterer Condition, nicht taciturn und marode anzutreffen, damit wir des quälenden Gefühls entübrigt sind, ihm beschwerlich zu fallen.«

Er sagte es, zu Charlotte gewandt, gesetzt und ausführlich, offenbar ohne Gefühl dafür, wie wenig ermutigend diese Worte eines Intimen auf einen Neuhereintretenden wirken mußten. Sie konnte sich nicht enthalten, zu erwidern:

»Ich kenne den Herrn dieses Hauses sogar noch länger als Sie, Herr Professor, und bin nicht ohne Erfahrung in den Schwankungen seines Dichtergemütes.«

»Die jüngere Bekanntschaft ist gleichwohl die authentischere«, sagte er unerschüttert, indem er jeder Silbe des Comparativs geruhig ihr Recht widerfahren ließ.

Charlotte hörte nicht hin. Sie war beeindruckt von der Noblesse des Treppenhauses, in das man eingetreten war, dem breiten Marmorgeländer, den in splendider Langsamkeit sich hebenden Stufen, dem mit schönem Maß verteilten antiken Schmuck überall. Auf der Treppenruhe schon, wo in weißen Nischen Broncegüsse anmutiger Griechengestalten, davor auf marmornem Postament, ebenfalls in Bronce, ein in vortrefflich beobachteter Pose sich wendender Windhund standen, erwartete August von Goethe mit dem Bedienten die Gäste, – sehr gut aussehend, trotz einiger Schwammigkeit der Figur und Gesichtszüge, mit seiner gescheitelten Lockenfrisur, Auszeichnungen auf dem Frack, in seidenem Halstuch und Damastgilet, und geleitete sie einige Stufen gegen den Empfangsraum hinauf, mußte aber gleich wieder umkehren, um Nachkommende zu begrüßen.

Es war der Bediente, auch sehr herrschaftlich-adrett und würdig, obgleich noch jung, in blauer Livree mit Goldknöpfen und einer gelbgestreiften Weste, der Ridels und Kestners nebst den drei Hausfreunden vollends hinaufführte, um ihnen beim Ablegen behilflich zu sein. Auch zu Häupten der Staatstreppe war's edel-prächtig und kunstreich. Eine Gruppe, die Charlotte als ‚Schlaf und Tod‘ zu bezeichnen gewohnt war, zwei Jünglinge vorstellend, von denen einer dem andern den Arm um die Schulter legte, hob sich dunkel

glänzend ab von der hellen Fläche der Wand zur Seite des
Entrées, welchem ein weißes Relief als Sopraport diente, und
vor dem ein blau emailliertes »Salve« in den Fußboden eingelassen war. ‚Nun also!‘ dachte Charlotte ermutigt. ‚Man
ist ja willkommen. Was soll's da mit taciturn und marode?
Aber schön hat's der Junge bekommen! – Am Kornmarkt zu
Wetzlar wohnt' er modester. Da hatt' er meinen Scheren-
schnitt an der Wand, geschenkt ihm aus Güte, Freundschaft
und Mitleid, und grüßt' ihn morgens und abends mit Augen
und Lippen, wie es im Buche steht. Hab' ich ein Sonderrecht,
dies Salve auf mich zu beziehen – oder nicht?‘

An der Seite ihrer Schwester trat sie in den geöffneten
Salon, etwas erschrocken, weil, ihr ungewohnter Weise, der
Diener die Namen der Eintretenden, auch ihren, »Frau Hofrätin Kestner!«, förmlich ausrief. In dem Empfangsraum,
einem Clavier-Zimmer, das, elegant genug, doch im Verhältnis zu der Weitläufigkeit des Aufgangs durch seine eher
mäßigen Proportionen etwas enttäuschte und sich durch
flügellose Türen gegen eine Perspective weiterer Gemächer
auftat, standen schon ein paar Gäste, zwei Herren und eine
Dame, in der Nähe einer riesigen Juno-Büste beisammen und
unterbrachen ihr Geplauder, um den Gemeldeten, vielmehr
einer von ihnen, wie diese wohl wußte, mit aufmerksamen
Mienen und sich zur Vorstellung bereit machend entgegenzu-
blicken. Da aber im selben Augenblick schon der Livrierte die
Namen weiterer Gäste verkündete, nämlich des Herrn Hofkammerrat Kirms und seiner Gattin, die mit dem Sohn des
Hauses hereintraten, und denen die Damen Meyer und Riemer auf dem Fuße folgten, so daß, wie es in kleinen Verhältnissen und bei kurzen Wegen zu sein pflegt, die Geladenen
plötzlich und fast mit einem Schlag beisammen waren, – so
wurde diese Vorstellung allgemein, und Charlotte, Mittelpunkt eines kleinen Gedränges, machte durch Dr. Riemer und
den jungen Herrn von Goethe die Bekanntschaft aller ihr
noch fremden Personen auf einmal, der Kirms sowohl wie
des Oberbaurats Coudray und seiner Frau, des Herrn Berg-

rat Werner aus Freiberg, der im ,Erbprinzen' wohnte, und der Mesdames Riemer und Meyer.

Sie wußte, welcher von Bosheit, zum mindesten bei den Frauen, wahrscheinlich nicht freien Neugier sie sich darstellte und begegnete ihr mit einer Würde, die ihr schon durch die Notwendigkeit auferlegt war, das durch die Umstände sehr verstärkte Zittern ihres Kopfes im Zaum zu halten. Diese Schwäche, von allen mit unterschiedlichen Empfindungen bemerkt, kontrastierte sonderbar mit der Mädchenhaftigkeit ihrer Erscheinung in dem weißen, fließenden, aber nur knöchellangen, vor der Brust von einer Agraffe faltig gerafften Kleide mit dem blaßrosa Schleifenbesatz, worin sie auf knappen und schwarzen, gestöckelten Knöpfstiefelchen zierlich und seltsam dastand, das aschgraue Haar gerade über einer klaren Stirn aufgebaut, von Gesicht freilich unrettbar alt, mit schon hängenden Wangen, zwischen denen ein niedlich geformter, etwas verschmitzt lächelnder Mund eingebettet war, einem naiv geröteten Näschen und in sanft-müder Distinction blickenden Vergißmeinnichtaugen ... So nahm sie die Präsentation der Mitgeladenen und ihre Versicherungen entgegen, wie entzückt man sei, sie einige Zeit in der Stadt zu haben, und wie geehrt, einem so bedeutsamen, so denkwürdigen Wiedersehen beiwohnen zu dürfen.

Neben ihr hielt sich, von Zeit zu Zeit im Knicks versinkend, ihr kritisches Gewissen – wenn man Lottchen die Jüngere so nennen darf –, die weitaus jüngste der kleinen Gesellschaft, die durchweg aus Personen schon würdig an Jahren bestand, denn selbst Schriftsteller Schütze war auf Mitte Vierzig zu schätzen. Die Pflegerin Bruder Carls wirkte recht herb mit ihrem glattgescheitelten und über die Ohren gezogenen Haar und in ihrem schmucklosen dunkel-lila Kleide, das am Halse mit einer fast predigerhaften gestärkten Rundkrause abgeschlossen war. Sie lächelte abweisend und zog die Brauen zusammen bei den Artigkeiten, die man auch ihr, besonders aber ihrer Mutter sagte, und die sie als herausgeforderte Anzüglichkeiten empfand. Außerdem litt sie, nicht

ohne Rückwirkung auf Charlotte, die sich aber dieses Ein-
flusses tapfer erwehrte, unter der jugendlichen Herrichtung
der Mutter, die, wenn nicht schon in dem weißen Kleid, das
allenfalls als Nuance und Liebhaberei hingehen mochte, so
zum mindesten in den vermaledeiten rosa Schleifen bestand.
Ihr Inneres war zerrissen von dem Wunsch, die Leute möchten den Sinn dieses unschicklichen Putzes verstehen, damit
sie ihn nicht scandalös fänden, und der Angst, sie möchten
ihn nur um Gottes willen nicht gar verstehen.

Kurz, Lottchens humorloser Unwille über das Ganze
grenzte an Verzweiflung, und Charlotte war sensitiver- und
ahnungsvollerweise gezwungen, ihre Empfindungen zu teilen,
und hatte keine kleine Mühe, den Glauben an die Vortrefflichkeit ihres wehmütigen Scherzes aufrechtzuerhalten. Dabei hätte keine Frau viel Grund gehabt, sich aus Eigenwillig-
keiten ihrer Toilette in diesem Kreise ein Gewissen zu machen
und den Vorwurf der Excentrizität zu fürchten. Ein Zug zu
ästhetischer Freiheit, ja zur Theatralik herrschte durchaus in
der Kleidung der Damen, zum Unterschied von dem officiel-
len Äußeren der Herren, die bis auf Schütze sämtlich in ihren
Knopflöchern irgendwelche Dienstauszeichnungen, Medaillen,
Bänder und Kreuzchen trugen. Nur allenfalls die Hofkammerrätin Kirms machte eine Ausnahme: als Frau eines sehr
hohen Beamten hielt sie sich offenbar an strenge Decenz der
Erscheinung gebunden, wobei man von den übergroßen
Flügeln ihrer seidenen Haube schon wieder absehen mußte,
die bereits ins Phantastische fielen. Madame Riemer aber sowohl – eben jene Waise also, die der Gelehrte aus diesem
Hause heimgeführt – wie die Hofrätin Meyer, eine geborene
von Koppenfels, zeigten in ihrer Tracht sehr stark die Note
des Künstlerischen und Persönlich-Gewagten: jene im Geschmack einer gewissen intellectuellen Düsternis, einen ver-
gilbten Spitzenkragen auf dem schwarzen Samt ihres Ge-
wandes, das elfenbeinfarbene, habichtartig profilierte und
dunkel-geistig blickende Angesicht vom nächtig herabfallenden,
weiß durchzogenen und als gedrehte Locke die Stirn verfin-

sternden Haare eingefaßt, – diese, die Meyer, mehr als allerdings recht reife Iphigenie stilisiert, einen Halbmond an dem gleich unter dem losen Busen sitzenden Gürtel ihrer am Saume antik bordierten, citronenfarbenen Robe von classischem Fall, auf die vom Kopfe herab eine Schleierdraperie dunklerer Farbe floß, und zu deren kurzen Ärmeln die Meyern modernisierender Weise lange Handschuhe angelegt hatte.

Madame Coudray, die Gattin des Oberbaurats, zeichnete sich außer durch die Bauschigkeit ihres Rockes durch einen breit schattenden und schleierumwundenen Corona Schröter-Hut aus, der ihr, die hintere Krempe in den Rücken gebogen, auf den herabfallenden Ringellocken saß; und selbst Amalie Ridel, etwas entenhaft von Profil, hatte ihrem Aussehen durch complicierte Ärmelkrausen und einen kurzen Schulterüberwurf von Schwanenpelz eine malerische Seltsamkeit zu geben gewußt. Unter diesen Erscheinungen war Charlotte im Grunde die alleranspruchsloseste – und dennoch in ihrer betagten Kindlichkeit und ihrer von Kopfwackeln durchbrochenen Würdenhaltung die rührend-auffallendste und merkwürdigste, zum Spott oder zur Nachdenklichkeit auffordernd, – wie das gequälte Lottchen fürchtete: zum Spott. Diese war bitter überzeugt, daß zwischen den Weimarer Damen manch boshafte Verständigung stattfand, als die kleine Gesellschaft sich nach der ersten Vorstellung in einzelne Gruppen über das Zimmer hin aufgelöst hatte.

Den Kestners, Mutter und Tochter, zeigte der Sohn des Hauses das Gemälde über dem Sofa, indem er die grünseidenen Vorhänge, mit denen es zu verhüllen war, besser auseinanderzog. Es war eine Copie der sogenannten ‚Aldobrandini’-schen Hochzeit‘; Professor Meyer, erklärte er, hatte sie einst freundschaftlich angefertigt. Da dieser selbst herzutrat, widmete August sich anderen Gästen. Meyer hatte statt des Cylinders, in dem auch er gekommen, ein samtenes Käppchen aufgesetzt, das zu dem Frack sonderbar häuslich wirkte, so daß Charlotte unwillkürlich nach seinen Füßen sah, ob sie

nicht vielleicht in Filzpantoffeln steckten. Das war nicht der
Fall, obgleich der Kunstgelehrte in seinen breiten Stiefeln ganz
ähnlich schlurfte, als sei die Vermutung zutreffend gewesen.
Die Hände hielt er behaglich auf dem Rücken und den Kopf
gelassen zur Seite geneigt, schien überhaupt in seiner Haltung
den sorglosen Hausfreund herauszukehren, der auch nervösen
Neulingen von seiner Seelenruhe ermutigend mitzuteilen
wünscht.

»So sind wir denn vollzählig«, sagte er in seiner bedächtigen und gleichmäßig stockenden Redeweise, die er sich von
Stäfa am Zürichsee durch viele römische und Weimarer Jahre
bewahrt hatte und die von keinerlei Mienenspiel begleitet war,
»so sind wir denn vollzählig und dürfen gewärtig sein, daß
unser Gastgeber sich ehestens zu uns gesellt. Es ist als nur zu
begreiflich zu erachten, wenn erstmaligen Besuchern sich diese
letzten Minuten durch eine gewisse Bangigkeit der Erwartung ein wenig dehnen. Gleichwohl sollte es ihnen lieb sein,
sich an die Umgebung und ihre Atmosphäre vorderhand einmal gewöhnen zu dürfen. Ich mache es mir gern zur Aufgabe, solche Personen im voraus ein wenig zu beraten, um
ihnen die expérience, die ja immer bedeutend genug bleibt,
leichter und erfreulicher zu gestalten.«

Er betonte das französische Wort auf der ersten Silbe und
fuhr unbewegten Gesichtes fort:

»Es ist nämlich immer das Beste« (er sagte »das Beschte«),
»wenn man sich von der Spannung, in der man sich unvermeidlich befindet, nichts oder doch möglichst wenig anmerken läßt und *ihm* in der tunlichsten Unbefangenheit, ohne
alle Zeichen von Aufregung entgegentritt. Damit erleichtert
man beiden Teilen die Situation sehr wesentlich, dem Meister
sowohl als sich selbst. Bei seiner allempfänglichen Sensibilität
teilt sich ihm nämlich die Beklemmung des Gastes, mit der er
rechnen muß, im voraus mit, sie steckt ihn gleichsam schon
von weitem an, so daß auch er, seinerseits, einem Zwang
unterliegt, der mit der Mißlichkeit der andern in unzuträg-
liche Wechselwirkung treten muß. Das weitaus Klügste bleibt

es immer, sich völlig natürlich zu geben und zum Beispiel nicht zu glauben, man müsse ihn gleich mit hohen und geistreichen Sujets, etwa gar von seinen eigenen Werken, unterhalten. Nichts ist unratsamer. Vielmehr empfiehlt es sich, ihm von einfachen und concreten Dingen der eigenen Erfahrung harmlos vorzuplaudern, wobei er dann, der des Menschlichen und Wirklichen niemals satt wird, schnellstens aufzutauen pflegt und in die Lage kommt, seiner teilnehmenden Güte behaglichen Lauf zu lassen. Ich brauche nicht zu sagen, daß ich bei alldem nicht eine Vertraulichkeit im Sinne habe, die den Abstand außer acht läßt, in dem er sich von uns allen befindet, und der er denn doch auch wieder, wie manches warnende Beispiel zeigt, ein schnelles Ende zu bereiten weiß.«

Charlotte sah den lehrhaften Getreuen nur blinzelnd an während dieser Rede und wußte nicht, was entgegnen. Unwillkürlich stellte sie sich vor – und fand sich auffallend befähigt, es sich einzubilden –, wie schwierig es Fremdlingen, die an Lampenfieber litten, fallen mußte, aus solcher Ermahnung zur Unbefangenheit Nutzen für ihren Gleichmut zu ziehen. Die gegenteilige Wirkung, dachte sie allgemein, war das Wahrscheinlichere. Persönlich war sie gekränkt durch die Einmischung, die in dieser Maßregelerteilung lag.

»Recht vielen Dank«, sagte sie schließlich, »Herr Hofrat, für Ihre Hinweise. Schon mancher wird Ihnen dankbar dafür gewesen sein. Vergessen wir aber doch nicht, daß es sich in meinem Fall um die Erneuerung einer vierundvierzigjährigen Bekanntschaft handelt.«

»Ein Mensch«, erwiderte er trocken, »der jeden Tag, ja jede Stunde ein anderer ist, wird auch ein anderer geworden sein nach vierundvierzig Jahren. – Nun, Carl«, sagte er zu dem in der Richtung auf die Zimmerflucht vorübergehenden Bedienten, »wie ist die Laune heut'?«

»Durchschnittlich jovial, Herr Hofrat«, antwortete der junge Mann. Nur einen Augenblick später, an der Tür stehend, deren Flügel, wie Charlotte das zum ersten Male sah,

in die Wand hineinzuschieben waren, verkündigte er ohne
viel Feierlichkeit, indem er den Ton sogar gemütlich fallen
ließ:

»Seine Excellenz.«

Daraufhin begab sich Meyer zu den anderen Gästen, die
aus ihrer zerstreuten Conversation zusammengetreten waren
und sich in einigem Abstand von den gesondert vor ihnen
stehenden Kestner'schen Damen hielten. Goethe kam bestimmten und kurzen, etwas abgehackten Schrittes herein,
die Schultern zurückgenommen, den Unterleib etwas vorgeschoben, in zweireihig geknöpftem Frack und seidenen
Strümpfen, einen schön gearbeiteten silbernen Stern, der
blitzte, ziemlich hoch auf der Brust, das weißbatistene Halstuch gekreuzt und mit einer Amethystnadel zusammenge-
steckt. Sein an den Schläfen lockiges, über der sehr hohen und
gewölbten Stirn schon dünnes Haar war gleichmäßig gepudert. Charlotte erkannte ihn und erkannte ihn nicht – von beidem war sie erschüttert. Vor allem erkannte sie auf den ersten
Blick das eigentümlich weite Geöffnetsein der eigentlich nicht
gar großen, dunkel spiegelnden Augen in dem bräunlich ge-
tönten Gesichte wieder, von denen das rechte beträchtlich niedriger saß als das linke, – dies naiv große Geschau, das jetzt
durch ein fragendes Aufheben der in sehr feinen Bögen zu
den etwas nach unten gezogenen äußeren Augenwinkeln laufenden Brauen verstärkt wurde, einen Ausdruck, als wollte er
sagen: ‚Wer sind denn all die Leute?‘ – Du lieber Gott, wie
sie über das ganze Leben hinweg die Augen des Jungen wiedererkannte! – braune Augen, genau genommen, und etwas
nahe beisammen, die aber meistens als schwarz angesprochen
wurden, und zwar, weil bei jeder Gemütsbewegung – und
wann war sein Gemüt nicht bewegt gewesen! – die Pupillen
sich so stark erweiterten, daß ihre Schwärze das Braun der
Iris schlug und den Eindruck beherrschte. Er war es und war
es nicht. Eine solche Felsenstirn hatte er sonst keineswegs gehabt, – nun ja, ihre Höhe war dem dünnen Zurückweichen
des übrigens sehr schön angewachsenen Haares zuzuschreiben,

sie war einfach ein Product der bloßlegenden Zeit, wie man sich zur Beruhigung sagen wollte, ohne daß rechte Beruhigung dabei herauskam; denn die Zeit, das war das Leben, das Werk, welche an diesem Stirngestein durch die Jahrzehnte gemetzt, diese einst glatten Züge so ernstlich durchmodelliert und ergreifend eingefurcht hatte, – Zeit, Alter, hier waren sie mehr als Ausfall, Bloßlegung, natürliche Mitgenommenheit, die hätte rühren und melancholisch stimmen können; sie waren voller Sinn, waren Geist, Leistung, Geschichte, und ihre Ausprägungen, sehr fern davon, bedauerlich zu wirken, ließen das denkende Herz in freudigem Schrecken klopfen.

Goethe war damals siebenundsechzig. Charlotte hätte von Glück sagen können, daß sie ihn jetzt wiedersah und nicht fünfzehn Jahre früher, zu Beginn des Jahrhunderts, wo die schwerfällige Beleibtheit, mit der es schon in Italien angefangen, auf die Höhe gekommen war. Er hatte diese Erscheinungsform längst wieder abgelegt. Trotz der Steifigkeit des Gehens, die aber auch an manches immer schon Charakteristische erinnerte, wirkten die Glieder jugendlich unter dem ausnehmend feinen und glänzenden Tuch des schwarzen Fracks; seine Figur hatte sich im letzten Jahrzehnt derjenigen des Jünglings wieder mehr angenähert. Die gute Charlotte hatte manches übersprungen, besonders was sein Gesicht betraf, das dem des Freundes von Wetzlar ferner war, als es ihr schien, da es durch Stadien hindurchgegangen, die sie nicht kannte. Einmal war es in mürrische Dickigkeit mit hängenden Wangen verwandelt gewesen, so daß es der Jugendgenossin weit schwerer gefallen wäre, sich darin zurechtzufinden, als auf seiner gegenwärtigen Stufe. Übrigens war etwas Gespieltes darin, nach dessen Wozu man sich fragte: hauptsächlich durch die Unschuldsmiene schlecht motivierter Verwunderung über den Anblick der wartenden Gäste; aber es schien zudem, als ob der breit geschnittene und vollkommen schöne, weder zu schmale noch zu üppige Mund, mit tiefen Winkeln, welche in der Altersmodellierung der unteren Wangen ruhten, an einer übermäßigen Beweglichkeit litte, einem

nervösen Zuviel von rasch einander verleugnenden Aus-
drucksmöglichkeiten, und auf eine unaufrichtige Art in der
Wahl zwischen ihnen schwankte. Ein Widerspruch zwischen
der gemeißelten Würde und Bedeutendheit dieser Züge und
dem kindlichen Zweifel, einer gewissen Koketterie und Zwei-
deutigkeit, die sich, bei etwas schräg geneigtem Kopf, darin
malte, war unverkennbar.

Beim Hereinkommen hatte der Hausherr mit der rechten
Hand nach seinem linken Arm – dem rheumatischen Arm –
gefaßt. Nach ein paar Schritten ins Zimmer ließ er ihn los,
machte stehenbleibend der Allgemeinheit eine liebenswürdig
ceremonielle Verbeugung und trat dann auf die ihm zunächst
stehenden Frauen zu.

Die Stimme denn nun – sie war völlig die alte geblieben,
der klangvolle Bariton, in dem schon der schmale Jüngling
gesprochen und vorgelesen; – es war sehr wunderlich, ihn, um
einiges schleppender vielleicht und gemessener – aber etwas
Gravitätisches war auch einst schon darin gewesen –, aus der
Altersgestalt wieder ertönen zu hören.

»Meine lieben Damen«, sagte er, indem er jeder eine Hand
reichte, Charlotten die rechte und Lottchen die linke, dann
aber sogar ihrer beider Hände zusammenzog und sie zwischen seinen eigenen hielt, – »so kann ich Sie denn endlich mit
eigenem Munde in Weimar willkommen heißen! Sie sehen da
jemanden, dem die Zeit lang geworden ist bis zu diesem
Augenblick. Das nenne ich eine treffliche, belebende Überraschung. Wie müssen unsere guten Landkammerrats sich nicht
gefreut haben über so lieb-erwünschten Besuch! Nicht wahr,
es muß nicht gesagt sein, wie sehr wir es zu schätzen wissen,
daß Sie, einmal in diesen Mauern, an unserer Tür nicht vorübergegangen sind!«

Er hatte »lieb-erwünscht« gesagt, – dank dem halb ver-
schämten, halb genießerischen Ausdruck, den sein lächelnder
Mund dabei gehabt, war die zarte Stegreifbildung gar reizend herausgekommen. Daß dieser Zauber sich mit Diplomatie verband, mit einem vorbedachten, die Dinge vom ersten

Worte an entschieden regelnden Ausweichen, war Charlotten
nur zu deutlich – schon aus der Bedächtigkeit und Überlegt-
heit seiner Worte war es zu erraten. Im Sinne der Regelung
zog er Nutzen daraus, daß sie ihm nicht allein gegenüber-
stand, sondern mit ihrer Tochter, hielt, alle vier Hände zu-
sammentuend, seine Rede im Pluralischen und sprach auch
von sich nicht persönlich, sondern sagte »wir«, zog sich hinter
sein Haus zurück, indem er es als denkbar hinstellte, daß die
Besucherinnen an »unserer Tür« auch hätten vorübergehen
können. Übrigens hatte er das reizende »lieb-erwünscht« im
Zusammenhang mit Ridels gebildet.

Seine Augen gingen etwas unstet zwischen Mutter und
Tochter hin und her, aber auch über sie hinaus gegen die Fenster. Charlotte hatte nicht den Eindruck, daß er sie eigentlich
sähe; wessen er aber im Fluge gewahr wurde, war, wie ihr
nicht entging, das jetzt ganz unbezähmbare Nicken ihres
Kopfes: – für einen kurzen Moment schloß er mit einem bis
zur Erstorbenheit ernsten und schonenden Ausdruck die Augen vor dieser Wahrnehmung, kehrte aber aus dieser betrübten Zurückgezogenheit im Nu und als sei nichts geschehen wieder zu verbindlicher Gegenwart zurück.

»Und Jugend«, fuhr er fort, ganz gegen Lotte, die Tochter,
gewandt, »fällt uns da wie ein goldener Sonnenstrahl ins ver-
schattete Haus –«

Charlotte, die bisher nur angedeutet hatte, es sei doch
selbstverständlich gewesen, daß sie an seiner Tür nicht vorübergegangen sei, griff hier mit der fälligen und offenbar
verlangten Vorstellung ein. Es sei ihr Hauptwunsch gewesen,
sagte sie, ihm dieses ihr Kind, Charlotte, ihre Zweitjüngste,
aus dem Elsaß bei ihr zu Besuch auf einige Wochen, unter
die Augen zu stellen. Sie sprach ihn mit »Excellenz« an bei
diesen Worten, wenn auch rasch und undeutlich, und er
verwies es ihr nicht, bat sich keine andere Anrede aus, vielleicht weil er mit der Betrachtung der Präsentierten beschäftigt war.

»Hübsch, hübsch, hübsch!« sagte er. »Diese Augen mögen

unter der Männerwelt schon manches Unheil angerichtet haben.«

Das Compliment war dermaßen conventionell und paßte auf die Pflegerin Bruder Carls so ganz und gar nicht, daß es schon fast zum Himmel schrie. Das herbe Lottchen biß sich denn auch mit wegwerfend gequältem Lächeln schief in die Lippen, was ihn bestimmen mochte, seine nächsten Worte mit einem dahinstellenden »Jedenfalls« zu beginnen.

»Jedenfalls«, sagte er, »ist es recht, recht schön, daß es mir denn doch auch einmal vergönnt ist, von der wackeren Schar, die unser lieber seliger Hofrat mir damals im Schattenriß sandte, ein Mitglied in natura vor mir zu sehen. Harrt man nur aus, so bringt die Zeit alles heran.«

Das glich einem Zugeständnis; die Erwähnung der Scherenschnitte und Hans Christians bedeutete etwas wie ein Abgehen von der Regelung, die Charlotte spürte, und so war es wohl unrecht von ihr, daß sie ihn auch noch erinnerte, er habe immerhin schon die Bekanntschaft zweier ihrer Kinder gemacht, nämlich Augusts und Theodors, als sie sich die Freiheit genommen, ihn auf der Gerbermühle zu besuchen. Gerade den Namen jenes Landsitzes hätte sie vielleicht nicht aussprechen sollen, denn er sah sie, nachdem er von ihren Lippen gekommen, einen Augenblick mit einer Art von Entgeisterung an, zu schreckhaft, als daß man sie bloßem Sichbesinnen auf die Begegnung hätte zuschreiben können.

»Ei, freilich doch!« rief er dann. »Wie konnte ich das vergessen! Verzeihen Sie diesem alten Kopf!« Und statt etwa auf den vergeßlichen Kopf zu deuten, streichelte er, wie beim Hereinkommen, mit der Rechten den linken Arm, auf dessen leidenden Zustand er offenbar aufmerksam zu machen wünschte. »Wie geht es den prächtigen jungen Männern? Gut, das dachte ich mir. Das Wohlergehen liegt in ihren trefflichen Naturen, es ist ihnen eingeboren – kein Wunder bei solchen Eltern. Und die Damen sind angenehm gereist?« fragte er noch. »Ich will es glauben; die Strecke Hildesheim-Nordhausen-Erfurt ist cultiviert und bevorzugt, – gute Pferde meist,

gute Verköstigung mehrfach am Wege – und mäßig expensiv,
Sie werden kaum mehr als fünfzig Thaler netto bezahlt
haben.«

Er sagte es, indem er dieses gesonderte Zusammenstehen auflöste, sich in Bewegung setzte und die Kestners zur übrigen
Gesellschaft hinübermanövrierte.

»Ich nehme an«, sprach er, »daß unser vortrefflicher Ju-
venil« (damit war August gemeint) »Sie schon mit den wenigen werten Anwesenden bekannt gemacht hat. Diese ebenfalls
schönen Frauen sind Ihre Freundinnen, diese würdigen Männer Ihre Verehrer ...« Er begrüßte der Reihe nach Madame
Kirms in der Haube, die Baurätin Coudray im großen
Hut, die geistige Riemer, die classische Meyer und Amalie
Ridel, der er schon vorhin, beim »lieb-erwünschten Besuch«,
von weitem einen sprechenden Blick gesandt hatte, und
drückte dann, wie sie da standen, den Herren die Hand, mit
Auszeichnung des stadtfremden Bergrates Werner, eines
freundlich gedrungenen Fünfzigers mit frischen Äuglein,
einer Glatze und lockigem weißem Haar am Hinterhaupt,
die rasierten Wangen behaglich in den stehenden, von der
weißen Binde umwickelten, das Kinn frei lassenden Kragen
seines Hemdes geschmiegt. Ihn ersah er mit einer kleinen,
nach hinten und seitlich gehenden Bewegung des Kopfes und
einem verständig ermüdeten, das Formelle abtuenden Ausdruck, als wollte er sagen: ‚Ah, endlich, was soll der Unsinn,
da haben wir etwas Rechtes' – einer Gebärde, die auf Meyers
und Riemers Gesichtern einen der Eifersucht abgeheuchelten,
gönnerischen Beifall hervorrief –, und wandte sich nach Ab-
solvierung der anderen dem Geognostiker auch gleich wieder
angelegentlich zu, während die Damen Charlotten umdrängten, indem sie sie tuschelnd und sich mit Fächern schützend
befragten, ob sie finde, daß Goethe sich sehr verändert habe.

Man stand noch eine Weile in dem von der classischen Rie-
senbüste beherrschten, mit gestickten Wandbordüren, Aqua-
rellen, Kupfern und Ölgemälden geschmückten Empfangszim-
mer umher, dessen Stühle, schlicht von Form, symmetrisch an

den Wänden, neben den weiß gerahmten Türen und vor den
Fenstern zwischen ebenfalls weiß lackierten Sammlungs-
schränken angeordnet waren. Durch die vielen überall aufgestellten Schauobjecte und kleinen Altertümer, die geschliffenen Chalcedon-Schalen auf Marmortischen, die geflügelte
Nike, welche den bedeckten Sofatisch unter der ‚Hochzeit‘
zierte, die antiken Götterbildchen, Larven und Faunen unter
Glassturzen auf den Schubschränken, machte der Raum einen
kunstcabinettartigen Eindruck. Charlotte ließ den Hausherrn nicht aus den Augen, der auf gespreizten Beinen, in
übergerader, zurückgelehnter Haltung, die Hände bei gestreckten Armen im Rücken zusammengelegt, in seinem sei-
denfeinen Leibrock, auf dem der Silberstern bei jeder Bewegung blitzte, dastand und abwechselnd mit einem und dem
anderen der männlichen Gäste, mit Werner, mit Kirms, mit
Coudray, Conversation machte, – vorläufig nicht mehr mit
ihr. Es war ihr lieb und recht, ihm unter der Hand zusehen
zu können und nicht mit ihm sprechen zu müssen, – was nicht
hinderte, daß treibende Ungeduld sie erfüllte, das Gespräch
mit ihm fortzusetzen, da sie es als dringliche Notwendigkeit
empfand, während doch wieder die Beobachtung seines Ver-
kehrs mit anderen ihr auf irgendeine Weise die Lust dazu
austrieb und sie überzeugte, daß derjenige, dem gerade der
Vorzug zuteil wurde, es nicht sehr gut hatte.

Ihr Jugendfreund wirkte überaus vornehm, darüber war
kein Zweifel. Seine Kleidung, die einst übermütig gesucht gewesen, war jetzt gewählt, hinter der letzten Mode mit Gemessenheit etwas zurückhaltend, und das leicht Altfränkische
darin mochte wohl harmonieren mit der Steifigkeit seines
Stehens und Tretens und zusammen damit den Eindruck der
Würde erwecken. Obgleich aber sein Gehaben das breit Auf-
gepflanzte und Zurückgenommene hatte und er den schönen
Kopf hoch trug, schien es dennoch, als stünde jene Würde
nicht auf den festesten Beinen; es war, wen er auch vor
sich hatte, in seiner Haltung etwas Schwankendes, Unbeque-
mes, Befangenes, das in seiner Unsinnigkeit den Beobachter

ebenso beunruhigte wie den jeweiligen Gesprächspartner, indem es diesem den sonderbarsten Zwang auferlegte. Da jedermann fühlt und weiß, daß es Sachlichkeit ist, worauf die natürliche Freiheit und selbstvergessene Unmittelbarkeit des Benehmens beruht, so flößte diese Gezwungenheit ganz von selbst die Ahnung mangelnder Anteilnahme an Menschen und Dingen ein und war danach angetan, auch den Partner auf eine ratlose Weise dem Gegenstand abwendig zu machen. Die Augen des Hausherrn hatten die Gewohnheit, aufmerksam auf dem Gegenüber zu ruhen, solange dieser ihn im Sprechen nicht ansah, sobald er aber den Blick auf ihn richtete, abzuschweifen und über seinem Kopf unstet im Zimmer herumzugehen.

Charlotte sah dies alles mit Frauenscharfblick, und man kann nur wiederholen, daß es ihr ebensoviel Furcht davor einflößte, das Gespräch mit dem Freunde von einst wieder aufzunehmen, wie es sie auch wieder mit dem Gefühl dringlichster Notwendigkeit erfüllte, dies zu tun. Übrigens mochte vieles von den Eigentümlichkeiten seines Benehmens auf Rechnung des nüchtern-vorläufigen Vor-Tisch-Zustandes zu setzen sein, der ihm zu lange dauerte. Mehrmals sah er mit fragend erhobenen Brauen zu seinem Sohne herüber, dem die Verantwortung eines Hausmarschalls zuzukommen schien.

Endlich näherte sich ihm der Bediente mit der erwünschten Meldung, und rasch abbrechend verkündete er sie der kleinen Versammlung.

»Liebe Freunde, man bittet uns zur Suppe«, sagte er. Damit trat er auf Lotte und Lottchen zu, nahm sie mit einer gewissen Contretanz-Zierlichkeit bei den Händen und eröffnete mit ihnen den Eintritt in den anstoßenden sogenannten Gelben Saal, wo heute gedeckt war, weil das weiterhin gelegene Kleine Eßzimmer für sechzehn Personen nicht ausgereicht hätte.

Der Name ‚Saal‘ war leicht übertrieben für den Raum, der die Gesellschaft nun aufnahm, doch war er gestreckter als der

eben verlassene und wies seinerseits gleich zwei weiße Colos-
salköpfe auf: einen Antonius, melancholisch vor Schönheit, und
einen majestätischen Jupiter. Eine Suite von colorierten Kupfern mythologischen Gegenstandes und eine Copie von Tizians
‚Himmlischer Liebe' schmückten die Wände. Auch hier taten
hinter offenen Türen Durchblicke in weitere Räumlichkeiten
sich auf, und besonders hübsch war derjenige der Schmalseite
durch eine Büstenhalle auf den umrankten Altan und die zum
Garten hinabführende Treppe. Die Tafel war mit mehr als
bürgerlicher Eleganz, mit feinem Damast, Blumen, silbernen
Armleuchtern, vergoldetem Porzellan und dreierlei Gläsern
für jedes Couvert gedeckt. Es bedienten der junge Livrierte
und ein ländlich rotbäckiges Hausmädchen in Häubchen,
Mieder, weißen Puffärmeln und dickem, hausgeschneidertem
Rock.

Goethe saß in der Mitte der einen Längsseite zwischen Charlotte und ihrer Schwester, denen sich zur Rechten und Linken Hofkammerrat Kirms und Professor Meyer, weiterhin
einerseits Mme. Meyer und andererseits Mme. Riemer anreih-
ten. August hatte wegen Herren-Überschusses das Princip
der Bunten Reihe nicht ganz einhalten können. Er hatte den
Bergrat seinem Vater gegenüber placiert und ihm zum rechten Nachbarn Dr. Riemer geben müssen, mit dem er sich in
die Gesellschaft Lottchens, der Jüngeren, teilte. Links von
Werner, Charlotten gegenüber, saß Mme. Coudray, an die
Dr. Ridel und Mme. Kirms sich schlossen. Herr Stephan
Schütze und der Oberbaurat nahmen die Schmalseiten der
Tafel ein.

Die Suppe, eine sehr kräftige Brühe mit Markklößchen
darin, hatte ringsherum bereitgestanden, als man seine Plätze
einnahm. Der Hausherr brach mit einer Bewegung, die etwas
Weiheactartiges hatte, sein Brot über seinem Teller. Er
nahm sich im Sitzen viel besser und freier aus denn im Stehen
und Gehen; vor allem hätte man ihn sitzend für größer ge-
schätzt, als die aufrechte Haltung ihn zeigte. Aber es war
wohl die Situation selbst, der gastgeberisch-hausväterliche

Vorsitz bei Tische, der seiner Erscheinung Bequemlichkeit und Behagen verlieh: er schien sich in seinem Elemente darin zu fühlen. Mit großen Augen, in denen es schalkhaft blitzte, sah er in dem noch schweigenden Kreise umher, und wie er mit der Gebärde des Brotbrechens gleichsam die Mahlzeit eröffnete, so schien er das Gespräch anstimmen zu wollen, indem er in seiner bedächtigen, klar articulierten und wohlgeordneten Sprechweise, die diejenige eines in Norddeutschland gebildeten Süddeutschen war, in die Runde sagte:

»So wollen wir den Himmlischen Dank wissen, liebe Freunde, für dies heitere Beisammensein, das sie uns aus so freudigwertem Anlaß schenken, und uns des bescheidenen, treu bereiteten Mahles erfreuen!«

Damit begann er zu löffeln, und alle taten desgleichen, nicht ohne daß die Gesellschaft mit Blicken, Nicken und schwärmerischem Lächeln sich über die Vortrefflichkeit der kleinen Rede verständigt –, untereinander sich gleichsam bedeutet hätte: ,Was will man machen? Er trifft es immer aufs schönste.'

Charlotte saß eingehüllt in den Eau de Cologne-Duft, der von der Person ihres Nachbarn zur Linken ausging, und bei dem sie sich unwillkürlich des »Wohlgeruchs« erinnerte, an dem nach Riemers Worten das Göttliche zu erkennen war. In einer Art von ungenügendem Traumdenken erschien ihr dieser Eau de Cologne-Duft, frisch wie er war, als die nüchterne Wirklichkeit des sogenannten Gottesozons. Während ihr Hausfrauensinn nicht umhinkonnte, festzustellen, daß die Markklößchen tatsächlich »treu bereitet«, das heißt: musterhaft locker und fein von Substanz waren, hielt ihr ganzes Wesen in einer Spannung, einer Erwartung aus, die sich gewissen Regelungen trotzig entgegensetzte und keineswegs darauf verzichtete, mit ihnen fertig zu werden. In dieser Hoffnung, die näher zu bestimmen schwierig gewesen wäre, fühlte sie sich bestärkt durch ihres Nachbarn behaglich-freieres Verhalten als Vorsitzender seines Gastmahls – und wieder beeinträchtigt durch den Umstand, daß sie, wie freilich unvermeidlich, an seiner Seite saß und nicht ihm gegenüber: denn wieviel günstiger ihren inneren Bestrebungen wäre es gewesen, ihn Aug' in Auge vor sich zu haben, und wie sehr hätte es die Aussicht verbessert, daß ihm die Augen aufgingen für ihre sinnreiche Tracht, die das Mittel dieser Bestrebungen war! Sie wünschte sich eifersüchtig an des fröhlich blickenden Werners Stelle, gespannt auf die Anrede, die sie von der Seite zu gewärtigen hatte, da sie ihr doch lieber frontal und bei gerader Sicht begegnet wäre. Aber ihr Tischherr wandte sich nicht besonders an sie, sondern sprach allgemein zur Nachbarschaft, indem er nach einigen Löffeln Suppe die beiden Weinflaschen, die in silbernen Untersätzen vor ihm standen (gegen die beiden Enden des Tisches hin stand auch je ein Paar), eine nach der anderen etwas schräg hielt, um die Etiketts zu lesen.

»Ich sehe«, sagte er, »mein Sohn hat sich nicht lumpen lassen und uns zwei löbliche Herzensstärkungen aufgetischt, von denen die vaterländische es mit der welschen aufnehmen kann. Wir halten fest an der patriarchalischen Sitte des Selbsteinschenkens – sie bleibt dem Kredenzen durch dienstbare Geister und dem preziösen glasweisen Herumreichen vorzuziehen, das ich nicht leiden kann. Auf unsere Art hat man freie Hand und sieht seiner Flasche an, wie weit man's mit ihr gebracht. Wie denken Sie, meine Damen, und Sie, lieber Bergrat? Rot oder weiß? Ich meine: die heimische Rebe zuerst und den Franzen zum Braten oder, der wärmenden Grundlage wegen, erst gleich von diesem? Ich will für ihn einstehen, – dieser Lafite von achter Ernte geht recht mild ins Gemüt, und ich für mein Teil verschwör' es nicht ganz, daß ich nicht später noch bei ihm anklopfe, – aber freilich ist der eilfer Piesporter Goldtropfen hier ganz danach angetan, monogame Neigungen zu erwecken, wenn man sich einmal mit ihm eingelassen. Unsere lieben Deutschen sind ein vertracktes Volk, das seinen Propheten allzeit soviel zu schaffen macht wie die Juden den ihren, allein ihre Weine sind nun einmal das Edelste, was der Gott zu bieten hat.«

Werner lachte ihm nur erstaunt ins Gesicht. Kirms aber, ein Mann mit schmalem, von lockigem grauem Haar bedecktem Oberkopf und schweren Augenlidern, erwiderte:

»Excellenz vergessen, es den schlimmen Deutschen zugute zu rechnen, daß sie Sie hervorgebracht haben.«

Das Beifallsgelächter, das Meyer zur Linken und Riemer schräg gegenüber anstimmten, verriet, daß sie mit ihren Ohren bei dem Gespräch um den Hausherren, nicht bei ihren Nachbarn waren.

Goethe lachte ebenfalls, ohne die Lippen zu trennen, vielleicht um seine Zähne nicht blicken zu lassen.

»Wir wollen das als einen passablen Zug gelten lassen«, sagte er. Und dann erkundigte er sich bei Charlotte, was sie zu trinken wünsche.

»Ich bin des Weins nicht gewöhnt«, antwortete sie. »Er benimmt mir zu leicht den Kopf, und nur um der Freundschaft willen nippe ich wohl ein wenig mit. Wonach ich eigentlich fragen möchte, ist die Quelle da.« Sie wies mit dem Kopfe auf eine der ebenfalls aufgestellten Wasserflaschen. »Was mag es sein?«

»O, mein Egerwasser«, erwiderte Goethe. »Ihre Neigung berät Sie ganz recht, der Sprudel kommt mir nicht aus dem Haus, unter allen Nüchternheiten der Erde ist er es, mit dem ich die besten Erfahrungen gemacht. Ich schenke Ihnen ein davon unter der Bedingung, daß Sie doch auch von diesem goldenen Geiste ein wenig kosten – und unter der weitern, daß Sie die Sphären nicht vermischen und mir kein Wasser in Ihren Wein tun, was eine sehr üble Sitte ist.«

Er besorgte an seinem Orte das Einschenken, während weiter gegen die Tischenden hin sein Sohn und andererseits Dr. Ridel das Geschäft versahen. Unterdessen wurden die Teller gewechselt und ein überbackenes Fischragout mit Pilzen in Muscheln serviert, das Charlotte, obgleich es ihr an Eßlust fehlte, sachlich als ausnehmend schmackhaft beurteilen mußte. Gespannt auf alles, von einer still forschenden Aufmerksamkeit erfüllt, fand sie diesen Hochstand der Küche sehr interessant und schrieb ihn den Ansprüchen des Hausherrn zu, besonders da sie, jetzt wie auch später, beobachtete, daß August mit seinen melancholisch versüßten und soviel weniger blickstarken Vater-Augen fast ängstlich fragend zu ihrem Tischherrn hinübersah, besorgt, ob er das Gericht gelungen finde. Goethe hatte sich als einziger zwei von den Muscheln genommen, ließ dann aber die zweite fast unberührt. Daß bei ihm, wie man zu sagen pflegt, die Augen weiter gingen als der Magen, zeigte sich auch nachher bei dem vorzüglichen Filet, das, mit Gemüsen reich garniert, auf langen Schüsseln herumgereicht wurde, und wovon er sich so überreichlich auf den Teller häufte, daß er zuletzt die Hälfte übrig ließ. Dagegen trank er in großen Zügen, vom Rheinwein sowohl wie vom Bordeaux, und sein Einschenken, das wie jenes Brotbrechen jedesmal etwas Ceremonielles hatte, galt vorzugsweise ihm selber. Die Piesporterflasche zumal mußte bald ausgewechselt werden. Sein ohnedies dunkel getöntes Gesicht trat im Laufe der Mahlzeit in noch entschiedeneren Contrast zu der Bleiche des Haars.

Seiner eingießenden Hand, welche, von einer gekräuselten Manschette eingefaßt, mit ihren kurz gehaltenen, wohlgeformten Nägeln bei aller Breite und Kräftigkeit etwas geistig Durchgebildetes hatte und mit fester Anmut den Flaschenleib umfaßte, sah Charlotte immer wieder mit der eindringlichen und etwas benommenen Aufmerksamkeit zu, die während dieser Stunden nicht von ihr wich. Ihr spendete er wiederholt vom Egerwasser und fuhr gleich anfangs darüber sich auszulassen fort, indem er in seiner langsamen, ohne Monotonie tieftönenden und besonders klar articulierenden Sprechweise, bei der nur manchmal nach Stammesart die Endconsonanten wegfielen, von seiner ersten Bekanntschaft mit diesem zuträglichen Brunnen erzählte, und wie er sich alljährlich davon durch die sogenannten Franzensdorfer Krugführer nach Weimar kommen lasse, auch in den letzten Jahren, wo er, den böhmischen Bädern ferngeblieben, zu Hause systematische Trinkcuren damit durchzuführen gesucht habe.

Es lag wohl an der außergewöhnlich präcisen und deutlichen
Redeweise, bei der sein Mund sich höchst angenehm in halbem Lächeln bewegte und die etwas ungewollt Durchdringen-
des, Beherrschendes hatte, daß man ihm allgemein dabei zuhörte am Tische, wie denn während der ganzen Mahlzeit
das Einzelgespräch dünn und sporadisch blieb und, sobald er
zu sprechen begann, immer wieder die gemeinsame Aufmerksamkeit sich dem Hausherrn zuwandte. Er konnte dies kaum
verhindern oder höchstens dadurch, daß er sich mit betonter Discretion zu einem seiner Nachbarn neigte und sehr gedämpft das Wort an ihn richtete; aber selbst dann lauschte
man herüber.

So war es, als er, nach dem guten Wort, das Hofkammerrat
Kirms für das Volk der Deutschen eingelegt, Charlotten sozusagen unter vier Augen Person und Vorzüge ihres anderen
Tischherrn zur Rechten zu erklären begann: ein wie hoch
um den Staat verdienter Mann und hervorragender Wirt-
schaftspraktikus er sei, die Seele des Hofmarschallamts, dabei
ein Freund der Musen und feinsinniger Liebhaber der dramatischen Kunst, unschätzbar als Mitglied der in diesem
Jahre neugegründeten Hoftheater-Intendanz. Fast hätte es
ausgesehen, als wollte er sie zur Unterhaltung an Kirms verweisen, sie sozusagen nach dessen Seite abschieben, wenn er
nicht doch die Erkundigung nach ihrem eigenen Verhältnis
zum Theater daran geknüpft und vermutet hätte, gewiß
werde sie ihren Aufenthalt dazu benutzen wollen, sich von
der Leistungsfähigkeit der Weimarer Bühne ein Bild zu
machen. Er stellte ihr seine Loge zur Verfügung, wann immer
sie Lust haben werde, sie zu benutzen. Sie dankte vielmals
und antwortete, daß sie persönlich am Komödiespiel immer
viel Freude gehabt habe, daß aber in ihren Kreisen geringes
Interesse dafür vorhanden gewesen, auch das Hannöver'sche
Theater nicht danach angetan gewesen sei, den Sinn dafür zu
beleben, weshalb sie denn, von Lebenspflichten ohnedies immer stark in Anspruch genommen, sich diesem Genuß einigermaßen entfremdet finde. Das berühmte, von ihm geschulte

Weimarer Ensemble kennenzulernen, werde ihr aber sehr lieb
und wichtig sein.

Während sie sich so mit etwas kleiner Stimme äußerte,
hörte er, den Kopf gegen ihren Teller geneigt, Verständnis
nickend zu, indem er zu ihrer Beschämung einige Brösel und
Kügelchen, zu denen sie in Gedanken ihr Brot zerkrümelt,
einzeln mit dem Ringfinger auftupfte und sie zu einem
ordentlichen Häufchen zusammenlegte. Er wiederholte seine
Einladung in die Loge und wollte hoffen, daß die Umstände
es erlauben möchten, ihr eine Aufführung des ‚Wallenstein'
zu zeigen, die, mit Wolff in der Titelrolle, eine sehr ansehnliche Darbietung sei und schon manchen Fremden beeindruckt
habe. Danach fand er es selber drollig, wie eine doppelte An-
knüpfung, die an das Schiller'sche Stück und die an das Tafel-
wasser, ihn auf die alte Burg zu Eger in Böhmen brachte, in
der die vornehmsten Anhänger Wallensteins niedergemacht
worden, und die ihn als Bauwerk höchlich interessierte. Von
dieser begann er zu sprechen und brauchte sich dabei nur von
Charlottens Teller abzuwenden und die intime Dämpfung
seiner Stimme aufzuheben, um sogleich wieder die ganze
Tafel zu Zuhörern zu haben. Der sogenannte Schwarze Turm,
äußerte er, etwa von der ehemaligen Zugbrücke gesehen, sei
ein gar großartiges Werk, dessen Gestein wahrscheinlich
vom Kammerberge stamme. Dies sagte er zu dem Bergrat,
indem er ihm fachlich-vertraulich zunickte. Die Steine, so berichtete er, seien ausnehmend kunstreich behauen und so zusammengesetzt, wie sie am besten der Witterung hätten
widerstehen können, so daß sie beinahe die Form gewisser
loser Feldkrystalle bei Elbogen hätten. Und im Anschluß an
diese Formverwandtschaft kam er, sehr belebt und mit glänzenden Augen, auf einen mineralogischen Fund zu sprechen,
den er auf einem Wagenausfluge in Böhmen, auf der Fahrt
von Eger nach Liebenstein gemacht, wohin ihn nicht nur das
merkwürdige Ritterschloß, sondern auch der dem Kammerberge gegenüber sich erhebende und geologisch sehr lehr-
reiche Plattenberg gelockt.

Der Weg dorthin, so schilderte er mit viel Anschaulichkeit und Laune, sei halsbrecherisch schlecht gewesen, mit großen, wassergefüllten Löchern übersät, deren Tiefe nicht zu berechnen gewesen, und sein Begleiter im Wagen, ein dortiger Beamter, habe in tausend Ängsten geschwebt, – angeblich um seine, des Erzählers Person, in Wirklichkeit aber ganz unverkennbar um seine eigene, so daß er ihn immerfort habe beruhigen und ihn auf die Tüchtigkeit des Kutschers habe hinweisen müssen, der seine Sache so gut verstanden habe, daß Napoléon, hätte er den Menschen gekannt, ihn gewiß zu seinem Leibkutscher gemacht haben würde. In die großen Löcher sei er behutsam mitten hineingefahren – das beste Mittel, ein Umwerfen zu vermeiden. »Wie wir denn nun« – so ging die Erzählung – »auf der auch noch steigenden Straße im Schritte dahinhumpeln, gewahr' ich etwas zur Seite am Boden, was mich denn doch bestimmt, ganz sacht vom Wagen zu steigen und mir das Ding näher anzusehen. Nun, wie kommst du daher? Ja, wie kommst denn du daher? frage ich, denn was blickt mir da aus dem Schmutze glänzend entgegen? Ein Feldspat-Zwillingskrystall!«

»Ei der Tausend!« sagte Werner. Aber obgleich er mutmaßlich – Charlotte vermutete es und hoffte es beinahe – der einzige am Tische war, der so recht wußte, was das sei, ein Feldspat-Zwillingskrystall, so zeigten sich doch alle entzückt über des Erzählers Begegnung mit dem Naturspiel, und zwar ganz aufrichtig; denn er hatte sie so erquickend dramatisch gestaltet, und namentlich das herzlich erstaunte und erfreute Hinabreden auf den Fund – »Ja, wie kommst denn du daher?« – war so reizend gewesen, so neu und rührend und märchenhaft hatte es gewirkt, daß ein Mensch – und was für ein Mensch! – einen Stein mit du anredete, daß keineswegs nur der Bergrat dabei auf seine Kosten kam. Charlotte, die mit gleicher Anspannung den Sprechenden und die Zuhörer beobachtete, sah Liebe und Freude auf allen Gesichtern, zum Beispiel auf demjenigen Riemers, wo sie sich ganz eigentümlich mit dem maulenden Zuge mischten, der dort immer wal-

tete; aber auch auf Augusts Gesicht, ja auf dem Lottchens erkannte sie sie, und besonders in den sonst trocken-unbeweg-
lichen Zügen Meyers, der sich an Amalie Ridel vorbei gegen
den Erzähler vorbeugte, um an seinen Lippen zu hängen, sah
sie eine so innige Zärtlichkeit sich abspiegeln, daß ihr selbst,
sie wußte nicht wie, die Tränen in die Augen traten.

Es war ihr nichts weniger als willkommen, daß nach dem
kurzen Privatgespräch, das der Jugendfreund mit ihr ge-
pflogen, seine Rede immer endgültiger der ganzen Tafelrunde galt, – teils weil diese danach verlangte, teils aber auch,
wie Charlotte sich nicht verhehlte, der ‚Regelung‘ gemäß.
Und doch konnte sie sich eines charakteristischen, man möchte
sagen, mythisch gestimmten Wohlgefallens an diesem patriarchalischen Monologisieren des vorsitzenden Hausvaters nicht
erwehren. Eine alte Wortverbindung und dunkle Erinnerung
kam ihr dabei in den Sinn und setzte sich hartnäckig in ihr
fest. ‚Luthers Tischgespräche‘, dachte sie und verteidigte den
Eindruck gegen alle physiognomische Unstimmigkeit.

Essend, trinkend und einschenkend, zwischendurch zurückgelehnt und die Hände über seiner Serviette gefaltet, sprach
er weiter, meist langsam, in tiefer Stimmlage und gewissenhaft nach dem Worte suchend, zuweilen aber auch lockerer
und geschwinder, wobei dann die Hände sich wohl zu Gesten
lösten, die große Leichtigkeit und Anmut hatten. Sie erinnerten Charlotte daran, daß er gewohnt war, mit Schauspielern
Didaskalien des Geschmacks und der theatralischen Wohlgefälligkeit zu halten. Seine Augen mit den eigentümlich gesenkten Augenwinkeln umfaßten die Tischgesellschaft mit
Glanz und Herzlichkeit, während sein Mund sich regte – nicht
immer gleich angenehm: seine Lippen schienen zeitweise von
unschönem Zwange verzogen, der quälend und rätselhaft zu
beobachten war und das Vergnügen an seinem Sprechen in
Unruhe und Mitleid verwandelte. Doch schwand der Bann
meist rasch wieder, und dann war die Bewegung dieses schön
geformten Mundes von so wohliger Liebenswürdigkeit, daß
man sich wunderte, wie genau und unübertrieben das

Homerische Epitheton »ambrosisch«, mochte man es auch noch nie auf die Wirklichkeit angewandt haben, diese Anmut bezeichnete.

Er sprach noch von Böhmen, von Franzensbrunn, von Eger und dem gepflegten Reiz seines Tales, schilderte ein Kirchen- und Ernte-Dankfest, dem er dort beigewohnt, die fahnenbunte Procession von Schützen, Zünften und urwüchsigem Volk, welche, geführt von schwer geschmückter, Heiligtümer tragender Clerisei, von der Hauptkirche über den Ring gezogen sei. Dann, mit gesenkter Stimme, vorgeschobenen Lippen und einem Unheilsausdruck, der doch auch wieder etwas episch Scherzhaftes hatte, wie wenn man Kindern Schauriges erzählt, berichtete er von einer Blutnacht, die jene merkwürdige Stadt in einem Jahrhundert der späteren Mittelzeit gesehen, einem Judenmorden, zu dem sich die Einwohnerschaft jäh und wie im Krampf habe hinreißen lassen und von dem in alten Chroniken die Kunde gehe. Viele Kinder Israel nämlich hätten zu Eger gelebt, in mehreren ihnen zugewiesenen Gassen, wo denn auch eine ihrer berühmtesten Synagogen nebst Hoher Judenschule, der einzigen in Deutschland, gelegen gewesen sei. Eines Tages nun habe ein Barfüßermönch, der offenbar fatale rednerische Gaben besessen, das Leiden Christi von der Kanzel herab aufs erbarmungswürdigste geschildert und die Juden als die Urheber alles Unheils empörend dargestellt, worauf ein zur Tat geneigter und und durch die Predigt außer sich gebrachter Kriegsmann zum Hochaltar gesprungen sei, das Crucifix ergriffen und mit dem Schrei: »Wer ein Christ ist, folge mir nach!« den Funken in die hochentzündliche Menge geworfen habe. Sie folgte ihm, außen fand Gesindel jeglicher Art sich dazu, und ein Plündern und Morden begann in den Judengassen, unerhört: die unseligen Bewohner seien in ein gewisses schmales Gäßchen zwischen zweien ihrer Hauptstraßen geschleppt und dort gemetzelt worden, dergestalt, daß aus dem Gäßchen, welches noch heute die Mordgasse heiße, das Blut wie ein Bach herabgeflossen sei. Entkommen sei diesem Würgen nur ein einziger

Jude, nämlich dadurch, daß er sich in einen Schornstein ge-
zwängt und dort verborgen gehalten habe. Ihn habe nach
hergestellter Ruhe die reuige Stadt, welche übrigens von dem
damals regierenden römischen König Karl dem Vierten für
das Vorkommnis ziemlich gepönt worden sei, feierlich als
Bürger von Eger anerkannt.

»Als Bürger von Eger!« rief der Erzähler. »Da war er
denn was und fand sich prächtig entschädigt. Er hatte vermutlich Weib und Kinder, sein Hab und Gut, all seine
Freunde und Verwandte, seine ganze Gemeinschaft verloren,
vom stickenden Drange des Rauchfanges, worin er die gräßlichen Stunden zugebracht, noch ganz zu schweigen. Nackt
und bloß stand er da, war aber nun Bürger von Eger und am
Ende noch stolz darauf. Kennt ihr die Menschen wieder? So
sind sie. Sie lassen's über sich kommen mit Lust, daß sie das
Greulichste begehen, und genießen nach gekühltem Mütchen
auch noch die Geste reuiger Großmut, womit sie die Schand-
tat abzugelten meinen, – was sein Rührendes neben dem
Lächerlichen hat. Denn es kann im Collectiven von Tat ja
kaum, sondern nur von Geschehen die Rede sein, und man
betrachtet solche Ausbrüche besser als incalculable Naturer-
eignisse, die der Seelenlage der Epoche entsteigen, wobei
denn selbst noch das zu spät kommende Eingreifen einer doch
immer vorhandenen übergeordneten und corrigierenden
Humanität eine Wohltat ist: in unserem Falle das Dasein der
römischen Majestät, welche so gut es geht die Ehre der Menschheit rettet, indem sie eine Untersuchung des argen Casus an-
stellt und den zuständigen Magistrat formell mit einer Geldstrafe belegt.«

Man hätte das grausige Vorkommnis nicht sachlich be-
ruhigender und kühl-versöhnlicher commentieren können, als
er es tat, und das, fand Charlotte, war wohl die rechte Art
der Behandlung, wenn dergleichen bei Tische erträglich sein
sollte. Charakter und Schicksal der Juden blieben noch eine
Weile sein Gegenstand, wobei er Bemerkungen auffing und
gleichsam mit verarbeitete, die von einem oder dem anderen

Tafelgast, Kirms, Coudray, auch der gescheuten Meyer, gelegentlich eingeworfen wurden. Er äußerte sich über die Eigenart jenes merkwürdigen Volkes mit abrückender Ruhe und
leicht belustigter Hochachtung. Die Juden, sagte er, seien
pathetisch, ohne heroisch zu sein; das Alter ihrer Rasse und
Blutserfahrung mache sie weise und skeptisch, was eben das
Gegenteil des Heroischen sei, und wirklich liege eine gewisse
Weisheit und Ironie selbst im Tonfall des einfachsten Juden –
nebst entschiedener Neigung zum Pathos. Das Wort aber sei
hier genau zu verstehen, nämlich im Sinne des Leidens, und
das jüdische Pathos eine Leidensemphase, die auf uns andere
oft grotesk und recht eigentlich befremdend, ja abstoßend
wirke, – wie denn ja auch der edlere Mensch vor dem Stigma
und der Gebärde der Gottgeschlagenheit Regungen des
Widerwillens und selbst eines natürlichen Hasses immer in
sich zu unterdrücken habe. Sehr schwer seien die aus Gelächter und heimlicher Ehrfurcht ganz einmalig gemischten Gefühle eines guten Deutschen zu bestimmen, der einen wegen
Zudringlichkeit von derber Bedientenhand an die Luft be-
förderten Hausierer die Arme zum Himmel recken und ihn
ausrufen höre: »Der Knecht hat mich gemartert und ge-
stäupt!« Jenem Durchschnitts-Autochthonen stünden solche
starken, dem älteren und höheren Sprachschatz entstammen-
den Worte gar nicht zu Gebote, während das Kind des Alten
Bundes unmittelbare Beziehungen zu dieser Sphäre des
Pathos unterhalte und nicht anstehe, ihre Vocabeln auf seine
platte Erfahrung großartig anzuwenden.

Das war ja allerliebst, und die Gesellschaft erheiterte sich
nicht wenig – für Charlottens Geschmack etwas zu laut –
über den wehklagenden Hausierer, dessen mittelmeerländisch-
pittoreskes Gebaren der Sprecher zu bestem Wiedererkennen
nachgeahmt oder doch in rasch einsetzender und wieder auf-
gehobener Mimik angedeutet hatte. Charlotte selbst mußte
lächeln, aber sie war zu wenig bei der Sache, und zu viele
Gedanken kreuzten sich in ihrem Kopf, als daß sie es in der
Belustigung weiter als bis zu diesem etwas mühsamen Lächeln

gebracht hätte. Der Einschlag von Devotion und Liebedienerei im Beifallslachen der Runde flößte ihr eine ungeduldige Verachtung ein, weil es ihr Jugendfreund war, dem er galt, allein eben deshalb fühlte sie sich auch wieder persönlich davon geschmeichelt. Natürlich hatten sie gerührt zu sein von der – wie an seinem Munde zu sehen war – nicht immer mühelosen Freundlichkeit, mit der er ihnen aus seinem Reichtum spendete. Hinter allem, was er gesellig zum besten gab, stand ja sein großes Lebenswerk und verlieh seinen Äußerungen eine Resonanz, die eine unverhältnismäßige Dankbarkeitsreaktion begreiflich machte. Das Seltsame war außerdem, daß sich in seinem Falle das Geistige auf eine sonst nicht vorkommende Weise, für den Respect nicht mehr unterscheidbar, mit dem Gesellschaftlich-Amtlichen vermischte; daß der große Dichter von ungefähr – und auch wieder nicht von ungefähr – zugleich ein großer Herr war, und daß man diese zweite Eigenschaft nicht als etwas von seinem Genie Verschiedenes, sondern als dessen weltlich-repräsentativen Ausdruck empfand. Der abrückende und jede Anrede umständlich machende Titel ‚Excellenz', den er führte, hatte ursprünglich so wenig wie der Stern auf seiner Brust mit seinem Dichtertum zu tun, es waren Attribute des Favoriten und Ministers; aber diese Distinctionen hatten den Sinn seiner geistigen Größe mit aufgenommen, dergestalt, daß sie nach einem tieferen Ursprung dennoch mit ihr zusammenzugehören schienen. Leicht möglich, dachte Charlotte, daß sie es auch für sein eigenes Bewußtsein taten.

Sie hing dem nach, ungewiß, ob es der Mühe wert war, dabei zu verweilen. In dem dienstwilligen Lachen der anderen drückte jedenfalls das Wohlgefallen an dieser Persönlichkeits-Combination von Geistigem und Irdischem, der Stolz darauf, eine unterwürfige Begeisterung dafür sich aus, und von einer Seite her fand sie das nicht recht und gut, auf eine Art revoltierend. Sollte sich bei genauerer Prüfung herausstellen, daß dieser Stolz und diese Begeisterung geschmeichelter Knechtssinn waren, so war die Berechtigung ihrer Nachdenklichkeit und eines gewissen damit verbundenen Kummers erwiesen. Ihr war, als sei es den Leuten zu leicht gemacht, sich vor dem Geistigen zu beugen, wenn es mit Stern und Titel, in einem Kunst-Hause mit Paradetreppe wohnend, als eleganter und glanzäugiger Greis sich darstellte, dem das feine Haar angewachsen war wie dem Jupiter dort, und der mit ambrosischem Munde sprach. Das Geistige, dachte sie, hätte arm, häßlich und irdischer Ehren bloß sein sollen, um die Fähigkeit der Menschen, es zu verehren, auf die rechte Probe zu stellen. Sie sah zu Riemer hinüber, weil ein Wort in ihr widerklang, das er gesprochen und das sich ihr ins Ohr gehängt hatte: »Es ist bei alldem kein Christentum.« Nun, dann eben nicht, dann also kein Christentum. Sie wollte nicht urteilen und hatte gar keine Lust, es mit irgendeiner der Maulereien zu halten, die der zur Gekränktheit geneigte Mann in seine Hymnen auf den Herrn und Meister gemischt hatte. Aber sie schaute nach ihm, der ebenfalls ergebensten Beifall lachte, während dabei ein kleiner Wulst von Versonnenheit, Widerstand, Gram, kurz von Maulerei zwischen seinen bemühten Rindsaugen lag ... Und dann ging ihr sanft, aber eindringlich forschender Blick zwei Plätze weiter, an Lottchen vorbei zu August, dem beschatteten und ausschreitenden Sohn, der den Makel trug, nicht als Freiwilliger ins Feld gezogen zu sein, und das Persönchen heiraten würde: nicht zum erstenmal, während des Essens, sah sie nach ihm. Schon als sein Vater von dem geschickten Kutscher erzählt hatte, der das Umwerfen auf dem löcherigen Wege zu vermeiden gewußt, hatte sie den Kammerrat fixiert, weil ihr dabei die eigentümliche Art in den Sinn gekommen war, in der er ihr von jener mißglückten Abreise, dem Unfall ihres Jugendfreundes mit Meyer, dem Sturz der feierlich sich ihrer bewußten Größe in den Straßengraben erzählt hatte. Und jetzt, beim Hin- und Herblicken zwischen dem Famulus und ihm, wandelte plötzlich ein Argwohn, ein aufzuckender Schrecken sie an, der sich nicht nur auf diese beiden, sondern auf alle Umsitzenden bezog: es kam ihr entsetzlicher Weise

einen Augenblick so vor, als ob die devote Lautheit des allgemeinen Lachens etwas anderes übertönen und verdecken
sollte, etwas desto Unheimlicheres, als es wie eine persönliche
Bedrohung, eine Bedrohung für sie selber war und zugleich
die Einladung in sich barg, sich als eine Zugehörige daran zu
beteiligen.

Gottlob, es war eine sinnlose, nicht einmal bei Namen zu
nennende Anfechtung. Liebe, nur Liebe schwang in dem
Lachen rund um den Tisch und sprach aus den Augen, die an
den heiter-bedachtsam plaudernden Lippen des Freundes
hingen. Man hoffte auf mehr und erhielt mehr. Luthers
patriarchalisches Tischgespräch – als sonore und geistreiche
Plauderei ging es weiter, indem es das Thema vom Juden ein
Stück noch verfolgte –, und zwar mit einer übergeordneten
Billigkeit, der man zutraute, daß auch sie den Rat von Eger
mit einer corrigierenden Geldstrafe belegen würde. Goethe
rühmte die höheren Specialbegabungen dieses merkwürdigen
Samens, den Sinn für Musik und seine medicinische Capaci-
tät, – der jüdische und der arabische Arzt hätten durch die
ganze Mittelzeit das vorzügliche Vertrauen der Welt genossen. Ferner sei da die Literatur, zu der dies Geblüt, hierin
den Franzosen ähnlich, besondere Beziehungen unterhalte:
man möge nur wahrnehmen, daß selbst Durchschnittsjuden
meist einen reineren und genaueren Styl als der National-
deutsche schrieben, der zum Unterschiede von südlichen Völkern der Ehrfurcht davor und der genießenden Sorgfalt im
Umgange mit ihm in der Regel entbehre. Die Juden seien
eben das Volk des Buches, und da sehe man, daß man die
menschlichen Eigenschaften und sittlichen Überzeugungen als
säcularisierte Formen des Religiösen zu betrachten habe. Die
Religiosität der Juden aber sei charakteristischerweise auf das
Diesseitige verpflichtet und daran gebunden, und eben ihre
Neigung und Fähigkeit, irdischen Angelegenheiten den
Dynamismus des Religiösen zu verleihen, lasse darauf schließen, daß sie berufen seien, an der Gestaltung irdischer Zukunft noch einen bedeutenden Anteil zu nehmen. Höchst

merkwürdig nun und schwer zu ergründen sei angesichts des
so erheblichen Beitrags, den sie der allgemeinen Gesittung geleistet, die uralte Antipathie, die in den Völkern gegen das
jüdische Menschenbild schwele und jeden Augenblick bereit
sei, in tätlichen Haß aufzuflammen, wie jene Egerer Unordnung zur Genüge zeige. Es sei diese Antipathie, in der die
Hochachtung den Widerwillen vermehre, eigentlich nur mit
einer anderen noch zu vergleichen: mit derjenigen gegen die
Deutschen, deren Schicksalsrolle und innere wie äußere Stellung unter den Völkern die allerwunderlichste Verwandtschaft mit der jüdischen aufweise. Er wolle sich hierüber nicht
verbreiten und sich den Mund nicht verbrennen, allein er gestehe, daß ihn zuweilen eine den Atem stocken lassende Angst
überkomme, es möchte eines Tages der gebundene Welthaß
gegen das andere Salz der Erde, das Deutschtum, in einem
historischen Aufstande frei werden, zu dem jene mittelalter-
liche Mordnacht nur ein Miniaturvor- und -abbild sei ...
Übrigens möge man solche Beklemmungen seine Sorge sein
lassen und guter Dinge bleiben, es ihm auch nachsehen, daß er
zu so gewagten Vergleichen und nationellen Zusammenstel-
lungen greife. Es gäbe noch viel überraschendere. Auf großherzoglicher Bibliothek befinde sich ein alter Globus, der in
manchmal frappanten Inschriften knappe Charakteristiken
der unterschiedlichen Erdenbewohner gebe, wo es denn über
Deutschland heiße: »Die Deutschen sind ein Volk, welches
eine große Ähnlichkeit mit den Chinesen aufweist.« Ob das
nicht sehr drollig sei und sein Zutreffendes habe, wenn man
sich der Titelfreude der Deutschen und ihres eingefleischten
Respects vor der Gelehrsamkeit erinnere. Freilich bleibe solchen völkerpsychologischen Aperçus immer etwas Beliebiges,
und der Vergleich passe ebenso gut oder besser auf die Franzosen, deren culturelle Selbstgenügsamkeit und mandarinen-
haft rigoroses Prüfungswesen sehr stark ins Chinesische
schlügen. Außerdem seien sie Demokraten und auch hierin
den Chinesen verwandt, wenn sie sie in der Radicalität demo-
kratischer Gesinnung auch nicht erreichten. Die Landsleute

des Confucius nämlich hätten das Wort geprägt: »Der große
Mann ist ein öffentliches Unglück.«

Hier brach ein Gelächter aus, das denn doch noch schallen-
der war als das vorige. Dies Wort in diesem Munde erregte
einen wahren Sturm von Heiterkeit. Man warf sich in den
Stühlen zurück und lehnte sich über den Tisch, schlug auch
wohl mit der flachen Hand darauf, – chokiert bis zur Ausgelassenheit von diesem principiellen Unsinn, erfüllt von dem
Wunsch, dem Gastgeber zu zeigen, wie man es zu schätzen
wisse, daß er es auf sich genommen, ihn zu referieren, und
ihm zugleich zu bekunden, für welche ungeheuerliche und
lästerliche Absurdität man den Ausspruch erachte. Nur
Charlotte saß gerade aufgerichtet, in Abwehr erstarrt, die
Vergißmeinnichtaugen schreckhaft erweitert. Ihr war kalt.
Tatsächlich hatte sie sich entfärbt, und ein schmerzliches Zuk-
ken ihres Mundwinkels war alles, worin bei ihr die allgemeine Lustigkeit sich andeuten wollte. Eine spukhafte Vision
schwebte ihr vor: Unter Türmen mit vielen Dächern und
Glöckchen daran hüpfte ein altersnärrisches, abscheulich
kluges Volk, bezopft, in Trichterhüten und bunten Jacken,
von einem Bein auf das andere, hob abwechselnd die dürren
Zeigefinger mit langen Nägeln empor und gab in zirpender
Sprache eine äußerste und tödlich empörende Wahrheit von
sich. Während aber dieser Alb sie heimsuchte, kroch dieselbe
Angst, wie schon einmal, ihr kalt den Rücken hinab: es
möchte nämlich das überlaute Gelächter der Tafelrunde bestimmt sein, ein Böses zuzudecken, das in irgendeinem
schrecklichen Augenblick verwahrlost ausbrechen könnte,
also, daß einer aufspringen, den Tisch umstoßen und rufen
möchte: ‚Die Chinesen haben recht!‘

Man sieht, wie nervös sie war. Aber etwas von dieser Nervosität entsteht, rein atmosphärisch, immer, und eine gewisse ängstliche Spannung, ob das auch gut gehen wird, liegt
stets in der Luft, wenn das Menschliche sich in Einen und
Viele teilt, ein Einzelner einer Masse, sei es in welchem Sinn
und Verhältnis immer, abgesondert gegenübersteht; und ob-

gleich Charlottens alter Bekannter mit ihnen allen in gleicher Reihe am Tisch saß, hatte doch dadurch, daß er allein das Gespräch führte und die anderen das Publicum bildeten, diese niemals ganz geheuere, wenn auch eben darum reizvolle Situation sich hier hergestellt. Der Einzelne blickte mit großen, dunkel glänzenden Augen den Tisch entlang in den Sturm von Heiterkeit, den sein Citat erregt, und sein Gesicht, seine Haltung hatten wieder den naiv-unaufrichtigen Ausdruck gespielten Erstaunens angenommen, mit dem er anfangs ins Zimmer getreten war. Die »ambrosischen« Lippen regten sich dabei schon in Vorbereitung zusätzlicher Rede. Er sagte, als es stiller geworden war:

»Ein solches Wort ist nun freilich eine schlechte Bestätigung der Weisheit unseres Globus. Bei dem decidierten Anti-Individualismus solchen Bekenntnisses endigt sich die Verwandtschaft von Chinesen und Deutschen. Uns Deutschen ist das Individuum teuer – mit Recht, denn nur in ihm sind wir groß. Daß dem aber so ist, weit ausgesprochener als bei anderen Nationen, verleiht dem Verhältnis von Individuum und Gesamtheit, bei allen expansiven Möglichkeiten, die es jenem gewährt, auch wieder sein Trübsinnig-Mißliches. Ohne Zweifel war es einiges mehr als Zufall, daß das natürliche taedium vitae des Alters sich bei Friedrich dem Zweiten in den Ausspruch kleidete: Ich bin es müde, über Sklaven zu herrschen.«

Charlotte wagte nicht aufzublicken. Sie hätte dabei nur betrachtsames Nicken und hier und da beifällige Erheiterung auch über diese Anführung rings um die Tafel festzustellen gehabt, aber ihre erregte Phantasie spiegelte ihr vor, daß unter lauter gesenkten Lidern hervor tückische Blicke gegen den Sprecher zuckten, und sie scheute sich furchtbar, das wahrzunehmen. Ein Zustand von Absenz, ein Verlorensein in schmerzliche Grübelei trennte ihr Bewußtsein längere Zeit von dem Gespräch und hielt sie ab, seinen Associationen zu folgen. Sie hätte nicht zu sagen gewußt, wie die Unterhaltung dahin gekommen war, wo sie sie von Zeit zu Zeit wiederfand. Eine

neue persönliche Aufmerksamkeitserweisung ihres Tischherrn
hätte sie fast überhört. Er redete ihr zu, doch »ein Minimum« (so drückte er sich aus) von diesem Compot zu nehmen,
und halb unbewußt nahm sie auch wirklich davon. Dann
hörte sie ihn von Dingen der Lichtlehre sprechen, aus Anlaß
gewisser Carlsbader Glasbecher, die er nach Tische vorzuwei-
sen versprach, und deren Malerey, je nachdem man die Be-
leuchtung leite, den merkwürdigsten Farbverwandlungen unterliege. Er knüpfte etwas Abfälliges, ja Ausfälliges gegen
die Lehren Newtons daran, scherzte über den durch ein Loch
im Fensterladen auf ein Glasprisma fallenden Sonnenstrahl
und erzählte von einem Blättchen Papier, das er als Andenken
an seine ersten Studien über diesen Gegenstand und als frü-
heste Aufzeichnung darüber aufbewahre. Es trage die Spuren
des Regens, der im undichten Zelt bei der Belagerung von
Mainz darauf gefallen. Gegen solche kleine Reliquien und
Denkzeichen der Vergangenheit hege er viel Pietät und con-
serviere sie nur zu sorgfältig, denn es sammle sich als Niederschlag eines längeren Lebens allzuviel solchen sinnigen Kra-
mes an. Bei diesen Worten begann Charlottens Herz unter
dem weißen Kleid mit der fehlenden Schleife heftig zu klopfen, denn ihr war, als müßte sie rasch eingreifend sich nach
weiteren Bestandteilen dieses Lebensniederschlages erkundigen. Doch sah sie die Unmöglichkeit davon ein, verzichtete
und verlor den Faden der Unterhaltung aufs neue.

Beim Tellerwechsel vom Braten zur süßen Speise fand sie
sich in eine Erzählung hinein, von der sie nicht wußte, wie sie
aufs Tapet gekommen war, die aber der Gastgeber mit großer Wärme vortrug: die Geschichte einer seltsamen und moralisch anmutigen Künstlerlaufbahn. Es handelte sich um
eine italienische Sängerin, die ihre außerordentlichen Gaben
nur in dem Wunsche öffentlich gemacht hatte, ihrem Vater
beizustehen, einem Einnehmer vom Monte Pietà in Rom,
den seine Charakterschwäche ins Elend hatte geraten lassen.
Das wundervolle Talent der jungen Person wurde bei einem
Dilettantenconcert entdeckt, vom Flecke weg warb der Direc-

tor einer Theatergesellschaft sie an, und so lebhaft war
das Entzücken, das sie erregte, daß ihr ein Musik-Enthusiast
beim ersten Auftreten in Florenz für sein Billet statt einem
Scudo hundert Zechinen schenkte. Sie verfehlte nicht, von
diesem ersten Glücksgelde sogleich an ihre Eltern reichlich
abzugeben, und steil ging es aufwärts mit ihr, sie wurde
zum Stern des musikalischen Himmels, Reichtümer strömten
ihr zu, und ihre vornehmste Sorge blieb immer, die Alten
daheim mit allem Wohlsein zu umgeben, – wobei man aufgefordert wurde, sich das verschämte Behagen des Vaters vorzustellen, dessen Unfähigkeit sich durch die Energie und Treue
eines glänzenden Kindes wettgemacht fand. Damit nun aber
waren die Wechselfälle dieses Lebens nicht beendet. Ein reicher Bankier von Wien verliebte sich in sie und trug ihr seine
Hand an. Wirklich sagte sie dem Ruhm Valet, um seine
Frau zu werden, und ihr Glücksschiff schien in den prächtigsten, sichersten Hafen eingelaufen. Der Bankier aber machte
Bankerott, er starb als Bettler, und aus der üppigen Geborgen-
heit einer Reihe von Jahren kehrt die Frau, schon nicht mehr
jung, aufs Theater zurück. Der größte Triumph ihres Lebens
erwartet sie. Das Publicum begrüßt ihr Wiedererscheinen,
ihre erneuerte Leistung mit Huldigungen, die ihr erst begreiflich machten, was sie aufgegeben und den Menschen ent-
zogen, als sie die Werbung des Krösus als krönenden Abschluß ihrer Carrière ansehen zu sollen gemeint hatte. Dies
umjubelte Wiederauftreten nach der Episode bürgerlich-gesell-
schaftlichen Glanzes war der glücklichste Tag ihres Lebens,
und erst er eigentlich machte sie mit Leib und Seele zur Künstlerin. Sie lebte jedoch danach nur noch einige Jahre.

  An diese Geschichte knüpfte der Erzähler Bemerkungen,
die sich auf die eigentümliche Lockerheit, Gleichgültigkeit
und Unbewußtheit in dem Verhältnis der sonderbaren Person zu ihrer künstlerischen Berufung bezogen und, unter entsprechenden leichten und souveränen Gebärden, das Wohlgefallen der Zuhörer an dieser Art von Nonchalance beleben zu
wollen schienen. Eine tolle Christin! Sonderlich ernst und

feierlich hatte sie es, bei so großen Gaben, mit ihrer Kunst, und mit der Kunst überhaupt, offenbar nie genommen. Nur um ihrem gesunkenen Vater aufzuhelfen, hatte sie sich überhaupt entschlossen, ihr bis dahin von jedermann und auch von ihr unbeachtetes Talent zu praktizieren, und es dauernd in den Dienst der Kinderliebe gestellt. Die Bereitwilligkeit, mit der sie bei erster, nüchtern sich empfehlender Gelegenheit, gewiß zum Jammer der Impresarien, die Ruhmesbahn wieder verlassen und sich ins Privatleben zurückgezogen, war bemerkenswert, und alles sprach dafür, daß sie in ihrem Wiener Palais der Kunstübung nicht nachgeweint, den Duft des Coulissenstaubes und der ihren Rouladen und Staccati gezollten Blumenopfer unschwer entbehrt hatte. Als freilich das harte Spiel des Lebens es verlangt hatte, war sie kurzerhand zur öffentlichen Production zurückgekehrt. Und nun war eindrucksvoll genug, wie die Frau mit der ihr von den Kundgebungen des Publicums aufgedrungenen Erkenntnis, daß die Kunst, auf die sie nie viel Gewicht gelegt und die sie mehr oder weniger als Mittel zum Zweck betrachtet hatte, immer ihre ernstliche und eigentliche Bestimmung gewesen war, nicht mehr lange hatte leben sollen, sondern kurze Zeit nach ihrem triumphalen Wiedereinrücken ins Kunstreich gestorben war. Offenbar war ihr dieser Lebensbescheid, die späte Entdeckung, daß sie zu einem Dasein wirklicher Identification mit dem Schönen bestimmt sei, nicht gemäß – die Existenz als seine bewußte Priesterin nicht zukömmlich, nicht möglich gewesen. Die untragische Tragik im Verhältnis des begnadeten Geschöpfes zur Kunst, ein Verhältnis, worin Bescheidenheit und Überlegenheit sehr schwer zu unterscheiden seien, habe ihn, den Berichterstatter, immer ausnehmend angesprochen, und wohl hätte er gewünscht, die Bekanntschaft der Dame zu machen.

Das hätten, so gaben sie zu verstehen, auch die Zuhörer gern getan. Der armen Charlotte lag weniger daran. Irgend etwas tat ihr weh und beunruhigte sie an der Geschichte oder doch an dem Commentar, den sie erfahren. Sie hatte um des

eigenen Gemütes, aber auch um des Erzählers willen Hoffnungen gesetzt auf die moralische Rührung, die von dem
Beispiel tätiger Kindestreue ausgehen wollte; dann aber hatte
der Sprecher dem wohltuend Sentimentalen eine enttäuschende
Wendung ins höchstens Interessante gegeben, alles aufs
Psychologische abgestellt und für das Vorkommnis unentbehrlicher Geringschätzung des Genies für seine Kunst eine
Gutheißung merken lassen, die sie – wiederum um ihrer
selbst und um seinetwillen – erkältete und verschreckte. Aufs
neue verfiel sie in grüblerische Abwesenheit.

Das Entremets war eine Himbeercrème, sehr duftig, mit
Schlagrahm geschmückt, nebst Löffelbiscuits als Zugabe. Gleichzeitig wurde Champagner gereicht, den nun denn doch, die
Flasche in eine Serviette gehüllt, der Bediente einschenkte,
und Goethe, der schon den vorigen Weinen ausgiebig zuge-
sprochen, trank rasch hintereinander, wie im Durst, zwei
Spitzkelche davon: das geleerte Glas hielt er dem Diener sogleich über die Schulter wieder hin. Nachdem er ein paar Minuten, einer heiteren Erinnerung nachhängend, wie sich
dann zeigte, mit seinen nahe beisammenliegenden Augen
schräg aufwärts ins Leere geblickt, was von Meyer mit stiller
Liebe und auch von den anderen mit lächelnder Erwartung
verfolgt wurde, wandte er sich gerade über den Tisch an Bergrat Werner mit der Ankündigung, ihm etwas erzählen zu
wollen. »Ach, ich muß Sie was erzählen!« sagte er wörtlich, und dieser Lapsus – oder was es war – wirkte höchst
überraschend nach der bedächtig-präcisen Wohlredenheit, an
die er das Ohr gewöhnt hatte. Er fügte hinzu, die Mehrzahl der ansässigen Gäste habe die verjährte Begebenheit gewiß in frohem Gedächtnis, dem Auswärtigen aber sei sie
zweifellos unbekannt, und sie sei so artig, daß sich jedermann
gern werde daran erinnern lassen.

Er berichtete nun, von Anfang an mit einem Ausdruck,
der sein innerlichtes Vergnügen an dem Gegenstande erkennen
ließ, von einer dreizehn Jahre zurückliegenden Ausstellung,
die von der Vereinigung Weimarischer Kunstfreunde veran-

staltet und auch von auswärts sehr glücklich beschickt gewesen sei. Eins ihrer angenehmsten Objecte sei eine – man müsse schon sagen: äußerst geschickte Copie des Kopfes der Charitas von Leonardo da Vinci gewesen – »Sie wissen: die Charitas auf der Galerie zu Cassel, und Sie kennen den Reproducenten auch: es war Herr Riepenhausen, ein erfreuliches Talent, das hier ausnehmend zarte und löbliche Arbeit geleistet hatte: der Kopf war in Aquarellfarben wiedergegeben, die den gedämpften Farbenton des Originals festhielten, und das Schmachtende der Augen, die sanfte, gleichsam bittende Neigung des Hauptes, besonders die süße Traurigkeit des Mundes aufs reinste nachgeahmt. Die Erscheinung verbreitete durchaus ein vorzügliches Vergnügen.

Nun war unsere Ausstellung später im Jahre als sonst zustande gekommen, und der Anteil des Publicums daran bewog uns, sie länger als üblich stehen zu lassen. Die Räume wurden kälter, und aus Ökonomie heizte man sie nur gegen die Stunden des eröffneten Einlasses. Eine geringe Abgabe für die einmalige Entrée war genehmigt, die namentlich von Fremden erlegt wurde; für Einheimische war ein Abonnement eingerichtet, das nach Belieben auch außer der bestimmten Zeit – also auch zu ungeheizten Stunden – den Eintritt gewährte.

Nun kommt die Geschichte. Wir werden eines Tages mit Lachen vor das liebe Charitas-Köpfchen gerufen und haben aus eigenem Augenschein ein Phänomen von discretestem Reiz zu bestätigen: Auf dem Munde des Bildes, will sagen auf dem Glase, dort, wo es den Mund bedeckt, findet sich der unverkennbare Abdruck, das wohlgeformte Facsimile eines von angenehmen Lippen dem schönen Schein applicierten – Kusses.

Sie denken sich unser Amusement. Sie denken sich auch die heiter-criminologische Angelegentlichkeit, mit der wir den Fall untersuchten, die Identification des Täters unter der Hand betrieben. Er war jung – das hätte man voraussetzen können, aber die auf dem Glas fixierten Züge sprachen es aus.

Er mußte allein gewesen sein – vor vielen hätte man dergleichen nicht wagen dürfen. Ein Einheimischer mit Abonnement, der seine sehnsüchtige Tat früh bei ungeheizten Zimmern begangen hatte. Das kalte Glas hatte er angehaucht und
seinen Kuß in den eigenen Hauch gedrückt, der alsdann
erstarrend sich consolidierte. Nur wenige wurden mit dieser
Angelegenheit bekannt, aber nicht schwer war auszumachen, wer beizeiten in den ungeheizten Zimmern allein sich
eingefunden. Die bis zur Gewißheit gesteigerte Vermutung
blieb auf einem jungen Menschen ruhen, den ich nicht nennen
und nicht einmal näher kennzeichnen will, der auch keineswegs erfuhr, wie man ihm auf die zärtlichen Schliche gekommen, aber dessen wirklich küßliche Lippen wir Eingeweihten
nachher mehr als einmal freundlich zu begrüßen Gelegenheit
hatten.«

So die mit dem Lapsus eingeleitete Erzählung, an der nicht
nur der Bergrat, sondern auch alle Umsitzenden sich mit Verwunderung weideten. Charlotte war sehr rot geworden. Sie
war in der Tat bis in die Stirn, bis in das aufgestellte graue
Haar hinauf so dunkel errötet, wie ihr zarter Teint es irgend
zuließ, und die Bläue ihrer Augen wirkte befremdend blaß
und grell in diesem Andrang. Sie saß von dem Erzähler abgewandt, ja förmlich von ihm weggedreht, gegen ihren anderen
Nachbarn, den Hofkammerrat Kirms, und fast sah es aus,
als wollte sie sich an seinen Busen flüchten, was er aber, selbst
sehr wohlig unterhalten von der Geschichte, nicht bemerkte.
Die arme Frau war voller Angst, der Hausherr möchte die
Verfestigung dieses geheimen Kusses ins Nichts und ihre physikalischen Bedingungen noch weiter erörtern, und ein Commentar blieb denn auch, als die Heiterkeit sich gelegt hatte,
nicht aus; nur gehörte er mehr der Philosophie des Schönen
als etwa der Wärmelehre an. Der Gastgeber plauderte von
den Spatzen, die an den Kirschen des Apelles pickten, und
von der vexatorischen Wirkung, welche die Kunst, dies völlig
einzigartige und eben darum reizvollste aller Phänomene,
auf die Vernunft auszuüben vermöge, – nicht einfach im Sinne

der Illusionierung – denn keineswegs sei sie ein Blendwerk –,
sondern auf tiefere Art: nämlich durch ihre Zugehörigkeit zur
himmlischen zugleich und zur irdischen Sphäre, weil sie geistig und sinnlich auf einmal, oder, platonisch zu reden, göttlich und sichtbar zugleich durch die Sinne für das Geistige
werbe. Daher die eigentümlich innig getönte Sehnsucht, die
das Schöne errege, und die in der intimen Handlung jenes
jugendlichen Kunstfreundes ihren Ausdruck – ihren aus
Wärme und Kälte geborenen Ausdruck gefunden habe. Was
dabei unsere Lachlust errege, sei die verworrene Inadäquat-
heit des unbelauscht vollbrachten Actes. Eine Art von komischem Weh ergreife einen bei der Vorstellung, was der Ver-
führte empfunden haben möge bei der Berührung seiner
Lippen mit dem kalten und glatten Glase. Genau genommen
aber sei kein rührend-bedeutenderes Gebilde denkbar als
diese Zufallsmaterialisation einer blutwarmen, dem Eisig-
Unerwidernden aufgedrückten Zärtlichkeit. Es sei geradezu
etwas wie ein kosmischer Spaß, et cetera.

Man servierte den Kaffee gleich bei Tische. Goethe trank
keinen, sondern nahm statt dessen zu dem Nachtisch, der dem
Obste folgte und aus allerlei Confect, Tragantkringeln,
Zuckerplätzchen und Rosinen bestand, noch ein Gläschen
Südweines namens Tinto rosso. Danach hob er die Tafel auf,
und die Gesellschaft begab sich wieder ins Zimmer der Juno,
auch in das anstoßende cabinettartige Seitenzimmer hinüber,
das bei den Hausfreunden nach dem dort hängenden Portrait
eines Renaissance-Herzogs von Urbino das ‚Urbino-Zimmer‘
hieß. Die noch folgende Stunde – eigentlich waren es nur etwas
mehr als drei Viertel einer solchen – war recht langweilig,
aber auf eine Art, die Charlotte im Zweifel ließ, ob sie sie den
Erregungen und Beklemmungen der Tischzeit vorzöge.
Gern hätte sie den Jugendfreund von der Beflissenheit dis-
pensiert, mit der er für Beschäftigung glaubte sorgen zu müssen. Dabei bemühte er sich hauptsächlich um die auswärtigen
Gäste und die, welche zum erstenmal im Hause waren, also
um Charlotte und die Ihren sowie um Bergrat Werner, de-

nen er unaufhörlich, wie er sich ausdrückte, »etwas Bedeutendes vorzulegen« bedacht war. Eigenhändig, aber auch mit Hilfe Augusts und des Dieners, hob er große Portefeuilles mit Kupferstichen aus den Gestellen und schlug ihre unhandlichen Deckel vor den sitzenden Damen und dahinter stehenden Herren auf, um ihnen die darin geschichteten »Sehenswürdigkeiten« – dies war sein Wort für die barocken Bilder – vorzuführen. Dabei verweilte er bei den obenauf liegenden immer so lange, daß die späteren nur noch durchflogen werden konnten. Eine ‚Schlacht Constantins‘, in großen Blättern, erfuhr die ausführlichste Explication; er wies mit dem Finger darauf hin und her, indem er auf die Verteilung und Gruppierung der Figuren, die richtige Zeichnung der Menschen und Pferde aufmerksam machte und den Beschauern einzuprägen suchte, wieviel Geist und Talent dazu gehöre, solch ein Bild zu entwerfen und so glücklich auszuführen. Auch die Münzensammlung, stückweise in Kästen aus jenem Portrait-Zimmer herbeigetragen, kam zur Betrachtung – sie war, wenn man bei der Sache zu sein vermochte, wirklich zum Erstaunen complett und reichhaltig: die Münzen aller Päpste seit dem fünfzehnten Jahrhundert bis auf diesen Tag waren vorhanden, und der Vorzeigende betonte, gewiß mit äußerstem Recht, wie glückliche Einsichten in die Geschichte der Kunst eine solche Überschau gewähre. Er schien alle Graveurs mit Namen zu kennen, gab auch Bescheid über die historischen Anlässe zur Prägung der Medaillen und streute Anekdoten aus dem Leben der Männer ein, auf deren Ehre sie geschlagen worden.

Die Carlsbader Glasbecher wurden nicht vergessen. Der Hausherr gab Befehl, sie herbeizuholen, und wirklich zeigten sie, vor dem Licht hin und her gewendet, sehr reizvolle Farbverwandlungen von Gelb in Blau und Rot in Grün, – eine Erscheinung, die Goethe an einem kleinen, wenn Charlotte recht verstand, von ihm selbst construierten Apparat näher erläuterte, den sein Sohn heranbringen mußte: einem Holzrahmen, in welchem sich über schwarz und weißem Grunde

schwachfarbige Glasplättchen hin und her schieben und das
Becher-Phänomen experimentell wiedererstehen ließen.

Zwischendurch, wenn er das Seine getan und die Gäste für
eine Weile mit Anschauungsmaterial versehen zu haben
glaubte, ging er, die Hände auf dem Rücken, im Zimmer
umher, wobei er von Zeit zu Zeit tief Atem holte, – mit einem
kleinen, das Ausatmen begleitenden Laut, der den Act einem
Stöhnen nicht unähnlich machte. Auch unterhielt er sich
stehend an wechselnden Punkten des Zimmers und im Durch-
gang zum Cabinett mit unbeschäftigten Gästen, denen die
Sammlungen schon bekannt waren. Merkwürdig bis zur Un-
vergeßlichkeit war es Charlotten, ihn im Gespräch mit Herrn
Stephan Schütze, dem Schriftsteller, zu sehen; – während sie
mit ihrer Schwester über den optischen Apparat gebückt saß
und die farbigen Glasplättchen hin und her schob, standen
die beiden Herren, der Ältere und der Jüngere, ganz unfern
beisammen, und verstohlen teilte sie ihre Aufmerksamkeit
zwischen den Farbeffecten und dieser Scene. Schütze hatte
die Brille, die er eigentlich trug, abgenommen, und, sie gewissermaßen verborgen haltend, blickte er mit seinen vortretenden Augen, die an die Stütze der Gläser gewöhnt waren
und ohne sie überbemüht, halb blind und blöde schauten, in
das gebräunte und musculöse, aber im Ausdruck schwankende
Antlitz vor ihm. Zwischen den beiden Autoren war von
einem ,Taschenbuch der Liebe und Freundschaft' die Rede,
das Schütze seit ein paar Jahren herausgab, und auf das hin
der Gastgeber ihn angesprochen hatte. Goethe lobte das
Taschenbuch sehr, nannte seine Zusammenstellung geist- und
abwechslungsreich und erklärte, die Hände auf den unteren
Rücken zusammengelegt, die Beine gespreizt und mit angezogenem Kinn, daß er regelmäßig viel Unterhaltung und Belehrung davon habe. Er regte an, daß die humoristischen Erzählungen, die Schütze selbst darin veröffentlichte, mit der
Zeit gesammelt erscheinen sollten, und dieser gab errötend
und stärker glotzend zu, daß er selbst mit diesem Gedanken
zu Stunden wohl schon gespielt habe und nur im Zweifel sei,

ob eine solche Sammlung denn auch die Mühe lohnen würde. Goethe protestierte mit starkem Kopfschütteln gegen diesen Zweifel, begründete seinen Widerspruch aber nicht mit dem Wert der Erzählungen, sondern auf rein menschliche, sozusagen canonische Weise: gesammelt, sagte er, müsse werden; komme die Zeit, der Herbst des Lebens, so müsse die Ernte in die Scheuer kommen, das zerstreut Gewachsene unter Dach und in Sicherheit gebracht sein, sonst scheide man unruhig, und es sei kein rechtes, kein mustergültiges Leben gewesen. Es handle sich nur darum, den rechten Titel für die Sammlung ausfindig zu machen. Und seine nahe beisammenliegenden Augen gingen suchend unter der Zimmerdecke umher – ohne viel Aussicht auf Erfolg, wie die lauschende Charlotte befürchtete, da sie das deutliche Gefühl hatte, daß er die Erzählungen gar nicht kenne. Hier nun aber zeigte sich, wie weit Herr Schütze in seinen zögernden Erwägungen immerhin schon gelangt war, denn er hatte einen Sammelnamen bei der Hand: ,Heitere Stunden' dachte er gegebenenfalls das Buch zu nennen. Goethe fand das vortrefflich. Er hätte selbst keinen besseren Titel erdenken können. Dieser sei rein-behaglich und nicht ohne feine Gehobenheit. Er werde dem Verleger zusagen, das Publicum anziehen und, die Hauptsache, er sei dem Buche wie angewachsen. Das müsse so sein. Ein gutes Buch werde gleich zusammen mit seinem Titel geboren, und daß es da gar keine Sorgen und Zweifel geben könne, sei geradezu der Beweis für seine innere Gesundheit und Rechtschaffenheit. »Entschuldigen Sie mich!« sagte er, da Baurat Coudray sich ihm näherte. Auf Schütze aber, der seine Brille wieder aufsetzte, eilte Dr. Riemer zu, ersichtlich um ihn auszufragen, was Goethe mit ihm gesprochen hätte.

Ganz gegen Ende der Mittagsgesellschaft kam es noch dazu, daß sich der Hausherr von ungefähr darauf besann, Charlotten die Früh-Conterfeie ihrer Kinder wiedersehen zu lassen, wie er sie einst von dem rüstigen Paar zum Geschenk erhalten hatte. Es geschah, daß er, bei zurückgelassenen Stichen, Münzen und Farbenspielen, die Kestner'schen Damen und

Ridels im Zimmer umherführte, um ihnen einzelne Curiositäten seiner Ausstattung zu zeigen: die Götterbildchen unter Glas, ein altertümliches Schloß mit Schlüssel, das am Fenstergewände hing, einen kleinen goldenen Napoléon mit Hut und Degen, gestellt in das glockenförmig verschlossene Ende einer Barometerröhre. Dabei fiel es ihm ein. »Jetzt weiß ich«, rief er und bediente sich plötzlich intimer Anredeform, »was ihr noch sehen müßt, Kinderchen! Das alte Angebinde, die Schattenrisse von euch und eueren rühmlichen Taten! Ihr sollt doch gewahr werden, wie treulich ich sie durch die Jahrzehnte verwahrt und in Ehren gehalten. – August, sei mir so gut, das Mäppche mit den Silhouette!« sagte er stark frankfurterisch; und während man noch den so sonderbar eingesperrten Napoléon betrachtete, schaffte der Kammerrat das Fascikel von irgendwoher herbei und legte es, da auf dem runden Tische kein Platz mehr war, auf den Streicher'schen Flügel, worauf er seinen Vater und dessen Begleiter dorthin bat.

Goethe zog selbst die Bänder auf und öffnete die Klappen. Der Inhalt war ein vergilbtes und stockfleckiges Durcheinander von bildlichen Documenten und Souvenirs, Scherenschnitten, verblaßten Festpoemen in Blumenkränzen und Handzeichnungen von Felsen, Ortschaften, Flußufern und Hirtentypen, wie der Besitzer sie auf verjährten Reisen zur Gedächtnisstütze mit ein paar Strichen aufgenommen. Der alte Herr kannte sich wenig darin aus und konnte das Gesuchte nicht finden. »Das ist doch des Teufels, wo ist denn das Ding!« sagte er ärgerlich werdend, indes seine Hände die Blätter rascher und nervöser durcheinanderwarfen. Die Umstehenden bedauerten seine Bemühung und gaben immer dringlicher ihre Bereitwilligkeit zum Verzicht zu erkennen. Es sei ja nicht nötig, die bloße Aussicht darauf, die Andenken wiederzusehen, habe es ihnen schon wieder deutlich vor Augen geführt. Im letzten Augenblick entdeckte Charlotte es selbst im Wuste und zog es hervor. »Ich hab's, Excellenz«, sagte sie; »da sind wir.« Und indem er das Papier mit den aufgeklebten Profilen etwas verblüfft, ja ungläubig betrachtete, erwiderte er mit Resten von Ärger in der Stimme: »Wahrhaftig, ja, Ihnen war's vorbehalten, es ausfindig zu machen. Das sind Sie, meine Gute, artig geschnitzt, und der selige Archivsecretär und euere fünf Ältesten. Das schöne Fräulein hier ist noch nicht dabei. Welche sind's denn, die ich kenne? Diese hier? Ja, ja, aus Kindern werden Leute.«

Meyer und Riemer, die herantraten, gaben ein discretes und unanimes Zeichen, indem sie, einer wie der andere, mit zusammengezogenen Brauen die Augen zudrückten und leise nickten. Sie fanden wohl, nach dieser Besichtigung sei es genug, und jedermann gab ihnen recht, wenn sie wünschten, den Meister vor Übermüdung zu schützen. Man schritt zur Verabschiedung; auch diejenigen, die im Urbino-Zimmer geplaudert hatten, fanden sich dazu ein.

»So wollt ihr mich verlassen, Kinderchen, alle auf einmal?« fragte der Hausherr. »Nun ja, wenn ihr hinausdrängt zu Pflichten und Freuden, kann niemand euch schelten. Adieu, adieu. Unser Bergrat bleibt noch ein wenig bei mir. Nicht wahr, liebster Werner, das ist eine Abmachung. Ich habe hinten bei mir was Interessantes für Sie, das von auswärts hereingekommen, und daran wir alten Auguren uns zur Nachfeier erquicken wollen: versteinerte Süßwasserschnecken von Libnitz im Elbogner Kreise. – Verehrte Freundin«, sagte er zu Charlotte, »leben Sie wohl! Ich denke, Weimar und Ihre Lieben werden Sie einige Wochen zu fesseln wissen. Zu lange hat das Leben uns auseinandergehalten, als daß ich nicht von ihm fordern müßte, Ihnen während Ihres Aufenthaltes wiederholt begegnen zu dürfen. Zu danken ist nichts. Bis dahin, Verehrteste. Adieu, meine Damen! Adieu, meine Herren!« –

August geleitete Ridels und Kestners wieder die schöne Treppe hinab bis unter die Haustür, vor der außer der Ridel'schen Mietskutsche zwei weitere für Coudrays und das Kirms'sche Ehepaar bereit standen. Es regnete jetzt entschieden. Gäste, von denen sie sich schon oben verabschiedet, gingen grüßend an ihnen vorüber.

»Vater war ausnehmend belebt durch Ihre Anwesenheit«,
sagte August. »Er schien seinen wehen Arm überhaupt vergessen zu haben.«

»Er war reizend«, erwiderte die Landkammerrätin, und
nachdrücklich stimmte ihr Gatte ihr zu. Charlotte sagte:

»Wenn er Schmerzen hatte, so sind sein Geist, seine Rührig-
keit desto mehr zu bewundern. Man ist beschämt, es zu denken, und ich mache mir Vorwürfe, mich nach seiner Plage gar
nicht erkundigt zu haben. Ich hätte ihm von meinem Opodel-
dok anbieten sollen. Nach einem Wiedersehn, just wenn die
Trennung lang war, hat man immer Versäumnisse zu be-
reuen.«

»Worin die auch immer bestehen mögen«, versetzte August,
»sie werden nachzuholen sein, wenn auch nicht sofort; denn
allerdings glaube ich, daß der Vater nun etwas wird Ruhe
halten und baldige Wiederbegegnungen sich wird versagen
müssen. Besonders, wenn er sich bei Hofe entschuldigt, kann
er auch an anderen Geselligkeiten nicht teilnehmen. Ich möchte
das vorsorglich bemerkt haben.«

»Um Gott«, sagten sie, »das versteht sich doch wahrlich
von selbst! Unseren Gruß, unseren Dank noch einmal!«

So saßen sie wieder zu viert in ihrer hohen Kalesche und
ratterten durch die nassen Straßen nach Hause zurück. Lottchen, die Jüngere, stracks auf ihrem Rücksitz, blickte, die
Flügel ihres Näschens andauernd gebläht, in den Fond des
Wagens, – gerade an dem Ohr ihrer Mutter vorbei, deren
Schleifenstaat nun wieder von dem schwarzen Umhang verhüllt war.

»Er ist ein großer und guter Mensch«, sagte Amalie Ridel,
und ihr Mann bestätigte: »Das ist er.«

Charlotte dachte oder träumte:

‚Er ist groß, und ihr seid gut. Aber ich bin auch gut, so
recht von Herzen gut und will es sein. Denn nur gute Menschen wissen die Größe zu schätzen. Die Chinesen, wie sie da
hüpfen und zirpen unter ihren Glockendächern, sind alberne,
böse Menschen.‘

Laut sagte sie zu Dr. Ridel:

»Ich fühle mich sehr, sehr schuldig vor dir, Schwager, daß ich's dir nur ungefragt gleich gestehe. Ich sprach von Versäumnissen, – ich wußte nur zu gut, was ich damit meinte, und fahre recht enttäuscht, recht unzufrieden mit mir selbst wieder heim. Tatsächlich bin ich nicht dazu gekommen, weder bei Tische noch nachher, Goethen von deinen Hoffnungen und Wünschen zu sprechen und ihn, wie ich's bestimmtest vorhatte, ein wenig dafür zu engagieren. Ich weiß nicht, wie es geschehen und unterbleiben konnte, aber es wollte sich die ganze Zeit über nicht fügen und machen. Es ist meine Schuld und auch wieder nicht. Verzeih mir!«

»Das macht nichts«, antwortete Ridel, »liebe Lotte; beunruhige dich nicht! Es war gar so nötig nicht, daß du davon sprachst, sondern durch deine Anwesenheit schon und daß wir den Mittag hatten bei Excellenz, bist du uns nützlich genug gewesen, und irgendwie wird sich's in unserem Interesse schon auswirken.«

Neuntes Kapitel

Charlotte blieb noch bis gegen Mitte Oktober in Weimar und logierte mit Lottchen, ihrem Kinde, die ganze Zeit im Gasthaus ,Zum Elephanten', dessen Inhaberin, Frau Elmenreich, teils aus eigener Klugheit, teils auch von ihrem Factotum, Mager, lebhaft dazu angehalten, ihr mit dem Zimmerpreise sehr entgegenkam. Wir wissen nicht allzuviel über den Aufenthalt der berühmten Frau in der ebenfalls so berühmten Stadt; er scheint – übrigens ihren Jahren gemäß – den Charakter würdiger Zurückgezogenheit getragen zu haben, aber doch keiner ganz unzugänglichen; denn war er auch hauptsächlich dem Zusammensein mit den lieben Verwandten gewidmet, so hören wir doch von mehreren kleineren und selbst ein paar größeren Einladungen, denen sie in diesen

Wochen freundlich beiwohnte, und die sich in verschiedenen gesellschaftlichen Cirkeln der Residenz abspielten. Eine davon gaben, wie es sich gehörte, Ridels selbst, und in ihrem Beamtenkreise trug sich noch einer oder der andere dieser Empfänge zu. Ferner sahen Hofrat Meyer und seine Gattin, geborene von Koppenfels, und ebenso Oberbaurat Coudrays die Jugendfreundin Goethe's einmal bei sich. Aber auch in der eigentlichen Hofgesellschaft hat man diese gelegentlich erscheinen sehen, und zwar im Hause des Grafen Edling, Mitgliedes der Hoftheaterintendaz, und seiner schönen Gemahlin, der Prinzessin Stourdza aus der Moldau. Diese gaben Anfang Oktober in ihrer Gegenwart eine durch musikalische Aufführungen und Recitationen gehobene Soirée, und es war wahrscheinlich bei dieser Gelegenheit, daß Charlotte die Bekanntschaft Frau von Schillers machte, die in einem an eine auswärtige Freundin gerichteten Brief eine sympathisch-kritische Beschreibung ihrer Erscheinung und Person niedergelegt hat. Auch der Geheimen Kammerrätin Ridel gedenkt diese andere Charlotte dabei im Zusammenhang mit der »Vergänglichkeit der Dinge dieser Erde«, indem sie nämlich berichtet, wie sehr gesetzt und ausgereift die »naseweise Blondine« des Romans nun unter den Damen gesessen habe.

Bei allen diesen Gelegenheiten war Charlotte, wie sich versteht, von vieler Ehrerbietung umgeben, und die freundlich gefaßte Würde, mit der sie die Huldigungen entgegennahm, bewirkte bald, daß diese nicht mehr nur ihrer literarischen Stellung, sondern ihrer Person und Menschlichkeit selber galten, unter deren Eigenschaften eine sanfte Melancholie nicht die am wenigsten anziehende war. Aufgeregte Gebarung, die ihr Erscheinen hervorrief, wies sie mit ruhiger Bestimmtheit zurück. So wird berichtet, daß, als ein überspanntes Frauenzimmer sich in einer Gesellschaft – wahrscheinlich beim Grafen Edling – mit ausgebreiteten Armen und dem Rufe »Lotte! Lotte!« auf sie stürzte, sie die Närrin, zurücktretend, mit dem Bedeuten: »Mäßigen Sie sich, meine Liebe!« zur Raison gebracht und sich übrigens danach sehr gütig mit ihr über städtische und Weltbegebenheiten unterhalten habe. – Bosheit, Klatsch und Gestichel verschonten sie selbstverständlich nicht ganz, wurden aber von dem Wohlwollen aller besser gearteten Menschen im Zaum gehalten; und selbst als nachträglich – man muß wohl annehmen: durch eine Indiscretion Schwester Amalie's – sich das Gerücht verbreitete, die Alte sei zu Goethe in einem Aufzuge gegangen, der von geschmacklosen Allusionen auf die Werther-Liebschaft nicht frei gewesen sei, war ihre moralische Position schon zu gefestigt, als daß ihr das Gerede viel hätte anhaben können.

Den Freund von Wetzlar sah sie bei keinem dieser Ausgänge wieder. Man wußte, daß erstens eine Gicht im Arm ihn incommodierte, und daß er zweitens eben jetzt mit der Revision zweier neuer Bände der Gesamtausgabe seiner Werke sehr beschäftigt war. Über jenes oben skizzierte Mittagessen am Frauenplan berichtete Charlotte ihrem Sohne August, dem Legationsrat, in einem uns vorliegenden Briefe, von dem man nur sagen kann, daß er stark momentanen Charakter trägt und geringe Bemühung, ja etwas wie eine Gegen-Bemühung zeigt, dem Erlebnis gerecht zu werden. Sie schrieb:

»Von dem Wiedersehen des großen Mannes habe ich Euch selbst noch wohl nichts gesagt: Viel kann ich auch nicht darüber bemerken. Nur so viel, ich habe eine neue Bekanntschaft von einem alten Manne gemacht, welcher, wenn ich nicht wüßte, daß es Goethe wäre, und auch dennoch, keinen angenehmen Eindruck auf mich gemacht hat. Du weißt, wie wenig ich mir von diesem Wiedersehen oder vielmehr dieser neuen Bekanntschaft versprach, war daher sehr unbefangen; auch that er nach seiner steifen Art alles mögliche, um verbindlich gegen mich zu sein. Er erinnerte sich Deiner und Theodors mit Interesse . . . Deine Mutter Charlotte Kestner, geb. Buff.«

Ein Vergleich dieser Zeilen mit dem zu Anfang unserer Erzählung wiedergegebenen Billet an Goethe zwingt zu der Bemerkung, einer wieviel sorgsameren inneren Vorbereitung dieses seine Form verdankt.

Aber auch der Jugendfreund hat ihr einmal, fast schon zu ihrer Überraschung, in diesen Wochen geschrieben: Charlotte empfing sein Kärtchen am neunten Oktober im ‚Elephanten‘, früh bei der Morgentoilette, durch Mager, den nach der Überreichung wieder aus dem Zimmer zu entfernen nicht leicht war. Sie las:

»Wenn Sie sich, verehrte Freundin, heute abend meiner Loge bedienen, so holt mein Wagen Sie ab. Es bedarf keiner Billette. Mein Bedienter zeigt den Weg durchs Parterre. Verzeihen Sie, wenn ich mich nicht selbst einfinde, auch mich bisher nicht habe sehen lassen, ob ich gleich oft in Gedanken bei Ihnen gewesen. Herzlich das Beste wünschend – Goethe.«

Die erbetene Verzeihung – dafür also, daß der Schreiber ihr nicht selbst Gesellschaft leistete und auch bis dahin sich nicht hatte blicken lassen – wurde stillschweigend gewährt, denn Charlotte machte von der Theatereinladung für ihre Person Gebrauch, – nur für diese; denn Lottchen, die Jüngere, hatte gegen Thaliens Gaben eine puritanische Abneigung, und Schwester Amalie war diesen Abend mit ihrem Manne anderweitig versagt. So trug die Goethe'sche Equipage, ein bequemer, mit blauem Tuch ausgeschlagener und mit zwei glatthäutigen Braunen bespannter Landauer, sie allein zum Komödienhaus, wo die Hannöver'sche Hofrätin, viel lorgnettiert, viel beneidet, aber offenbar ohne sich durch die Neugier des Publicums in ihrer Aufmerksamkeit stören zu lassen, auf dem Ehrenplatz, den noch vor kurzem so oft eine Frau sehr anderer Erscheinung, Christiane, die Mamsell, eingenommen hatte, den Abend verbrachte. Sie verließ die Prosceniumsloge auch nicht während der großen Pause.

Man gab Theodor Körners geschichtliches Trauerspiel ‚Rosamunde‘. Es war eine gepflegte und schön gerundete Aufführung, und Charlotte, in einem weißen Kleide wie immer, das aber diesmal mit dunkel-violetten Schleifen garniert war, folgte ihr von Anfang bis zu Ende mit großem Genuß. Eine geläuterte Sprache, stolze Sentenzen, geübten Organen anvertraute Schreie der Leidenschaft schlugen, der Menschlichkeit schmeichelnd, begleitet von edel abgemessenen Gebärden, an ihr Ohr. Höhepunkte der Handlung, verklärte Sterbescenen, bei denen der Scheidende, der Sprache bis zuletzt idealisch mächtig, in Reimen sprach, Auftritte von stachelnder Grausamkeit, wie die Tragödie sie liebt, und an deren tröstlichem Ende das böse Temperament selbst festzustellen hatte: »Die Hölle steht vernichtet«, waren mit kunstgerechter Überlegung angeordnet. Im Parterre wurde viel geweint, und auch Charlotten gingen ein paarmal die Augen über, obgleich sie sich bei der notorischen Jugendlichkeit des Dichters innere Ausstellungen erlaubte. Es wollte ihr nicht gefallen, daß die Heldin, Rosamunde, sich in einem Gedicht, das sie als Soloscene recitierte, wiederholt selbst mit »Rosa« anredete. Ferner verstand sie von Kindern zuviel, als daß ihr das Benehmen der in dem Stücke agierenden Theaterbälger nicht hätte anstößig sein müssen. Man hatte ihnen den Dolch auf die Brust gesetzt, um ihre Mutter zu zwingen, Gift zu trinken, und, als dies geschehen, sagten sie zu ihr: »Mutter, bist so blaß! Sei heiter! Wir möchten es gern auch sein!« Worauf sie noch auf den Sarg deuteten, angesichts dessen die Scene sich abspielte, und riefen: »Sieh nur an, wie dort die vielen Kerzen fröhlich schimmern!« Auch hierbei wurde im Parterre geschluchzt, aber Charlotten wollten dabei die Augen nicht übergehen. So dumm, dachte sie gekränkt, waren Kinder doch nicht, und man mußte entschieden ein sehr junger Freiheitskämpfer sein, um sich Kinderunschuld so vorzustellen.

Auch um die Sentenzen, für welche die Schauspieler ihre geschulten Stimmen und die Autorität ihrer beliebten Persönlichkeiten einsetzten, stand es, so schien ihr, nicht immer zum besten und zweifellosesten; auch sie zeugten, wie ihr vorkam, bei aller Wärme und Geschicklichkeit ihrer Präsentation von einem gewissen Mangel an tieferer Erfahrung und Lebenskenntnis, die denn ja auch beim Reiterleben auf grünem Plan nicht so leicht zu gewinnen sein mochte. Es war da

eine Tirade im Stück, über die sie nicht hinwegkam, sondern
an der sie kritisch-grüblerisch hängenblieb, bis sie gewahr
wurde, daß sie mehreres Nachfolgende darüber ganz überhört und versäumt hatte; ja, noch beim Verlassen des Theaters dachte sie mit Unzufriedenheit daran zurück. Es war so,
daß jemand die Tollkühnheit als edel gerühmt hatte, worauf
ein reiferes Urteil die allzu große Bereitschaft der Menschen
mißbilligte, die Frechheit edel zu heißen. Habe einer nur den
Mut, das Heilige und allen Werte mit frechen Händen anzu-
fallen, gleich mache man ihn zum Helden, nenne ihn groß
und zähle ihn zu den Sternen der Geschichte. Aber nicht die
Ruchlosigkeit, ließ der Dichter sagen, mache den Helden aus.
Diejenige Grenze der Menschheit, die an die Hölle stoße,
sei gar leicht übersprungen; es sei das ein Wagnis, zu dem nur
gemeine Schlechtigkeit gehöre. Jene andere Grenze dagegen,
die den Himmel berühre, die wolle mit höchstem Seelen-
schwunge und auf reiner Bahn nur überflogen sein. – Das
war ja recht schön, aber der einsamen Logenbesucherin schien
es, als liefere der Autor und Freiwillige Jäger mit seinen beiden Grenzen eine unerfahrene und fehlerhafte Topographie
des Moralischen. Die Grenze der Menschheit, grübelte sie,
war vielleicht nur eine, jenseits welcher weder Himmel noch
Hölle oder sowohl Himmel wie Hölle lagen, und die Größe,
welche diese Grenze überschritt, war möglicherweise auch nur
eine, also, daß Ruchlosigkeit und Reinheit sich in ihr auf eine
Weise mischten, von der die kriegerische Unerfahrenheit des
Dichters ebenso wenig wußte wie von der sogar enormen
Klugheit und Feinfühligkeit der Kinder. Vielleicht aber wußte
er auch davon und war nur der Meinung, in der Poesie gehöre es sich so, daß man Kinder als rührende Idioten hinstelle und zwei verschiedene Grenzen der Menschheit
statuiere. Es war ein talentvolles Stück, aber sein Talent war
darauf gerichtet, ein Theaterstück herzustellen, wie es nach
allgemeiner Übereinkunft sein sollte, und die Grenze der
Menschheit überschritt der Dichter nun einmal gewiß nach
keiner Seite. Nun ja, die junge Schriftsteller-Generation, es

stand wohl bei vieler Geschicklichkeit doch alles in allem
etwas klaterig um sie, und gar viel hatten die großen Alten
am Ende von ihr nicht zu fürchten.

So opponierte sie und schlug sich innerlich noch mit ihren
Einwänden herum, als, nach dem letzten Fallen der Gardine,
unter Applaus und Aufbruch, der Bediente vom Frauenplan
wieder ehrerbietig bei ihr erschien und ihr die Mantille um
die Schultern legte.

»Nun, Carl«, sagte sie (denn er hatte ihr mitgeteilt, daß er
Carl gerufen werde), »es war sehr schön. Ich habe es sehr
genossen.«

»Das wird Excellenz freuen zu hören«, antwortete er, und
seine Stimme, der erste nüchtern-unrhythmische Laut des Alltags und der Wirklichkeit, den sie nach stundenlangem Verweilen im Erhabenen wieder vernahm, machte ihr bewußt,
daß ihre Kritteleien zum guten Teil den Zweck hatten, den
Zustand von hochmütiger und etwas weinerlicher Entfremdung zu dämpfen, in den der Umgang mit dem Schönen uns
leicht versetzt. Nicht gern kehrt man diesem wieder den Rükken, das zeigte der hartnäckige Beifall der im Parterre stehen
gebliebenen Leute, der nicht sowohl den Schauspielern Dankbarkeit bezeigen sollte, als daß er vielmehr das Hilfsmittel
war, sich noch ein wenig an die Sphäre des Schönen zu klammern, bevor man es aufgab, die Hände sinken ließ und in
Gottes Namen ins gemeine Leben zurückkehrte. Auch Charlotte, schon in Hut und Umhang, stand, während der Diener
wartete, noch einige Minuten an der Logenbrüstung und applaudierte in ihre seidenen Halbhandschuhe. Dann folgte sie
dem vorangehenden Carl, der sich wieder mit dem Rosetten-
cylinder bedeckte, die Treppe hinab. Ihre vom Schauen aus
dem Dunkeln ins Helle ermüdeten, aber glänzenden Augen
blickten dabei nicht geradeaus, sondern schräg aufwärts –
zum Zeichen, wie sehr sie doch wirklich das Trauerspiel genossen hatte, mochte das mit den beiden Grenzen auch an-
fechtbar gewesen sein.

Der Landauer, mit aufgeschlagenem Verdeck, zwei Laternen

zuseiten des hohen Bocks, auf welchem der salutierende
Kutscher seine Stulpenstiefel gegen das schräge Fußbrett
stemmte, hielt wieder vor dem Portal, und der Bediente war
Charlotten beim Einsteigen behilflich, breitete auch fürsorglich eine Decke über ihre Knie, worauf er den Schlag ver-
wahrte und sich mit geübtem Sprunge draußen hinauf an
die Seite des Kutschers beförderte. Der schnalzte, die Pferde
zogen an, der Wagen setzte sich in Bewegung.

Sein Inneres war wohnlich – kein Wunder, hatte er doch
bei Reisen gedient und ferner zu dienen ins Böhmische und
an den Rhein und Main. Das gesteppte Tuch in Dunkelblau,
mit dem er ausgeschlagen war, wirkte elegant und behaglich,
eine Kerze im Windglas war in einer Ecke angebracht, und
sogar Schreibzeug stand zur Verfügung: an der Seite, wo
Charlotte eingestiegen war und sich niedergelassen hatte,
steckten ein Block und Stifte in einer Ledertasche.

Stille saß sie in ihrem Winkel, die Hände über ihrem
Nécessaire gekreuzt. Durch die kleinen Fenster des Para-
vents, der den Kutschbock vom Wageninneren trennte, fiel
zerstreutes, unruhig wechselndes Licht der Laternen zu ihr
herein, und in diesem Lichte bemerkte sie, daß sie gut getan
hatte, gleich an der Seite Platz zu nehmen, wo sie den Wagen
bestiegen, denn sie war nicht so allein, wie sie in der Loge
gewesen. Goethe saß neben ihr.

Sie erschrak nicht. Man erschrickt nicht über dergleichen.
Sie rückte nur ein wenig tiefer in ihren Winkel, ein wenig
besser beiseite, blickte auf die leicht flackernd beleuchtete Erscheinung ihres Nachbarn und lauschte.

Er trug einen weiten Mantel mit aufrecht stehendem
Kragen, der rot gefüttert und abgesetzt war, und hielt den
Hut im Schoß. Seine schwarzen Augen unter dem Stirngestein, dem jupitergleich angewachsenen Haar, das diesmal un-
gepudert und fast noch ganz jugendbraun, wenn auch dünn-
lich war, blickten groß und mit schalkhaftem Ausdruck zu
ihr hinüber.

»Guten Abend, meine Liebe«, sagte er mit der Stimme, mit

der er einst der Braut aus dem Ossian, dem Klopstock vorgelesen. »Da ich mir's abschlagen mußte, heute abend an Ihrer Seite zu sein, auch in all diesen Tagen unsichtbar geblieben bin, wollt' ich's mir doch nicht nehmen lassen, Sie vom Kunstgenuß heimzubegleiten.«

»Das ist sehr artig, Excellenz Goethe«, erwiderte sie, »und hauptsächlich dessenthalb freut es mich, weil eine gewisse Harmonie unserer Seelen, wenn davon die Rede sein kann zwischen einem großen Manne und einer kleinen Frau, aus Ihrem Entschlusse spricht und aus der Überraschung, die Sie mir da bereiten. Denn es zeigt mir, daß auch Sie es als unbefriedigend – unbefriedigend bis zur Traurigkeit – empfunden hätten, wenn unser Abschied neulich nach den lehrreichen Besichtigungen hätte der allerletzte sein und nicht wenigstens doch noch ein Wiedersehn sich daran hätte knüpfen sollen, das ich mit wirklicher Bereitwilligkeit als das in Ewigkeit letzte anerkenne, wenn es nur dieser Geschichte einen leidlich versöhnlichen Abschluß geben kann.«

»Einen Abschnitt«, hörte sie ihn aus seiner Ecke sagen, »einen Abschnitt macht die Trennung. Wiedersehn: ein klein Capitel, fragmentarisch.«

»Ich weiß nicht, was du da sagst, Goethe«, entgegnete sie, »und weiß nicht recht, wie ich's höre, aber ich wundere mich nicht, noch darfst du dich wundern, denn ich gebe ein für allemal der kleinen Frau nichts nach, mit der du letzthin Poesie getrieben am glühenden Mainstrom, und von der dein armer Sohn mir erzählte, daß sie ganz einfach in dich und deinen Gesang eingetreten sei und ebenso gut gedichtet habe wie du. Nun ja, sie ist ein Theaterkind und hat wohl ein beweglich Geblüt. Aber Frau ist Frau, und wir treten alle ein, wenn's sein muß, in den Mann und seinen Gesang ... Wiedersehn ein klein Capitel, fragmentarisch? Aber so fragmentarisch, fandest du selber wohl, sollt' es nicht sein, daß ich mit dem Gefühle völligen Fehlschlags an meinen einsamen Witwensitz sollte zurückkehren.«

»Hast du die liebe Schwester nicht umarmt«, sagte er,

»nach langer Trennungsfrist? Wie magst du da von deiner Reise völligem Fehlschlag sprechen?«

»Ach, spotte meiner nicht!« entgegnete sie. »Ist's doch an dem, daß ich die Schwester nur zum Vorwand nahm, um eine Lust zu büßen, die mir längst die Ruhe stahl: nach deiner Stadt zu reisen, in deiner Größe dich, worein das Schicksal mein Leben hat verwoben, heimzusuchen und dieser fragmentarischen Geschichte doch einen Abschluß zur Beruhigung für meinen Lebensabend auszufinden. Sag, kam ich dir recht sehr zu unpaß? War es ein ganz erbärmlich dummer Schulmädelstreich?«

»So wollen wir es denn doch keineswegs nennen«, antwortete er, »ob es schon nicht gut ist, der Neugier, Sentimentalität und Bosheit der Leute Zucker zu geben. Aber von Ihrer Seite her, meine Beste, kann ich die Antriebe zu dieser Reise recht wohl verstehen, und auch mir kam Ihr Erscheinen, in einem tieferen Sinne wenigstens, nicht zu unpaß; vielmehr mußt' ich es gut und geistreich heißen, wenn denn Geist das obere Leitende ist, das in Kunst und Leben die Dinge sinnvoll fügt und uns anhält, in allem Sinnlichen nur die Vermummung höherer Bezüge zu sehen. Zufall gibt es nicht in der Einheit eines irgend bedeutenden Lebens, und nicht umsonst war mir kürzlich erst, im frühen Jahre, unser Büchlein, der ,Werther', wieder in die Hände gefallen, daß Ihr Freund untertauchen mochte im Frühen-Alten, da er sich durchaus in eine Epoche der Erneuerung und der Wiederkehr eingetreten wußte, über welcher denn freilich nicht unbeträchtlich höhere Möglichkeiten walteten, das Leidenschaftliche im Geist aufgehen zu lassen. Wo aber das Gegenwärtige als die Verjüngung des Vergangenen sich geistreich zu erkennen gibt, kann es nicht wundernehmen, daß im bedeutungsvollen Wallen der Erscheinungen auch das unverjüngte Vergangene mit zu Besuche kommt, verblaßte Anspielungen präsentierend und indem es seine Zeitgebundenheit durch das Wackeln seines Kopfes rührend bekundet.«

»Es ist nicht schön von dir, Goethe, daß du diese Bekundung so geradezu namhaft machst, wobei es wenig hilft, daß du sie rührend nennst, denn fürs Rührende bist du gar nicht, sondern wo wir einfache Menschen gerührt sein möchten, da stellst du die Sache kühl aufs Interessante. Ich habe recht wohl bemerkt, daß du dieser meiner kleinen Schwäche gewahr geworden bist, die über meine ganz wackere Gesamtverfassung gar nichts besagt und viel weniger mit Zeitunterworfenheit zu tun hat als mit meiner Verwobenheit in dein übergroß gewordenes Leben, die ich nur apprehensiv und aufregend nennen kann. Was ich aber nicht wußte, ist, daß du auch die verblaßten Anspielungen meines Kleides bemerkt hast – nun ja, natürlich bemerkst du mehr, als deine abschweifenden Augen zu bemerken scheinen, und zuletzt solltest du's ja bemerken, dazu hatte ich mir den Scherz ja ausgedacht und dabei auf deinen Humor gerechnet, wiewohl ich nun einsehe, daß es nicht sonderlich humoristisch war. Um aber auf meine Zeitunterworfenheit zurückzukommen, so laß mich doch sagen, daß du wenig Grund hast, Excellenz, dich darüber aufzuhalten, denn aller poetischen Erneuerung und Verjüngung ungeachtet ist dein Stehen und Treten ja von einer Steifigkeit geworden, daß Gott erbarm', und deine gravitätische Courtoisie scheint mir ebenso des Opodeldoks bedürftig.«

»Ich habe Sie erzürnt, meine Gute«, sagte er in sanftem Baß, »mit meiner beiläufigen Erwähnung. Vergessen Sie aber nicht, daß ich sie im Zusammenhang tat mit der Rechtfertigung Ihres Erscheinens und der Erläuterung, warum ich es gut und sinnvoll heißen mußte, daß auch Sie mit daherwallen im Geisterzuge.«

»Merkwürdig«, schaltete sie ein. »August, der unausgesprochene Bräutigam, erzählte mir, du habest seine Mutter, die Mamsell, geduzt, sie aber hätte dich Sie genannt. Mir fällt auf, daß es bei uns hier umgekehrt zugeht.«

»Das Du und Sie«, antwortete er, »war ja auch damals immer, zu deiner Zeit, zwischen uns in der Schwebe, und im übrigen liegt ihre augenblickliche Verteilung wohl in unseren beiderseitigen Verfassungen begründet.«

»Gut und recht. Aber da sprichst du nun von meiner Zeit, statt ‚unsere Zeit‘ zu sagen, da's doch die deine auch war. Aber es ist deine Zeit eben wieder, erneut und verjüngt, als geistreiche Gegenwart, da es die meine bloß einmal war. Und da soll's mich nicht tief verletzen, daß du so geradhin meiner nichts besagenden kleinen Schwäche gedenkst, die doch leider eben besagt, daß es meine Zeit nur gewesen.«

»Meine Freundin«, erwiderte er, »kann denn wohl Ihre Zeitgestalt Sie mühen und irgendein Hinweis darauf Sie verletzen, da Sie das Schicksal begünstigte vor Millionen und Ihnen ewige Jugend verlieh im Gedicht? Das, was vergänglich ist, bewahrt mein Lied.«

»Das läßt sich hören«, sagte sie, »und ich will's dankbar anerkennen trotz aller Bürde und Aufregung, die für mich Arme damit verbunden. Ich will lieber auch gleich hinzufügen, was du wohl nur aus gravitätischer Courtoisie verschweigst, daß es albern war, meine Zeitgestalt mit den Emblemen der Vergangenheit zu behängen, die der beständigen Gestalt gehören in deinem Gedicht. Schließlich bist du ja auch nicht so abgeschmackt, im blauen Frack mit gelber Weste und Hose herumzugehen, wie damals viele verschwärmte Buben taten, sondern schwarz und seidenfein ist dein Frack nunmehr, und ich muß sagen, der Silberstern darauf steht dir so gut, wie Egmonten das Goldene Vlies. Ja, Egmont!« seufzte sie. »Egmont und die Tochter des Volks. Du hast recht wohlgetan, Goethe, auch deine eigene Jugendgestalt beständig zu machen im Gedicht, daß du nun als steifbeinige Excellenz in allen Würden der Entsagung deinen Schranzen die Suppe gesegnen magst!«

»Ich sehe wohl«, erwiderte er nach einer Pause tief und bewegt, »meine Freundin hegt einige Unwirschheit nicht nur wegen meiner scheinbar unzarten und doch nur liebevoll gemeinten Erwähnung jenes Zeichens der Zeit. Ihr Zorn, oder ihr Leid, das als Zorn sich äußert, hat gerechteren, nur zu ehrwürdigen Ursprung, und habe ich nicht im Wagen auf sie gewartet um der gefühlten Notwendigkeit willen, diesem

Leidenszorn standzuhalten, seine Gerechtigkeit und Ehr-
würdigkeit anzuerkennen und ihn vielleicht zu besänftigen
durch die herzlichste Bitte um Vergebung?«

»O Gott«, sagte sie erschrocken, »wozu lassen Excellenz
sich herbei! Das hab' ich nicht hören wollen und werde so rot
dabei wie bei der Geschichte, die Sie zur Himbeercréme erzählten. Vergebung! Mein Stolz, mein Glück, sie hätten zu
vergeben? Wo ist der Mann, der meinem Freunde sich – vergleichen darf? Wie ihn die Welt verehrt, so wird die Nachwelt ihn verehrend nennen.«

»Weder Demut hier noch Unschuld dort«, erwiderte er,
»würden der Verweigerung des Erbetenen ihre Grausamkeit
nehmen. Zu sagen: ich habe nichts zu vergeben, das heißt auch
sich unversöhnlich zeigen gegen einen, dessen Schicksal es vielleicht von jeher war, sich in unschuldiger Schuld zu winden.
Wo das Bedürfnis nach Vergebung ist, soll auch Bescheidenheit sie nicht verweigern. Sie müßte denn die heimliche Seelenqual, das siedend heiße Gefühl nicht kennen, das den Menschen durchdringt, wenn ihn ein gerechter Vorwurf mitten in
dem Dunkel eines zutraulichen Selbstgefühls plötzlich betrifft, so daß er einem Haufen durchglühter Muscheln gleicht,
wie sie wohl da und dort statt des Kalkes zum Bauen ver-
wendet werden.«

»Mein Freund«, sagte sie, »es wäre mir schrecklich, wenn
der Gedanke an mich auch nur augenblicksweise dein zutrau-
liches Selbstgefühl sollte verstören können, von dem für die
Welt so viel abhängt. Ich nehme aber auch an, daß diese ge-
legentliche Durchglühung in erster Linie der ersten gilt, bei
der die Entsagung gegründet ward und zur Wiederholung
begann: der Tochter des Voks, der du im Abreiten die Hand
reichtest vom Pferde herab; denn man liest ja beruhigender-
weise, daß du dich von mir mit milderem Schuldgefühle getrennt als von ihr. Die Arme unter ihrem Hügel im Badischen!
Ich habe, offen gesagt, nicht viel Herz für sie, denn sie hat
sich sehr gut nicht gehalten und sich der Verkümmerung überlassen, da es doch darauf ankommt, einen resoluten Selbst-

zweck aus sich zu machen, auch wenn man ein Mittel ist. Da
liegt sie nun im Badischen, dieweil andere nach ergiebigem
Leben sich eines würdigen Witwenstandes erfreuen, gegen dessen Wackerkeit so ein bißchen apprehensives Kopfzittern gar
nichts besagt. Auch bin ich ja die Erfolgreiche – als deutliche
und unverkennbare Heldin deines unsterblichen Büchleins,
unbezweifelbar und unbestreitbar bis ins Einzelne trotz dem
kleinen Durcheinander mit den schwarzen Augen, und selbst
der Chinese, so fremdartige Gesinnungen er sonst auch hegen
möge, malt mich mit zitternder Hand auf Glas an Werthers
Seite – mich und keine andere. Darauf poche ich und lass'
mich's nicht anfechten, daß die unterm Hügel vielleicht mit
im Spiele war, daß bei ihr die Gründung liegt, und daß sie
dir möglicherweise das Herz erst erschlossen hat für Werthers Liebe, – denn das weiß niemand, und es sind meine
Züge und Umstände, die den Leuten vor Augen stehen.
Meine Angst ist nur, daß es einmal herauskommen und das
Volk es eines Tages entdecken möchte, daß sie wohl gar
die Eigentliche ist, die zu dir gehört in den Gefilden, wie
Laura zum Petrarc, so daß es mich stürzte und absetzte und
mein Bild aus der Nische risse im Dome der Menschheit. Das
ist's, was mich manchmal zu Tränen beunruhigt.«

»Eifersucht?« fragte er lächelnd. »Ist Laura denn allein
der Name, der von allen zarten Lippen klingen soll? Eifersucht auf wen? Auf deine Schwester, nein, deinSpiegelbild und
ander Du? Wenn Wolke sich gestaltend umgestaltet, ist's
nicht dieselbe Wolke noch? Und Gottes Namenhundert,
nennt es nicht den Einen nur – und euch, geliebte Kinder?
Dies Leben ist nur Wandel der Gestalt, Einheit im Vielen,
Dauer in dem Wandel. Und du und sie, ihr alle seid nur
Eine in meiner Liebe – und in meiner Schuld. Tatest du
deine Reise, um dich des getrösten zu lassen?«

»Nein, Goethe«, sagte sie. »Ich kam, um mich nach dem
Möglichen umzusehen, dessen Nachteile gegen das Wirkliche so sehr auf der Hand liegen, und das doch als ‚Wenn
nun aber‘ und ‚Wie nun erst‘ immer neben ihm in der Welt

bleibt und unserer Nachfrage wert ist. Findest du nicht, alter Freund, und fragst du nicht auch mitunter dem Möglichen nach in den Würden deiner Wirklichkeit? Sie ist das Werk der Entsagung, ich weiß es wohl, und also doch wohl der Verkümmerung, denn Entsagung und Verkümmerung, die wohnen nahe beisammen, und all Wirklichkeit und Werk ist eben nur das verkümmerte Mögliche. Es ist etwas Fürchterliches um die Verkümmerung, das sag' ich dir, und wir Geringen müssen sie meiden und uns ihr entgegenstemmen aus allen Kräften, wenn auch der Kopf zittert vor Anstrengung, denn sonst ist bald nichts von uns übrig als wie ein Hügel im Badischen. Bei dir, da war's etwas anderes, du hattest was zuzusetzen. Dein Wirkliches, das sieht nach was aus – nicht nach Verzicht und Untreue, sondern nach lauter Erfüllung und höchster Treue und hat eine Imposanz, daß niemand sich untersteht, dem Möglichen davor auch nur nachzufragen. Meinen Respect!«

»Deine Verwobenheit, liebes Kind, ermutigt dich zu einer drolligen Art der Anerkennung.«

»Das will ich doch wenigstens davon haben, daß ich mitreden und ein wenig vertraulicher lobpreisen darf als die unzugehörige Menge! Aber das muß ich auch sagen dürfen, Goethe: so sehr wohl und behaglich war mir's nicht eben in deiner Wirklichkeit, in deinem Kunsthaus und Lebenskreis, es war eher eine Beklemmung und eine Apprehension damit, das laß mich gestehen, denn allzusehr riecht es nach Opfer in deiner Nähe – ich meine nicht: nach Weihrauch, das ließe ich mir gefallen, auch Iphigenie läßt ihn sich ja gefallen für die Diana der Skythen, aber gegen die Menschenopfer, da greift sie mildernd ein, und nach solchen sieht's leider aus in deinem Umkreis, es ist ja beinah wie ein Schlachtfeld und wie in eines bösen Kaisers Reich. Diese Riemer, die immer mukken und maulen, und deren Mannesehr' auf dem süßen Leime zappelt, und dein armer Sohn mit seinen siebzehn Gläsern Champagner und dies Persönchen, das ihn denn also zu Neujahr heiraten wird und wird in deine Oberstuben fliegen

wie die Mücke ins Licht, zu schweigen von den Marien Beau-
marchais, die sich nicht zu halten wußten wie ich, und die die
Auszehrung unter den Hügel brachte, – was sind sie denn als
Opfer deiner Größe. Ach, es ist wundervoll, ein Opfer bringen, jedoch ein bittres Los, ein Opfer sein!«

Unruhige Lichter huschten und hüpften über die Gestalt
des Mantelträgers an ihrer Seite. Er sagte:

»Liebe Seele, laß mich dir innig erwidern, zum Abschied
und zur Versöhnung. Du handelst vom Opfer, aber damit
ist's ein Geheimnis und eine große Einheit wie mit Welt, Leben, Person und Werk, und Wandlung ist alles. Den Göttern
opferte man, und zuletzt war das Opfer der Gott. Du brauchtest ein Gleichnis, das mir lieb und verwandt ist vor allen,
und von dem meine Seele besessen seit je: das von der Mücke
und der tödlich lockenden Flamme. Willst du denn, daß
ich diese sei, worein sich der Falter begierig stürzt, bin ich im
Wandel und Austausch der Dinge die brennende Kerze doch
auch, die ihren Leib opfert, damit das Licht leuchte, bin ich
auch wieder der trunkene Schmetterling, der der Flamme verfällt, – Gleichnis alles Opfers von Leben und Leib zu geistiger Wandlung. Alte Seele, liebe, kindliche, ich zuerst und
zuletzt bin ein Opfer – und bin der, der es bringt. Einst verbrannte ich dir und verbrenne dir allezeit zu Geist und Licht.
Wisse, Metamorphose ist deines Freundes Liebstes und Innerstes, seine große Hoffnung und tiefste Begierde, – Spiel
der Verwandlungen, wechselnd Gesicht, wo sich der Greis
zum Jüngling, zum Jüngling der Knabe wandelt, Menschenantlitz schlechthin, in dem die Züge der Lebensalter changie-
ren, Jugend aus Alter, Alter aus Jugend magisch hervortritt:
darum war mir's lieb und verwandt, sei völlig beruhigt, daß
du dir's ausgedacht und zu mir kamst, mit Jugendzeichen
geschmückt die Altersgestalt. Einheit, Geliebte, das Ausein-
ander-Hervortauchen, das Sich-Vertauschen, Verwechseln der
Dinge und wie Leben jetzt ein natürlich Gesicht, jetzt ein
sittliches zeigt, wie sich Vergangenheit wandelt im Gegenwärtigen, dieses zurückweist auf jenes und der Zukunft vor-

spielt, von der beide schon geisterhaft voll waren. Nachgefühl, Vorgefühl – Gefühl ist alles. Laß unseren Blick sich auftun und unsere Augen groß sein für die Einheit der Welt – groß, heiter und wissend. Verlangt dich nach Sühne? Laß, ich sehe sie mir entgegenreiten in grauem Kleide. Dann wird wieder die Stunde Werthers und Tasso's schlagen, wie es mitternächtlich gleich schlägt dem Mittag, und daß ein Gott mir gab zu sagen, was ich leide, – nur dieses Erst' und Letzte wird mir dann bleiben. Dann wird das Verlassen nur noch Abschied, Abschied für immer sein, Todeskampf des Gefühls, und die Stunde gräßlicher Schmerzen voll, Schmerzen, wie sie wohl dem Tode um einige Zeit vorangehen, und die das Sterben sind, wenn auch noch nicht der Tod. Tod, letzter Flug in die Flamme, – im All-Einen, wie sollte auch er denn nicht nur Wandlung sein? In meinem ruhenden Herzen, teure Bilder, mögt ihr ruhen – und welch freundlicher Augenblick wird es sein, wenn wir dereinst wieder zusammen erwachen.«

Die frühvernommene Stimme verhauchte. »Friede deinem Alter!« flüsterte sie noch. Der Wagen hielt. Seine Lichter schienen mit dem der beiden Laternen zusammen, die zuseiten des Eingangs zum ,Elephanten' brannten. Zwischen ihnen stehend hatte Mager, die Hände auf dem Rücken, mit erhobener Nase die neblig gestirnte Herbstnacht geprüft und lief jetzt auf weichen Servierschuhen über den Bürgersteig, dem Bedienten beim Öffnen des Schlages zuvorzukommen. Natürlich kam er nicht irgendwie dahergerannt, sondern lief wie ein Mann, dem das Laufen schon etwas fremd ist, würdig schwänzelnd, die Hände mit verfeinerter Fingerhaltung zu den Schultern erhoben.

»Frau Hofrätin«, sagte er, »willkommen wie immer! Möchten Frau Hofrätin in unserem Musentempel einen erhebenden Abend verbracht haben! Darf ich diesen Arm offerieren zur sicheren Stütze? Guter Himmel, Frau Hofrätin, ich muß es sagen: Werthers Lotte aus Goethe's Wagen zu helfen, das ist ein Erlebnis – wie soll ich es nennen? Es ist buchenswert.«

ERZÄHLUNGEN

MARIO UND DER ZAUBERER

Ein tragisches Reiseerlebnis

Die Erinnerung an Torre di Venere ist atmosphärisch unangenehm. Ärger, Gereiztheit, Überspannung lagen von Anfang an in der Luft, und zum Schluß kam dann der Choc mit diesem schrecklichen Cipolla, in dessen Person sich das eigentümlich Bösartige der Stimmung auf verhängnishafte und übrigens menschlich sehr eindrucksvolle Weise zu verkörpern und bedrohlich zusammenzudrängen schien. Daß bei dem Ende mit Schrecken (einem, wie uns nachträglich schien, vorgezeichneten und im Wesen der Dinge liegenden Ende) auch noch die Kinder anwesend sein mußten, war eine traurige und auf Mißverständnis beruhende Ungehörigkeit für sich, verschuldet durch die falschen Vorspiegelungen des merkwürdigen Mannes. Gottlob haben sie nicht verstanden, wo das Spektakel aufhörte und die Katastrophe begann, und man hat sie in dem glücklichen Wahn gelassen, daß alles Theater gewesen sei.

Torre liegt etwa fünfzehn Kilometer von Portoclemente, einer der beliebtesten Sommerfrischen am Tyrrhenischen Meer, städtisch-elegant und monatelang überfüllt, mit bunter Hotel- und Basarstraße am Meere hin, breitem, von Capannen, bewimpelten Burgen und brauner Menschheit bedecktem Strande und einem geräuschvollen Unterhaltungsbetrieb. Da der Strand, begleitet von Piniengehölz, auf das aus geringer Entfernung die Berge herniederblicken, diese ganze Küste entlang seine wohnlich-feinsandige Geräumigkeit behält, ist es kein Wunder, daß etwas weiterhin stillere Konkurrenz sich schon zeitig aufgetan hat: Torre di Venere, wo man sich übrigens nach dem Turm, dem es seinen Namen verdankt, längst vergebens umsieht, ist als Fremdenort ein Ableger des benachbarten Großbades und war während einiger Jahre ein Idyll für wenige, Zuflucht für Freunde des unverweltlichten

Elementes. Wie es aber mit solchen Plätzen zu gehen pflegt,
so hat sich der Friede längst eine Strecke weiter begeben müssen, der Küste entlang, nach Marina Petriera und Gott weiß
wohin; die Welt, man kennt das, sucht ihn und vertreibt ihn,
indem sie sich in lächerlicher Sehnsucht auf ihn stürzt, wäh-
nend, sie könne sich mit ihm vermählen, und wo sie ist, da
könne er sein; ja, wenn sie an seiner Stelle schon ihren Jahr-
markt aufgeschlagen hat, ist sie imstande zu glauben, er sei
noch da. So ist Torre, wenn auch immer noch beschaulicher
und bescheidener als Portoclemente, bei Italienern und Fremden stark in Aufnahme gekommen. Man geht nicht mehr
in das Weltbad, wenn auch nur in dem Maße nicht mehr,
daß dieses trotzdem ein lärmend ausverkauftes Weltbad
bleibt; man geht nebenan, nach Torre, es ist sogar feiner, es
ist außerdem billiger, und die Anziehungskraft dieser Eigenschaften fährt fort, sich zu bewähren, während die Eigenschaften selbst schon nicht mehr bestehen. Torre hat ein Grand
Hôtel bekommen; zahlreiche Pensionen, anspruchsvolle und
schlichtere, sind erstanden; die Besitzer und Mieter der Som-
merhäuser und Pineta-Gärten oberhalb des Meeres sind am
Strande keineswegs mehr ungestört; im Juli, August unterscheidet das Bild sich dort in nichts mehr von dem in
Portoclemente: es wimmelt von zeterndem, zankendem,
jauchzendem Badevolk, dem eine wie toll herabbrennende
Sonne die Haut von den Nacken schält; flachbodige, grell
bemalte Boote, von Kindern bemannt, deren tönende Vornamen, ausgestoßen von Ausschau haltenden Müttern, in
heiserer Besorgnis die Lüfte erfüllen, schaukeln auf der blitzenden Bläue, und über die Gliedmaßen der Lagernden
tretend bieten die Verkäufer von Austern, Getränken,
Blumen, Korallenschmuck und Cornetti al burro, auch sie
mit der belegten und offenen Stimme des Südens, ihre
Ware an.

So sah es am Strande von Torre aus, als wir kamen –
hübsch genug, aber wir fanden dennoch, wir seien zu früh
gekommen. Es war Mitte August, die italienische Saison stand

noch in vollem Flor; das ist für Fremde der rechte Augenblick nicht, die Reize des Ortes schätzen zu lernen. Welch ein
Gedränge nachmittags in den Garten-Cafés der Strandpromenade, zum Beispiel im ‚Esquisito‘, wo wir zuweilen saßen,
und wo Mario uns bediente, derselbe Mario, von dem ich
dann gleich erzählen werde! Man findet kaum einen Tisch,
und die Musikkapellen, ohne daß eine von der anderen
wissen wollte, fallen einander wirr ins Wort. Gerade nachmittags gibt es übrigens täglich Zuzug aus Portoclemente;
denn natürlich ist Torre ein beliebtes Ausflugsziel für die unruhige Gästeschaft jenes Lustplatzes, und dank den hin und
her sausenden Fiat-Wagen ist das Lorbeer- und Oleandergebüsch am Saum der verbindenden Landstraße von weißem
Staube zolldick verschneit – ein merkwürdiger, aber abstoßen-
der Anblick.

Ernstlich, man soll im September nach Torre di Venere gehen, wenn das Bad sich vom großen Publikum entleert hat,
oder im Mai, bevor die Wärme des Meeres den Grad erreicht hat, der den Südländer dafür gewinnt, hineinzutauchen.
Auch in der Vor- und Nachsaison ist es nicht leer dort, aber
gedämpfter geht es dann zu und weniger national. Das Englische, Deutsche, Französische herrscht vor unter den Schat-
tentüchern der Capannen und in den Speisesälen der Pensionen, während der Fremde noch im August wenigstens das
Grand Hôtel, wo wir mangels persönlicherer Adressen Zimmer belegt hatten, so sehr in den Händen der florentinischen
und römischen Gesellschaft findet, daß er sich isoliert und
augenblicksweise wie ein Gast zweiten Ranges vorkommen
mag.

Diese Erfahrung machten wir mit etwas Verdruß am Abend
unserer Ankunft, als wir uns zum Diner im Speisesaal einfanden und uns von dem zuständigen Kellner einen Tisch an-
weisen ließen. Es war gegen diesen Tisch nichts einzuwenden, aber uns fessselte das Bild der anstoßenden, auf das Meer
gehenden Glasveranda, die so stark wie der Saal, aber nicht
restlos besetzt war, und auf deren Tischchen rotbeschirmte

Lampen glühten. Die Kleinen zeigten sich entzückt von dieser
Festlichkeit, und wir bekundeten einfach den Entschluß, unsere Mahlzeiten lieber in der Veranda einzunehmen – eine
Äußerung der Unwissenheit, wie sich zeigte, denn wir wurden mit etwas verlegener Höflichkeit bedeutet, daß jener an-
heimelnde Aufenthalt »unserer Kundschaft«, »ai nostri
clienti«, vorbehalten sei. Unseren Klienten? Aber das waren
wir. Wir waren keine Passanten und Eintagsfliegen, sondern
für drei oder vier Wochen Hauszugehörige, Pensionäre.
Wir unterließen es übrigens, auf der Klarstellung des Unterschiedes zwischen unsersgleichen und jener Klientele, die bei
rot glühenden Lämpchen speisen durfte, zu bestehen und
nahmen das Pranzo an unserm allgemein und sachlich be-
leuchteten Saaltische – eine recht mittelmäßige Mahlzeit, cha-
rakterloses und wenig schmackhaftes Hotelschema; wir haben
die Küche dann in der Pensione Eleonora, zehn Schritte landeinwärts, viel besser gefunden.

Dorthin nämlich siedelten wir schon über, bevor wir im
Grand Hôtel nur erst warm geworden, nach drei oder vier
Tagen, – nicht der Veranda und ihrer Lämpchen wegen;
die Kinder, sofort befreundet mit Kellnern und Pagen, von
Meereslust ergriffen, hatten sich jene farbige Lockung sehr
bald aus dem Sinn geschlagen. Aber mit gewissen Veranda-
klienten, oder richtiger wohl nur mit der Hotelleitung, die
vor ihnen liebedienerte, ergab sich sogleich einer dieser Kon-
flikte, die einem Aufenthalt von Anfang an den Stempel des
Unbehaglichen aufdrücken können. Römischer Hochadel befand sich darunter, ein Principe X. mit Familie, und da die
Zimmer dieser Herrschaften in Nachbarschaft der unsrigen
lagen, war die Fürstin, große Dame und leidenschaftliche Mutter zugleich, in Schrecken versetzt worden durch die Rest-
spuren eines Keuchhustens, den unsere Kleinen kurz zuvor
gemeinsam überstanden hatten, und von dem schwache Nachklänge zuweilen noch nachts den sonst unerschütterlichen
Schlaf des Jüngsten unterbrachen. Das Wesen dieser Krankheit ist wenig geklärt, dem Aberglauben hier mancher Spiel-

raum gelassen, und so haben wir es unserer eleganten Nachbarin nie verargt, daß sie der weitverbreiteten Meinung
anhing, der Keuchhusten sei akustisch ansteckend, und einfach
für ihre Kleinen das schlechte Beispiel fürchtete. Im weiblichen
Vollgefühl ihres Ansehens wurde sie vorstellig bei der Direktion, und diese, in der Person des bekannten Gehrock-
managers, beeilte sich, uns mit vielem Bedauern zu bedeuten,
unter diesen Verhältnissen sei unsere Umquartierung in den
Nebenbau des Hotels eine unumgängliche Notwendigkeit.
Wir hatten gut beteuern, die Kinderkrankheit befinde sich
im Stadium letzten Abklingens, sie habe als überwunden zu
gelten und stelle keinerlei Gefahr für die Umgebung mehr
dar. Alles, was uns zugestanden wurde, war, daß der Fall
vor das medizinische Forum gebracht und der Arzt des
Hauses – nur dieser, nicht etwa ein von uns bestellter – zur
Entscheidung berufen werden möge. Wir willigten in dieses
Abkommen, überzeugt, so sei zugleich die Fürstin zu beruhigen und für uns die Unbequemlichkeit eines Umzuges zu
vermeiden. Der Doktor kommt und erweist sich als ein loya-
ler und aufrechter Diener der Wissenschaft. Er untersucht
den Kleinen, erklärt das Übel für abgelaufen und verneint
jede Bedenklichkeit. Schon glauben wir uns berechtigt, den
Zwischenfall für beigelegt zu halten: da erklärt der Manager,
daß wir die Zimmer räumten und in der Dependance Wohnung nähmen, bleibe auch nach den Feststellungen des Arztes
geboten.

Dieser Byzantinismus empörte uns. Es ist unwahrscheinlich,
daß die wortbrüchige Hartnäckigkeit, auf die wir stießen,
diejenige der Fürstin war. Der servile Gastwirt hatte wohl
nicht einmal gewagt, ihr von dem Votum des Doktors Mitteilung zu machen. Jedenfalls verständigten wir ihn dahin,
wir zögen es vor, das Hotel überhaupt und sofort zu verlassen, – und packten. Wir konnten es leichten Herzens tun,
denn schon mittlerweile hatten wir zur Pensione Eleonora,
deren freundlich privates Äußere uns gleich in die Augen
gestochen hatte, im Vorübergehen Beziehungen angeknüpft

und in der Person ihrer Besitzerin, Signora Angiolieri, eine sehr sympathische Bekanntschaft gemacht. Frau Angiolieri, eine zierliche, schwarzäugige Dame, toskanischen Typs, wohl anfangs der Dreißiger, mit dem matten Elfenbeinteint der Südländerinnen, und ihr Gatte, ein sorgfältig gekleideter, stiller und kahler Mann, besaßen in Florenz ein größeres Fremdenheim und standen nur im Sommer und frühen Herbst der Filiale in Torre di Venere vor. Früher aber, vor ihrer Verheiratung, war unsere neue Wirtin Gesellschafterin, Reisebegleiterin, Garderobiere, ja Freundin der Duse gewesen, eine Epoche, die sie offenbar als die große, die glückliche ihres Lebens betrachtete, und von der sie bei unserem ersten Besuch sogleich mit Lebhaftigkeit zu erzählen begann. Zahlreiche Photographien der großen Schauspielerin, mit herzlichen Widmungen versehen, auch weitere Andenken an das Zusammenleben von einst schmückten die Tischchen und Etageren von Frau Angiolieri's Salon, und obgleich auf der Hand lag, daß der Kult ihrer interessanten Vergangenheit ein wenig auch die Anziehungskraft ihres gegenwärtigen Unternehmens erhöhen wollte, hörten wir doch, während wir durchs Haus geführt wurden, mit Vergnügen und Anteil ihren in stakkiertem und klingendem Toskanisch vorgetragenen Erzählungen von der leidenden Güte, dem Herzensgenie und dem tiefen Zartsinn ihrer verewigten Herrin zu.

Dorthin also ließen wir unsere Sachen bringen, zum Leidwesen des nach gut italienischer Art sehr kinderlieben Personals vom Grand Hôtel; die uns eingeräumte Wohnung war geschlossen und angenehm, der Kontakt mit dem Meere bequem, vermittelt durch eine Allee junger Platanen, die auf die Strandpromenade stieß, der Speisesaal, wo Mme. Angiolieri jeden Mittag eigenhändig die Suppe auffüllte, kühl und reinlich, die Bedienung aufmerksam und gefällig, die Beköstigung vortrefflich, sogar Wiener Bekannte fanden sich vor, mit denen man nach dem Diner vorm Hause plauderte, und die weitere Bekanntschaften vermittelten, und so hätte alles gut sein können – wir waren unseres Tausches vollkommen froh, und nichts fehlte eigentlich zu einem zufriedenstellenden Aufenthalt.

Dennoch wollte kein rechtes Behagen aufkommen. Vielleicht ging der törichte Anlaß unseres Quartierwechsels uns gleichwohl nach, – ich persönlich gestehe, daß ich schwer über solche Zusammenstöße mit dem landläufig Menschlichen, dem naiven Mißbrauch der Macht, der Ungerechtigkeit, der kriecherischen Korruption hinwegkomme. Sie beschäftigten mich zu lange, stürzten mich in ein irritiertes Nachdenken, das seine Fruchtlosigkeit der übergroßen Selbstverständlichkeit und Natürlichkeit dieser Erscheinungen verdankt. Dabei fühlten wir uns mit dem Grand Hôtel nicht einmal überworfen. Die Kinder unterhielten ihre Freundschaften dort nach wie vor, der Hausdiener besserte ihnen ihr Spielzeug aus, und dann und wann tranken wir unseren Tee in dem Garten des Etablissements, nicht ohne der Fürstin ansichtig zu werden, welche, die Lippen korallenrot aufgehöht, mit zierlich festen Tritten erschien, um sich nach ihren von einer Engländerin betreuten Lieblingen umzusehen, und sich dabei unserer bedenklichen Nähe nicht vermutend war, denn streng wurde unserem Kleinen, sobald sie sich zeigte, untersagt, sich auch nur zu räuspern.

Die Hitze war unmäßig, soll ich das anführen? Sie war afrikanisch; die Schreckensherrschaft der Sonne, sobald man sich vom Saum der indigoblauen Frische löste, von einer Unerbittlichkeit, die die wenigen Schritte vom Strande zum Mittagstisch, selbst im bloßen Pyjama, zu einem im voraus beseufzten Unternehmen machte. Mögen Sie das? Mögen Sie es wochenlang? Gewiß, es ist der Süden, es ist klassisches Wetter, das Klima erblühender Menschheitskultur, die Sonne Homers und so weiter. Aber nach einer Weile, ich kann mir nicht helfen, werde ich leicht dahin gebracht, es stumpfsinnig zu finden. Die glühende Leere des Himmels Tag für Tag fällt mir bald zur Last, die Grellheit der Farben, die ungeheure Naivität und Ungebrochenheit des Lichts erregt wohl festliche Gefühle, sie gewährt Sorglosigkeit und sichere

Unabhängigkeit von Wetterlaunen und -rückschlägen; aber
ohne daß man sich anfangs Rechenschaft davon gäbe, läßt sie
tiefere, uneinfachere Bedürfnisse der nordischen Seele auf ver-
ödende Weise unbefriedigt und flößt auf die Dauer etwas wie
Verachtung ein. Sie haben recht, ohne das dumme Geschichtchen
mit dem Keuchhusten hätte ich es wohl nicht so empfunden;
ich war gereizt, ich wollte es vielleicht empfinden und griff
halb unbewußt ein bereitliegendes geistiges Motiv auf, um
die Empfindung damit wenn nicht zu erzeugen, so doch zu
legitimieren und zu verstärken. Aber rechnen Sie hier mit
unserem bösen Willen, – was das Meer betrifft, den Vormittag im feinen Sande, verbracht vor seiner ewigen Herrlichkeit, so kann unmöglich dergleichen in Frage kommen, und
doch war es so, daß wir uns, gegen alle Erfahrung, auch
am Strande nicht wohl, nicht glücklich fühlten.

Zu früh, zu früh, er war, wie gesagt, noch in den Händen
der inländischen Mittelklasse, – eines augenfällig erfreulichen
Menschenschlages, auch da haben Sie recht, man sah unter
der Jugend viel Wohlschaffenheit und gesunde Anmut, war
aber unvermeidlich doch auch umringt von menschlicher Me-
diokrität und bürgerlichem Kroppzeug, das, geben Sie es zu,
von dieser Zone geprägt nicht reizender ist als unter unserem
Himmel. *Stimmen* haben diese Frauen –! Es wird zuweilen
recht unwahrscheinlich, daß man sich in der Heimat der
abendländischen Gesangskunst befindet. »Fuggièro!« Ich habe
den Ruf noch heute im Ohr, da ich ihn zwanzig Vormittage lang hundertmal dicht neben mir erschallen hörte, in
heiserer Ungedecktheit, gräßlich akzentuiert, mit grell offenem è, hervorgestoßen von einer Art mechanisch gewordener
Verzweiflung. »Fuggièro! Rispondi al mèno!« Wobei das
sp populärerweise nach deutscher Art wie schp gesprochen
wurde – ein Ärgernis für sich, wenn sowieso üble Laune
herrscht. Der Schrei galt einem abscheulichen Jungen mit ekel-
erregender Sonnenbrandwunde zwischen den Schultern, der
an Widerspenstigkeit, Unart und Bosheit das Äußerste zum
besten gab, was mir vorgekommen, und außerdem ein großer

Feigling war, imstande, durch seine empörende Wehleidigkeit den ganzen Strand in Aufruhr zu bringen. Eines Tages nämlich hatte ihn im Wasser ein Taschenkrebs in die Zehe gezwickt, und das antikische Heldenjammergeschrei, das er ob dieser winzigen Unannehmlichkeit erhob, war markerschütternd und rief den Eindruck eines schrecklichen Unglücksfalls hervor. Offenbar glaubte er sich aufs giftigste verletzt. Ans Land gekrochen, wälzte er sich in scheinbar unerträglichen Qualen umher, brüllte Ohi! und Oimè! und wehrte, mit Armen und Beinen um sich stoßend, die tragischen Beschwörungen seiner Mutter, den Zuspruch Fernerstehender ab. Die Szene hatte Zulauf von allen Seiten. Ein Arzt wurde herbeigeholt, es war derselbe, der unseren Keuchhusten so nüchtern beurteilt hatte, und wieder bewährte sich sein wissenschaftlicher Geradsinn. Gutmütig tröstend erklärte er den Fall für null und nichtig und empfahl einfach des Patienten Rückkehr ins Bad, zur Kühlung der kleinen Kniffwunde. Statt dessen aber wurde Fuggièro, wie ein Abgestürzter oder Ertrunkener, auf einer improvisierten Bahre mit großem Gefolge vom Strande getragen, – um schon am nächsten Morgen wieder, unter dem Scheine der Unabsichtlichkeit, anderen Kindern die Sandbauten zu zerstören. Mit einem Worte, ein Greuel.

Dabei gehörte dieser Zwölfjährige zu den Hauptträgern einer öffentlichen Stimmung, die, schwer greifbar in der Luft liegend, uns einen so lieben Aufenthalt als nicht geheuer verleiden wollte. Auf irgendeine Weise fehlte es der Atmosphäre an Unschuld, an Zwanglosigkeit; dies Publikum ,hielt auf sich' – man wußte zunächst nicht recht, in welchem Sinn und Geist, es prästierte Würde, stellte voreinander und vor dem Fremden Ernst und Haltung, wach aufgerichtete Ehrliebe zur Schau –, wieso? Man verstand bald, daß Politisches umging, die Idee der Nation im Spiele war. Tatsächlich wimmelte es am Strande von patriotischen Kindern, – eine unnatürliche und niederschlagende Erscheinung. Kinder bilden ja eine Menschenspezies und Gesellschaft für sich, sozusagen eine

eigene Nation; leicht und notwendig finden sie sich, auch
wenn ihr kleiner Wortschatz verschiedenen Sprachen angehört, auf Grund gemeinsamer Lebensform in der Welt zusammen. Auch die unsrigen spielten bald mit einheimischen
sowohl wie solchen wieder anderer Herkunft. Offenbar aber
erlitten sie rätselhafte Enttäuschungen. Es gab Empfindlichkeiten, Äußerungen eines Selbstgefühls, das zu heikel und
lehrhaft schien, um seinen Namen ganz zu verdienen, einen
Flaggenzwist, Streitfragen des Ansehens und Vorranges; Er-
wachsene mischten sich weniger schlichtend als entscheidend
und Grundsätze wahrend ein, Redensarten von der Größe
und Würde Italiens fielen, unheiter-spielverderberische Redensarten; wir sahen unsere beiden betroffen und ratlos sich
zurückziehen und hatten Mühe, ihnen die Sachlage einigermaßen verständlich zu machen: Diese Leute, erklärten wir
ihnen, machten soeben etwas durch, so einen Zustand, etwas
wie eine Krankheit, wenn sie wollten, nicht sehr angenehm,
aber wohl notwendig.

Es war unsere Schuld, wir hatten es unserer Lässigkeit zuzuschreiben, daß es zu einem Konflikt mit diesem von uns
doch erkannten und gewürdigten Zustande kam, – noch
einem Konflikt; es schien, daß die vorausgegangenen nicht
ganz ungemischte Zufallserzeugnisse gewesen waren. Mit einem
Worte, wir verletzten die öffentliche Moral. Unser Töchterchen, achtjährig, aber nach ihrer körperlichen Entwicklung
ein gutes Jahr jünger zu schätzen und mager wie ein Spatz,
die nach längerem Bad, wie es die Wärme erlaubte, ihr
Spiel an Land im nassen Kostüm wieder aufgenommen
hatte, erhielt Erlaubnis, den von anklebendem Sande starrenden Anzug noch einmal im Meere zu spülen, um ihn dann
wieder anzulegen und vor neuer Verunreinigung zu schützen. Nackt läuft sie zum wenige Meter entfernten Wasser,
schwenkt ihr Tikot und kehrt zurück. Hätten wir die Welle
von Hohn, Anstoß, Widerspruch voraussehen müssen, die ihr
Benehmen, unser Benehmen also, erregte? Ich halte Ihnen
keinen Vortrag, aber in der ganzen Welt hat das Verhalten

zum Körper und seiner Nacktheit sich während der letzten
Jahrzehnte grundsätzlich und das Gefühl bestimmend gewandelt. Es gibt Dinge, bei denen man sich ,nichts mehr denkt',
und zu ihnen gehörte die Freiheit, die wir diesem so gar
nicht herausfordernden Kinderleibe gewährt hatten. Sie
wurde jedoch hierorts als Herausforderung empfunden. Die
patriotischen Kinder johlten. Fuggièro pfiff auf den Fingern. Erregtes Gespräch unter Erwachsenen in unserer Nähe
wurde laut und verhieß nichts Gutes. Ein Herr in städtischem
Schniepel, den wenig strandgerechten Melonenhut im Nakken, versichert seinen entrüsteten Damen, er sei zu korrigierenden Schritten entschlossen; er tritt vor uns hin, und eine
Philippika geht auf uns nieder, in der alles Pathos des sinnenfreudigen Südens sich in den Dienst spröder Zucht und
Sitte gestellt findet. Die Schamwidrigkeit, die wir uns hätten
zuschulden kommen lassen, hieß es, sei um so verurteilenswerter, als sie einem dankvergessenen und beleidigenden Mißbrauch der Gastfreundschaft Italiens gleichkomme. Nicht
allein Buchstabe und Geist der öffentlichen Badevorschriften,
sondern zugleich auch die Ehre seines Landes seien freventlich verletzt, und in Wahrung dieser Ehre werde er, der Herr
im Schniepel, Sorge tragen, daß unser Verstoß gegen die
nationale Würde nicht ungeahndet bleibe.

Wir taten unser Bestes, diese Suade mit nachdenklichem
Kopfnicken anzuhören. Dem erhitzten Menschen widersprechen hätte zweifellos geheißen, von einem Fehler in den anderen fallen. Wir hatten dies und das auf der Zunge, zum
Beispiel, daß nicht alle Umstände zusammenträfen, um das
Wort Gastfreundschaft nach seiner reinsten Bedeutung ganz
am Platze erscheinen zu lassen, und daß wir, ohne Euphemismus gesprochen, nicht sowohl die Gäste Italiens, sondern der
Signora Angiolieri seien, welche eben seit einigen Jahren
den Beruf einer Vertrauten der Duse gegen den der Gastlichkeit eingetauscht habe. Auch hatten wir Lust, zu antworten,
wie wir nicht wüßten, daß die moralische Verwahrlosung in
diesem schönen Lande je einen solchen Grad erreicht gehabt

habe, daß ein solcher Rückschlag von Prüderie und Überempfindlichkeit begreiflich und notwendig erscheinen könne.
Aber wir beschränkten uns darauf, zu versichern, daß jede
Provokation und Respektlosigkeit uns ferngelegen habe, und
entschuldigend auf das zarte Alter, die leibliche Unbeträchtlichkeit der kleinen Delinquentin hinzuweisen. Umsonst.
Unsere Beteuerungen wurden als unglaubhaft, unsere Verteidigung als hinfällig zurückgewiesen und die Errichtung
eines Exempels als notwendig behauptet. Telephonisch, wie
ich glaube, wurde die Behörde benachrichtigt, ihr Vertreter
erschien am Strande, er nannte den Fall sehr ernst, molto
grave, und wir hatten ihm hinauf zum ‚Platze‘, ins Municipio
zu folgen, wo ein höherer Beamter das vorläufige Urteil
»molto grave« bestätigte, sich in genau denselben, offenbar
landläufigen didaktischen Redewendungen über unsere Tat
erging wie der Herr im steifen Hut und uns ein Sühne- und
Lösegeld von fünfzig Lire auferlegte. Wir fanden, diesen Beitrag zum italienischen Staatshaushalt müsse das Abenteuer
uns wert sein, zahlten und gingen. Hätten wir nicht abreisen
sollen?

Hätten wir es nur getan! Wir hätten dann diesen fatalen
Cipolla vermieden; allein mehreres kam zusammen, den Entschluß zu einem Ortswechsel hintanzuhalten. Ein Dichter hat
gesagt, es sei Trägheit, was uns in peinlichen Zuständen festhalte – man könnte das Aperçu zur Erklärung unserer Beharrlichkeit heranziehen. Auch räumt man nach solchem
Vorkommnis nicht gern unmittelbar das Feld; man zögert,
zuzugeben, daß man sich unmöglich gemacht habe, besonders
wenn Sympathiekundgebungen von außen den Trotz ermutigen. In der Villa Eleonora gab es nur eine Stimme über
die Ungerechtigkeit unseres Schicksals. Italienische Nach-
Tisch-Bekannte wollten finden, es sei dem Rufe des Landes
keineswegs zuträglich, und äußerten den Vorsatz, den Herrn
im Schniepel landsmannschaftlich zur Rede zu stellen. Aber
dieser selbst war vom Strande verschwunden, nebst seiner
Gruppe, schon am nächsten Tag – nicht unsertwegen natür-

lich, aber es mag sein, daß das Bewußtsein seiner dicht bevorstehenden Abreise seiner Tatkraft zuträglich gewesen war, und jedenfalls erleichterte uns seine Entfernung. Um alles zu sagen: Wir blieben auch deshalb, weil der Aufenthalt uns merkwürdig geworden war, und weil Merkwürdigkeit ja in sich selbst einen Wert bedeutet, unabhängig von Behagen und Unbehagen. Soll man die Segel streichen und dem Erlebnis ausweichen, sobald es nicht vollkommen danach angetan ist, Heiterkeit und Vertrauen zu erzeugen? Soll man ,abreisen', wenn das Leben sich ein bißchen unheimlich, nicht ganz geheuer oder etwas peinlich und kränkend anläßt? Nein doch, man soll bleiben, soll sich das ansehen und sich dem aussetzen, gerade dabei gibt es vielleicht etwas zu lernen. Wir blieben also und erlebten als schrecklichen Lohn unserer Standhaftigkeit die eindrucksvoll-unselige Erscheinung Cipolla's.

Daß fast in dem Augenblick unserer staatlichen Maßregelung die Nachsaison einsetzte, habe ich nicht erwähnt. Jener Gestrenge im steifen Hut, unser Angeber, war nicht der einzige Gast, der das Bad jetzt verließ; es gab große Abreise, man sah viele Handkarren mit Gepäck sich zur Station bewegen. Der Strand entnationalisierte sich, das Leben in Torre, in den Cafés, auf den Wegen der Pineta wurde sowohl intimer wie europäischer; wahrscheinlich hätten wir jetzt sogar in der Glasveranda des Grand Hôtel speisen können, aber wir nahmen Abstand davon, wir befanden uns am Tische der Signora Angiolieri vollkommen wohl, – das Wort Wohlbefinden in der Abschattung zu verstehen, die der Ortsdämon ihm zuteil werden ließ. Gleichzeitig aber mit dieser als wohltätig empfundenen Veränderung schlug auch das Wetter um, es zeigte sich fast auf die Stunde im Einvernehmen mit dem Ferienkalender des großen Publikums. Der Himmel bedeckte sich, nicht daß es frischer geworden wäre, aber die offene Glut, die achtzehn Tage seit unserer Ankunft (und vorher wohl lange schon) geherrscht hatte, wich einer stickigen Sciroccoschwüle, und ein schwächlicher Regen netzte von Zeit zu Zeit den samtenen Schauplatz unserer Vormittage. Auch

das: zwei Drittel unserer für Torre vorgesehenen Zeit waren
ohnehin abgelebt; das schlaffe, entfärbte Meer, in dessen
Flachheit träge Quallen trieben, war immerhin eine Neuigkeit;
es wäre albern gewesen, nach einer Sonne zurückzuverlangen,
der, als sie übermütig waltete, so mancher Seufzer gegolten
hatte.

Zu diesem Zeitpunkt also zeigte Cipolla sich an. Cavaliere
Cipolla, wie er auf den Plakaten genannt war, die eines Tages
überall, auch im Speisesaal der Pensione Eleonora, sich angeschlagen fanden, – ein fahrender Virtuose, ein Unterhaltungs-
künstler, Forzatore, Illusionista und Prestidigitatore (so bezeichnete er sich), welcher dem hochansehnlichen Publikum
von Torre di Venere mit einigen außerordentlichen Phänomenen geheimnisvoller und verblüffender Art aufzuwarten
beabsichtigte. Ein Zauberkünstler! Die Ankündigung genügte,
unseren Kleinen den Kopf zu verdrehen. Sie hatten noch nie
einer solchen Darbietung beigewohnt, diese Ferienreise sollte
ihnen die unbekannte Aufregung bescheren. Von Stund an
lagen sie uns in den Ohren, für den Abend des Taschenspielers Eintrittskarten zu nehmen, und obgleich uns die späte
Anfangsstunde der Veranstaltung, neun Uhr, von vornherein
Bedenken machte, gaben wir in der Erwägung nach, daß wir
ja nach einiger Kenntnisnahme von Cipolla's wahrscheinlich
bescheidenen Künsten nach Hause gehen, daß auch die Kinder am folgenden Morgen ausschlafen könnten, und erstanden
von Signora Angiolieri selbst, die eine Anzahl von Vorzugs-
plätzen für ihre Gäste in Kommission hatte, unsere vier Karten. Sie konnte für solide Leistungen des Mannes nicht gut-
sagen, und wir versahen uns solcher kaum; aber ein gewisses
Zerstreuungsbedürfnis empfanden wir selbst, und die dringende Neugier der Kinder bewährte eine Art von An-
steckungskraft.

Das Lokal, in dem der Cavaliere sich vorstellen sollte, war
ein Saalbau, der während der Hochsaison zu wöchentlich
wechselnden Cinema-Vorführungen gedient hatte. Wir waren
nie dort gewesen. Man gelangte dahin, indem man, vorbei am

‚Palazzo‘, einem übrigens verkäuflichen, kastellartigen Gemäuer aus herrschaftlichen Zeiten, die Hauptstraße des Ortes
verfolgte, an der auch die Apotheke, der Coiffeur, die ge-
bräuchlichsten Einkaufsläden zu finden waren, und die
gleichsam vom Feudalen über das Bürgerliche ins Volkstümliche führte; denn sie lief zwischen ärmlichen Fischerwohnun-
gen aus, vor deren Türen alte Weiber Netze flickten, und
hier, schon im Populären, lag die ‚Sala‘, nichts Besseres
eigentlich als eine allerdings geräumige Bretterbude, deren
torähnlicher Eingang zu beiden Seiten mit buntfarbigen und
übereinandergeklebten Plakaten geschmückt war. Einige Zeit
nach dem Diner also, am angesetzten Tage, pilgerten wir im
Dunklen dorthin, die Kinder in festlichem Kleidchen und Anzug, beglückt von so viel Ausnahme. Es war schwül wie seit
Tagen, es wetterleuchtete manchmal und regnete etwas. Wir
gingen unter Schirmen. Es war eine Viertelstunde Weges.

Im Durchgange kontrolliert, hatten wir unsere Plätze
selbst aufzusuchen. Sie fanden sich in der dritten Bank links,
und indem wir uns niederließen, mußten wir bemerken, daß
man die ohnedies bedenkliche Anfangsstunde auch noch lax
behandelte: nur sehr allmählich begann ein Publikum, das es
darauf ankommen zu lassen schien, zu spät zu kommen, das
Parterre zu besetzen, auf welches, da keine Logen vorhanden
waren, der Zuschauerraum sich beschränkte. Diese Säumigkeit machte uns etwas besorgt. Den Kindern färbte schon jetzt
eine mit Erwartung hektisch gemischte Müdigkeit die Wangen. Einzig die Stehplätze in den Seitengängen und im Hintergrunde waren bei unserer Ankunft schon komplett. Es
stand da, halbnackte Arme auf gestreifter Trikotbrust verschränkt, allerlei autochthone Männlichkeit von Torre di
Venere, Fischervolk, unternehmend blickende junge Burschen;
und wenn wir mit der Anwesenheit dieser eingesessenen
Volkstümlichkeit, die solchen Veranstaltungen erst Farbe und
Humor verleiht, sehr einverstanden waren, so zeigten die
Kinder sich entzückt davon. Denn sie hatten Freunde unter
diesen Leuten, Bekanntschaften, die sie auf nachmittäglichen

Spaziergängen am entfernteren Strande gemacht. Oft, um die Stunde, wenn die Sonne, müde ihrer gewaltigen Arbeit, ins Meer sank und den vordringenden Schaum der Brandung rötlich vergoldete, waren wir heimkehrend auf bloßbeinige Fischergruppen gestoßen, die in Reihen stemmend und ziehend, unter gedehnten Rufen ihre Netze eingeholt, ihren meist dürftigen Fang an Frutti di mare in triefende Körbe geklaubt hatten; und die Kleinen hatten ihnen zugesehen, ihre italienischen Brocken an den Mann gebracht, beim Strickziehen geholfen, Kameradschaft geschlossen. Jetzt tauschten sie Grüße mit der Sphäre der Stehplätze, da war Guiscardo, da war Antonio, sie kannten die Namen, riefen sie winkend mit halber Stimme hinüber und bekamen ein Kopfnicken, ein Lachen sehr gesunder Zähne zur Antwort. Sieh doch, da ist sogar Mario vom ‚Esquisito‘, Mario, der uns die Schokolade bringt! Auch er will den Zauberer sehen, und er muß früh gekommen sein, er steht fast vorn, aber er bemerkt uns nicht, er gibt nicht acht, das ist so seine Art, obgleich er ein Kellnerbursche ist. Dafür winken wir dem Manne zu, der am Strande die Paddelboote vermietet, und der auch da steht, ganz hinten.

Es wurde neun ein Viertel, es wurde beinahe halb zehn Uhr. Sie begreifen unsere Nervosität. Wann würden die Kinder ins Bett kommen? Es war ein Fehler gewesen, sie herzuführen, denn ihnen zuzumuten, den Genuß abzubrechen, kaum daß er recht begonnen, würde sehr hart sein. Mit der Zeit hatte das Parkett sich gut gefüllt; ganz Torre war da, so konnte man sagen, die Gäste des Grand Hôtel, die Gäste der Villa Eleonora und anderer Pensionen, bekannte Gesichter vom Strande. Man hörte Englisch und Deutsch. Man hörte das Französisch, das etwa Rumänen mit Italienern sprechen. Mme. Angiolieri selbst saß zwei Reihen hinter uns an der Seite ihres stillen und glatzköpfigen Gatten, der mit zwei mittleren Fingern seiner Rechten seinen Schnurrbart strich. Alle waren spät gekommen, aber niemand zu spät; Cipolla ließ auf sich warten.

Er ließ auf sich warten, das ist wohl der richtige Ausdruck. Er erhöhte die Spannung durch die Verzögerung seines Auftretens. Auch hatte man Sinn für diese Manier, aber nicht ohne Grenzen. Gegen halb zehn Uhr begann das Publikum zu applaudieren, – eine liebenswürdige Form, rechtmäßige Ungeduld zu äußern, da sie zugleich Beifallslust zum Ausdruck bringt. Für die Kleinen gehörte es schon zum Vergnügen, sich daran zu beteiligen. Alle Kinder lieben es, Beifall zu klatschen. Aus der populären Sphäre rief es energisch: »Pronti!« und »Cominciamo!« Und siehe, wie es zu gehen pflegt: Auf einmal war der Beginn, welche Hindernisse ihm nun solange entgegengestanden haben mochten, leicht zu ermöglichen. Ein Gongschlag ertönte, der von den Stehplätzen mit mehrstimmigem Ah! beantwortet wurde, und die Gardine ging auseinander. Sie enthüllte ein Podium, das nach seiner Ausstattung eher einer Schulstube als dem Wirkungsfeld eines Taschenspielers glich, und zwar namentlich dank der schwarzen Wandtafel, die auf einer Staffelei links im Vordergrunde stand. Sonst waren noch ein gewöhnlicher gelber Kleiderständer, ein paar landesübliche Strohstühle und, weiter im Hintergrunde, ein Rundtischchen zu sehen, auf dem eine Wasserflasche mit Glas und, auf besonderem Tablett, ein Flakon voll hellgelber Flüssigkeit nebst Likörgläschen standen. Man hatte noch zwei Sekunden Zeit, diese Utensilien ins Auge zu fassen. Dann, ohne daß das Haus sich verdunkelt hätte, hielt Cavaliere Cipolla seinen Auftritt.

Er kam in jenem Geschwindschritt herein, in dem Erbötigkeit gegen das Publikum sich ausdrückt und der die Täuschung erweckt, als habe der Ankommende in diesem Tempo schon eine weite Strecke zurückgelegt, um vor das Angesicht der Menge zu gelangen, während er doch eben noch in der Kulisse stand. Der Anzug Cipolla's unterstützte die Fiktion des Vonaußen-her-Eintreffens. Ein Mann schwer bestimmbaren Alters, aber keineswegs mehr jung, mit scharfem, zerrüttetem Gesicht, stechenden Augen, faltig verschlossenem Munde, kleinem, schwarz gewichstem Schnurrbärtchen und einer soge-

nannten Fliege in der Vertiefung zwischen Unterlippe und
Kinn, war er in eine Art von komplizierter Abendstraßen-
eleganz gekleidet. Er trug einen weiten schwarzen und ärmel-
losen Radmantel mit Samtkragen und atlasgefütterter Pelerine, den er mit den weiß behandschuhten Händen bei
behinderter Lage der Arme vorn zusammenhielt, einen weißen
Schal um den Hals und einen geschweiften, schief in die Stirne
gerückten Zylinderhut. Vielleicht mehr als irgendwo ist in
Italien das achtzehnte Jahrhundert noch lebendig und mit
ihm der Typus des Scharlatans, des marktschreierischen Pos-
senreißers, der für diese Epoche so charakteristisch war, und
dem man nur in Italien noch in ziemlich wohl erhaltenen Bei-
spielen begegnen kann. Cipolla hatte in seinem Gesamt-
habitus viel von diesem historischen Schlage, und der Eindruck reklamehafter und phantastischer Narretei, die zum
Bilde gehört, wurde schon dadurch erweckt, daß die anspruchsvolle Kleidung ihm sonderbar, hier falsch gestrafft
und dort in falschen Falten, am Leibe saß oder gleichsam daran aufgehängt war: Irgend etwas war mit seiner Figur nicht
in Ordnung, vorn nicht und hinten nicht, – später wurde das
deutlicher. Aber ich muß betonen, daß von persönlicher
Scherzhaftigkeit oder gar Clownerie in seiner Haltung, seinen
Mienen, seinem Benehmen nicht im geringsten die Rede sein
konnte; vielmehr sprachen strenge Ernsthaftigkeit, Ablehnung alles Humoristischen, ein gelegentlich übellauniger Stolz,
auch jene gewisse Würde und Selbstgefälligkeit des Krüppels
daraus, – was freilich nicht hinderte, daß sein Verhalten anfangs an mehreren Stellen des Saales Lachen hervorrief.

Dies Verhalten hatte nichts Dienstfertiges mehr; die Rasch-
heit seiner Auftrittsschritte stellte sich als reine Energie-
äußerung heraus, an der Unterwürfigkeit keinen Teil gehabt
hatte. An der Rampe stehend und sich mit lässigem Zupfen
seiner Handschuhe entledigend, wobei er lange und gelbliche
Hände entblößte, deren eine ein Siegelring mit hochragendem
Lasurstein schmückte, ließ er seine kleinen strengen Augen,
mit schlaffen Säcken darunter, musternd durch den Saal

schweifen, nicht rasch, sondern indem er hie und da auf einem Gesicht in überlegener Prüfung verweilte – verkniffenen Mundes, ohne ein Wort zu sprechen. Die zusammengerollten Handschuhe warf er mit ebenso erstaunlicher wie beiläufiger Geschicklichkeit über eine bedeutende Entfernung hin genau in das Wasserglas auf dem Rundtischchen und holte dann, immer stumm umherblickend, aus irgendwelcher inneren Tasche ein Päckchen Zigaretten hervor, die billigste Sorte der Regie, wie man am Karton erkannte, zog mit spitzen Fingern eine aus dem Bündel und entzündete sie, ohne hinzusehen, mit einem prompt funktionierenden Benzinfeuerzeug. Den tief eingeatmeten Rauch stieß er, arrogant grimassierend, beide Lippen zurückgezogen, dabei mit einem Fuße leise aufklopfend, als grauen Sprudel zwischen seinen schadhaft abgenutzten, spitzigen Zähnen hervor.

Das Publikum beobachtete ihn so scharf, wie es sich von ihm durchmustert sah. Bei den jungen Leuten auf den Stehplätzen sah man zusammengezogene Brauen und bohrende, nach einer Blöße spähende Blicke, die dieser allzu Sichere sich geben würde. Er gab sich keine. Das Hervorholen und Wiederverwahren des Zigarettenpäckchens und des Feuerzeuges war umständlich dank seiner Kleidung; er raffte dabei den Abendmantel zurück, und man sah, daß ihm über dem linken Unterarm an einer Lederschlinge unpassenderweise eine Reitpeitsche mit klauenartiger silberner Krücke hing. Man bemerkte ferner, daß er keinen Frack, sondern einen Gehrock trug, und da er auch diesen aufhob, erblickte man eine mehrfarbige, halb von der Weste verdeckte Schärpe, die Cipolla um den Leib trug, und die hinter uns sitzende Zuschauer in halblautem Austausch für das Abzeichen des Cavaliere hielten. Ich lasse das dahingestellt, denn ich habe nie gehört, daß mit dem Cavalieretitel ein derartiges Abzeichen verbunden ist. Vielleicht war die Schärpe reiner Humbug, so gut wie das wortlose Dastehen des Gauklers, der immer noch nichts tat, als dem Publikum lässig und wichtig seine Zigarette vorzurauchen.

Man lachte, wie gesagt, und die Heiterkeit wurde fast allgemein, als eine Stimme im Stehparterre laut und trocken »Buona sera!« sagte.

Cipolla horchte hoch auf. »Wer war das?« fragte er gleichsam zugreifend. »Wer hat soeben gesprochen? Nun? Zuerst so keck und nun bange? Paura, eh?« Er sprach mit ziemlich hoher, etwas asthmatischer, aber metallischer Stimme. Er wartete.

»Ich war's«, sagte in die Stille hinein der junge Mann, der sich so herausgefordert und bei der Ehre genommen sah, – ein schöner Bursche gleich neben uns, im Baumwollhemd, die Jacke über eine Schulter gehängt. Er trug sein schwarzes, starres Kraushaar hoch und wild, die Modefrisur des erweckten Vaterlandes, die ihn etwas entstellte und afrikanisch anmutete. »Bè ... Das war ich. Es wäre Ihre Sache gewesen, aber ich zeigte Entgegenkommen.«

Die Heiterkeit erneuerte sich. Der Junge war nicht auf den Mund gefallen. »Ha sciolto lo scilinguagnolo«, äußerte man neben uns. Die populäre Lektion war schließlich am Platze gewesen.

»Ah bravo!« antwortete Cipolla. »Du gefällst mir, Giovanotto. Willst du glauben, daß ich dich längst gesehen habe? Solche Leute, wie du, haben meine besondere Sympathie, ich kann sie brauchen. Offenbar bist du ein ganzer Kerl. Du tust, was du willst. Oder hast du schon einmal nicht getan, was du wolltest? Oder gar getan, was du nicht wolltest? Was nicht du wolltest? Höre, mein Freund, es müßte bequem und lustig sein, nicht immer so den ganzen Kerl spielen und für beides aufkommen zu müssen, das Wollen und das Tun. Arbeitsteilung müßte da einmal eintreten – sistema americano, sa'. Willst du zum Beispiel jetzt dieser gewählten und verehrungswürdigen Gesellschaft hier die Zunge zeigen, und zwar die ganze Zunge bis zur Wurzel?«

»Nein«, sagte der Bursche feindselig. »Das will ich nicht. Es würde von wenig Erziehung zeugen.«

»Es würde von gar nichts zeugen«, erwiderte Cipolla,

»denn du *tätest* es ja nur. Deine Erziehung in Ehren, aber meiner Meinung nach wirst du jetzt, ehe ich bis drei zähle, eine Rechtswendung ausführen und der Gesellschaft die Zunge herausstrecken, länger, als du gewußt hattest, daß du sie herausstrecken könntest.«

Er sah ihn an, wobei seine stechenden Augen tiefer in die Höhlen zu sinken schienen. »Uno«, sagte er und ließ seine Reitpeitsche, deren Schlinge er vom Arme hatte gleiten lassen, einmal kurz durch die Luft pfeifen. Der Bursche machte Front gegen das Publikum und streckte die Zunge so angestrengt-überlang heraus, daß man sah, es war das Äußerste, was er an Zungenlänge nur irgend zu bieten hatte. Dann nahm er mit nichtssagendem Gesicht wieder seine frühere Stellung ein.

»Ich war's«, parodierte Cipolla, indem er zwinkernd mit dem Kopf auf den Jungen deutete. »Bè ... das war ich.« Damit wandte er sich, das Publikum seinen Eindrücken überlassend, zum Randtischchen, goß sich aus dem Flakon, das offenbar Kognak enthielt, ein Gläschen ein und kippte es geübt.

Die Kinder lachten von Herzen. Von den gewechselten Worten hatten sie fast nichts verstanden; daß aber zwischen dem kuriosen Mann dort oben und jemandem aus dem Publikum gleich etwas so Drolliges vor sich gegangen war, amüsierte sie höchlichst, und da sie von den Darbietungen eines Abends, wie er verheißen war, keine bestimmte Vorstellung hatten, waren sie bereit, diesen Anfang köstlich zu finden. Was uns betraf, so tauschten wir einen Blick, und ich erinnere mich, daß ich unwillkürlich mit den Lippen leise das Geräusch nachahmte, mit dem Cipolla seine Reitpeitsche hatte durch die Luft fahren lassen. Übrigens war klar, daß die Leute nicht wußten, was sie aus einer so ungereimten Eröffnung einer Taschenspielersoiree machen sollten, und nicht recht begriffen, was den Giovanotto, der doch sozusagen ihre Sache geführt hatte, plötzlich hatte bestimmen können, seine Keckheit gegen sie, das Publikum, zu wenden. Man fand sein Benehmen läppisch, kümmerte sich nicht weiter um ihn und wandte seine Aufmerksamkeit dem Künstler zu, der, vom Stärkungstischchen zurückkehrend, folgendermaßen zu sprechen fortfuhr: »Meine Damen und Herren«, sagte er mit seiner asthmatisch-metallischen Stimme, »Sie sahen mich soeben etwas empfindlich gegen die Belehrung, die dieser hoffnungsvolle junge Linguist« (»questo linguista di belle speranze«, – man lachte über das Wortspiel) »mir erteilen zu sollen glaubte. Ich bin ein Mann von einiger Eigenliebe, nehmen Sie das in Kauf! Ich finde keinen Geschmack daran, mir anders als ernsthaften und höflichen Sinnes guten Abend wünschen zu lassen, – es in entgegengesetztem Sinne zu tun, besteht wenig Anlaß. Indem man mir einen guten Abend wünscht, wünscht man sich selber einen, denn das Publikum wird nur in dem Falle einen guten Abend haben, daß ich einen habe, und darum tat dieser Liebling der Mädchen von Torre di Venere« (er hörte nicht auf, gegen den Burschen zu sticheln) »sehr wohl daran, sogleich einen Beweis dafür zu geben, daß ich heute einen habe und also auf seine Wünsche verzichten kann. Ich darf mich rühmen, fast lauter gute Abende zu haben. Ein schlechterer läuft wohl einmal mit unter, doch ist das selten. Mein Beruf ist schwer und meine Gesundheit nicht die robusteste; ich habe einen kleinen Leibesschaden zu beklagen, der mich außerstand gesetzt hat, am Kriege für die Größe des Vaterlandes teilzunehmen. Allein mit den Kräften meiner Seele und meines Geistes meistere ich das Leben, was ja immer nur heißt: sich selbst bemeistern, und schmeichle mir, mit meiner Arbeit die achtungsvolle Anteilnahme der gebildeten Öffentlichkeit erregt zu haben. Die führende Presse hat diese Arbeit zu schätzen gewußt, der Corriere della Sera erwies mir soviel Gerechtigkeit, mich ein Phänomen zu nennen, und in Rom hatte ich die Ehre, den Bruder des Duce unter den Besuchern eines der Abende zu sehen, die ich dort veranstaltete. Kleiner Gewohnheiten, die man mir an so glänzender und erhabener Stelle nachzusehen die Gewogenheit hatte, glaubte ich mich an einem vergleichsweise immerhin weniger bedeutenden Platz

wie Torre di Venere« (man lachte auf Kosten des armen
kleinen Torre) »nicht eigens entschlagen und nicht dulden zu
sollen, daß Personen, die durch die Gunst des weiblichen Geschlechtes etwas verwöhnt scheinen, sie mir verweisen.« Jetzt
hatte wieder der Bursche die Zeche zu zahlen, den Cipolla
nicht müde wurde in der Rolle des donnaiuolo und ländlichen
Hahnes im Korbe vorzuführen, – wobei die zähe Empfindlichkeit und Animosität, mit der er auf ihn zurückkam, in
auffälligem Mißverhältnis zu den Äußerungen seines Selbst-
gefühles und zu den mondänen Erfolgen stand, deren er sich
rühmte. Gewiß mußte der Jüngling einfach als Belustigungs-
thema herhalten, wie Cipolla sich jeden Abend eines heraus-
zugreifen und aufs Korn zu nehmen gewohnt sein mochte.
Aber es sprach aus seinen Spitzen doch auch echte Gehässig-
keit, über deren menschlichen Sinn ein Blick auf die Körperlichkeit beider belehrt haben würde, auch wenn der Verwachsene nicht beständig auf das ohne weiteres vorausgesetzte
Glück des hübschen Jungen bei den Frauen angespielt hätte.

»Damit wir also unsere Unterhaltung beginnen«, setzte er
hinzu, »erlauben Sie, daß ich es mir bequemer mache!«

Und er ging zum Kleiderständer, um abzulegen.

»Parla benissimo«, stellte man in unserer Nähe fest. Der
Mann hatte noch nichts geleistet, aber sein Sprechen allein
ward als Leistung gewürdigt, er hatte damit zu imponieren
gewußt. Unter Südländern ist die Sprache ein Ingredienz der
Lebensfreude, dem man weit lebhaftere gesellschaftliche
Schätzung entgegenbringt, als der Norden sie kennt. Es sind
vorbildliche Ehren, in denen das nationale Bindemittel der
Muttersprache bei diesen Völkern steht, und etwas heiter
Vorbildliches hat die genußreiche Ehrfurcht, mit der man
ihre Formen und Lautgesetze betreut. Man spricht mit Vergnügen, man hört mit Vergnügen – und man hört mit Urteil. Denn es gilt als Maßstab für den persönlichen Rang,
wie einer spricht; Nachlässigkeit, Stümperei erregen Verachtung, Eleganz und Meisterschaft verschaffen menschliches Ansehen, weshalb auch der kleine Mann, sobald es ihm um seine

Wirkung zu tun ist, sich in gewählten Wendungen versucht
und sie mit Sorgfalt gestaltet. In dieser Hinsicht also wenigstens hatte Cipolla sichtlich für sich eingenommen, obgleich er
keineswegs dem Menschenschlag angehörte, den der Italiener,
in eigentümlicher Mischung moralischen und ästhetischen Urteils, als »Simpatico« anspricht.

Nachdem er seinen Seidenhut, seinen Schal und Mantel ab-
getan, kam er, im Rock sich zurechtrückend, die mit großen
Knöpfen verschlossenen Manschetten hervorziehend und an
seiner Humbugschärpe ordnend, wieder nach vorn. Er hatte
sehr häßliches Haar, das heißt: sein oberer Schädel war fast
kahl, und nur eine schmale, schwarz gewichste Scheitelfrisur
lief, wie angeklebt, vom Wirbel nach vorn, während das Schläfenhaar, ebenfalls geschwärzt, seitlich zu den Augenwinkeln
hingestrichen war, – die Haartracht etwa eines altmodischen
Zirkusdirektors, lächerlich, aber durchaus zum ausgefallenen
Persönlichkeitsstil passend und mit so viel Selbstsicherheit
getragen, daß die öffentliche Empfindlichkeit gegen ihre Komik verhalten und stumm blieb. Der »kleine Leibesschaden«,
von dem er vorbeugend gesprochen hatte, war jetzt nur allzu
deutlich sichtbar, wenn auch immer noch nicht ganz klar nach
seiner Beschaffenheit: die Brust war zu hoch, wie gewohnt in
solchen Fällen, aber der Verdruß im Rücken schien nicht an
der gewohnten Stelle, zwischen den Schultern, zu sitzen, sondern tiefer, als eine Art Hüft- und Gesäßbuckel, der den
Gang zwar nicht behinderte, aber ihn grotesk und bei jedem
Schritt sonderbar ausladend gestaltete. Übrigens war der
Unzuträglichkeit durch ihre Erwähnung gleichsam die Spitze
abgebrochen worden, und zivilisiertes Feingefühl beherrschte
angesichts ihrer spürbar den Saal.

»Zu Ihren Diensten!« sagte Cipolla. »Ihr Einverständnis
vorausgesetzt, werden wir unser Programm mit einigen arith-
metischen Übungen beginnen.«

Arithmetik? Das sah nicht nach Zauberkunststücken aus.
Die Vermutung regte sich schon, daß der Mann unter falscher Flagge segelte; nur welches seine richtige war, blieb

undeutlich. Die Kinder begannen mir leid zu tun; aber für den Augenblick waren sie einfach glücklich, dabei zu sein.

Das Zahlenspiel, das Cipolla nun anstellte, war ebenso einfach wie durch seine Pointe verblüffend. Er fing damit an, ein Blatt Papier mit einem Reißstift an der oberen rechten Ecke der Tafel zu befestigen und, indem er es hochhob, mit Kreide etwas aufs Holz zu schreiben. Er redete unausgesetzt dabei, besorgt, seine Darbietungen durch immerwährende sprachliche Begleitung und Unterstützung vor Trockenheit zu bewahren, wobei er sich selbst ein zungengewandter und keinen Augenblick um einen plauderhaften Einfall verlegener Conférencier war. Daß er sogleich damit fortfuhr, die Kluft zwischen Podium und Zuschauerraum aufzuheben, die schon durch das sonderbare Geplänkel mit dem Fischerburschen überbrückt worden war; daß er also Vertreter des Publikums auf die Bühne nötigte und seinerseits über die hölzernen Stufen, die dort hinaufführten, herunterkam, um persönliche Berührung mit seinen Gästen zu suchen, gehörte zu seinem Arbeitsstil und gefiel den Kindern sehr. Ich weiß nicht, wieweit die Tatsache, daß er dabei sofort wieder in Häkeleien mit Einzelpersonen geriet, in seinen Absichten und seinem System lag, obgleich er sehr ernst und verdrießlich dabei blieb, – das Publikum, wenigstens in seinen volkstümlichen Elementen, schien jedenfalls der Meinung zu sein, daß dergleichen zur Sache gehöre.

Nachdem er nämlich ausgeschrieben und das Geschriebene unter dem Blatt Papier verheimlicht hatte, drückte er den Wunsch aus, zwei Personen möchten aufs Podium kommen, um beim Ausführen der bevorstehenden Rechnung behilflich zu sein. Das biete keine Schwierigkeiten, auch rechnerisch weniger Begabte seien ohne weiteres geeignet dazu. Wie gewöhnlich meldete sich niemand, und Cipolla hütete sich, den vornehmen Teil seines Publikums zu belästigen. Er hielt sich ans Volk und wandte sich an zwei lümmelstarke Burschen auf Stehplätzen im Hintergrunde des Saales, forderte sie heraus, sprach ihnen Mut zu, fand es tadelnswert, daß sie nur

müßig gaffen und der Gesellschaft sich nicht gefällig erweisen
wollten, und setzte sie wirklich in Bewegung. Mit plumpen
Tritten kamen sie durch den Mittelgang nach vorn, erstiegen
die Stufen und stellten sich, linkisch grinsend, unter den
Bravo-Rufen ihrer Kameradschaft vor der Tafel auf. Cipolla
scherzte noch ein paar Augenblicke mit ihnen, lobte die heroische Festigkeit ihrer Gliedmaßen, die Größe ihrer Hände,
die ganz geschaffen seien, der Versammlung den erbetenen
Dienst zu leisten, und gab dann dem einen den Kreidegriffel
in die Hand mit der Weisung, einfach die Zahlen nachzuschreiben, die ihm würden zugerufen werden. Aber der
Mensch erklärte, nicht schreiben zu können. »Non so scrivere«,
sagte er mit grober Stimme, und sein Genosse fügte hinzu:
»Ich auch nicht.«

Gott weiß, ob sie die Wahrheit sprachen oder sich nur über
Cipolla lustig machen wollten. Jedenfalls war dieser weit
entfernt, die Heiterkeit zu teilen, die ihr Geständnis erregte.
Er war beleidigt und angewidert. Er saß in diesem Augenblick mit übergeschlagenem Bein auf einem Strohstuhl in der
Mitte der Bühne und rauchte wieder eine Zigarette aus dem
billigen Bündel, die ihm sichtlich desto besser mundete, als er,
während die Trottel zum Podium stapften, einen zweiten
Kognak zu sich genommen hatte. Wieder ließ er den tief
eingezogenen Rauch zwischen den entblößten Zähnen ausströmen und blickte dabei, mit dem Fuße wippend, in strenger
Ablehnung, wie ein Mann, der sich vor einer durchaus ver-
ächtlichen Erscheinung auf sich selbst und seine Würde zu-
rückzieht, an den beiden fröhlichen Ehrlosen vorbei und
auch über das Publikum hinweg ins Leere.

»Skandalös«, sagte er kalt und verbissen. »Geht an eure
Plätze! Jedermann kann schreiben in Italien, dessen Größe der
Unwissenheit und Finsternis keinen Raum bietet. Es ist ein
schlechter Scherz, vor den Ohren dieser internationalen Gesellschaft eine Bezichtigung laut werden zu lassen, mit der ihr
nicht nur euch selbst erniedrigt, sondern auch die Regierung
und das Land dem Gerede aussetzt. Wenn wirklich Torre di

Venere der letzte Winkel des Vaterlandes sein sollte, in den die Unkenntnis der Elementarwissenschaften sich geflüchtet hat, so müßte ich bedauern, einen Ort aufgesucht zu haben, von dem mir allerdings bekannt sein mußte, daß er an Bedeutung hinter Rom in dieser und jener Beziehung zurücksteht ...«

Hier wurde er von dem Burschen mit der nubischen Haartracht und der Jacke über der Schulter unterbrochen, dessen Angriffslust, wie man nun sah, nur vorübergehend abgedankt hatte, und der sich erhobenen Hauptes zum Ritter seines Heimatstädtchens aufwarf.

»Genug!« sagte er laut. »Genug die Witze über Torre. Wir alle sind von hier und werden nicht dulden, daß man die Stadt vor den Fremden verhöhnt. Auch diese beiden Leute sind unsere Freunde. Wenn sie keine Gelehrten sind, so sind sie dafür rechtschaffenere Jungen als vielleicht mancher andere im Saal, der mit Rom prahlt, obgleich er es auch nicht gegründet hat.«

Das war ja ausgezeichnet. Der junge Mensch hatte wahrhaftig Haare auf den Zähnen. Man unterhielt sich bei dieser Art von Dramatik, obgleich sie den Eintritt ins eigentliche Programm mehr und mehr verzögerte. Einem Wortwechsel zuzuhören, ist immer fesselnd. Gewisse Menschen belustigt das einfach, und sie genießen aus einer Art von Schadenfreude ihr Nichtbeteiligtsein; andere empfinden Beklommenheit und Erregung, und ich verstehe sie sehr gut, wenn ich auch damals den Eindruck hatte, daß alles gewissermaßen auf Übereinkunft beruhte, und daß sowohl die beiden analphabetischen Dickhäuter wie auch der Giovanotto in der Jacke dem Künstler halb und halb zur Hand gingen, um Theater zu produzieren. Die Kinder lauschten mit vollem Genuß. Sie verstanden nichts, aber die Akzente hielten sie in Atem. Das war also ein Zauberabend, zum mindesten ein italienischer. Sie fanden es ausdrücklich sehr schön.

Cipolla war aufgestanden und mit zwei aus der Hüfte ladenden Schritten an die Rampe gekommen.

»Aber sieh ein bißchen!« sagte er mit grimmiger Herzlichkeit. »Ein alter Bekannter! Ein Jüngling, der das Herz auf der Zunge hat!« (Er sagte »sulla linguaccia«, was belegte Zunge heißt und große Heiterkeit hervorrief.) »Geht, meine Freunde!« wandte er sich an die beiden Tölpel. »Genug von euch, ich habe es jetzt mit diesem Ehrenmann zu tun, con questo torregiano di Venere, diesem Türmer der Venus, der sich zweifellos süßer Danksagungen versieht für seine Wachsamkeit . . .«

»Ah, non scherzamo! Reden wir ernst!« rief der Bursche. Seine Augen blitzten, und er machte wahrhaftig eine Bewegung, als wollte er die Jacke abwerfen und zur direktesten Auseinandersetzung übergehen.

Cipolla nahm das nicht tragisch. Anders als wir, die einander bedenklich ansahen, hatte der Cavaliere es mit einem Landsmann zu tun, hatte den Boden der Heimat unter den Füßen. Er blieb kalt, zeigte vollkommene Überlegenheit. Eine lächelnde Kopfbewegung seitlich gegen den Kampfhahn, den Blick ins Publikum gerichtet, rief dieses zum mitlächelnden Zeugen einer Rauflust auf, durch die der Gegner nur die Schlichtheit seiner Lebensform enthüllte. Und dann geschah abermals etwas Merkwürdiges, was jene Überlegenheit in ein unheimliches Licht setzte und die kriegerische Reizung, die von der Szene ausging, auf beschämende und unerklärliche Art ins Lächerliche zog.

Cipolla näherte sich dem Burschen noch mehr, wobei er ihm eigentümlich in die Augen sah. Er kam sogar die Stufen, die dort, links von uns, ins Auditorium führten, halbwegs herab, so daß er, etwas erhöht, dicht vor dem Streitbaren stand. Die Reitpeitsche hing an seinem Arm.

»Du bist nicht zu Scherzen aufgelegt, mein Sohn«, sagte er. »Das ist nur zu begreiflich, denn jedermann sieht, daß du nicht wohl bist. Schon deine Zunge, deren Reinheit zu wünschen übrigließ, deutete auf akute Unordnung des gastrischen Systems. Man sollte keine Abendunterhaltung besuchen, wenn man sich fühlt wie du, und du selbst, ich weiß es, hast ge-

schwankt, ob du nicht besser tätest, ins Bett zu gehen und dir
einen Leibwickel zu machen. Es war leichtsinnig, heute nachmittag so viel von diesem weißen Wein zu trinken, der schrecklich sauer war. Jetzt hast du die Kolik, daß du dich krümmen
möchtest vor Schmerzen. Tu's nur ungescheut! Es ist eine gewisse Linderung verbunden mit dieser Nachgiebigkeit des
Körpers gegen den Krampf der Eingeweide.«

Indem er dies Wort für Wort mit ruhiger Eindringlichkeit und einer Art strenger Teilnahme sprach, schienen seine
Augen, in die des jungen Menschen getaucht, über ihren Trä-
nensäcken zugleich welk und brennend zu werden, – es waren
sehr sonderbare Augen, und man verstand, daß sein Partner
nicht nur aus Mannesstolz die seinen nicht von ihnen lösen
mochte. Auch war von solchem Hochmut alsbald in seinem
bronzierten Gesicht nichts mehr zu bemerken. Er sah den
Cavaliere mit offenem Munde an, und dieser Mund lächelte
in seiner Offenheit verstört und kläglich.

»Krümme dich!« wiederholte Cipolla. »Was bleibt dir anderes übrig? Bei solcher Kolik muß man sich krümmen. Du
wirst dich doch gegen die natürliche Reflexbewegung nicht
sträuben, nur, weil man sie dir empfiehlt.«

Der junge Mann hob langsam die Unterarme, und während er sie anpressend über dem Leibe kreuzte, verbog sich sein
Körper, wandte sich seitlich vornüber, tiefer und tiefer, ging
bei verstellten Füßen und gegeneinandergekehrten Knien in
die Beuge, so daß er endlich, ein Bild verrenkter Pein, beinahe am Boden hockte. So ließ Cipolla ihn einige Sekunden
stehen, tat dann mit der Reitpeitsche einen kurzen Hieb durch
die Luft und kehrte ausladend zum Rundtischchen zurück,
wo er einen Kognak kippte.

»Il boit beaucoup«, stellte hinter uns eine Dame fest. War
das alles, was ihr auffiel? Es wollte uns nicht deutlich werden,
wie weit das Publikum schon im Bilde war. Der Bursche stand
wieder aufrecht, etwas verlegen lächelnd, als wüßte er nicht
so recht, wie ihm geschehen. Man hatte die Szene mit Spannung verfolgt und applaudierte ihr, als sie beendet war,

indem man sowohl »Bravo, Cipolla!« wie »Bravo, Giovanotto!« rief. Offenbar faßte man den Ausgang des Streites
nicht als persönliche Niederlage des jungen Menschen auf,
sondern ermunterte ihn wie einen Schauspieler, der eine
klägliche Rolle lobenswert durchgeführt hat. Wirklich war
seine Art, sich vor Leibschmerzen zu krümmen, höchst ausdrucksvoll, in ihrer Anschaulichkeit gleichsam für die Galerie
berechnet und sozusagen eine schauspielerische Leistung gewesen. Aber ich bin nicht sicher, wieweit das Verhalten des
Saales nur dem menschlichen Taktgefühl zuzuschreiben war,
in dem der Süden uns überlegen ist, und wieweit es auf eigentlicher Einsicht in das Wesen der Dinge beruhte.

Der Cavaliere, gestärkt, hatte sich eine frische Zigarette
angezündet. Der arithmetische Versuch konnte wieder in Angriff genommen werden. Ohne Schwierigkeit fand sich ein
junger Mann aus den hinteren Sitzreihen, der bereit war, dik-
tierte Ziffern auf die Tafel zu schreiben. Wir kannten ihn
auch; die ganze Unterhaltung gewann etwas Familiäres dadurch, daß man so viele Gesichter kannte. Er war der Ange-
stellte des Kolonialwaren- und Obstladens in der Hauptstraße und hatte uns mehrmals in guter Form bedient. Er
handhabe die Kreide mit kaufmännischer Gewandtheit, während Cipolla, zu unserer Ebene herabgestiegen, sich in seiner
verwachsenen Gangart durch das Publikum bewegte und
Zahlen einsammelte, zwei-, drei- und vierstellige nach freier
Wahl, die er den Befragten von den Lippen nahm, um sie
seinerseits dem jungen Krämer zuzurufen, der sie untereinander reihte. Dabei war alles, im wechselseitigen Einverständnis,
auf Unterhaltung, Jux, rednerische Abschweifung berechnet.
Es konnte nicht fehlen, daß der Künstler auf Fremde stieß,
die mit der inländischen Zahlsprache nicht fertig wurden,
und mit denen er sich lange auf hervorgekehrt ritterliche Art
bemühte, unter der höflichen Heiterkeit der Landeskinder,
die er dann wohl in Verlegenheit brachte, indem er sie nötigte,
englisch und französisch vorgebrachte Ziffern zu verdolmet-
schen. Einige nannten Zahlen, die große Jahre aus der italieni-

schen Geschichte bezeichneten. Cipolla erfaßte sie sofort und knüpfte im Weitergehen patriotische Betrachtungen daran. Jemand sagte »Zero!«, und der Cavaliere, streng beleidigt wie bei jedem Versuch, ihn zum Narren zu halten, erwiderte über die Schulter, das sei eine weniger als zweistellige Zahl, worauf ein anderer Spaßvogel »Null, null« rief und den Heiterkeitserfolg damit hatte, dessen die Anspielung auf natürliche Dinge unter Südländern gewiß sein kann. Der Cavaliere allein hielt sich würdig ablehnend, obgleich er die Anzüglichkeit geradezu herausgefordert hatte; doch gab er achselzuckend auch diesen Rechnungsposten dem Schreiber zu Protokoll.

Als etwa fünfzehn Zahlen in verschieden langen Gliedern auf der Tafel standen, verlangte Cipolla die gemeinsame Addition. Geübte Rechner möchten sie vor der Schrift im Kopfe vornehmen, aber es stand frei, Crayon und Taschenbuch zu Rate zu ziehen. Cipolla saß, während man arbeitete, auf seinem Stuhl neben der Tafel und rauchte grimassierend, mit dem selbstgefällig anspruchsvollen Gehaben des Krüppels. Die fünfstellige Summe war rasch bereit. Jemand teilte sie mit, ein anderer bestätigte sie, das Ergebnis eines dritten wich etwas ab, das des vierten stimmte wieder überein. Cipolla stand auf, klopfte sich etwas Asche vom Rock, lüftete das Blatt Papier an der oberen rechten Ecke der Tafel und ließ das dort von ihm Geschriebene sehen. Die richtige Summe, einer Million sich nähernd, stand schon da. Er hatte sie im voraus aufgezeichnet.

Staunen und großer Beifall. Die Kinder waren überwältigt. Wie er das gemacht habe, wollten sie wissen. Wir bedeuteten sie, das sei ein Trick, nicht ohne weiteres zu verstehen, der Mann sei eben ein Zauberkünstler. Nun wußten sie, was das war, die Soiree eines Taschenspielers. Wie erst der Fischer Leibschmerzen bekam und nun das fertige Resultat auf der Tafel stand, – es war herrlich, und wir sahen mit Besorgnis, daß es trotz ihrer heißen Augen und trotzdem die Uhr schon jetzt fast halb elf war, sehr schwer sein würde, sie wegzu-

bringen. Es würde Tränen geben. Und doch war klar, daß
dieser Bucklige nicht zauberte, wenigstens nicht im Sinne der
Geschicklichkeit, und daß dies gar nichts für Kinder war.
Wiederum weiß ich nicht, was eigentlich das Publikum sich
dachte; aber um die ‚freie Wahl‘ bei Bestimmung der Sum-
manden war es offenbar recht zweifelhaft bestellt gewesen;
dieser und jener der Befragten mochte wohl aus sich selbst
geantwortet haben, im ganzen aber war deutlich, daß Cipolla
sich seine Leute ausgesucht, und daß der Prozeß, abzielend auf
das vorgezeichnete Ergebnis, unter seinem Willen gestanden
hatte, – wobei immer noch sein rechnerischer Scharfsinn zu
bewundern blieb, wenn das andere sich der Bewunderung seltsam entzog. Dazu der Patriotismus und die reizbare Würde:
– die Landsleute des Cavaliere mochten sich bei alldem harmlos in ihrem Elemente fühlen und zu Späßen aufgelegt bleiben;
den von außen Kommenden mutete die Mischung beklemmend an.

Übrigens sorgte Cipolla selbst dafür, daß der Charakter
seiner Künste jedem irgendwie Wissenden unzweifelhaft
wurde, freilich ohne daß ein Name, ein Terminus fiel. Er
sprach wohl davon, denn er sprach immerwährend, aber nur
in unbestimmten, anmaßenden und reklamehaften Ausdrük-
ken. Er ging noch eine Weile auf dem eingeschlagenen experi-
mentellen Wege fort, machte die Rechnungen erst verwickelter,
indem er zur Zusammenzählung Übungen aus den anderen
Spezies fügte, und vereinfachte sie dann aufs äußerste, um
zu zeigen, wie es zuging. Er ließ einfach Zahlen ‚raten‘, die
er vorher unter das Blatt Papier geschrieben hatte. Es gelang fast immer. Jemand gestand, daß er eigentlich einen anderen Betrag habe nennen wollen; da aber im selben Augenblick die Reitpeitsche des Cavaliere vor ihm durch die Luft
gepfiffen sei, habe er sich die Zahl entschlüpfen lassen, die sich
dann auf der Tafel vorgefunden. Cipolla lachte mit den Schultern. Er heuchelte Bewunderung für das Ingenium der Befragten; aber diese Komplimente hatten etwas Höhnisches
und Entwürdigendes, ich glaube nicht, daß sie von den Ver-

suchspersonen angenehm empfunden wurden, obgleich sie
dazu lächelten und den Beifall teilweise zu ihren Gunsten
buchen mochten. Auch hatte ich nicht den Eindruck, daß der
Künstler bei seinem Publikum beliebt war. Eine gewisse Abneigung und Aufsässigkeit war durchzufühlen; aber von der
Höflichkeit zu schweigen, die solche Regungen im Zaum hielt,
verfehlten Cipolla's Können, seine strenge Sicherheit nicht,
Eindruck zu machen, und selbst die Reitpeitsche trug, meine
ich, etwas dazu bei, daß die Revolte im Unterirdischen blieb.

Vom bloßen Zahlenversuch kam er zu dem mit Karten. Es
waren zwei Spiele, die er aus der Tasche zog, und soviel weiß
ich noch, daß das Grund- und Musterbeispiel der Experimente, die er damit anstellte, dies war, daß er aus dem einen,
ungesehen, drei Karten wählte, die er in der Innentasche
seines Gehrocks verbarg, und daß dann die Versuchsperson
aus dem vorgehaltenen zweiten Spiel eben diese drei Karten
zog, — nicht immer vollkommen die richtigen; es kam vor,
daß nur zweie stimmten, aber in der Mehrzahl der Fälle
triumphierte Cipolla, wenn er seine drei Blätter veröffentlichte, und dankte leicht für den Beifall, mit dem man wohl
oder übel die Kräfte anerkannte, die er bewährte. Ein junger
Herr in vorderster Reihe, rechts von uns, mit stolz geschnit-
tenem Gesicht, Italiener, meldete sich und erklärte, er sei entschlossen, nach klarem Eigenwillen zu wählen und sich jeder
wie immer gearteten Beeinflussung bewußt entgegenzustem-
men. Wie Cipolla sich unter diesen Umständen den Ausgang
denke. — »Sie werden mir«, antwortete der Cavaliere, »damit
meine Aufgabe etwas erschweren. An dem Ergebnis wird Ihr
Widerstand nichts ändern. Die Freiheit existiert, und auch
der Wille existiert; aber die Willensfreiheit existiert nicht,
denn ein Wille, der sich auf seine Freiheit richtet, stößt ins
Leere. Sie sind frei, zu ziehen oder nicht zu ziehen. Ziehen
Sie aber, so werden Sie richtig ziehen, — desto sicherer, je
eigensinniger Sie zu handeln versuchen.«

Man mußte zugeben, daß er seine Worte nicht besser hätte
wählen können, um die Wasser zu trüben und seelische Ver-

wirrung anzurichten. Der Widerspenstige zögerte nervös, bevor er zugriff. Er zog eine Karte und verlangte sofort zu sehen, ob sie unter den verborgenen sei. »Aber wie?« verwunderte sich Cipolla. »Warum halbe Arbeit tun?« Da jedoch der Trotzige auf dieser Vorprobe bestand: – »E servito«, sagte der Gaukler mit ungewohnt lakaienhafter Gebärde und zeigte, ohne selbst hinzusehen, sein Dreiblatt fächerförmig vor. Die links steckende Karte war die gezogene.

Der Freiheitskämpfer setzte sich zornig, unter dem Beifall des Saales. Wieweit Cipolla die mit ihm geborenen Gaben auch noch durch mechanische Tricks und Behendigkeitsmittelchen unterstützte, mochte der Teufel wissen. Eine solche Verquickung angenommen, vereinigte die ungebundene Neugier aller sich jedenfalls im Genuß einer phänomenalen Unterhaltung und in der Anerkennung einer Berufstüchtigkeit, die niemand leugnete. »Lavora bene!« Wir hörten die Feststellung da und dort in unserer Nähe, und sie bedeutete den Sieg sachlicher Gerechtigkeit über Antipathie und stille Empörung.

Vor allem, nach seinem letzten, fragmentarischen, doch eben dadurch nur desto eindrucksvolleren Erfolge, hatte Cipolla sich wieder mit einem Kognak gestärkt. In der Tat, er »trank viel«, und das war etwas schlimm zu sehen. Aber er brauchte Likör und Zigarette offenbar zur Erhaltung und Erneuerung seiner Spannkraft, an die, er hatte es selbst angedeutet, in mehrfacher Beziehung starke Ansprüche gestellt wurden. Wirklich sah er schlecht aus zwischenein, hohläugig und verfallen. Das Gläschen brachte das jeweils ins gleiche, und seine Rede lief danach, während der eingeatmete Rauch ihm grau aus der Lunge sprudelte, belebt und anmaßend. Ich weiß bestimmt, daß er von den Kartenkunststücken zu jener Art von Gesellschaftsspielen überging, die auf über- oder untervernünftigen Fähigkeiten der menschlichen Natur, auf Intuition und ,magnetischer' Übertragung, kurzum auf einer niedrigen Form der Offenbarung beruhen. Nur die intimere Reihenfolge seiner Leistungen weiß ich nicht mehr. Auch langweile ich Sie nicht mit der Schilderung dieser Versuche; jeder kennt sie, jeder hat einmal daran teilgenommen, an diesem Auffinden versteckter Gegenstände, diesem blinden Ausführen zusammengesetzter Handlungen, zu dem die Anweisung auf unerforschtem Wege, von Organismus zu Organismus ergeht. Jeder hat auch dabei seine kleinen, neugierig-verächtlichen und kopfschüttelnden Einblicke in den zweideutig-unsauberen und unentwirrbaren Charakter des Okkulten getan, das in der Menschlichkeit seiner Träger immer dazu neigt, sich mit Humbug und nachhelfender Mogelei vexatorisch zu vermischen, ohne daß dieser Einschlag etwas gegen die Echtheit anderer Bestandteile des bedenklichen Amalgams bewiese. Ich sage nur, daß alle Verhältnisse natürlich sich verstärken, der Eindruck nach jeder Seite an Tiefe gewinnt, wenn ein Cipolla Leiter und Hauptakteur des dunklen Spieles ist. Er saß, den Rücken gegen das Publikum gekehrt, im Hintergrunde des Podiums und rauchte, während irgendwo im Saale unterderhand die Vereinbarungen getroffen wurden, denen er gehorchen, der Gegenstand von Hand zu Hand ging, den er aus seinem Versteck ziehen und mit dem er Vorbestimmtes ausführen sollte. Es war das typische bald getrieben zustoßende, bald lauschend stockende Vorwärtstasten, Fehltappen und sich mit jäh eingegebener Wendung Verbessern, das er zu beobachten gab, wenn er an der Hand eines wissenden Führers, der angewiesen war, sich körperlich rein folgsam zu verhalten, aber seine Gedanken auf das Verabredete zu richten, sich zurückgelegten Hauptes und mit vorgestreckter Hand im Zickzack durch den Saal bewegte. Die Rollen schienen vertauscht, der Strom ging in umgekehrter Richtung, und der Künstler wies in immer fließender Rede ausdrücklich darauf hin. Der leidende, empfangende, der ausführende Teil, dessen Wille ausgeschaltet war, und der einen stummen in der Luft liegenden Gemeinschaftswillen vollführte, war nun er, der solange gewollt und befohlen hatte; aber er betonte, daß es auf eins hinauslaufe. Die Fähigkeit, sagte er, sich seiner selbst zu entäußern, zum Werkzeug zu werden, im unbedingtesten und voll-

kommensten Sinne zu gehorchen, sei nur die Kehrseite jener
anderen, zu wollen und zu befehlen; es sei ein und dieselbe
Fähigkeit; Befehlen und Gehorchen, sie bildeten zusammen
nur ein Prinzip, eine unauflösliche Einheit; wer zu gehorchen
wisse, der wisse auch zu befehlen, und ebenso umgekehrt;
der eine Gedanke sei in dem anderen einbegriffen, wie Volk
und Führer ineinander einbegriffen seien, aber die Leistung,
die äußerst strenge und aufreibende Leistung, sei jedenfalls
seine, des Führers und Veranstalters, in welchem der Wille
Gehorsam, der Gehorsam Wille werde, dessen Person die
Geburtsstätte beider sei, und der es also sehr schwer habe.
Er betonte dies stark und oft, daß er es außerordentlich
schwer habe, wahrscheinlich um seine Stärkungsbedürftigkeit
und das häufige Greifen zum Gläschen zu erklären.

Er tappte seherisch umher, geleitet und getragen vom
öffentlichen, geheimen Willen. Er zog eine steinbesetzte
Nadel aus dem Schuh einer Engländerin, wo man sie verborgen hatte, trug sie stockend und getrieben zu einer anderen
Dame – es war Signora Angiolieri – und überreichte sie ihr
kniefällig mit vorbestimmten und, wenn auch naheliegenden,
so doch nicht leicht zu treffenden Worten; denn sie waren
auf Französisch verabredet worden. »Ich mache Ihnen ein
Geschenk zum Zeichen meiner Verehrung!« hatte er zu sagen,
und uns schien, als läge Bosheit in der Härte dieser Bedingung; ein Zwiespalt drückte sich darin aus zwischen dem
Interesse am Gelingen des Wunderbaren und dem Wunsch,
der anspruchsvolle Mann möchte eine Niederlage erleiden.
Aber sehr merkwürdig war es, wie Cipolla, auf den Knien
vor Mme. Angiolieri, unter versuchenden Reden um die Erkenntnis des ihm Aufgegebenen rang. »Ich muß etwas sagen«,
äußerte er, »und ich fühle deutlich, was es zu sagen gilt.
Dennoch fühle ich zugleich, daß es falsch würde, wenn ich es
über die Lippen ließe. Hüten Sie sich, mir mit irgendeinem
unwillkürlichen Zeichen zu Hilfe zu kommen!« rief er aus,
obgleich oder weil zweifellos gerade dies es war, worauf er
hoffte ... »Pensez très fort!« rief er auf einmal in schlechtem

Französisch und sprudelte dann den befohlenen Satz zwar auf Italienisch hervor, aber so, daß er das Schluß- und Hauptwort plötzlich in die ihm wahrscheinlich ganz ungeläufige Schwestersprache fallen ließ und statt »venerazione« »vénération« mit einem unmöglichen Nasal am Ende sagte, – ein Teilerfolg, der nach den schon vollendeten Leistungen, dem Auffinden der Nadel, dem Gang zur Empfängerin und dem Kniefall, fast eindrucksvoller wirkte, als der restlose Sieg es getan hätte, und bewunderungsvollen Beifall hervorrief.

Cipolla trocknete sich aufstehend den Schweiß von der Stirn. Sie verstehen, daß ich nur ein Beispiel seiner Arbeit gab, indem ich von der Nadel erzählte, – es ist mir besonders im Gedächtnis geblieben. Aber er wandelte die Grundform mehrfach ab und durchflocht diese Versuche, so daß viel Zeit darüber verging, mit Improvisationen verwandter Art, zu denen die Berührung mit dem Publikum ihm auf Schritt und Tritt verhalf. Namentlich von der Person unserer Wirtin schien Eingebung auf ihn auszugehen; sie entlockte ihm verblüffende Wahrsagungen. »Es entgeht mir nicht, Signora«, sagte er zu ihr, »daß es mit Ihnen eine besondere und ehrenvolle Bewandtnis hat. Wer zu sehen weiß, der erblickt um Ihre reizende Stirn einen Schein, der, wenn mich nicht alles täuscht, einst stärker war als heute, einen langsam verbleichenden Schein ... Kein Wort! Helfen Sie mir nicht! An Ihrer Seite sitzt Ihr Gatte – nicht wahr«, wandte er sich an den stillen Herrn Angiolieri, »Sie sind der Gatte dieser Dame, und Ihr Glück ist vollkommen. Aber in dieses Glück hinein ragen Erinnerungen ... fürstliche Erinnerungen ... Das Vergangene, Signora, spielt in Ihrem gegenwärtigen Leben, wie mir scheint, eine bedeutende Rolle. Sie kannten einen König ... hat nicht ein König in vergangenen Tagen Ihren Lebensweg gekreuzt?«

»Doch nicht«, hauchte die Spenderin unserer Mittagssuppe, und ihre braungoldenen Augen schimmerten in der Edelblässe ihres Gesichtes.

»Doch nicht? Nein, kein König, ich sprach gleichsam nur

im rohen und unreinen. Kein König, kein Fürst, – aber
dennoch ein Fürst, ein König höherer Reiche. Ein großer
Künstler war es, an dessen Seite Sie einst ... Sie wollen mir
widersprechen, und doch können Sie es nicht mit voller Entschiedenheit, können es nur zur Hälfte tun. Nun denn! es
war eine große, eine weltberühmte *Künstlerin*, deren Freundschaft Sie in zarter Jugend genossen, und deren heiliges Gedächtnis Ihr ganzes Leben überschattet und verklärt ... Den
Namen? Ist es nötig, Ihnen den Namen zu nennen, dessen
Ruhm sich längst mit dem des Vaterlandes verbunden hat
und mit ihm unsterblich ist? Eleonora Duse«, schloß er leise
und feierlich.

Die kleine Frau nickte überwältigt in sich hinein. Der
Applaus glich einer nationalen Kundgebung. Fast jedermann
im Saale wußte von Frau Angiolieri's bedeutender Vergangenheit und vermochte also die Intuition des Cavaliere
zu würdigen, voran die anwesenden Gäste der Casa Eleonora.
Es fragte sich nur, wieviel er selbst davon gewußt, beim ersten
berufsmäßigen Umhorchen nach seiner Ankunft in Torre
davon in Erfahrung gebracht haben mochte ... Aber ich habe
gar keinen Grund, Fähigkeiten, die ihm vor unseren Augen
zum Verhängnis wurden, rationalistisch zu verdächtigen ...

Vor allem gab es nun eine Pause, und unser Gebieter zog
sich zurück. Ich gestehe, daß ich mich vor diesem Punkte
meines Berichtes gefürchtet habe, fast seit ich zu erzählen
begann. Die Gedanken der Menschen zu lesen, ist meistens
nicht schwer, und hier ist es sehr leicht. Unfehlbar werden
Sie mich fragen, warum wir nicht endlich weggegangen
seien, – und ich muß Ihnen die Antwort schuldig bleiben.
Ich verstehe es nicht und weiß mich tatsächlich nicht zu
verantworten. Es muß damals bestimmt schon mehr als elf
Uhr gewesen sein, wahrscheinlich noch später. Die Kinder
schliefen. Die letzte Versuchsserie war für sie recht langweilig gewesen, und so hatte die Natur es leicht, ihr Recht
zu erkämpfen. Sie schliefen auf unseren Knien, die Kleine
auf den meinen, der Junge auf denen der Mutter. Das war

einerseits tröstlich, dann aber doch auch wieder ein Grund
zum Erbarmen und eine Mahnung, sie in ihre Betten zu
bringen. Ich versichere, daß wir ihr gehorchen wollten, dieser
rührenden Mahnung, es ernstlich wollten. Wir weckten die
armen Dinger mit der Versicherung, nun sei es entschieden die
höchste Zeit zur Heimkehr. Aber ihr flehentlicher Widerstand
begann mit dem Augenblick ihrer Selbstbesinnung, und Sie
wissen, daß der Abscheu von Kindern gegen das vorzeitige
Verlassen einer Unterhaltung nur zu brechen, nicht zu überwinden ist. Es sei herrlich beim Zauberer, klagten sie, wir
wüßten nicht, was noch kommen solle, man müsse wenigstens abwarten, womit er nach der Pause beginnen werde,
sie schliefen gern zwischendurch ein bißchen, aber nur nicht
nach Hause, nur nicht ins Bett, während der schöne Abend
hier weitergehe!

Wir gaben nach, wenn auch, soviel wir wußten, nur für den
Augenblick, für eine Weile noch, vorläufig. Zu entschuldigen
ist es nicht, daß wir blieben, und es zu erklären fast ebenso
schwer. Glaubten wir B sagen zu müssen, nachdem wir A
gesagt und irrtümlicherweise die Kinder überhaupt hierher
gebracht hatten? Ich finde das ungenügend. Unterhielten wir
selbst uns denn? Ja und nein, unsere Gefühle für Cavaliere
Cipolla waren höchst gemischter Natur, aber das waren, wenn
ich nicht irre, die Gefühle des ganzen Saales, und dennoch
ging niemand weg. Unterlagen wir einer Faszination, die von
diesem auf so sonderbare Weise sein Brot verdienenden
Manne auch neben dem Programm, auch zwischen den Kunst-
stücken ausging und unsere Entschlüsse lähmte? Ebensogut
mag die bloße Neugier in Rechnung zu stellen sein. Man
möchte wissen, wie ein Abend sich fortsetzen wird, der so
begonnen hat, und übrigens hatte Cipolla seinen Abgang mit
Ankündigungen begleitet, die darauf schließen ließen, daß er
seinen Sack keineswegs geleert habe und eine Steigerung der
Effekte zu erwarten sei.

Aber das alles ist es nicht, oder es ist nicht alles. Das rich-
tigste wäre die Frage, warum wir jetzt nicht gingen, mit der

anderen zu beantworten, warum wir vorher Torre nicht verlassen hatten. Das ist meiner Meinung nach ein und dieselbe Frage, und um mich herauszuwinden, könnte ich einfach sagen, ich hätte sie schon beantwortet. Es ging hier geradeso merkwürdig und spannend, geradeso unbehaglich, kränkend und bedrückend zu wie in Torre überhaupt, ja, mehr als geradeso: dieser Saal bildete den Sammelpunkt aller Merkwürdigkeit, Nichtgeheuerlichkeit und Gespanntheit, womit uns die Atmosphäre des Aufenthaltes geladen schien; dieser Mann, dessen Rückkehr wir erwarteten, dünkte uns die Personifikation von alldem; und da wir im großen nicht ,abgereist' waren, wäre es unlogisch gewesen, es sozusagen im kleinen zu tun. Nehmen Sie das als Erklärung unserer Seßhaftigkeit an oder nicht! Etwas Besseres weiß ich einfach nicht vorzubringen. –

Es gab also eine Pause von zehn Minuten, aus denen annähernd zwanzig wurden. Die Kinder, wach geblieben und entzückt von unserer Nachgiebigkeit, wußten sie vergnüglich auszufüllen. Sie nahmen ihre Beziehungen zur volkstümlichen Sphäre wieder auf, zu Antonio, zu Guiscardo, zu dem Manne der Paddelboote. Sie riefen den Fischern durch die hohlen Hände Wünsche zu, deren Wortlaut sie von uns eingeholt hatten: »Morgen viele Fischchen!« »Ganz voll die Netze!« Sie riefen zu Mario, dem Kellnerburschen vom ,Esquisito', hinüber: »Mario, una cioccolata e biscotti!« Und er gab acht diesmal und antwortete lächelnd: »Subito!« Wir bekamen Gründe, dies freundliche und etwas zerstreut melancholische Lächeln im Gedächtnis zu bewahren.

So ging die Pause herum, der Gongschlag ertönte, das in Plauderei gelöste Publikum sammelte sich, die Kinder rückten sich begierig auf ihren Stühlen zurecht, die Hände im Schoß. Die Bühne war offengeblieben. Cipolla betrat sie ausladenden Schrittes und begann sofort, die zweite Folge seiner Darbietungen conférencemäßig einzuleiten.

Lassen Sie mich zusammenfassen: Dieser selbstbewußte Verwachsene war der stärkste Hypnotiseur, der mir in meinem Leben vorgekommen. Wenn er der Öffentlichkeit über die Natur seiner Vorführungen Sand in die Augen gestreut und sich als Geschicklichkeitskünstler angekündigt hatte, so hatten damit offenbar nur polizeiliche Bestimmungen umgangen werden sollen, die eine gewerbsmäßige Ausübung dieser Kräfte grundsätzlich verpönten. Vielleicht ist die formale Verschleierung in solchen Fällen landesüblich und amtlich geduldet oder halb geduldet. Jedenfalls hatte der Gaukler praktisch aus dem wahren Charakter seiner Wirkungen von Anfang an wenig Hehl gemacht, und die zweite Hälfte seines Programms nun war ganz offen und ausschließlich auf den Spezialversuch, die Demonstration der Willensentziehung und -aufnötigung, gestellt, wenn auch rein rednerisch immer noch die Umschreibung herrschte. In einer langwierigen Serie komischer, aufregender, erstaunlicher Versuche, die um Mitternacht noch in vollem Gange waren, bekam man vom Unscheinbaren bis zum Ungeheuerlichen alles zu sehen, was dies natürlich-unheimliche Feld an Phänomenen zu bieten hat, und den grotesken Einzelheiten folgte ein lachendes, kopfschüttelndes, sich aufs Knie schlagendes, applaudierendes Publikum, das deutlich im Bann einer Persönlichkeit von strenger Selbstsicherheit stand, obgleich es, wie mir wenigstens schien, nicht ohne widerspenstiges Gefühl für das eigentümlich Entehrende war, das für den einzelnen und für alle in Cipolla's Triumphen lag.

Zwei Dinge spielten die Hauptrolle bei diesen Triumphen: das Stärkungsgläschen und die Reitpeitsche mit dem Klauengriff. Das eine mußte immer wieder dazu dienen, seiner Dämonie einzuheizen, da sonst, wie es schien, Erschöpfung gedroht hätte; und das hätte menschlich besorgt stimmen können um den Mann, wenn nicht das andere, dies beleidigende Symbol seiner Herrschaft, gewesen wäre, diese pfeifende Fuchtel, unter die seine Anmaßung uns alle stellte, und deren Mitwirkung weicherer Empfindungen als die einer verwunderten und vertrotzten Unterwerfung nicht aufkommen ließ. Vermißte er sie? Beanspruchte er auch noch unser Mitgefühl?

Wollte er alles haben? Eine Äußerung von ihm prägte sich
mir ein, die auf solche Eifersucht schließen ließ. Er tat sie,
als er, auf dem Höhepunkt seiner Experimente, einen jungen
Menschen, der sich ihm zur Verfügung gestellt und sich längst
als besonders empfängliches Objekt dieser Einflüsse erwiesen,
durch Striche und Anhauch vollkommen kataleptisch gemacht
hatte, dergestalt, daß er den in Tiefschlaf Gebannten nicht
nur mit Nacken und Füßen auf die Lehne zweier Stühle legen,
sondern sich ihm auch auf den Leib setzen konnte, ohne daß
der brettstarre Körper nachgab. Der Anblick des Unholds
im Salonrock, hockend auf der verholzten Gestalt, war un-
glaubwürdig und scheußlich, und das Publikum, in der Vorstellung, daß das Opfer dieser wissenschaftlichen Kurzweil
leiden müsse, äußerte Erbarmen. »Poveretto!« »Armer Kerl!«
riefen gutmütige Stimmen. »Poveretto!« höhnte Cipolla erbittert. »Das ist falsch adressiert, meine Herrschaften! Sono
io, il poveretto! Ich bin es, der das alles duldet.« Man steckte
die Lehre ein. Gut, er selbst mochte es sein, der die Kosten
der Unterhaltung trug und der vorstellungsweise auch die
Leibschmerzen auf sich genommen haben mochte, von denen
der Giovanotto die erbärmliche Grimasse lieferte. Aber der
Augenschein sprach dagegen, und man ist nicht aufgelegt,
Poveretto zu jemandem zu sagen, der für die Entwürdigung
der anderen leidet.

Ich habe vorgegriffen und die Reihenfolge ganz beiseite
geworfen. Mein Kopf ist noch heute voll von Erinnerungen
an des Cavaliere Duldertaten, nur weiß ich nicht mehr Ordnung darin zu halten, und es kommt auf sie auch nicht an.
Soviel aber weiß ich, daß die großen und umständlichen, die
am meisten Beifall fanden, mir weniger Eindruck machten
als gewisse kleine und rasch vorübergehende. Das Phänomen
des Jungen als Sitzbank kam mir soeben nur der daran ge-
knüpften Zurechtweisung wegen gleich in den Sinn ... Daß
aber eine ältere Dame, auf einem Strohstuhl schlafend, von
Cipolla in die Illusion gewiegt wurde, sie mache eine Reise
nach Indien, und aus der Trance sehr beweglich von ihren

Abenteuern zu Wasser und zu Lande kündete, beschäftigte
mich viel weniger, und ich fand es weniger toll, als daß,
gleich nach der Pause, ein hoch und breit gebauter Herr
militärischen Ansehens den Arm nicht mehr heben konnte,
nur weil der Bucklige ihm ankündigte, er werde es nicht
mehr tun können, und einmal seine Reitpeitsche dazu durch
die Luft pfeifen ließ. Ich sehe noch immer das Gesicht dieses
schnurrbärtig stattlichen Colonnello vor mir, dies lächelnde
Zähnezusammenbeißen im Ringen nach einer eingebüßten
Verfügungsfreiheit. Was für ein konfuser Vorgang! Er schien
zu wollen und nicht zu können; aber er konnte wohl nur
nicht wollen, und es waltete da jene die Freiheit lähmende
Verstrickung des Willens in sich selbst, die unser Bändiger vorhin schon dem römischen Herrn höhnisch vorausgesagt hatte.

Noch weniger vergesse ich in ihrer rührenden und geisterhaften Komik die Szene mit Frau Angiolieri, deren ätherische
Widerstandslosigkeit gegen seine Macht der Cavaliere gewiß
schon bei seiner ersten dreisten Umschau im Saale erspäht
hatte. Er zog sie durch pure Behexung buchstäblich von ihrem
Stuhl empor, aus ihrer Reihe heraus mit sich fort, und dabei
hatte er, um sein Licht besser leuchten zu lassen, Herrn
Angiolieri aufgegeben, seine Frau mit Vornamen zu rufen,
gleichsam um das Gewicht seines Daseins und seiner Rechte
in die Waagschale zu werfen und mit der Stimme des Gatten
alles in der Seele der Gefährtin wachzurufen, was ihre Tugend
gegen bösen Zauber zu schützen vermochte. Doch wie vergeblich geschah es! Cipolla, in einiger Entfernung von dem
Ehepaar, ließ einmal seine Peitsche pfeifen, mit der Wirkung,
daß unsere Wirtin heftig zusammenzuckte und ihm ihr Gesicht zuwandte. »Sofronia!« rief Herr Angiolieri schon hier
(wir hatten gar nicht gewußt, daß Frau Angiolieri Sofronia
mit Vornamen hieß), und mit Recht begann er zu rufen, denn
jedermann sah, daß Gefahr im Verzuge war: seiner Gattin
Antlitz blieb unverwandt gegen den verfluchten Cavaliere
gerichtet. Dieser nun, die Peitsche ans Handgelenk gehängt,
begann mit allen seinen zehn langen und gelben Fingern

winkende und ziehende Bewegungen gegen sein Opfer zu vollführen und schrittweise rückwärts zu gehen. Da stieg Frau Angiolieri in schimmernder Blässe von ihrem Sitze auf, wandte sich ganz nach der Seite des Beschwörers und fing an, ihm nachzuschweben. Geisterhafter und fataler Anblick! Mondsüchtigen Ausdrucks, die Arme steif, die schönen Hände etwas aus dem Gelenk erhoben und wie mit geschlossenen Füßen schien sie langsam aus ihrer Bank herauszugleiten, dem ziehenden Verführer nach ... »Rufen Sie, mein Herr, rufen Sie doch!« mahnte der Schreckliche. Und Herr Angiolieri rief mit schwacher Stimme: »Sofronia!« Ach, mehrmals rief er es noch, hob sogar, da sein Weib sich mehr und mehr von ihm entfernte, eine hohle Hand zum Munde und winkte mit der andern beim Rufen. Aber ohnmächtig verhallte die arme Stimme der Liebe und Pflicht im Rücken einer Verlorenen, und in mondsüchtigem Gleiten, berückt und taub, schwebte Frau Angiolieri dahin, in den Mittelgang, ihn entlang, gegen den fingernden Buckligen, auf die Ausgangstür zu. Der Eindruck war zwingend und vollkommen, daß sie ihrem Meister, wenn dieser gewollt hätte, so bis ans Ende der Welt gefolgt wäre.

»Accidente!« rief Herr Angiolieri in wirklichem Schrecken und sprang auf, als die Saaltür erreicht war. Aber im selben Augenblick ließ der Cavaliere den Siegeskranz gleichsam fallen und brach ab. »Genug, Signora, ich danke Ihnen«, sagte er und bot der aus Wolken zu sich Kommenden mit komödiantischer Ritterlichkeit den Arm, um sie Herrn Angiolieri wieder zuzuführen. »Mein Herr«, begrüßte er diesen, »hier ist Ihre Gemahlin! Unversehrt, nebst meinem Komplimenten, liefere ich sie in Ihre Hände zurück. Hüten Sie mit allen Kräften Ihrer Männlichkeit einen Schatz, der so ganz der Ihre ist, und befeuern Sie Ihre Wachsamkeit durch die Einsicht, daß es Mächte gibt, die stärker als Vernunft und Tugend und nur ausnahmsweise mit der Hochherzigkeit der Entsagung gepaart sind!«

Der arme Herr Angiolieri, still und kahl! Er sah nicht aus,

als ob er sein Glück auch nur gegen minder dämonische
Mächte zu schützen gewußt hätte, als diejenigen waren, die
hier zum Schrecken auch noch den Hohn fügten. Gravitätisch
und gebläht kehrte der Cavaliere aufs Podium zurück unter
einem Beifall, dem seine Beredsamkeit doppelte Fülle verliehen hatte. Namentlich durch diesen Sieg, wenn ich mich
nicht irre, war seine Autorität auf einen Grad gestiegen, daß
er sein Publikum tanzen lassen konnte, – ja, tanzen. Das ist
ganz wörtlich zu verstehen, und es brachte eine gewisse Aus-
artung, ein gewisses spätnächtliches Drunter und Drüber der
Gemüter, eine trunkene Auflösung der kritischen Widerstände mit sich, die so lange dem Wirken des unangenehmen
Mannes entgegengestanden waren. Freilich hatte er um die
Vollendung seiner Herrschaft hart zu kämpfen, und zwar
gegen die Aufsässigkeit des jungen römischen Herrn, dessen
moralische Versteifung ein dieser Herrschaft gefährliches
öffentliches Beispiel abzugeben drohte. Gerade auf die Wichtigkeit des Beispiels aber verstand sich der Cavaliere, und
klug genug, den Ort des geringsten Widerstandes zum An-
griffspunkt zu wählen, ließ er die Tanzorgie durch jenen
schwächlichen und zur Entgeisterung geeigneten Jüngling ein-
leiten, den er vorhin schon stocksteif gemacht hatte. Dieser
hatte eine Art, sobald ihn der Meister nur mit dem Blicke
anfuhr, wie vom Blitz getroffen den Oberkörper zurück-
zuwerfen und, Hände an der Hosennaht, in einen Zustand
von militärischem Somnambulismus zu verfallen, daß seine
Erbötigkeit zu jedem Unsinn, den man ihm auferlegen würde,
von vornherein in die Augen sprang. Auch schien er in der
Hörigkeit sich ganz zu behagen und seine armselige Selbst-
bestimmung gern los zu sein; denn immer wieder bot er sich
als Versuchsobjekt an und setzte sichtlich seine Ehre darein,
ein Musterbeispiel prompter Entseelung und Willenlosigkeit
zu bieten. Auch jetzt stieg er aufs Podium, und nur eines
Luftstreiches der Peitsche bedurfte es, um ihn nach der Weisung des Cavaliere dort oben Step tanzen zu lassen, das heißt
in einer Art von wohlgefälliger Ekstase mit geschlossenen

Augen und wiegendem Kopf seine dürftigen Glieder nach allen Seiten zu schleudern.

Offenbar war es vergnüglich, und es dauerte nicht lange, bis er Zuzug fand und zwei weitere Personen, ein schlicht und ein gut gekleideter Jüngling, zu seinen beiden Seiten den Step vollführten. Hier nun war es, daß der Herr aus Rom sich meldete und trotzig anfragte, ob der Cavaliere sich einheischig mache, ihn tanzen zu lehren, auch wenn er nicht wolle.

»Auch wenn Sie nicht wollen!« antwortete Cipolla in einem Ton, der mir unvergeßlich ist. Ich habe dies fürchterliche »Anche se non vuole!« noch immer im Ohr. Und dann also begann der Kampf. Cipolla, nachdem er ein Gläschen genommen und sich eine frische Zigarette angezündet, stellte den Römer irgendwo im Mittelgang auf, das Gesicht der Ausgangstür zugewandt, nahm selbst in einiger Entfernung hinter ihm Aufstellung und ließ seine Peitsche pfeifen, indem er befahl: »Balla!« Sein Gegner rührte sich nicht. »Balla!« wiederholte der Cavaliere mit Bestimmtheit und schnippte. Man sah, wie der junge Mann den Hals im Kragen rückte und wie gleichzeitig eine seiner Hände sich aus dem Gelenke hob, eine seiner Fersen sich auswärts kehrte. Bei solchen Anzeichen einer zuckenden Versuchung aber, Anzeichen, die jetzt sich verstärkten, jetzt wieder zur Ruhe gebracht wurden, blieb es lange Zeit. Niemand verkannte, daß hier ein vorgefaßter Entschluß zum entschiedenen Widerstande, eine heroische Hartnäckigkeit zu besiegen waren; dieser Brave wollte die Ehre des Menschengeschlechtes heraushauen, er zuckte, aber er tanzte nicht, und der Versuch zog sich so sehr in die Länge, daß der Cavaliere genötigt war, seine Aufmerksamkeit zu teilen; hier und da wandte er sich nach der Bühne und den dort Zappelnden um und ließ seine Peitsche gegen sie pfeifen, um sie in Zucht zu halten, nicht ohne, seitwärts sprechend, das Publikum darüber zu belehren, daß jene Ausgelassenen nachher keinerlei Ermüdung empfinden würden, so lange sie auch tanzten, denn nicht sie seien es eigentlich, die es täten, sondern er. Dann bohrte er wieder

den Blick in den Nacken des Römers, die Willensfeste zu be-
rennen, die sich seiner Herrschaft entgegenstellte.

Man sah sie unter seinen immer wiederholten Hieben und
unentwegten Anrufen wanken, diese Feste, – sah es mit einer
sachlichen Anteilnahme, die von affekthaften Einschlägen,
von Bedauern und grausamer Genugtuung nicht frei war.
Verstand ich den Vorgang recht, so unterlag dieser Herr der
Negativität seiner Kampfposition. Wahrscheinlich kann man
vom Nichtwollen seelisch nicht leben; eine Sache nicht tun
wollen, das ist auf die Dauer kein Lebensinhalt; etwas nicht
wollen und überhaupt nicht mehr wollen, also das Geforderte
dennoch tun, das liegt vielleicht zu benachbart, als daß nicht
die Freiheitsidee dazwischen ins Gedränge geraten müßte, und
in dieser Richtung bewegten sich denn auch die Zureden, die
der Cavaliere zwischen Peitschenhiebe und Befehle einflocht,
indem er Einwirkungen, die sein Geheimnis waren, mit verwirrend psychologischen mischte. »Balla!« sagte er. »Wer
wird sich so quälen? Nennst du es Freiheit – diese Ver-
gewaltigung deiner selbst? Una ballatina! Es reißt dir ja an
allen Gliedern. Wie gut wird es sein, ihnen endlich den Willen
zu lassen! Da, du tanzest ja schon! Das ist kein Kampf mehr,
das ist bereits das Vergnügen!« – So war es, das Zucken und
Zerren im Körper des Widerspenstigen nahm überhand, er
hob die Arme, die Knie, auf einmal lösten sich alle seine Gelenke, er warf die Glieder, er tanzte, und so führte der Cavaliere ihn, während die Leute klatschten, aufs Podium, um ihn
den anderen Hampelmännern anzureihen. Man sah nun das
Gesicht des Unterworfenen, es war dort oben veröffentlicht.
Er lächelte breit, mit halb geschlossenen Augen, während er
sich ‚vergnügte‘. Es war eine Art von Trost, zu sehen, daß
ihm offenbar wohler war jetzt als zur Zeit seines Stolzes . . .

Man kann sagen, daß sein ‚Fall‘ Epoche machte. Mit ihm
war das Eis gebrochen, Cipolla's Triumph auf seiner Höhe;
der Stab der Kirke, diese pfeifende Ledergurte mit Klauengriff herrschte unumschränkt. Zu dem Zeitpunkt, den ich im
Sinne habe, und der ziemlich weit nach Mitternacht gelegen

gewesen sein muß, tanzten auf der kleinen Bühne acht oder
zehn Personen, aber auch im Saale selbst gab es allerlei Beweglichkeit, und eine Angelsächsin mit Zwicker und langen
Zähnen war, ohne daß der Meister sich auch nur um sie gekümmert hätte, aus ihrer Reihe hervorgekommen, um im
Mittelgang eine Tarantella aufzuführen. Cipolla unterdessen
saß in lässiger Haltung auf einem Strohstuhl links auf dem
Podium, verschlang den Rauch einer Zigarette und ließ ihn
durch seine häßlichen Zähne arrogant wieder ausströmen.
Fußwippend und zuweilen mit den Schultern lachend blickte
er in die Gelöstheit des Saales und ließ von Zeit zu Zeit, halb
rückwärts, die Peitsche gegen den Zappler pfeifen, der im
Vergnügen nachlassen wollte. Die Kinder waren wach um
diese Zeit. Ich erwähne sie mit Beschämung. Hier war nicht
gut sein, für sie am wenigsten, und daß wir sie immer noch
nicht fortgeschafft hatten, kann ich mir nur mit einer gewissen
Ansteckung durch die allgemeine Fahrlässigkeit erklären, von
der zu dieser Nachtstunde auch wir ergriffen waren. Es war
nun schon alles einerlei. Übrigens und gottlob fehlte ihnen
der Sinn für das Anrüchige dieser Abendunterhaltung. Ihre
Unschuld entzückte sich immer aufs neue an der außerordentlichen Erlaubnis, einem solchen Spektakel, der Soiree des
Zauberkünstlers, beizuwohnen. Immer wieder hatten sie
viertelstundenweise auf unseren Knien geschlafen und lachten
nun mit roten Backen und trunkenen Augen von Herzen über
die Sprünge, die der Herr des Abends die Leute machen ließ.
Sie hatten es sich so lustig nicht gedacht, sie beteiligten sich
mit ungeschickten Händchen freudig an jedem Applaus. Aber
vor Lust hüpften sie nach ihrer Art von den Stühlen empor,
als Cipolla ihrem Freunde Mario, Mario vom ‚Esquisito‘,
winkte, – ihm winkte, recht wie es im Buche steht, indem er
die Hand vor die Nase hielt und abwechselnd den Zeigefinger
lang aufrichtete und zum Haken krümmte.

Mario gehorchte. Ich sehe ihn noch die Stufen hinauf zum
Cavaliere steigen, der dabei immer fortfuhr, in jener grotesk-
musterhaften Art mit dem Zeigefinger zu winken. Einen

Augenblick hatte der junge Mensch gezögert, auch daran erinnere ich mich genau. Er hatte während des Abends mit verschränkten Armen oder die Hände in den Taschen seiner Jacke im Seitengange an einem Holzpfeiler gelehnt, links von uns, dort, wo auch der Giovanotto mit der kriegerischen Haartracht stand, und war den Darbietungen, soviel wir gesehen hatten, aufmerksam, aber ohne viel Heiterkeit und Gott weiß mit wieviel Verständnis gefolgt. Zu guter Letzt noch zur Mittätigkeit angehalten zu werden, war ihm sichtlich nicht angenehm. Dennoch war es nur begreiflich, daß er dem Winken folgte. Das lag schon in seinem Beruf; und außerdem war es wohl eine seelische Unmöglichkeit, daß ein schlichter Bursche wie er dem Zeichen eines so im Erfolg thronenden Mannes, wie Cipolla es zu dieser Stunde war, hätte den Gehorsam verweigern sollen. Gern oder ungern, er löste sich also von seinem Pfeiler, dankte denen, die, vor ihm stehend und sich umschauend, ihm den Weg zum Podium freigaben, und stieg hinauf, ein zweifelndes Lächeln um seine aufgeworfenen Lippen.

Stellen Sie ihn sich vor als einen untersetzt gebauten Jungen von zwanzig Jahren mit kurzgeschorenem Haar, niedriger Stirn und zu schweren Lidern über Augen, deren Farbe ein unbestimmtes Grau mit grünen und gelben Einschlägen war. Das weiß ich genau, denn wir hatten oft mit ihm gesprochen. Das Obergesicht mit der eingedrückten Nase, die einen Sattel von Sommersprossen trug, trat zurück gegen das untere, von den dicken Lippen beherrschte, zwischen denen beim Sprechen die feuchten Zähne sichtbar wurden, und diese Wulstlippen verliehen zusammen mit der Verhülltheit der Augen seiner Physiognomie eine primitive Schwermut, die gerade der Grund gewesen war, weshalb wir von jeher etwas übriggehabt hatten für Mario. Von Brutalität des Ausdrucks konnte keine Rede sein; dem hätte schon die ungewöhnliche Schmalheit und Feinheit seiner Hände widersprochen, die selbst unter Südländern als nobel auffielen, und von denen man sich gern bedienen ließ.

Wir kannten ihn menschlich, ohne ihn persönlich zu kennen, wenn Sie mir die Unterscheidung erlauben wollen. Wir sahen ihn fast täglich und hatten eine gewisse Teilnahme gefaßt für seine träumerische, leicht in Geistesabwesenheit sich verlierende Art, die er in hastigem Übergang durch eine besondere Dienstfertigkeit korrigierte; sie war ernst, höchstens durch die Kinder zum Lächeln zu bringen, nicht mürrisch, aber unschmeichlerisch, ohne gewollte Liebenswürdigkeit, oder vielmehr: sie verzichtete auf Liebenswürdigkeit, sie machte sich offenbar keine Hoffnung, zu gefallen. Seine Figur wäre uns auf jeden Fall im Gedächtnis geblieben, eine der unscheinbaren Reiseerinnerungen, die man besser behält als manche erheblichere. Von seinen Umständen aber wußten wir nichts weiter, als daß sein Vater ein kleiner Schreiber im Municipio und seine Mutter Wäscherin war.

Die weiße Jacke, in der er servierte, kleidete ihn besser als der verschossene Complet aus dünnem, gestreiftem Stoff, in dem er jetzt da hinaufstieg, keinen Kragen um den Hals, sondern ein geflammtes Seidentuch, über dessen Enden die Jacke geschlossen war. Er trat an den Cavaliere heran, aber dieser hörte nicht auf, seinen Fingerhaken vor der Nase zu bewegen, so daß Mario noch näher treten mußte, neben die Beine des Gewaltigen, unmittelbar an den Stuhlsitz heran, worauf Cipolla ihn mit gespreizten Ellbogen anfaßte und ihm eine Stellung gab, daß wir sein Gesicht sehen konnten. Er musterte ihn lässig, herrscherlich und heiter von oben bis unten.

»Was ist das, ragazzo mio?« sagte er. »So spät machen wir Bekanntschaft? Dennoch kannst du mir glauben, daß ich die deine längst gemacht habe ... Aber ja, ich habe dich längst ins Auge gefaßt und mich deiner vortrefflichen Eigenschaften versichert. Wie konnte ich dich wieder vergessen? So viele Geschäfte, weißt du ... Sag mir doch, wie nennst du dich? Nur den Vornamen will ich wissen.«

»Mario heiße ich«, antwortete der junge Mensch leise.

»Ah, Mario, sehr gut. Doch, der Name kommt vor. Ein verbreiteter Name. Ein antiker Name, einer von denen, die

die heroischen Überlieferungen des Vaterlandes wach erhalten.
Bravo. Salve!« Und er streckte Arm und flache Hand aus seiner schiefen Schulter zum römischen Gruß schräg aufwärts.
Wenn er etwas betrunken war, so konnte das nicht wundernehmen, aber er sprach nach wie vor sehr klar akzentuiert
und geläufig, wenn auch um diese Zeit in sein ganzes Gehaben
und auch in den Tonfall seiner Worte etwas Sattes und Pascha-
haftes, etwas von Räkelei und Übermut eingetreten war.

»Also denn, mein Mario«, fuhr er fort, »es ist schön, daß du
heute abend gekommen bist und noch dazu ein so schmuckes
Halstuch angelegt hast, das dir exzellent zu Gesichte steht und
dir bei den Mädchen nicht wenig zustatten kommen wird, den
reizenden Mädchen von Torre di Venere . . .«

Von den Stehplätzen her, ungefähr von dort, wo auch Mario
gestanden hatte, ertönte ein Lachen, – es war der Giovanotto
mit der Kriegsfrisur, der es ausstieß, er stand dort mit seiner
geschulterten Jacke und lachte »Haha!« recht roh und höhnisch.

Mario zuckte, glaube ich, die Achseln. Jedenfalls zuckte er.
Vielleicht war es eigentlich ein Zusammenzucken und die Bewegung der Achseln nur eine halb nachträgliche Verkleidung
dafür, mit der er bekunden wollte, daß das Halstuch sowohl
wie das schöne Geschlecht ihm gleichgültig seien.

Der Cavaliere blickte flüchtig hinunter.

»Um den da kümmern wir uns nicht«, sagte er, »er ist eifersüchtig, wahrscheinlich auf die Erfolge deines Tuches bei den
Mädchen, vielleicht auch, weil wir uns hier oben so freundschaftlich unterhalten, du und ich . . . Wenn er will, erinnere
ich ihn an seine Kolik. Das kostet mich gar nichts. Sage ein
bißchen, Mario: Du zerstreust dich heute abend . . . Und am
Tage bedienst du also in einem Kurzwarengeschäft?«

»In einem Café«, verbesserte der Junge.

»Vielmehr in einem Café! Da hat der Cipolla einmal da-
nebengehauen. Ein Cameriere bist du, ein Schenke, ein Ganymed, – das lasse ich mir gefallen, noch eine antike Erinnerung,
– salvietta!« Und dazu streckte der Cavaliere zum Gaudium
des Publikums aufs neue grüßend den Arm aus.

Auch Mario lächelte. »Früher aber«, flocht er dann recht-
licherweise ein, »habe ich einige Zeit in Portoclemente in
einem Laden bedient!« Es war in seiner Bemerkung etwas von
dem menschlichen Wunsch, einer Wahrsagung nachzuhelfen,
ihr Zutreffendes abzugewinnen.

»Also, also! In einem Laden für Kurzwaren!«

»Es gab dort Kämme und Bürsten«, erwiderte Mario ausweichend.

»Sagte ich's nicht, daß du nicht immer ein Ganymed warst,
nicht immer mit der Serviette bedient hast? Noch wenn der
Cipolla danebenhaut, tut er's auf vertrauenerweckende Weise.
Sage, hast du Vertrauen zu mir?«

Unbestimmte Bewegung.

»Eine halbe Antwort«, stellte der Cavaliere fest. »Man gewinnt zweifellos schwer dein Vertrauen. Selbst mir, ich sehe
es wohl, gelingt das nicht leicht. Ich bemerke in deinem Gesicht einen Zug von Verschlossenheit, von Traurigkeit, un
tratto di malinconia ... Sage mir doch«, und er ergriff zu-
redend Mario's Hand, »hast du Kummer?«

»Nossignore!« antwortete dieser rasch und bestimmt.

»Du hast Kummer«, beharrte der Gaukler, diese Bestimmtheit autoritär überbietend. »Das sollte ich nicht sehen? Mach
du dem Cipolla etwas weis! Selbstverständlich sind es die
Mädchen, ein Mädchen ist es. Du hast Liebeskummer.«

Mario schüttelte lebhaft den Kopf. Gleichzeitig erklang
neben uns wieder das brutale Lachen des Giovanotto. Der
Cavaliere horchte hin. Seine Augen gingen irgendwo in der
Luft umher, aber er hielt dem Lachen das Ohr hin und ließ
dann, wie schon ein- oder zweimal während seiner Unterhaltung mit Mario, die Reitpeitsche halb rückwärts gegen sein
Zappelkorps pfeifen, damit keiner im Eifer erlahme. Dabei
aber wäre sein Partner ihm fast entschlüpft, denn in plötz-
lichem Aufzucken wandte dieser sich von ihm ab und den
Stufen zu. Er war rot um die Augen. Cipolla hielt ihn gerade
noch fest.

»Halt da!« sagte er. »Das wäre. Du willst ausreißen, Gany-

med, im besten Augenblick oder dicht vor dem besten? Hier
geblieben, ich verspreche dir schöne Dinge. Ich verspreche dir,
dich von der Grundlosigkeit deines Kummers zu überzeugen.
Dieses Mädchen, das du kennst und das auch andere kennen,
diese – wie heißt sie gleich? Warte! Ich lese den Namen in
deinen Augen, er schwebt mir auf der Zunge, und auch du
bist, sehe ich, im Begriffe, ihn auszusprechen . . .«

»Silvestra!« rief der Giovanotto von unten.

Der Cavaliere verzog keine Miene.

»Gibt es nicht vorlaute Leute?« fragte er, ohne hinunterzu-
blicken, vielmehr wie in ungestörter Zwiesprache mit Mario.
»Gibt es nicht überaus vorlaute Hähne, die zur Zeit und
Unzeit krähen? Da nimmt er uns den Namen von den Lippen,
dir und mir, und glaubt wohl noch, der Eitle, ein besonderes
Anrecht auf ihn zu besitzen! Lassen wir ihn! Die Silvestra
aber, deine Silvestra, ja, sage einmal, das ist ein Mädchen,
was?! Ein wahrer Schatz! Das Herz steht einem still, wenn
man sie gehen, atmen, lachen sieht, so reizend ist sie. Und ihre
runden Arme, wenn sie wäscht und dabei den Kopf in den
Nacken wirft und das Haar aus der Stirn schüttelt! Ein Engel
des Paradieses!«

Mario starrte ihn mit vorgeschobenem Kopfe an. Er schien
seine Lage und das Publikum vergessen zu haben. Die roten
Flecken um seine Augen hatten sich vergrößert und wirkten
wie aufgemalt. Ich habe das selten gesehen. Seine dicken Lippen standen getrennt.

»Und er macht dir Kummer, dieser Engel«, fuhr Cipolla
fort, »oder vielmehr, du machst dir Kummer um ihn . . . Das
ist ein Unterschied, mein Lieber, ein schwerwiegender Unterschied, glaube mir! In der Liebe gibt es Mißverständnisse, –
man kann sagen, daß das Mißverständnis nirgends so sehr zu
Hause ist wie hier. Du wirst meinen, was versteht der Cipolla
von der Liebe, er mit seinem kleinen Leibesschaden? Irrtum,
er versteht gar viel davon, er versteht sich auf eine umfassende
und eindringliche Weise auf sie, es empfiehlt sich, ihm in ihren
Angelegenheiten Gehör zu schenken! Aber lassen wir den

Cipolla, lassen wir ihn ganz aus dem Spiel, und denken wir
nur an Silvestra, deine reizende Silvestra! Wie? Sie sollte
irgendeinem krähenden Hahn vor dir den Vorzug geben, so
daß er lachen kann und du weinen mußt? Den Vorzug vor
dir, einem so gefühlvollen und sympathischen Burschen? Das
ist wenig wahrscheinlich, das ist unmöglich, wir wissen es besser, der Cipolla und sie. Wenn ich mich an ihre Stelle versetze,
siehst du, und die Wahl habe zwischen so einem geteerten
Lümmel, so einem Salzfisch und Meeresobst – und einem
Mario, einem Ritter der Serviette, der sich unter den Herrschaften bewegt, der den Fremden gewandt Erfrischungen
reicht und mich liebt mit wahrem, heißem Gefühl, – meiner
Treu, so ist die Entscheidung meinem Herzen nicht schwer
gemacht, so weiß ich wohl, wem ich es schenken soll, wem
ganz allein ich es längst schon errötend geschenkt habe. Es ist
Zeit, daß er's sieht und begreift, mein Erwählter! Es ist Zeit,
daß du mich siehst und erkennst, Mario, mein Liebster ...
Sage, wer bin ich?«

Es war greulich, wie der Betrüger sich lieblich machte, die
schiefen Schultern kokett verdrehte, die Beutelaugen schmach-
ten ließ und in süßlichem Lächeln seine splittrigen Zähne
zeigte. Ach, aber was war während seiner verblendenden
Worte aus unserem Mario geworden? Es wird mir schwer, es
zu sagen, wie es mir schwer wurde, es zu sehen, denn das war
eine Preisgabe des Innigsten, die öffentliche Ausstellung ver-
zagter und wahnhaft beseligter Leidenschaft. Er hielt die
Hände vorm Munde gefaltet, seine Schultern hoben und senkten sich in gewaltsamen Atemzügen. Gewiß traute er vor
Glück seinen Augen und Ohren nicht und vergaß eben nur das
eine dabei, daß er ihnen wirklich nicht trauen durfte. »Silvestra!« hauchte er überwältigt, aus tiefster Brust.

»Küsse mich!« sagte der Bucklige. »Glaube, daß du es
darfst! Ich liebe dich. Küsse mich hierher«, und er wies mit
der Spitze des Zeigefingers, Hand, Arm und kleinen Finger
wegspreizend, an seine Wange, nahe dem Mund. Und Mario
neigte sich und küßte ihn.

Es war recht still im Saale geworden. Der Augenblick war grotesk, ungeheuerlich und spannend, – der Augenblick von Mario's Seligkeit. Was hörbar wurde in dieser argen Zeitspanne, in der alle Beziehungen von Glück und Illusion sich dem Gefühle aufdrängten, war, nicht gleich am Anfang, aber sogleich nach der traurigen und skurrilen Vereinigung von Mario's Lippen mit dem abscheulichen Fleisch, das sich seiner Zärtlichkeit unterschob, das Lachen des Giovanotto zu unserer Linken, das sich einzeln aus der Erwartung löste, brutal, schadenfroh und dennoch, ich hätte mich sehr täuschen müssen, nicht ohne einen Unterton und Einschlag von Erbarmen mit so viel verträumtem Nachteil, nicht ganz ohne das Mitklingen jenes Rufes »Poveretto!«, den der Zauberer vorhin für falsch gerichtet erklärt und für sich selbst in Anspruch genommen hatte.

Zugleich aber auch schon, während noch dies Lachen erklang, ließ der oben Geliebkoste unten, neben dem Stuhlbein, die Reitpeitsche pfeifen, und Mario, geweckt, fuhr auf und zurück. Er stand und starrte, hintübergebogenen Leibes, drückte die Hände an seine mißbrauchten Lippen, eine über der anderen, schlug sich dann mit den Knöcheln beider mehrmals gegen die Schläfen, machte kehrt und stürzte, während der Saal applaudierte und Cipolla, die Hände im Schoß gefaltet, mit den Schultern lachte, die Stufen hinunter. Unten, in voller Fahrt, warf er sich mit auseinandergerissenen Beinen herum, schleuderte den Arm empor, und zwei flach schmetternde Detonationen durchschlugen Beifall und Gelächter.

Alsbald trat Lautlosigkeit ein. Selbst die Zappler kamen zur Ruhe und glotzten verblüfft. Cipolla war mit einem Satz vom Stuhle aufgesprungen. Er stand da mit abwehrend seitwärtsgestreckten Armen, als wollte er rufen: ‚Halt! Still! Alles weg von mir! Was ist das?!‘, sackte im nächsten Augenblick mit auf die Brust kugelndem Kopf auf den Sitz zurück und fiel im übernächsten seitlich davon herunter, zu Boden, wo er liegen blieb, reglos, ein durcheinandergeworfenes Bündel Kleider und schiefer Knochen.

Der Tumult war grenzenlos. Damen verbargen in Zuckungen das Gesicht an der Brust ihrer Begleiter. Man rief nach einem Arzt, nach der Polizei. Man stürmte das Podium. Man warf sich im Gedränge auf Mario, um ihn zu entwaffnen, ihm die kleine, stumpfmetallne, kaum pistolenförmige Maschinerie zu entwinden, die ihm in der Hand hing, und deren fast nicht vorhandenen Lauf das Schicksal in so unvorhergesehene und fremde Richtung gelenkt hatte.

Wir nahmen – nun also doch – die Kinder und zogen sie an dem einschreitenden Karabiniere-Paar vorüber gegen den Ausgang. »War das auch das Ende?« wollten sie wissen, um sicherzugehen ... »Ja, das war das Ende«, bestätigten wir ihnen. Ein Ende mit Schrecken, ein höchst fatales Ende. Und ein befreiendes Ende dennoch, – ich konnte und kann nicht umhin, es so zu empfinden!

DIE VERTAUSCHTEN KÖPFE

Eine indische Legende

1

Die Geschichte der schönhüftigen Sita, Tochter des aus Kriegerblut stammenden Kuhzüchters Sumantra, und ihrer beiden Gatten (wenn man so sagen darf) stellt, blutig und sinnverwirrend wie sie ist, die höchsten Anforderungen an die Seelenstärke des Lauschenden und an sein Vermögen, den grausamen Gaukeleien der Maya des Geistes Spitze zu bieten. Es wäre zu wünschen, daß die Zuhörer sich an der Festigkeit des Überliefernden ein Beispiel nähmen, denn fast mehr Mut noch gehört dazu, eine solche Geschichte zu erzählen, als sie zu vernehmen. Von Anfang bis zu Ende trug sie sich aber zu, wie folgt.

Zu der Zeit, als Erinnerung in den Seelen der Menschen emporstieg, wie wenn ein Opfergefäß sich vom Fuße her langsam mit Rauschtrank füllte oder mit Blut; als der Schoß strenger Herrenfrömmigkeit sich dem Samen des Ur-Vorherigen öffnete, Heimweh nach der Mutter alte Sinnbilder mit verjüngten Schauern umgab und die Pilgerzüge anschwellen ließ, die im Frühjahr zu den Wohnhäusern der großen Weltamme drängten: zu dieser Zeit hielten zwei Jünglinge, wenig verschieden an Jahren und Kastenzugehörigkeit, aber sehr ungleich nach ihrer Verkörperung, enge Freundschaft. Der jüngere von ihnen hieß Nanda, der etwas ältere Schridaman. Jener war achtzehn Jahre alt, dieser schon einundzwanzig, und beide waren, je an ihrem Tage, mit der heiligen Schnur umgürtet und in die Gemeinschaft der Zweimalgeborenen aufgenommen worden. Beheimatet waren sie in demselben Tempeldorfe, mit Namen ‚Wohlfahrt der Kühe‘, und hingesiedelt vorzeiten auf Fingerzeig der Götter an seiner Stätte im Lande Kosala. Es war mit einer Kaktushecke und einer Holzmauer umhegt, von deren nach den vier Himmelsgegenden gerichteten Toren ein wandernder Wesenserkenner und Eingeweihter der Göttin Rede, der kein unrichtiges Wort sprach und im Dorf gespeist worden war, den Segens-Ausspruch getan hatte, daß ihre Pfosten und Querbalken von Honig und Butter tröffen.

Die Freundschaft der beiden Jünglinge beruhte auf der Unterschiedlichkeit ihrer Ich- und Mein-Gefühle, von denen die des einen nach denen des anderen trachteten. Einkörperung nämlich schafft Vereinzelung, Vereinzelung schafft Verschiedenheit, Verschiedenheit schafft Vergleichung, Vergleichung schafft Unruhe, Unruhe schafft Verwunderung, Verwunderung schafft Bewunderung, Bewunderung aber Verlangen nach Austausch und Vereinigung. Etad vai tad. Dieses ist das. Und auf die Jugend zumal trifft die Lehre zu, wenn der Ton des Lebens noch weich ist und die Ich- und Mein-Gefühle noch nicht erstarrt sind in der Zersplitterung des Einen.

Der Jüngling Schridaman war ein Kaufmann und eines Kaufmanns Sohn, Nanda dagegen zugleich ein Schmied und ein Kuhhirt, da sein Vater Garga sowohl den Hammer führte und den Vogelfittich zur Auffachung des Feuers wie auch Hornvieh unterhielt im Pferch und auf der Weide. Schridamans Erzeuger betreffend, Bhavabhûti mit Namen, so leitete er seine Geburt in der männlichen Linie aus einem vedakundigen Brahmanengeschlechte her, was Garga und sein Sohn Nanda weit entfernt waren zu tun. Dennoch waren auch sie keine Shûdra, sondern gehörten, obgleich etwas ziegennasig, durchaus der menschlichen Gesellschaft an. Auch war für Schridaman und schon für Bhavabhûti das Brahmanentum nur noch eine Erinnerung, denn der Vater dieses bereits war auf der Lebensstufe des Hausvaters, welche auf die des Lernenden folgt, mit Bewußtsein stehengeblieben und hatte sein Leben lang die des Einsiedlers und des Asketen nicht beschritten. Er hatte es verschmäht, nur von frommen Gaben zu leben, die seiner Vedakundigkeit gezollt wurden, oder war nicht satt davon worden, und hatte einen würdigen Handel aufgetan

mit Mull, Kampfer, Sandel, Seide und Zitz. So war auch der
Sohn, den er sich zum Opferdienste erzeugt, ein Wânidja oder
Kaufmann geworden an der Dorfstätte ‚Wohlfahrt der Kühe‘,
und dessen Sohn wieder, Schridaman eben, war in dieselben
Fußstapfen getreten, nicht ohne einige Knabenjahre hindurch
unter der Obhut eines Guru und geistlichen Meisters der Grammatik, der Sternenkunde und den Grundelementen der Wesensbetrachtung gewidmet zu haben.

Nicht also Nanda, des Garga Sohn. Sein Karman war anders, und nie hatte er, durch Überlieferung und Blutsmischung
dazu angehalten, sich mit Geistigem abgegeben, sondern war
wie er war, ein Sohn des Volks und von lustiger Einfalt, eine
Krischna-Erscheinung, denn er war dunkel nach Haut und
Haaren, und sogar die Locke ‚Glückskalb‘ hatte er auf der
Brust. Vom Schmiedehandwerk hatte er die wackeren Arme
und vom Hirtentum noch weiterhin ein gutes Gepräge; denn
sein Körper, den er mit Senföl zu salben und mit Ketten wilder Blumen, auch mit Goldschmuck zu behängen liebte, war
wohlgestalt, entsprechend seinem netten bartlosen Gesicht, das
allenfalls, wie erwähnt, etwas ziegennasig war und gewissermaßen auch wulstlippig, aber beides auf einnehmende Art,
und seine schwarzen Augen pflegten zu lachen.

Dies alles gefiel Schridaman bei der Vergleichung mit sich
selbst, der um mehrere Schattierungen heller war als Nanda
an Haupt und Gliedern und auch eine abweichende Gesichts-
bildung aufwies. Der Rücken seiner Nase war dünn wie Mes-
serschneide, und Augen hatte er, sanft von Stern und Lid,
dazu einen weichen fächerförmigen Bart um die Wangen.
Weich waren auch seine Glieder und nicht geprägt von
Schmiede- und Hirtenwerk, vielmehr teils brahmanenmäßig,
teils kaufmannshaft: mit schmaler, etwas schwammiger Brust
und einigem Schmer um das Bäuchlein, – übrigens untadelig,
mit feinen Knien und Füßen. Es war ein Körper, wie er wohl
einem edlen und wissenden Haupt, welches bei dem Ganzen
eben die Hauptsache, als Zubehör und Anhängsel dient, wo-
hingegen bei dem ganzen Nanda sozusagen der Körper die

Hauptsache war und der Kopf bloß ein nettes Zubehör. Alles in allem waren die beiden wie Schiwa, wenn er sich verdoppelt und einmal als bärtiger Asket der Göttin wie tot zu Füßen liegt, einmal aber, ihr aufrecht zugewandt, als blühende Jünglingsgestalt die Glieder dehnt.

Da sie jedoch nicht eins waren wie Schiwa, der Leben und Tod, Welt und Ewigkeit ist in der Mutter, sondern zweierlei darstellten hienieden, so waren sie einander wie Schaubilder. Eines jeden Mein-Gefühl langweilte sich an sich selbst, und ob auch wissend, daß alles ja doch nur aus Mängeln besteht, lugten sie nach einander um ihrer Verschiedenheit willen. Schridaman, mit seinem feinen Mund im Barte, fand Gefallen an der urwüchsigen Krischna-Natur des wulstigen Nanda; und dieser, teils geschmeichelt hiervon, teils auch, und noch mehr, weil Schridamans hellere Farbe, sein edles Haupt und seine richtige Rede, welche bekanntlich mit Weisheit und Wesenserkenntnis Hand in Hand geht und von Anbeginn damit verschmolzen ist, ihm großen Eindruck machten, kannte seinerseits nichts Lieberes als den Umgang mit jenem, so daß sie unzertrennliche Freunde wurden. Allerdings war in der Zuneigung eines jeden für den anderen auch einiger Spott enthalten, insofern als Nanda sich über Schridamans hellen Schmer, dünne Nase und richtige Rede, Schridaman dagegen über Nanda's Ziegennasigkeit und nette Popularität sich unterderhand auch wieder etwas lustig machte. Aber diese Art innere Spötterei ist meistens in Vergleichung und Unruhe einschlägig und bedeutet einen Tribut an das Ich- und Mein-Gefühl, welches dem weiter daraus erwachsenden Maya-Verlangen nicht im geringsten Abbruch tut.

2

Es geschah nun aber zur lieblichen, von Vogellärm durchtönten Jahreszeit des Frühlings, daß Nanda und Schridaman zusammen eine Fußreise taten über Land, ein jeder aus beson-

derem Anlaß. Nanda hatte von seinem Vater Garga den Auftrag erhalten, ein Quantum Roherz einzuhandeln von einer
gewissen Gruppe tiefstehender, nur mit Schilf geschürzter
Leute, die gewohnt und geschickt waren, solches aus dem
Eisenstein zu schmelzen, und mit denen Nanda zu reden
wußte. Sie wohnten in Kralen, einige Tagereisen westlich von
der Heimat der Freunde, unweit des städtischen Kuruksheta,
das seinerseits etwas nördlich vom volkreichen Indraprastha
am Strome Djamna gelegen ist, und wo Schridaman zu tun
hatte. Denn er sollte bei einem dortigen Geschäftsfreunde seines Hauses, der ebenfalls ein auf der Stufe des Hausvaters
verharrender Brahmane war, eine Partie bunter Gespinste,
die die Frauen daheim aus feinem Faden gewoben, mit mög-
lichstem Vorteil eintauschen gegen Reis-Stampfer und eine
Art besonders praktischer Feuerhölzer, an denen zu ‚Wohlfahrt der Kühe‘ Knappheit eingetreten war.

Als sie nun schon einen Tag und einen halben gereist waren,
unter Menschen auf Landstraßen wie auch allein durch Wälder und Einöden, wobei jeder seine Wegeslast auf dem Rücken
trug: Nanda einen Kasten mit Betelnüssen, Kaurimuscheln
und auf Bastpapier aufgetragenem Alta-Rot zum Schminken
der Fußsohlen, womit er das Roherz der Tiefstehenden zu
bezahlen gedachte, und Schridaman die in ein Rehfell ein-
genähten Gespinste, die aber Nanda aus Freundschaft auch
zuweilen noch aufhuckte, kamen sie an einen heiligen Badeplatz Kâlî's, der Allumfangenden, der Mutter aller Welten
und Wesen, die Vischnu's Traumtrunkenheit ist, am Flüßchen
‚Goldfliege‘, das fröhlich wie eine losgelassene Stute aus der
Berge Schoß kommt, dann aber seinen Lauf mäßigt und an
heiliger Stelle sanft mit dem Strome Djamna zusammenfließt,
der seinerseits an überheiliger Stelle in die ewige Ganga mündet, – diese aber mündet vielfach ins Meer. Zahlreiche Bade-
plätze, hochberühmt, die alle Befleckung tilgen, und wo man,
das Wasser des Lebens schöpfend und im Schoße untertau-
chend, Wiedergeburt empfängt, – viele solche säumen die Ufer
und Mündungsstellen der Ganga, und wo andere Flüsse sich

in die irdische Milchstraße ergießen, auch wo wieder andere
sich mit diesen verbinden, wie ‚Goldfliege‘, das Töchterchen
Schneeheims, mit der Djamna tut, überall dort findet man
bestimmt solche Stätten der Reinigung und Vereinigung, bequem gemacht für jedermann zu Opfer und Kommunion, versehen mit heiligen Stufen zum Einstieg, daß nicht der Fromme
ohne Form und Weihe durch Lotos und Uferschilf muß in den
Schoß patschen, sondern würdig hinabschreiten kann, zu trinken und sich zu begießen.

Der Badeplatz nun, auf den die Freunde stießen, war keiner der großen und vielbeschenkten, von denen die Wissenden
Wunderwirkungen auskünden und zu denen Vornehme und
Geringe (allerdings zu verschiedenen Stunden) sich in Scharen
drängen. Er war ein kleiner, stiller und heimlicher, an keinem
Zusammenfluß, sondern irgendwo schlecht und recht an ‚Gold-
flieges‘ Ufer gelegen, das hügelig anstieg einige Schritte vom
Flußbett und auf dessen Höhe ein kleiner, bloß hölzerner und
schon etwas baufälliger, aber recht bildreich geschnitzter Tempel der Herrin aller Wünsche und Freuden mit einem buckelig
ausladenden Turm über der Cella stand. Auch die zum Schoße
leitenden Stufen waren hölzern und schadhaft, aber zum würdigen Einstieg waren sie hinreichend.

Die Jünglinge äußersten einander ihr Vergnügen, auf diese
Stätte gestoßen zu sein, die Gelegenheit zu Andacht, Erfrischung und schattiger Rast auf einmal gewährte. Es war schon
sehr heiß um die Tagesmitte; frühzeitig drohte im Frühling
der schwere Sommer, und seitwärts vom Tempelchen zog auf
der Uferhöhe Gebüsch und Gehölz sich hin von Mango-, Tiek-
und Kadambabäumen, Magnolien, Tamarisken und Talapal-
men, in deren Schutz gut frühstücken und ruhen sein würde.
Die Freunde erfüllten zuerst ihre religiösen Pflichten, so gut
die Umstände es erlaubten. Kein Priester war da, der ihnen
Öl oder geklärte Butter hätte liefern können, die steinernen
Lingam-Bilder damit zu begießen, die auf der kleinen, dem
Tempel vorgelagerten Terrasse aufgestellt waren. Mit einer
dort vorgefundenen Kelle schöpften sie Wasser aus dem Fluß

und tätigten damit, das Zugehörige murmelnd, die gute Handlung. Dann stiegen sie, die hohlen Hände zusammengelegt, in den grünlichen Schoß, tranken, übergossen sich sinngemäß, tauchten und dankten, verweilten auch zum bloßen Vergnügen noch etwas länger als geistlich notwendig im Bade und bezogen danach, den Segen der Vereinigung in allen Gliedern spürend, ihren erkorenen Rastplatz unter den Bäumen.

Hier teilten sie ihr Reise-Mahl miteinander wie Brüder, teilten es, obgleich jeder das Seine hätte essen können und einer auch nichts anderes hatte als der andere. Wenn Nanda einen Gerstenfladen brach, so reichte er dem Schridaman die eine Hälfte hinüber, indem er sagte: »Da, mein Guter«, und wenn Schridaman eine Frucht zerteilt hatte, gab er mit denselben Worten dem Nanda die Hälfte davon. Schridaman saß seitlich beim Essen in dem hier noch ganz frischgrünen und unversengten Grase, die Knie und Füße neben sich angeordnet; Nanda dagegen hockte auf etwas populäre Art, mit hochgezogenen Knien, die Füße vor sich hingestellt, wie man's nicht lange aushält, wenn man nicht von Geblütes wegen daran gewöhnt ist. Sie nahmen diese Stellungen unbewußt und ohne Überlegung ein, denn wenn sie auf ihre Sitzart achtgehabt hätten, so hätte Schridaman aus Neigung zur Urwüchsigkeit die Knie aufgestellt und Nanda aus gegenteiligem Verlangen seitlich gesessen. Er trug ein Käppchen auf seinem schwarzen, schlichten, noch nassen Haar, ein Lendentuch aus weißer Baumwolle, Ringe um die Oberarme und um den Hals einen mit goldenen Bändern zusammengefaßten Kettenschmuck von Steinperlen, in dessen Umrahmung man auf seiner Brust die Locke ‚Glückskalb‘ bemerkte. Schridaman hatte ein weißes Tuch um den Kopf gewunden und war in seinen ebenfalls weißbaumwollenen Hemdrock mit kurzen Ärmeln gekleidet, der über seinen gebauschten und hosenartig geschlungenen Schurz fiel, und in dessen Halsausschnitt ein Amulett-Beutelchen an dünner Kette hing. Beide trugen das Zeichen ihres Glaubens in mineralischem Weiß auf die Stirn gemalt.

Als sie gegessen hatten, beseitigten sie die Reste und plauderten. Es war so hübsch hier, daß Fürsten und große Könige es nicht besser hätten haben können. Zwischen den Bäumen, in deren Blattwerk und Blütenbüscheln es sich leise regte, den hohen Calamus- und Bambusstämmen des Abhangs erblickte man das Wasser und die unteren Stufen des Einstiegs. Grüne Schlauch-Girlanden von Schlingpflanzen hingen rings von den Zweigen, die sie anmutig verbanden. Mit dem Zirpen und Trillern unsichtbarer Vögel vermischte sich das Summen der Goldbienen, welche über den Blumen des Grases hin und her schossen und zu dringlichem Besuche bei ihnen einkehrten. Es roch nach Pflanzenkühle und -wärme, sehr stark nach Jasmin, nach dem besonderen Parfüm der Tala-Frucht, nach Sandelholz, außerdem nach dem Senföl, womit Nanda nach der Tauch-Kommunion sich sogleich wieder eingerieben hatte.

»Hier ist es ja wie jenseits der sechs Wogen von Hunger und Durst, Alter und Tod, Leid und Verblendung«, sagte Schridaman. »Außerordentlich friedevoll ist es hier. Es ist, als wäre man aus dem rastlosen Umtriebe des Lebens in seine ruhende Mitte versetzt und dürfte eratmen. Horch, wie lauschig! Ich gebrauche das Wort ‚lauschig‘, weil es von der Tätigkeit des Lauschens abstammt, die nur durch die Stille erregt wird. Denn eine solche läßt uns aufhorchen auf alles, was nicht ganz still darin ist und worin die Stille im Traume redet, wir aber hören es auch wie im Traum.«

»Es ist schon so, wie dein Wort sagt«, erwiderte Nanda. »Im Lärm eines Marktes lauscht man nicht, aber lauschig ist auch wieder nur eine Stille, in der es doch dies und das zu belauschen gibt. Ganz still und von Schweigen erfüllt ist nur Nirwâna, darum kann man's nicht lauschig nennen.«

»Nein«, antwortete Schridaman und mußte lachen. »Darauf ist wohl noch keiner verfallen, das Nirwâna lauschig zu nennen. Du aber verfällst gewissermaßen darauf, wenn auch nur verneinenderweise, indem du sagst, daß man es nicht so nennen kann, und dir von allen Verneinungen, die sich darüber aussagen lassen – denn man kann vom Nirwâna ja nur in Verneinungen reden –, die allerdrolligste aussuchst. Du äußerst oft so schlaue Dinge, – wenn man das Wort ‚schlau‘ anwenden darf auf etwas, was zugleich richtig und lächerlich ist. Ich habe viel dafür übrig, weil es mir manchmal plötzlich die Bauchdecke vibrieren läßt fast wie beim Schluchzen. Da sieht man, wie verwandt doch Lachen und Weinen sind, und daß es nur Täuschung ist, wenn wir zwischen Lust und Leid einen Wesensunterschied machen und das eine bejahen, das andere aber verneinen, wo sich doch nur beide gemeinsam gut oder schlimm heißen lassen. Es gibt aber eine Verbindung von Weinen und Lachen, die man noch am ehesten bejahen und gut heißen kann unter den Erregungen des Lebens. Für sie ist das Wort ‚Rührung‘ geschaffen, welches nämlich ein heiteres Mitleid bezeichnet, und daß das Vibrieren meiner Bauchdecke dem Schluchzen so ähnlich ist, kommt eben von der Rührung her und daß du mir auch wieder leid tust in deiner Schläue.«

»Warum tue ich dir denn leid?« fragte Nanda.

»Weil du doch eigentlich ein rechtes Kind des Samsâra und der In-sich-Befangenheit des Lebens bist«, erwiderte Schridaman, »und gar nicht zu den Seelen gehörst, die es verlangt, aus dem schrecklichen Ozean von Weinen und Lachen hervorzutauchen, wie Lotosse sich über die Flut erheben und ihre Kelche dem Himmel öffnen. Dir ist ganz wohl in der Tiefe, wimmelnd voll von Gestalten und Masken, die in verschlungenem Wandel wesen, und daß dir wohl ist, das macht, daß einem ebenfalls wohl wird bei deinem Anblick. Nun aber setzest du dir's in den Kopf und läßt dir's nicht nehmen, dich mit dem Nirwâna abzugeben und Bemerkungen zu machen zu seiner Nein-Bestimmung, der Art, es sei nicht lauschig, was eben zum Weinen drollig oder, mit dem hierfür geschaffenen Worte, rührend ist, indem es einem leid tut um dein wohltuendes Wohlsein.«

»Na, höre mal«, erwiderte Nanda, »wie meinst denn du es mit mir? Wenn ich dir leid täte, weil ich in der Verblendung Samsâras befangen bin und kein Geschick zum Lotos habe, das ließe ich mir gefallen. Aber daß ich dir leid tue, gerade

weil ich mich doch auch, so gut ich es verstehe, mit dem Nirwâna etwas abzugeben versuche, das könnte mich kränken.
Ich will dir sagen: du tust mir auch leid.«

»Warum tue denn nun umgekehrt auch ich dir wieder leid?«
fragte Schridaman.

»Weil du zwar die Veden gelesen und von Wesenserkenntnis was abbekommen hast«, versetzte Nanda, »dabei aber der
Verblendung sogar leichter und bereitwilliger aufsitzest als
solche, die das nicht getan haben. Das ist es, was mir einen
Leibkitzel der Rührung erregt, nämlich ein heiteres Mitleid.
Denn wo es nur ein bißchen lauschig ist, wie an diesem Ort,
da läßt du dich gleich verblenden vom scheinbaren Frieden,
träumst dich über die sechs Wogen von Hunger und Durst
hinaus und denkst, du bist in des Umtriebes ruhender Mitte.
Und dabei ist die Lauschigkeit hier, und daß es so mancherlei
zu belauschen gibt in dieser Stille, doch gerade das Zeichen,
daß es umtreibt darin mit größter Geschäftigkeit und all deine
Friedensgefühle nur Einbildung sind. Diese Vögel girren einander nur zu, um Liebe zu machen, diese Bienen, Libellen und
Flugkäfer zucken umher, vom Hunger getrieben, im Grase
rumort es heimlich von tausendfachem Lebensstreit, und diese
Lianen, die so zierlich die Bäume kränzen, möchten ihnen
Odem und Saft abwürgen, um nur selber recht fett und zäh
zu werden. Das ist die wahre Wesenserkenntnis.«

»Ich weiß es wohl«, sagte Schridaman, »und verblende mich
nicht darüber, oder doch nur für den Augenblick und aus
freiem Willen. Denn es gibt nicht nur die Wahrheit und Erkenntnis des Verstandes, sondern auch die gleichnishafte Anschauung des menschlichen Herzens, welche die Schrift der
Erscheinungen nicht nur nach ihrem ersten, nüchternen Sinn,
sondern auch nach ihrem zweiten und höheren zu lesen weiß
und sie als Mittel gebraucht, das Reine und Geistige dadurch
anzuschauen. Wie willst du zur Wahrnehmung des Friedens
gelangen und das Glück des Stillstandes im Gemüte erfahren,
ohne daß ein Maya-Bild, welches freilich in sich das Glück
und der Friede nicht ist, die Handhabe dazu böte? Das ist

dem Menschen erlaubt und gegeben, daß er sich der Wirklichkeit bediene zur Anschauung der Wahrheit, und es ist das Wort ‚Poesie‘, welches die Sprache für diese Gegebenheit und Erlaubnis geprägt hat.«

»Ach, so meinst du das?« lachte Nanda. »Demnach, und wenn man dich hört, wär’ also die Poesie die Dummheit, die nach der Gescheitheit kommt, und ist einer dumm, so wäre zu fragen, ob er noch dumm ist oder schon wieder. Ich muß schon sagen, ihr Gescheiten macht’s unsereinem nicht leicht. Da denkt man, es kommt darauf an, gescheit zu werden, aber eh’ man’s noch ist, erfährt man, daß es darauf ankommt, wieder dumm zu werden. Ihr solltet uns die neue und höhere Stufe nicht zeigen, damit wir den Mut nicht verlieren, die vorhergehende zu erklimmen.«

»Von mir hast du’s nicht gehört«, sagte Schridaman, »daß man gescheit werden muß. Komm, wir wollen uns ausstrecken im sanften Grase, nachdem wir gespeist, und durch das Gezweig der Bäume in den Himmel blicken. Es ist eine so merkwürdige Schauenserfahrung, aus einer Lage, die uns nicht eigentlich aufzublicken nötigt, sondern in der die Augen schon von selbst nach oben gerichtet sind, den Himmel zu betrachten, auf die Art wie Erde, die Mutter, selbst es tut.«

»Siyâ, es sei«, stimmte Nanda zu.

»Siyât!« verbesserte ihn Schridaman nach der reinen und richtigen Sprache; und Nanda lachte über sich und ihn.

»Siyât, siyât!« sprach er nach. »Du Silbenstecher, laß mir mein Messingsch! Wenn ich Sanskrit rede, das klingt wie das Schnüffeln einer jungen Kuh, der man einen Strick durch die Nase gezogen.«

Über diesen urwüchsigen Vergleich lachte nun auch Schridaman herzlich, und so streckten sie sich aus nach seinem Vorschlag und sahen geradeaus zwischen den Zweigen und wiegenden Blütenbüscheln in die Bläue Vischnu’s hinauf, indem sie mit Blätterwedeln die rot-weißen Fliegen, genannt ‚Indra-Schützling‘, abwehrten, die von ihrer Haut angezogen wurden. Nanda verstand sich zur ebenen Lage nicht, weil ihm

sonderlich daran gelegen war, den Himmel nach Art der
Mutter Erde zu betrachten, sondern nur aus Gefügigkeit. Er
setzte sich auch bald wieder auf und nahm, eine Blume im
Mund, seine dravidische Hockstellung wieder ein.

»Der Indra-Schützling ist verdammt lästig«, sagte er, indem er die vielen umherschießenden Fliegen als ein und dasselbe Individuum behandelte. »Wahrscheinlich ist er auf mein
gutes Senföl erpicht. Es kann aber auch sein, daß er Auftrag
hat von seinem Beschützer, dem Elefantenreiter, dem Herrn
des Blitzkeils, dem großen Gott, uns zur Strafe zu quälen –
du weißt schon wofür.«

»Das sollte nicht dich betreffen«, erwiderte Schridaman,
»denn du warst ja unterm Baume dafür, daß Indra's Dank-
fest vorigen Herbst nach alter, oder sagen wir lieber: nach
neuerer Art, den geistlichen Bräuchen gemäß und nach brah-
manischer Observanz begangen werde, und kannst deine
Hände in Unschuld waschen, daß wir's im Rate dennoch
anders beschlossen und Indra den Dienst kündigten, um uns
einem neuen, oder vielmehr älteren Dankesdienst zuzuwenden, der uns Leuten vom Dorf gemäßer und unsrer Frömmigkeit natürlicher ist als das Sprüche-Brimborium des brahmanischen Zeremoniells für Indra, den Donnerer, der die Burgen
des Urvolkes brach.«

»Allerdings, wie dein Wort sagt, so ist es«, versetzte Nanda,
»und mir ist noch immer unheimlich davon in der Seele, denn
wenn ich auch unterm Baum meine Meinung abgab für Indra,
so fürchte ich doch, daß er sich um solche Einzelheiten nicht
kümmert und Gesamthaftung walten läßt für ‚Wohlfahrt der
Kühe‘, weil er um sein Fest gebracht wurde. Da fällt es den
Leuten ein und steigt ihnen auf, ich weiß nicht woher, daß es
mit dem Indra-Dank-Dienst nicht mehr das Rechte ist, zum
mindesten nicht für uns Hirten und Ackerbürger, sondern daß
man auf fromme Vereinfachung sinnen müsse. Was, fragten
sie, geht uns der große Indra an? Ihm opfern die vedakundigen Brahmanen unter endlosen Sprüchen. Wir aber wollen den
Kühen und Bergen und Waldweiden opfern, weil es unsere

echten und angemessenen Gottheiten sind, denn uns ist ganz,
als hätten wir es schon früher so gehalten, bevor Indra kam,
der den Kommenden voranzog und die Burgen der Ur-Einge-
sessenen brach, und wenn wir auch nicht mehr recht wissen,
wie es zu machen ist, so wird es uns schon aufsteigen, und
unser Herz wird es uns lehren. Wir wollen dem Weideberg
‚Buntgipfel' dienen, hier in der Nähe, mit frommen Bräuchen,
die insofern neu sind, als wir sie erst wieder heraufholen
müssen aus unseres Herzens Erinnerung. Ihm wollen wir reine
Tiere opfern und ihm Spenden bringen von saurer Milch,
Blumen, Früchten und rohem Reis. Danach sollen die Scharen
der Kühe, mit Herbstblumen bekränzt, den Berg umwandeln,
indem sie ihm ihre rechte Flanke zukehren, und die Stiere
sollen ihm zubrüllen mit der Donnerstimme regenschwerer
Wolken. Das sei unser neu-alter Bergdienst. Damit aber die
Brahmanen nichts dagegen haben, werden wir sie speisen zu
mehreren Hundert und aus sämtlichen Hürden die Milch zu-
sammentragen, daß sie sich vollschlagen mögen mit Dickmilch
und Milchreis, dann werden sie's schon zufrieden sein. – So
sprachen einige Leute unter dem Baum, und andere fielen
ihnen bei, wieder andere aber nicht. Ich stimmte von Anfang
an gegen den Bergdienst, denn ich habe große Furcht und
Achtung vor Indra, der die Burgen der Schwarzen brach, und
halte nichts vom Heraufholen dessen, wovon man doch nichts
Rechtes mehr weiß. Du aber sprachst in reinen und richtigen
Worten – ich meine ‚richtig' in Ausdehnung der Worte – zugunsten der neuen Festgestaltung und für die Erneuerung des
Bergdienstes über Indra's Kopf hinweg, und da verstummte
ich. Wenn diejenigen, dachte ich, die in die Schule gegangen
sind und vom Wesenswissen was abgekriegt haben, gegen
Indra sprechen und für die Vereinfachung, dann haben wir
nichts zu sagen und können nur hoffen, daß der große Kömm-
ling und Burgenbrecher ein Einsehen hat und sich mit der
Speisung zahlreicher Brahmanen zufriedengibt, so daß er uns
nicht mit Regenlosigkeit oder mit maßlosem Regen schlägt.
Vielleicht, dachte ich, ist er selbst seines Festes müde und

wünscht der Belustigung halber, das Bergopfer und den Umzug der Kühe dafür eingesetzt zu sehen. Wir Einfältigen hatten Ehrfurcht vor ihm, aber vielleicht hat er neuerdings keine
mehr vor sich selbst. Ich habe denn auch das heraufgeholte
Fest sehr genossen und mit Vergnügen geholfen, die bekränz-
ten Kühe um den Berg zu treiben. Aber noch eben wieder, als
du mein Prâkrit verbessertest, und wolltest, daß ich ‚Siyât‘
sagte, fiel es mir ein, wie sonderbar es doch ist, daß du in
richtigen und geschulten Worten fürs Einfältige redetest.«

»Du kannst mir nichts vorwerfen«, antwortete Schridaman,
»denn auf Volkes Art hast du für den Sprüchedienst der Brahmanen geredet. Das freute dich wohl und machte dich glücklich. Ich kann dir aber sagen: Noch weit beglückender ist es,
in richtig gebildeten Worten dem Einfachen zugunsten zu
reden.«

3

Danach verstummten sie eine Weile. Schridaman lag weiter
so und sah in den Himmel hinauf. Nanda hielt seine wackeren Arme um die aufgestellten Knie geschlungen und blickte
zwischen den Bäumen und Büschen des Abhangs hin nach dem
Badeplatz Kâlî's, der Mutter.

»Pst, Blitzkeil, Wurfring und Wolkendonner!« flüsterte er
von einem Augenblick zum anderen und legte den Finger auf
seine wulstigen Lippen. »Schridaman, Bruder, sitz leise auf
und sieh dir das an! Was dort zum Bade steigt, mein' ich.
Mach deine Augen auf, es lohnt der Mühe! Sie sieht uns nicht,
aber wir sehen sie.«

Ein junges Mädchen stand an dem einsamen Ort der Vereinigung, im Begriff, ihre Bade-Andacht zu verrichten. Sie
hatte Sari und Mieder auf den Stufen des Einstiegs niedergelegt und stand da ganz nackt, angetan nur mit einigem Kettenschmuck an ihrem Halse, mit schaukelnden Ohrringen und
einem weißen Bande um ihr reich geknotetes Haar. Die Lieb-

lichkeit ihres Leibes war blendend. Er war wie aus Maya gefertigt und vom reizendsten Farbton, weder zu dunkel noch allzu weißlich, vielmehr wie golden aufgehelltes Erz und herrlich nach Brahma's Gedanken gestaltet, mit süßesten Kinderschultern und wonnig geschwungenen Hüften dazu, die eine geräumige Bauchfläche ergaben, mit jungfräulich starrenden, knospenden Brüsten und prangend ausladendem Hinterteil, sich verjüngend nach oben zum schmalsten, zierlichsten Rücken, der geschmeidig eingebogen erschien, da sie die Lianenarme erhoben und die Hände im Nacken verschränkt hielt, so daß ihre zarten Achselhöhlen sich dunkelnd eröffneten. Das Allereindrucksvollste und dem Gedanken Brahma's Gemäßeste bei alledem war, unbeschadet der verblendenden und die Seele dem Erscheinungsleben gewinnenden Süßigkeit der Brüste, die Verbindung dieses großartigen Hinterteils mit der Schmalheit und Gertenschmiegsamkeit des Elfen-Rückens, hervorgebracht und ermöglicht durch den anderen Gegensatz zwischen dem preisgesangwürdig ausladenden Schwunge der Hüften und der ziersamen Eingezogenheit der Taillengegend darüber. Nicht anders konnte das Himmelsmädchen Pramlotscha gebildet gewesen sein, das Indra zu dem großen Asketen Kandu geschickt hatte, damit er durch seine ungeheure Askese nicht göttergleiche Kräfte sammle.

»Wir wollen uns verziehen«, sagte der aufgesessene Schridaman leise, die Augen auf des Mädchens Erscheinung geheftet. »Es ist nicht recht, daß sie uns nicht sieht und wir sie sehen.«

»Warum denn?« erwiderte Nanda flüsternd. »Wir waren hier zuerst, wo es lauschig ist, und belauschen, was es zu belauschen gibt, da können wir nichts dafür. Wir rühren uns nicht, es wäre ja grausam, wenn wir uns knackend und lärmend davonmachten und sie gewahrte, daß sie gesehen wurde, während sie nicht sah. Ich sehe das mit Vergnügen. Du etwa nicht? Du hast ja schon rote Augen, wie wenn du Rigveda-Verse sagst.«

»Sei still!« ermahnte ihn Schridaman seinerseits. »Und sei ernst! Es ist eine ernste, heilige Erscheinung, und daß wir sie belauschen, ist nur zu entschuldigen, wenn wir es ernsten und frommen Sinnes tun.«

»Na, sicher doch!« antwortete Nanda. »So etwas ist kein Spaß, aber vergnüglich ist's trotzdem. Du wolltest in den Himmel blicken von ebener Erde hinauf. Nun siehst du, daß man aufrecht und geradeaus manchmal erst recht in den Himmel blickt.«

Danach schwiegen sie eine Weile, hielten sich still und schauten. Das goldene Mädchen legte, wie sie selbst vorhin getan, die hohlen Hände zusammen und betete, bevor sie die Vereinigung vornahm. Sie sahen sie ein wenig von der Seite, so daß ihnen nicht entging, wie nicht nur ihr Körper, sondern auch ihr Gesicht zwischen den Ohrgehängen von größter Lieblichkeit war, das Näschen, die Lippen, die Brauen und namentlich die wie Lotosblätter langgeschweiften Augen. Besonders, als sie ein wenig den Kopf wendete, so daß die Freunde schon erschraken, ob sie nicht gar der Belauschung innegeworden sei, konnten sie wahrnehmen, daß nicht etwa diese reizende Körpergestalt durch ein häßliches Antlitz entwertet und seiner Bedeutung beraubt wurde, sondern daß Einheit waltete und die Anmut des Köpfchens diejenige des Wuchses vollauf bestätigte.

»Aber ich kenne sie ja!« raunte Nanda plötzlich, indem er mit den Fingern schnippte. »Diesen Augenblick erkenne ich sie, und nur bis jetzt entging mir ihre Selbstheit. Es ist Sita, des Sumantra Tochter, vom Dorfe ,Buckelstierheim' hier in der Nähe. Von dort kommt sie her, sich rein zu baden, das ist ja klar. Wie sollte ich sie nicht kennen? Ich hab' sie zur Sonne geschaukelt.«

»Du hast sie geschaukelt?« fragte Schridaman leise-eindringlich. Und Nanda entgegnete:

»Und ob! Aus Armes Kräften hab' ich's getan vor allem Volk. Im Kleide hätt' ich sie augenblicklich erkannt. Aber wen erkennt man denn nackend gleich! Es ist die Sita von ,Buckelstierheim'. Dort war ich voriges Frühjahr zum Besuch meiner Tante, und Sonnen-Hilfsfest war gerade, sie aber . . .«

»Erzähle mir's später, ich bitte dich!« fiel Schridaman ihm ängstlich flüsternd in die Rede. »Die große Gunst, daß wir sie von nahe sehen, ist von der Ungunst begleitet, daß sie uns leichtlich hören könnte. Kein Wort mehr, daß wir sie nicht erschrecken!«

»Dann könnte sie fliehen, und du würdest sie nicht mehr sehen, wovon du doch noch lange nicht satt bist«, neckte ihn Nanda. Aber der andere winkte ihm nur entschieden, zu schweigen, und so saßen sie denn wieder still und sahen Sita von ,Buckelstierheim' ihre Badeandacht verrichten. Nachdem sie ausgebetet, sich gebeugt sowie das Antlitz zum Himmel gekehrt, stieg sie behutsam in den Schoß, schöpfte und trank, duckte sich dann in die Flut und tauchte ein bis zum Scheitel, auf den sie die Hand legte, labte sich danach noch eine Weile fort in anmutigem Auftauchen und seitlichem Sich-wieder-Einschmiegen und stieg, als das seine Zeit gehabt, wieder aufs Trockene in tropfend gekühlter Schönheit. Aber auch damit war die Gunst, die den Freunden an diesem Ort gewährt war, noch nicht beendet, sondern nach dem Bade saß die Gereinigte auf den Stufen nieder, um sich von der Sonne trocknen zu lassen, wobei die natürliche Anmut ihres Leibes, im Wahn des Alleinseins gelöst, ihr bald diese, bald jene gefällige Stellung eingab, und erst als auch das seine Zeit gehabt, legte sie gemächlich ihr Kleid wieder an und entschwand die Treppe des Einstiegs hinauf gegen den Tempel.

»Aus ist's und gar ist's«, sagte Nanda. »Jetzt können wir wenigstens wieder reden und uns regen. Es ist auf die Dauer recht langweilig, zu tun, als ob man nicht da wäre.«

»Ich begreife nicht, wie du von Langerweile sprechen magst«, erwiderte Schridaman. »Gibt es denn einen seligeren Zustand, als sich in einem solchen Bilde zu verlieren und nur in ihm noch da zu sein? Den Atem hätte ich einbehalten mögen die ganze Zeit, nicht aus der Furcht, ihres Anblicks verlustig zu gehen, sondern aus der, sie um die Vorstellung ihres Alleinseins zu bringen, um die ich zitterte, und der ich mich heilig verschuldet fühle. Sita, sagtest du, heißt sie? Es

tut mir wohl, das zu wissen, es tröstet mich über meine Verschuldung, daß ich sie bei mir mit ihrem Namen ehren kann.
Und du kennst sie vom Schaukeln?«

»Aber wie ich dir sage!« versicherte Nanda. »Sie war zur
Sonnenjungfrau gewählt worden voriges Frühjahr, als ich in
ihrem Dorfe war, und ich hab' sie geschaukelt, der Sonne zu
helfen, so hoch in den Himmel, daß man von oben ihr Krei-
schen kaum hörte. Es verging ja übrigens auch im allgemeinen
Gekreisch.«

»Da warst du gut daran«, sagte Schridaman. »Du bist
immer gut daran. Offenbar deiner rüstigen Arme wegen hatte
man dich zu ihrem Schaukelherrn bestimmt. Ich stelle mir vor,
wie sie stieg und ins Blaue flog. Das Flugbild meiner Vorstellung vermischt sich mit dem Standbilde unserer Wahrnehmung, wie sie betend stand und sich in Frömmigkeit
neigte.«

»Allenfalls hat sie Ursach'«, erwiderte Nanda, »zum Beten
und Büßen, – nicht wegen ihres Tuns, sie ist ein sehr sittsames
Mädchen, aber wegen ihrer Erscheinung, für die sie freilich
nichts kann und deren sie, streng genommen, doch auch wieder
irgendwie schuldig ist. So eine Wohlgestalt, sagt man, ist fesselnd. Warum aber fesselnd? Nun, eben weil sie uns fesselt
an die Welt der Wünsche und Freuden und den, der sie sieht,
nur tiefer in die Befangenheit Samsâras verstrickt, so daß den
Geschöpfen das lautere Bewußtsein ausgeht, genau wie einem
der Atem ausgeht. Das ist ihre Wirkung, wenn auch nicht ihre
Absicht; aber daß sie sich die Augen so lotosblattförmig verlängert, läßt doch auch wieder auf Absicht schließen. Man
hat gut sagen: die Wohlgestalt ist ihr gegeben, sie hat sie nicht
willentlich angenommen und hat also nichts zu beten und
abzubüßen. Es ist doch so, daß irgendwo kein wahrer Unterschied ist zwischen ‚gegeben‘ und ‚angenommen‘, das weiß sie
auch selbst und betet wohl um Verzeihung, daß sie so fesselnd
wirkt. Aber die Wohlgestalt hat sie nun einmal angenommen, – nicht wie man nur etwas annimmt, was einem gegeben
wird, sondern von sich aus nahm sie sie an, und daran kann

kein frommes Bad etwas ändern: mit demselben verstricken-
den Hinterteil ist sie wieder herausgekommen.«

»Du sollst nicht so derb reden«, tadelte Schridaman ihn
bewegt, »von einer so zarten und heiligen Erscheinung. Zwar
hast du dir vom Wesenswissen einiges beigehen lassen, aber
bäurisch kommt's heraus, das laß dir sagen, und der Gebrauch, den du davon machst, läßt klar erkennen, daß du
dieser Erscheinung nicht würdig warst, wo doch in unserer
Lage alles darauf ankam und davon abhing, ob wir uns ihrer
würdig erwiesen und in welchem Geiste wir die Belauschung
übten.«

Nanda nahm diese Mißbilligung seiner Rede in aller Bescheidenheit hin.

»Lehre mich also, Dau-ji«, bat er, indem er den Freund mit
»Älterer Bruder« anredete, »in welchem Geist du gelauscht
hast, und in welchem ich auch hätte lauschen sollen!«

»Sieh«, sagte Schridaman, »alle Wesen haben zweierlei
Dasein: eines für sich und eines für die Augen der anderen.
Sie sind, und sie sind zu sehen, sind Seele und Bild, und
immer ist's sündhaft, sich nur von ihrem Bilde beeindrucken
zu lassen, um ihre Seele sich aber nicht zu kümmern. Es ist
notwendig, den Ekel zu überwinden, den des räudigen Bettlers Bild uns einflößt. Nicht bei diesem dürfen wir stehen-
bleiben, wie es auf unsere Augen und anderen Sinne wirkt.
Denn was wirkt, ist noch nicht die Wirklichkeit, sondern wir
müssen gleichsam dahinter gehen, um die Erkenntnis zu gewinnen, auf die jede Erscheinung Anspruch hat, denn sie ist
mehr als Erscheinung, und ihr Sein, ihre Seele gilt es hinter
dem Bilde zu finden. Aber nicht nur nicht in dem Ekel sollen
wir steckenbleiben, den uns das Bild des Elends erregt, sondern ebensowenig, ja, wohl noch weniger, in der Lust, die das
Bild des Schönen uns einflößt, denn auch dieses ist mehr als
Bild, obgleich die Versuchung der Sinne, es nur als solches
zu nehmen, vielleicht noch größer ist als im Falle des Ekel-
Erregenden. Scheinbar nämlich stellt das Schöne gar keine
Ansprüche an unser Gewissen und an unser Eingehen auf

seine Seele, wie des Bettlers Bild, eben vermöge seines Elends,
es immerhin tut. Und doch werden wir schuldig auch vor
jenem, wenn wir uns nur an seinem Anblick ergötzen, ohne
nach seinem Sinn zu fragen, und besonders tief, dünkt mich,
geraten wir dabei in seine Verschuldung, wenn nur wir es
sehen, aber es uns nicht sieht. Wisse, Nanda, es war eine
wahre Wohltat für mich, daß du mir den Namen nennen
konntest derer, die wir belauschten, Sita, des Sumantra Tochter; denn so hatte und wußte ich doch etwas von dem, was
mehr ist als ihr Bild, da ja der Name ein Stück des Seins und
der Seele ist. Aber wie glücklich war ich erst, von dir zu
hören, daß sie ein sittsames Mädchen ist, was denn doch heißt,
noch besser hinter ihr Bild kommen und sich auf ihre Seele
verstehen. Ferner aber heißt es, daß es nur Sitte ist, welche
nichts mit der Sittsamkeit zu tun hat, wenn sie sich die Augen
lotosblattförmig verlängert, und sich allenfalls ein wenig die
Wimpern schminkt, – daß sie es in aller Unschuld tut, in Abhängigkeit ihrer Sittsamkeit von der Gesittung. Hat doch die
Schönheit auch Pflichten gegen ihr Bild, mit deren Erfüllung
sie vielleicht nur den Anreiz zu erhöhen beabsichtigt, ihrer
Seele nachzufragen. Wie gern stelle ich mir vor, daß sie einen
würdigen Vater, nämlich den Sumantra, und eine besorgte
Mutter hat, die sie in Sittsamkeit aufzogen, und vergegen-
wärtige mir ihr Leben und Wirken als Tochter des Hauses,
wie sie das Korn reibt auf dem Steine, am Herd das Mus
bereitet oder die Wolle zu feinem Faden spinnt. Denn mein
ganzes Herz, das ihrer Belauschung schuldig geworden, verlangt danach, daß ihm aus dem Bilde eine Person werde.«

»Das kann ich verstehen«, entgegnete Nanda. »Du mußt
aber bedenken, daß bei mir dieser Wunsch nicht ebenso lebhaft sein konnte, da sie mir ja dadurch, daß ich sie zur Sonne
geschaukelt, schon mehr zur Person geworden war.«

»Nur zu sehr«, versetzte Schridaman mit einem gewissen
Beben, das seine Stimme bei diesem Gespräch angenommen
hatte. »Offenbar nur zu sehr, denn diese Vertrautheit, deren
du gewürdigt warst – ob mit Recht oder Unrecht, das will ich

dahinstellen, denn deiner Arme und überhaupt deines rüstigen
Körpers, nicht deines Hauptes und seiner Gedanken wegen
warst du ihrer gewürdigt –, diese Vertrautheit scheint sie dir
ganz und gar zur stofflichen Einzelperson gemacht und dir den
Blick gestumpft zu haben für den höheren Sinn einer solchen
Erscheinung, sonst hättest du nicht so unverzeihlich derb von
der Wohlgestalt reden können, die sie angenommen. Weißt du
denn nicht, daß in aller Weibesgestalt, Kind, Jungfrau, Mutter oder Greisin, sie sich verbirgt, die Allgebärerin, All-
ernährerin, Schakti, die größte Göttin, aus deren Schoß alles
kommt, und in deren Schoß alles geht, und daß wir in jeder
Erscheinung, die ihr Zeichen trägt, sie selbst zu verehren und
zu bewundern haben? In ihrer huldvollsten Gestalt hat sie
sich uns offenbart hier am Ufer des Flüßchens ‚Goldfliege‘,
und wir sollten nicht aufs tiefste ergriffen sein von ihrer
Selbstoffenbarung in der Erscheinung, also daß mir in der
Tat, wie ich selber bemerke, die Stimme etwas zittert beim
Sprechen, was aber zum Teil auch aus Unwillen über deine
Redeweise geschieht –?«

»Auch deine Wangen und deine Stirn sind gerötet wie vom
Sonnenbrand«, sagte Nanda, »und deine Stimme, obgleich sie
zittert, hat einen volleren Klang als gewöhnlich. Übrigens
kann ich dir versichern, daß ich auch, auf meine Art, ganz
hübsch ergriffen war.«

»Dann verstehe ich nicht«, antwortete Schridaman, »wie
du so ungenügend reden und ihr die Wohlgestalt zum Vorwurf machen konntest, mit der sie die Geschöpfe in die Befangenheit verstricke, so daß ihnen der Atem des Bewußtseins
ausgehe. Das heißt doch die Dinge mit sträflicher Einseitig-
keit betrachten und sich gänzlich unerfüllt zeigen von dem
wahren und ganzen Wesen derer, die sich uns im süßesten
Bild offenbarte. Denn sie ist Alles und nicht nur Eines: Leben
und Tod, Wahn und Weisheit, Zauberin und Befreierin, weißt
du das nicht? Weißt du nur, daß sie der Geschöpfe Schar be-
tört und bezaubert, und nicht auch, daß sie hinausführt über
das Dunkel der Befangenheit zur Erkenntnis der Wahrheit?

Dann weißt du wenig und hast ein allerdings schwer zu fassendes Geheimnis nicht erfaßt: daß nämlich die Trunkenheit, die sie uns antut, zugleich die Begeisterung ist, die uns zur Wahrheit und Freiheit trägt. Denn dies ist es, daß, was fesselt, zugleich befreit, und daß es die Begeisterung ist, welche Sinnenschönheit und Geist verbindet.«

Nanda's schwarze Augen glitzerten von Tränen, denn er hatte ein leicht bewegliches Gemüt und konnte metaphysische Worte überhaupt kaum hören, ohne zu weinen, besonders aber jetzt nicht, wo Schridamans sonst ziemlich dünne Stimme plötzlich einen so vollen, zu Herzen gehenden Klang angenommen hatte. So schluchzte er etwas durch seine Ziegennase, indem er sagte:

»Wie du heute sprichst, Dau-ji, so feierlich! Ich glaube, noch nie hab' ich dich so gehört; es geht mir sehr nahe. Ich sollte wünschen, daß du nicht fortführest, eben weil es mir gar so nahegeht. Aber sprich doch, bitte, noch weiter von Fessel und Geist und von der Allumfassenden!«

»Da siehst du«, antwortete Schridaman in hoher Stimmung, »welche Bewandtnis es mit ihr hat, und daß sie nicht nur Betörung, sondern auch Weisheit schafft. Wenn meine Worte dir nahegehen, so darum, weil sie die Herrin der flutenreichen Rede ist, diese aber ist verschmolzen mit Brahma's Weisheit. In ihrer Doppelheit müssen wir die Große erkennen, denn sie ist die Zornmütige, schwarz und grauenerregend, und trinkt das Blut der Wesen aus dampfender Schale, aber in einem damit ist sie die Weihe- und Huldvolle, aus der alles Dasein quillt, und die alle Lebensgestalten liebreich an ihren nährenden Brüsten birgt. Vischnu's Große Maya ist sie, und sie hält ihn umfangen, der in ihr träumt; wir aber träumen in ihm. Viele Wasser münden in die ewige Ganga, diese aber mündet in das Meer. So münden wir in Vischnu's weltträumende Gottheit, die aber mündet in das Meer der Mutter. Wisse, wir sind an eine Mündungsstelle unseres Lebenstraumes mit heiligem Badeplatz gekommen, und dort erschien uns die Allgebärerin, Allverschlingerin, in deren Schoß wir gebadet, in ihrer süßesten Gestalt, um uns zu betören und zu begeistern, mutmaßlich zur Belohnung dafür, daß wir ihr zeugendes Zeichen geehrt und es mit Wasser begossen. Lingam und Yoni — es gibt kein größeres Zeichen und keine größere Stunde des Lebens, als wenn der Berufene mit seiner Schakti das Hochzeitsfeuer umkreist, wenn man ihre Hände mit dem Blumenbande vereint und er das Wort spricht: ‚Ich habe sie erhalten!‘ Wenn er sie empfängt aus ihrer Eltern Hand und das Königswort spricht: ‚Dies bin ich, das bist du; Himmel ich, Erde du; ich Liedes Weise, du Liedes Wort; so wollen wir die Fahrt tun mitsammen!‘ Wenn sie Begegnung feiern, — nicht Menschen mehr, nicht dieser und jene, sondern das große Paar, er Schiwa, sie Durgâ, die hehre Göttin; wenn ihre Worte irre werden und nicht mehr *ihre* Rede sind, sondern ein Stammeln aus trunkenen Tiefen und sie zu höchstem Leben ersterben im Überglück der Umarmung. Dies ist die heilige Stunde, die uns ins Wissen taucht und uns Erlösung schenkt vom Wahn des Ich im Schoß der Mutter. Denn wie Schönheit und Geist zusammenfließen in der Begeisterung, so Leben und Tod in der Liebe!«

Nanda war gänzlich hingerissen von diesen metaphysischen Worten.

»Nein«, sagte er kopfschüttelnd, während ihm die Tränen aus den Augen sprangen, »wie dir die Göttin Rede hold ist und dich mit Brahma's Weisheit beschenkt, das ist kaum auszustehen, und doch möchte man zuhören unendlich lange. Wenn ich nur ein Fünftel zu singen und zu sagen vermöchte, was dein Haupt erzeugt, da wollte ich mich lieben und achten in allen meinen Gliedern. Darum bist du mir so nötig, mein älterer Bruder, denn was ich nicht habe, hast du und bist mein Freund, so daß es beinahe ist, als ob ich selber es hätte. Denn als dein Genoß habe ich teil an dir und bin auch etwas Schridaman, ohne dich aber wär' ich nur Nanda, und damit komm' ich nicht aus. Offen sag' ich es: Ich würde die Trennung von dir keinen Augenblick überleben wollen, sondern würde ersuchen, mir den Scheiterhaufen zu rüsten und mich

zu verbrennen. Soviel sei gesagt. Nimm dies hier, bevor wir
gehen!«

Und er suchte in seinem Reisekram mit seinen dunklen,
beringten Händen und zog eine Betelrolle hervor, wie man
sie gern nach der Mahlzeit kaut, dem Munde Wohlgeruch zu
verleihen. Die übergab er dem Schridaman abgewandten, von
Tränen befeuchteten Gesichtes. Denn man verehrt sie einander
auch zur Besiegelung des Vertrags und der Freundschaft.

4

Also zogen sie weiter und gingen ihren Geschäften nach
auf zeitweise getrennten Wegen; denn als sie zum segelreichen
Djamna-Strome gelangt waren und den Schattenriß des
städtischen Kuruksheta am Horizonte erblickten, war es an
Schridaman, die breite, von Ochsenkarren bedeckte Straße
weiter zu verfolgen, um in den drangvollen Gassen der Stadt
das Haus des Mannes zu finden, von dem er die Reis-Stampfer
und Feuerhölzer erhandeln sollte; an Nanda aber war es, dem
schmalen Pfade nachzugehen, der von der Landstraße ab-
zweigte und zu den Kralen der Tiefstehenden führte, die
Roheisen zu vergeben hatten für seines Vaters Schmiede. Sie
segneten einander beim Abschiednehmen und kamen überein,
am dritten Tage zu bestimmter Stunde an dieser Wegescheide
wieder zusammenzutreffen, um nach Besorgung ihrer Angelegenheiten gemeinsam, wie sie gekommen, nach ihrem Heimat-
dorfe zurückzukehren.

Als nun die Sonne dreimal aufgegangen war, hatte Nanda
auf dem Graueselchen, das er auch von den Tiefstehenden
erstanden und dem er die Eisenlast aufgeladen, am Punkt
des Scheidens und Widertreffens etwas zu warten, denn
Schridaman verspätete sich um einiges, und als er schließlich
auf der breiten Straße mit seinem Warenpack daherkam,
waren seine Schritte matt und schleppend, seine Wangen hohl

im weichen, fächerförmigen Barte und seine Augen von Trüb-
nis erfüllt. Keine Freude legte er an den Tag, den Kameraden
wiederzusehen, und als dieser sich beeilt hatte, ihm die Trag-
last abzunehmen und sie ebenfalls seinem Grauesel aufzu-
bürden, änderte Schridamans Haltung sich nicht, sondern
noch ebenso gebückt und bedrückt, wie er gekommen, ging er
an des Freundes Seite hin, seine Rede war kaum mehr als
»Ja, ja«, nämlich auch dann, wenn sie »Nein, nein« hätte
lauten sollen, wie sie aber auch gelegentlich lautete, nur leider
gerade dann, wenn »Ja, ja« an der Zeit gewesen wäre, nämlich zu Stunden der Stärkungsrast, wo denn Schridaman erklärte, er möge und könne nicht essen, und auf Befragen
hinzufügte, daß er auch nicht schlafen könne.

Alles deutete auf eine Krankheit hin, und als es am zweiten
Abend der Rückreise unter den Sternen dem besorgten Nanda
gelang, ihn ein wenig zum Sprechen zu bringen, gab er nicht
nur zu, daß er krank sei, sondern fügte mit verschnürter
Stimme bei, daß es sich um eine unheilbare Krankheit, eine
Krankheit zum Tode handle, und zwar dergestalt, daß er
nicht nur sterben müsse, sondern auch sterben wolle, und
daß hier Müssen und Wollen ganz in eins verflochten und
nicht zu unterscheiden seien, sondern zusammen einen zwang-
haften Wunsch ausmachten, in welchem das Wollen aus dem
Müssen, das Müssen aber aus dem Wollen sich unweigerlich
ergäbe. »Wenn es dir mit deiner Freundschaft ernst ist«, sagte
er, immer mit jener erstickten und zugleich wild bewegten
Stimme, zu Nanda, »so erweise mir den letzten Liebesdienst
und schichte mir die Scheiterhütte, daß ich mich hineinsetze
und im Feuer verbrenne. Denn die unheilbare Krankheit verbrennt mich von innen her unter solchen Qualen, daß die
verzehrende Feuersglut mich dagegen wie linderndes Öl und
wie ein Labebad anmuten wird in heiligen Fluten.«

,Ja, ihr großen Götter, wo will es mit dir hinaus!' dachte
Nanda, als er dies hören mußte. Es ist aber zu sagen, daß er,
obgleich ziegennasig und seiner Verkörperung nach eine nette
Mitte bildend zwischen den Tiefstehenden, von denen er sein

Eisen gekauft, und dem Brahmanen-Enkel Schridaman, sich
dieser schwierigen Lage löblich gewachsen zeigte und vor des
Freundes erkrankter Überlegenheit nicht den Kopf verlor,
sondern diejenige Überlegenheit nutzte, welche ihm, dem
Nicht-Erkrankten, unter diesen Umständen zufiel, indem er
sie treulich in den Dienst seiner Freundschaft für den Erkrankten stellte und, unter Zurückdrängung seines Schreckens,
zugleich nachgiebig und vernünftig zu ihm zu reden wußte.

»Sei versichert«, sagte er, »daß ich, wenn wirklich die Unheilbarkeit deiner Krankheit, wie ich nach deiner Versicherung
allerdings wohl nicht zweifeln darf, sich herausstellen sollte,
nicht zögern werde, deine Anweisung auszuführen und dir
die Scheiterhütte zu bauen. Sogar werde ich sie groß genug
machen, daß ich, nachdem ich sie angezündet, selbst neben dir
Platz habe; denn die Trennung von dir gedenke ich nicht eine
Stunde zu überleben, sondern werde mit dir zusammen ins
Feuer gehen. Gerade deswegen aber und weil die Sache auch
mich so stark angeht, mußt du vor allem mir sagen, was dir
fehlt, und mir deine Krankheit nennen, wäre es eben auch
nur, damit ich die Überzeugung von ihrer Unheilbarkeit gewinne und unsere gemeinsame Einäscherung zurüste. Du mußt
zugeben, daß diese Rede recht und billig ist, und wenn schon
ich bei meinem beschränkten Verstande ihre Richtigkeit einsehe, wieviel mehr mußt dann du, der Klügere, sie billigen.
Wenn ich mich an deine Stelle versetze und einen Augenblick
mit deinem Kopfe zu denken versuche, als säße er auf meinen
Schultern, so kann ich gar nicht umhin, mir darin zuzustim-
men, daß meine – ich will sagen: deine Überzeugung von der
Unheilbarkeit deiner Krankheit der Prüfung und der Bestätigung durch andere bedarf, bevor man so weittragende
Entschlüsse faßt, wie du sie im Sinne hast. Darum sprich!«

Der hohlwangige Schridaman wollte lange nicht mit der
Sprache herauskommen, sondern erklärte, die tödliche Hoffnungslosigkeit seines Leidens bedürfe keines Beweises und
keiner Erörterung. Schließlich aber, nach vielem Drängen,
bequemte er sich, indem er seine Hand über die Augen legte,

um während seiner Rede den Freund nicht ansehen zu müssen, zu folgendem Bekenntnis.

»Seit wir«, sagte er, »jenes Mädchen nackt, aber sittsam, die du einmal zur Sonne geschaukelt, Sita, des Sumantra Tochter, am Badeplatze der Dewi belauscht, hat sich der Keim eines Leidens um sie, das sowohl ihrer Nacktheit wie ihrer Sittsamkeit gilt und in beidem zusammen seinen Ursprung hat, in meine Seele gesenkt und seitdem ein stündliches Wachstum erfahren, so daß es alle meine Glieder bis in die feinsten Verzweigungen ihrer Fibern durchdrungen, mir die Geisteskräfte ausgezehrt, mich des Schlafes und jeder Eßlust beraubt hat und mich langsam, aber sicher zugrunde richtet.« Dieses Leiden, fuhr er fort, sei darum ein Leiden zum Tode und hoffnungslos, weil seine Heilung, nämlich die Erfüllung der in des Mädchens Schönheit und Sittsamkeit gründenden Wünsche, unausdenkbar und unvorstellbar und von überschwenglicher Art sei, kurz, über das den Menschen Zustehende weit hinausgehe. Es sei klar, daß, wenn ein Mensch von Glückswünschen heimgesucht würde, an deren Erfüllung, so sehr sie zur Bedingung seines Fortlebens geworden sei, nur ein Gott überhaupt denken dürfe, er zugrunde gehen müsse. »Wenn ich«, so schloß er, »sie nicht habe, Sita, die Rebhuhnäugige, die Schönfarbene mit den herrlichen Hüften, so werden meine Lebensgeister sich von selbst verflüchtigen. Darum richte mir die Feuerhütte, denn nur in der Glut ist Rettung vor dem Widerstreit des Menschlichen und Göttlichen. Wenn du aber mit mir hineinsitzen willst, so tut es mir zwar leid um deine Jugend und um dein frohes, mit der Locke gezeichnetes Wesen, aber auch wieder recht soll es mir sein; denn ohnedies trägt der Gedanke, daß du sie geschaukelt hast, sehr zu dem Brande in meiner Seele bei, und nur ungern würde ich jemanden, dem dies vergönnt war, auf Erden zurücklassen.«

Nachdem er solches vernommen, brach Nanda zu Schridamans tiefernst-verständnislosem Erstaunen in unendliches Gelächter aus, indem er abwechselnd den Freund umarmte und auf seinen Beinen am Platze herumtanzte und sprang.

»Verliebt, verliebt, verliebt!« rief er. »Und das ist das
Ganze! Und das ist die Krankheit zum Tode! Ist das ein
Spaß! Ist das eine Gaudi!« Und er fing an zu singen:

> Der weise Mann, der weise Mann,
> Wie würdig war sein Sinnen!
> Nun ist's um seinen Witz getan,
> Erleuchtung floh von hinnen.

> Ach, eines Mägdleins Augenspiel
> Tät ihm den Kopf verdrehen.
> Ein Affe, der vom Baume fiel,
> Kann nicht verlorener sehen.

Danach lachte er wieder aus vollem Halse, die Hände auf
den Knien, und rief:

»Schridaman, Bruder, wie froh bin ich, daß es weiter nichts
ist, und daß du vom Scheiterhaufen nur faselst, weil deines
Herzens Strohhütte Feuer gefangen! Die kleine Hex' stand
zu lange im Pfad deiner Blicke, da hat dich Kama, der Gott,
mit dem Blumenpfeile getroffen, denn was uns das Summen
von Honigbienen schien, das war das Schwirren seiner Sehne,
und Rati hat es dir angetan, des Lenzes Schwester, die Liebeslust. Das ist ja alles ganz gewöhnlich und lustig-alltäglich und
geht über das, was dem Menschen zusteht, um gar nichts
hinaus. Denn wenn es dir vorkommt, als ob an die Erfüllung
deiner Wünsche ein Gott überhaupt nur denken dürfe, so liegt
das eben nur an der Innigkeit deiner Wünsche und daran, daß
sie zwar von einem Gotte, nämlich Kama, ausgehen, daß sie
ihm aber keineswegs zukommen, sondern daß er sie dir hat
zukommen lassen. Ich sage es nicht aus Lieblosigkeit, sondern
nur, um dir den liebe-entzündeten Sinn etwas zu kühlen, daß
du dein Ziel gewaltig überschätzest, wenn du meinst, nur
Götter, aber nicht Menschen hätten ein Anrecht darauf, –
wo doch nichts menschlicher und natürlicher ist, als daß es
dich verlangt, in diese Furche zu säen.« (So drückte er sich aus,

weil Sita ‚die Furche' heißt.) »Aber auf dich«, fuhr er fort,
»paßt wahhaftig der Spruch: ‚Am Tag ist die Eule blind, bei
Nacht die Krähe. Wen aber die Liebe verblendet, der ist blind
bei Tag und Nacht.' Diesen Lehrsatz halte ich dir darum vor,
damit du dich darin wiedererkennst und dich darauf be-
sinnst, daß die Sita von Buckelstierheim gar keine Göttin ist,
obgleich sie dir in ihrer Nacktheit am Badeplatze der Durgâ
so erscheinen mochte, sondern ein ganz gewöhnliches, wenn
auch ausnehmend hübsches Ding, das lebt wie andere, Korn
reibt, Mus kocht und Wolle spinnt und Eltern hat, die sind
wie andere Leut', wenn auch Sumantra, der Vater, noch von
ein bißchen Kriegerblut zu sagen weiß in seinen Adern – weit
ist's nicht her damit oder allzu weit her! Kurz, es sind Leute,
mit denen sich's reden läßt, und wozu hast du einen Freund
wie deinen Nanda, wenn er sich nicht auf die Bein' machen
sollt und diese ganz gewöhnliche und tunliche Sache für dich
einfädeln, daß du zu deinem Glücke kommst? Nun? He?
Was, du Dummkopf? Statt uns die Gluthütte zu richten, wo
ich neben dir hinhocken wollt', will ich dir helfen, dein Ehe-
haus zimmern, darin du mit deiner Schönhüftigen wohnen
sollst!«

»Deine Worte«, antwortete Schridaman nach einem Stillschweigen, »enthielten viel Kränkendes, von dem, was du
sangest, ganz abgesehen. Denn kränkend ist es, daß du meine
Wunschpein gewöhnlich und alltäglich nennst, wo sie doch
über meine Kräfte geht und im Begriffe ist, mir das Leben
zu sprengen, und man ein Verlangen, das stärker ist als wir,
das heißt: zu stark für uns, mit vollem Recht als dem Menschen unzukömmlich und nur als eines Gottes Sache bezeichnet.
Aber ich weiß, daß du es gut mit mir meinst und mich trösten
möchtest, und darum verzeihe ich dir die populäre und unwissende Art, wie du dich über meine Todeskrankheit ausgedrückt hast. Nicht nur sogar, daß ich dir verzeihe, sondern
deine letzten Worte, und daß du für möglich zu halten scheinst,
was du mir damit als möglich darstelltest, haben mein Herz,
das sich schon in den Tod zu ergeben gedachte, zu neuem,

heftigem Lebensschlage angetrieben – nur durch die Vorstellung der Möglichkeit, durch den Glauben daran, dessen ich nicht fähig bin. Zwar ahnt mir augenblicksweise, daß Unbetroffene, die sich in einer anderen Verfasung befinden als ich, die Sachlage klarer und richtiger möchten beurteilen können. Dann aber mißtraue ich sogleich wieder jeder anderen Verfassung als der meinen und glaube nur dieser, die mich auf den Tod verweist. Wie wahrscheinlich ist es allein schon, daß die himmlische Sita als Kind bereits eine Ehe eingegangen ist und demnächst schon dem mit ihr herangewachsenen Gatten vereint werden soll, – ein Gedanke von so gräßlicher Flammenqual, daß gar nichts anderes als die Flucht in die kühlende Scheiterhütte übrigbleibt!«

Aber Nanda versicherte ihm bei seiner Freundschaft, daß diese Befürchtung vollkommen hinfällig und Sita tatsächlich durch keine Kinderehe gebunden sei. Ihr Vater Sumantra habe sich einer solchen widersetzt, aus dem Hauptgrunde, weil er sie nicht der Schmach des Witwenstandes aussetzen wollte im Fall, daß der Eheknabe vorzeitig stürbe. Hätte sie doch auch gar nicht zur Schaukel-Jungfrau erwählt werden können, wenn sie ein vermähltes Mädchen gewesen wäre. Nein, Sita sei frei und verfügbar, und bei Schridamans guter Kaste, seinen häuslichen Verhältnissen und seiner Beschlagenheit in den Veden bedürfe es nur seines formellen Auftrages an den Freund, die Sache in die Hand zu nehmen und die Verhandlungen von Haus zu Haus zu beginnen, um einen glücklichen Ausgang so gut wie gewiß zu machen.

Bei der Wiedererwähnung des Schaukel-Vorkommnisses hatte es leidend in Schridamans einer Wange gezuckt, aber er erwies sich dem Freunde doch dankbar für seine Hilfsbereitschaft und ließ sich von Nanda's unerkranktem Verstande nach und nach vom Todesverlangen zu dem Glauben bekehren, daß die Erfüllung seiner Glückwünsche, nämlich die Sita als Gattin in seine Arme zu schließen, nicht außer dem Bereich des Faßlichen und einem Menschen Zukömmlichen liege, indem er allerdings dabei blieb, daß Nanda, wenn

die Werbung fehlschlüge, ihm unweigerlich mit seinen wackeren Armen die Brandhütte zu rüsten habe. Das versprach
Garga's Sohn ihm mit beschwichtigenden Worten, redete aber
vor allem und Schritt für Schritt die vorgezeichnete Prozedur
der Werbung mit ihm ab, bei der Schridaman ganz zurückzu-
treten und nur des Erfolges zu warten hatte: wie also Nanda
fürs erste einmal dem Bhavabhûti, Schridamans Vater, die
Gedanken des Sohnes eröffnen und ihn bestimmen sollte, mit
des Mädchens Eltern die Verhandlungen aufzunehmen; wie
dann auch Nanda als Stellvertreter des Freienden und als
Brautwerber sich zu Buckelstierheim einfinden und durch seine
Freundesperson die weitere Annäherung zwischen dem Paare
vermitteln würde.

Wie aber gesagt, so getan. Bhavabhûti, der Wânidja aus
Brahmanenblut, war erfreut über die Mitteilungen, die der
Vertraute seines Sohnes ihm machte; Sumantra, der Kuh-
züchter kriegerischer Abkunft, zeigte sich nicht ungehalten
über die von ansehnlichen Geschenken begleiteten Vorschläge,
die man ihm unterbreitete; Nanda sang im Hause der Freiung
das Lob des Freundes in populären, aber überzeugenden Tönen; es nahm auch der Gegenbesuch von Sita's Eltern zu
,Wohlfahrt der Kühe', bei dem sie des Werbers Rechtschaffenheit prüften, einen förderlichen Verlauf; und wie unter solchen Schritten und Handlungen die Tage vergingen, lernte das
Mädchen in Schridaman, dem Kaufmannssohn, von weitem
den ihr bestimmten Herrn und Gemahl zu sehen. Der Ehe-
vertrag ward aufgesetzt und seine Unterfertigung mit einem
gastfreien Mahl und dem Austausch glückverheißender Gaben
gefeiert. Der Tag der Vermählung, unter sternkundigem Bei-
rat sorgfältig erlesen, kam näher, und Nanda, der wußte, daß
er herankommen würde, ungeachtet daß Schridamans Vereinigung mit Sita auf ihn angesetzt war, was Schridaman
hinderte, an sein Erscheinen zu glauben, lief als Hochzeits-
bitter umher, um Magen und Freunde dazu zu laden. Er war
es auch, der, als man im Innenhofe des Brauthauses unter
Spruchlesungen des Hausbrahmanen aus Fladen getrockneten

Kuhmistes den Stoß zum Hochzeitsfeuer schichtete, mit seinen
wackeren Armen das Beste tat.

So kam der Tag, wo Sita, die ringsum Schöngliedrige, den
Leib mit Sandel, Kampfer und Kokos gesalbt, mit Geschmeide
geschmückt, im Flittermieder und Wickelkleid, den Kopf in
eine Schleierwolke gehüllt, den ihr Beschiedenen erstmals erblickte (während er sie bekanntlich zuvor schon erblickt hatte)
und ihn zum ersten Male bei Namen nannte. Es ließ die Stunde
zwar auf sich warten, nahm aber endlich dennoch Gegenwart
an, wo er das Wort sprach: »Ich habe sie erhalten«; wo er sie
unter Reis- und Butteropfern empfing aus ihrer Eltern Hand,
sich Himmel nannte und Erde sie, des Liedes Weise sich selbst
und sie des Liedes Wort und zum Gesange händeklatschender
Frauen dreimal mit ihr den lodernden Stoß umwandelte,
worauf er sie mit einem Gespanne weißer Stiere und festlich
geleitet heimführte in sein Dorf und in seiner Mutter Schoß.

Da gab es der glückverheißenden Riten noch mehr zu erfüllen, sie gingen ums Feuer auch hier, mit Zuckerrohr speiste
er sie, den Ring ließ er in ihr Gewand fallen, zum Festmahl
saßen sie nieder mit Sippen und Freunden. Als sie aber gegessen und getrunken hatten, auch noch mit Wasser der Ganga
und Rosenöl waren besprengt worden, geleiteten alle sie zu
dem Gemach, das den Namen erhalten hatte ‚Gemach des
glücklichen Paares‘, und wo das Blumenbett für sie aufgeschlagen war. Dort nahm unter Küssen, Scherzen und Tränen
jedermann von ihnen Abschied – Nanda, der immer mit ihnen
gewesen war, noch ganz zuletzt auf der Schwelle.

5

Möchten doch nur die Lauschenden nicht, verführt durch
den bisher so freundlichen Gang dieser Geschichte, der Fanggrube der Täuschung anheimgefallen sein über ihren wahren
Charakter! Während wir schwiegen, hat sie einen Augenblick

ihr Gesicht abgewandt, und wie sie es euch wieder zuwendet, ist es dasselbe nicht mehr: es ist zu einer gräßlichen Maske verzerrt, einem verstörenden, versteinernden oder zu wilden Opfertaten hinreißenden Schreckensantlitz, wie Schridaman, Nanda und Sita es auf der Reise erblickten, welche sie ... Aber eins nach dem anderen.

Sechs Monate waren verflossen, seit Schridamans Mutter die schöne Sita als Tochter auf den Schoß genommen und diese ihrem schmalnasigen Gatten den Vollgenuß ehelicher Lust gewährte. Der schwere Sommer war hingegangen, auch schon die Regenzeit, die den Himmel mit Wolkenfluten, die Erde aber mit frisch aufsprießenden Blumen bedeckt, wollte sich enden, fleckenlos war das Gezelt und herbstlich blühte der Lotos, als die Jungvermählten im Gespräch mit ihrem Freunde Nanda und unter Zustimmung von Schridamans Eltern eine Reise beschlossen zu Sita's Eltern, die ihre Tochter, seit sie den Mann umarmte, nicht mehr gesehen und sich zu überzeugen wünschten, wie ihr die Ehelust anschlüge. Obgleich Sita seit kurzem Mutterfreuden entgegensah, wagten sie die Wanderung, die nicht weit und bei abkühlendem Jahre nicht sehr beschwerlich war.

Sie reisten in einem überdachten und verhangenen, von einem Zebu-Ochsen und einem einhöckrigen Kamel gezogenen Karren, und Nanda, der Freund, lenkte das Gespann. Vor dem Ehepaar saß er, das Mützchen schief auf dem Kopf, und ließ die Beine baumeln, zu achtsam auf den Weg und Schritt, wie es schien, als daß er sich viel nach denen im Wagen hätte umwenden mögen, mit ihnen zu plaudern. Ein und das andere Wort sprach er zu den Tieren, begann auch von Zeit zu Zeit wohl sehr laut und hell ein Lied zu singen, – worauf jedoch jedesmal schon nach den ersten Tönen die Stimme ihm einschrumpfte und zum Summen wurde, ausgehend in ein still gesprochenes Hüh oder Hott. Seine Art aber, aus bedrängter Brust heftig loszusingen, hatte etwas Erschreckendes, und das rasche Zurückgehen der Stimme wiederum auch.

Hinter ihm die Eheleute saßen in Schweigen. Da sie ihn

eben vor sich hatten, wäre ihr Blick, wenn sie ihn geradeaus
richteten, in Nanda's Nacken gegangen, und das taten zuweilen die Augen der jungen Frau, indem sie sich langsam
aus ihrem Schoße erhoben, um nach kurzem Verweilen sehr
rasch in diesen zurückzukehren. Schridaman vermied diese
Aussicht ganz und gar, indem er das Gesicht seitlich gegen
das hängende Sackleinen wendete. Gern hätte er mit Nanda
den Platz gewechselt und selber kutschiert, um nicht, wie
neben ihm seine Frau, den bräunlichen Rücken mit dem Wir-
belgrat, den beweglichen Schulterblättern vor sich zu haben.
Doch ging das nicht an, da jene Anordnung, die er sich zur
Erleichterung wünschte, auch wieder nicht das Rechte gewesen
wäre. – So zogen sie still ihre Straße dahin, dabei aber ging
allen dreien der Atem rasch, als wären sie gelaufen, und Röte
äderte das Weiße ihrer Augen, was immer ein schweres Zeichen ist. Gewiß, ein Mann von Sehergabe hätte schwarze Fit-
tiche über ihrem Gefährte schattend mitziehen sehen.

Mit Vorliebe zogen sie unterm Fittich der Nacht, will sagen
vor Tag, in den frühesten Morgenstunden, wie man es wohl
tut, um die Sonnenlast des hohen Tages zu meiden. Sie aber
hatten dafür ihre eigenen Gründe. Da nun in ihren Seelen
Verirrung wohnte und Dukelheit Verirrung begünstigt, so
nahmen sie ohne ihr Wissen die Gelegenheit wahr, die Verirrung ihres Inneren im Räumlichen darzustellen und ver-
irrten sich in der Gegend. Nanda nämlich lenkte den Ochsen
und das Kamel nicht an dem Punkte von der Straße zur Seite
ab, wo es nötig gewesen wäre, um nach Sita's Heimatdorf zu
gelangen, sondern, entschuldigt durch den mondlosen, nur
von Sternen erhellten Himmel, tat er es an irriger Stelle, und
der Weg, den er einschlug, war bald kein Weg mehr, sondern
nur noch eine dergleichen vortäuschende Lichtung zwischen
Bäumen, die anfangs einzeln gestanden hatten, dann aber sich
mehrten, und die ein dichter Wald ihnen entgegensandte, um
sie einzufangen und ihnen bald auch die Lichtung aus den
Augen zu bringen, der sie gefolgt waren und die sie zur Rückkehr hätten benutzen können.

Unmöglich war es, zwischen den umringenden Stämmen und auf dem weichen Boden des Waldes mit ihrem Gefährte noch vorwärts zu kommen, und sie gestanden einander zu, sich verfahren zu haben, ohne sich zuzugestehen, daß sie eine Lage herbeigeführt hatten, die der Verfahrenheit ihrer Gemüter entsprach; denn Schridaman und Sita, hinter dem lenkenden Nanda, hatten nicht etwa geschlafen, sondern es offenen Auges zugelassen, daß jener sie in die Irre fuhr. Es blieb ihnen nichts übrig, als an der Stelle, wo sie waren, ein Feuer zu machen, um mit mehr Sicherheit gegen reißende Tiere den Aufgang der Sonne zu erwarten. Als dann der Tag in den Wald schien, untersuchten sie die Umgebung nach verschiedenen Seiten, ließen das ausgeschirrte Gespann einzeln gehen und schoben unter großen Mühen den Reisekarren in die Kreuz und Quere, wo immer das Tiek- und Sandelholz Durchlaß gewährte, zum Rande des Dschungels, wo eine allenfalls fahrbare buschige Steinschlucht sich ihnen auftat, von der Nanda mit Bestimmtheit erklärte, daß sie sie auf den rechten Weg zum Ziele bringen müsse.

Wie sie nun in schiefer Fahrt und unter Stößen den Schluchtweg verfolgten, kamen sie zu einem aus dem Felsen gehauenen Tempel, den sie als ein Heiligtum der Dewi, Durgâ's, der Unnahbaren und Gefahrvollen, Kâlî's, der dunklen Mutter, erkannten; und einem Zuge seines Inneren folgend, gab Schridaman den Wunsch zu erkennen, auszusteigen und der Göttin seine Verehrung zu bezeigen. »Ich will nur eben nach ihr schauen, anbeten und in wenigen Augenblicken wiederkehren«, sagte er zu seinen Begleitern. »Wartet ihr hier unterdessen!« Und er verließ den Wagen und stieg zur Seite die rauhen zum Tempel führenden Stufen hinan.

So wenig wie jenes Mutterhaus am lauschigen Badeplatz des Flüßchens ‚Goldfliege‘ war dieses hier eins von den großen; doch war es mit reicher Frömmigkeit ausgemeißelt nach Pfeilern und Bildschmuck. Der wilde Berg wuchtete über dem Eingang herab, gestützt von Säulen, die fauchende Pardeltiere bewachten, und bemalte Schildereien waren rechts und links,

wie auch zu seiten des inneren Zutritts, aus den Flächen des
Felsens gemetzt: Gesichte des Lebens im Fleisch, wie es aus
Knochen, Haut, Sehnen und Mark, aus Samen, Schweiß, Tränen und Augenbutter, Kot, Harn und Galle zusammenge-
schüttet, behaftet mit Leidenschaft, Zorn, Wahn, Begierde,
Neid und Verzagen, mit Trennung von Liebem, Bindung an
Unliebes, Hunger, Durst, Alter, Kummer und Tod, unver-
sieglich durchströmt vom süßen und heißen Blutstrom, in
tausend Gestalten sich leidend genießt, sich wimmelnd verschlingt und ineinander sich wandelt, wo denn im fließend-
allerfüllenden Gewirr des Menschlichen, Göttlichen, Tierischen
ein Elefantenrüssel den Arm eines Mannes abzugeben, ein
Eberkopf aber an die Stelle zu treten schien von eines Weibes
Haupt. – Schridaman achtete des Gebildes nicht und glaubte
es nicht zu sehen: aber wie beim Zwischendurchgehen seine
von Rot durchzogenen Augen es streiften, ging es doch, Zärtlichkeit, Schwindel und Mitleid erregend, in seine Seele ein,
sie vorzubereiten auf den Anblick der Mutter.

Halbdunkel herrschte im Felsenhaus; nur von oben her
durch den Berg fiel Tageslicht ein in die Versammlungshalle,
die er zuerst durchschritt, in die niedriger eingesenkte Torhalle, die sich daran schloß. Da tat sich ihm durch eine tiefe
Tür, in der Stufen hinabführten abermals, der Mutterleib auf,
der Schoß des Hauses.

Er erbebte am Fuße der Stufen und taumelte auf sie zurück,
die Hände gegen die beiden Lingam-Steine zu seiten des Ein-
tritts gespreizt. Das Bild der Kâlî war grauenerregend. Schien
es seinen rotgeäderten Augen nur so, oder hatte er die Zornmütige in so triumphierend gräßlicher Gestalt noch nie und
nirgends erblickt? Aus einem Rahmenbogen von Schädeln und
abgehauenen Händen und Füßen trat das Idol in Farben, die
alles Licht an sich rafften und von sich schleuderten, im glitzernden Kronenputz, geschürzt und bekränzt mit Gebein und
Gliedmaßen der Wesen, im wirbelnden Rad seiner achtzehn
Arme aus der Felswand hervor. Schwerter und Fackeln
schwang die Mutter ringsum, Blut dampfte in der Hirnschale,

die eine ihrer Hände zum Munde führte, Blut breitete sich zu
ihren Füßen aus, – in einem Kahn stand die Entsetzen-
erregende, der auf dem Meere der Lebensflut, auf einem Blut-
meere schwamm. Wirklicher Blutgeruch aber schwebte, Schirda-
mans dünnrückige Nase streifend, ältlich-süßlich in der
stockenden Luft der Berghöhle, des unterirdischen Schlacht-
hauses, in dessen Boden klebrig starrende Rinnen zum Abfluß
des Lebenssaftes enthaupteter, schnell ausblutender Tiere eingelassen waren. Tierköpfe mit offenen, verglasten Augen, vier
oder fünf, vom Büffel, vom Schwein und von der Ziege,
waren pyramidenförmig auf dem Altar vor dem Bilde der
Unentrinnbaren zusammengestellt, und sein Schwert, das zu
ihrer Halsschlachtung gedient, scharfschneidend, blank, wenn
auch von getrocknetem Blute fleckig ebenfalls, lag seitlich
davon auf den Fliesen.

Schridaman starrte mit einem Grausen, das von Augenblick zu Augenblick zur Begeisterung anschwoll, in das wild
glotzende Antlitz der Opferheischenden, der Todbringend-
Lebenschenkenden, und auf den Wirbel ihrer Arme, der auch
ihm den Sinn in trunkenes Kreisen versetzte. Er drückte die
geballten Hände gegen seine gewaltsam gehende Brust, und
ungeheuerliche Schauer, kalt und heiß, überfluteten ihn einer
nach dem anderen und rührten, zu äußerster Tat mahnend,
zur Tat gegen sich selbst und für den ewigen Schoß, sein
Hinterhaupt, seine Herzgrube und sein in Jammer erregtes
Geschlecht an. Seine schon blutleeren Lippen beteten:

»Anfangslose, die vor allen Entstandenen war! Mutter
ohne Mann, deren Kleid niemand hebt! Lust- und schreckens-
voll Allumfangende, die du wieder einschlürfst alle Welten
und Bilder, die aus dir quillen! Mit vielen Opfern lebender
Wesen verehrt dich das Volk, denn dir gebührt das Lebens-
blut aller! Wie sollte ich deine Gnade nicht finden zu meinem
Heil, wenn ich mich selbst dir zum Opfer bringe? Ich weiß
wohl, daß ich dadurch nicht dem Leben entkomme, ob es auch
wünschenswert wäre. Aber laß mich wieder eingehen durch
die Pforte des Mutterleibes in dich zurück, daß ich dieses Ichs

ledig werde und nicht mehr Schridaman bin, dem alle Lust
verwirrt ist, weil er es ist, der sie spendet!«

Sprach diese dunklen Worte, griff das Schwert auf dem
Boden und trennte sich selbst das Haupt vom Rumpf. –

Das ist schnell gesagt, auch war es nicht anders als schnell
zu tun. Und doch hat hier der Überliefernde nur einen
Wunsch: es möchte nämlich der Lauscher die Aussage nicht
gleichmütig-gedankenlos hinnehmen als etwas Gewohntes und
Natürliches, nur weil es so oft überliefert ist und in den Berichten als etwas Gewöhnliches vorkommt, daß Leute sich
selber den Kopf abschnitten. Der Einzelfall ist nie gewöhnlich: das Allergewöhnlichste für den Gedanken und die Aussage sind Geburt und Tod; wohne aber einer Geburt bei oder
einem Sterben und frage dich, frage die Kreißende oder den
Abscheidenden, ob das etwas Gewöhnliches ist! Die Selbst-
enthauptung, so oft sie berichtet sein mag, ist eine fast untunliche Tat, zu deren gründlicher Ausführung eine ungeheure Begeisterung und eine furchtbare Versammlung aller
Lebens- und Willenskräfte auf den Punkt der Vollbringung
gehört; und daß Schridaman mit den gedankensanften Augen
und den wenig wackeren brahmanischen Kaufmannsarmen
sie hier vollendete, sollte nicht wie etwas Gewohntes, sondern
mit fast ungläubigem Staunen hingenommen werden.

Genug nun freilich, daß er das grause Opfer im Handumdrehen tätigte, so daß hier sein Haupt mit dem sanften
Bart um die Wangen und dort sein Körper lag, der das weniger
wichtige Zubehör dieses edlen Hauptes gewesen war, und
dessen beide Hände noch den Griff des Opferschwertes um-
klammert hielten. Aus dem Rumpf aber stürzte das Blut mit
großer Gewalt, um dann in den schrägwandigen Rinnen, die
den Boden durchzogen und nur ein geringes Gefälle hatten,
langsam gegen die unter dem Altar ausgehobene Grube zu
schleichen, – sehr ähnlich dem Flüßchen ‚Goldfliege‘, das erst
wie ein Füllen aus Himawants Tor gerannt kommt, dann aber
stiller und stiller seinen Weg zur Mündung dahingeht. –

6

Kehren wir nun aus dem Mutterschoß dieses Felsenhauses
zurück zu den draußen Wartenden, so dürfen wir uns nicht
wundern, sie in anfangs stummer, dann aber auch gesprächs-
weise ausgetauschter Nachfrage nach Schridaman zu finden,
der doch nur zu kurzer Huldigung hatte eintreten wollen,
aber so lange nicht wiederkehrte. Die schöne Sita, hinter
Nanda sitzend, hatte längere Zeit abwechselnd in seinen
Nacken und in ihren Schoß geblickt und sich so still verhalten
wie er, der seine Ziegennase und populären Wulstlippen immer
vorwärts gegen das Gespann gewandt hielt. Schließlich aber
begannen beide auf ihren Sitzen hin und her zu rücken, und
nach aber einer Weile wandte der Freund sich mit einem Entschluß nach der jungen Ehefrau um und fragte:

»Hast du eine Idee, warum er uns warten läßt und was er
so lange dort treibt?«

»Ich kann es nicht ahnen, Nanda«, versetzte sie, genau mit
der süß schwingenden und klingenden Stimme, die zu vernehmen er sich gefürchtet hatte, und sogar, daß sie überflüs-
sigerweise seinen Namen hinzufügen würde, hatte er im voraus gefürchtet, obgleich es nicht weniger unnötig war, als wenn
er gesagt hätte: »Wo bleibt denn nur Schridaman?« statt einfach zu fragen: »Wo bleibt er nur?«

»Ich kann es mir«, fuhr sie fort, »längst nicht mehr denken,
lieber Nanda, und wenn jetzt du dich nicht nach mir umgewandt und mich gefragt hättest, so hätte ich, höchstens ein
wenig später, von mir aus die Frage an dich gerichtet.«

Er schüttelte den Kopf, teils aus Verwunderung über des
Freundes Säumen, teils auch zur Abwehr des Überflüssigen,
das sie immer sagte; denn zu sagen: »umgewandt« hätte völlig genügt, und die Hinzufügung »nach mir«, obgleich selbstverständlich richtig, war unnötig bis zur Gefährlichkeit – gesprochen beim Warten auf Schridaman mit süß schwingender,
leicht unnatürlicher Stimme.

Er schwieg aus Furcht, auch seinerseits mit unnatürlicher

Stimme zu sprechen und sie vielleicht dabei mit ihrem Namen
anzureden, wozu er nach ihrem Beispiel eine gewisse Versuchung empfand; und so war sie es, die nach kurzer Pause
den Vorschlag machte:

»Ich will dir etwas sagen, Nanda, du solltest ihm nachgehen
und dich nach ihm umsehen, wo er bleibt, und ihn mit deinen
kräftigen Armen rütteln, wenn er sich im Gebete vergessen
hat – wir können nicht länger warten, und es ist auffallend
sonderbar von ihm, uns hier sitzen und bei steigender Sonne
die Zeit versäumen zu lassen, wo wir durch die Verirrung
ohnedies schon verspätet sind und meine Eltern vielleicht
schon allmählich anfangen, sich Sorge um mich zu machen,
denn sie lieben mich über alles. Geh also, bitte, und hole ihn,
Nanda! Selbst wenn er noch nicht kommen möchte und sich
etwas wehrt, so bringe ihn her! Du bist ja stärker als er.«

»Gut, ich will gehen und ihn holen«, erwiderte Nanda, –
»natürlich im Guten. Ich brauche ihn nur an die Zeit zu erinnern. Übrigens war es meine Schuld, daß wir den Weg verloren, und sonst niemandes. Ich hatte schon selbst daran gedacht, ihm nachzugehen, und meinte nur, es sei dir vielleicht
ängstlich, hier ganz allein zu warten. Aber es ist nur auf
wenige Augenblicke.«

Damit ließ er sich vom Lenkerbrett hinab und ging hinauf
in das Heiligtum.

Und wir, die wir wissen, welcher Anblick ihn erwartet! Wir
müssen ihn begleiten durch die Versammlungshalle, wo er
noch nichts ahnte, und durch die Torhalle, wo ebenfalls noch
volle Unwissenheit ihn einhüllte, und endlich hinab in den
Mutterschoß. Nun ja, da strauchelte und taumelte er, einen
dumpfen Ausruf des Entsetzens auf seinen Lippen, und hielt
sich mit Mühe fest an den Lingam-Steinen, ganz so wie Schridaman es getan, aber nicht des Bildes wegen tat er es, das jenen
erschreckt und furchtbar begeistet hatte, sondern vor dem
grausen Anblick am Boden. Da lag sein Freund, das wachsfar-
bene Haupt mit gelöstem Kopftuch vom Rumpfe getrennt,
und sein Blut schlich auf geteilten Wegen gegen die Grube.

Der arme Nanda zitterte wie ein Elefantenohr. Er hielt sich
die Wangen mit seinen dunklen, beringten Händen, und zwischen seinen volkstümlichen Lippen preßte sich halb erstickt
der Name des Freundes hervor, wieder und wieder. Vorgebeugt tat er hilflose Bewegungen gegen den zerteilten Schridaman am Boden, denn er wußte nicht, an welchen Teil er sich
wenden, welchen er umfangen, zu welchem er reden sollte,
zum Körper oder zum Haupt. Für dieses entschied er sich
endlich, da es immer so entschieden die Hauptsache gewesen
war, kniete hin zu dem Bleichen und sprach, das ziegennasige
Gesicht von bitterm Weinen verzogen, darauf ein, indem er
immerhin auch eine Hand auf den Körper legte und sich
gelegentlich auch an diesen wandte.

»Schridaman«, schluchzte er, »mein Lieber, was hast du
getan, und wie konntest du's nur über dich gewinnen und
dies vollbringen mit deinen Händen und Armen, eine so schwer
auszuführende Tat! Es war doch nicht deine Sache! Aber was
niemand dir zugemutet hätte, das hast du geleistet! Immer
habe ich dich bewundert im Geiste, nun muß ich dich jammer-
voll bewundern auch von Leibes wegen, weil du dies Aller-
schwerste vermocht! Wie muß es ausgesehen haben in dir, daß
du es schafftest! Welchen Opfertanz müssen Großherzigkeit
und Verzweiflung, Hand in Hand, in deiner Brust vollführt
haben, daß du dich schlachtetest! Ach, wehe, wehe, getrennt
das feine Haupt vom feinen Leibe! Noch sitzt der zarte Schmer
in seiner Gegend, aber er ist um Sinn und Bedeutung gebracht,
da die Verbindung fehlt mit dem edlen Haupt! Sage, bin ich
schuld? Bin ich etwa schuld an deiner Tat durch mein Sein,
wenn auch nicht durch mein Tun? Siehe, ich denke dir nach,
da mein Kopf noch denkt, – du hättest vielleicht nach der
Wesenskunde diese Unterscheidung gemacht und die Schuld
durch das Sein für wesentlicher erklärt als die durch das Tun.
Aber was kann der Mensch mehr tun, als das Tun vermeiden?
Ich habe geschwiegen soviel wie möglich, um nicht etwa auch
mit girrender Stimme zu sprechen. Ich habe nichts Überflüssiges gesagt und nicht ihren Namen hinzugefügt, wenn ich zu

ihr redete. Ich selbst bin mein Zeuge und sonst freilich niemand, daß ich auf nichts eingegangen bin, wenn sie sticheln
wollte auf dich zu meinen Gunsten. Aber was nützt das alles,
wenn ich schuld bin einfach durch mein Dasein im Fleische?
In die Wüste hätte ich gehen sollen und als Einsiedler strenge
Observanzen erfüllen! Ich hätte es tun sollen, ohne daß du zu
mir redetest, zerknirscht will ich's zugeben; aber soviel kann
ich sagen zu meiner Entlastung, daß ich es bestimmt getan
hätte, wenn du zu mir gesprochen hättest! Warum hast du
nicht zu mir gesprochen, liebes Haupt, als du noch nicht abgesondert dalagst, sondern auf deinem Leibe saßest? Immer
haben unsere Häupter miteinander geredet, deins klug und
meins simpel, aber wo es ernst und gefährlich wurde, da
schwiegst du! Nun ist es zu spät, und du hast nicht gesprochen, sondern gehandelt großherzig grausam und mir vorgeschrieben, wie ich zu handeln habe. Denn das hast du wohl
nicht geglaubt, daß ich hinter dir zurückstehen würde, und
daß einer Tat, die du mit deinen zarten Armen vollbracht,
meine prallen sich weigern würden! Oft habe ich dir gesagt,
daß ich die Trennung von dir nicht zu überleben gedächte,
und als du mir in deiner Liebeskrankheit befahlst, dir die
Feuerhütte zu rüsten, da erklärte ich dir, daß ich sie, wenn
überhaupt, dann für zweie rüsten und mit dir einhocken
würde. Was jetzt zu geschehen hat, das weiß ich längst, wenn
ich auch jetzt erst dazu komme, es klar aus dem Getümmel
meiner Gedanken herauszulösen, und schon gleich als ich hier
hereinkam und dich liegen sah, – dich, das heißt den Leib da
und das Haupt nebenbei, – da war Nanda's Urteil sofort gesprochen. Ich wollte mit dir brennen, so will ich auch mit dir
bluten, denn etwas anderes bleibt mir überhaupt nicht übrig.
Soll ich etwa hinausgehen, um ihr zu melden, was du getan,
und aus den Schreckensschreien, die sie ausstoßen wird, ihre
heimliche Freude herauszuhören? Soll ich umhergehen mit
beflecktem Namen und die Leute reden lassen, wie sie mit
Bestimmtheit reden werden, nämlich: ‚Nanda, der Bösewicht,
hat sich an seinem Freunde vergangen, hat ihn aus Gier nach

seinem Weibe ermordet'? Das denn doch nicht! Das nimmermehr! Ich folge dir, und der ewige Schoß trinke mein Blut
mit deinem!«

Dies gesagt, wandte er sich vom Haupte zum Körper, löste
den Schwertgriff aus den schon erstarrenden Händen und
vollstreckte mit seinen wackeren Armen aufs gründlichste das
sich selbst gesprochene Urteil, so daß sein Körper, um diesen
zuerst zu nennen, quer über denjenigen Schridamans fiel und
sein netter Kopf neben den des Freundes rollte, wo er mit
verdrehten Augen liegenblieb. Sein Blut aber ebenfalls quoll
erst wild und geschwinde hervor im Entspringen und schlich
dann langsam durch die Rinnen zur Mündungsgrube.

7

Unterdessen saß Sita, die Furche, draußen allein in ihrem
Wagenzelt, und die Zeit wurde ihr um so länger, als kein
Nacken mehr vor ihr war, in den sie blicken konnte. Was,
während sie sich einer alltäglichen Ungeduld überließ, mit
diesem Nacken geschehen war, ließ sie sich nicht träumen, –
es sei denn, daß dennoch in ihrem Innersten, tief unter dem
zwar lebhaften, aber doch nur einer Welt harmloser Denkbarkeiten zugehörigen Unmut, der sie mit den Füßchen
strampeln und trampeln ließ, die Ahnung von etwas Fürch-
terlichem sich regte, woraus ihr Wartenmüssen sich erklärte,
wozu aber Ungeduld und Ärger keine passenden Verhaltungs-
weisen bildeten, weil es einer Ordnung von Möglichkeiten
angehörte, bei der es gar nichts zu strampeln und zu trampeln gab. Mit einer heimlichen Aufgeschlossenheit der jungen
Frau für Vermutungen dieser Art ist zu rechnen, weil sie seit
einiger Zeit in Zuständen und Erfahrungen gelebt hatte, die,
um nur soviel zu sagen, einer gewissen Verwandtschaft mit
jener übermäßigen Ordnung nicht entbehrten. Aber in dem,
was sie vor sich selber äußerte, kam dergleichen nicht vor.

,Es ist doch nicht zu sagen und kaum zu ertragen!' dachte
sie. ,Diese Männer, einer ist wie der andere, man sollte keinem vor dem andern den Vorzug geben, denn Verlaß ist auf
keinen. Der eine läßt einen mit dem anderen sitzen, so daß er,
ich weiß nicht, was, dafür verdient hätte, und schickt man
den anderen, so sitzt man allein. Und das bei steigender
Sonne, da durch die Verirrung schon soviel Zeit verlorenge-
gangen! Nicht viel fehlte, so führe ich vor Ärger aus der Haut.
Es ist doch im ganzen Bereich vernünftiger und zulässiger
Möglichkeiten keine Erklärung und keine Entschuldigung dafür zu finden, daß erst der eine ausbleibt, und dann der, der
ihn holen soll, auch. Das Äußerste, was ich denken kann, ist,
daß sie in Streit und Kampf geraten sind, weil Schridaman
so am Gebete hängt, daß er nicht von der Stelle mag, und
Nanda ihn zwingen will, zu kommen, dabei aber aus Rücksicht auf meines Mannes Zartheit nicht seine volle Kraft auf-
zubieten wagt; denn wenn er wollte, so könnte er jenen ja auf
seinen Armen, die sich wie Eisen anfühlen, wenn man gelegentlich daran streift, zu mir heraustragen wie ein Kind.
Das wäre demütigend für Schridaman, und doch hat die
Kränkung des Wartenmüssens mich dem Wunsch schon sehr
nahe gebracht, daß Nanda so handelte. Ich will euch etwas
sagen: ihr verdientet, daß ich die Zügel nähme und allein zu
meinen Eltern führe, – wenn ihr endlich herauskämt, so wäre
die Stätte leer. Wäre es nicht so ehrlos, ohne Mann und
Freund dort anzukommen, weil beide einen haben sitzen lassen, ich führte stracks den Gedanken aus. So aber bleibt mir
nichts anderes übrig (und der Augenblick dazu ist nun ganz
entschieden gekommen), als selbst aufzustehen, ihnen nachzugehen und nachzusehen, was in aller Welt sie treiben. Kein
Wunder, daß mich armes, schwangeres Weib etwas Ängstlich-
heit ankommt vor dem Ungewöhnlichen, das hinter ihrem
rätselhaften Benehmen stecken muß. Aber die schlimmste
unter den Denkbarkeiten ist ja schließlich, daß sie aus irgendwelchen Gründen, die ein anderer sich ausdenken mag, in
Streit geraten sind, und daß der Hader sie festhält. Dann

werde ich mich ins Mittel legen und ihnen schon die Köpfe
zurechtsetzen.'

Damit stieg auch die schöne Sita vom Wagen, machte sich,
indes ihr die Hüften in dem gewundenen Kleide wogten, auf
den Weg zum Mutterhause, – und stand fünfzig Atemzüge
später vor der gräßlichsten der Bescherungen.

Sie warf die Arme empor, die Augen traten ihr aus den
Höhlen, und von einer Ohnmacht entseelt, sank sie lang hin
zu Boden. Allein was half ihr das? Die gräßliche Bescherung
hatte Zeit, zu warten, wie sie gewartet hatte, während Sita
ihrerseits zu warten vermeinte; sie blieb beliebig lange dieselbe, und als die Unglückliche wieder zu sich kam, war alles
wie zuvor. Sie versuchte aufs neue in Ohnmacht zu fallen,
was ihr aber dank ihrer guten Natur nicht gelang. So kauerte
sie auf den Steinen, die Finger in ihrem Haare vergraben,
und starrte auf die abgesonderten Köpfe, die überkreuz
liegenden Leiber und all das schleichende Blut.

»Ihr Götter, Geister und großen Asketen«, flüsterten ihre
bläulichen Lippen, – »ich bin verloren! Beide Männer, gleich
alle beide – mit mir ist's aus! Mein Herr und Gatte, der mit
mir ums Feuer ging, mein Schridaman mit dem hochgeachte-
ten Haupt und dem immerhin warmen Leibe, der mich die
Lust lehrte, so gut ich sie eben kenne, in heiligen Ehenächten –
getrennt das verehrte Haupt von seinem Körper, dahin und
tot! Dahin und tot auch der andere, Nanda, der mich schaukelte und mich ihm warb, – blutig getrennt der Körper von
seinem Haupt – da liegt er, die Locke ,Glückskalb' noch auf
der fröhlichen Brust, – ohne Kopf, was ist's nun damit? Ich
könnte ihn anrühren, ich könnte die Kraft und Schönheit
seiner Arme und Schenkel berühren, wenn mir danach zumute
wäre. Aber mir ist nicht; der blutige Tod setzt eine Schranke
zwischen ihn und diesen Mutwillen, wie früher Ehre und
Freundschaft es taten. Sie haben einander die Köpfe abge-
schlagen! Aus einem Grunde, den ich mir nicht länger ver-
hehle, ist ihr Zorn aufgeflammt wie Feuer, in das man Butter gießt, und sie sind in so furchtbaren Streit geraten, daß

es zu dieser Wechseltat kam – ich seh's mit Augen! Es ist aber
nur ein Schwert da – und Nanda hält es? Wie konnten die
Wütenden mit nur einem Schwerte kämpfen? Schridaman
hat, aller Weisheit und Milde vergesssen, zum Schwerte gegriffen und dem Nanda den Kopf abgehauen, worauf dieser – aber nein! Nanda hat aus Gründen, die mich über-
rieseln in meinem Elend, den Schridaman geköpft, und darauf hat dieser – aber nein – aber nein! Höre doch auf zu
denken, es kommt nichts dabei heraus als die blutige Finsternis, die ohnedies schon da ist, und nur das eine ist klar, daß
sie gehandelt haben wie wüste Männer und nicht einen
Augenblick meiner gedachten. Das heißt, meiner gedachten sie
schon, um mich Arme ging es ja bei ihrem gräßlichen Mannes-
tun, und das überrieselt mich gewissermaßen; aber nur in bezug auf sich selbst gedachten sie meiner, nicht in bezug auf
mich und darauf, was aus mir werden würde – das kümmerte
sie so wenig in ihrer Raserei, wie es sie jetzt kümmert, wo sie
stille daliegen ohne Kopf und es mir überlassen, was ich nun
anfange! Anfange? Hier gibt's nur zu enden und gar nichts
anzufangen. Soll ich als Witwe durchs Leben irren und den
Makel und Abscheu tragen der Frau, die ihres Herrn so
schlecht gepflegt, daß er umkam? So steht's um eine Witwe
schon ohnehin, aber welchen Makel wird man mir erst an-
heften, wenn ich allein in meines Vaters und meines Schwie-
gervaters Haus komme? Nur ein Schwert ist vorhanden, sie
können sich nicht wechselweise damit umgebracht haben, mit
einem Schwert kommen zweie nicht aus. Aber eine dritte
Person ist übrig, und das bin ich. Man wird sagen, ich sei ein
zügelloses Weib und hätte meinen Gatten und seinen Wahl-
bruder, meinen Schwager, ermordet, – die Beweiskette ist
schlüssig. Sie ist falsch, aber sie ist schlüssig, und unschuldig
wird man mich brandmarken. Nicht unschuldig, nein, es hätte
noch Sinn und wäre der Mühe wert, sich zu belügen, wenn
nicht alles zu Ende wäre, so aber hat es keinen Sinn. Unschuldig bin ich nicht, bin es schon lange nicht mehr, und die
Zügellosigkeit angehend, so ist schon etwas daran, – viel, viel

sogar ist daran; nur nicht gerade so, wie die Leute meinen
werden, und also gibt es denn eine irrtümliche Gerechtigkeit?
– Der muß ich zuvorkommen und muß mich selber richten.
Ich muß ihnen folgen – nichts anderes in aller Welt bleibt mir
übrig. Das Schwert kann ich nicht handhaben mit diesen
Händchen, die zu klein und ängstlich sind, um den Körper
zu zerstören, zu dem sie gehören, und der schwellende Lok-
kung ist um und um, aber aus Schwäche besteht. Ach, es ist
schade um seinen Liebreiz, und doch muß er ebenso starr und
sinnlos werden wie diese hier, daß er hinfort weder Lust er-
wecke noch Lüsternheit leide. Das ist es, was unbedingt sein
muß, möge auch dadurch die Zahl der Opfer auf viere steigen.
Was hätte es auch vom Leben, das Witwenkind? Ein Krüppel des Unglücks würde es ohne Zweifel, würde sicherlich
blaß und blind, weil ich erblaßte vor Kummer in der Lust
und die Augen schloß vor dem, der sie spendete. Wie ich's
anfange, das haben sie mir überlassen. Seht denn, wie ich mir
zu helfen weiß!«

Und sie raffte sich auf, taumelte hin und her, strauchelte
die Stufen hinauf und lief, den Blick in die Vernichtung gerichtet, durch den Tempel zurück ins Freie. Es stand ein
Feigenbaum vor dem Heiligtum, mit Lianen behangen. Von
den grünen Schläuchen ergriff sie einen, machte eine Schlinge
daraus, legte sie sich um den Hals und war in genauem Begriff, sich darin zu erwürgen.

8

In diesem Augenblick geschah eine Stimme zu ihr aus den
Lüften, die unzweifelhaft nur die Stimme Durgâ-Dewi's, der
Unnahbaren, Kâlî's, der Dunklen, die Stimme der Welten-
mutter selbst sein konnte. Es war eine tiefe und rauhe, müt-
terlich-resolute Stimme.

»Willst du das wohl augenblicklich sein lassen, du dumme
Ziege?« so ließ sie sich vernehmen, »es ist dir wohl nicht ge-

nug, das Blut meiner Söhne in die Grube gebracht zu haben,
daß du auch noch meinen Baum verunzieren und, was eine
ganz hübsche Ausprägung meiner Wesenheit war, deinen Leib
zum Rabenfraße machen willst mitsamt dem lieben, süßen,
warmen, kleinwinzigen Lebenskeim, der darin wächst? Hast
du etwa nicht gemerkt, du Pute, daß es dir ausgeblieben ist,
und daß du in der Hoffnung bist von meinem Sohn? Wenn
du nicht bis drei zählen kannst auf unserem Gebiet, dann
hänge dich auf allerdings, aber nicht hier in meinem Revier,
es sieht ja aus, als sollte das liebe Leben auf einmal zugrunde
gehen und aus der Welt kommen, nur deiner Albernheit
wegen. Ich habe die Ohren voll sowieso von der Salbaderei
der Denker, das menschliche Dasein sei eine Krankheit, die
ihre Ansteckung durch die Liebeslust weitertrage auf neue
Geschlechter, – und du Närrin stellst mir hier solche Tänze
an. Zieh den Kopf aus der Schlinge, oder es gibt Ohrfeigen!«

»Heilige Göttin«, antwortete Sita, »gewiß, ich gehorche.
Ich höre deine Wolkendonnerstimme und unterbreche natürlich sofort meine verzweifelte Handlung, da du es befiehlst.
Aber dagegen muß ich mich verwahren, daß ich mich nicht
einmal auf meinen Zustand verstünde und nicht gemerkt
hätte, daß du mir's hast stillstehen lassen und mich gesegnet
hast. Ich dachte nur, daß es ohnedies blaß und blind und ein
Krüppel des Unglücks sein würde.«

»Sei so gut und laß das meine Sorge sein! Erstens ist es ein
dämlicher Weibs-Aberglaube, und zweitens muß es auch
blasse und blinde Krüppel geben in meinem Getriebe. Recht-
fertige dich lieber und gestehe, warum das Blut meiner Söhne
mir zugeflossen ist dort drinnen, die beide in ihrer Art ausgezeichnete Jungen waren! Nicht als ob ihr Blut mir nicht angenehm gewesen wäre, aber ich hätte es gern noch eine Weile
in ihren braven Adern gelassen. Rede also, aber sage die
Wahrheit! Du kannst dir denken, daß mir ohnehin jedwedes
Ding offenbar ist.«

»Sie haben einander umgebracht, heilige Göttin, und mich
haben sie sitzen lassen. Sie sind in heftigen Streit geraten um

meinetwillen und haben mit ein und demselben Schwert einander die Köpfe –«

»Unsinn. Es kann wirklich nur ein Frauenzimmer so hochgradigen Unsinn schwätzen! Sie haben sich mir selber einer nach dem anderen in männlicher Frömmigkeit zum Opfer gebracht, damit du's weißt. Warum aber haben sie das getan?«

Die schöne Sita begann zu weinen und antwortete schluchzend:

»Ach, heilige Göttin, ich weiß und gestehe, daß ich schuldig bin, aber was kann ich dafür? Es war solch ein Unglück, wenn auch ein unvermeidliches wohl, also ein Verhängnis, wenn es dir recht ist, daß ich es so ausdrücke« (hier schluchzte sie mehrmals hintereinander), »– es war so ein Unheil und Schlangengift für mich, daß ich zum Weibe wurde aus dem schnippisch verschlossenen und noch nichts wissenden Mädchen, das ich war und das in Frieden seines Vaters Herdfeuer speiste, bevor es den Mann erkannte und in deine Geschäfte eingeführt wurde, – das war für dein fröhliches Kind, als hätt' es Tollkirschen gegessen, – verändert ist es seitdem um und um, und die Sünde hat Gewalt über seinen erschlossenen Sinn mit unwiderstehlicher Süßigkeit. Nicht, daß ich mich zurückwünsche in die fröhliche, schnippische Unerschlossenheit, welche Unwissenheit war, – das kann ich nicht, nicht einmal das ist einem möglich. Ich weiß nur, daß ich den Mann nicht kannte in jener Vorzeit und ihn nicht sah, daß er mich nicht kümmerte und meine Seele frei war von ihm und von jener heißen Neugier nach seinen Geheimnissen, so daß ich ihm Scherzworte zuwarf und keck und kühl meines Weges ging. Hat je der Anblick von eines Jünglings Brust mich in Verwirrung gestürzt oder hat's mir das Blut in die Augen getrieben, wenn ich auf seine Arme und Beine sah? Nein, das war mir wie Luft und Nichts dazumal und focht meine Keckheit und Kühle nicht so viel an, denn ich war unerschlossen. Ein Junge kam mit einer Plattnase und schwarzen Augen, bildsauber von Gestalt, Nanda von ‚Wohlfahrt der Kühe‘, der schaukelte mich zur Sonne im Fest, und es machte mir keinerlei Hitze. Von der streichenden Luft wurde mir heiß, aber sonst von nichts, und zum Dank gab ich ihm einen Nasenstüber. Dann kehrte er wieder als Freiwerber für Schridaman, seinen Freund, nachdem dessen Eltern und meine einig geworden. Da war es vielleicht schon etwas anders, mag sein, das Unglück wurzelt in jenen Tagen, als er warb für den, der mich als Gatte umfangen sollte, und der noch nicht da war; nur jener war da.

Er war immer da, vor der Hochzeit und während derselben, als wir ums Feuer schritten, und nachher auch. Tags, meine ich, war er da, aber natürlich nicht nachts, wenn ich mit seinem Freunde schlief, Schridaman, meinem Gemahl, und wir Begegnung hielten als das göttliche Paar, wie es zum ersten Male auf dem Blumenbett in der Nacht unserer Hochzeit geschah, wo er mich aufschloß mit Mannesmacht und meiner Unerfahrenheit ein Ende setzte, indem er mich zum Weibe machte und mir die schnippische Kühle der Vorzeit nahm. Das vermochte er, wie denn nicht, er war ja dein Sohn, und er wußte auch die Liebesvereinigung recht hold zu gestalten – nichts dagegen und nichts davon, daß ich ihn nicht geliebt, geehrt und gefürchtet hätte – ach, gewiß, ich bin nicht so ausgeartet, beste Göttin, daß ich meinen Herrn und Gatten nicht hätte lieben und namentlich fürchten und ehren sollen, sein fein-feines, wissendes Haupt, worin der Bart so sanft wie die Augen nach Stern und Lid, und den zugehörigen Körper. Nur mußt' ich mich immer fragen in meiner Hochachtung vor ihm, ob es eigentlich seine Sache gewesen, mich zum Weibe zu machen und meine kecke Kühle den süßen und furchtbaren Ernst der Sinne zu lehren – immer war mir's, als käm's ihm nicht zu, sei seiner nicht würdig und stände ihm nicht zu Haupt, und immer, wenn sein Fleisch sich erhob gegen mich in den Nächten der Ehe, war mir's wie eine Beschämung für ihn und eine Erniedrigung seiner Feinheit – eine Scham und Erniedrigung aber damit zugleich auch für mich, die Erweckte.

Ewige Göttin, so war es. Schilt mich, strafe mich, ich, dein

Wesen, bekenne dir in dieser entsetzlichen Stunde ohne Rück-
halt, wie sich's verhielt, eingedenk, daß dir ohnehin jedwedes
Ding offenbar ist. Die Liebeslust stand Schridaman, meinem
edlen Gemahl, nicht zu Haupt, und nicht einmal zu seinem
Körper, der dabei, wie du zugeben wirst, die Hauptsache ist,
wollte sie passen, so daß er, der nun jammervollerweise getrennt ist vom zugehörigen Haupt, die Liebesvereinigung
nicht so gut zu gestalten wußte, daß mein ganzes Herz daran
gehangen hätte, indem er mich zwar zu seiner Lust erweckte,
sie aber nicht stillte. Erbarme dich, Göttin! Die Lust deines
erweckten Wesens war größer als sein Glück, und sein Verlangen größer als seine Lust.

Am Tag aber und auch abends noch, vor Schlafengehen,
sah ich Nanda, den Ziegennasigen, unseren Freund. Ich sah
ihn nicht nur, ich betrachtete ihn, wie die heilige Ehe mich
Männer zu betrachten und zu prüfen gelehrt hatte, und die
Frage schlich sich in meine Gedanken und meine Träume, wie
wohl er die Liebesvereinigung zu gestalten wissen würde und
wie mit ihm, der bei weitem so richtig nicht spricht wie
Schridaman, die göttliche Begegnung sich abspielen würde,
statt mit diesem. Auch nicht anders, du Elende, du Lasterhafte, Unehrerbietige gegen deinen Gemahl! So sagte ich mir.
Es ist immer dasselbe, und was wird denn schon Nanda, der
nichts weiter als nett ist nach Gliedern und Worten, während
dein Herr und Gemahl geradezu bedeutend genannt werden
darf, was wird denn er weiter daraus zu gestalten wissen?
Aber das half mir nichts; die Frage nach Nanda und der Gedanke, wie doch die Liebeslust ihm müsse ganz ohne Beschämung und Erniedrigung zu Haupt und Gliedern stehen,
also daß er der Mann sei, mein Glück mit meiner Erweckt-
heit ins gleiche zu bringen, – das saß mir in Fleisch und Seele
wie die Angel dem Fische im Schlund, und war an kein Her-
ausziehen zu denken, denn die Angel war widerhakig.

Wie sollte ich die Frage nach Nanda mir aus dem Fleisch
und der Seele reißen, da er immer um uns war, und Schridaman und er nicht ohne einander sein konnten, ihrer Verschie-

denheit wegen? Immer mußte ich ihn sehen am Tage und mir
ihn erträumen statt Schridamans für die Nacht. Wenn ich
seine Brust sah, mit der Locke ‚Glückskalb' gezeichnet, seine
schmalen Hüften und sein ganz kleines Hinterteil (während
meines so groß ist; Schridaman aber bildet nach Hüften und
Hinterteil ungefähr die Mitte zwischen Nanda und mir), so
verließ mich die Fassung. Wenn sein Arm den meinen berührte, so sträubten sich die Härchen meiner Poren vor
Wonne. Wenn ich gedachte, wie das herrliche Paar seiner
Beine, auf dem ich ihn gehen sah und deren untere Schenkel
mit schwarzen Haaren bewachsen sind, mich umklammern
möchten im Liebesspiel, so riß ein Schwindel mich hin und
vor Zärtlichkeit tropften mir die Brüste. Immer schöner
wurde er mir von Tag zu Tag, und ich begriff nicht mehr die
unglaubliche Unerwecktheit, in der ich mir aus ihm und dem
Senfölgeruch seiner Haut so gar nichts gemacht hatte zu der
Zeit, als er mein Schaukelherr war: Wie der Gandharven-
fürst Citraratha erschien er mir nun in überirdischem Reiz,
wie der Liebesgott in allersüßester Gestalt, voll Schönheit
und Jugend, sinnberückend und mit himmlischem Schmuck
geziert, mit Blumenketten, Düften und allem Liebreiz, –
Vischnu, auf die Erde herabgestiegen in Krischna's Gestalt.

Darum, wenn Schridaman mir nahe war in der Nacht, so
erblaßte ich vor Kummer, daß er es war und nicht jener, und
schloß die Augen, um denken zu können, daß mich Nanda
umarmte. Daran aber, daß ich zuweilen nicht umhinkonnte,
in der Lust den Namen dessen zu lallen, von dem ich gewünscht
hätte, daß er sie mir bereitete, nahm Schridaman wahr, daß
ich Ehebruch trieb in seinen sanften Armen. Denn ich rede
leider auch aus dem Schlaf und habe gewiß vor seinen
schmerzlich berührten Ohren Traumesäußerungen getan, die
ihm alles verrieten. Das schließe ich aus der tiefen Traurigkeit, in der er umherging, und daraus, daß er abließ von mir
und mich nicht mehr berührte. Nanda aber rührte mich auch
nicht an, – nicht, weil er nicht versucht dazu gewesen wäre –
er war schon versucht, er war sicher versucht, ich lasse es nicht

auf mir sitzen, daß er nicht höchlichst versucht gewesen wäre!
Aber aus unverbrüchlicher Treue zu seinem Freunde bot er
der Versuchung die Stirn, und auch ich, glaube mir, ewige
Mutter, wenigstens will ich es glauben, – auch ich hätte ihm,
wenn seine Versuchung wäre zum Versuch geworden, aus
Ehrerbietung vor dem Gattenhaupt streng die Wege gewiesen.
So aber hatte ich gar keinen Mann, und wir alle drei be-
fanden uns in entbehrungsreicher Lage.

Unter solchen Umständen, Mutter der Welt, traten wir die
Reise an, die wir meinen Eltern schuldeten, und kamen auf
versehentlichen Wegen zu deinem Hause. Nur ein bißchen,
sagte Schridaman, wolle er bei dir absteigen und dir im Vorübergehen seine Verehrung bezeigen. In deiner Schlachtzelle
aber hat er, von den Umständen bedrängt, das Grauenvolle
getan und seine Glieder des verehrten Hauptes, oder besser
gesagt, sein hochgeachtetes Haupt der Glieder beraubt und
mich in den elenden Witwenstand versetzt. Aus kummervol-
lem Verzicht hat er's ausgeführt und in guter Meinung gegen
mich, die Verbrecherin. Denn, große Göttin, verzeih mir das
Wahrwort: nicht dir hat er sich zum Opfer gebracht, sondern
mir und dem Freunde, damit wir fortan im Vollgenusse der
Sinnenlust die Zeit verbringen könnten. Nanda aber, der ihn
suchen ging, wollte das Opfer nicht auf sich sitzen lassen und
hat sich gleichfalls den Kopf von den Krischna-Gliedern ge-
hackt, so daß sie nun wertlos sind. Wertlos aber, ja tief unter-
wertig ist damit auch mein Leben geworden, und ich bin
ebenfalls so gut wie geköpft, nämlich ohne Mann und Freund.
Die Schuld an meinem Unglück muß ich wohl meinen Taten
in einem früheren Dasein zuschreiben. Wie aber kannst du
dich nach alldem wundern, daß ich entschlossen war, meinem
gegenwärtigen ein Ende zu setzen?«

»Du bist eine neugierige Gans und nichts weiter«, sagte die
Göttin mit Wolkendonnerstimme. »Es ist ja lächerlich, was
du dir in deiner Neugier aus diesem Nanda gemacht hast,
dessen ganzes Drum und Dran nicht mehr als normal ist. Mit
solchen Armen und auf solchen Beinen laufen mir Söhne

millionenweise herum, du aber machtest dir einen Gandharven aus ihm! Es ist im Grunde rührend«, fügte die göttliche
Stimme hinzu und wurde milder. »Ich, die Mutter, finde die
Fleischeslust im Grunde rührend und bin der Meinung, daß
man im ganzen zuviel davon hermacht. Aber freilich, Ordnung muß sein!« Und die Stimme wurde urplötzlich wieder
rauh und polternd. »Ich bin zwar die Unordnung, aber gerade deshalb muß ich mit aller Entschiedenheit auf Ordnung
halten und mir die Unverletzlichkeit der Ehe-Einrichtung
ausbitten, das laß dir gesagt sein! Alles ginge ja drunter und
drüber, wenn ich nur meiner Gutmütigkeit folgte. Mit dir
aber bin ich mehr als unzufrieden. Du richtest mir hier dies
Kuddel-Muddel an und sagst mir zudem noch Ungezogen-
heiten. Denn du gibst mir zu verstehen, nicht mir hätten meine Söhne sich zum Opfer gebracht, so daß ihr Blut
mir zufloß, sondern der eine dir und der zweite dem ersten.
Was ist das für ein Ton? Laß einmal einen Mann sich den
Kopf abhauen – nicht nur die Kehle spalten, sondern sich
richtig nach dem Opfer-Ritus den Kopf abschneiden – noch
dazu einen Belesenen, wie dein Schridaman, der sich nicht einmal in der Liebe besonders geschickt ausnimmt, – ohne daß er
die dazu nötige Kraft und Wildheit aus der Begeisterung
schöpfte, die ich ihm einflößte! Ich verbitte mir also deinen
Ton, ganz abgesehen davon, ob etwas Wahres an deinen
Worten ist oder nicht. Denn das Wahre daran mag sein, daß
hier eine Tat mit gemischten Beweggründen vorliegt, was
sagen will: eine unklare Tat. Nicht ganz ausschließlich um
meine Gnade zu finden, hat mein Sohn Schridaman sich mir
zum Opfer gebracht, sondern tatsächlich auch aus Kummer
um dich, ob er sich darüber auch im klaren war oder nicht.
Und das Opfer des kleinen Nanda war ja nur die unaus-
bleibliche Folge davon. Darum spüre ich geringe Neigung, ihr
Blut anzunehmen und es bei dem Opfer bleiben zu lassen.
Wenn ich nun das Doppelopfer zurückerstattete und alles
wiederherstellte, wie es war, würde ich dann erwarten dürfen, daß du dich in Zukunft anständig aufführst?«

»Ach, heilige Göttin und liebe Mutter!« rief Sita unter
Tränen. »Wenn du das vermöchtest und könntest die furchtbaren Taten rückgängig machen, so daß du mir Mann und
Freund zurückgäbest und alles beim alten wäre, – wie wollte
ich dich da segnen und selbst meine Traumesworte beherrschen, damit der edle Schridaman keinen Kummer mehr
hätte! Unbeschreiblich dankbar wollte ich dir sein, wenn du
es fertigbrächtest und stelltest alles wieder her, wie es war!
Denn wenn es auch sehr traurig geworden war vorher, so daß
ich, als ich in deinem Schoß vor der entsetzlichen Bescherung
stand, klar und deutlich erkannte, daß es gar nicht anders
hätte ausgehen können, so wäre es doch wundervoll, wenn es
deiner Macht gelänge, den Ausgang aufzuheben, so daß es das
nächste Mal einen besseren nehmen könnte!«

»Was heißt ‚vermöchtest‘ und ‚fertigbrächtest‘?« erwiderte die göttliche Stimme. »Du zweifelst hoffentlich nicht,
daß das meiner Macht eine Kleinigkeit ist! Mehr als einmal
im Hergang der Welt habe ich es bewiesen. Du dauerst mich
nun einmal, obgleich du es nicht verdienst, mitsamt dem blas-
sen und blinden Keimchen in deinem Schoß, und die beiden
Jungen dort drinnen dauern mich auch. Sperr also deine
Ohren auf und hör, was ich dir sage! Du läßt jetzt diesen
Schlingstengel in Ruh’ und machst, daß du zurückkommst in
mein Heiligtum vor mein Bild und zu der Bescherung, die du
angerichtet. Dort spielst du nicht die Zimperliche und fällst
nicht in Ohnmacht, sondern du nimmst die Köpfe beim
Schopf und passest sie den armen Rümpfen wieder auf.
Wenn du dabei die Schnittstellen mit dem Opferschwerte seg-
nest, die Schneide nach unten, und beide Male meinen Namen
anrufst – du magst Durgâ oder Kâlî sagen oder auch einfach
Dewi, darauf kommt es nicht an –, so sind die Jünglinge
wiederhergestellt. Hast du mich verstanden? Nähere die
Köpfe den Leibern nicht zu schnell, trotz der starken Anziehungskraft, die du zwischen Kopf und Rumpf spüren
wirst, damit das vergossene Blut Zeit hat, zurückzukehren
und wieder eingeschlürft zu werden. Das geht mit Zauber-

schnelligkeit, aber einen Augenblick Zeit will es immerhin
haben. Ich hoffe, du hast zugehört? Dann lauf! Aber mach
deine Sache ordentlich und setze ihnen nicht die Köpfe verkehrt auf in deiner Huschlichkeit, daß sie mit dem Gesicht im
Nacken herumlaufen und das Gespött der Leute werden!
Mach! Wenn du bis morgen wartest, ist es zu spät.«

9

Die schöne Sita sagte gar nichts mehr, sie sagte nicht einmal
»Danke«, sondern tat einen Satz und lief, so schnell ihr
Wickelkleid es nur erlaubte, zurück in das Mutterhaus. Sie
lief durch die Versammlungshalle und durch die Torhalle
und in den heiligen Schoß und machte sich vor dem schrecklichen Angesicht der Göttin mit fiebriger, fliegender Geschäftigkeit ans vorgeschriebene Werk. Die Anziehungskraft
zwischen Köpfen und Rümpfen war nicht so stark, wie man
nach den Worten der Dewi hätte erwarten sollen. Spürbar
war sie, aber nicht so gewaltig, daß sie eine Gefahr für die
rechtzeitige Rückkehr des Blutes, die Rinnen hinauf, gebildet
hätte, die sich während der Annäherung mit Zauberschnellig-
keit und unter einem lebhaft schmatzenden Geräusche vollzog. Unfehlbar taten dabei der Schwertsegen und der göttliche Name, den Sita mit gepreßtem Jubel sogar dreimal in
jedem Fall ausrief, ihre Wirkung: – mit befestigten Köpfen,
ohne Schnittmal und Narbe erstanden vor ihr die Jünglinge,
sahen sie an und sahen an sich hinunter; oder vielmehr: indem sie das taten, sahen sie aneinander hinunter, denn um
an sich selbst hinunterzusehen, hätten sie zueinander hinüber-
sehen müssen – dieser Art war ihre Herstellung.

Sita, was hast du gemacht? Oder, was ist geschehen? Oder
was hast du geschehen machen in deiner Huschlichkeit? Mit
einem Worte (und um die Frage so zu stellen, daß sie die
fließende Grenze zwischen Geschehen und Machen gebührend

wahrnimmt): Was ist dir passiert? Die Aufregung, in der du handeltest, ist begreiflich, aber hättest du nicht trotzdem ein wenig besser die Augen aufmachen können bei deinem Geschäft? Nein, du hast deinen Jünglingen die Köpfe nicht verkehrt aufgesetzt, daß ihnen das Gesicht im Nacken stände – dies passierte dir keineswegs. Aber, – sei denn herausgesagt, was dir begegnete, sei die verwirrende Tatsache denn bei Namen genannt, das Unglück, das Malheur, die Bescherung, oder wie ihr alle drei nun geneigt sein mögt, es zu nennen, – du hast dem einen den Kopf des anderen aufgepaßt und festgesegnet: den Kopf des Nanda dem Schridaman – wenn man dessen Rumpf ohne die Hauptsache eben noch als Schridaman bezeichnen konnte – und das Haupt des Schridaman dem Nanda, wenn der kopflose Nanda noch Nanda war, – kurzum, nicht als die, die sie waren, erstanden dir Gatte und Freund, sondern in verwechselter Anordnung: du gewahrst Nanda – wenn derjenige Nanda ist, der seinen populären Kopf trägt – in dem Hemdrock, dem Hosenschurz, die Schridamans feinen und speckigen Körper umhüllen; und Schridaman – wenn die Figur so bezeichnet werden darf, die mit seinem milden Haupte versehen ist – steht vor dir auf Nanda's wohlschaffenen Beinen, die Locke ‚Glückskalb‘ im Rahmen der Steinperlenkette auf ‚seiner‘ breiten und bräunlichen Brust!

Welch eine Bescherung – als Folge der Übereilung! Die Geopferten lebten, aber sie lebten vertauscht: der Leib des Gatten mit dem Haupt des Freundes, des Freundes Leib mit dem Haupte des Gatten. Was Wunder, daß minutenlang der Felsenschoß widerhallte von den staunenden Ausrufungen der drei? Der mit dem Nanda-Kopf betastete, indem er die ihm zugehörigen Glieder untersuchte, den Leib, der einst dem edlen Haupte des Schridaman nebensächlich angehört hatte; und dieser, Schridaman nämlich (dem Haupte nach), prüfte voller Betroffenheit als seinen eigenen den Körper, der in Verbindung mit Nanda's nettem Kopf die Hauptsache gewesen war. Was die Urheberin dieser neuen Anordnung betraf, so

eilte sie unter Rufen des Jubels, des Jammers, der Verzeihung
heischenden Selbstanklage von einem zum anderen, umhalste
abwechselnd beide und warf sich ihnen zu Füßen, um ihnen
unter Schluchzen und Lachen die Beichte ihrer Erlebnisse
und des ihr unterlaufenen Versehens abzulegen.

»Vergebt mir, wenn ihr könnt!« rief sie. »Vergib du mir,
bester Schridaman« – und sie wandte sich mit Betonung an
dessen Haupt, indem sie den damit verbundenen Nanda-
Körper geflissentlich übersah –; »vergib auch du mir, Nanda!«
– und wieder redete sie zu dem betreffenden Haupt empor,
indem sie es trotz seiner Unbedeutendheit als die Hauptsache
und den damit verbundenen Schridaman-Leib auch jetzt als
gleichgültiges Anhängsel betrachtete. »Ach, ihr solltet es über
euch gewinnen, mir zu vergeben, denn wenn ihr der gräßlichen Tat gedenkt, die ihr in euerer vorigen Verkörperung
über euch gewannt, und der Verzweiflung, in die ihr mich
dadurch stürztet; wenn ihr bedenkt, daß ich in vollem Begriffe war, mich zu erwürgen, und dann ein sinnberaubendes
Gespräch mit der Wolkendonnerstimme der Unnahbaren
selber hatte, so müßt ihr verstehen, daß ich bei der Ausführung ihrer Befehle nicht meine volle Urteilskraft und Geistesgegenwart beisammen hatte, – es schwamm mir vor den
Augen, ich erkannte nur undeutlich, wessen Haupt und Glieder ich unter den Händen hatte, und mußte es dem guten
Glück überlassen, daß sich das Rechte zum Rechten finde. Die
halbe Wahrscheinlichkeit sprach dafür, daß ich das Rechte
traf, und genau ebensoviel dagegen – da hat sich's nun so gefügt, und ihr habt euch so gefügt, denn wie konnte ich wissen,
ob die Anziehungskraft zwischen Häuptern und Gliedern das
rechte Maß hatte, da sie ja deutlich und kräftig vorhanden
war, wenn sie auch vielleicht bei anderer Zusammenfügung
noch stärker gewesen wäre. Auch die Unnahbare trifft einige
Schuld, denn sie hat mich nur verwarnt, euch nicht die Gesichter in den Nacken zu setzen, so daß ich darauf wohl acht-
gab; daß es sich fügen könnte, wie sich's gefügt, daran hat die
Erhabene nicht gedacht! Sagt, seid ihr verzweifelt über die

Art eures Erstehens und flucht ihr mir ewig? Dann will ich hinausgehen und die Tat vollenden, in der die Anfangslose mich unterbrach. Oder seid ihr geneigt, mir zu vergeben, und haltet ihr für denkbar, daß unter den Umständen, wie das blinde Ungefähr sie gefügt, ein neues und besseres Leben zwischen uns dreien beginnen könnte, – ein besseres, meine ich, als möglich gewesen wäre, wenn nur der vorige Zustand sich wiederhergestellt hätte, der einen so traurigen Ausgang nahm und nach menschlichem Ermessen einen ebensolchen wieder hätte nehmen müssen? Das sage mir, kraftvoller Schridaman! Das laß mich wissen, edel gestalteter Nanda!«

Wetteifernd im Verzeihen neigten die vertauschten Jünglinge sich zu ihr, hoben sie auf, der eine mit den Armen des anderen, und alle drei standen weinend und lachend umschlungen in inniger Gruppe, wobei zweierlei mit Gewißheit zutage trat. Erstens erwies sich, daß Sita ganz recht getan, die Erstandenen nach ihren Häuptern anzureden; denn nach diesen ging es, nach den Köpfen bestimmten sich unzweifelhaft die Ich- und Meingefühle, und als Nanda fühlte und wußte sich derjenige, der das volkstümliche Haupt des Sohnes Garga's auf schmalen und hellen Schultern trug; als Schridaman gebärdete sich mit Selbstverständlichkeit jener, dem auf prächtigen, dunklen Schultern das Haupt des Brahmanenenkels saß. Zum zweiten aber wurde klar, daß beide wirklich der Sita wegen ihres Versehens nicht zürnten, sondern großes Vergnügen an ihrer neuen Verfassung hatten.

»Vorausgesetzt«, sagte Schridaman, »daß Nanda sich des Körpers nicht schämt, der ihm zuteil geworden, und Krischna's Brustlocke nicht allzu sehr vermißt, was mir schmerzlich wäre, – von mir kann ich nur sagen, daß ich mich als den glücklichsten der Menschen fühle. Immer habe ich mir solche Leiblichkeit gewünscht, und wenn ich die Muskeln meiner Arme prüfe, auf meine Schultern blicke und an meinen prächtigen Beinen heruntersehe, so überkommt mich unbezähmbare Freude, und ich sage mir, daß ich fortan ganz anders, als bisher, den Kopf hoch tragen werde, erstens im

Bewußtsein meiner Kraft und Schönheit, und zweitens, weil die Neigungen meines Geistes jetzt mit meiner Körperbeschaffenheit in Einklang stehen werden, so daß es nichts Unzukömmliches und Verkehrtes mehr haben wird, wenn ich der Vereinfachung zugunsten rede und unterm Baume den Umzug der Kühe um den Berg ,Buntgipfel' anstelle des Sprüchedienstes befürworte, denn es steht mir an, und das Fremde ist mein worden. Liebe Freunde, hierin liegt unzweifelhaft eine gewisse Traurigkeit, daß das Fremde nun mein geworden und kein Gegenstand des Verlangens und der Bewunderung mehr ist, außer daß ich mich selbst bewundere, und daß ich nicht mehr den anderen diene, indem ich den Bergdienst statt des Indra-Festes empfehle, sondern dem, was ich selber bin. Ja, ich will es zugeben, diese gewisse Traurigkeit, daß ich nun bin, wonach mich verlangte, sie ist vorhanden. Aber sie wird vollkommen in den Hintergrund gedrängt durch den Gedanken an dich, süße Sita, der mir weit vor dem an mich selber geht, nämlich durch den Gedanken an die Vorteile, die dir aus meiner neuen Beschaffenheit erwachsen, und die mich im voraus unaussprechlich stolz und glücklich machen, so daß ich, was an mir liegt, dieses ganze Wunder nur mit den Worten segnen kann: Siyâ, es sei!«

»Du könntest wirklich ,Siyât' sagen nach der richtigen Rede«, sprach nun Nanda, der bei den letzten Worten seines Freundes die Augen niedergeschlagen hatte, »und deinen Mund nicht von deinen bäurischen Gliedern beeinflussen lassen, um die ich dich wahrhaftig nicht beneide, denn allzu lange waren sie mein. Auch ich, Sita, bin dir im geringsten nicht böse, sondern sage ,Siyât' zu diesem Wunder ebenfalls, denn immer habe ich mir einen solchen feinen Leib gewünscht, wie er nun mein ist, und wenn ich in Zukunft Indra's Sprüchedienst gegen die Vereinfachung verteidigen werde, so wird mir das besser als vormals zu Gesichte stehen, oder doch wenigstens zu Leibe, der dir, Schridaman, eine Nebensache gewesen sein mag, aber mir ist er die Hauptsache. Ich wundere mich keinen Augenblick, daß unsere Köpfe und Leiber, wie

du, Sita, sie zusammenfügtest, eine so starke Anziehungskraft
auf einander spüren ließen, denn in dieser Anziehungskraft
gab sich die Freundschaft kund, die Schridaman und mich
verband, und von der ich nur wünschen kann, es möchte ihr
durch das Geschehene kein Abbruch geschehen. Das eine aber
muß ich sagen: Mein armer Kopf kann nicht umhin, für
den Leib zu denken, der ihm zuteil geworden, und seine
Rechte wahrzunehmen, und darum bin ich erstaunt und betrübt, Schridaman, über die Selbstverständlichkeit einiger
Worte, mit denen du vorhin auf Sita's eheliche Zukunft an-
spieltest. Sie wollen mir nicht zu Haupt, denn keine Selbstverständlichkeit scheint es mir zu geben, sondern eine große
Frage, und mein Kopf beantwortet sie anders, als sie der
deine zu beantworten scheint.«

»Wieso!« riefen Sita und Schridaman wie aus einem Munde.

»Wieso?« wiederholte der feingliedrige Freund. »Wie
könnt ihr nur fragen? Mir ist mein Leib die Hauptsache, und
darin denke ich nach dem Sinn der Ehe, in der auch der
Leib die Hauptsache ist, denn mit ihm werden Kinder gezeugt
und nicht mit dem Kopf. Ich möchte den sehen, der mir
bestreitet, daß ich der Vater des Früchtchens bin, das Sita im
Schoße trägt.«

»Aber nimm doch deinen Kopf zusammen«, rief Schridaman, indem er die kräftigen Glieder unwillig regte, »und besinne dich auf dich selbst! Bist du Nanda, oder wer bist du?«

»Ich bin Nanda«, erwiderte jener, »aber so wahr ich diesen
Gattenleib mein eigen nenne und von ihm Ich sage, so wahr
ist die ringsum schöngliedrige Sita mein Weib und ihr Früchtchen ist mein Erzeugnis.«

»Wirklich?« erwiderte Schridaman mit leise bebender
Stimme. »Ist es das? Ich hätte das nicht zu behaupten gewagt,
als dein gegenwärtiger Leib noch der meine war und bei Sita
ruhte. Denn nicht er war es, wie aus ihrem Flüstern und
Lallen zu meinem unendlichen Leide hervorging, den sie in
Wahrheit umarmte, sondern der, den ich nunmehr mein eigen
nenne. Es ist nicht schön von dir, Freund, daß du an diese

schmerzlichen Dinge rührst und mich zwingst, sie zur Sprache
zu bringen. Wie magst du in dieser Weise auf deinem Kopfe
bestehen, oder vielmehr auf deinem Leibe, und so tun, als
seist du ich worden, ich aber du? Es ist doch klar, daß, wenn
hier eine solche Vertauschung stattgefunden hätte und du
Schridaman geworden wärest, Sita's Mann, ich aber wäre
Nanda geworden –, daß in diesem Fall gar keine Vertauschung vorläge, sondern alles wäre beim alten. Das glückliche
Wunder besteht doch gerade darin, daß nur eine Vertauschung
von Häuptern und Gliedern sich unter Sita's Händen vollzogen hat, an der unsere maßgebenden Häupter sich freuen,
und die vor allem der schönhüftigen Sita Freude zu machen
bestimmt ist. Indem du dich, unter hartnäckiger Berufung auf
deinen Eheleib, zu ihrem Gatten aufwirfst, mir aber die Rolle
des Ehefreundes zuweist, legst du eine tadelnswerte Ichsucht
an den Tag, denn nur auf dich und deine vermeintlichen Rechte,
nicht aber auf Sita's Glück und auf die Vorteile bist du bedacht, die ihr aus der Vertauschung erwachsen sollen.«

»Vorteile«, versetzte Nanda nicht ohne Bitterkeit, »auf
die du stolz zu sein gedenkst, so daß sie ebensogut deine
Vorteile sind und deine Ichsucht zutage liegt. Sie ist auch
schuld daran, daß du mich so fälschlich verstehst. Denn in
Wahrheit berufe ich mich gar nicht auf den Gattenleib, der
mir zugefallen, sondern auf meinen gewohnten und selbst-
eigenen Kopf, den du selbst für maßgebend erklärst und der
mich auch in Verbindung mit dem neuen und feineren Leibe
zum Nanda macht. Ganz unrichtigerweise stellst du es so hin,
als wäre ich nicht mindestens so sehr wie du auf Sita's Glück
und Vorteil bedacht. Wenn sie mich ansah in letzter Zeit und
zu mir sprach mit süßschwingender und klingender Stimme,
die ich mich fürchtete zu vernehmen, weil die Gefahr groß
war, daß ich mit verwandter Stimme darauf erwiderte, so
blickte sie mir ins Gesicht – in die Augen blickte sie mir, indem
sie mit den ihren darin zu lesen suchte, und nannte mich
,Nanda' und ,lieber Nanda' dabei, was mir überflüssig scheinen wollte, aber es war nicht überflüssig, wie mir nun klar

ist, sondern von höchster Bedeutsamkeit. Denn es war der
Ausdruck dafür, daß sie nicht meinen Leib meinte, der an
und für sich diesen Namen nicht verdient, wie du selbst am
besten beweisest, indem du dich auch in seinem Besitz nach wie
vor Schridaman heißest. Ich habe ihr nicht geantwortet oder
kaum das Notwendigste, um nicht auch ins Schwingende
und Klingende zu fallen, habe sie nicht ebenfalls bei Namen
genannt und meine Augen vor ihr verborgen, damit sie nicht
darin lesen könne – alles aus Freundschaft für dich und aus
Ehrfurcht vor deiner Gattenschaft. Aber nun, da dem Haupt,
in dessen Augen sie so tief und fragend blickte und zu dem
sie ‚Nanda‘ und ‚lieber Nanda‘ sagte, auch noch der Gattenleib zugefallen und dem Gattenleibe der Nandakopf, – nun
hat sich die Lage denn doch von Grund aus zu meinen und
Sita's Gunsten verändert. Zu ihren vor allem! Denn gerade
wenn wir ihr Glück und ihre Zufriedenheit allem voranstel-
len, so sind doch gar keine reineren und vollkommeneren Verhältnisse denkbar, als wie ich sie nun darstelle.«

»Nein«, sagte Schridaman, »ich hätte so etwas nicht von
dir erwartet. Ich habe befürchtet, daß du dich meines Leibes
schämen möchtest, aber mein ehemaliger Leib könnte sich ja
deines Kopfes schämen, in solche Widersprüche verwickelst
du dich, indem du einmal den Kopf und einmal den Körper
als das Ehewichtigste hinstellst, genau, wie es dir paßt!
Immer warst du ein bescheidener Junge, und nun auf einmal
erklimmst du den Gipfel der Anmaßung und Selbstgefälligkeit, indem du deine Verhältnisse für die reinsten und voll-
kommensten der Welt erklärst, um Sita's Glück zu verbürgen,
wo doch auf der flachen Hand liegt, daß ich es bin, der ihr
die bestmöglichen, das heißt: die zugleich glücklichsten und
beruhigendsten Bedingungen zu bieten hat! Aber es hat gar
keinen Zweck und keine Aussicht, noch weiter Worte zu
wechseln. Hier steht Sita. Sie soll sagen, wem sie gehört, und
Richterin sein über uns und ihr Glück.«

Sita blickte verwirrt von einem zum anderen. Dann barg
sie ihr Gesicht in den Händen und weinte.

»Ich kann es nicht«, schluchzte sie. »Zwingt mich, bitte,
nicht, mich zu entscheiden, ich bin nur ein armes Weib, und
es ist mir zu schwer. Anfangs freilich schien es mir leicht, und
so sehr ich mich meines Mißgriffs schämte, so war ich doch
glücklich darüber, besonders da ich euch glücklich sah. Aber
eure Reden haben mir den Kopf verrückt und das Herz ge-
spalten, so daß die eine Hälfte der anderen erwidert, wir ihr
euch erwidert. In deinen Worten, bester Schridaman, ist
viel Wahres, und dabei hast du noch nicht einmal geltend gemacht, daß ich doch nur mit einem Gatten nach Hause kommen kann, der deine Züge trägt. Aber auch Nanda's Ansichten gehen mir teilweise nahe, und wenn ich mich erinnere,
wie traurig und bedeutungslos sein Körper mir war, als er
keinen Kopf mehr hatte, so muß ich ihm recht darin geben, daß ich doch auch, und vielleicht in erster Linie sein
Haupt meinte, wenn ich wohl einmal ,lieber Nanda' zu ihm
sagte. Wenn du aber von Beruhigung sprichst, lieber Schridaman, von Beruhigung im Glücke, so ist es doch eine große
und furchtbar schwer zu beantwortende Frage, was meinem
Glücke mehr Beruhigung gewähren kann: der Gattenleib oder
das Gattenhaupt. Nein, quält mich nicht, ich bin ganz außerstande, eueren Streit zu schlichten, und habe kein Urteil darüber, wer von euch beiden mein Gatte ist!«

»Wenn es so steht«, sagte Nanda nach einem ratlosen Stillschweigen, »und Sita sich nicht entscheiden und zwischen uns
richten kann, dann muß das Urteil von dritter oder richtig
gesagt: vierter Seite kommen. Als Sita vorhin erwähnte, daß
sie nur mit einem Manne heimkehren kann, der Schridamans
Züge trägt, da dachte ich in meinem Sinn, daß sie und ich
eben nicht heimkehren, sondern in der Einsamkeit leben würden, falls sie ihr beruhigtes Glück in mir, ihrem leiblichen
Gatten, finden sollte. Mir liegt der Gedanke an Einsamkeit
und Wildnis schon lange nahe, denn wiederholt ging ich
mit der Absicht um, ein Waldeinsiedel zu werden, wenn Sita's
Stimme mir angst machte um meine Freundestreue. Darum
suchte ich die Bekanntschaft eines Asketen voll Selbstbe-

zwingung, Kamadamana mit Namen, damit er mir Anweisungen gäbe über das Leben im Menschenleeren, und besuchte ihn im Dankakawalde, wo er lebt und wo es ringsum viele Heilige gibt. Von Hause aus heißt er einfach Guha, hat sich aber den asketischen Namen Kamadamana beigelegt, mit dem er genannt sein will, soweit er überhaupt jemandem gestattet, ihn anzureden. Seit vielen Jahren lebt er im Dankakawalde nach strengen Observanzen von Baden und Schweigen und ist, glaube ich, seiner Verklärung schon nicht mehr fern. Zu diesem Weisen, der das Leben kennt und es überwunden hat, wollen wir reisen, wollen ihm unsere Geschichte erzählen und ihn zum Richter einsetzen über Sita's Glück. Er soll entscheiden, wenn ihr's zufrieden seid, wer von uns beiden ihr Gatte ist, und sein Spruch soll gelten.«

»Ja, ja«, rief Sita erleichtert, »Nanda hat recht, machen wir uns auf zu dem Heiligen!«

»Da ich einsehe«, sagte Schridaman, »daß hier ein sachliches Problem vorliegt, das nicht aus unserer Mitte, sondern nur durch äußeren Spruch gelöst werden kann, so stimme auch ich dem Vorschlag zu und bin bereit, mich dem Urteil des Weisen zu unterwerfen.«

Da sie denn in diesen Grenzen einig waren, so verließen sie miteinander das Mutterhaus und kehrten zu ihrem Gefährt zurück, das noch immer drunten im Hohlweg auf sie wartete. Hier warf gleich die Frage sich auf, wer von den Männern den Fahrer und Lenker abgeben sollte; denn das ist eine leibliche Sache und eine Sache des Kopfes zugleich, und Nanda wußte den Weg zum Dankakawalde, der zwei Tagesreisen weit war, er hatte ihn im Kopf; nach seiner Körperbeschaffenheit aber war Schridaman besser zum Führen der Zügel geeignet, weshalb ja auch Nanda bisher dies Amt versehen hatte. Er überließ es nun aber dem Schridaman, indem er sich mit Sita hinter ihn setzte und ihm die Wege einsagte, die er fahren sollte.

10

Der regengrüne Dankakawald, zu dem unsere Freunde am dritten Tage gelangten, war stark bevölkert mit Heiligen; doch war er groß genug, um einem jeden hinlängliche Abgeschiedenheit und ein Stück grausiger Menschenleere zu bieten. Es wurde den Wallfahrern nicht leicht, sich von Einsamkeit zu Einsamkeit zu Kamadamana, dem Bezwinger der Wünsche, durchzufragen. Denn die Einsiedler rings wollten einer vom andern nichts wissen, und jeder beharrte auf seinem Eindruck, daß er allein sei im weiten Walde und vollkommene Menschenleere ihn umgebe. Es waren Heilige verschiedenen Grades, welche die Einsamkeiten bewohnten: teils solche, die die Lebensstufe des Hausvaters zurückgelegt hatten und nun, zuweilen sogar in Gesellschaft ihrer Frauen, den Rest ihres Lebens einer mäßigen Betrachtsamkeit widmeten, teils aber auch sehr wilde und zu letzter Vergeistigung entschlossene Yogin, welche die Hengste ihrer Sinne so gut wie gänzlich gezügelt hatten und, indem sie ihr Fleisch durch Entziehung und Zufügung bis aufs Messer bekämpften, in der Erfüllung schonungsloser Gelübde das Grimmigste leisteten. Sie fasteten ungeheuer, schliefen im Regen nackt auf der Erde und trugen bei kalter Jahreszeit nur nasse Kleider. Bei Sommerhitze dagegen nahmen sie zwischen vier Feuerbränden Platz zur Verzehrung ihres irdischen Stoffes, der teils von ihnen troff, teils in dörrender Glut dahinschwand und den sie zusätzlicher Züchtigung unterwarfen, indem sie sich tagelang am Boden hin und her rollten, unausgesetzt auf den Fußspitzen standen oder sich in rastloser Bewegung hielten dadurch, daß sie in steter und rascher Abwechslung aufstanden und niedersaßen. Trat bei solchen Gepflogenheiten ein Siechtum sie an, das die Aussicht auf nahe Verklärung eröffnete, so machten sie sich auf zur letzten Pilgerfahrt in gerader Richtung gegen Nordosten, sich nährend nicht länger von Kräutern und Knollen, sondern nur noch von Wasser

und Luft, bis der Leib zusammenbrach und die Seele sich mit
Brahman vereinigte.

Heiligen der einen wie auch der anderen Art begegneten die
Bescheidsuchenden auf ihrer Wanderung durch die Parzellen
der Abgeschiedenheit, nachdem sie ihr Gefährt am Rande
des Büßer-Waldes bei einer Einsiedlerfamilie zurückgelassen,
welche dort, nicht ganz ohne Berührung mit der äußeren
Menschenwelt, ein vergleichsweise lockeres Leben führte.
Schwer, wie gesagt, wurde es den dreien, die Menschenleere
aufzutreiben, in der Kamadamana hauste; denn hatte auch
Nanda schon früher einmal den Weg durchs Weglose zu ihm
gefunden, so hatte er's doch mit anderem Körper getan, was
seine Ortserinnerungen und Findigkeit einschränkte. Die
Baum- und Höhlenbewohner aber drinnen im Walde stellten
sich unwissend oder waren es wirklich, und nur mit Hilfe
der Weiber einiger ehemaliger Hausväter, die ihnen hinter
den Rücken ihrer Herren aus Gutherzigkeit die Richtung
deuteten, gelangten sie, nachdem sie noch einen ganzen Tag
gesucht und in der Wildnis genächtigt, glücklich in des Heiligen Revier, wo sie denn seinen weißgetünchten Kopf mit
aufgeflochtenem Haarwulst und seine zum Himmel gereck-
ten Arme, die dürren Zweigen glichen, aus einem sumpfigen
Wassertümpel ragen sahen, worin er, den Geist in eine Spitze
gesammelt, wer weiß wie lange schon, bis zum Halse stand.

Ehrfurcht vor der Glutgewalt seiner Askese bewahrte sie
davor, ihn anzurufen; vielmehr warteten sie geduldig, daß er
seine Übung unterbräche, was aber, sei es, weil er sie nicht
bemerkte, sei es auch eben, weil er sie sehr wohl bemerkt
hatte, noch lange nicht geschah. Wohl eine Stunde noch hatten
sie in scheuer Entfernung vom Saum des Wasserloches zu
warten, ehe er daraus hervorkam, ganz nackt, Bart- und Lei-
beshaare mit tropfendem Schlamm behangen. Da sein Körper
des Fleisches bereits so gut wie ledig war und nur noch aus
Haut und Knochen bestand, so hatte es mit seiner Blöße sozusagen nichts auf sich. Indem er sich den Wartenden näherte,
kehrte er mit einem Besen, den er vom Ufer aufgenom-

men, den Grund, wo er ging, was, wie sie wohl verstanden,
geschah, damit er nicht irgendwelche Lebewesen, die dort
heimlich vorkommen mochten, unter seinen Tritten vernichte.
Nicht so mild erwies er sich anfangs gegen die ungebetenen
Gäste, sondern erhob im Näherkommen drohend den Besen
gegen sie, so daß leicht unterdessen durch ihre Schuld zu seinen Füßen etwas nicht Wiedergutzumachendes hätte geschehen können, und rief ihnen zu:

»Fort, Gaffer und Tagediebe! Was habt ihr zu suchen in
meiner Menschenleere!«

»Besieger der Wünsche, Kamadamana«, antwortete Nanda
voller Bescheidenheit, »vergib uns Bedürftigen die Kühnheit
unserer Annäherung! Der Ruhm deiner Selbstbezwingung
hat uns hergelockt, aber hergetrieben haben uns die Nöte des
Lebens im Fleische, in denen du, Stier unter den Weisen, uns
Rat und gültiges Urteil spenden sollst, wenn du die Herablassung haben willst. Sei doch so gut und erinnere dich meiner!
Schon einmal hab' ich mich zu dir getraut, um deiner Unter-
weisung teilhaftig zu werden über das Leben im Menschenleeren.«

»Es mag sein, daß du mir bekannt vorkommst«, sagte der
Klausner, indem er ihn unter dem drohenden Gestrüpp seiner
Brauen mit seinen tief in den Höhlen liegenden Augen betrachtete. »Wenigstens deinen Zügen nach mag das der Fall
sein, deine Gestalt aber scheint in der Zwischenzeit eine gewisse Läuterung erfahren zu haben, die ich wohl deinem damaligen Besuch bei mir zuschreiben darf.«

»Es hat mir sehr wohlgetan«, erwiderte Nanda ausweichend. »Aber die Veränderung, die du an mir wahrnimmst,
hat noch einen anderen Zusammenhang und gehört zu einer
Geschichte voller Not und Wunder, die eben die Geschichte
von uns drei Bedürftigen ist. Sie hat uns vor eine Frage gestellt, die wir von uns aus nicht lösen können, so daß wir notwendig deinen Bescheid und Urteilsspruch brauchen. Uns
wundert, ob deine Selbstbezwingung wohl so groß ist, daß
du es über dich gewinnst, uns anzuhören.«

»Sie sei es«, antwortete Kamadamana. »Niemand soll sagen, daß sie so groß nicht gewesen wäre. Wohl war es mein erster Antrieb, euch zu verscheuchen aus meiner Menschenleere, aber auch das war ein Trieb, den ich verneine, und eine Versuchung, der ich zu widerstehen gewillt bin. Denn ist es Askese, die Menschen zu meiden, so ist es eine noch größere, sie bei sich aufzunehmen. Ihr könnt mir glauben, daß euere Nähe und der Lebensdunst, den ihr mit euch bringt, sich mir schwer auf die Brust legt und mir unliebsam die Wangen erhitzt, wie ihr sehen könntet ohne die Aschentünche, mit der ich mir schicklicherweise das Gesicht bestrichen. Aber ich bin bereit, eueren dunstigen Besuch zu bestehen, besonders noch aus dem Grunde, weil, wie ich schon lange bemerkt habe, zu euerer Dreizahl ein Frauenzimmer gehört, des Wuchses, den die Sinne herrlich nennen, lianenschlank mit weichen Schenkeln und vollen Brüsten, o ja, o pfui. Ihre Leibesmitte ist schön, ihr Gesicht reizend und rebhuhnäugig, und ihre Brüste, um es noch einmal auszusprechen, sind voll und steil. Guten Tag, du Weib! Nicht wahr, wenn die Männer dich sehen, so sträuben sich ihnen die Haare an ihrem Leibe vor Lust, und euere Lebensnöte sind zweifellos dein Werk, du Fanggrube und Lockspeise. Sei gegrüßt! Die Jungen da hätte ich wohl zum Teufel gejagt, aber da du mit ihnen bist, meine Teuere, so bleibt doch nur da, bleibt doch nur ja, so lange ihr wollt — mit wirklicher Zuvorkommenheit lade ich euch ein zu mir vor meinen hohlen Baum und werde euch mit Jujubenbeeren bewirten, die ich in Blättern gesammelt, nicht um sie zu essen, sondern um darauf zu verzichten und angesichts ihrer erdige Knollen zu mir zu nehmen, da denn dieses Gebein von Zeit zu Zeit immer noch einmal geatzt sein muß. Auch euere Geschichte, von der gewiß ein erstickender Lebensdunst auf mich ausgehen wird, werde ich anhören — Wort für Wort werde ich ihr lauschen, denn niemand soll den Kamadamana der Furchtsamkeit zeihen. Zwar ist es schwer, zwischen Unerschrockenheit und Neugier zu unterscheiden, und die Einflüsterung, ich wolle euch nur lauschen, weil ich

hungrig und lüstern geworden sei in meiner Menschenleere
nach dunstenden Lebensgeschichten, will abgewiesen sein nebst
der weiteren Einflüsterung, daß die Abweisung und Ertötung
des Einwandes eben nur um der Neugier willen geschehe, so
daß eigentlich diese es sei, die ertötet werden müsse, – aber
wo bliebe dann die Unerschrockenheit? Es ist genau wie mit
den Jujubenbeeren. Auch ihretwegen versucht mich wohl der
Gedanke, daß ich sie mir hinstelle – nicht sowohl als Gegenstand des Verzichtes, als um meine Augenweide daran zu
haben, – worauf ich unerschrocken entgegne, daß in der Augenweide ja gerade die Versuchung beruht, sie zu essen, und daß
ich mir das Leben also zu leicht machen würde, wenn ich sie
mir nicht hinstellte. Dabei will freilich der Verdacht ertötet
sein, daß ich diese Entgegnung nur ersinne, um eben doch des
leckeren Anblicks teilhaftig zu werden, – wie ich ja auch,
wenn ich die Beeren zwar nicht selber esse, aber sie euch zu
essen gebe, doch meinen Genuß darin finde, sie euch prepeln
zu sehen, was in Anbetracht des trügerischen Charakters der
Welt-Vielfalt und des Unterschiedes von Ich und Du beinahe
dasselbe ist, als ob ich sie selber äße. Kurzum, die Askese ist
ein Faß ohne Boden, ein unergründlich Ding, weil sich die
Versuchungen des Geistes darin mit den sinnlichen Versuchungen vermischen, und ein Stück Arbeit ist es damit wie mit der
Schlange, der zwei Köpfe nachwachsen, wenn man ihr einen
abschlägt. Aber so ist es gerade recht, und die Hauptsache
bleibt die Unerschrockenheit. Darum kommt nur mit, ihr
dunstiges Lebensvolk beiderlei Geschlechts, kommt nur immer
mit zu meiner Baumeshöhle und erzählt mir Lebensunrat
soviel ihr wollt, – zu meiner Kasteiung will ich euch anhören und dabei die Einflüsterung ertöten, ich täte es zu
meiner Unterhaltung – es kann gar nicht genug zu ertöten
geben!«

Nach diesen Worten führte der Heilige sie, immer sorgsam
mit dem Besen vor sich kehrend, eine Strecke weit durch das
Dickicht zu seiner Heimstätte, einem mächtigen und sehr alten
Kadambabaum, der noch grünte, obgleich er klaffend hohl

war, und dessen erdig-moosiges Inneres Kamadamana sich
zum Hause erwählt hatte, nicht um darin Schutz zu finden
gegen die Witterung, denn dieser gab er seine Verkörperung
immerwährend preis, indem er die Hitze durch Feuerbrände,
die Kälte aber durch Nässe unterstützte, – sondern nur um
zu wissen, wohin er gehörte, und um, was er brauchte an
Wurzeln, Knollen und Früchten zur Atzung, an Brennholz,
Blumen und Gras zur Opferstreu, in dem Hohlraum aufzubewahren.

Hier hieß er seine Gäste sich niedersetzen, welche, wohl
wissend, daß sie nur ein Gegenstand der Askese waren, sich
immerfort der größten Bescheidenheit befleißigten, und gab
ihnen, wie er versprochen, die Jujubenbeeren zu essen, die sie
nicht wenig erquickten. Er selbst nahm währenddessen eine
asketische Stellung ein, welche man die Kajotsarga-Stellung
nennt: mit unbeweglichen Gliedern, straff abwärts gerichteten
Armen und durchgedrückten Knien, wobei er nicht nur
seine Finger, sondern auch seine Zehen auf eine eigentümliche
Art zu teilen wußte. Und so, den Geist in eine Spitze gesammelt, blieb er auch stehen in seiner Blöße, mit der es nichts
auf sich hatte, während der prächtig gestaltete Schridaman,
dem seines Hauptes wegen dies Amt zugefallen war, die Geschichte vortrug, die sie hierher geführt, da sie in einer Streitfrage gipfelte, die nur von außen, von einem Könige oder
einem Heiligen geschlichtet werden konnte.

Er erzählte sie der Wahrheit gemäß, wie wir sie erzählt
haben, zum Teil mit denselben Worten. Die Streitfrage klar-
zustellen, hätte es allenfalls genügt, daß er nur ihre letzten
Stadien erzählt hätte; aber um dem Heiligen in seiner Menschenleere etwas zu bieten, berichtete er sie von Anfang an,
genau wie es hier geschehen, mit der Darlegung beginnend
von Nanda's und seiner eigenen Daseinsform, der Freundschaft zwischen ihnen und ihrer Reise-Rast am Flüßchen
‚Goldfliege‘, fortschreitend zu seiner Liebeskrankheit, Freiung und Ehe, indem er das Zurückliegende, wie Nanda's
Schaukelbekanntschaft mit der reizenden Sita, an schicklicher

Stelle einwob und nachholte und anderes, wie die bitteren
Erfahrungen seiner Ehe, nur traurig durchblicken ließ und
zart zu verstehen gab, – nicht so sehr zu seiner eigenen Schonung, da sein ja nun die wackeren Arme waren, die Sita geschaukelt, und sein der Lebensleib von dem sie in seinen ehemaligen Armen geträumt, als aus Rücksicht auf Sita, der dies
alles nicht angenehm sein konnte, und die denn auch, solange
die Erzählung dauerte, das Köpfchen mit ihrem gestickten
Tuche verhüllt hielt.

Der kräftige Schridaman erwies sich dank seinem Kopfe als
ein guter und kunstreicher Erzähler. Selbst Sita und Nanda,
denen doch alles genau bekannt war, hörten ihre Geschichte,
so schrecklich sie war, gern noch einmal aus seinem Munde,
und es ist anzunehmen, daß auch Kamadamana, obgleich er
sich in seiner Kajotsarga-Stellung nichts anmerken ließ, davon gefesselt war. Nachdem der Berichterstatter seine und
Nanda's grause Tat, die Begnadigung Sita's durch die Göttin
und ihren verzeihlichen Mißgriff beim Wiederherstellungs-
werk geschildert, kam er denn also zum Schluß und zur Frage-
stellung.

»So und so«, sagte er, »dem Gattenhaupt wurde der Freundesleib, dem Gattenleib aber das Freundeshaupt zuteil. Sei so
gut und befinde kraft deiner Weisheit über unseren verworrenen Zustand, heiliger Kamadamana! Wie du entscheidest, so
wollen wir's bindend annehmen und uns danach einrichten,
denn wir selber können's nicht ausmachen. Wem gehört nun
dieses ringsum schöngliedrige Weib, und wer ist rechtens ihr
Mann?«

»Ja, das sage uns, Überwinder der Wünsche!« rief auch
Nanda mit betonter Zuversicht, während Sita nur hastig ihr
Tuch vom Kopf zog, um ihre Lotosaugen in großer Erwartung
auf Kamadamana zu richten.

Dieser tat seine Finger und Zehen zusammen und seufzte
tief. Danach nahm er seinen Besen, kehrte sich ein Plätzchen
am Boden frei von verletzlicher Kreatur und saß zu seinen
Gästen nieder.

»Uf!« sagte er. »Ihr drei seid mir die Rechten. Ich war wohl
auf eine lebensdunstige Geschichte gefaßt gewesen, aber die
eure qualmt ja nur so aus allen Poren der Tastbarkeit, und
zwischen meinen vier Feuerbränden zur Sommerszeit ist besser aushalten als in ihrem Brodem. Wäre nicht meine Aschen-
schminke, ihr könntet die rote Hitze sehen, die sie mir auf
den anständig abgezehrten Wangen entzündet hat, oder vielmehr auf den Knochen darüber, beim asketischen Zuhören.
Ach, Kinder, Kinder! wie den Ochsen, der mit verbundenen
Augen die Ölmühle dreht, treibt es euch um das Rad des Werdens, wobei ihr noch ächzt vor Inbrunst, ins zuckende Fleisch
gestachelt von den sechs Mühlknechten der Leidenschaften.
Könnt ihr's nicht lassen? Müßt ihr äugen und züngeln und
speicheln, vor Begierde schwach in den Knien beim Anblick
des Trug-Objekts? Nun ja, nun na, ich weiß es ja! Der Liebes-
leib, von bitterer Lust betaut, – gleitendes Gliedwerk unter
fettiger Seidenhaut, – der Schultern holdes Kuppelrund, –
schnüffelnde Nas', irrender Mund, – die süße Brust, geschmückt
mit Sternen zart, – der schweißgetränkte Achselbart, – ihr
Weidetrifte ruheloser Hände, – geschmeidiger Rücken, atmen-
der Weichbauch, schöne Hüft' und Lende, – der Arme Wonne-
druck, der Schenkel Blust, – des Hinterfleisches kühle Dop-
pellust, – und, von dem allen gierig aufgebracht, – das Zeuge-
zeug in schwül unflätiger Nacht, – das man sich voll Entzücken zeigt, – einand' damit zum siebenten Himmel geigt –
und dies und das und hier und da, – ich weiß es ja! Ich weiß
es ja . . .«

»Aber das wissen wir ja alles schon selbst und ganz von
allein, großer Kamadamana«, sagte Nanda, einige unterdrückte Ungeduld in der Stimme. »Willst du nicht so gut sein,
zum Schiedsspruch zu kommen und uns zu belehren, wer
Sita's Mann ist, daß wir es endlich wissen und uns danach
richten?«

»Der Spruch«, erwiderte der Heilige, »der ist so gut wie gefällt. Es liegt ja auf der Hand, und ich wundere mich, daß ihr
nicht soweit Bescheid wißt in Ordnung und Recht, daß ihr

einen Schiedsrichter braucht in einer so klar sich selbst entscheidenden Sache. Die Lockspeise da ist selbstverständlich
die Frau dessen, der des Freundes Haupt auf den Schultern
trägt. Denn bei der Trauung reicht man der Braut die rechte
Hand; die aber gehört zum Rumpf; und der ist des
Freundes.«

Mit einem Jubelruf sprang Nanda auf seine fein gebildeten Füße, indessen Sita und Schridaman gesenkten Kopfes
stille sitzen blieben.

»Das ist aber nur der Vordersatz«, fuhr Kamadamana mit
erhobener Stimme fort, »auf welchen der Nachsatz folgt, der
ihn überhöht, übertönt und mit Wahrheit bekrönt. Wartet gefälligst!«

Damit stand er auf und begab sich zur Baumeshöhle, holte
ein rauhes Gewandstück, einen Schurz aus dünner Borke daraus hervor und bekleidete damit seine Blöße. Dann sprach er:

Gemahl ist, der da trägt des Gatten Haupt.
Kein Zweifel ist an diesem Spruch erlaubt.
Denn wie das Weib der Wonnen höchste ist und
                    Born der Lieder,
So ist das Haupt das höchste aller Glieder.

Da war es denn an Sita und Schridaman, die Köpfe zu
heben und beglückt einander anzublicken. Nanda aber, der
sich schon so sehr gefreut, äußerte mit kleiner Stimme:
»Aber du hast es vorher doch ganz anders gesagt!«

»Was ich zuletzt gesagt habe«, erwiderte Kamadamana,
»das gilt.«

So hatten sie ihren Bescheid, und der verfeinerte Nanda
durfte am allerwenigsten dagegen murren, da er selbst es angeregt hatte, den Heiligen zum Schiedsmann zu bestellen, –
ganz abgesehen von der untadlig galanten Begründung, die
dieser seinem Spruche gegeben.

Alle drei verneigten sich vor Kamadamana und schieden
von seiner Heimstätte. Als sie aber schweigend miteinander

wieder ein Stück durch den regengrünen Dankakawald gegangen waren, hielt Nanda seine Füße an und verabschiedete
sich von ihnen.

»Viel Gutes!« sagte er. »Ich gehe nun meiner Wege. Eine
Menschenleere will ich mir suchen und ein Wald-Einsiedel
werden, wie ich's schon früher vorhatte. In meiner gegenwärtigen Verkörperung fühle ich mich ohnedies für die Welt
etwas zu schade.«

Die beiden konnten seinen Entschluß nicht tadeln; auf eine
leicht betrübte Weise waren sie einverstanden und erwiesen
sich freundlich gegen den Scheidenden wie gegen einen, der
den kürzeren gezogen hat. Schridaman klopfte ihm ermutigend die vertraute Schulter und riet ihm aus alter Anhänglichkeit und einer Fürsorge, wie ein Wesen sie selten dem
anderen widmet, seinem Körper keine übertriebenen Observanzen zuzumuten und nicht zuviel Knollen zu essen, denn
er wisse, daß eine so einförmige Kost ihm nicht bekomme.

»Laß das meine Sache sein«, antwortete Nanda abweisend,
und auch als Sita ihm tröstliche Worte spenden wollte, schüttelte er nur bitter traurig den ziegennasigen Kopf.

»Nimm dir's nicht zu sehr zu Herzen«, sagte sie, »und bedenke immer, daß ja im Grunde nicht viel fehlt und du
wärest es selbst, der nun das Lager der Ehelust mit mir teilen
wird in gesetzlichen Nächten! Sei gewiß, daß ich, was dein
war, in die süßeste Zärtlichkeit hüllen werde von oben bis
unten und ihm die Freude verdanken will mit Hand und
Mund auf so erlesene Art, wie nur immer die ewige Mutter
mich's lehren wird!«

»Davon habe ich nichts«, erwiderte er eigensinnig. Und sogar, als sie ihm heimlich zuflüsterte: »Manchmal will ich mir
auch deinen Kopf hinzuträumen«, blieb er dabei und sagte
wieder nur traurig-störrig: »Davon habe ich auch nichts.«

So gingen sie voneinander, einer und zwei. Aber Sita kehrte
nochmals zu dem einen um, als er schon ein Stück weggegangen war, und schlang die Arme um ihn.

»Lebe wohl!« sagte sie. »Du warst doch mein erster Mann,

der mich erweckte und mich die Lust lehrte, so gut ich sie eben
kenne, und was der dürre Heilige auch dichten und richten
mag von Weib und Haupt, das Früchtchen unter meinem Herzen ist doch von dir!«

Damit lief sie zurück zum wacker beleibten Schridaman.

11

Im Vollgenusse der Sinnenlust verbrachten Sita und Schridaman nun die Zeit an ihrer Stätte ,Wohlfahrt der Kühe',
und kein Schatten trübte vorerst den wolkenlosen Himmel
ihres Glückes. Das Wörtchen »vorerst«, welches allerdings als
eine leichte, ahnungsvolle Trübung über diese Klarheit läuft,
ist unsere Hinzufügung, die wir außer der Geschichte sind und
sie berichten; jene, die in ihr lebten und deren Geschichte es
war, wußten von keinem »Vorerst«, sondern lediglich von
ihrem Glück, das beiderseits ungemein zu nennen war.

Wirklich war es ein Glück, wie es sonst auf Erden kaum
vorkommt, sondern dem Paradiese angehört. Das gemeine
Erdenglück, die Befriedigung der Wünsche, die der großen
Masse der menschlichen Geschöpfe unter den Bedingungen der
Ordnung, des Gesetzes, der Frömmigkeit, des Sittenzwanges
zuteil wird, ist beschränkt und mäßig, nach allen Seiten einge-
grenzt von Verbot und unvermeidlichem Verzicht. Notbehelf,
Entbehrung, Entsagung ist das Los der Wesen. Unser Verlangen ist grenzenlos, seine Erfüllung karg begrenzt, und sein
drängendes »Wenn doch nur« stößt an allen Enden auf das
eherne »Geht nicht an«, das trockene »Nimm vorlieb« des Lebens. Einiges ist uns gewährt, verwehrt das meiste, und gemeinhin bleibt es ein Traum, daß das Verwehrte eines Tages
das Zeichen der Gewährung trüge. Ein paradiesischer Traum,
– denn darin eben müssen die Wonnen des Paradieses bestehen, daß dort das Erlaubte und das Verbotene, die hienieden
so sehr zweierlei sind, in eins zusammenwachsen und das

schöne Verbotene die geistige Haupteskrone des Erlaubten
trägt, das Erlaubte aber noch zum Überfluß den Reiz des
Verbotenen gewinnt. Wie sollte der darbende Mensch sich
sonst das Paradies vorstellen?

Genau dieses Glück nun, das man überirdisch nennen darf,
hatte ein launisches Geschick dem ehelichen Liebespaar zuge-
spielt, das nach ‚Wohlfahrt' zurückgekehrt war, und sie genossen es in trunkenen Zügen – vorerst. Gatte und Freund
waren zweierlei gewesen für Sita, die Erweckte, – nun waren
sie eins worden, was sich glückseligerweise so vollzogen hatte
– und ja auch gar nicht anders hatte vollziehen können –,
daß das Beste von beiden und was in der Einheit eines jeden
die Hauptsache gewesen war sich zusammengefunden und
eine neue, alle Wünsche erfüllende Einheit gebildet hatte.
Nächtlich, auf gesetzlichem Lager, schmiegte sie sich in die
wackeren Arme des Freundes und empfing seine Wonne, wie
sie es sich früher an des zarten Gatten Brust nur mit geschlossenen Augen erträumt hatte, küßte jedoch zum Dank
das Haupt des Brahmanenenkels, – die begünstigste Frau der
Welt, denn sie war im Besitz eines Gemahls, der, wenn man
so sagen darf, aus lauter Hauptsachen bestand.

Wie vergnügt und stolz war nicht aber auch seinerseits der
verwandelte Schridaman! Niemand brauchte sich Sorge zu
machen, daß seine Verwandlung dem Bhavabhûti, seinem Vater, oder seiner Mutter, deren Name nicht vorkommt, weil
sie überhaupt eine bescheidene Rolle spielte, oder sonst einem
Mitgliede des brahmanischen Kaufmannshauses oder den
übrigen Bewohnern des Tempeldorfes anders als angenehm
aufgefallen wäre. Der Gedanke, daß bei der günstigen Veränderung seiner Leiblichkeit etwas nicht mit rechten, soll heißen: nicht mit natürlichen Dingen zugegangen sein möchte
(als ob noch dazu die natürlichen Dinge die einzig rechten wären!), hätte leichter aufkommen können, wenn der entsprechend veränderte Nanda ihm noch zur Seite gewesen wäre.
Dieser aber war dem Gesichtskreis entrückt und ein Wald-
Einsiedel geworden, wozu er früher schon manchmal die

Absicht kundgegeben; seiner Veränderung, die mit der seines
Freundes allerdings vielleicht auffallend zusammengewirkt
hätte, ward niemand gewahr, und nur Schridaman bot sich
den Blicken dar – in einer bräunlichen Kräftigung und Ver-
schönerung seiner Glieder, die man mit gelassenem Beifall
einer männlichen Reifung durchs Eheglück zuschreiben mochte,
soweit sie überhaupt in die Augen fielen. Denn es versteht
sich, daß Sita's Eheherr fortfuhr, sich nach den Gesetzen seines Kopfes zu kleiden und nicht in Nanda's Lendentuch,
Armringen und Steinperlenschmuck herumging, sondern nach
wie vor in dem bauschigen Hosenschurz und dem baumwol-
lenen Hemdrock erschien, die immer seine Tracht gewesen.
Was sich aber hier vor allem bewährte, war die entscheidende und keinen Zweifel zulassende Bedeutung des Hauptes für die Selbstheit einer Menschenperson in den Augen
aller. Man lasse doch nur einmal einen Bruder, Sohn oder
Mitbürger durch die Türe hereinkommen, seinen wohlbekann-
ten Kopf auf den Schultern, und fühle sich, selbst wenn mit
seiner übrigen Erscheinung nicht alles in der gewohnten Ordnung wäre, des geringsten Zweifels fähig, daß dieses Einzelwesen etwa nicht der betreffende Bruder, Sohn oder Mitbürger sein könnte!

Wir haben der Lobpreisung von Sita's Eheglück den ersten
Platz eingeräumt, wie auch Schridaman sogleich nach seiner
Verwandlung den Gedanken an die Vorteile, die seiner Eheliebsten daraus erwüchsen, allem übrigen vorangestellt hatte.
Sein Glück aber, wie sich versteht, entsprach vollkommen
dem ihrigen und trug auf dieselbe Weise Paradiesescharakter.
Nicht genug kann man die Lauschenden auffordern, sich in
die unvergleichliche Lage eines Liebhabers zu versetzen, der
in tiefer Verzagtheit von der Geliebten abließ, weil er gewahr
werden mußte, daß sie sich nach anderer Umarmung sehnte,
und der nun, er selbst, ihr das zu bieten hat, wonach sie so
sterblich verlangte. Indem man auf sein Glück die Aufmerksamkeit lenkt, fühlt man sich versucht, es noch über das der
reizenden Sita zu stellen. Die Liebe, die Schridaman zu Su-

mantra's goldfarbenem Kinde ergriffen hatte, nachdem er sie
im frommen Bade belauscht, – eine Liebe, so feurig-ernst, daß
sie für ihn zu Nanda's populärer Erheiterung, die Gestalt
einer Krankheit zum Tode und der Überzeugung, sterben zu
müssen, angenommen hatte, – diese heftige, leidende und im
Grunde zartsinnige Ergriffenheit also, entzündet durch ein
reizendes Bild, dem er jedoch sogleich die Würde der Person
zu wahren bestrebt gewesen war, – kurzum, diese, aus der
Vermählung von Sinnenschönheit und Geist geborene Begeisterung war, wie sich versteht, eine Sache seiner gesamten
Selbstheit, – vor allem und in wesentlichem Betracht aber
doch eine Sache seines brahmanischen, von der Göttin Rede
mit Gedanken-Inbrunst und Einbildungskraft begabten
Hauptes gewesen, welchem der ihm anhängende milde Körper, wie das in der Ehe deutlich geworden sein mochte, keine
ganz ebenbürtige Gesellschaft dabei geleistet hatte. Nun aber
ist man dringlich aufgefordert, das Glück, die Genugtuung
einer Selbstheit nachzufühlen, der zu solchem feurig-fein und
tief-ernst veranlagten Haupt ein heiter-populärer Leib, ein
Leib einfältiger Kraft gegeben wurde, welcher für die geistige
Leidenschaft dieses Hauptes voll und ganz einzustehen geschaffen ist! Es ist ein zweckloser Versuch, sich die Wonnen
des Paradieses, also etwa das Leben im Götterhain ‚Freude‘,
anders vorzustellen als im Bilde dieser Vollkommenheit.

Selbst das trübende »Vorerst«, das dort oben freilich nicht
vorkommt, macht insofern keinen Unterschied zwischen hier
und dort, als es ja nicht dem Bewußtsein des Genießenden,
sondern nur dem des geistig Obwaltenden, dem erzählenden
Bewußtsein angehört und also nur eine sachliche, keine persönliche Trübung mit sich bringt. Und doch ist zu sagen, daß
es sich bald, sehr früh auch schon ins Persönliche einzu-
schleichen begann, ja eigentlich von Anfang an auch hier seine
irdisch einschränkende und bedingende, vom Paradiesischen
abweichende Rolle spielte. Es ist zu sagen, daß die schönhüftige Sita einen Irrtum begangen hatte, als sie den gnädigen
Befehl der Göttin in der Weise ausgeführt hatte, wie es ihr

passiert war – einen Irrtum nicht nur, soweit sie ihn aus blinder Hast, sondern auch soweit sie ihn etwa nicht ganz allein aus blinder Hast so ausgeführt hatte. Dieser Satz ist wohl bedacht und will wohl verstanden sein.

Nirgends tut der welterhaltende Zauber der Maya, das Lebens-Grundgesetz des Wahns, des Truges, der Einbildung, das alle Wesen im Banne hält, sich stärker und foppender hervor als im Liebesverlangen, dem zärtlichen Begehren der Einzel-Geschöpfe nach einander, das so recht der Inbegriff und das Musterbeispiel alles Anhangens, aller Umfangenheit und Verstrickung, aller das Leben hinfristenden, zu seiner Fortsetzung verlockenden Täuschung ist. Nicht umsonst heißt die Lust, des Liebesgottes gewitzigte Ehegesellin – nicht umsonst heißt diese Göttin ‚Die mit Maya Begabte‘; denn sie ist es, welche die Erscheinungen reizend und begehrenswert macht, oder vielmehr sie so erscheinen läßt: wie ja denn auch in dem Worte »Erscheinung« das Sinn-Element bloßen Scheines schon enthalten ist, dieses aber wieder mit den Begriffen von Schimmer und Schönheit nahe zusammenhängt. Lust, die göttliche Gauklerin, war es gewesen, die den Jünglingen am Badeplatz der Durgâ, besonders aber dem begeisterungswilligen Schridaman, Sita's Leib so schimmernd schön, so ehrfurchtgebietend-anbetungswürdig hatte erscheinen lassen. Man muß aber nur beobachten, wie froh und dankbar die Freunde damals gewesen waren, als die Badende das Köpfchen gewandt hatte und sie gewahr worden waren, daß auch dieses lieblich war nach Näschen, Lippen, Brauen und Augen, so daß nicht etwa die süße Figur durch ein häßlich Gesicht um Wert und Bedeutung gebracht würde, – nur hieran muß man zurückdenken, um innezuwerden, wie sehr versessen der Mensch nicht etwa erst auf das Begehrte, sondern auf das Begehren selber ist; daß er nicht nach Ernüchterung, sondern nach Rausch und Verlangen trachtet und nichts mehr fürchtet, als enttäuscht, das heißt: der Täuschung enthoben zu werden.

Nun gebt aber acht, wie die Sorge der jungen Leute, daß

nur auch ja das Frätzchen der Belauschten hübsch sein möchte,
die Abhängigkeit des Körpers nach seinem Maya-Sinn und
-Wert von dem Kopfe beweist, dem er zugehört! Mit Recht
hatte Kamadamana, der Bezwinger der Wünsche, das Haupt
für der Glieder höchstes erklärt und darauf seinen Schiedsspruch gegründet. Denn in der Tat ist das Haupt bestimmend
für die Erscheinung und den Liebeswert auch des Leibes, und
es ist wenig gesagt, daß dieser ein anderer ist, verbunden mit
einem anderen Haupt, – nein, laßt nur einen Zug, ein Aus-
drucksfältchen des Antlitzes ein anderes sein, und das Ganze
ist nicht mehr dasselbe. Hier lag der Irrtum, den Sita im Irrtum beging. Sie pries sich glücklich, diesen begangen zu haben,
weil es ihr paradiesisch schien – und vielleicht im voraus so
erschienen war, – den Freundesleib im Zeichen des Gatten-
hauptes zu besitzen: aber sie hatte nicht vorbedacht, und ihr
Glück wollte es vorerst nicht wahrhaben, daß der Nanda-
Leib in Einheit mit dem schmalnäsigen Schridaman-Haupt,
seinen gedankensanften Augen und dem milden, fächerförmigen Bart um die Wangen nicht mehr derselbe, nicht länger
Nanda's fröhlicher Leib, sondern ein anderer war.

Ein anderer war er sofort und vom ersten Augenblick an
nach seiner Maya. Nicht aber von dieser nur ist hier die Rede.
Denn mit der Zeit – der Zeit, die Sita und Schridaman vorerst im Vollgenusse der Sinnenlust, in unvergleichlichen
Liebesfreuden verbrachten – wurde der begehrte und gewonnene Freundesleib (wenn man Nanda's Leib im Zeichen von
Schridamans Haupt noch als den Leib des Freundes bezeichnen kann, da ja nun eigentlich der ferne Gattenleib zum
Freundesleib geworden war), – mit der Zeit also, und zwar
in gar nicht langer Zeit, wurde der vom verehrten Gattenhaupt gekrönte Nanda-Leib auch an und für sich und von
aller Maya ganz abgesehen ein anderer, indem er sich unter
dem Einfluß des Hauptes und seiner Gesetze nach und nach
ins Gattenmäßige wandelte.

Das ist gemeines Geschick und das gewöhnliche Werk der
Ehe: Sita's schwermütige Erfahrung unterschied sich in

diesem Punkte nicht sehr von derjenigen anderer Frauen, die auch binnen kurzem in dem bequemen Gemahl den ranken und feurigen Jüngling nicht wiedererkennen, der um sie freite. Das Üblich-Menschliche war hier aber doch besonders betont und begründet.

Der maßgebliche Einfluß des Schridaman-Hauptes, der schon darin zutage trat, daß Sita's Eheherr seinen neuen Leib wie den früheren, und nicht im Nanda-Stil, kleidete, bekundete sich auch in der Weigerung, seine Poren, wie Nanda immer getan, mit Senföl zu tränken: denn er konnte, von Hauptes wegen, diesen Geruch durchaus nicht an sich selber leiden und mied das Kosmetikum, was gleich eine gewisse Enttäuschung für Sita bedeutete. Eine leichte Enttäuschung war es für sie vielleicht sogar, daß Schridamans Haltung beim Sitzen am Boden, wie kaum gesagt werden muß, nicht vom Körper, sondern von seinem Kopf bestimmt wurde, und daß er also die populäre Hockstellung, die Nanda gewohnheitsmäßig eingenommen, verschmähte und seitlich saß. Das alles aber waren nur Kleinigkeiten des Anfangs.

Schridaman, der Brahmanenenkel, fuhr auch mit dem Nanda-Leib fort zu sein, was er gewesen, und zu leben, wie er gelebt hatte. Er war kein Schmied noch Hirt, sondern ein Wânidja und eines Wânidjas Sohn, der seines Vaters würdigen Handel betreiben half und ihm bei zunehmender Mattigkeit seines Erzeugers bald selber vorstand. Nicht führte er den schweren Hammer, noch weidete er das Vieh auf dem Berge ‚Buntgipfel‘, sondern kaufte und verkaufte Mull, Kampfer, Seide und Zitz, auch Reis-Stampfer und Feuerhölzer, die Leute von ‚Wohlfahrt der Kühe‘ damit versehend, wobei er zwischenein in den Veden las; und gar kein Wunder denn, so wunderbar sonst die Geschichte lauten mag, daß Nanda's Arme bald an ihm ihre Wackerkeit einbüßten und dünner wurden, seine Brust sich verschmälerte und entstraffte, einiger Schmer sich wieder ans Bäuchlein versammelte, kurzum, daß er mehr und mehr ins Gattenmäßige fiel. Sogar die Locke ‚Glückskalb‘ ging ihm aus, nicht ganz, aber

schütter wurde sie, so daß sie kaum noch als Krischna-
Zeichen erkennbar war: Sita, sein Weib, stellte es mit Wehmut fest. Doch soll nicht geleugnet werden, daß mit der tatsächlichen und nicht bloß mayamäßigen Umprägung, die sich
selbst auf den Farbton der Haut erstreckte, welche heller
wurde, auch eine Verfeinerung und, wenn man will, eine
Veredelung verbunden war – das Wort in einem teils brah-
manen-, teils kaufmannmäßigen Sinne verstanden –; denn
kleiner und feiner wurden seine Hände und Füße, zarter die
Knie und Knöchel, und alles in allem: der fröhliche Freundesleib, in seiner früheren Zusammengehörigkeit die Hauptsache, wurde zum milden Anhängsel und Zubehör eines
Hauptes, für dessen edelmütige Impulse er bald nicht mehr
in paradiesischer Vollkommenheit einstehen mochte und
konnte, und dem er nur noch mit einer gewissen Trägheit
Gesellschaft dabei leistete.

Dies Sita's und Schridamans eheliche Erfahrung nach den
allerdings unvergleichlichen Freuden des Honigmondes. Sie
ging nicht so weit, daß nun etwa wirklich und gänzlich der
Nanda-Leib sich in den des Schridaman zurückverwandelt
hätte, so daß alles beim alten gewesen wäre, das nicht. In dieser Geschichte wird nicht übertrieben, sondern vielmehr betont sie die Bedingtheit der körperlichen Verwandlung und
ihre Beschränkung aufs allerdings Unverkennbare, um Ver-
ständnisraum zu schaffen für die Tatsache, daß es sich um
eine Wechselwirkung zwischen Haupt und Gliedern handelte
und auch das Ich- und Mein-Gefühle bestimmende Schrida-
manhaupt Veränderungen der Anpassung unterlag, die sich
dem Natursinn aus dem Säfte-Zusammenhang von Haupt
und Körper, der Wesenserkenntnis aber aus höheren Zusammenhängen erklären mögen.

Es gibt eine geistige Schönheit und eine solche, die zu den
Sinnen spricht. Einige aber wollen das Schöne ganz und gar
der Sinnenwelt zuteilen und das Geistige grundsätzlich davon
absondern, so daß sich die Welt in Geist und Schönheit gegensätzlich aufgespalten erwiese. Darauf beruht denn auch die

vedische Väterlehre: »Zweierlei Seligkeit nur wird in den
Welten erfahren: durch dieses Leibes Freuden und in erlösen-
der Ruhe des Geistes.« Aus dieser Seligkeitslehre aber geht
schon hervor, daß sich das Geistige zum Schönen keineswegs
in derselben Weise gegensätzlich verhält wie das Häßliche,
und daß es nur bedingtermaßen mit diesem ein und dasselbe
ist. Das Geistige ist nicht gleichbedeutend mit dem Häßlichen
oder muß es nicht sein; denn es nimmt Schönheit an durch
Erkenntnis des Schönen und die Liebe zu ihm, die sich als
geistige Schönheit äußert und aus dem Grunde mitnichten
eine ganze fremde und hoffnungslose Liebe ist, weil nach dem
Anziehungsgesetz des Verschiedenen auch das Schöne seinerseits nach dem Geistigen strebt, es bewundert und seiner
Werbung entgegenkommt. Diese Welt ist nicht so beschaffen,
daß darin der Geist nur Geistiges, die Schönheit aber nur
Schönes zu lieben bestimmt wäre. Sondern der Gegensatz
zwischen den beiden läßt mit einer Deutlichkeit, die sowohl
geistig wie schön ist, das Weltziel der Vereinigung von Geist
und Schönheit, das heißt der Vollkommenheit und nicht länger zwiegespaltenen Seligkeit erkennen; und unsere gegenwärtige Geschichte ist nur ein Beispiel für die Mißlichkeiten
und Fehlschläge, unter denen nach diesem Endziel gestrebt
wird.

Schridaman, des Bhavabhûti Sohn, hatte versehentlich zu
einem edlen Haupt, das heißt einem solchen, in dem sich die
Liebe zum Schönen ausdrückte, einen schönen und wackeren
Leib erhalten; und da er Geist besaß, war ihm gleich so gewesen, als liege etwas wie Traurigkeit darin, daß das Fremde
nun sein geworden und kein Gegenstand der Bewunderung
mehr war, – mit anderen Worten: daß er nun selber war,
wonach ihn verlangt hatte. Diese ‚Traurigkeit' bewährte sich
leider in den Veränderungen, denen auch sein Kopf im Zusammenhang mit dem neuen Leib unterlag, denn es waren
solche, wie sie an einem Haupte vor sich gehen, das durch den
Besitz des Schönen der Liebe zu diesem und damit der geistigen Schönheit mehr oder weniger verlustig geht.

Die Frage steht offen, ob dieser Vorgang sich nicht auf jeden Fall, auch ohne den Leibestausch und rein auf Grund des
ehelichen Besitzes der schönen Sita vollzogen hätte: wir wiesen auf den Einschlag von Allgemeingültigkeit in diesem
Geschick, das durch die besonderen Umstände nur verstärkt
und zugespitzt wurde, ja schon hin. Auf jeden Fall ist es für
den Lauscher mit sachlich beobachtendem Natursinn nur interessant, für die schöne Sita aber war es schmerzlich und er-
nüchternd zu bemerken, wie ihres Gemahles einst so feine
und schmale Lippen im Barte satter und voller wurden, ja,
sich nach außen kehrten und der Wulstigkeit nahe kamen;
wie seine Nase, ehemals dünn wie Messersschneide, an
Fleischigkeit zunahm, ja eine unleugbare Neigung zeigte, sich
zu senken und ins Ziegenmäßige zu fallen, und seine Augen
den Ausdruck einer gewissen stumpfen Fröhlichkeit annahmen. Es war auf die Dauer ein Schridaman mit verfeinertem
Nanda-Leib und vergröbertem Schridaman-Kopf; es war
nichts Rechtes mehr mit ihm. Der Vortragende ruft auch darum, und darum besonders das Verständnis der Hörer für die
Empfindungen auf, die Sita bei diesem Vorgang erfüllten,
weil sie gar nicht umhinkonnte, aus den Veränderungen, die
sie an ihrem Gatten beobachtete, auf entsprechende Veränderungen zu schließen, die sich unterdessen an der Gesamtperson des fernen Freundes vollzogen haben mochten.

Wenn sie des Gattenleibes gedachte, den sie in nicht gerade
überseliger, aber heiliger und erweckender Brautnacht umfangen, und den sie nicht mehr, oder wenn man will, da er
nun der Freundesleib war, noch immer nicht besaß –, so
zweifelte sie nicht, daß die Maya des Nanda-Leibes auf jenen
übergegangen –, sie zweifelte nicht, wo jetzt die Locke
‚Glückskalb‘ anzutreffen war. Mit aller Bestimmtheit vermutete sie aber auch, daß dem treuherzigen Freundeshaupt,
das nun den Gattenleib krönte, eine Verfeinerung zuteil geworden sein müsse, wie sie derjenigen des vom Gattenhaupte
gekrönten Freundesleibes entsprach; und gerade diese Vorstellung, mehr noch als die andere, rührte sie tief und ließ ihr

bald bei Tag und Nacht und selbst in ihres Eheherren
mäßigen Armen keine Ruhe mehr. Der einsam verschönte
Gattenleib schwebte ihr vor, wie er im Zusammenhang mit
dem armen, verfeinerten Freundeshaupt auf eine geistige
Weise unter der Trennung von ihr litt; und ein sehnsüchtiges
Mitleid mit dem Fernen wuchs in ihr auf, so daß sie die
Augen schloß in Schridamans ehelicher Umarmung und in
der Lust vor Kummer erbleichte.

12

Als ihre Zeit gekommen war, gebar Sita dem Schridaman
ihr Früchtchen, ein Knäblein, das sie Samadhi, will sagen:
‚Sammlung‘ nannten. Man schwenkte einen Kuhschweif über
dem Neugeborenen, um Unheil von ihm abzuwehren, und tat
Mist von der Kuh auf seinen Kopf zu verwandtem Zweck –
alles, wie es sich gehört. Die Freude der Eltern (wenn dieses
Wort ganz am Platze ist) war groß, denn der Knabe war
weder blaß noch blind. Aber sehr hellfarbig war er allerdings
von Haut, was mit der mütterlichen Abstammung aus
Kshatriya- oder Kriegerblut zusammenhängen mochte, und
war dazu, wie sich allmählich herausstellte, in hohem Grade
kurzsichtig. In dieser Weise erfüllen sich Wahrsagungen und
alte Volksüberzeugungen: Sie erfüllen sich andeutungsweise
und etwas verwischt; man kann behaupten, sie seien eingetroffen, und kann es auch wieder bestreiten.

Seines kurzen Gesichtes wegen wurde Samadhi später auch
Andhaka, das ist: ‚Blindling‘ genannt, und dieser Name gewann allmählich die Oberhand über den ersten. Es verlieh
aber diese Eigenschaft seinen Gazellenaugen einen weichen
und einnehmenden Schimmer, so daß sie noch schöner waren
als Sita’s Augen, denen sie übrigens glichen; wie denn überhaupt der Knabe keinem der beiden Väter, sondern aufs
allerentschiedenste seiner Mutter glich, die ja auch der klare

und eindeutige Teil seiner Herkunft war, weshalb wohl seine
Gestaltwerdung sich auf sie angewiesen gefühlt hatte. Demnach war er bildhübsch, und sein Gliederbau erwies sich, sobald nur die krumme Zeit der besudelten Windeln vorüber
war und er sich ein wenig streckte, vom reinsten und kräftigsten Ebenmaß. Schridaman liebte ihn wie sein eigenes Fleisch
und Blut, und Abdankungsgefühle, die Neigung, nun dem
Sohn das Dasein zu überlassen und in ihm zu leben, zeichneten sich in seiner Seele ab.

Die Jahre aber, in denen Samadhi-Andhaka sich lieblich
herausmachte an seiner Mutter Brust und in seiner Hängewiege, waren eben die, in denen die geschilderte Umprägung
Schridamans nach Haupt und Gliedern sich abspielte und die
seine Gesamtperson dermaßen ins Gattenmäßige wandelten,
daß Sita es nicht mehr aushielt und das Mitleid mit dem fernen Freund, in dem sie den Erzeuger ihres Knäbleins sah,
überstark in ihr wurde. Der Wunsch, ihn wiederzusehen, wie
er seinesteils nach dem Gesetz der Entsprechung geworden sein
mochte, und ihm ihr reizendes Früchtchen vorzustellen, damit auch er seine Freude an ihm habe, erfüllte sie ganz und
gar, ohne daß sie doch dem Gattenhaupt Mitteilung davon
zu machen wagte. Darum, als Samadhi vier Jahre alt war,
schon anfing, überwiegend Andhaka zu heißen, und, wenn
auch nur trippelnd, laufen konnte, Schridaman sich aber gerade auf einer Geschäftsreise befand, beschloß sie, auf und
davon zu gehen, um, was es auch kosten möge, den Einsiedel
Nanda ausfindig zu machen und ihn zu trösten.

Eines Morgens im Frühjahr, noch vor Tag, bei Sternenschein, legte sie Wanderschuhe an, nahm einen langen Stab in
die Hand, ergriff mit der anderen die ihres Söhnchens, dem
sie sein Hemdchen aus Kattun von Kalikat angezogen, und
schritt, einen Beutel mit Wegzehrung auf dem Rücken, ungesehen und auf gut Glück mit ihm davon aus Haus und
Dorf.

Die Tapferkeit, mit der sie die Beschwerden und Fährlichkeiten dieser Wanderschaft bestand, legt Zeugnis ab für

die entschiedene Dringlichkeit ihres Wunsches. Auch mochte
ihr Kriegerblut, so verdünnt es war, ihr dabei zustatten kommen, und gewiß tat das ihre Schönheit sowie die ihres
Knaben, denn jeder machte sich ein Vergnügen daraus, einer
so liebreizenden Pilgerin und ihrem glanzäugigen Begleiter
weiterzuhelfen mit Rat und Tat. Den Leuten sagte sie, daß
sie auf der Fahrt und Suche sei nach dem Vater dieses Kindes, ihrem Mann, der aus unüberwindlicher Neigung zur
Wesensbetrachtung ein Wald-Einsiedel geworden sei, und
dem sie seinen Sohn zuführen wolle, damit er ihn belehre und
segne; und auch dies stimmte die Menschen weich, ehrerbietig
und gefällig gegen sie. In Dörfern und Weilern bekam sie
Milch für ihren Kleinen, fast immer bekam sie ein Nachtlager
für sich und ihn in Scheunen und auf den Erdbänken der
Feuerstätten. Oft nahmen Jute- und Reisbauern sie auf ihren
Karren mit für weite Strecken, und bot sich keine solche Gelegenheit des Fortkommens, so schritt sie unverzagt, das Kind
bei der Hand, an ihrem Stabe, im Staube der Landstraßen,
wobei Andhaka zwei Schritte machte auf einen von ihren und
nur ein ganz kurzes Stück der Straße mit seinen schimmernden Augen vor sich ersah. Sie aber sah weit hinaus in die zu
erwandernde Ferne, das Ziel ihrer mitleidigen Sehnsucht un-
verrückt vor Augen.

So erwanderte sie den Dankakawald, denn sie vermutete,
daß der Freund sich dort eine Menschenleere gesucht habe.
Aber an Ort und Stelle erfuhr sie von den Heiligen, die sie
befragte, daß er nicht da sei. Viele konnten oder wollten ihr
eben nur dieses sagen; aber einige Einsiedler-Frauen, die den
kleinen Samadhi herzten und fütterten, lehrten sie guten Herzens ein Weiteres, nämlich, wo er denn sei. Denn die Welt
der Zurückgezogenen ist eine Welt wie eine andere, in der
man Bescheid weiß, wenn man dazu gehört, und in der es viel
Klatsch, Bemängelung, Eifersucht, Neugier und Überbietungs-
begierde gibt, und ein Klausner weiß sehr wohl, wo ein anderer haust und wie er's treibt. Darum konnten jene guten
Weiber der Sita verraten, daß der Einsiedel Nanda seine

Stätte nahe dem Flusse Gomati oder dem ‚Kuhfluß', sieben Tagereisen von hier gegen Süden und Westen, aufgeschlagen habe, und es sei eine herzerfreuende Stätte, mit vielerlei Bäumen, Blumen und Schlingpflanzen, voll von Vogelruf und Tieren in Rudeln, und das Ufer des Flusses trage Wurzeln, Knollen und Früchte. Alles in allem habe Nanda den Ort seiner Zurückgezogenheit wohl etwas zu herzerfreuend gewählt, als daß die strengeren Heiligen seine Askese ganz ernst zu nehmen vermöchten, zumal da er außer Baden und Schweigen keine nennenswerten Observanzen befolge, sich schlecht und recht von den Früchten des Waldes, dem wilden Reis der Regenzeit und gelegentlich sogar von gebratenen Vögeln nähre und eben nur das betrachtsame Leben eines Betrübten und Enttäuschten führe. Was den Weg zu ihm betreffe, so sei er ohne besondere Beschwerden und Anstände, ausgenommen den Engpaß der Räuber, die Tigerschlucht und das Schlangental, wo man allerdings achtgeben und sein Herz in beide Hände nehmen müsse.

So unterwiesen, schied Sita von den hilfreichen Weibern des Dankakawaldes und setzte voll neu belebter Hoffnung nach gewohnter Art ihre Reise fort. Glücklich bestand sie sie von Tag zu Tag, und vielleicht waren es Kama, der Gott der Liebe, im Bunde mit Schri-Lakschmi, der Herrin des Glücks, die ihre Schritte behüteten. Unangefochten legte sie den Engpaß der Räuber zurück; die Tigerschlucht lehrten freundliche Hirten sie zu umgehen; und im Tal der Vipern, das unvermeidlich war, trug sie den kleinen Samadhi-Andhaka die ganze Zeit auf dem Arm.

Aber als sie zum Kuhfluß kam, führte sie ihn wieder an der Hand, mit ihrer anderen den Wanderstab aufsetzend. Es war ein tauschimmernder Morgen, an dem sie dort anlangte. Eine Weile schritt sie am blumigen Ufer hin und wandte sich dann, ihrer Belehrung gemäß, landeinwärts über die Flur gegen einen Waldstrich, hinter dem eben die Sonne emporstieg und der von den Blüten der roten Aschoka und des Kimschukabaumes wie Feuer leuchtete. Ihre Augen waren

geblendet vom Morgenglanz, als sie sie aber mit ihrer Hand
beschattete, unterschied sie am Waldesrand eine Hütte, mit
Stroh und Rinde gedeckt, und dahinter einen Jüngling im
Bastkleide und mit Gräsern gegürtet, der mit der Axt etwas
am Gezimmer besserte. Und als sie sich noch mehr näherte,
gewahrte sie, daß seine Arme wacker waren wie die, die sie
zur Sonne geschaukelt, daß aber dabei seine Nase auf eine
nicht ziegenmäßig zu nennende, sondern sehr edle Art gegen
die nur mäßig gewölbten Lippen abfiel.

»Nanda!« rief sie, und das Herz war ihr hochrot vor
Freude. Denn er erschien ihr wie Krischna, der vom Safte
kraftvoller Zärtlichkeit überströmt. »Nanda, schau her, es
ist Sita, die zu dir kommt!«

Da ließ er sein Beil fallen und lief ihr entgegen und hatte
die Locke ‚Glückskalb‘ auf seiner Brust. Mit hundert Will-
kommens- und Liebesnamen nannte er sie, denn er hatte sich
sehr nach ihrer Ganzheit gesehnt mit Leib und Seele.
»Kommst du endlich«, rief er, »du Mondmilde, du Rebhuhnäugige, du ringsum Feingliedrige, Schönfarbene du, Sita,
mein Weib mit den herrlichen Hüften? In wieviel Nächten hat mir geträumt, daß du so zu dem Ausgestoßenen, Einsamen übers Gebreite kämest, und nun bist du's wirklich
und hast den Räubersteg, den Tiger-Dschungel und das
Schlangental bestanden, die ich geflissentlich zwischen uns
legte aus Zornmut über den Schicksalsspruch! Ach, du bist eine
großartige Frau! Und wer ist denn das, den du mit dir
führst?«

»Es ist das Früchtchen«, sagte sie, »das du mir schenktest
in erster heiliger Ehenacht, als du noch nicht Nanda warst.«

»Das wird nicht besonders gewesen sein«, sagte er. »Wie
heißt er denn?«

»Er heißt Samadhi«, antwortete sie, »aber mehr und mehr
nimmt er den Namen Andhaka an.«

»Warum das?« fragte er.

»Glaube nicht, daß er blind ist!« erwiderte sie. »Er ist es
sowenig, wie man ihn bleich nennen kann trotz seiner weißen

Haut. Aber sehr kurz von Gesicht ist er allerdings, so daß er keine drei Schritt weit sehen kann.«

»Das hat seine Vorteile«, sagte Nanda. Und sie setzten den Knaben ein Stückchen weit weg von der Hütte ins frische Gras und gaben ihm Blumen und Nüsse zum Spielen. So war er beschäftigt, und was sie selber spielten, umfächelt vom Duft der Mangoblüten, der im Frühling die Liebeslust mehrt, und zum Getriller des Kokils in den bestrahlten Wipfeln, lag außerhalb seines Gesichtskreises. –

Ferner erzählt die Geschichte, daß das Ehe-Glück dieser Liebenden nur einen Tag und eine Nacht dauerte, denn noch hatte die Sonne sich nicht abermals über den rotblühenden Waldstrich erhoben, an dem Nanda's Hütte lehnte, als Schridaman dort anlangte, dem es bei der Rückkehr in sein verwaistes Haus sogleich klar gewesen war, wohin seine Frau sich gewandt. Die Hausgenossen zu ,Wohlfahrt der Kühe', die ihm mit Zagen das Verschwinden Sita's meldeten, hatten wohl erwartet, daß sein Zorn aufflammen werde wie ein Feuer, in das man Butter gießt. Das aber geschah nicht, sondern er hatte nur langsam genickt wie ein Mann, der alles vorher gewußt, und nicht nachgesetzt war er seinem Weibe in Wut und Rachbegier, sondern hatte sich zwar ohne Rast, aber auch ohne Hast nach Nanda's Einsiedelei auf den Weg gemacht. Denn wo diese gelegen war, hatte er längst gewußt und es nur vor Sita verborgen gehalten, um das Verhängnis nicht zu beschleunigen.

Sachte kam er und gesenkten Hauptes geritten auf seinem Reisetier, einem Yak-Ochsen, stieg ab unterm Morgenstern vor der Hütte und störte nicht einmal die Umarmung des Paares drinnen, sondern saß und wartete, daß der Tag sie löse. Denn seine Eifersucht war nicht von alltäglicher Art, wie sie gemeinhin schnaubend erlitten wird unter gesonderten Wesen, sondern sie war durch das Bewußtsein geläutert, daß es sein eigener ehemaliger Leib war, mit dem Sita die Ehe wieder aufgenommen hatte, was man ebensowohl einen Akt der Treue wie einen solchen des Verrates nennen konnte; und die Wesenserkenntnis lehrte ihn, daß es im Grunde ganz gleichgültig war, mit wem Sita schlief, mit dem Freunde oder mit ihm, da sie es, mochte auch der eine weiter nichts davon haben, immer mit ihnen beiden tat.

Daher die Unüberstürztheit, mit der er die Reise zurückgelegt, und die Ruhe und Geduld, mit denen er vor der Hütte sitzend den Aufgang des Tages erwartete. Daß er bei alldem nicht gewillt war, den Dingen ihren Lauf zu lassen, lehrt die Fortsetzung der Geschichte, der zufolge Sita und Nanda, als sie beim ersten Sonnenstrahl, während der kleine Andhaka noch schlief, aus der Hütte traten, Handtücher um die Hälse gehängt, da sie beabsichtigten, im nahen Flusse zu baden, und den Freund und Gatten gewahrten, der mit dem Rücken zu ihnen saß und sich bei ihrem Herauskommen nicht umwandte, – sie vor ihn traten, ihn in Demut begrüßten und in der Folge ihren Willen ganz mit dem seinen vereinigten, indem sie als notwendig anerkannten, was er unterwegs über sie alle drei zur Lösung ihrer Wirrnis beschlossen.

»Schridaman, du mein Herr und verehrtes Gattenhaupt!« sagte Sita, indem sie sich tief vor ihm verneigte. »Sei gegrüßt und glaube nicht, daß dein Eintreffen uns entsetzlich und unwillkommen ist! Denn wo zwei von uns sind, wird immer der dritte fehlen, und so vergib mir, daß ich's nicht aushielt mit dir und es mich in übermäßigem Mitleid zum einsamen Freundeshaupt zog!«

»Und zum Gattenleib«, antwortete Schridaman. »Ich vergebe dir. Und auch dir vergebe ich, Nanda, wie du deinerseits mir vergeben magst, daß ich auf den Spruch des Heiligen pochte und Sita für mich nahm, indem ich nur meinen Ich- und Mein-Gefühlen Rechnung trug, mich um die deinigen aber nicht kümmerte. Zwar hättest du es ebenso gemacht, wenn der Endspruch des Heiligen nach deinem Sinne gelautet hätte. Denn in dem Wahn und der Sonderung dieses Lebens ist es das Los der Wesen, einander im Lichte zu stehen, und vergebens sehnen die Besseren sich nach einem Dasein, in

dem nicht das Lachen des einen des anderen Weinen wäre.
Allzusehr habe ich auf meinem Kopfe beharrt, der sich deines Leibes erfreute. Denn mit diesen nun etwas gemagerten
Armen hattest du Sita zur Sonne geschaukelt, und in unserer
neuen Sonderung schmeichelte ich mir, ich hätte ihr alles zu
bieten, wonach sie verlangte. Aber die Liebe geht aufs Ganze.
Darum mußt' ich's erleben, daß unsere Sita auf deinem
Kopfe beharrte und mir aus dem Hause ging. Wenn ich nun
glauben könnte, sie werde in dir, mein Freund, ihr dauern-
des Glück und Genüge finden, so würde ich meiner Wege
ziehen und das Haus meines Vaters zu meiner Wildnis machen. Aber ich glaube es nicht; sondern wie sie sich vom
Gattenhaupt überm Freundesleib nach dem Freundeshaupt
sehnte überm Gattenleib, so wird ganz bestimmt ein mitleidi-
ges Sehnen sie ergreifen nach dem Gattenhaupt überm Freundesleib, und ihr wird keine Ruhe und kein Genüge beschieden
sein, denn der ferne Gatte wird immer zum Freunde werden,
den sie liebt, ihm wird sie unser Söhnchen Andhaka bringen,
weil sie in ihm dessen Vater erblickt. Mit uns beiden aber
kann sie nicht leben, da Vielmännerei unter höheren Wesen
nicht in Betracht kommt. Habe ich recht, Sita, mit dem, was
ich sage?«

»Wie dein Wort es ausspricht, so ist es leider, mein Herr
und Freund«, antwortete Sita. »Mein Bedauern aber, das
ich in das Wörtchen ‚leider' fasse, bezieht sich nur auf einen
Teil deiner Rede, nicht etwa darauf, daß der Greuel der
Vielmännerei für eine Frau wie mich nicht in Betracht kommt.
Dafür habe ich kein ‚leider', sondern bin stolz darauf, denn
von seiten meines Vaters Sumantra fließt noch einiges Kriegerblut in meinen Adern, und gegen etwas so Tiefstehendes
wie die Vielmännerei empört sich alles in mir: In aller
Schwäche und Wirrnis des Fleisches hat man doch seinen
Stolz und seine Ehre als höheres Wesen!«

»Ich habe es nicht anders erwartet«, sagte Schridaman,
»und du magst versichert sein, daß ich diese von deiner Wei-
besschwäche unabhängige Gesinnung von Anfang an in meine

Überlegungen einbezogen habe. Da du nämlich nicht mit uns beiden leben kannst, so bin ich gewiß, daß dieser Jüngling hier, Nanda, mein Freund, mit dem ich das Haupt tauschte, oder den Körper, wenn man will, – daß er mit mir darin übereinstimmt, daß auch wir nicht leben können, sondern daß uns nichts übrigbleibt, als unsere vertauschte Sonderung abzulegen und unser Wesen wieder mit dem Allwesen zu vereinigen. Denn wo das Einzelwesen in solche Wirrnis geraten wie in unserem Fall, da ist es am besten, es schmelze in der Flamme des Lebens wie eine Spende Butter im Opferfeuer.«

»Mit vollem Recht«, sagte Nanda, »Schridaman, mein Bruder, rechnest du auf meine Zustimmung bei deinen Worten. Sie ist unumwunden. Ich wüßte auch wirklich nicht, was wir noch im Fleische zu suchen hätten, da wir beide unsere Wünsche gebüßt und bei Sita geruht haben: Mein Leib durfte sich ihrer erfreuen im Bewußtsein deines Hauptes und der deine im Bewußtsein des meinen, wie sie sich meiner erfreute in deines Hauptes Zeichen und deiner im Zeichen des meinen. Unsere Ehre aber mag als gerettet gelten, denn ich habe nur dein Haupt mit deinem Leibe betrogen, was gewissermaßen dadurch wettgemacht wird, daß Sita, die Schönhüftige, meinen Leib mit meinem Haupte betrog; davor aber, daß ich, der ich dir doch einst die Betelrolle verehrte zum Zeichen der Treue, dich mit ihr betrogen hätte als Nanda nach Haupt und Gliedern, davor hat glücklicherweise Brahma uns bewahrt. Trotzdem kann es so mit Ehren nicht weitergehen, denn für Vielmännerei und Weibergemeinschaft sind wir denn doch zu hochstehende Leute: Sita gewiß und ebenso gewiß du, selbst noch mit meinem Leibe. Aber auch ich, besonders mit deinem. Darum stimme ich dir unumwunden zu in allem, was du von Einschmelzung sagst, und erbiete mich, uns mit diesen in der Wildnis erstarkten Armen die Scheiterhütte zu rüsten. Du weißt, daß ich mich schon früher dazu erboten habe. Du weißt auch, daß ich stets entschlossen war, dich nicht zu überleben und dir ohne Zögern in den Tod gefolgt bin,

als du dich der Göttin zum Opfer gebracht hattest. Betrogen
aber habe ich dich erst, als mein Gattenleib mir ein gewisses
Recht darauf gab und Sita mir den kleinen Samadhi brachte,
als dessen leiblichen Vater ich mich zu betrachten habe, indem
ich dir gern und mit Respekt die Vaterschaft dem Haupte
nach zugestehe.«

»Wo ist Andhaka?« fragte Schridaman.

»Er liegt in der Hütte«, antwortete Sita, »und sammelt im
Schlafe Kraft und Schönheit für sein Leben. Es war an der
Zeit, daß wir auf ihn zu sprechen kamen, denn seine Zukunft
muß uns wichtiger sein als die Frage, wie wir uns mit Ehre
aus dieser Wirrnis ziehen. Beides aber hängt nahe zusammen,
und wir sorgen für seine Ehre, indem wir für unsere sorgen.
Bliebe ich, wie ich wohl möchte, allein bei ihm zurück, wenn
ihr ins Allwesen zurückkehrt, so würde er als elendes Witwenkind durchs Leben irren, von Ehre und Freude verlassen. Nur
wenn ich dem Beispiel der edlen Satis folge, die sich dem Leib
des toten Gatten gesellten und mit ihm ins Feuer des Schei-
terhaufens eingingen, so daß man ihrem Andenken Steinplat-
ten und Obelisken setzte auf den Verbrennungsplätzen, –
nur wenn ich ihn mit euch verlasse, wird sein Leben ehrenvoll sein, und die Gunst der Menschen wird ihm entgegenkommen. Darum fordere ich, des Sumantra Tochter, daß
Nanda die Feuerhütte für dreie rüste. Wie ich das Lager des
Lebens mit euch beiden geteilt, so soll auch das Glutbett des
Todes uns drei vereinen. Denn auch auf jenem schon waren
wir eigentlich immer zu dritt.«

»Nie«, sagte Schridaman, »habe ich etwas anderes von dir
erwartet, sondern von vornherein den Stolz und Hochsinn in
Rechnung gestellt, die dir neben der Fleischesschwäche innewohnen. Im Namen unseres Sohnes danke ich dir für dein
Vorhaben. Um aber Ehre und Menschenstolz aus den Wirr-
nissen, in die uns das Fleisch gebracht, wahrhaft wiederherzustellen, müssen wir sehr auf die Form der Wiederherstellung
achten, und in dieser Beziehung weichen meine Gedanken und
Entwürfe, wie ich sie auf der Reise entwickelt, von den euren

ab. Mit dem toten Gemahl äschert die stolze Witwe sich ein.
Du aber bist keine Witwe, solange auch nur einer von uns
beiden am Leben ist, und es ist sehr die Frage, ob du zur
Witwe würdest, indem du mit uns Lebenden einsäßest in die
Gluthütte und mit uns stürbest. Darum, um dich zur Witwe
zu machen, müssen Nanda und ich uns töten, womit ich
meine: wir müssen einander töten; denn ‚uns' und ‚einander'
ist beides der richtigen Rede gemäß in unserem Fall und ist
ein und dasselbe. Wie Hirsche um die Hirschkuh müssen wir
kämpfen mit zwei Schwertern, für die gesorgt ist, denn sie
hängen meinem Yak-Ochsen am Gurt. Aber nicht, damit einer
siege und überlebe und die schönhüftige Sita davontrage, dürfen wir es tun: damit wäre nichts gebessert, denn immer wäre
der Tote der Freund, nach dem sie sich in Sehnsucht verzehren
würde, so daß sie erblaßte in den Armen des Gatten. Nein,
sondern beide müssen wir fallen, ins Herz getroffen einer
vom Schwert des anderen, – denn nur das Schwert ist des
anderen, nicht aber das Herz. So wird es besser sein, als wenn
jeder das Schwert gegen die eigene gegenwärtige Sonderung
kehrte; denn mir scheint, unsere Häupter haben kein Recht
zum Todesbeschluß über den einem jeden anhängenden Leib,
wie auch wohl unsere Leiber kein Recht hatten zur Wonne
und Ehelust unter fremden Häuptern. Zwar wird es ein
schwerer Kampf sein, insofern eines jeden Haupt und Leib
davor auf der Hut werden sein müssen, nicht für sich selbst
und um Sita's Alleinbesitz zu kämpfen, sondern auf das Doppelte bedacht, den tödlichen Streich zu führen und zu empfangen. Aber schwerer, als sich den Kopf abzuschlagen, was wir
doch beide geleistet und über uns gewonnen haben, wird die
doppelseitige Selbsttötung auch nicht sein.«

»Her mit den Schwertern!« rief Nanda. »Ich bin bereit zu
diesem Kampf, denn es ist die rechte Art für uns Rivalen,
diese Sache auszutragen. Es ist gerecht, denn bei der Aneignung unserer Leiber durch unsere Häupter sind unser beider
Arme ziemlich gleich stark geworden: die meinen zarter an
dir, die deinen stärker an mir. Mit Freuden werde ich dir

mein Herz bieten, weil ich dich mit Sita betrog, das deine aber
werde ich durchstoßen, damit sie nicht in deinen Armen er-
blasse um meinetwillen, sondern als Doppelwitwe sich uns
im Feuer geselle.«

Da auch Sita sich einverstanden erklärte mit dieser Ordnung
der Dinge, durch die, wie sie sagte, ihr Kriegerblut sich angesprochen fühle, weshalb sie sich denn auch nicht vom Kampfe
beiseite drücken, sondern ihm, ohne mit der Wimper zu zuk-
ken, beiwohnen wolle, – so trug denn sogleich dies Todes-
treffen sich zu vor der Hütte, in der Andhaka schlief, auf
dem blumigen Anger zwischen dem Kuhfluß und dem rotblühenden Waldstrich, und beide Jünglinge sanken in die
Blumen, ein jeder getroffen in des anderen Herz. Ihr Leichen-
begängnis aber gestaltete sich, weil das heilige Ereignis einer
Witwenverbrennung damit verbunden war, zu einem großen
Fest, und Tausende strömten zusammen auf dem Verbren-
nungsplatz, um zu beobachten, wie der kleine Samadhi, genannt Andhaka, als nächster männlicher Anverwandter, sein
kurzes Gesicht nahe hinhaltend, die Fackel legte an den aus
Mango- und wohlriechenden Sandelklötzen errichteten Scheiterhaufen, dessen Fugenfüllung aus trockenem Stroh man
reichlich mit zerlassener Butter begossen hatte, damit er rasch
und gewaltig Feuer fange, und in welchem Sita von ‚Buckelstierheim' zwischen dem Gatten und dem Freunde ihr Unterkommen gefunden hatte. Das Scheiterhaus loderte him-
melhoch, wie man es selten gesehen, und sollte die schöne Sita
eine Weile geschrien haben, weil Feuer, wenn man nicht tot
ist, entsetzlich weh tut, so wurde ihre Stimme vom Gellen
der Muschelhörner und rasselndem Trommellärm übertönt, so
daß es so gut war, als hätte sie nicht geschrien. Die Geschichte
aber will wissen, und wir wollen ihr glauben, daß die Glut
ihr kühl gewesen sei in der Freude, mit den Geliebten vereinigt zu sein.

Sie bekam einen Obelisken an Ort und Stelle zum Gedenken
ihres Opfers, und was von den Gebeinen der drei nicht völlig
verbrannt war, wurde gesammelt, mit Milch und Honig

begossen und in einem Tonkrug geborgen, den man in die heilige Ganga versenkte.

Ihrem Früchtchen aber, Samadhi, der bald nur noch Andhaka hieß, ging es vortrefflich auf Erden. Berühmt durch das Brandfest, als Sohn einer Denkstein-Witwe genoß er das Wohlwollen aller, das durch seine wachsende Schönheit bis zur Zärtlichkeit verstärkt wurde. Mit zwölf Jahren bereits glich seine Verkörperung einem Gandharven nach Anmut und lichter Kraft, und auf seiner Brust begann die Locke ‚Glückskalb‘ sich abzuzeichnen. Sein Blindlingstum indessen, weit entfernt, ihm zum Nachteil zu gereichen, behütete ihn davor, allzusehr im Körper zu leben, und hielt seinen Kopf zum Geistigen an. Den Siebenjährigen nahm ein vedakundiger Brahmane in seine Hut, bei dem er die richtig gebildete Rede, Grammatik, Astronomie und Denkkunst studierte, und nicht älter als zwanzig war er schon Vorleser des Königs von Benares. Auf einer herrlichen Palastterrasse saß er, in feinen Kleidern, unter einem weißseidenen Sonnenschirm, und las dem Fürsten mit einnehmender Stimme aus heiligen und profanen Schriften vor, wobei er das Buch sehr dicht vor seine schimmernden Augen hielt.

HERR UND HUND

Ein Idyll

Er kommt um die Ecke

Wenn die schöne Jahreszeit ihrem Namen Ehre macht und das Tirili der Vögel mich zeitig wecken konnte, weil ich den vorigen Tag zur rechten Stunde beendigte, gehe ich gern schon vor der ersten Mahlzeit und ohne Hut auf eine halbe Stunde ins Freie, in die Allee vorm Hause oder auch in die weiteren Anlagen, um von der jungen Morgenluft einige Züge zu tun und, bevor die Arbeit mich hinnimmt, an den Freuden der reinen Frühe ein wenig teilzuhaben. Auf den Stufen, welche zur Haustüre führen, lasse ich dann einen Pfiff von zwei Tönen hören, Grundton und tiefere Quart, so, wie die Melodie des zweiten Satzes von Schuberts unvollendeter Sinfonie beginnt, – ein Signal, das etwa als die Vertonung eines zweisilbigen Rufnamens gelten kann. Schon im nächsten Augenblick, während ich gegen die Gartenpforte weitergehe, wird in der Ferne, kaum hörbar zuerst, doch rasch sich nähernd und verdeutlichend, ein feines Klingeln laut, wie es entstehen mag, wenn eine Polizeimarke gegen den Metallbeschlag eines Halsbandes schlägt; und wenn ich mich umwende, sehe ich Bauschan in vollem Lauf um die rückwärtige Hausecke biegen und gerade auf mich zustürzen, als plane er, mich über den Haufen zu rennen. Vor Anstrengung schürzt er die Unterlippe ein wenig, so daß zwei, drei seiner unteren Vorderzähne entblößt sind und prächtig weiß in der frühen Sonne blitzen.

Er kommt aus seiner Hütte, die dort hinten unter dem Boden der auf Pfeilern ruhenden Veranda steht, und worin er, bis mein zweisilbiger Pfiff ihn aufs äußerste belebte, nach wechselvoll verbrachter Nacht in kurzem Morgenschlummer gelegen haben mag. Die Hütte ist mit Vorhängen aus derbem

Stoff versehen und mit Stroh ausgelegt, woher es kommt,
daß ein oder der andere Halm in Bauschans obendrein vom
Liegen etwas struppigem Fell haftet oder sogar zwischen seinen Zehen steckt: ein Anblick, der mich jedesmal an den alten
Grafen von Moor erinnert, wie ich ihn einst, in einer Aufführung von höchst akkurater Einbildungskraft, dem Hun-
gerturme entsteigen sah, einen Strohhalm zwischen zwei Tri-
kotzehen seiner armen Füße. Unwillkürlich stelle ich mich
seitlich gegen den Heranstürmenden, in Abwehrpositur, denn
seine Scheinabsicht, mir zwischen die Füße zu stoßen und
mich zu Falle zu bringen, hat unfehlbare Täuschungskraft.
Im letzten Augenblick aber und dicht vor dem Anprall weiß
er zu bremsen und einzuschwenken, was sowohl für seine
körperliche als seine geistige Selbstbeherrschung zeugt; und
nun beginnt er, ohne Laut zu geben — denn er macht einen
sparsamen Gebrauch von seiner sonoren und ausdrucksfähi-
gen Stimme —, einen wirren Begrüßungstanz um mich herum
zu vollführen, bestehend aus Trampeln, maßlosem Wedeln,
das sich nicht auf das hierzu bestimmte Ausdruckswerkzeug
des Schwanzes beschränkt, sondern den ganzen Hinterleib
bis zu den Rippen in Mitleidenschaft zieht, ferner einem rin-
gelnden Sichzusammenziehen seines Körpers sowie schnellen-
den, schleudernden Luftsprüngen nebst Drehungen um die
eigene Achse, — Aufführungen, die er aber merkwürdigerweise meinen Blicken zu entziehen trachtet, indem er ihren
Schauplatz, wie ich mich auch wende, immer auf die entgegengesetzte Seite verlegt. In dem Augenblick jedoch, wo ich
mich niederbeuge und die Hand ausstrecke, ist er plötzlich
mit einem Sprunge neben mir und steht, die Schulter gegen
mein Schienbein gepreßt, wie eine Bildsäule: schräg an mich
gelehnt steht er, die starken Pfoten gegen den Boden gestemmt,
das Gesicht gegen das meine erhoben, so daß er mir verkehrt
und von unten herauf in die Augen blickt, und seine Reglo-
sigkeit, während ich ihm unter halblauten und guten Worten
das Schulterblatt klopfe, atmet dieselbe Konzentration und
Leidenschaft wie der vorhergegangene Taumel.

Es ist ein kurzhaariger deutscher Hühnerhund, – wenn man diese Bezeichnung nicht allzu streng und strikt nehmen, sondern sie mit einem Körnchen Salz verstehen will; denn ein Hühnerhund wie er im Buche steht und nach der peinlichsten Observanz ist Bauschan wohl eigentlich nicht. Für einen solchen ist er erstens vielleicht ein wenig zu klein, – er ist, dies will betont sein, entschieden etwas *unter* der Größe eines Vorstehhundes; und dann sind auch seine Vorderbeine nicht ganz gerade, eher etwas nach außen gebogen, – was ebenfalls jenem Idealbilde reiner Züchtung nur ungenau entsprechen mag. Die kleine Neigung zur ‚Wamme‘, das heißt: zu jener faltigen Hautsackbildung am Halse, die einen so würdigen Ausdruck verleihen kann, kleidet ihn ausgezeichnet; doch würde auch sie wohl von unerbittlichen Zuchtmeistern als fehlerhaft beanstandet werden, denn beim Hühnerhund, höre ich, soll die Halshaut glatt die Kehle umspannen. Bauschans Färbung ist sehr schön. Sein Fell ist rostbraun im Grunde und schwarz getigert. Aber auch viel Weiß mischt sich darein, das an der Brust, den Pfoten, dem Bauche entschieden vorherrscht, während die ganze gedrungene Nase in Schwarz getaucht erscheint. Auf seinem breiten Schädeldach sowie an den kühlen Ohrlappen bildet das Schwarz mit dem Rostbraun ein schönes, samtenes Muster, und zum Erfreulichsten an seiner Erscheinung ist der Wirbel, Büschel oder Zipfel zu rechnen, zu dem das weiße Haar an seiner Brust sich zusammendreht, und der gleich dem Stachel alter Brustharnische waagerecht vorragt. Übrigens mag auch die etwas willkürliche Farbenpracht seines Felles demjenigen für ‚unzulässig‘ gelten, dem die Gesetze der Art vor den Persönlichkeitswerten gehen, denn der klassische Hühnerhund hat möglicherweise einfarbig oder mit abweichend gefärbten Platten geschmückt, aber nicht getigert zu sein. Am eindringlichsten aber mahnt von einer starr schematisierenden Einreihung Bauschans eine gewisse hängende Behaarungsart seiner Mundwinkel und der Unterseite seines Maules ab, die man nicht ohne einen Schein von Recht als Schnauz- und Knebelbart ansprechen könnte, und die, wenn man sie eben ins Auge faßt, von fern oder näherhin an den Typus des Pinschers oder Schnauzels denken läßt.

Aber Hühnerhund her und Pinscher hin – welch ein schönes und gutes Tier ist Bauschan auf jeden Fall, wie er da straff an mein Knie gelehnt steht und mit tief gesammelter Hingabe zu mir emporblickt! Namentlich das Auge ist schön, sanft und klug, wenn auch vielleicht ein wenig gläsern vortretend. Die Iris ist rostbraun – von der Farbe des Felles; doch bildet sie eigentlich nur einen schmalen Ring, vermöge einer gewaltigen Ausdehnung der schwarz spiegelnden Pupillen, und andererseits tritt ihre Färbung ins Weiße des Auges über und schwimmt darin. Der Ausdruck seines Kopfes, ein Ausdruck verständigen Biedersinnes, bekundet eine Männlichkeit seines moralischen Teiles, die sein Körperbau im Physischen wiederholt: der gewölbte Brustkorb, unter dessen glatt und geschmeidig anliegender Haut die Rippen sich kräftig abzeichnen, die eingezogenen Hüften, die nervicht geäderten Beine, die derben und wohlgebildeten Füße – dies alles spricht von Wackerkeit und viriler Tugend, es spricht von bäurischem Jägerblut, ja, der Jäger und Vorsteher waltet eben doch mächtig vor in Bauschans Bildung, er ist ein rechtlicher Hühnerhund, wenn man mich fragt, obgleich er gewiß keinem Akte hochnäsiger Inzucht sein Dasein verdankt; und eben dies mag denn auch der Sinn der sonst ziemlich verworrenen und logisch ungeordneten Worte sein, die ich an ihn richte, während ich ihm das Schulterblatt klopfe.

Er steht und schaut, er lauscht auf den Tonfall meiner Stimme, durchdringt sie mit den Akzenten einer entschiedenen Billigung seiner Existenz, die ich meiner Ansprache stark aufsetze. Und plötzlich vollführt er, den Kopf vorstoßend und die Lippen rasch öffnend und schließend, einen Schnapper hinauf gegen mein Gesicht, als wollte er mir die Nase abbeißen, eine Pantomime, die offenbar als Antwort auf mein Zureden gemeint ist und mich regelmäßig lachend zurückprallen läßt, was Bauschan auch im voraus weiß. Es ist eine

Art Luftkuß, halb Zärtlichkeit, halb Neckerei, ein Manöver, das ihm von klein auf eigentümlich war, während ich es sonst bei keinem seiner Vorgänger beobachtete. Übrigens entschuldigt er sich sogleich durch Wedeln, kurze Verbeugungen und eine verlegen-heitere Miene für die Freiheit, die er sich nahm. Und dann treten wir durch die Gartenpforte ins Freie.

Rauschen wie das des Meeres umgibt uns; denn mein Haus liegt fast unmittelbar an dem schnell strömenden und über flache Terrassen schäumenden Fluß, getrennt von ihm nur durch die Pappelallee, einen eingegitterten, mit jungem Ahorn bepflanzten Grasstreifen und einen erhöhten Weg, den gewaltige Espen einsäumen, weidenartig bizarr sich gebärdende Riesen, deren weiße, samentragende Wolle zu Anfang Juni die ganze Gegend verschneit. Flußaufwärts, gegen die Stadt hin, üben Pioniere sich im Bau einer Pontonbrücke. Die Tritte ihrer schweren Stiefel auf den Brettern und Rufe der Befehlshaber schallen herüber. Aber vom jenseitigen Ufer kommen Geräusche des Gewerbefleißes, denn dort, eine Strecke flußabwärts vom Hause, ist eine Lokomotivenfabrik mit zeitgemäß erweitertem Tätigkeitsbezirk gelegen, deren hohe Hallenfenster zu jeder Nachtstunde durch das Dunkel glühen. Neue und schön lackierte Maschinen eilen dort probeweise hin und her; eine Dampfpfeife läßt zuweilen ihren heulenden Kopfton hören, dumpfes Gepolter unbestimmter Herkunft erschüttert von Zeit zu Zeit die Luft, und aus mehreren Turmschloten quillt der Rauch, den aber ein günstiger Wind hinwegtreibt, über die jenseitigen Waldungen hin, und der überhaupt nur schwer über den Fluß gelangt. So mischen sich in der vorstädtisch-halbländlichen Abgeschiedenheit dieser Gegend die Laute in sich selbst versunkener Natur mit denen menschlicher Regsamkeit, und über allem liegt die blankäugige Frische der Morgenstunde.

Es mag halb acht Uhr sein im Sinne des Gesetzes, wenn ich so ausgehe, in Wirklichkeit also halb sieben. Ich gehe, die Arme auf dem Rücken, im zarten Sonnenschein die von den langen Schatten der Pappeln schraffierte Allee hinunter, ich sehe den Fluß nicht von hier, aber ich höre seinen breiten, gleichmäßigen Gang; gelinde flüstert es in den Bäumen, das durchdringende Zirpen, Flöten, Zwitschern und schluchzende Trillern der Singvögel erfüllt die Luft, unter dem feucht-blauen Himmel steuert ein Flugzeug, von Osten kommend, ein starr mechanischer Vogel, mit leise an- und abschwellen-dem Dröhnen, über Land und Fluß hin seine unabhängige Bahn, und Bauschan erfreut mein Auge durch schöne, ge-streckte Sprünge über das niedrige Gitter des Grasstreifens zur Linken, hinüber – herüber. Er springt in der Tat, weil er weiß, daß ich Gefallen daran finde; denn öfters habe ich ihn durch Zurufe und Klopfen auf das Gitter dazu angehalten und ihn belobt, wenn er meinem Wunsche entsprochen hatte; und auch jetzt kommt er beinahe nach jedem Satz, um sich sagen zu lassen, daß er ein kühner und eleganter Springer ist, worauf er auch noch gegen mein Gesicht emporspringt und meinen abwehrenden Arm mit der Nässe seines Maules ver-unreinigt. Zum zweiten aber obliegt er diesen Übungen im Sinne einer gymnastischen Morgentoilette; denn er glättet sein rauhgelegenes Fell durch die turnerische Bewegung und ver-liert daraus die Strohhalme des alten Moor, die es verun-zierten.

Es ist gut, so am Morgen zu gehen, die Sinne verjüngt, die Seele gereinigt von dem Heilbade und langen Lethetrunke der Nacht. Mit kräftigem Vertrauen blickst du dem bevor-stehenden Tage entgegen, aber du zögerst wohlig, ihn zu be-ginnen, Herr einer außerordentlichen, unbeanspruchten und unbeschwerten Zeitspanne zwischen Traum und Tag, die dir zum Lohn ward für eine sittliche Führung. Die Illusion eines stetigen, einfachen, unzerstreuten und beschaulich in sich ge-kehrten Lebens, die Illusion, ganz dir selbst zu gehören, beglückt dich; denn der Mensch ist geneigt, seinen augenblick-lichen Zustand, sei dieser nun heiter oder verworren, fried-lich oder leidenschaftlich, für den wahren, eigentümlichen und dauernden seines Lebens zu halten und namentlich jedes glückliche ex tempore sogleich in seiner Phantasie zur schönen

Regel und unverbrüchlichen Gepflogenheit zu erheben, während er doch eigentlich verurteilt ist, aus dem Stegreif und moralisch von der Hand in den Mund zu leben. So glaubst du auch jetzt, die Morgenluft einziehend, an deine Freiheit und Tugend, während du wissen solltest und im Grunde auch weißt, daß die Welt ihre Netze bereit hält, dich darein zu verstricken, und daß du wahrscheinlich morgen schon wieder bis neun Uhr im Bette liegen wirst, weil du um zwei erhitzt, umnebelt und leidenschaftlich unterhalten hineingefunden ... Sei es denn so. Heute bist du der Mann der Nüchternheit und der Frühe, der rechte Herr des Jägerburschen da, der eben wieder über das Gitter setzt, vor Freude, daß du heute mit ihm und nicht mit der Welt dort hinten leben zu wollen scheinst.

Wir verfolgen die Allee etwa fünf Minuten weit, bis zu dem Punkte, wo sie aufhört Allee zu sein und als grobe Kieswüste weiter dem Lauf des Flusses folgt; wir lassen diesen im Rükken und schlagen eine breit angelegte und, wie die Allee, mit einem Radfahrweg versehene, aber noch unbebaute Straße von feinerem Kiesgrund ein, die rechtshin, zwischen niedriger gelegenen Waldparzellen, gegen den Hang führt, welcher unsere Ufergegend, Bauschans Lebensschauplatz, im Osten begrenzt. Wir überschreiten eine andere, offen zwischen Wald und Wiesen hinlaufende Straße von ähnlichem Zukunftscharakter, die weiter oben, gegen die Stadt und die Trambahnhaltestelle hin, geschlossen mit Miethäusern bebaut ist; und ein abfallender Kiesweg führt uns in einen schön angelegten Grund, kurgartenartig zu schauen, aber menschenleer, wie die ganze Örtlichkeit um diese Stunde, mit Ruhebänken an den gewölbten Wegen, die sich an mehreren Stellen zu Rondells, reinlichen Kinderspielplätzen erweitern, und geräumigen Rasenplänen, auf welchen alte und wohlgeformte Bäume mit tief herabreichenden Kronen, so daß nur ein kurzes Stück der Stämme über dem Rasen zu sehen ist – Ulmen, Buchen, Linden und silbrige Weiden – in parkgemäßen Gruppen stehen. Ich habe meine Freude an der sorgfältigen

Anlage, in der ich nicht ungestörter wandeln könnte, wenn sie mir gehörte. An nichts hat man es fehlen lassen. Die Kiespfade, welche die umgebenden sanften Grashänge herabkommen, sind sogar mit zementierten Rinnsteinen versehen. Und es gibt tiefe und anmutige Durchblicke zwischen all dem Grün, mit der Architektur einer der Villen als fernem Abschluß, die von zwei Seiten hereinblicken.

Hier ergehe ich mich ein Weilchen auf den Wegen, während Bauschan in zentrifugaler Schräglage seines Körpers, berauscht vom Glücke des planen Raumes, die Rasenplätze mit tummelnden Kreuzundquer-Galoppaden erfüllt oder etwa mit einem Gebell, worin Entrüstung und Vergnügen sich mischen, ein Vöglein verfolgt, das, von Angst behext oder um ihn zu necken, immer dicht vor seinem Maule dahinflattert. Da ich mich aber auf eine Bank setze, ist auch er zur Stelle und nimmt auf meinem Fuße Platz. Denn ein Gesetz seines Lebens ist, daß er nur rennt, wenn ich selbst mich in Bewegung befinde, sobald ich mich aber niederlasse, ebenfalls Ruhe beobachtet. Das hat keine erkennbare Notwendigkeit; aber Bauschan hält fest daran.

Es ist sonderbar, traulich und drollig, ihn auf meinem Fuße sitzen zu fühlen, den er mit seiner fieberhaften Körperwärme durchdringt. Erheiterung und Sympathie bewegen mir die Brust, wie fast ohne Unterlaß in seiner Gesellschaft und Anschauung. Er hat eine stark bäurische Art zu sitzen, die Schulterblätter nach außen gedreht, bei ungleichmäßig einwärts gestellten Pfoten. Seine Figur scheint kleiner und plumper, als wahr ist, in diesem Zustande, und mit komischer Wirkung wird der weiße Haarwirbel an seiner Brust dabei vorgedrängt. Aber der würdig in den Nacken gestemmte Kopf macht jede Einbuße an schöner Haltung wett kraft all der hohen Aufmerksamkeit, die sich darin ausprägt ... Es ist so still, da wir beide uns still verhalten. Sehr abgedämpft dringt das Rauschen des Flusses hierher. Da werden die kleinen und heimlichen Regungen in der Runde bedeutend und spannen die Sinne: das kurze Rascheln einer Eidechse, ein

Vogellaut, das Wühlen eines Maulwurfs im Grunde. Bauschans Ohren sind aufgerichtet, soweit eben die Muskulatur von Schlappohren dies zuläßt. Er legt den Kopf schief, um sein Gehör zu schärfen. Und die Flügel seiner feucht-schwarzen Nase sind in unaufhörlicher, empfindlich witternder Bewegung.

Dann legt er sich nieder, wobei er jedoch die Berührung mit meinem Fuße wahrt. Er liegt im Profil gegen mich, in der uralten, ebenmäßigen und tierisch-idolhaften Haltung der Sphinx, Kopf und Brust erhoben, die vier Oberschenkel am Leibe, die Pfoten gleichlaufend vorgestreckt. Da ihm warm geworden, öffnet er den Rachen, wodurch die gesammelte Klugheit seiner Miene sich ins Bestialische löst, seine Augen sich blinzelnd verschmälern; und zwischen seinen weißen, kernigen Eckzähnen schlappt lang eine rosenrote Zunge hervor.

Wie wir Bauschan gewannen

Ein ansprechend gedrungenes, schwarzäugiges Fräulein, das, unterstützt von einer kräftig heranwachsenden und ebenfalls schwarzäugigen Tochter, in der Nähe von Tölz eine Bergwirtschaft betreibt, vermittelte uns die Bekanntschaft mit Bauschan und seine Erwerbung. Das ist zwei Jahre her, und er war damals ein halbes alt. Anastasia – dies der Name der Wirtin – wußte wohl, daß wir unsern Percy, einen schottischen Schäferhund und harmlos geisteskranken Aristokraten, der bei vorgerücktem Alter von einer peinvollen und entstellenden Hautkrankheit heimgesucht worden, hatten erschießen lassen müssen und seit Jahr und Tag des Wächters entbehrten. Darum meldete sie uns von ihrem Berge herab durch den Fernsprecher, daß ein Hund, wie wir ihn uns nur wünschen könnten, sich bei ihr in Kost und Kommission befinde und jederzeit zu besichtigen sei.

So stiegen wir denn, da die Kinder drängten und die

Neugier der Erwachsenen kaum hinter der ihren zurückstand,
schon am folgenden Nachmittag Anastasia's Höhe hinan und
fanden die Pächterin in ihrer geräumigen, von warmen und
nahrhaften Dünsten erfüllten Küche, wo sie, die runden
Unterarme entblößt und das Kleid am Halse geöffnet, mit
hochgerötetem, feuchtem Gesicht die Abendmahlzeit für ihre
Pensionäre bereitete, wobei die Tochter, in ruhigem Fleiße
hin und her gehend, ihr Handreichungen leistete. Wir wurden freundlich begrüßt; daß wir die Angelegenheit nicht auf
die lange Bank geschoben und den Weg daher gleich gefunden
hätten, ward lobend bemerkt. Und auf unser fragendes Umsehen führte Resi, die Tochter, uns vor den Küchentisch, wo
sie die Hände auf die Knie stützte und einige schmeichelnd
ermutigende Worte unter die Platte richtete. Denn dort, mit
einem schadhaften Strick an ein Tischbein gebunden, stand
ein Wesen, dessen wir im lodernden Halbdunkel des Raumes
bisher nicht gewahr geworden, bei dessen Anblick aber niemand eines jammervollen Gelächters sich hätte enthalten
können.

Er stand da auf hohen Knickbeinen, den Schwanz zwischen
den Hinterschenkeln, die vier Füße nahe beieinander, den
Rücken gekrümmt, und zitterte. Er mochte vor Furcht zittern, aber man gewann eher den Eindruck, daß es aus Mangel
an wärmendem Fleische geschähe, denn nur ein Skelettchen
stellte das Wesen dar, ein Brustgitter nebst Wirbelsäule, mit
ruppigem Fell überzogen und vierfach gestelzt. Er hatte die
Ohren zurückgelegt – eine Muskelstellung, die ja sofort jedes
Licht verständigen Frohmuts in einer Hundephysiognomie
zum Erlöschen bringt und in seinem übrigens noch ganz kindlichen Gesicht diese Wirkung denn auch so völlig erzielte, daß
nichts als Dummheit und Elend sowie die inständige Bitte um
Nachsicht sich darin ausdrückten, wozu noch kam, daß das,
was man noch heute seinen Schnauz- und Knebelbart nennen
könnte, damals im Verhältnis viel stärker ausgebildet war
und dem Gesamtjammer seiner Erscheinung eine Schattierung
säuerlicher Schwermut hinzufügte.

Alles beugte sich nieder, um dem Kummerbilde Lock- und
Trostworte zuzuwenden. Und in den mitleidigen Jubel der
Kinder hinein gab Anastasia vom Herde her ihre Erläuterungen zu der Person des Köstlings. Er werde vorläufig Lux gerufen und sei bester Eltern Sohn, sagte sie mit ihrer angenehmen, gesetzten Stimme. Die Mutter habe sie selbst gekannt
und von dem Vater nur Gutes gehört. Gebürtig sei Lux von
einer Ökonomie in Huglfing, und nur bestimmter Umstände
wegen wünschten seine Besitzer ihn preiswert abzugeben,
weshalb sie ihn zu ihr gebracht hätten, im Hinblick auf den
vielfachen Verkehr in ihrem Hause. Sie seien in ihrem Wägelchen gekommen, und Lux sei unverzagt zwischen den Hinter-
rädern gelaufen, die ganzen zwanzig Kilometer. Gleich habe
sie ihn uns zugedacht, da wir nach einem guten Hunde doch
ausschauten, und sie sei beinahe gewiß, daß wir uns zu ihm
entschließen würden. Wollten wir es doch tun, dann sei allen
Teilen geholfen! Wir würden bestimmt viel Freude an ihm
haben, er für sein Teil stehe dann nicht mehr allein in der
Welt, sondern habe ein behagliches Plätzchen gefunden, und
sie, Anastasia, könne beruhigt seiner gedenken. Wir möchten
uns nur nicht durch das Gesicht, das er jetzt mache, gegen ihn
einnehmen lassen. Jetzt sei er betreten und ohne Selbstvertrauen infolge der fremden Umgebung. Aber in kürzester Zeit
werde es sich schon zeigen, daß er von hervorragend guten
Eltern stamme.

— Ja, aber sie hätten offenbar nicht recht zueinander
gepaßt?

— Doch; insofern es beides ausgezeichnete Tiere gewesen
seien. In ihm lägen die besten Eigenschaften, dafür leiste sie,
Fräulein Anastasia, Gewähr. Auch sei er unverwöhnt und
mäßig in seinen Bedürfnissen, was heutzutage ja ins Gewicht
falle: bisher habe er sich überhaupt nur mit Kartoffelschalen
genährt. Wir sollten ihn nur erst einmal heimführen, probeweise und ohne Verbindlichkeit. Sie nehme ihn zurück und
zahle die kleine Kaufsumme wieder, sollten wir finden, daß
wir kein Herz zu ihm fassen könnten. Das sage sie ungescheut

und besorge gar nicht, daß wir sie beim Wort nehmen möchten. Denn wie sie ihn kenne und uns kenne – beide Parteien also –, sei sie überzeugt, daß wir ihn liebgewinnen und gar nicht daran denken würden, uns wieder von ihm zu trennen.

Sie sagte noch vieles in diesem Sinne, ruhig, fließend und angenehm, während sie am Herde hantierte und zuweilen die Flammen zauberisch vor ihr emporschlugen. Endlich kam sie sogar selbst und öffnete mit beiden Händen Luxens Maul, um uns seine schönen Zähne und aus irgendwelchen Gründen auch seinen rosigen, geriefelten Gaumen zu zeigen. Die fachmännisch vorgelegte Frage, ob er schon die Staupe gehabt, erklärte sie mit leichter Ungeduld, nicht beantworten zu können. Und was die Größe betreffe, die er erreichen werde, so werde es die unseres verstorbenen Percy sein, entgegnete sie schlagfertig. Es gab noch viel Hin und Her, viel warmherziges Zureden auf Anastasia's Seite, das in den Fürbitten der Kinder Verstärkung fand, viel halbgewonnene Ratlosigkeit auf der unserigen. Schließlich suchten wir um kurze Bedenkzeit nach, die gern gewährt wurde, und stiegen nachdenklich zu Tal, unsere Eindrücke prüfend und überschlagend.

Aber den Kindern hatte die vierbeinige Trübsal unter dem Tisch es natürlich angetan, und wir Erwachsenen gaben uns vergebens die Miene, ihre Wahl- und Urteilslosigkeit zu belächeln: auch wir fühlten den Stachel im Herzen und sahen wohl, daß es uns schwerfallen würde, das Bild des armen Lux wieder aus unserm Gedächtnis zu tilgen. Was würde aus ihm werden, wenn wir ihn verschmähten? In welche Hände würde er geraten? Eine mysteriöse und schreckliche Gestalt erhob sich in unsrer Phantasie: der Wasenmeister, vor dessen abscheulichem Zugriff wir Percy einst durch ein paar ritterliche Kugeln des Büchsenmachers und durch eine ehrliche Grabstätte am Rande unsres Gartens bewahrt hatten. Wollten wir Lux einem ungewissen und vielleicht schaurigen Schicksal überlassen, so hätten wir uns hüten sollen, seine Bekanntschaft zu machen und sein Kindergesicht mit dem Schnurr- und Knebelbart zu studieren; da wir um seine Existenz nun einmal wußten, schien eine Verantwortung auf uns gelegt, die wir schwerlich und nur gewaltsamerweise würden verleugnen können. – So kam es, daß schon der dritte Tag uns wieder jenen sanften Ausläufer der Alpen erklimmen sah. Nicht daß wir zu der Erwerbung entschlossen gewesen wären. Aber wir sahen wohl, daß die Sache, wie alles stand und lag, einen andern Ausgang kaum würde nehmen können.

Diesmal saßen Anastasia und ihre Tochter an den Schmalseiten des Küchentisches einander gegenüber und tranken Kaffee. Zwischen ihnen, vor dem Tische, saß der mit dem vorläufigen Namen Lux – saß schon ganz so, wie er heute zu sitzen pflegt, die Schulterblätter bäurisch verdreht, die Pfoten einwärts gestellt, und hinter seinem vertragenen Lederhalsband stak ein Feldblumensträußchen, das eine festliche Aufhöhung seiner Erscheinung entschieden bewirkte und ihm ein wenig die Miene eines sonntäglich unternehmenden Dorfburschen oder ländlichen Hochzeiters verlieh. Das jüngere Fräulein, selbst schmuck in ihrer volkstümlichen Miedertracht, hatte ihn damit angetan, zum Einzuge in das neue Heim, wie sie sagte. Und Mutter und Tochter versicherten, nichts sei ihnen gewisser gewesen, als daß wir wiederkommen würden, um unsern Lux zu holen, und zwar ausgemacht heute.

So erwies sich denn gleich bei unserm Eintritt jede weitere Debatte als unmöglich und abgeschnitten. Anastasia bedankte sich in ihrer angenehmen Art für den Kaufschilling, den wir ihr einhändigten, und der sich auf zehn Mark belief. Es war klar, daß sie ihn uns mehr in unserm Interesse als in dem ihren oder dem der Ökonomensleute auferlegt hatte: um nämlich dem armen Lux in unsrer Vorstellung einen positiven und ziffernmäßigen Wert zu verleihen. Dies verstanden wir und erlegten die Abgabe gern. Lux ward losgebunden von seinem Tischbein, das Ende des Strickes mir eingehändigt, und die freundlichsten Wünsche und Verheißungen folgten unserm Zuge über Fräulein Anastasia's Küchenschwelle.

Es war kein Triumphzug, worin wir mit unserm neuen

Hausgenossen den etwa einstündigen Heimweg zurücklegten,
zumal der Hochzeiter sein Sträußchen in der Bewegung bald
eingebüßt hatte. Wir lasen wohl Heiterkeit, aber auch spöt-
tische Geringschätzung in den Blicken der Begegnenden, wozu die Gelegenheit sich vervielfältigte, als unser Weg uns
durch den Marktflecken führte, und zwar der Länge nach.
Zum Überfluß hatte sich bald herausgestellt, daß Lux, wahrscheinlich von langer Hand her, an einer Diarrhöe litt, was
uns zu häufigem Verweilen unter den Augen der Städter
zwang. Wir umstanden dann schützend im Kreise sein inniges
Elend, indem wir uns fragten, ob es nicht schon die Staupe
sei, die da ihre schlimmen Merkmale kundgebe, – eine hinfäl-
lige Besorgnis, wie die Zukunft lehrte, die überhaupt an den
Tag brachte, daß wir es mit einer reinen und festen Natur zu
tun hatten, welche sich gegen Seuchen und Süchte bis auf diesen Augenblick im Kerne gefeit erwiesen hat.

Sobald wir angelangt, wurden die Dienstmädchen zur
Stelle beordert, damit sie mit dem Familienzuwachs Bekanntschaft machten und auch wohl ihr bescheidenes Gutachten
über ihn abgäben. Man sah wohl, wie sie sich zur Bewunderung anschickten; nachdem sie ihn aber ins Auge gefaßt und
in unsern schwankenden Mienen gelesen, lachten sie derb,
wandten dem traurig Blickenden die Schultern zu und machten abwehrende Handbewegungen gegen ihn. Hierdurch in
dem Zweifel bestärkt, ob für den menschenfreundlichen Sinn
der Spesen, die Anastasia uns abgefordert, Verständnis bei
ihnen vorauszusetzen sei, sagten wir ihnen, daß wir den
Hund geschenkt bekommen hätten, und führten Lux auf die
Veranda, um ihm eine aus gehaltvollen Abfällen zusammengesetzte Empfangsmahlzeit anzubieten.

Kleinmut ließ ihn alles zurückweisen. Er beroch wohl die
Bissen, zu denen man ihn einlud, stand aber scheu davon ab,
unfähig, sich zu dem Glauben zu ermannen, daß Käserinde
und Hühnerbeine für ihn bestimmt sein könnten. Dagegen
schlug er das mit Seegras gefüllte Sackkissen nicht aus, das zu
seiner Bequemlichkeit auf dem Flur bereitgelegt worden, und

ruhte dort mit unter sich gezogenen Pfoten, während in den
inneren Zimmern der Name beraten und endgültig bestimmt
wurde, den er in Zukunft führen sollte.

Auch am folgenden Tage noch weigerte er sich, zu essen,
dann folgte ein Zeitabschnitt, während dessen er ohne Maß
und Unterschied alles verschlang, was in den Bereich seines
Maules kam, bis er endlich in Dingen der Ernährung zu ruhiger Regel und prüfender Würde gelangte. Es ist damit der
Prozeß seiner Eingewöhnung und bürgerlichen Festigung in
großem Zuge bezeichnet. Ich verliere mich nicht in eine über-
getreue Ausmalung dieses Prozesses. Er erlitt eine Unterbrechung durch das vorübergehende Abhandenkommen Bauschans: die Kinder hatten ihn in den Garten geführt, sie
hatten ihn der Leine entledigt, um ihm Bewegungsfreiheit zu
gönnen, und in einem unbewachten Augenblick hatte er durch
die niedrige Lücke, die die Zaunpforte über dem Boden ließ,
das Weite gewonnen. Sein Verschwinden erregte Bestürzung
und Trauer, zum mindesten in der herrschaftlichen Sphäre,
da die Dienstmädchen den Verlust eines geschenkten Hundes
auf die leichte Achsel zu nehmen geneigt waren, oder ihn als
Verlust wohl überhaupt nicht anerkennen wollten. Das Tele-
phon spielte stürmisch zwischen uns und Anastasia's Bergwirtschaft, wo wir ihn hoffnungsweise vermuteten. Umsonst,
er hatte sich dort nicht sehen lassen; und zwei Tage mußten
vergehen, bis das Fräulein uns melden konnte, sie habe Botschaft aus Huglfing, vor anderthalb Stunden sei Lux auf der
heimatlichen Ökonomie erschienen. Ja, er war dort, der
Idealismus seines Instinktes hatte ihn zurückgezogen in die
Welt der Kartoffelschalen und ihn die zwanzig Kilometer
Weges, die er einst zwischen den Rädern zurückgelegt, in einsamen Tagemärschen, bei Wind und Wetter, wieder überwinden lassen! So mußten seine ehemaligen Besitzer ihr Wägelchen neuerdings anspannen, um ihn zunächst in Anastasia's
Hände zurückzuliefern, und nach Verlauf von weiteren zwei
Tagen machten wir uns abermals auf, den Irrfahrer einzu-
holen, den wir wie vordem an das Tischbein gefesselt fanden,

zerzaust und abgetrieben, mit dem Kot der Landstraßen be-
spritzt. Wahrhaftig, er gab Zeichen des Wiedererkennens und
der Freude, als er unsrer ansichtig wurde! Aber warum hatte
er uns dann verlassen?

Es kam eine Zeit, da deutlich war, daß er sich die Ökonomie
wohl aus dem Sinne geschlagen, bei uns aber auch so recht
noch nicht Wurzel gefaßt hatte, so daß er in seiner Seele her-
renlos und gleich einem taumelnden Blatt im Winde war. Damals mußte man beim Spazierengehen scharf auf ihn acht-
haben, da er sehr dazu neigte, das schwache sympathetische
Band zwischen sich und uns unvermerkt zu zerreißen und
sich in den Wäldern zu verlieren, wo er gewiß bei selbständig
schweifender Lebensweise auf den Zustand seiner wilden Ur-
eltern zurückgesunken wäre. Unsere Fürsorge bewahrte ihn
vor diesem dunkeln Schicksal, sie hielt ihn fest auf der hohen,
von seinem Geschlecht in Jahrtausenden erreichten Gesit-
tungsstufe an der Seite des Menschen; und dann trug ein ein-
schneidender Ortswechsel, unsere Übersiedelung in die Stadt
oder Vorstadt, mit einem Schlage viel dazu bei, ihn eindeutig
auf uns anzuweisen und ihn unserm Hauswesen mit Entschiedenheit zu verbinden.

Einige Nachrichten über Bauschans
Lebensweise und Charakter

Ein Mann im Isartale hatte mir gesagt, diese Art Hunde
könne lästig fallen, sie wolle immer beim Herrn sein. So war
ich gewarnt, die zähe Treue, die Bauschan mir wirklich alsbald zu beweisen begann, in ihrem Ursprunge allzu persönlich zu nehmen, wodurch es mir wiederum leichter wurde, sie
zurückzudämmen und, soweit es nötig schien, von mir abzuwehren. Es handelt sich da um einen von weither überkomme-
nen patriarchalischen Instinkt des Hundes, der ihn, wenigstens in seinen mannhaften, die freie Luft liebenden Arten,
bestimmt, im Manne, im Haus- und Familienoberhaupt, un-

bedingt den Herrn, den Schützer des Herdes, den Gebieter zu
erblicken und zu verehren, in einem besonderen Verhältnis
ergebener Knechtsfreundschaft zu ihm seine Lebenswürde zu
finden und gegen die übrigen Hausgenossen eine viel größere
Unabhängigkeit zu bewahren. In diesem Geiste hielt es auch
Bauschan mit mir beinahe vom ersten Tage an, hing mit man-
nentreuen Augen an meiner Person, indem er nach Befehlen
zu fragen schien, die ich vorzog nicht zu erteilen, da sich
bald zeigte, daß er im Gehorsam durchaus nicht besonders
stark war, und heftete sich an meine Fersen in der sichtlichen
Überzeugung, daß seine Unzertrennlichkeit von mir in der
heiligen Natur der Dinge liege. Es war selbstverständlich, daß
er im Familienkreise seinen Platz zu meinen und keines and-
ren Füßen nahm. Es war ebenso selbstverständlich, daß er,
wenn ich mich unterwegs von der Gemeinschaft absonderte,
um irgendwelche eigenen Wege zu gehen, sich mir anschloß
und meinen Schritten folgte. Er bestand auch auf meiner Gesellschaft, wenn ich arbeitete, und wenn er die Gartentür geschlossen fand, so kam er mit jähem, erschreckendem Satz
durchs offene Fenster herein, wobei viel Kies ins Zimmer
stob, und warf sich hochaufseufzend unter den Schreibtisch
nieder.

Es gibt aber eine Achtung vor dem Lebendigen, zu wach,
als daß nicht auch eines Hundes Gegenwart uns stören könnte,
wenn es darauf ankommt, allein zu sein; und dann störte
Bauschan mich auch auf handgreifliche Weise. Er trat neben
meinen Stuhl, wedelte, sah mich mit verzehrenden Blicken an
und trampelte auffordernd. Die geringste entgegenkommende Bewegung hatte zur Folge, daß er mit den Vorderbeinen die Armlehne des Sessels erkletterte, sich an meine
Brust drängte, mich mit Luftküssen zum Lachen brachte, dann
zu einer Untersuchung der Tischplatte überging, in der Annahme wohl, daß dort Eßbares zu finden sein müsse, da ich
mich so angelegentlich darüber beugte, und mit seinen breiten,
haarigen Jägerpfoten die frische Schrift verwischte. Scharf
zur Ruhe gewiesen, legte er sich wohl nieder und schlief ein.

Aber sobald er schlief, begann er zu träumen, wobei er mit
allen vier ausgestreckten Füßen Laufbewegungen vollführte
und ein zugleich hohes und dumpfes, gleichsam bauchredne-
risches und wie aus einer andern Welt kommendes Gebell
vernehmen ließ. Daß dies erregend und ablenkend auf mich
wirkte, kann nicht wundernehmen, denn erstens war es unheimlich, und außerdem rührte und belästigte es mein Gewissen. Dieses Traumleben war zu offenkundig nur ein
künstlicher Ersatz für wirkliches Rennen und Jagen, den seine
Natur sich bereitete, weil das Glück der Bewegung im Freien
ihm beim Zusammenleben mit mir nicht in dem Maße zuteil
wurde, wie sein Blut und Sinn es verlangte. Das ging mir
nahe; da es aber nicht zu ändern war, so geboten höhere Interessen, mir die Beunruhigung vom Halse zu schaffen, wobei ich vor mir selbst darauf hinweisen konnte, daß er bei
schlechtem Wetter viel Schmutz ins Zimmer brachte und überdies mit seinen Klauen die Teppiche zerriß.

So wurde ihm denn der Aufenthalt in den Wohnräumen
des Hauses und das Zusammensein mit mir, solange ich mich
eben im Hause hielt, grundsätzlich, wenn auch unter Zulas-
sung von Ausnahmen, verwehrt; und er begriff rasch das Verbot und fügte sich in das Widernatürliche, da gerade dies der
unerforschliche Wille des Herrn und Hausgebieters war. Die
Entfernung von mir, die oft und namentlich im Winter für
große Teile des Tages gilt, ist nur eine Entfernung, keine wirkliche Trennung und Verbindungslosigkeit. Er ist nicht bei mir,
auf meinen Befehl, aber das ist eben nur die Ausführung eines
Befehls, ein verneintes Bei-mir-Sein, und von einem selbstän-
digen Leben Bauschans, das er ohne mich während dieser Stunden führte, kann nicht gesprochen werden. Ich sehe wohl durch
die Glastür meines Zimmers, wie er sich auf der kleinen
Gartenwiese vorm Hause auf onkelhafte, ungeschickt possenhafte Art an den Spielen der Kinder beteiligt. Aber zwischendurch kommt er beständig zur Tür herauf, schnüffelt, da er
mich durch die innere Tüllbespannung nicht sehen kann, an
der Spalte, um sich meiner Anwesenheit zu versichern, und

sitzt, dem Zimmer den Rücken zugewandt, wachthabend auf den Stufen. Ich sehe ihn wohl auch von meinem Tische aus auf dem erhöhten Wege drüben, zwischen den alten Espen, in nachdenklichem Bummeltrabe sich hinbewegen; doch solche Promenaden sind nur ein matter Zeitvertreib, ohne Stolz, Glück und Leben, und völlig undenkbar bleibt, daß Bauschan sich etwa auf eigene Hand dem herrlichen Jagdvergnügen hingeben könnte, obgleich niemand ihn daran hindern würde und meine Gegenwart, wie sich zeigen wird, nicht unbedingt erforderlich dazu wäre.

Sein Leben beginnt, wenn ich ausgehe – und ach, auch dann beginnt es oftmals noch nicht! Denn indem ich das Haus verlasse, fragt es sich, ob ich mich nach rechts wenden werde, die Allee hinunter, dorthin, wo es ins Freie und in die Einsamkeit unserer Jagdgründe geht, oder nach links, gegen die Trambahnstation, um in die Stadt zu fahren – und nur im ersteren Falle hat es für Bauschan einen Sinn, mich zu begleiten. Anfangs schloß er sich mir an, wenn ich die Welt wählte, nahm mit Erstaunen den herandonnernden Wagen wahr und folgte mir, seine Scheu gewaltsam unterdrückend, mit einem blinden und treuen Sprung auf die Plattform, mitten unter die Menschen. Aber ein Sturm der öffentlichen Entrüstung fegte ihn wieder hinunter, und so entschloß er sich denn, im Galopp neben dem brausenden Vehikel herzurennen, das so wenig dem Wägelchen glich, zwischen dessen Rädern er vorzeiten getrabt. Redlich hielt er Schritt, solange es gehen wollte, und seine Atemkraft hätte ihn schwerlich im Stich gelassen. Aber den Sohn der Ökonomie verwirrte das städtische Treiben; er geriet Menschen zwischen die Füße, fremde Hunde fielen ihm in die Flanke, ein Tumult wilder Gerüche, wie er dergleichen noch nie erfahren, reizte und verstörte seinen Sinn, Häuserecken, durchsättigt mit den Essenzen alter Abenteuer, bannten ihn unwiderstehlich, er blieb zurück, er holte den Schienenwagen wohl wieder ein, allein es war ein falscher gewesen, dem er sich angeschlossen, ein dem richtigen vollständig ähnlicher; Bauschan lief blindlings in falscher Richtung fort, geriet tiefer und tiefer in die tolle Fremde hinein und fand sich erst nach zwei Tagen, ausgehungert und hinkend, in den Frieden des äußersten Hauses am Flusse heim, wohin zurückzukehren auch der Herr unterdessen vernünftig genug gewesen war.

Das geschah zweimal und dreimal; dann verzichtete Bauschan und stand endgültig ab davon, mich nach links zu begleiten. Er erkennt es sofort, was ich im Sinne habe, den Jagdgrund oder die Welt, wenn ich aus der Haustür trete. Er springt auf von der Fußmatte, darauf er, unter dem schützenden Portalbogen, mein Ausgehen herangewartet hat. Er springt auf, und in demselben Augenblick sieht er, wohin meine Absichten gehen: meine Kleidung verrät es ihm, der Stock, den ich trage, auch wohl meine Miene und Haltung, der Blick, den ich kalt und beschäftigt über ihn hinschweifen lasse oder ihm auffordernd zuwende. Er begreift. Er stürzt sich kopfüber die Stufen hinab und tanzt unter Schleuderdrehungen, in stummer Begeisterung, vor mir her zur Pforte, wenn der Ausgang gesichert scheint; er duckt sich, er legt die Ohren zurück, seine Miene erlischt, fällt gleichsam in Asche und Trübsal zusammen, wenn die Hoffnung entflieht, und seine Augen füllen sich mit dem Ausdruck scheuen Sünderelends, den das Unglück im Blicke der Menschen und Tiere erzeugt.

Zuweilen kann er nicht glauben, was er doch sieht und weiß, daß nämlich für diesmal alles aus und an kein Jagen zu denken ist. Seine Begierde war zu heftig, er leugnet die Merkmale, er will den städtischen Stock, die hochbürgerliche Herrichtung meiner Person nicht bemerkt haben. Er drängt sich mit mir durch die Pforte, schnellt sich draußen um seine Achse, sucht mich nach rechts zu ziehen, indem er zum Galopp ansetzt in dieser Richtung und den Kopf nach mir wendet, und zwingt sich, das schicksalhafte Nein zu übersehen, das ich seinen Anstrengungen entgegensetzte. Er kommt zurück, wenn ich wirklich nach links gehe, begleitet mich, aus tiefster Brust schnaubend und kleine, wirre, hohe Laute ausstoßend, die sich aus der Überspannung seines Inneren lösen, den Zaun des Vorgartens entlang und fängt an, über das Gitter der anstoßenden öffentlichen Anlage hin und her zu springen, obgleich dies Gitter ziemlich hoch ist und er in der Luft etwas ächzen muß, in Besorgnis, sich weh zu tun. Er springt aus einer Art von verzweifelter, die Tatsachen verwerfender Munterkeit und auch, um mich zu bestechen, mich durch seine Tüchtigkeit für sich zu gewinnen. Denn noch ist es nicht ganz – bei aller Unwahrscheinlichkeit nicht ganz und gar ausgeschlossen, daß ich am Ende der Anlage dennoch den Stadtweg verlasse, noch einmal nach links einbiege und ihn auf geringem Umwege, über den Briefkasten nämlich, wenn ich Post zu versorgen habe, dennoch ins Freie führe. Das kommt vor, aber es kommt selten vor, und wenn auch diese Hoffnung zerstob, so setzt Bauschan sich nieder und läßt mich ziehen.

Da sitzt er, in seiner bäurisch ungeschickten Haltung, mitten auf der Straße und blickt mir nach, den ganzen langen Prospekt hinauf. Drehe ich den Kopf nach ihm, so spitzt er die Ohren, aber er folgt nicht, auch auf Ruf und Pfiff würde er nicht folgen, er weiß, daß es zwecklos wäre. Noch am Ausgange der Allee kann ich ihn sitzen sehen, als kleines, dunkles, ungeschicktes Pünktchen inmitten der Straße, und es gibt mir einen Stich ins Herz, ich besteige die Tram nicht anders als mit Gewissensbissen. Er hat so sehr gewartet, und man weiß doch, wie Warten foltern kann! Sein Leben ist Warten – auf den nächsten Spaziergang ins Freie, und dieses Warten beginnt, wenn er ausgeruht ist von dem letztenmal. Auch in der Nacht wartet er, denn sein Schlaf verteilt sich auf die ganzen vierundzwanzig Stunden des Sonnenumlaufs, und manches Schlummerstündchen auf dem Grasteppich des Gartens, während die Sonne den Pelz wärmt, oder hinter den Vorhängen der Hütte muß die leeren Tagesstrecken verkürzen. So ist seine Nachtruhe denn auch zerrissen und ohne Einheit, vielfältig treibt es ihn um in der Finsternis, durch Hof und Garten, er wirft sich hierhin und dorthin und

wartet. Er wartet auf den wiederkehrenden Besuch des Schlie-
ßers mit der Laterne, dessen stapfenden Rundgang er gegen
besseres Wissen mit grauenvoll meldendem Gebell begleitet; er wartet auf das Erbleichen des Himmels, das Krähen
des Hahnes in einer entlegenen Gärtnerei, das Erwachen des
Morgenwindes in den Bäumen und darauf, daß der Küchen-
eingang geöffnet wird, damit er hineinschlüpfen kann, um sich
am Herde zu wärmen.

Aber ich glaube, die Marter der nächtlichen Langenweile
ist milde, verglichen mit der, die Bauschan am hellen Tag
zu erdulden hat, besonders, wenn schönes Wetter ist, sei es
nun Winter oder Sommer, wenn die Sonne ins Freie lockt,
das Verlangen nach starker Bewegung in allen Muskeln zerrt,
und der Herr, ohne den nun einmal eine rechte Unternehm-
mung nicht möglich ist, noch immer nicht seinen Platz hinter
der Glastür verlassen will. Bauschans beweglicher kleiner
Leib, in dem das Leben so rasch und fieberhaft pulst, ist
durch und durch und im Überfluß ausgeruht, an Schlaf ist
nicht mehr zu denken. Er kommt auf die Terrasse vor meiner
Tür, läßt sich mit einem Seufzer, der aus der Tiefe seines
Innern kommt, auf den Kies fallen und legt den Kopf auf
die Pfoten, indem er von unten herauf mit einem Dulderblick
gen Himmel schaut. Das dauert nur ein paar Sekunden,
dann ist er der Lage schon satt und übersatt, empfindet sie
als unhaltbar. Etwas kann er noch tun. Er kann die Stufen
hinabsteigen und an einem der pyramidenförmigen Lebens-
bäumchen, welche die Rosenbeete flankieren, das Bein heben –
dem rechter Hand, das dank Bauschans Gewohnheiten alljährlich an Verätzung eingeht und ausgewechselt werden muß.
Er steigt also hinab und tut, wozu kein wahres Bedürfnis ihn
treibt, was aber vorübergehend immerhin zu seiner Zerstreuung dienen kann. Lange steht er, trotz vollständiger Unergie-
bigkeit seines Tuns, auf drei Beinen, so lange, daß das vierte
in der Luft zu zittern beginnt und Bauschan hüpfen muß,
um sein Gleichgewicht zu wahren. Dann steht er wieder auf
allen vieren und ist nicht besser daran als zuvor. Stumpf blickt

er empor in die Zweige der Eschengruppe, durch die mit
Zwitschern zwei Vögel huschen, sieht den Gefiederten nach,
wie sie pfeilschnell davonstreichen, und wendet sich ab, indem
er über soviel kindliche Leichtlebigkeit die Achseln zu zucken
scheint. Er reckt und streckt sich, als wollte er sich auseinan-
derreißen, und zwar zerlegt er, der Ausführlichkeit halber,
das Unternehmen in zwei Abteilungen: Er dehnt zuerst die
vorderen Gliedmaßen, wobei er das Hinterteil in die Lüfte
erhebt, und hierauf dieses, mit weit hinausgestreckten Hinterbeinen; und beide Male reißt er in viehischem Gähnen den
Rachen auf. Dann ist auch dies geschehen – die Handlung ließ
sich nicht weiter ausgestalten, und hat man sich eben nach
allen Regeln gestreckt, so kann man es vorläufig nicht wieder
tun. Bauschan steht also und blickt in trübem Sinnen vor
sich zu Boden. Dann beginnt er, sich langsam und suchend um
sich selber zu drehen, als wollte er sich niederlegen und sei
nur noch ungewiß, in welcher Weise. Doch entschließt er sich
anders und geht trägen Schrittes in die Mitte des Rasen-
platzes, wo er sich mit einer plötzlichen, fast wilden Bewegung auf den Rücken wirft, um diesen in lebhaftem Hinund-
herwälzen auf dem gemähten Grasboden zu scheuern und
zu kühlen. Das muß mit starkem Wonnegefühl verbunden
sein, denn er zieht krampfig die Pfoten an, indem er sich
wälzt, und beißt im Taumel des Reizes und der Befriedigung
nach allen Seiten in die Luft. Ja, um so leidenschaftlicher kostet er die Lust bis zur schalen Neige, als er weiß, daß sie keinen Bestand hat, daß man sich nicht länger als allenfalls
zehn Sekunden so wälzen kann, und daß nicht jene gute Müdigkeit darauf folgt, die man durch fröhliche Anstrengung
erwirbt, sondern nur die Ernüchterung und verdoppelte
Öde, mit der man den Rausch, die betäubende Ausschwei-
fung bezahlt. Er liegt einen Augenblick mit verdrehten
Augen und wie tot auf der Seite. Dann steht er auf, um
sich zu schütteln. Er schüttelt sich, wie nur seinesgleichen sich
schütteln kann, ohne eine Gehirnerschütterung besorgen zu
müssen, schüttelt sich, daß es klatscht und klappert, daß

ihm die Ohren unter die Kinnbacken schlagen und die Lefzen
von den weiß schimmernden Eckzähnen fliegen. Und dann?
Dann steht er regungslos, in starrer Weltverlorenheit auf dem
Plan und weiß endgültig auch nicht das geringste mehr mit
sich anzufangen. Unter diesen Umständen greift er zu etwas
Äußerstem. Er ersteigt die Terrasse, kommt an die Glastür, und mit zurückgelegten Ohren und einer wahren Bett-
lermiene hebt er zögernd die eine Vorderpfote und kratzt
an der Tür – nur einmal und nur ganz schwach, aber diese
sanft und zaghaft erhobene Pfote, dies zarte und einmalige
Kratzen, zu dem er sich entschloß, da er sich anders nicht
mehr zu raten wußte, ergreifen mich mächtig, und ich stehe
auf, um ihm zu öffnen, um ihn zu mir einzulassen, obgleich
ich weiß, daß das zu nichts Gutem führen kann; denn sofort
beginnt er zu springen und zu tanzen, im Sinne der Aufforderung zu männlichen Unternehmungen, schiebt dabei den
Teppich in hundert Falten, bringt das Zimmer in Aufruhr,
und um meine Ruhe ist es geschehen.

Aber nun urteile man doch, ob es mir leichtfallen kann,
mit der Tram davonzufahren, nachdem ich Bauschan so habe
warten sehen, und ihn als trauriges Pünktchen tief untern in
der Pappelallee sitzen zu lassen! Im Sommer, bei lang wäh-
rendem Tageslicht, ist schließlich das Unglück noch nicht so
groß, denn dann besteht gute Aussicht, daß wenigstens noch
mein Abendspaziergang mich ins Freie führt, so daß Bauschan, wenn auch nach härtester Wartefrist, doch noch auf
seine Kosten kommt und, einiges Jagdglück vorausgesetzt,
einen Hasen hetzen kann. Im Winter aber ist alles aus für
diesen Tag, wenn ich mittags davonfahre, und Bauschan
muß auf vierundzwanzig Stunden jede Hoffnung begraben.
Denn dann ist zur Stunde meines zweiten Ausgangs schon
lange die Nacht eingefallen, die Jagdgründe liegen in unzu-
gänglicher Finsternis, ich muß meine Schritte in künstlich beleuchtete Gegenden lenken, flußaufwärts, durch Straßen und
städtische Anlagen, und das ist nichts für Bauschans Natur
und schlichten Sinn; er folgte wohl anfangs, verzichtete aber

bald und blieb zu Hause. Nicht nur, daß sichtige Tummel-
freiheit ihm fehlte – das Helldunkel machte ihn schreckhaft,
er scheute wirrköpfig vor Mensch und Strauch, die aufwehende
Pelerine eines Schutzmannes ließ ihn heulend zur Seite springen und mit dem Mut des Entsetzens den ebenfalls zu Tode
erschreckten Beamten anfahren, der den erlittenen Choc durch
einen Strom derber und drohender Schimpfreden an meine
und Bauschans Adresse aufzuheben suchte – und was der
Verdrießlichkeiten noch mehr waren, die uns beiden erwuchs-
sen, wenn er mich bei Nacht und Nebel begleitete. – Bei Gelegenheit des Schutzmannes will ich übrigens einflechten, daß
es drei Arten von Menschen sind, denen Bauschans ganze Abneigung gehört, nämlich Schutzleute, Mönche und Schorn-
steinfeger. Diese kann er nicht leiden und fällt sie mit wüten-
dem Bellen an, wenn sie am Hause vorübergehen oder wo und
wann immer sie ihm sonst unter die Augen kommen.

Überdies nun aber ist ja der Winter die Jahreszeit, wo die
Welt unserer Freiheit und Tugend am dreistesten nachstellt,
uns ein gleichmäßig gesammeltes Dasein, ein Dasein der Zurückgezogenheit und der stillen Vertiefung am wenigsten
gönnt, und so zieht mich die Stadt denn nur allzuoft noch ein
zweites Mal, auch abends noch, an sich, die Gesellschaft
macht ihre Rechte geltend, und erst spät, um Mitternacht,
setzt eine letzte Tram mich draußen am vorletzten Halte-
punkt ihrer Linie ab, oder ich komme auch wohl noch später,
wenn schon längst keine Fahrgelegenheit sich mehr bietet, zu
Fuße daher, zerstreut, weinselig, rauchend, jenseits natürlicher
Müdigkeit und von falscher Sorglosigkeit in betreff aller
Dinge umfangen. Dann geschieht es wohl, daß mein Zuhause,
mein eigentliches und stilles Leben mir entgegenkommt, mich
nicht allein ohne Vorwürfe und Empfindlichkeit, sondern mit
größter Freude begrüßt und willkommen heißt und bei mir
selbst wieder einführt – und zwar in Bauschans Gestalt.
In völliger Dunkelheit, beim Rauschen des Flusses, biege
ich ein in die Pappelallee, und nach ein paar Schritten fühle
ich mich lautlos umtanzt und umfuchtelt, – ich wußte anfangs

minutenlang nicht, wie mir geschah. »Bauschan?« fragte ich
in das Dunkel hinein ... Da verstärkt sich das Tanzen und
Fuchteln aufs äußerste, es artet aus ins Derwischmäßige und
Berserkerhafte, bei dauernder Lautlosigkeit, und in dem
Augenblick, wo ich stehenbleibe, habe ich die ehrlichen,
wenn auch nassen und schmutzigen Pfoten auf dem Brust-
aufschlag meines Mantels, und es schnappt und schlappt
vor meinem Gesicht, so daß ich mich zurückbeugen muß, indes ich das magere, von Schnee oder Regen ebenfalls nasse
Schulterblatt klopfe ... Ja, er hat mich von der Tram abge-
holt, der Gute; wohl auf dem laufenden über mein Tun und
Lassen, wie immer, hat er sich aufgemacht, als es ihm an der
Zeit schien, und mich an der Station erwartet – hat vielleicht
lange gewartet, in Schnee oder Regen, und seine Freude
über mein endliches Eintreffen weiß nichts von Nachträgerei
meiner grausamen Treulosigkeit wegen, obgleich ich ihn heute
völlig vernachlässigt habe und all sein Hoffen und Harren
vergeblich war. Ich lobe ihn sehr, während ich ihn klopfe
und während wir heimwärts gehen. Ich sage ihm, daß er schön
gehandelt, und gebe bindende Versprechungen ab in betreff
des morgenden Tages, sichere ihm zu (das heißt: nicht sowohl
ihm als mir), daß wir morgen mittag bestimmt und bei jeder
Witterung auf die Jagd miteinander gehen werden, und unter
solchen Vorsätzen verraucht meine Weltlaune, Ernst und
Nüchternheit kehren in mein Gemüt zurück, und mit der
Vorstellung der Jagdgründe und ihrer Einsamkeit verbindet
sich der Gedanke an höhere, geheime und wunderliche Obliegenheiten ...

Aber ich will weitere Einzelzüge zu Bauschans Charakter-
bild beibringen, so, daß es dem willigen Leser in höchst er-
reichbarer Lebendigkeit vor Augen trete. Vielleicht gehe ich
am geschicktesten vor, indem ich dasjenige des verstorbenen
Percy zur Vergleichung heranziehe; denn ein ausgeprägterer
Gegensatz als der zwischen diesen beiden Naturen ist innerhalb ein und derselben Gattung kaum erdenklich. Als grund-
legend ist festzuhalten, daß Bauschan sich vollkommener gei-

stiger Gesundheit erfreut, während Percy, wie ich schon einflocht, und wie es bei adligen Hunden nicht selten vorkommt,
zeit seines Lebens ein Narr war, verrückt, das Musterbild
überzüchteter Unmöglichkeit. Es ist davon früher, in größerem Zusammenhange, die Rede gewesen. Hier sei nur Bauschans volkstümlich schlichter Sinn dagegengestellt, sich
äußernd zum Beispiel bei Ausgängen oder Begrüßungen, wo
denn die Kundgebungen seiner Gemütsbewegung sich durchaus im Bereich des Verständigen und einer gesunden Herzlichkeit halten, ohne je die Grenzen der Hysterie auch nur zu
streifen, welche Percy's Gebaren bei jeder solchen Gelegenheit
in oft empörender Weise überschritt.

Dennoch ist hiermit nicht der ganze Gegensatz zwischen
den beiden Geschöpfen aufgezeigt; in Wahrheit ist er verwickelter und gemischter. Bauschan nämlich ist zwar derb wie
das Volk, aber auch wehleidig wie dieses; während sein
adliger Vorgänger mit mehr Zartheit und Leidensfähigkeit
eine unvergleichlich festere und stolzere Seele verband und
trotz aller Narrheit es an Selbstzucht dem Bäuerlein bei
weitem zuvortat. Nicht im Sinne einer aristokratischen
Lehrmeinung, sondern einzig und allein der Lebenswahrheit
zu Ehren hebe ich diese Mischung der Gegensätze von grob
und weichlich, zart und standhaft hervor. Bauschan zum Beispiel ist ganz der Mann, auch die kältesten Winternächte im
Freien, das heißt auf dem Stroh und hinter den Rupfenvor-
hängen seiner Hütte zu verbringen. Eine Blasenschwäche hin-
dert ihn, sieben Stunden ununterbrochen sich in geschlossenem
Raume aufzuhalten, ohne sich zu vergehen; und so mußte man
sich entschließen, ihn auch zu unwirtlicher Jahreszeit auszu-
sperren, in gerechtem Vertrauen auf seine robuste Gesundheit. Denn kaum daß er mir einmal, nach besonders eisiger
Nebelnacht, nicht nur mit märchenhaft bereiftem Schnurr-
und Knebelbart, sondern auch ein wenig erkältet, mit dem
einsilbig-stoßhaften Husten der Hunde entgegenkommt, —
nach wenig Stunden schon hat er die Reizbarkeit überwunden
und trägt keinen Schaden davon. Wer hätte sich wohl getraut,

den seidenhaarigen Percy dem Grimme solcher Nacht auszusetzen? Andererseits hegt Bauschan eine Angst vor jedem, auch dem geringsten Schmerz und antwortet auf einen solchen mit einer Erbärmlichkeit, die Widerwillen erregen müßte, wenn sie nicht eben durch ihre naive Volkstümlichkeit entwaffnete und Heiterkeit einflößte. Jeden Augenblick, während er im Unterholz pirscht, höre ich ihn laut aufquieken, weil ein Dorn ihn geritzt, ein schnellender Zweig ihn getroffen hat; und läßt ihn beim Sprung über ein Gitter sich ein wenig den Bauch geschunden, den Fuß verstaucht haben, das gibt ein antikisches Heldengeschrei, ein dreibeiniges Gehumpelt-Kommen, ein fassungsloses Weinen und Sich-Beklagen, – desto durchdringender übrigens, je mitleidiger man ihm zuredet, und all dies, obgleich er nach einer Viertelstunde wieder rennen und springen wird wie zuvor.

Da war es ein ander Ding mit Perceval. Der biß die Zähne zusammen. Die Lederpeitsche fürchtete er, wie Bauschan sie fürchtet, und leider bekam er sie öfter zu kosten als dieser; denn erstens war ich jünger und hitziger in seinen Lebenstagen als gegenwärtig, und außerdem nahm seine Kopflosigkeit nicht selten ein frevelhaftes und böses Gepräge an, welches nach Züchtigung geradezu schrie und dazu aufreizte. Wenn ich denn also, zum Äußersten gebracht, die Karbatsche vom Nagel nahm, so verkroch er sich wohl zusammengeduckt unter Tisch und Bank; aber nicht ein Wehelaut kam über seine Lippen, wenn der Schlag und noch einer niedersauste, höchstens ein ernstes Stöhnen, falls es ihn allzu beißend getroffen hatte, – während Gevatter Bauschan vor ordinärer Feigheit schon quiekt und schreit, wenn ich nur den Arm hebe. Kurzum, keine Ehre, keine Strenge gegen sich selbst. Übrigens gibt seine Führung zu strafendem Einschreiten kaum jemals Veranlassung, zumal ich es längst verlernt habe, Leistungen von ihm zu verlangen, die seiner Natur widersprechen, und deren Forderung also zum Zusammenstoß führen könnte.

Kunststücke, zum Beispiel, verlange ich nicht von ihm; es wäre vergebens. Er ist kein Gelehrter, kein Marktwunder,

kein pudelnärrischer Aufwärter; er ist ein vitaler Jägerbursch
und kein Professor. Ich hob hervor, daß er ein vorzüglicher
Springer ist. Wenn es darauf ankommt, so nimmt er jedes
Hindernis – ist es allzu hoch, um in freiem Sprunge bewältigt zu werden, so klettert er anspringend hinauf und läßt
sich jenseits hinunterfallen, genug, er nimmt es. Aber das
Hindernis muß ein wirkliches Hindernis sein, das heißt ein
solches, unter dem man nicht durchlaufen oder durchschlüp-
fen kann: sonst würde Bauschan es als verrückt empfinden,
darüber wegzuspringen. Eine Mauer, ein Graben, ein Gitter,
ein lückenloser Zaun, das sind solche Hindernisse. Eine quer-
liegende Stange, ein vorgehaltener Stock, das ist *kein* solches,
und also kann man auch nicht darüberspringen, ohne mit sich
selbst und den Dingen in närrischen Widerspruch zu geraten.
Bauschan weigert sich, dies zu tun. Er weigert sich, – versuche
es, ihn zum Sprung über ein solches unwirkliches Hindernis zu
bewegen; in deiner Wut wird dir schließlich nichts übrigblei-
ben, als ihn beim Kragen zu nehmen und den gellend Quie-
kenden hinüberzuwerfen, worauf er sich dann die Miene
gibt, als sei hiermit das Ziel deiner Wünsche erreicht, und
das Ergebnis mit Tänzen und begeistertem Bellen feiert.
Schmeichle ihm, prügle ihn – hier herrscht ein Vernunftwi-
derstand gegen das reine Kunststück, den du auf keine Weise
brechen wirst. Er ist nicht ungefällig, die Zufriedenheit des
Herrn ist ihm wert, er setzt über eine geschlossene Hecke
auf meinen Wunsch oder Befehl, nicht nur aus eigenem
Antriebe, und holt sich freudig das Lob und den Dank dafür.
Über die Stange, den Stock springt er nicht, sondern läuft
darunter hindurch, und schlüge man ihn tot. Hundertfach
bittet er um Vergebung, um Nachsicht, um Schonung, denn er
fürchtet ja den Schmerz, fürchtet ihn bis zur Memmenhaftig-
keit; aber keine Furcht und kein Schmerz vermögen ihn zu
einer Leistung, die in körperlicher Hinsicht nur ein Kinderspiel für ihn wäre, zu der ihm aber offenbar die seelische
Möglichkeit fehlt, zu zwingen. Sie von ihm fordern heißt
nicht, ihn vor die Frage stellen, ob er springen wird oder

nicht; diese Frage ist im voraus entschieden, und der Befehl
bedeutet ohne weiteres Prügel. Denn das Unverständliche und
wegen Unverständlichkeit Untunliche von ihm zu fordern,
heißt in seinen Augen nur einen Vorwand für Streit, Störung
der Freundschaft und Prügel suchen und ist selbst schon der
Anfang von alldem. Dies ist Bauschans Auffassung, soviel ich
sehe, und mir ist zweifelhaft, ob man hier von Verstocktheit
reden darf. Verstocktheit ist schließlich zu brechen, ja, will
sogar gebrochen sein; seinen Widerstand aber gegen das absolute Kunststück würde er mit dem Tode besiegeln.

Wunderliche Seele! So nah befreundet und doch so fremd,
so abweichend in gewissen Punkten, daß unser Wort sich als
unfähig erweist, ihrer Logik gerecht zu werden. Welche Bewandtnis hat es zum Beispiel mit den furchtbaren, für Beteiligte wie Zuschauer entnervenden Umständlichkeiten, unter denen das Zusammentreffen, das Bekanntschaft-Machen
oder auch nur Voneinander-Kenntnis-Nehmen der Hunde
sich vollzieht? Hundertmal machten meine Streifzüge mit
Bauschan mich zum Zeugen eines solchen Zusammentref-
fens — ich sage besser: sie zwangen mich, beklommener Zeuge
davon zu sein; und jedesmal, für die Dauer der Szene, wurde
sein sonst vertrautes Benehmen mir undurchsichtig — ich fand
es unmöglich, in die Empfindungen, Gesetze, Stammessitten,
die diesem Benehmen zugrunde liegen, sympathisch einzudringen. Wirklich gehört die Begegnung zweier einander fremder Hunde im Freien zu den peinlichsten, spannendsten und
fatalsten aller denkbaren Vorgänge; sie ist von Dämonie und
Sonderbarkeit umwittert. Eine Gebundenheit waltet da, für
die es genauere Namen nicht gibt; sie kommen nicht aneinander vorbei, es ist eine schreckliche Verlegenheit.

Ich rede kaum von dem Fall, daß der eine Teil sich eingesperrt auf seinem Anwesen, hinter Zaun und Hecke befindet, — auch dann ist nicht einzusehen, wie den beiden zumute
wird, aber die Sache ist vergleichsweise weniger brenzlich. Sie
wittern einander aus unabsehbarer Ferne, und Bauschan
kommt plötzlich, wie Schutz suchend, in meine Nähe, indem

er ein Winseln vernehmen läßt, das von unbestimmbarer, mit keinem Worte zu treffender Seelenpein und Bedrängnis Kunde gibt, während gleichzeitig der Fremde, Eingesperrte ein wütendes Bellen anhebt, das den Charakter energisch meldender Wachsamkeit vortäuschen zu wollen scheint, zwischendurch aber unversehens in Töne umschlägt, die denen Bauschans gleichen, in ein sehnsüchtiges, weinerlich-eifersüchtiges, notvolles Winseln also. Wir nähern uns dem Orte, wir kommen heran. Der fremde Hund hat uns hinter dem Zaun erwartet, er steht dort schimpfend und seine Ohnmacht beweinend, springt wild am Zaun empor und gibt sich die Miene – wieweit es ihm ernst ist, weiß niemand –, als würde er Bauschan unfehlbar in Stücke reißen, wenn er nur an ihn gelangen könnte. Trotzdem geht Bauschan, der ja an meiner Seite bleiben und vorübergehen könnte, an den Zaun; er muß es, er täte es auch gegen mein Wort; sein Fernbleiben würde innere Gesetze verletzen – weit tiefer gegründet und unverbrüchlicher als mein Verbot. Er geht also heran und vollzieht vor allen Dingen mit demütiger und still verschlossener Miene jene Opferhandlung, durch welche, wie er wohl weiß, immer eine gewisse Beruhigung und vorübergehende Versöhnung des anderen zu bewirken ist, solange nämlich dieser an anderer Stelle dasselbe tut, wenn auch unter leisem Schimpfen und Weinen. Dann beginnen die beiden eine wilde Jagd den Zaun entlang, der eine diesseits, der andere jenseits, stumm und immer hart nebeneinander. Sie machen gleichzeitig kehrt am Ende des Anwesens und rasen nach der anderen Seite zurück, machen wieder kehrt und rasen noch einmal. Plötzlich aber, in der Mitte, bleiben sie wie angewurzelt stehen, nicht mehr seitlich zum Zaun, sondern senkrecht zu ihm, und halten durch ihn hindurch ihre Nasen aneinander. So stehen sie eine geraume Weile, um hierauf ihren sonderbaren und ergebnislosen Wettlauf, Schulter an Schulter, zu beiden Seiten des Zauns wiederaufzunehmen. Schließlich aber macht der meine von seiner Freiheit Gebrauch und entfernt sich. Das ist ein furchtbarer Augenblick für den Eingesperrten!

Er steht es nicht aus, er sieht eine beispiellose Niedertracht darin, daß der andere sich einfallen läßt, einfach fortzugehen; er tobt, geifert, gebärdet sich wie verrückt vor Wut, rast allein sein Anwesen auf und ab, droht über den Zaun zu springen, um den Treulosen zu erwürgen, und sendet ihm die gemeinsten Schmähungen nach. Bauschan hört dies alles und ist sehr peinlich berührt davon, wie seine stille und betretene Miene bekundet; aber er sieht sich nicht um und trollt sich sachte weiter, während hinter uns das gräßliche Fluchen allmählich wieder in Winseln übergeht und langsam verstummt.

So spielt der Auftritt sich beiläufig ab, wenn der eine Teil sich in Gewahrsam befindet. Allein die Mißlichkeit kommt auf ihren Gipfel, wenn das Zusammentreffen unter gleichen Bedingungen erfolgt und beide auf freiem Fuße sind, — unangenehm ist das auszumalen; es ist die bedrückendste, verfänglichste und kritischste Sache von der Welt. Bauschan, der eben noch sorglos umhersprang, kommt zu mir, drängt sich förmlich in meine Nähe, mit jenem aus tiefster Seele kommenden Miefen und Winseln, von dem nicht zu sagen ist, welcher Gemütsbewegung es Ausdruck gibt, das ich aber sofort erkenne, und aus dem ich auf die Annäherung eines fremden Hundes zu schließen habe. Ich muß scharf ausspähen: es ist richtig, da kommt er, und man sieht schon von weitem an seinem zögernden und gespannten Gebaren, daß auch er des anderen wohl gewahr geworden. Meine eigene Befangenheit steht der der beiden kaum nach; der Zwischenfall ist mir höchst unerwünscht. »Geh weg!« sage ich zu Bauschan. »Warum an meinem Bein? Könnt ihr den Handel nicht unter euch ausmachen, in einiger Entfernung?« Und ich suche ihn mit dem Stocke von mir zu scheuchen; denn wenn es zu einer Beißerei kommt, was, ob ich den Grund nun einsehe oder nicht, durchaus nicht unwahrscheinlich ist, so wird sie an meinem Fuße vor sich gehen, und ich werde die unliebsamste Aufregung davon haben: »Geh weg!« sage ich leise. Aber Bauschan geht nicht weg, fest und beklommen hält er sich zu mir, und nur auf einen Augenblick geht er seitwärts an einen Baum, um das Opfer zu verrichten, während der Fremde dort hinten, wie ich sehe, dasselbe tut. Nun ist man einander auf zwanzig Schritte nahe gekommen, die Spannung ist furchtbar. Der Fremde hat sich auf den Bauch gelegt, sich niedergekauert wie eine Tigerkatze, mit vorgestrecktem Kopfe, und in dieser Wegelagererpose erwartet er Bauschans Herankommen, offenbar, um ihm im gegebenen Augenblick an die Kehle zu springen. Dies geschieht jedoch nicht, und Bauschan scheint es auch nicht zu erwarten; jedenfalls geht er, wenn auch schrecklich zögernd und schweren Herzens, gerade auf den Lauernden zu, täte es auch dann und müßte es tun, wenn ich meinerseits mich jetzt von ihm ablöste, einen Seitenpfad einschlüge und ihn allen Schwierigkeiten der Lage allein überließe. So drückend die Begegnung ihm ist, – an ein Ausweichen, ein Entkommen ist nicht zu denken. Gebannt geht er, er ist an den anderen gebunden, sie sind beide auf eine heikle und dunkle Weise aneinander gebunden und dürfen das nicht verleugnen. Wir sind nun auf zwei Schritte herangekommen.

Da steht der andere stille auf, als hätte er sich nie die Miene eines Dschungeltigers gegeben, und steht nun ebenso da wie Bauschan, – begossen, elend und tief verlegen stehen sie beide und kommen nicht einander vorbei. Sie möchten wohl, sie wenden die Köpfe ab, sie schielen traurig beiseite, ein gemeinsames Schuldbewußtsein scheint auf ihnen zu liegen. So schieben und schleichen sie sich gespannt und mit trüber Behutsamkeit zueinander und nebeneinander, Flanke an Flanke, und beschnüffeln einander das Geheimnis der Zeugung. Hierbei beginnen sie wohl zu knurren, und ich nenne Bauschan mit gesenkter Stimme bei Namen und warne ihn, denn dies ist der Augenblick, wo sich entscheidet, ob es zur Beißerei kommen wird oder ob ich dieser Erschütterung überhoben sein werde. Die Beißerei ist da, man weiß nicht wie und noch weniger warum – auf einmal sind beide nur noch ein Knäuel und rasendes Getümmel, aus dem die gräßlichsten

Kehllaute reißender Bestien dringen. Dann muß ich mit dem
Stocke hineinregieren, um ein Unglück zu verhüten, muß auch
wohl Bauschan am Halsband oder Nackenfell zu ergreifen
suchen, um ihn aus freiem Arm in die Luft zu erheben, während der andere verbissen an ihm hängt, und was der Schrek-
ken noch mehr sein mögen, die ich noch während eines beträchtlichen Teiles des Spazierganges in den Gliedern spüre.
Es kann aber auch sein, daß das Ganze, nach allen Veranstaltungen und Umständlichkeiten, ausgeht wie das Hornber-
ger Schießen und still im Sande verläuft. Zwar schwer hält es
auf jeden Fall, von der Stelle zu kommen: auch wenn sie sich
nicht ineinander verbeißen, hangen die beiden doch gar zu
zäh durch ein innerlich Band zusammen. Schon scheinen sie
aneinander vorbei, sie zögern nicht mehr Flanke an Flanke,
sondern stehen fast schon in gerader Linie, der eine hierhin
gewandt, der andere dorthin, sie sehen sich nicht, sie drehen
auch kaum die Köpfe zurück, nur mit den Augäpfeln schielen sie hinter sich, soweit es geht. Aber obgleich schon Raum
zwischen ihnen ist, hält doch das zähe, traurige Band, und
keiner weiß, ob schon der Augenblick erlaubter Befreiung
gekommen, es möchten wohl beide fort, allein aus irgendeiner
Gewissensbesorgnis wagt keiner sich loszumachen. Bis endlich,
endlich der Bann gebrochen ist, das Band zerreißt und Bauschan dahinspringt, erlöst, erleichterten Herzens, als sei ihm
das Leben wiedergeschenkt.

Ich rede von diesen Dingen, um anzudeuten, wie wild-
fremd und sonderbar das Wesen eines so nahen Freundes
sich mir unter Umständen darstellt, – es wird mir unheimlich und dunkel dann; kopfschüttelnd betrachte ich es, und
nur ahnungsweise finde ich mich hinein. Sonst aber kenne
ich sein Inneres so gut, verstehe mich mit heiterer Sympathie
auf alle Äußerungen desselben, sein Mienenspiel, sein ganzes
Gebaren. Wie kenne ich, um nur irgendein Beispiel anzuführen, das gewisse piepsende Gähnen, das er an sich hat, wenn
ein Ausgang ihn dadurch enttäuschte, daß er allzu kurz und
sportlich unfruchtbar war: wenn ich den Tag spät begonnen

habe, nur gerade vor Tisch noch auf eine Viertelstunde
mit Bauschan ins Freie gegangen und gleich wieder umgekehrt
bin. Dann geht er neben mir und gähnt. Es ist ein unverschäm-
tes, unhöfliches, sperrangelweites, viehisches Gähnen, begleitet von einem piepsenden Kehllaut und von beleidigend ge-
langweiltem Ausdruck. ,Einen schönen Herrn habe ich', drückt
es aus. ,Spät in der Nacht habe ich ihn von der Brücke abge-
holt, und da sitzt er denn heut hinter der Glastür und läßt
einen auf den Ausgang warten, daß man vor Langerweile
verenden möchte, wenn er aber endlich ausgeht, so tut er es,
um wieder umzukehren, bevor man nur irgendein Wild gerochen. Ah – i, ein schöner Herr! Kein rechter Herr! Ein
lumpiger Herr!'

Dies also drückt sein Gähnen mit grober Deutlichkeit aus,
so daß es unmöglich mißzuverstehen ist. Auch sehe ich ein,
daß er im Recht damit ist, und daß ich schuldig vor ihm bin,
und so strecke ich denn wohl die Hand aus, um ihm tröstlich
die Schulter zu klopfen oder die Schädelplatte zu streicheln.
Aber er dankt für Liebkosungen unter solchen Umständen,
er nimmt sie nicht an, er gähnt noch einmal, womöglich noch
unhöflicher, und entzieht sich der Hand, obgleich er von Natur, zum Unterschiede von Percy und in Übereinstimmung
mit seiner volkstümlichen Wehleidigkeit, ein großer Freund
weichlicher Liebkosungen ist. Besonders schätzt er es, an der
Kehle gekraut zu werden, und hat eine drollig energische
Art, die Hand durch kurze Kopfbewegungen an diese Stelle
zu leiten. Daß er aber jetzt von Zärtlichkeiten nichts wissen
will, hängt, außer mit seiner Enttäuschtheit, damit zusammen,
daß er überhaupt im Zustande der Bewegung, das heißt:
wenn auch ich mich in Bewegung befinde, keinen Sinn und
kein Interesse dafür hat. Er befindet sich dann in einer zu
männlichen Gemütsverfassung, um Geschmack daran zu finden, – was sich aber sofort ändert, wenn ich mich niederlasse. Dann ist er für Freundlichkeiten von Herzen empfänglich, und seine Art, sie zu erwidern, ist von täppisch-schwär-
merischer Zudringlichkeit.

Gern, wenn ich, auf meinem Stuhl in der Mauerecke des Gartens oder draußen im Gras, den Rücken an einen bevorzugten Baum gelehnt, in einem Buche lese, unterbreche ich mich in meiner geistigen Beschäftigung, um etwas mit Bauschan zu sprechen und zu spielen. Was ich denn zu ihm spreche? Meist sage ich ihm seinen Namen vor, den Laut, der ihn unter allen am meisten angeht, weil er ihn selbst bezeichnet, und der darum auf sein ganzes Wesen elektrisierend wirkt, – stachle und befeuere sein Ichgefühl, indem ich ihm mit verschiedener Betonung versichere und recht zu bedenken gebe, daß er Bauschan heißt und ist; und wenn ich dies eine Weile fortsetze, kann ich ihn dadurch in eine wahre Verzükkung, eine Art von Identitätsrausch versetzen, so daß er anfängt, sich um sich selber zu drehen und aus der stolzen Bedrängnis seiner Brust laut und jubelnd gen Himmel zu bellen. Oder wir unterhalten uns, indem ich ihm auf die Nase schlage, und er nach meiner Hand schnappt wie nach einer Fliege. Dies bringt uns beide zum Lachen – ja, auch Bauschan muß lachen, und das ist für mich, der ebenfalls lacht, der wunderlichste und rührendste Anblick von der Welt. Es ist ergreifend zu sehen, wie unter dem Reiz der Neckerei es um seine Mundwinkel, in seiner tierisch hageren Wange zuckt und ruckt, wie in der schwärzlichen Miene der Kreatur der physiognomische Ausdruck des menschlichen Lachens oder doch ein trüber, unbeholfener und melancholischer Abglanz davon erscheint, wieder verschwindet, um den Merkmalen der Erschrockenheit und Verlegenheit Platz zu machen, und abermals zerrend hervortritt ...

Aber ich will hier abbrechen und mich nicht weiter in Einzelheiten verlieren. Ohnedies macht der Umfang mir Sorge, den diese kleine Beschreibung ganz gegen mein Vorhaben anzunehmen droht. Ich will meinen Helden nun kurzerhand in seiner Pracht und in seinem Elemente zeigen, in jener Lebenslage, worin er am meisten er selbst ist, und die alle seine Gaben am schönsten begünstigt, nämlich auf der Jagd. Vorher muß ich aber den Leser mit dem Schauplatz dieser Freuden genauer bekannt machen, unserem Jagdrevier, meiner Landschaft am Fluß; denn sie hängt nahe mit Bauschans Person zusammen, ja ist mir auf ganz verwandte Art lieb, vertraut und bedeutend wie er – was man denn folgerechterweise auch ohne weiteren novellistischen Anlaß als Rechtstitel zu ihrer Schilderung wird gelten lassen müssen.

Das Revier

In den Gärten unserer kleinen, weiträumig angelegten Kolonie zeichnen sich alte, die Dächer überhöhende Baumriesen überall scharf gegen die zarten Neupflanzungen ab und geben sich als Originalwuchs und Ureinwohner dieser Gegend unzweideutig zu erkennen. Sie sind der Stolz und die Zierde dieser noch jungen Niederlassung; man hat sie sorgfältig geschont und erhalten, sofern es irgend tunlich war, und wo es bei der Ausmessung und Einfriedung der Grundstücke zu einem Konflikt mit einem von ihnen kam, das heißt: wo sich erwies, daß so ein moosig-silbriger Würdenstamm gerade auf der Demarkationslinie stand, da beschreibt wohl ein Zaun eine kleine Ausbuchtung um ihn herum, um ihn mit in den Garten aufzunehmen, oder in dem Beton einer Mauer ist eine höfliche Lücke gelassen, in welcher der Alte nun ragt, halb privat und halb öffentlich, die kahlen Äste mit Schnee belastet oder im Schmuck seines kleinblättrigen, spätsprießenden Laubes.

Denn es sind Exemplare der Esche, eines Baumes, der die Feuchtigkeit wie wenige liebt, – und damit ist über die Grundbesonderheit unsres Landstriches etwas Entscheidendes ausgesagt. Es ist noch nicht lange, daß Menschenwitz ihn urbar und siedelungsfähig gemacht hat – anderhalb Jahrzehnte etwa, nicht mehr. Vordem war hier eine Sumpfwildnis – ein wahres Mückenloch, wo Weiden, Krüppelpappeln und dergleichen verkrümmtes Baumzeug sich in faul stehenden

Teichen spiegelte. Die Gegend nämlich ist Schwemmgebiet;
einige Meter unter dem Boden befindet sich eine undurchlässige
Erdschicht; so war der Grund denn morastig von jeher, und
überall in seinen Vertiefungen stand Wasser. Die Austrock-
nung geschah, indem man den Flußspiegel tiefer legte, –
ich verstehe mich nicht auf ingeniöse Dinge, aber im wesentlichen lief es auf diesen Kunstgriff hinaus, durch welchen das
Wasser, das nicht versickern konnte, zum Ablauf bewogen
wurde, so daß nun vielerorten unterirdische Bäche sich in den
Fluß ergießen und das Erdreich Festigkeit gewinnen konnte,
wenigstens größtenteils; denn wenn man die Örtlichkeit
kennt, wie ich und Bauschan sie kennen, so weiß man flußabwärts im Dickicht manche schilfige Niederung, die an ihren
ursprünglichen Zustand gemahnt, verschwiegene Orte, deren
feuchter Kühle der heißeste Sommertag nichts anhaben kann,
und wo man an solchen Tagen gern ein paar Minuten atmend
verweilt.

Überhaupt aber hat die Gegend ihre kuriose Eigenart, worin sie sich auch von den Ufern des Bergwassers, wie sie sich
sonst wohl mit ihren Nadelwäldern und moosigen Wiesen
gewöhnlich darstellen, auf den ersten Blick unterscheidet –
sie hat, sage ich, ihre anfängliche Eigenart, auch seit das
Grundstückgeschäft sich ihrer bemächtigt, vollauf bewahrt,
und überall, auch außerhalb der Gärten, hält ihre Ur- und
Originalvegetation deutlich das Übergewicht gegen die ein-
geführte und nachgepflanzte. Da kommt wohl in Alleen und
öffentlichen Anlagen die Roßkastanie fort, der rasch wachsende Ahorn, selbst Buchen und allerlei Ziergesträuch; doch
alles das ist nicht urwüchsig, das ist gesetzt, so gut wie die
welsche Pappel, die aufgereiht ragt in ihrer sterilen Männlichkeit. Ich nannte die Esche als autochthonen Baum, – sie
ist sehr stark verbreitet, man findet sie in allen Lebensaltern,
als hundertjährigen Riesen wie auch als weichen Schößling,
der massenweise wie Unkraut dem Kies entsproßt; und sie
ist es, die, zusammen mit der Silber- und Zitterpappel, der
Birke, der Weide als Baum und Gebüsch, der Landschaft ihr

eigentliches Gepräge verleiht. Das sind aber lauter kleinblätt-
rige Bäume, und Kleinblättrigkeit, die Zierlichkeit des Laub-
werks, bei oft gigantischen Ausmaßen der Baumgestalten, ist
denn auch ein sofort auffallendes Merkmal der Gegend. Eine
Ausnahme bildet die Ulme, die vielfach ihr geräumiges, wie
mit der Säge gezacktes und an der Oberfläche klebrig glänzendes Blatt der Sonne hinbreitet, und dann die große Menge
des Schlinggewächses, das überall im Gehölz die jüngeren
Stämme umspinnt und verwirrend sein Laub mit dem ihrigen
mischt. Die schlanke Figur der Erle tritt an vertieften Stellen
zu kleinen Hainen zusammen. Die Linde aber findet sich sehr
selten; die Eiche kommt überhaupt nicht vor; die Fichte auch
nicht. Doch stehen solche an mehreren Stellen den östlichen
Hang hinauf, die Grenze unsres Gebietes, an welcher mit
andrer Bodenbeschaffenheit ein andrer Pflanzenwuchs, der
sonst gewohnte, beginnt. Schwarz gegen den Himmel ragen
sie dort und blicken wachthabend in unsre Niederung herab.

Vom Hang bis zum Fluß sind es nicht mehr als fünfhundert
Meter, ich habe es ausgeschritten. Mag sein, daß sich flußabwärts der Uferstreifen ein wenig fächerförmig erweitert —
bedeutend ist die Abweichung keineswegs, und merkwürdig
bleibt, welch reiche landschaftliche Abwechslung die schmale
Gegend gewährt, auch wenn man von dem beliebigen Spielraum, den sie der Länge nach, in Richtung des Flußlaufes bietet, so mäßigen Gebrauch macht wie Bauschan und ich, die
wir unsre Streifzüge nur selten über das Zeitmaß von zwei
Stunden hin ausdehnen, den Vor- und Rückmarsch zusam-
mengerechnet. Die Vielfältigkeit der Ansichten aber, und daß
man seine Spaziergänge beständig abzuwandeln und wechselnd zusammenzusetzen vermag, auch darum der Landschaft
trotz langer Vertrautheit nicht überdrüssig und sich ihrer
Enge gar nicht bewußt wird, beruht darauf, daß sie in drei
untereinander ganz verschiedene Regionen oder Zonen zer-
fällt, denen man sich einzeln widmen oder die man auf
schrägen Querpfaden nach und nach miteinander verbinden
mag: die Region des Flusses und seines unmittelbaren Ufers

einerseits, die Region des Hanges auf der andern Seite und die Waldregion in der Mitte.

Den größten Teil der Breite nimmt die Zone des Waldes, des Parks, des Weidichts, des Ufergehölzes ein, – ich sehe mich nach einem Namen um für das wunderliche Gelände, der es besser träfe und anschaulicher machte als das Wort Wald, und finde das eigentlich rechte doch nicht, wie mir scheint. Von einem Wald im üblichen Wortverstande – so einem Saal mit Moos- und Streugrund und ungefähr gleichstarken Baumsäulen, kann keinesfalls die Rede sein. Die Bäume unsres Reviers sind ganz verschiedenen Alters und Umfanges; es gibt unter ihnen riesige Urväter des Weiden- und Pappel-geschlechtes, namentlich entlang des Flusses, doch auch im inneren Holze; dann sind andere, schon wohl ausgewachsen, die etwa zehn oder fünfzehn Jahre zählen mögen, und endlich eine Legion von dünnen Stämmchen, wilde Baumschulen einer Natursaat von jungen Eschen, Birken und Erlen, welche aber einen Eindruck von Magerkeit darum durchaus nicht hervorrufen, weil sie, wie ich schon angab, sämtlich von Schlingpflanzen dick umwickelt sind, die im ganzen vielmehr ein fast tropisch wucherisches Bild ergeben; doch habe ich sie in dem Verdachte, daß sie das Wachstum ihrer Wirte hemmen, denn in den Jahren, die ich hier lebe, meine ich nicht gesehen zu haben, daß viele dieser Stämmchen dicker geworden wären.

Der Bäume sind wenige, nahe verwandte Arten. Die Erle ist von der Familie der Birke, die Pappel zuletzt nichts sehr andres als eine Weide. Und eine Annäherung ihrer aller an den Grundtypus dieser letzteren ließe sich behaupten, – wie ja die Forstleute wissen, daß das Geschlecht der Bäume zur Anpassung an das Gepräge der umgebenden Örtlichkeit, einer gewissen Nachahmung des jeweilig herrschenden Linien- und Formengeschmacks, sehr bereit ist. Hier nun herrscht die phantastische, hexenhaft verwachsene Linie der Weide, dieser getreuen Begleiterin und Anwohnerin fließender wie ruhender Gewässer, mit den krummfingerig ausholenden, besen-

haft bezweigten Ästen, und ihrem Wesen suchen die andern
es sichtlich nachzutun. Die Silberpappel krümmt sich völlig in
ihrem Geschmack; aber von dieser ist oft nur schwer die Birke
zu unterscheiden, welche, vom Ortsgeist verleitet, sich ebenfalls zuweilen in den sonderbarsten Verkrümmungen gefällt,
– womit nicht gesagt sein soll, daß dieser liebenswürdige
Baum nicht auch hier, und zwar zahlreich, in höchst wohlge-
stalteten, ja bei günstig-farbiger Nachmittagsbeleuchtung das
Auge bezaubernden Individuen vorkäme. Die Gegend kennt
ihn als silbernes Stengelchen mit wenigen einzeln stehenden
Blättchen zur Krone; als lieblich herangewachsene, adrett geformte Jungfrau mit dem schmucksten kreidigen Stamm, die
auf ziere und schmachtende Art die Locken ihres Laubes her-
abhängen läßt, und ebensowohl in wahrhaft elefantenhaftem
Wuchs, mit einem Stamm, den kein Mann mit den Armen
umfassen könnte, und dessen Rinde nur hoch oben noch
Spuren der glatten Weiße zeigt, weiter unten aber zur groben,
kohligen, rissigen Borke geworden ist . . .

Den Boden angehend, so hat er mit dem eines Waldes fast
gar keine Ähnlichkeit. Er ist kiesig, lehmig und sogar sandig,
und man sollte ihn nicht für fruchtbar halten. Dennoch ist er
es in seinen Grenzen bis zur Üppigkeit. Ein hochwucherndes
Gras gedeiht darauf, welches oft einen trockenen, scharfkanti-
gen, dünenmäßigen Charakter annimmt und im Winter wie
zertretenes Heu den Boden bedeckt, oft auch geradezu in
Schilf übergeht, anderwärts aber weich, dick und strotzend,
untermischt mit Schierling, Brennesseln, Huflattich, allerlei
kriechendem Blattwerk, hoch aufgeschossenen Disteln und
jungen, noch weichen Baumtrieben, ein günstiger Unterschlupf
für Fasanen und andere Wildhühner, gegen die Wurzelknollen
der Bäume heranwogt. Aus diesem Schwall und Bodendik-
kicht nun aber ranken überall die Waldrebe, der wilde Hop-
fen spiralförmig, in breitblättrigen Girlanden an den Bäumen empor, und noch im Winter halten ihre Stengel die
Stämme wie harter, unzerreißbarer Draht umschlungen.

Das ist kein Wald und kein Park, das ist ein Zaubergarten,

nicht mehr und nicht weniger. Ich will das Wort vertreten,
obgleich es sich im Grunde um eine karge, eingeschränkte und
zur Krüppelhaftigkeit geneigte Natur handelt, die mit ein
paar einfachen botanischen Namen erschöpft und bezeichnet
ist. Der Grund ist wellig, er hebt und senkt sich beständig,
und das ergibt die schöne Geschlossenheit der Veduten, die
Unabsehbarkeit auch nach den Seiten hin; ja, wenn die Hol-
zung sich meilenweit nach rechts und links erstreckte oder so
weit, wie sie sich in die Länge erstreckt, statt daß sie von der
Mitte her beiderseits nur einhundert und etliche Schritte mißt,
so könnte man sich nicht geborgener, vertiefter und abge-
schiedener in ihr fühlen. Einzig das Ohr ist durch gleich-
mäßiges Rauschen von Westen her gemahnt an die befreun-
dete Nähe des Flusses, den man nicht sieht ... Es gibt da
Schluchten, ganz angefüllt mit Holunder-, Liguster-, Jasmin-
und Faulbaumgebüsch, so daß an qualmigen Junitagen die
Brust den Duft kaum zu bergen weiß. Und wieder gibt es
Bodenvertiefungen – die reinen Kiesgruben, an deren Abhängen und auf deren Grunde nichts als ein paar Weiden-
triebe und ein wenig trockener Salbei gedeihen.

Das alles will nicht aufhören, sonderbar auf mich zu wirken, obwohl es mir seit manchem Jahr zum täglichen Aufenthalt geworden. Irgendwie berührt dies viele Eschenlaub,
das an riesige Farren erinnert, berühren diese Schlingranken
und dies Röhricht, diese Feuchtigkeit und Dürre, dies kärg-
liche Dickicht mich phantastisch, und um meinen ganzen Eindruck zu sagen: es ist ein wenig, als finde man sich in die
Landschaft einer anderen Erdperiode versetzt, oder auch in
eine unterseeische, als wandle man auf Wassersboden, – eine
Vorstellung, die ja mit der Wahrheit dies und das zu tun
hat; denn Wasser stand hier ehemals vielerorten, in jenen
Senkungen zumal, die jetzt als viereckige Wiesenbassins, mit
wilden Baumschulen naturgesäter Eschen bestanden, Schafen
zur Weide dienen, und von denen eine gleich hinter meinem
Hause gelegen ist.

Die Wildnis ist in die Kreuz und Quere von Pfaden durch-

zogen, Streifen niedergetretenen Grases teilweise nur, oder
auch kiesigen Fußsteigen, die ganz offenbar nicht angelegt,
sondern eben nur durch Begehung entstanden sind, ohne daß
man zu sagen vermöchte, wer sie wohl ausgetreten haben
könnte; denn daß Bauschan und ich einem Menschen darauf
begegnen, ist eine befremdende Ausnahme, und mein Begleiter bleibt bei solchem Anblick wohl stutzend stehen und läßt
einen einzelnen dumpfen Blaff vernehmen, der ziemlich genau auch meine eigenen Empfindungen dem Zwischenfall
gegenüber zum Ausdruck bringt. Selbst an schönen Sonntag-
nachmittagen im Sommer, wenn aus der Stadt eine große
Menge Spaziergänger sich in unsre Gegend ergießt (denn immer ist es hier um ein paar Grad kühler als anderwärts),
können wir auf diesen inneren Wegen so gut wie ungestört
wandeln; denn die Leute kennen sie nicht, und dann zieht
auch das Wasser, der Fluß, wie es zu gehen pflegt, sie mächtig
an, und dicht an ihn gedrängt, so dicht wie möglich, auf dem
untersten Quai, wenn es angeht, das heißt: wenn er nicht
überschwemmt ist, bewegt sich der Menschenstrom in die
Landschaft hinaus und abends wieder zurück. Höchstens, daß
uns da drinnen im Busche ein gelagertes Liebespaar aufstößt,
welches mit kecken und scheuen Tieraugen uns aus seinem
Neste entgegenblickt, so, als wollte es trotzig fragen, ob wir
etwa gegen seine Anwesenheit dahier und gegen sein Tun und
abseitiges Treiben irgend etwas zu erinnern hätten, — was wir
schweigend verneinen, indem wir uns beiseite machen: Bauschan mit jener Gleichgültigkeit, in der ihn alles beläßt, was
nicht Wildgeruch nach sich zieht, und ich mit vollkommen
verschlossener und ausdrucksloser Miene, welche alles auf sich
beruhen und weder Beifall noch Mißbilligung im geringsten
durchscheinen läßt.

Jene Pfade nun aber sind nicht die einzigen Verkehrs- und
Verbindungsmittel in meinem Park. Es gibt daselbst *Straßen*
— genauer gesagt, Zurüstungen sind vorhanden, die einmal
Straßen gewesen sind, oder solche einmal haben werden sollen,
oder, will's Gott, vielleicht auch wirklich noch einmal sein

werden ... Die Sache ist diese: Spuren der bahnbrechenden
Hacke und eines sanguinischen Unternehmertums zeigen sich
noch ein gutes Stück über den angebauten Teil der Gegend,
die kleine Villenkolonie hinaus. Man hatte weit geschaut,
kühn geplant. Die Handelssozietät, die vor zehn oder fünfzehn Jahren den Landstrich in die Hand genommen, hatte es
anders, großartiger nämlich, damit (und mit sich selber) im
Sinne gehabt, als es dann kam; nicht auf die Handvoll Villen, die dastehen, hatte die Siedelung sich beschränken sollen.
Baugründe waren in Menge vorhanden, wohl einen Kilometer flußabwärts war — und ist heute noch — alles zum
Empfange von Käufern und Liebhabern einer seßhaften
Lebensweise bereit. Großzügigkeit hatte geherrscht in den
Ratssitzungen der Genossenschaft. Man hatte sich nicht mit
sichernden Uferbauten, mit der Herstellung eines gangbaren
Quais, mit gärtnerischen Anpflanzungen begnügt; ziemlich
weit hinaus hatte man an das Gehölz selbst die kultivierende
Hand angelegt, Rodungen vorgenommen, Schwemmkies auf-
geschüttet, die Wildnis durch Straßen gegliedert, ein paarmal
in die Länge und öfter noch in die Quere — schön gedachte,
splendide Straßen oder Entwürfe zu solchen aus grobem
Schwemmkies, mit der Andeutung eines Fahrdammes und ge-
räumiger Bürgersteige, auf welchen nun aber keine Bürger
wandeln, außer Bauschan und mir: jener auf dem guten und
haltbaren Leder seiner vier Sohlen, ich auf genagelten Stiefeln, von wegen des Schwemmkieses. Denn die Villen, die
nach Berechnung und Absicht der Sozietät längst freundlich an
ihnen prangen mußten, sind vorderhand ausgeblieben, obgleich doch ich mit so gutem Beispiel vorangegangen bin und
mein Haus in dieser Gegend gebaut habe. Sie sind, sage ich,
ausgeblieben seit zehn, seit fünfzehn Jahren, und kein Wunder also, daß eine gewisse Mißstimmung sich auf die Gegend
herniedersenkte, daß Unlust zu weiteren Aufwendungen und
zur Fertigstellung des weitläufig Begonnenen Platz griff im
Schoße der Sozietät.

Und doch war die Sache schon so weit gediehen, daß diese

Straßen ohne Anwohner ihre ordnungsmäßigen Namen haben, so gut wie irgendeine im Weichbilde der Stadt oder außerhalb seiner; das aber wüßte ich gern, welcher Träumer und sinnig rückblickende Schöngeist von Spekulant sie ihnen zuerteilt haben mag. Da ist eine Gellert-, eine Opitz-, eine Fleming-, eine Bürger-Straße, und sogar eine Adalbert-Stifter-Straße ist da, auf der ich mich mit besonders sympathischer Andacht in meinen Nagelschuhen ergehe. Pfähle sind, wie es bei ungeschlossen bebauten Vorstadtstraßen, die keine Hausecke darbieten, zu geschehen pflegt, an ihren Eingängen errichtet und an ihnen die Straßenschilder befestigt: blaue Emailschilder, wie hierzulande üblich, mit weißen Lettern. Aber ach, dieselben sind nicht in dem besten Zustande, allzu lange schon nennen sie Straßenskizzen beim Namen, an denen niemand wohnen will, und nicht zuletzt sind sie es, die die Merkmale der Mißstimmung, des Fiaskos und der stockenden Entwicklung hier deutlich zur Schau stellen. Vernachlässigt ragen sie; für ihre Unterhaltung, ihre Erneuerung ist nicht gesorgt, und Wetter und Sonne haben ihnen übel mitgespielt. Die Schmalte ist vielfach abgesprungen, die weißen Lettern vom Rost zerstört, so daß statt einzelner von ihnen nur braune Flecken und Lücken mit häßlich gezackten Rändern gähnen, welche die Namensbilder zerreißen und ihre Ablesung oft erschweren. Namentlich eines der Schilder machte mir strenge Kopfarbeit, als ich zuerst hierher kam und die Gegend forschend durchdrang. Es war ein ausnehmend langes Schild und das Wort »Straße« ohne Unterbrechung erhalten; von dem eigentlichen Namen aber, der, wie gesagt, sehr lang war oder gewesen war, zeigte sich die übergroße Mehrzahl der Buchstaben völlig blind und vom Roste zerfressen: die braunen Lücken ließen auf ihre Anzahl schließen; erkennbar aber war nichts als am Anfange die Hälfte eines S, irgendwo in der Mitte ein e und am Schlusse wieder ein e. Das war zu wenig für meinen Scharfsinn, ich fand, daß es eine Rechnung mit allzu vielen Unbekannten sei. Lange stand ich, die Hände auf dem Rücken, blickte zu dem

langen Schilde empor und studierte. Dann ging ich weiter mit
Bauschan auf dem Bürgersteige. Aber während ich mir einbildete, an andre Dinge zu denken, arbeitete es unterderhand
in mir weiter, mein Geist trachtete nach dem zerstörten
Namen, und plötzlich schoß es mir ein, – ich blieb stehen und
erschrak: hastig ging ich zurück, nahm abermals vor dem
Schilde Aufstellung, verglich und probierte. Ja, es traf zu
und kam aus. Es war die Shakespeare-Straße, in der ich
wandelte.

Die passenden Schilder sind das zu diesen Straßen und genau die Straßen zu diesen Schildern – träumerisch und wunderlich verkommend. Sie laufen durch das Gehölz, in das sie
gebrochen sind; das Gehölz aber ruht nicht, es läßt die Straßen
nicht jahrzehntelang unberührt, bis Ansiedler kommen; es
trifft alle Anstalten, sich wieder zu *schließen,* denn was hier
wächst, scheut den Kies nicht, es ist gewohnt, darin zu gedeihen, und so sprießen purpurköpfige Disteln, blauer Salbei,
silbriges Weidengebüsch und das Grün junger Eschen überall
auf den Fahrdämmen und ungescheut auch auf den Bürger-
steigen: es ist kein Zweifel, die Parkstraßen mit den poetischen Namen wuchern zu, das Dickicht verschlingt sie wieder,
und ob man es nun beklagen oder beifällig begrüßen will, in
weiteren zehn Jahren werden die Opitz-, die Fleming-Straße
nicht mehr gangbar und wahrscheinlich so gut wie verschwunden sein. Im Augenblick ist freilich zur Klage kein Anlaß,
denn unter dem malerischen und dem romantischen Gesichtspunkt gibt es gewiß in der ganzen Welt keine schöneren
Straßen als diese in ihrem derzeitigen Zustande. Nichts erfreulicher, als durch die Verwahrlosung ihrer Unfertigkeit zu
schlendern, wenn man derb beschuht ist und den groben Kies
nicht zu fürchten braucht – als hinzublicken über den mannigfaltigen Wildwuchs ihres Grundes auf den kleinblättrigen,
von weicher Feuchtigkeit gebundenen Baumschlag, der ihre
Perspektiven umrahmt und schließt. Es ist ein Baumschlag,
wie jener lothringische Landschaftsmeister vor dreihundert
Jahren ihn malte ... Aber was sage ich, – *wie* er ihn malte?

Diesen hat er gemalt! Er war hier, er kannte die Gegend, er hat sie sicher studiert; und wenn nicht der schwärmerische Sozietär, der meine Parkstraßen benannte, sich so streng auf die Literatur beschränkt hätte, so dürfte wohl eines der verrosteten Schilder den Namen Claude Lorrains zu erraten geben.

So habe ich die Region des mittleren Gehölzes beschrieben. Aber auch die des östlichen Hanges hat unverächtliche Reize, für mich und für Bauschan ebenfalls, aus später folgenden Gründen. Man könnte sie auch die Zone des Baches nennen, denn ein solcher gibt ihr das idyllisch-landschaftliche Gepräge und bildet mit der Beschaulichkeit seiner Vergißmeinnicht-Gründe das diesseitige Gegenstück zu der Zone des starken Flusses dort drüben, dessen Rauschen man bei meistens wehendem Westwind leise auch hier noch vernimmt. Wo die erste der querlaufenden Kunststraßen, von der Pappelallee dammartig zwischen Wiesenbassins und Waldparzellen zum Hange laufend, an dessen Fuße mündet, führt links ein Weg, der im Winter von der Jugend als Rodelbahn benutzt wird, in das tiefer liegende Gelände hinab. Dort, wo er eben wird, beginnt der Bach seinen Lauf, und zu seiner Seite, rechts oder links von ihm, worin man wiederum abwechseln kann, ergehen Herr und Hund sich gern, entlang dem verschieden gestalteten Hange. Zur Linken breiten baumbestandene Wiesen sich aus. Eine ländliche Gartenwirtschaft ist dort gelegen und zeigt die Rückseite ihrer Ökonomiegebäude, Schafe weiden und rupfen den Klee, regiert von einem nicht ganz gescheiten kleinen Mädchen in rotem Rock, das beständig in befehlshaberischer Wut die Hände auf die Knie stützt und aus Leibeskräften mit mißtöniger Stimme schreit, sich aber dabei entsetzlich vor dem großen, durch seine Wolle majestätisch dick erscheinenden Schafbock fürchtet, welcher sich nichts untersagen läßt und völlig tut, was er will. Am gräßlichsten schreit das Kind, wenn durch Bauschans Erscheinen eine Panik unter den Schafen erregt wird, was fast regelmäßig geschieht, ganz gegen Bauschans Absicht und Meinung, welchem viel-

mehr die Schafe in tiefster Seele gleichgültig sind, ja, der
sie völlig wie Luft behandelt und sogar durch eine betonte Nichtachtung und verächtliche Vorsicht den Ausbruch
der Torheit bei ihnen hintanzuhalten sucht. Denn obgleich sie
für meine Nase stark genug (übrigens nicht unangenehm)
duften, so ist es doch kein Wildgeruch, was sie ausströmen,
und folglich hat Bauschan nicht das leiseste Interesse daran,
sie zu hetzen. Trotzdem genügt eine plötzliche Bewegung von
seiner Seite oder auch schon sein bloßes Auftreten, daß auf
einmal die ganze Herde, die eben noch, mit Kinder- und
Männerstimmen friedlich bähend, weit auseinandergezogen
graste, in geschlossener Masse, Rücken an Rücken, nach ein
und derselben Seite davonstürzt, während das unkluge Kind
tief gebückt hinter ihnen her schreit, daß ihr die Stimme birst
und die Augen ihr aus dem Kopfe treten. Bauschan aber sieht
zu mir auf ungefähr in dem Sinne: Sage selbst, ob ich schuld
bin und Anlaß gegeben habe.

Einmal jedoch geschah etwas Gegenteiliges, was eher noch
peinlicher und jedenfalls sonderbarer anmutete als die Panik.
Eines der Schafe nämlich, ein gewöhnliches Beispiel seiner
Gattung, von mittlerer Größe und durchschnittsmäßigem
Schafsgesicht, übrigens mit einem schmalen, aufwärtsgebogen-
en Munde, der zu lächeln schien und dem Wesen einen Ausdruck fast hämischer Dummheit verlieh, schien sich in Bauschan vergafft und vernarrt zu haben und schloß sich ihm an.
Es folgte ihm einfach, – es löste sich von der Herde ab, verließ die Weide und heftete sich an Bauschans Fersen, still und
in übertriebener Dummheit lächelnd, wohin er sich auch
wandte. Er verließ den Weg, und es folgte ihm; er lief, und
es setzte sich ebenfalls in Galopp; er blieb stehen, und es tat
ein gleiches, unmittelbar hinter ihm und geheimnisvoll
lächelnd. Unmut und Verlegenheit malte sich in Bauschans
Miene, und wirklich war seine Lage im höchsten Grade abgeschmackt, weder im Guten noch im Bösen hatte sie irgendwelchen Sinn und Verstand, sie schien so albern, wie weder
ihm noch mir jemals etwas vorgekommen war. Das Schaf ent-

fernte sich mehr und mehr von seiner Basis, aber das schien es
nicht anzufechten, es folgte dem verärgerten Bauschan immer
weiter, sichtlich entschlossen, sich nicht mehr von ihm zu trennen, sondern ihm anzuhaften, wie weit und wohin er nun
gehen möge. Still hielt er sich zu mir, weniger aus Besorgnis,
zu der kein Grund vorhanden war, als aus Scham über die
Ehrlosigkeit seines Zustandes. Endlich, als habe er es satt,
blieb er stehen, wandte den Kopf und knurrte drohend. Da
blökte das Schaf, daß es klang, wie wenn ein Mensch recht
boshaft lacht, und das entsetzte den armen Bauschan so, daß
er mit eingekniffenem Schwanze davonrannte, – das Schaf in
lächerlichen Sprüngen hinter ihm drein.

Unterdessen, wir waren schon weit von der Herde, schrie
das närrische kleine Mädchen, als sollte es zerspringen, indem
es sich nicht nur auf seine Knie beugte, sondern diese im
Schreien auch abwechselnd bis zum Gesicht emporzog, so daß
es von weitem einen ganz verkrümmten und rasenden Anblick bot. Und dann kam eine geschürzte Hofmagd gelaufen,
entweder auf das Schreien hin oder weil ihr der Vorgang
sonst bemerklich geworden war. Sie lief, in der einen Hand
eine Mistgabel, und hielt sich mit der anderen Hand die
unbefestigte Brust, die im Laufen allzusehr schwankte, kam
atemlos zu uns und machte sich daran, das Schaf, das wieder
im Schritt ging, da auch Bauschan dies tat, mit der Gabel in
der gehörigen Richtung zurückzuscheuchen, was aber nicht
gelang. Das Schaf sprang wohl vor der Gabel beiseite, sogleich
aber war es mit einem Einschwenken wieder auf Bauschans
Spuren, und keine Macht schien imstande, es davon abzubringen. Da sah ich, was einzig frommte, und machte kehrt.
Wir gingen alle zurück, an meiner Seite Bauschan, hinter ihm
das Schaf und hinter diesem die Magd mit der Gabel, indes
das rotröckige Kind uns gebückt und stampfend entgegen-
schrie. Es war aber nicht genug, daß wir bis zur Herde zurückkehrten, wir mußten ganze Arbeit tun und den Gang zu Ende
gehen. Auf den Hof mußten wir und zum Schafstall, dessen
breite Schiebetür die Magd mit Leibeskraft vor uns aufrollte.

Dort zogen wir ein; und als wir alle darin waren, mußten
wir anderen geschickt wieder entwischen und dem betroge-
nen Schaf die Stalltür rasch vor der Nase zuschieben, so daß
es gefangen war. Erst dann konnten Bauschan und ich unter
den Danksagungen der Magd den unterbrochenen Spaziergang wieder aufnehmen, auf welchem Bauschan jedoch bis
ans Ende ein verstimmtes und gedemütigtes Wesen bewahrte.

Soviel von den Schafen. An die Wirtschaftsgebäude schließt
sich zur Linken eine ausgedehnte Laubenkolonie, die fried-
hofartig wirkt mit ihren Lauben und Sommerhäuschen, welche
Kapellen gleichen, und den vielen Einhegungen ihrer winzigen Gärtchen. Sie selbst als Ganzes ist wohl umfriedet;
nur die Heimgärtner haben Zutritt durch die Gitterpforte,
die ihren Eingang bildet, und zuweilen sehe ich dort einen
bloßarmigen Mann sein neun Schuh großes Gemüseäckerchen
umgraben, so daß es aussieht, als grabe er sich sein eigenes
Grab. Dann kommen wieder offene Wiesen, die sich, mit
Maulwurfshügeln bedeckt, bis zum Rande der mittleren Waldregion hindehnen, und in welchen außer den Maulwürfen
auch viele Feldmäuse hausen, was im Hinblick auf Bauschan
und seine vielfältige Jagdlust bemerkt sei.

Andererseits, das heißt, zur Rechten, laufen Bach und
Hang immer fort, dieser, wie ich sagte, in wechselnder Gestalt. Anfangs hat er ein düsteres, unbesonntes Gepräge und
ist mit Fichten bestanden. Später wird er zur Sandgrube,
welche die Sonnenstrahlen warm zurückwirft, noch später zur
Kiesgrube, endlich zu einem Sturz von Ziegelsteinen, als habe
man dort oben ein Haus abgebrochen und die wertlosen Trüm-
mer einfach hier heruntergeworfen, so daß dem Lauf des
Baches vorübergehend Schwierigkeiten bereitet werden. Aber
er wird schon fertig damit, seine Wasser stauen sich etwas
und treten über, rot gefärbt von dem Staub der gebrannten
Steine und auch das Ufergras färbend, das sie benetzen. Dann
aber fließen sie desto klarer und heiterer fort, Sonnengeglitzer
hier und da an ihrer Oberfläche.

Wie alle Gewässer vom Meere bis zum kleinsten Schilf-

tümpel liebe ich Bäche sehr, und wenn mein Ohr, im sommerlichen Gebirge etwa, das heimliche Geplantsch und Geplauder
eines solchen von ferne vernimmt, so gehe ich dem flüssigen Laute wohl lange nach, wenn es sein muß, um seinen Ort
zu finden, dem versteckt-gesprächigen Söhnchen der Höhen
ins Angesicht zu sehen und seine Bekanntschaft zu machen.
Schön sind Gießbäche, die zwischen Tannen und über steile
Felsenstufen mit hellem Donnern herabkommen, grüne, eis-
kalte Bäder bilden und in weißer Auflösung senkrecht zur
nächsten Stufe stürzen. Aber auch den Bächen der Ebene sehe
ich mit Vergnügen und Neigung zu, ob sie nun flach sind,
so daß sie kaum die geschliffenen, silbrig-schlüpfrigen Kiesel
ihres Bettes bedecken, oder so tief wie kleine Flüsse, die im
Schutze beiderseits tief überhangender Weiden voll und kräftig dahinwallen, in der Mitte rascher strömend als an den
Seiten. Wer folgte nicht auf Wanderungen dem Lauf der
Gewässer, wenn er nur frei ist, seine Wahl zu treffen? Die
Anziehungskraft, die das Wasser auf den Menschen übt, ist
natürlich und sympathetischer Art. Der Mensch ist ein Kind
des Wassers, zu neun Zehnteln besteht unser Leib daraus,
und in einem bestimmten Stadium unserer Entwicklung vor
der Geburt besitzen wir Kiemen. Für meine Person bekenne
ich gern, daß die Anschauung des Wassers in jederlei Erscheinungsform und Gestalt mir die weitaus unmittelbarste und
eindringlichste Art des Naturgenusses bedeutet, ja, daß wahre
Versunkenheit, wahres Selbstvergessen, die rechte Hinlö-
sung des eigenen beschränkten Seins in das allgemeine mir
nur in dieser Anschauung gewährt ist. Sie kann mich, etwa
gar die des schlafenden oder schmetternd anrennenden Meeres, in einen Zustand so tiefer organischer Träumerei, so weiter Abwesenheit von mir selbst versetzen, daß jedes Zeitge-
fühl mir abhanden kommt und Langeweile zum nichtigen
Begriffe wird, da Stunden in solcher Vereinigung und Gesellschaft mir wie Minuten vergehen. Aber auch über das Geländer eines Steges, der über einen Bach führt, gebeugt,
könnte ich stehen, solange ihr wollt, verloren in den Anblick

des Fließens, Strudelns und Strömens, und ohne daß jenes andere Fließen um mich und in mir, das eilige Schleichen der Zeit, mir in Angst oder Ungeduld etwas anzuhaben vermöchte. Solche Sympathie mit der Wassernatur macht es mir wert und wichtig, daß die schmale Gegend, in der ich wohne, zu beiden Seiten von Wasser eingefaßt ist.

Der hiesige Bach nun also ist von den Schlichten und Treuherzigen unter den Seinen, es ist nichts Besonderes mit ihm, sein Charakter ist der einer freundlichen Durchschnittlichkeit. Von glasheller Naivität, ohne Falsch und Hehl, ist er weit entfernt, durch Trübheit Tiefe vorzutäuschen, er ist flach und klar und zeigt harmlos, daß auf seinem Grunde verworfene Blechtöpfe und die Leiche eines Schnürschuhes im grünen Schlamme liegen. Übrigens ist er tief genug, um hübschen, silbrig-grauen und äußerst gewandten Fischlein zur Wohnung zu dienen, welche bei unserer Annäherung in weitläufigen Zickzacklinien entschlüpfen. Er erweitert sich teichartig an mehreren Stellen, und schöne Weiden stehen an seinem Ranft, von denen ich eine im Vorübergehen mit Vorliebe betrachte. Sie wächst am Hange, in einiger Entfernung also von dem Gewässer. Aber einen ihrer Äste streckt sie von dorther sehnsüchtig zum Bache hinüber und hinunter und hat es wirklich erreicht, daß das fließende Wasser das silbrige Laub dieser Zweigspitze leicht benetzt. So steht sie und genießt die Berührung.

Es ist gut, hier zu gehen, sanft angefahren vom warmen Sommerwind. Ist es sehr warm, so geht Bauschan wohl in den Bach, um sich den Bauch zu kühlen; denn höhere Körperteile bringt er freiwillig mit Wasser nicht in Berührung. Er steht dort, die Ohren zurückgelegt, mit einer Miene voller Frömmigkeit und läßt das Wasser um sich herum- und vorüberströmen. Dann kommt er zu mir, um sich abzuschütteln, was seiner Überzeugung nach in meiner unmittelbaren Nähe geschehen muß, obgleich bei dem Nachdruck, womit er sich schüttelt, ein ganzer Sprühregen von Wasser und Schlamm mich anfliegt. Es nützt nichts, daß ich ihn mit Wort und Stock von mir abwehre. Was ihm natürlich, gesetzmäßig und unumgänglich scheint, darin läßt er sich nicht beeinträchtigen.

Weiterhin wendet der Bachlauf sich gegen Abend einer kleinen Ortschaft zu, die zwischen Wald und Hang im Norden die Aussicht beherrscht, und an deren Eingang das Wirtshaus liegt. Der Bach bildet dort wieder einen Teich, in welchem die Dörflerinnen kniend Wäsche schwemmen. Ein Steg führt hinüber, und überschreitet man ihn, so betritt man einen Fahrweg, der vom Dorf zwischen Waldsaum und Wiesenrand gegen die Stadt führt. Aber ihn nach rechts hin verlassend, kann man auf einem ebenfalls ausgefahrenen Wege durch das Gehölz mit wenigen Schritten zum Flusse gelangen.

Das ist denn nun die Zone des Flusses, er selbst liegt vor uns, grün und in weißem Brausen, er ist im Grunde nichts als ein großer Gießbach aus den Bergen, aber sein immerwährendes Geräusch, das mehr oder weniger gedämpft überall in der Gegend zu hören ist, hier aber frei waltend das Ohr erfüllt, kann wohl Ersatz bieten für den heiligen Anprall des Meeres, wenn man dieses nun einmal nicht haben kann. Das unaufhörliche Geschrei zahlloser Möwen mischt sich darein, welche im Herbst, Winter und noch im Frühling mit hungrigem Krächzen die Mündungen der Abflußrohre umkreisen und ihre Nahrung hier finden, bis die Jahreszeit es ihnen erlaubt, an den oberen Seen wieder Aufenthalt zu nehmen – gleich den wilden und halbwilden Enten, die ebenfalls die kühlen und kalten Monate hier in der Nähe der Stadt verbringen, sich auf den Wellen wiegen, vom Gefälle, das sie dreht und schaukelt, sich dahintragen lassen, vor einer Stromschnelle im letzten Augenblick auffliegen und sich weiter oben wieder aufs Wassser setzen . . .

Die Uferregion ist folgendermaßen gegliedert und abgestuft: Nächst dem Rand des Gehölzes erstreckt sich eine breite Kiesebene als Fortsetzung der oft genannten Pappelallee, wohl einen Kilometer weit flußabwärts, das heißt bis zum Fährhaus, von dem noch die Rede sein wird, und hinter welchem das Dickicht näher ans Flußbett herantritt. Man

weiß schon, was es auf sich hat mit der Kieswüste: es ist die
erste und wichtigste der längslaufenden Kunststraßen, üppig
geplant von der Sozietät als landschaftlich reizvollste Esplanade für eleganten Wagenverkehr, wo Herren zu Pferde sich
dem Schlage glänzend lackierter Landauer hätten nähern und
mit lächelnd zurückgelehnten Damen fein tändelnde Worte
wechseln sollen. Neben dem Fährhaus belehrt eine große, schon
baufällig schiefstehende Holztafel darüber, welches das unmittelbare Ziel, der vorläufige Endpunkt des Wagenkorsos
hätte sein sollen, denn in breiten Buchstaben ist darauf mitgeteilt, daß dieser Eckplatz zum Zweck der Errichtung eines
Parkcafés und vornehmen Erfrischungsetablissements verkäuflich ist ... Ja, das ist er und bleibt er. Denn an Stelle des
Parkcafés mit seinen Tischchen, umhereilenden Kellnern und
schlürfenden Gästen ragt immer noch die schiefe Holztafel,
ein verzagend hinsinkendes Angebot ohne Nachfrage, und
der Korso ist nur eine Wüste aus gröbstem Schwemmkies,
mit Weidengebüsch und blauem Salbei beinah schon so dicht
wie die Opitz- und Fleming-Straße bewachsen.

Neben der Esplanade, näher gegen den Fluß hin, läuft ein
schmaler und ebenfalls arg verwucherter Kiesdamm mit Grasböschungen, auf dem Telegraphenstangen stehen, den ich aber
doch beim Spazierengehn gern benütze, erstens der Abwechslung halber, und dann, weil der Kies ein reinliches, wenn
auch beschwerliches Gehen ermöglicht, wenn der lehmige Fußweg dort unten bei schwerem Regenwetter nicht gangbar erscheint. Dieser Fußweg, die eigentliche Promenade, die sich
stundenweit längs des Flußlaufes hinzieht, um endlich in
wilde Uferpfade überzugehen, ist an der Wasserseite mit jungen Bäumchen, Ahorn und Birken, bepflanzt, und an der
Landseite stehen die mächtigen Ureinwohner der Gegend,
Weiden, Espen und Silberpappeln von kolossalischen Ausmaßen. Steil und tief fällt seine Böschung gegen das Flußbett ab. Sie ist mit klugen Arbeiten aus Weidenruten und
obendrein noch durch die Betonierung ihres unteren Teiles
gesichert gegen das Hochwasser, das ein- oder zweimal im

Jahre, zur Zeit der Schneeschmelze im Gebirge oder bei an-
dauernden Regengüssen, wohl zu ihr dringt. Hier und da bietet sie hölzerne Sprossensteige, halb Leitern, halb Treppen,
auf denen man ziemlich bequem in das eigentliche Flußbett
hinabsteigen kann: das meistens trocken liegende, ungefähr
sechs Meter breite Reservekiesbett des großen Wildbaches,
welcher sich ganz nach Art der kleinen und kleinsten seiner
Familie verhält, nämlich zuzeiten und je nach den Wasser-
verhältnissen in den oberen Gegenden seines Laufs nur ein
grünes Rinnsal vorstellt, mit kaum überspülten Klippen, wo
Möwen hochbeinig auf dem Wasser zu stehen scheinen, – unter
anderen Umständen aber ein geradezu gefährliches Wesen
annimmt, zum Strome schwillt, sein weites Bett mit greu-
lichem Toben erfüllt, ungehörige Gegenstände, Kiepen, Sträu-
cher und Katzenkadaver kreiselnd mit sich dahinreißt und
zu Übertritt und Gewalttat sich höchst aufgelegt zeigt. Auch
das Reservebett ist gegen Hochwasser befestigt, durch gleichlaufend schrägstehende, hürdenartige Vorkehrungen aus
Weidengeflecht. Es ist bestanden mit Dünengras, mit Strand-
hafer sowie der überall gegenwärtigen Prunkpflanze der Gegend, dem trockenen, blauen Salbei; und es ist gut gangbar
dank dem Quaistreifen aus ebenen Steinen, der ganz außen
am Rande der Wellen bereitet ist und mir eine weitere, und
zwar die liebste Möglichkeit bietet, meine Spaziergänge abzuwandeln. Zwar ist auf dem unnachgiebigen Stein kein ganz
behagliches Gehen; aber vollauf entschädigt dafür die intime
Nähe des Wassers, und dann kann man zuweilen auch neben
dem Quai im *Sande* gehen –, ja, es ist Sand da, zwischen dem
Kies und dem Dünengras, ein wenig mit Lehm versetzt, nicht
von so heiliger Reinlichkeit wie der des Meeres, aber wirklicher Schwemmsand doch, und das ist ein Strandspaziergang
hier unten, unabsehbar sich hinziehend am Rande der Flut, –
es fehlt weder Rauschen noch Möwenschrei, noch jene Zeit
und Raum verschlingende Einförmigkeit, die eine Art von
betäubender Kurzweil gewährt. Überall rauschen die flachen
Katarakte, und auf halbem Wege zum Fährhaus mischt sich

das Brausen des Wasserfalles darein, mit welchem drüben
ein schräg einmündender Kanal sich in den Fluß ergießt.
Der Leib des Falles ist gewölbt, blank, glasig, wie der eines
Fisches, und an seinem Fuße ist immerwährendes Kochen.

Schön ist es hier bei blauem Himmel, wenn der Fährkahn
mit einem Wimpel geschmückt ist, dem Wetter zu Ehren
oder sonst aus einem festlichen Anlaß. Es liegen noch andere
Kähne an diesem Ort, aber der Fährkahn hängt an einem
Drahtseil, welches seinerseits mit einem anderen, noch dickeren,
quer über den Fluß gespannten Drahtseil verbunden ist, so
nämlich, daß er mit einer Rolle daran entlang läuft. Die Strömung selbst muß die Fähre treiben, und ein Steuerdruck
von der Hand des Fährmannes tut das übrige. Der Fährmann wohnt mit Weib und Kind in dem Fährhause, das von
dem oberen Fußweg ein wenig zurückliegt, mit Nutzgärtchen
und Hühnerstall, und das gewiß eine Amts- und Freiwoh-
nung ist. Es ist eine Art von Villa in zwerghaften Ausmaßen, launisch und leicht gebaut, mit Erkerchen und Söller-
chen, und scheint zwei Stuben unten und zwei Stuben oben zu
haben. Ich sitze gern auf der Bank vor dem Gärtchen, gleich
an dem oberen Fußwege, Bauschan sitzt auf meinem Fuß,
die Hühner des Fährmannes umwandeln mich, indem sie bei
jedem Schritt den Kopf vorstoßen, und meistens erhebt sich
der Hahn auf die Rückenlehne der Bank, läßt die grünen
Bersaglieri-Federn seines Schwanzes nach hinten herabhan-
gen und sitzt so neben mir, mich grell von der Seite mit einem
roten Auge musternd. Ich sehe dem Fährbetrieb zu, der nicht
eben stürmisch, kaum lebhaft zu nennen ist, vielmehr sich in
großen Pausen vollzieht. Desto lieber sehe ich es, wenn hüben
oder drüben ein Mann oder eine korbtragende Frau sich
einstellt und über den Fluß gesetzt zu werden verlangt; denn
die Poesie des »Holüber« bleibt menschlich anziehend wie in
den ältesten Tagen, auch wenn die Handlung, wie hier, in
neuzeitlich fortgeschritteneren Formen vonstatten geht. Hölzerne Doppeltreppen, für die Kommenden und Gehenden,
führen beiderseits die Böschung hinab in das Flußbett und

zu den Stegen, und je ein elektrischer Klingelknopf ist hier und
jenseits seitlich von ihren Eingängen angebracht. Da erscheint
denn ein Mann dort drüben am anderen Ufer, steht still und
blickt über das Wasser her. Er ruft nicht mehr, wie einst,
durch die hohlen Hände. Er geht auf den Klingelknopf zu,
streckt den Arm aus und drückt. Schrill klingelt es in der
Villa des Fährmannes: das ist das »Holüber«; auch so und
immer noch ist es poetisch. Dann steht der Harrende, wartet
und späht. Und fast in demselben Augenblick, in dem die
Klingel schrillt, tritt auch der Fährmann aus seinem Amts-
häuschen, als hätte er hinter der Tür gestanden oder auf
einem Stuhle, nur auf das Zeichen passend, dahinter gesessen,
– er kommt heraus, und in seinen Schritten ist etwas, als sei
er mechanisch unmittelbar durch den Druck auf den Kopf in
Bewegung gesetzt, wie wenn man in Schießbuden auf die Tür
eines Häuschens schießt: hat man getroffen, so springt sie auf
und eine Figur kommt heraus, eine Sennerin oder ein Wacht-
soldat. Ohne sich zu übereilen und gleichmäßig mit den
Armen schlenkernd, geht der Fährmann durch sein Gärtchen,
über den Fußweg und die Holztreppe hinunter zum Fluß,
macht den Fährkahn flott und hält das Steuer, während die
Rolle an dem querlaufenden Drahtseil entlangläuft und der
Kahn hinübergetrieben wird. Drüben läßt er den Fremden
zu sich hineinspringen, der ihm am diesseitigen Stege seinen
Nickel reicht, froh die Treppe hinaufläuft, nachdem er den
Fluß überwunden, und sich nach rechts oder links wendet.
Manchmal, wenn der Fährmann verhindert ist, sei es durch
Unpäßlichkeit oder durch vordringliche häusliche Geschäfte,
kommt auch sein Weib oder selbst sein Kind heraus und
holen den Fremden; denn diese können es ebensogut wie er,
und ich könnte es auch. Das Amt des Fährmannes ist leicht
und erfordert keine besondere Veranlagung oder Vorbildung.
Er kann von Glück und Schicksalsgunst sagen, daß er die
Pfründe sein eigen nennt und die Zwergenvilla bewohnen
darf. Jeder Dummkopf könnte ihn ohne weiteres ablösen,
und er weiß es wohl auch und verhält sich bescheiden und

dankbar. Auf dem Heimwege sagt er mir höflich Grüß Gott,
der ich zwischen Hund und Hahn auf der Bank sitze, und
man merkt ihm an, daß er sich keine Feinde zu machen
wünscht.

Teergeruch, Wasserwind — und dumpf plantscht es gegen
das Holz der Kähne. Was will ich mehr? Manchmal kommt
eine andre heimatliche Erinnerung mich an: das Wasser steht
tief, es riecht etwas faulig, — das ist die Lagune, das ist
Venedig. Aber dann wieder ist Sturmflut, unendlicher Regen
schüttet hernieder, im Gummimantel, das Gesicht überschwemmt, stemme ich mich auf dem oberen Weg gegen den
steifen West, der in der Allee die jungen Pappeln von ihren
Pfählen reißt und es erklärlich macht, warum hier die Bäume
zur Windschiefheit neigen, einseitig ausgewachsene Kronen
haben; und Bauschan bleibt oft auf dem Wege stehen, um sich
zu schütteln, daß es nach allen Seiten spritzt. Der Fluß ist
nicht mehr, der er war. Geschwollen, gelbdunkel, trägt er sich
mit katastrophalem Ausdruck daher. Das ist ein Schwanken,
Drängen und schweres Eilen der Wildflut, — in schmutzigen
Wogen nimmt sie das ganze Reservebett bis zum Rande der
Böschung ein, ja schlägt an der Betonierung, den Sicherungs-
arbeiten aus Weidengeflecht empor, so daß man die Vorsorge segnet, die da gewaltet. Das Unheimliche ist: der Fluß
wird *still*, viel stiller als sonst, fast lautlos in diesem Zustande. Er bietet die gewohnten Stromschnellen nicht mehr,
er steht zu hoch dazu; aber jene Stellen sind doch daran zu
erkennen, daß die Wogen dort tiefere Täler bilden und höher
gehen als anderswo, und daß ihre Kämme sich rückwärts —
nicht wie die Kämme der Brandung nach vorn — überschlagen.
Der Wasserfall spielt überhaupt keine Rolle mehr; sein Leib
ist flach und armselig, das Gebrause zu seinen Füßen durch
die Höhe des Wasserstandes fast aufgehoben. Was aber bei
alledem Bauschan betrifft, so kennt sein Erstaunen über eine
solche Veränderung der Dinge keine Grenzen. Er kommt aus
dem Stutzen überhaupt nicht heraus, er begreift es nicht, daß
der trockne Raum, wo er sonst zu traben und zu rennen ge-

wohnt war, heute verschwunden, vom Wasser bedeckt ist;
erschrocken flüchtet er vor der hochanschlagenden Flut die
Böschung hinauf, sieht sich wedelnd nach mir um, sieht wieder das Wasser an und hat dabei eine verlegene Art, das
Maul schief zu öffnen, es wieder zu schließen und dabei mit
der Zunge in den Winkel zu fahren, – ein Mienenspiel, das
ebenso menschlich wie tierisch anmutet, als Ausdrucksmittel
etwas unfein und untergeordnet, aber durchaus verständlich
ist, und das ganz ebenso, angesichts einer vertrackten Sachlage, ein etwas einfältiger und niedriggeborener Mensch zeigen könnte, indem er sich allenfalls noch das Genick dazu
kratzte. –

Nachdem ich nun auch auf die Zone des Flusses näher eingegangen, habe ich die ganze Gegend beschrieben und, soviel
ich sehe, alles getan, um sie anschaulich zu machen. Sie gefällt
mir gut in der Beschreibung, aber als Natur gefällt sie mir
doch noch besser. Sie ist immerhin genauer und vielfältiger
in dieser Sphäre, wie ja auch Bauschan selbst in Wirklichkeit
wärmer, lebendiger und lustiger ist als sein magisches Spiegelbild. Ich bin der Landschaft anhänglich und dankbar, darum
habe ich sie beschrieben. Sie ist mein Park und meine Einsamkeit; meine Gedanken und Träume sind mit ihren Bildern
vermischt und verwachsen, wie das Laub ihrer Schlingpflanzen
mit dem ihrer Bäume. Ich habe sie angeschaut zu allen Tages-
und Jahreszeiten: im Herbst, wenn der chemische Geruch des
welkenden Laubes die Luft erfüllt, wenn die Menge der
Distelstauden wollig abblüht, die großen Buchen des ‚Kur-
gartens‘ einen rostfarbenen Laubteppich um sich her auf die
Wiese breiten und goldtriefende Nachmittage in theatralisch-
romantische Frühabende übergehen, mit der am Himmel
schwimmenden Mondsichel, milchigem Nebelgebräu, das über
den Gründen schwebt, und einem durch schwarze Baumsil-
houetten brennenden Abendrot ... Im Herbst also und auch
im Winter, wenn aller Kies mit Schnee bedeckt und weich
ausgeglichen ist, so daß man mit Gummiüberschuhen darauf
gehen kann; wenn der Fluß schwarz zwischen den bleichen,

frostgebundenen Ufern dahinschießt und das Geschrei der
Hunderte von Möwen von morgens bis abends die Luft erfüllt. Aber der zwangloseste und vertrauteste Umgang mit
ihr ist eben doch in den milden Monaten, wo es keiner Zu-
rüstung bedarf, um rasch, zwischen zwei Regenschauern, auf
ein Viertelstündchen hinauszutreten, im Vorübergehen einen
Faulbaumzweig vor das Gesicht zu biegen und nur eben einmal einen Blick in die wandernden Wellen zu tun. Vielleicht
waren Gäste im Hause, nun sind sie fort, zermürbt von Konversation ist man in seinen vier Wänden zurückgeblieben, wo
der Hauch der Fremden noch in der Atmosphäre schwebt.
Da ist es gut, wie man geht und steht ein wenig auf die Gel-
lert-, die Stifter-Straße hinauszuschlendern, um aufzuatmen
und sich zu erholen. Man blickt zum Himmel empor, man
blickt in die Tiefen des zierlichen und weichen Blätterschlages,
die Nerven beruhigen sich, und Ernst und Stille kehren in
das Gemüt zurück.

Bauschan aber ist immer dabei. Er hat das Eindringen der
Welt in das Haus nicht verhindern können, mit fürchterlicher
Stimme hat er Einspruch erhoben und sich ihr entgegengestellt, aber das nützte nichts, und so ging er beiseite. Nun ist
er froh, daß ich wieder mit ihm im Reviere bin. Einen Ohrlappen nachlässig zurückgeschlagen und nach allgemeiner
Hundeart schief laufend, so daß die Hinterbeine nicht gerade
hinter den vordern, sondern etwas seitlich davon sich bewegen, trabt er auf dem Kies vor mir her. Und plötzlich sehe
ich, wie es ihn an Leib und Seele packt, sein steif aufgerich-
teter Stummelschwanz in ein wildes Fuchteln gerät. Sein Kopf
stößt vorwärts und abwärts, sein Körper spannt sich und
zieht sich in die Länge, er springt dahin und dorthin und
schießt im nächsten Augenblick, immer die Nase am Boden,
in einer bestimmten Richtung davon. Das ist eine Fährte. Er
ist einem Hasen auf der Spur.

Die Jagd

Die Gegend ist reich an jagdbarem Wild, und wir jagen es; das will sagen: Bauschan jagt es, und ich sehe zu. Auf diese Weise jagen wir: Hasen, Feldhühner, Feldmäuse, Maulwürfe, Enten und Möwen. Aber auch vor der hohen Jagd scheuen wir nicht zurück, wir pirschen auch auf Fasanen und selbst auf Rehe, wenn ein solches sich, etwa im Winter, einmal in unser Revier verirrt. Das ist dann ein erregender Anblick, wenn das hochbeinige, leichtgebaute Tier, gelb gegen den Schnee, mit hochwippendem weißen Hinterteil, vor dem kleinen, alle Kräfte einsetzenden Bauschan dahinfliegt – ich verfolge den Vorgang mit der größten Teilnahme und Spannung. Nicht daß etwas dabei herauskäme; das ist noch nie geschehen und wird auch nicht. Aber das Fehlen handgreiflicher Ergebnisse vermindert weder Bauschans Lust und Leidenschaft, noch tut es meinem eignen Vergnügen den geringsten Abbruch. Wir pflegen die Jagd um ihrer selbst, nicht um der Beute, des Nutzens willen, und Bauschan ist, wie gesagt, der tätige Teil. Von mir versieht er sich eines mehr als moralischen Beistandes nicht, da er eine andre Art des Zusammenwirkens, eine schärfere und sachlichere Manier, das Ding zu betreiben, aus persönlicher und unmittelbarer Erfahrung nicht kennt. Ich betone diese Wörter: »persönlich« und »unmittelbar«; denn daß seine Vorfahren, wenigstens soweit sie der Hühnerhundlinie angehörten, ein wirklicheres Jagen gekannt haben, ist mehr als wahrscheinlich, und gelegentlich habe ich mich gefragt, ob wohl eine Erinnerung daran auf ihn gekommen sein und durch einen zufälligen Anstoß geweckt werden könnte. Auf seiner Stufe sondert gewiß das Leben des Einzelwesens sich oberflächlicher von dem der Gattung als in unserm Falle, Geburt und Tod bedeuten ein weniger tiefreichendes Schwanken des Seins, vielleicht erhalten die Überlieferungen des Geblütes sich unversehrter, so daß es nur ein Scheinwiderspruch wäre, von eingebornen Erfahrungen, unbewußten Erinnerungen zu reden, die, hervorgerufen, das Geschöpf an seinen persönlichen Erfahrungen irrezumachen, es damit unzufrieden zu machen vermöchten. Diesem Gedanken hing ich einmal nach, mit einiger Unruhe; aber ich schlug ihn mir ebenso bald wieder aus dem Sinn, wie Bauschan sich offenbar das brutale Vorkommnis aus dem Sinne schlug, dessen Zeuge er gewesen, und das mir zu meinen Erwägungen Anlaß gegeben.

Wenn ich zur Jagd mit ihm ausziehe, pflegt es Mittag zu sein, halb zwölf oder zwölf Uhr, zuweilen, besonders an sehr warmen Sommertagen, ist es auch vorgerückter Nachmittag, sechs Uhr und später, oder es geschieht auch um diese Zeit schon zum zweitenmal; in jedem Falle ist mein Zustand dabei ein ganz andrer als bei unsrem ersten lässigen Ausgang am Morgen. Die Unberührtheit und Frische jener Stunde ist längst dahin, ich habe gesorgt und gekämpft unterdessen, habe Schwierigkeiten überwunden, daß es nur so knirschte, mich mit dem einzelnen herumgeschlagen, während gleichzeitig ein weitläufiger und vielfacher Zusammenhang fest im Sinne zu halten, in seinen letzten Verzweigungen mit Geistesgegenwart zu durchdringen war, und mein Kopf ist müde. Da ist es die Jagd mit Bauschan, die mich zerstreut und erheitert, die mir die Lebensgeister weckt und mich für den Rest des Tages, an dem noch manches zu leisten ist, wieder instand setzt. Aus Dankbarkeit beschreibe ich sie.

Natürlich ist es nicht so, daß wir von den Wildarten, die ich nannte, tagweise eine bestimmte aufs Korn nähmen und etwa nur auf die Hasen- oder Entenjagd gingen. Vielmehr jagen wir alles durcheinander, was uns eben – ich hätte beinahe gesagt: vor die Flinte kommt; und wir brauchen nicht weit zu gehen, um auf Wild zu stoßen, die Jagd kann buchstäblich gleich außerhalb der Gartenpforte beginnen, denn Feldmäuse und Maulwürfe gibt es im Grunde des Wiesenbeckens hinter dem Hause schon eine Menge. Diese Pelzträger sind ja genaugenommen kein Wild; aber ihr heimlichwühlerisches Wesen, namentlich die listige Behendigkeit der Mäuse, welche nicht tagblind sind wie ihr schaufelnder Vet-

ter und sich oft an der Erdoberfläche klüglich herumtreiben,
bei Annäherung einer Gefahr aber in das schwarze Schlupf-
loch hineinzucken, ohne daß man ihre Beine und deren Bewegung zu unterscheiden vermöchte, – wirkt immerhin mächtig auf seinen Verfolgungstrieb, und dann sind gerade sie die
einzige Wildart, die ihm zuweilen zur Beute wird: eine Feld-
maus, ein Maulwurf, das ist ein *Bissen,* – nicht zu verachten
in so mageren Zeiten wie den gegenwärtigen, wo er in seinem
Napf neben der Hütte oft nichts als ein wenig geschmacklose
Rollgerstensuppe findet.

So habe ich denn kaum meinen Stock ein paar Schritte die
Pappelallee hinaufgesetzt, und kaum hat Bauschan sich, um
die Partie zu eröffnen, ein wenig ausgetollt, da sehe ich ihn
schon zur Rechten die sonderbarsten Kapriolen vollführen:
schon hält die Jagdleidenschaft ihn umfangen, er hört und
sieht nichts mehr als das aufreizend versteckte Treiben der
Lebewesen rings um ihn her: gespannt, wedelnd, die Beine behutsam hochhebend, schleicht er durch das Gras, hält mitten
im Schritte ein, von den Vorder- und Hinterbeinen je eins in
der Luft, äugt schiefköpfig, mit spitzer Schnauze von oben
herab in den Grund, wobei ihm die Lappen der straff auf-
gerichteten Ohren zu beiden Seiten der Augen nach vorn fallen, springt zutappend mit beiden Vorderpfoten auf einmal
vorwärts und wieder vorwärts und guckt mit stutziger Miene
dorthin, wo eben etwas war, und wo nun nichts mehr ist.
Dann beginnt er zu graben ... Ich habe die größte Lust, zu
ihm zu stoßen und den Erfolg abzuwarten; aber wir kämen
ja nicht vom Fleck, er würde seine ganze für diesen Tag an-
gesammelte Jagdlust hier auf der Wiese verausgaben. So gehe
ich denn weiter, unbekümmert darum, daß jener mich ein-
holt, auch wenn er noch lange zurückbleibt und nicht gesehen
hat, wohin ich mich wandte: meine Spur ist ihm nicht weniger
deutlich als die eines Wildes, den Kopf zwischen den Vorderpfoten pirscht er ihr nach, wenn er mich aus den Augen
verloren, schon höre ich das Klingeln seiner Steuermarke,
seinen festen Galopp in meinem Rücken, er schießt an mir

vorbei und macht kehrt, um sich wedelnd zur Stelle zu melden.

Aber draußen im Holz oder auf den Wiesenbreiten der Bachregion halte ich doch so manches Mal an und sehe ihm zu, wenn ich ihn beim Graben nach einer Maus betreffe, angenommen selbst, daß es schon spät ist und daß ich beim Zuschauen die gemessene Zeit zum Spaziergengehen versäume. Seine leidenschaftliche Arbeit ist gar zu fesselnd, sein tiefer Eifer steckt an, ich kann nicht umhin, ihm von Herzen Erfolg zu wünschen, und möchte um vieles gern Zeuge davon sein. Der Stelle, wo er gräbt, war vielleicht von außen nichts anzumerken – vielleicht ist es eine moosige, von Baumwurzeln durchzogene Erhöhung am Fuß einer Birke. Aber er hat das Wild dort gehört, gerochen, hat wohl gar noch gesehen, wie es wegzuckte; er ist sicher, daß es dort unter der Erde in seinem Gange und Baue sitzt, es gilt nur, zu ihm zu gelangen, und so gräbt er aus Leibeskräften, in unbedingter und weltvergessener Hingebung, nicht wütend, aber mit sportlich sachlicher Leidenschaft, – es ist prachtvoll zu sehen. Sein kleiner getigerter Körper, unter dessen glatter Haut die Rippen sich abzeichnen, die Muskeln spielen, ist in der Mitte durchgedrückt, das Hinterteil mit dem unaufhörlich im raschesten Zeitmaß hin- und hergehenden Stummelschwanz ragt steil empor, der Kopf ist unten bei den Vorderpfoten in der schon ausgehobenen, schräg einlaufenden Höhlung, und abgewandten Gesichts reißt er mit den metallharten Klauen, so geschwinde es geht, den Boden weiter und weiter auf, daß Erdklumpen, Steinchen, Grasfetzen und holzige Wurzelteilchen mir bis unter die Hutkrempe fliegen. Dazwischen tönt in der Stille sein Schnauben, wenn er nach einigem Vordringen die Schnauze ins Erdreich wühlt, um das kluge, stille, ängstliche Wesen dort innen mit dem Geruchssinn zu belagern. Dumpf tönt es: er stößt den Atem hastig hinein, um nur rasch die Lunge zu leeren und wieder einwittern – den feinen, scharfen, wenn auch noch fernen und verdeckten Mäuseduft wieder einwittern zu können. Wie mag dem Tierchen dort unten zu-

mute sein bei diesem dumpfen Schnauben? Ja, das ist seine
Sache oder auch Gottes Sache, der Bauschan zum Feind und
Verfolger der Erdmäuse gesetzt hat, und dann ist die Angst
ja auch ein verstärktes Lebensgefühl, das Mäuschen würde
sich wahrscheinlich langweilen, wenn kein Bauschan wäre,
und wozu wäre dann seine perläugige Klugheit und flinke
Minierkunst gut, wodurch die Kampfbedingungen sich reichlich ausgleichen, so daß der Erfolg des Angreifers immer recht
unwahrscheinlich bleibt? Kurzum, ich fühle kein Mitleid mit
der Maus, innerlich bin ich auf Bauschans Seite, und oftmals
leidet es mich nicht in der Rolle des Zuschauers: mit dem
Stock greife ich ein, wenn ein festeingebetteter Kiesel, ein
zäher Wurzelstrang ihm im Wege ist, und helfe ihm bohrend
und hebend das Hindernis zu beseitigen. Dann sendet er wohl,
aus der Arbeit heraus, einen raschen, erhitzten Blick des Einverständnisses zu mir empor. Mit vollen Kinnbacken beißt er
in die zähe, durchwachsene Erde, reißt Schollen ab, wirft sie
beiseite, schnaubt abermals dumpf in die Tiefe und setzt, von
der Witterung befeuert, die Klauen wieder in rasende
Tätigkeit ...

In der großen Mehrzahl der Fälle ist das alles verlorene
Mühe. Mit erdiger Nase, bis zu den Schultern beschmutzt,
spürt Bauschan noch einmal oberflächlich an dem Orte umher
und läßt dann ab davon, trollt sich gleichgültig weiter. »Es
war nichts, Bauschan«, sage ich, wenn er mich ansieht. »Nichts
war es«, wiederhole ich, indem ich der Verständlichkeit halber den Kopf schüttle und Brauen und Schultern emporziehe.
Aber es ist nicht im mindesten nötig, ihn zu trösten, der
Mißerfolg drückt ihn keinen Augenblick nieder. Jagd ist
Jagd, der Braten ist das wenigste, und eine herrliche Anstrengung war es doch, denkt er, soweit er überhaupt noch an
die eben so heftig betriebene Angelegenheit zurückdenkt;
denn schon ist er auf neue Unternehmungen aus, zu denen es
in allen drei Zonen an Gelegenheit wahrhaftig nicht fehlt.

Aber es kommt auch vor, daß er das Mäuschen erwischt,
und das läuft nicht ohne Erschütterung für mich ab, denn er

frißt es ja ohne Erbarmen bei lebendigem Leibe und mit Pelz und Knochen, wenn er seiner habhaft wird. Vielleicht war das unglückselige Wesen von seinem Lebenstriebe nicht gut beraten gewesen und hatte sich eine allzu weiche, ungesicherte und leicht aufwühlbare Stelle zu seinem Bau erwählt; vielleicht reichte der Stollen nicht tief genug, und vor Schreck war es dem Tierchen mißlungen, ihn rasch weiter hinab zu treiben, es hatte den Kopf verloren und hockte nun wenige Zoll unter der Oberfläche, während ihm bei dem furchtbaren Schnauben, das zu ihm drang, vor Entsetzen die Perläuglein aus dem Kopfe traten. Genug, die eiserne Klaue legt es bloß, wirft es auf – herauf, an den gramsamen Tag, verlorenes Mäuschen! Mit Recht hast du dich so geängstigt, und es ist nur gut, daß die große berechtigte Angst dich wahrscheinlich schon halb bewußtlos gemacht hat, denn nun wirst du in Speisebrei verwandelt. Er hat es am Schwanz, zwei-, dreimal schleudert er es am Boden hin und her, ein ganz schwaches Pfeifen wird hörbar, das letzte dem gottverlass'nen Mäuschen vergönnte, und dann schnappt Bauschan es ein, in seinen Rachen, zwischen die weißen Zähne. Breitbeinig, die Vorderpfoten aufgestemmt, mit gebeugtem Nacken steht er da und stößt beim Kauen den Kopf vor, indem er den Bissen gleichsam immer von neuem fängt und ihn sich im Maule zurechtwirft. Die Knöchlein knacken, noch hängt ein Pelzfetzen einen Augenblick im Winkel seines Maules, er fängt ihn, dann ist es geschehen, und Bauschan beginnt eine Art von Freuden- und Siegestanz um mich herum aufzuführen, der ich auf meinen Stock gelehnt an der Stätte stehe, wie ich während des ganzen Vorganges zuschauend gestanden habe. »Du bist mir einer!« sage ich mit grausenvoller Anerkennung zu ihm und nicke. »Ein schöner Mörder und Kannibale bist du mir ja!« Auf solche Worte hin verstärkt er sein Tanzen, und es fehlt nur, daß er laut dazu lachte. So gehe ich denn auf meinem Pfade weiter, etwas kalt in den Gliedern von dem, was ich gesehen habe, und doch auch wieder aufgeräumt in meinem Innern durch den rohen Humor des Lebens. Die Sache ist in der natürlichen Ordnung, und ein von seinen Instinkten mangelhaft beratenes Mäuschen wird eben in Speisebrei verwandelt. Aber lieb ist es mir doch, wenn ich in solchem Falle der natürlichen Ordnung nicht mit dem Stocke nachgeholfen, sondern mich rein betrachtend verhalten habe.

Es ist erschreckend, wenn plötzlich der Fasan aus dem Dickicht bricht, wo er schlafend saß oder wachend unentdeckt zu bleiben hoffte, und von wo Bauschans Spürnase nach einigem Suchen ihn aufstörte. Klappernd und polternd, unter angstvoll entrüstetem Geschrei und Gegacker erhebt sich der große, rostrote, langbefiederte Vogel und flüchtet sich, seinen Kot aus der Höhe ins Holz fallen lassend, mit der törichten Kopflosigkeit des Huhns auf einen Baum, wo er fortfährt zu zetern, während Bauschan, am Stamme aufgerichtet, stürmisch zu ihm emporbellt. Auf, auf! heißt dieses Gebell. Flieg weiter, alberner Gegenstand meiner Lust, daß ich dich jagen kann! Und das Wildhuhn widersteht nicht der mächtigen Stimme, rauschend löst es sich wieder von seinem Zweige und macht sich schweren Fluges durch die Wipfel weiter davon, immer krähend und sich beklagend, indes Bauschan es zu ebener Erde scharf und in männlichem Stillschweigen verfolgt.

Hierin besteht seine Wonne; er will und weiß nichts weiter. Denn was wäre auch, wenn er des Vogels habhaft würde? Nichts wäre – ich habe gesehen, wie er einen zwischen den Klauen hatte, er mochte ihn in tiefem Schlafe betreten haben, so daß das schwerfällige Geflügel sich nicht rechtzeitig vom Boden hatte erheben können: nun stand er über ihm, ein verwirrter Sieger, und wußte nichts damit anzufangen. Einen Fittich gespreizt, mit weggedehntem Halse lag der Fasan im Grase und schrie, schrie ohne Pause, daß es klang, wie wenn im Gebüsch eine Greisin gemordet würde, und ich herzueilte, um etwas Gräßliches zu verhüten. Aber ich überzeugte mich rasch, daß nichts zu befürchten sei: Bauschans zutage liegende Ratlosigkeit, die halb neugierige, halb angewiderte Miene, mit der er schiefköpfig auf seinen Gefangenen niederblickte, versicherte mich dessen. Das Weibsgeschrei zu seinen Füßen

mochte ihm auf die Nerven gehen, der ganze Zufall ihm mehr
Verlegenheit als Triumph bereiten. Rupfte er ehren- und
schandenhalber das Wild ein wenig? Ich sah, glaube ich, daß
er ihm mit den Lippen, ohne die Zähne zu brauchen, ein paar
Federn aus seinem Kleide zog und sie mit ärgerlichem Kopf-
schleudern beiseite warf. Dann trat er ab von ihm und gab
ihn frei, – nicht aus Großmut, sondern weil die Sachlage ihn
langweilte, ihm nichts mehr mit fröhlicher Jagd zu tun zu
haben schien. Nie habe ich einen verblüffteren Vogel gesehen!
Er hatte mit dem Leben wohl abgeschlossen, und es schien
vorübergehend, als wisse er keinen Gebrauch mehr davon zu
machen: wie tot lag er eine Weile im Grase. Dann taumelte er
ein Stück am Boden hin, schwankte auf einen Baum, schien
herunterfallen zu wollen, raffte sich auf und suchte mit schwer
schleppenden Gewändern das Weite. Er schrie nicht mehr, er
hielt den Schnabel. Stumm flog er über den Park, den Fluß,
die jenseitigen Wälder, fort, fort, so weit wie möglich, und ist
gewiß nie wiedergekommen.

Aber es gibt viele seinesgleichen in unserm Revier, und
Bauschan jagt sie in Züchten und Ehren. Der Mäusefraß bleibt
seine einzige Blutschuld, und auch sie erscheint als etwas Ent-
behrlich-Beiläufiges, das Spüren, Auftreiben, Rennen, Verfolgen als hochherziger Selbstzweck, – jedem erschiene es so,
der ihn bei diesem glänzenden Spiele beobachtete. Wie schön
er wird, wie idealisch, wie vollkommen! So wird der
bäurische, plumpe Gebirgsbursch vollkommen und bildhaft,
steht er als Gemsjäger im Gesteine. Alles Edle, Echte und
Beste in Bauschan wird nach außen getrieben und gelangt zu
prächtiger Entfaltung in diesen Stunden; darum verlangt er
so sehr nach ihnen und leidet, wenn sie unnütz verstreichen.
Das ist kein Pinscher, das ist der Weidner und Spürer, wie er
im Buche steht, und hohe Freude an sich selbst spricht aus
jeder der kriegerischen, männlich ursprünglichen Posen, die
er in stetem Wechsel entwickelt. Ich wüßte nicht viele Dinge,
die mir das Auge erquickten wie sein Anblick, wenn er in
federndem Trabe durch das Gestrüpp zieht und dann gefes-

selt ansteht, eine Pfote zierlich erhoben und nach innen gebogen, klug, achtsam, bedeutend, in schöner Spannung aller
seiner Eigenschaften! Dazwischen quiekt er. Er hat sich mit
dem Fuße in etwas Dornigem verfangen, und laut schreit er
auf. Aber auch das ist Natur, auch das erheiternder Mut zur
schönen Einfalt, und nur flüchtig vermag es seine Würde zu
beeinträchtigen, die Pracht seiner Haltung ist im nächsten
Augenblicke wieder vollkommen hergestellt.

Ich sehe ihm zu und erinnere mich eines Zeitpunktes, da er
all seines Stolzes und seines Edelmutes verlustig gegangen
und buchstäblich wieder auf den körperlichen und seelischen
Tiefstand herabgekommen war, worauf er sich zuerst in der
Küche des Bergfräuleins uns dargestellt, und von welchem er
sich mühselig genug zum Glauben an sich selbst und die Welt
erhoben hatte. Ich weiß nicht, was mit ihm war, – er blutete
aus dem Maule oder aus der Nase oder aus dem Halse, ich
weiß es bis heute nicht; wo er ging und stand, hinterließ er
Blutspuren, im Grase des Reviers, auf dem Stroh seines
Lagers, auf dem Fußboden des Zimmers, das er betrat, – ohne
daß irgendeine äußere Verletzung nachzuweisen gewesen
wäre. Oft erschien seine Schnauze wie mit roter Ölfarbe beschmiert. Er nieste, und es gingen Blutspritzer von ihm, in
die er mit der Pfote trat, so daß der ziegelfarbene Abdruck
seiner Zehen zurückblieb, wo er geschritten war. Sorgfältige
Untersuchungen führten zu keinem Ergebnis und damit zu
wachsender Beunruhigung. War er lungensüchtig? Oder sonst
mit einem uns unbekannten Übel geschlagen, dem seine Art
ausgesetzt sein mochte? Als die so unheimliche wie unrein-
liche Erscheinung nach einigen Tagen nicht weichen wollte,
wurde seine Einlieferung in die tierärztliche Klinik beschlossen.

Am folgenden Tage, gegen Mittag, nötigte der Herr ihm
mit freundlicher Festigkeit den Maulkorb auf, jene lederne
Gittermaske, die Bauschan wie wenige Dinge verabscheut, und
deren er sich durch Kopfschütteln und Pfotenstreichen beständig zu entledigen sucht, legte ihn an die geflochtene

Schnur und leitete den so Aufgeschirrten links hin die Allee
hinauf, dann durch den Stadtpark und dann eine städtische
Straße empor zu den Baulichkeiten der Hochschule, deren
Tor und Hof wir durchschritten. Ein Warteraum nahm uns
auf, an dessen Wänden mehrere Personen saßen, von denen
eine jede gleich mir einen Hund an der Leine hielt, – Hunde
verschiedener Größe und Art, die einander durch ihre Leder-
visiere schwermütig betrachteten. Es war da ein Mütterchen
mit ihrem schlagflüssigen Mops, ein Livreebedienter mit
einem hohen und blütenweißen russischen Windhund, der
von Zeit zu Zeit einen vornehm krächzenden Husten vernehmen ließ, ein ländlicher Mann mit einem Teckelhund, welcher wohl der orthopädischen Wissenschaft vorgeführt werden sollte, da alle Füße ihm völlig falsch, verkrümmt und
verschroben am Leibe saßen, und andre mehr. Sie alle ließ
der hin- und widergehende Anstaltsdiener nach und nach in
das anstoßende Ordinationszimmer ein, dessen Tür er endlich auch für mich und Bauschan öffnete.

Der Professor, ein Mann auf der Höhe der Jahre, in weißem Operationsmantel, mit goldner Brille, einem lockigen
Scheitel und von so kundiger, lebensfreundlicher Milde des
Wesens, daß ich ihm unbedenklich mich selbst und alle die
Meinen in jeder Leibesnot anvertraut haben würde, lächelte
während meines Vortrages väterlich auf den vor ihm sitzenden und von seiner Seite vertrauensvoll zu ihm aufblicken-
den Klienten hinab. »Schöne Augen hat er«, sagte er, ohne
des Knebelbartes zu gedenken, und erklärte sich dann bereit,
eine Untersuchung sogleich zu vollziehen. Mit Hilfe des
Dieners wurde der vor Erstaunen widerstandslose Bauschan
auf einen Tisch gebreitet, und dann war es rührend zu sehen,
wie der Arzt ihm das schwarze Hörrohr ansetzte und das
getigerte Männchen gewissenhaft auskultierte, ganz wie ich
es mehr als einmal im Leben bei mir selbst hatte geschehen
lassen. Er behorchte sein geschwinde arbeitendes Hundeherz,
behorchte sein organisches Innenleben von verschiedenen
Punkten aus. Hierauf untersuchte er, das Hörrohr unter dem

Arm, mit beiden Händen Bauschans Augen, seine Nase sowie
die Höhle seines Maules und kam dann zu einem vorläufigen
Spruch. Der Hund sei ein wenig nervös und anämisch, sagte
er, sonst aber in gutem Stande. Die Herkunft der Blutungen
sei ungewiß. Es könne sich um Epistaxis handeln oder um
Hämatemesis. Aber auch ein Fall von trachealen oder pharyn-
gealen Blutungen könne vorliegen, das sei nicht ausgeschlossen.
Vielleicht spreche man bis auf weiteres am zutreffendsten von
Hämoptyse. Eine sorgfältige Beobachtung des Tieres sei geboten. Ich möge es an Ort und Stelle lassen und mich in acht
Tagen wieder nach ihm umsehen.

So belehrt, empfahl ich mich dankend und klopfte Bauschan zum Abschied die Schulter. Ich sah noch, wie der Ge-
hilfe den neu Aufgenommenen über den Hof gegen den Eingang eines rückwärts gelegenen Gebäudes führte und wie
Bauschan sich mit verwirrtem und ängstlichem Gesichtsausdruck nach mir umblickte. Und doch hätte er sich geschmeichelt
fühlen sollen, wie ich selbst nicht umhinkonnte, mich zu fühlen, weil der Professor ihn für nervös und anämisch erklärt
hatte. Es war ihm nicht an der Wiege gesungen worden, daß
man ihn eines Tages dafür erklären und es überhaupt so gelehrt und genau mit ihm nehmen werde.

Aber meine Spaziergänge waren fortan, was ungesalzene
Speisen dem Gaumen sind; sie gewährten mir nur wenig Vergnügen. Kein stiller Freudensturm herrschte bei meinem Ausgang, kein stolzes Jagdgetümmel um mich her unterwegs.
Der Park schien mir öde, ich langweilte mich. Ich unterließ
nicht, Erkundigungen durch den Fernsprecher in die Wartezeit einzulegen. Die Antwort, von einem untergeordneten
Organ erteilt, lautete, der Patient befinde sich den Umständen entsprechend, – Umständen, deren nähere Kennzeichnung man aus guten oder schlimmen Gründen vermied. Da
wieder der Wochentag herangekommen, an dem ich Bauschan
in die Anstalt verbracht hatte, machte ich mich abermals dorthin auf.

Geleitet von reichlich angebrachten Schildern mit Inschrif-

ten und weisenden Händen, gelangte ich auf geradem Wege
und ohne Irrgang vor die Tür der klinischen Abteilung, die
Bauschan beherbergte, unterließ es, auf ein an der Tür ange-
brachtes Geheiß, zu klopfen, und trat ein. Der mäßig große
Raum, der mich umgab, erweckte den Eindruck eines Raub-
tierhauses, und auch die Atmosphäre eines solchen herrschte
darin; nur daß der wild-tierische Menageriegeruch hier mit
allerlei medikamentösen Dünsten süßlich versetzt erschien, –
eine beklemmende und erregende Mischung. Gitterkäfige
liefen ringsherum, fast alle bewohnt. Tiefes Gebell schlug mir
aus einem von ihnen entgegen, an dessen offener Pforte ein
Mann, offenbar der Wärter, sich eben mit Rechen und Schaufel zu schaffen machte. Ohne seine Arbeit zu unterbrechen,
begnügte er sich damit, meinen Gruß zu erwidern, mich übrigens vorderhand meinen Eindrücken überlassend.

Der erste Rundblick, bei noch offener Tür, hatte mich Bauschan erkennen lassen, und ich trat auf ihn zu. Er lag hinter
den Traljen seines Zwingers auf einer Bodenstreu, die aus
Lohe oder ähnlichem Stoffe bestehen mochte und ihren besonderen Duft dem Geruch der Tierkörper und dem des Karbols
oder Lysoforms noch hinzufügte, – lag dort wie ein Leopard,
aber wie ein sehr müder, sehr teilnahmsloser und verdrosse-
ner Leopard: ich erschrak über die mürrische Gleichgültigkeit,
die er meinem Ein- und Herantreten entgegensetzte. Schwach
pochte er ein- oder zweimal mit dem Schwanz auf den Boden,
und erst als ich ihn anredete, hob er den Kopf von den Pfoten,
aber nur, um ihn sogleich wieder fallen zu lassen und trübe
zur Seite zu blinzeln. Ein irdener Napf mit Wasser stand im
Hintergrunde des Käfigs zu seiner Verfügung. Außen, an den
Gitterstäben, war eine in einen Rahmen gespannte, teils vor-
gedruckte, teils handschriftliche Tabelle befestigt, die unter
der Angabe von Bauschans Namen, Art, Geschlecht und Alter
eine Fieberkurve zeigte. »Hühnerhund-Bastard«, stand dort,
»genannt Bauschan. Männlich. Zwei Jahre alt. Eingeliefert an
dem und dem Tage und Monat des Jahres –, zur Beobachtung
wegen okkulter Blutungen.« Und dann folgte die mit der

Feder gezogene und übrigens in geringen Schwankungen ver-
laufende Wärmekurve nebst ziffernmäßigen Angaben über
die Häufigkeit von Bauschans Puls. Er wurde also gemessen,
wie ich sah, und auch der Puls wurde ihm gefühlt von ärzt-
licher Seite, – in dieser Richtung fehlte es an nichts. Aber sein
Gemütszustand war es, der mir Sorge machte.

»Ist das der Ihrige?« fragte der Wärter, der sich mir unterdessen, sein Gerät in Händen, genähert hatte. Er war mit
einer Art von Gärtnerschürze bekleidet, ein gedrungener,
rundbärtiger und rotbäckiger Mann mit braunen, etwas blut-
unterlaufenen Augen, deren treuer und feuchter Blick selbst
auffallend hundemäßig anmutete.

Ich bejahte seine Frage, berief mich auf die erhaltene Weisung, heute wieder vorzusprechen, auf die geführten Fern-
gespräche und erklärte, ich sei gekommen zu hören, wie alles
stehe. Der Mann warf einen Blick auf die Tabelle. Ja, es seien
okkulte Blutungen, woran der Hund leide, sagte er, und damit sei es immer eine langwierige Sache, besonders wenn man
nicht recht wisse, woher sie kämen. – Ob denn das noch immer der Fall nicht sei. – Nein, man wisse es noch nicht recht.
Aber der Hund sei ja zur Beobachtung da, und er werde beobachtet. – Und die Blutungen dauerten noch an? – Ja, mitunter wiederholten sie sich noch. – Und dann würden sie beobachtet? – Ja, ganz genau. – Ob denn Fieber vorhanden sei,
fragte ich, indem ich aus der Kurve am Gitter klug zu werden suchte. – Nein, kein Fieber. Der Hund habe seine ord-
nungsmäßige Wärme und Pulszahl, ungefähr neunzig Schläge
in der Minute, das sei das richtige, weniger dürften es gar
nicht sein, und wenn es viel weniger wären, so müßte er noch
viel schärfer beobachtet werden. Überhaupt sei ja der Hund
bis auf die okkulten Blutungen recht gut beisammen. Er habe
wohl anfangs geheult, rund vierundzwanzig Stunden lang,
aber dann sei er eingelebt gewesen. Fressen möge er freilich
nicht viel; aber er habe ja auch keine Bewegung, und dann
komme es darauf an, wieviel er früher gefressen habe. – Was
man ihm denn gäbe? – Suppe, sagte der Mann. Aber, wie schon

gesagt, er nehme nicht viel davon. – »Er macht einen gedrück-
ten Eindruck«, bemerkte ich mit gespielter Sachlichkeit. – Ja,
das tue er wohl, aber das habe nichts weiter zu sagen. Denn
es sei ja am Ende nicht lustig für einen Hund, so dazuliegen
und beobachtet zu werden. Gedrückt seien sie alle mehr oder
weniger, das heiße: die Gutartigen; manch einer werde sogar
tückisch und bissig dabei. Aber das könne er von dem da nicht
sagen. Das sei ein Gutartiger, der würde nicht bissig werden,
und wenn man ihn bis an sein Lebensende beobachte. – Darin
gab ich dem Manne recht, aber ich tat es, Kummer und
Empörung im Herzen. Auf wie lange denn, fragte ich, man
schätzungsweise Bauschans Aufenthalt dahier noch berechne.
– Wieder blickte der Mann auf die Tafel. Acht Tage noch,
sagte er, seien nötig zur Beobachtung, so habe der Herr Professor gesagt. Nach weiteren acht Tagen möchte ich wiederkommen und nachfragen; dann würden es vierzehn im ganzen sein, und dann werde man mir sichern Bescheid geben
können über den Hund und in betreff seiner Heilung von
den okkulten Blutungen.

Ich ging, nachdem ich noch einmal versucht hatte, Bauschans
Lebensgeister durch frischen Zuspruch zu wecken. Er wurde
durch meinen Weggang so wenig wie durch mein Erscheinen
bewegt. Verachtung und bittere Hoffnungslosigkeit schienen
auf ihm zu liegen. ,Da du fähig warst', schien seine Haltung
auszudrücken, ,mich in diesen Käfig zu liefern, erwarte ich
nichts mehr von dir.' Und mußte er nicht irre werden und
verzweifeln an Vernunft und Gerechtigkeit? Was hatte er verschuldet, daß ihm dies geschah, und daß ich es nicht nur zuließ, sondern es selbst in die Wege geleitet? Ich hatte es gut
und würdig mit ihm im Sinne gehabt. Er hatte geblutet, und
wenn das ihm selbst auch weiter nichts auszumachen schien, so
hatte doch ich es für angemessen erachtet, daß die verordnete
Wissenschaft sich seiner annähme, als eines Hundes in guten
Umständen, und hatte es denn ja auch erlebt, daß sie ihn als
etwas nervös und anämisch bezeichnet hatte wie ein Grafen-
kind. Und nun mußte es so für ihn ausgehen! Wie ihm be-

greiflich machen, daß man ihm Ehre und Aufmerksamkeit
erwies, indem man ihn hinter Gitterstangen sperrte wie einen
Jaguar, ihm Luft, Sonne und freie Bewegung entzog, um
ihm statt dessen tagein, tagaus mit dem Thermometer beschwerlich zu fallen?

So fragte ich mich, indem ich nach Hause ging, und während ich bis dahin Bauschan nur vermißt hatte, gesellten sich
nun zu dieser Empfindung Sorge um ihn, um sein Seelenheil,
und zweifelnde Selbstanklagen. War es nicht endlich nur
Eitelkeit und selbstsüchtige Hoffart gewesen, was mich vermocht hatte, ihn auf die Hochschule zu führen? War überdies
vielleicht der geheime Wunsch damit verbunden gewesen, mich
seiner auf einige Zeit zu entledigen, eine gewisse Neugierde
und Lüsternheit, mich von seiner inständigen Bewachung einmal frei zu machen und zu sehen, wie es sei, wenn ich in kühler Seelenruhe mich nach rechts oder links würde wenden
können, ohne in der belebten Außenwelt irgendwelche Gefühle, sei es der Freude oder der bittern Enttäuschung, dadurch zu wecken? Wirklich genoß ich einer gewissen und lange
nicht mehr erprobten inneren Unabhängigkeit seit Bauschans
Internierung. Niemand behelligte mich durch die Glastür mit
dem Anblick seines Wartemartyriums. Niemand kam, um mit
zag erhobener Pfote mir die Brust mit einem Gelächter des
Erbarmens zu erschüttern und mich zu alsbaldigem Aufbruch
zu bewegen. Ob ich den Park suchte oder das Zimmer hütete,
focht niemanden an. Das war bequem, beruhigend und hatte
den Reiz der Neuheit. Da aber der gewohnte Ansporn fehlte,
so ging ich beinahe nicht mehr spazieren. Meine Gesundheit
litt; und während mein Zustand demjenigen Bauschans in
seinem Käfig nachgerade auffallend ähnlich wurde, stellte ich
die sittliche Betrachtung an, daß die Fessel des Mitgefühles
meinem eigenen Wohlsein zuträglicher gewesen war als die
egoistische Freiheit, nach der mich gelüstet hatte.

Auch die zweite Woche lief ab, und am bestimmten Tage
stand ich wieder mit dem rundbärtigen Wärter vor Bauschans
Gitterhaus. Der Insasse lag auf der Seite, lag irgendwie hin-

gestreckt auf der Lohestreu seines Käfigs, die ihm das Fell befleckte, und hielt im Liegen den Kopf emporgeworfen, so daß er rückwärts gegen die kalkige Rückwand des Zwingers blickte, mit Augen glasig und stumpf. Er rührte sich nicht. Daß er atmete, war kaum zu sehen. Nur zuweilen wölbte sich sein Brustkorb, der jede Rippe erkennen ließ, in einem Seufzer, den er mit leisem und herzzerreißendem Anklange seiner Stimmbänder von sich hauchte. Seine Beine schienen zu lang geworden, seine Pfoten unförmig groß, was von seiner erschreckenden Abmagerung herrührte. Sein Fell war äußerst ruppig, verdrückt und, wie erwähnt, vom Wälzen im Rindenmehle verunreinigt. Er beachtete mich nicht, wie er überhaupt nie wieder irgend etwas beachten zu wollen schien.

Ganz und gar, sagte der Wärter, seien die Blutungen noch nicht verschwunden; sie kämen immer noch einmal wieder vor. Woher sie stammten, sei noch nicht ganz entschieden, auf jeden Fall seien sie harmloser Art. Ich könnte beliebig den Hund noch zu weiterer Beobachtung hierlassen, um ganz sicherzugehen, oder ich könnte ihn auch wieder mit nach Hause nehmen, wo sich das Übel mit der Zeit denn auch wohl verlieren würde. Da zog ich die geflochtene Schnur aus der Tasche – ich hatte sie zu mir gesteckt – und sagte, ich nähme Bauschan mit mir. Der Wärter fand es vernünftig. Er öffnete die Gittertür, und wir riefen Bauschan beide beim Namen, abwechselnd und gleichzeitig, aber er kam nicht, sondern starrte immer über sich hin gegen die Kalkwand. Indessen wehrte er sich auch nicht, als ich mit dem Arm in den Käfig griff und ihn am Halsband herauszog. Springend fiel er zur ebenen Erde herab auf seine Füße und stand da mit eingekniffenem Schwanze, die Ohren zurückgelegt, ein Bild des Elends. Ich nahm ihn, reichte dem Wärter ein Biergeld und verließ die Abteilung, um in den vorderen Anstaltsräumen meine Schuld zu begleichen, die sich bei einer Grundtaxe von fünfundsiebzig Pfennigen für den Tag und zuzüglich des ärztlichen Honorars für die erste Untersuchung auf zwölf Mark fünfzig bezifferte. Dann führte ich Bauschan nach Hause, ein-

gehüllt in die süßlich-wilde Atmosphäre der Klinik, die mein
Begleiter in seinem Felle trug.

Er war gebrochen an Leib und Seele. Tiere sind ungehemmt-
ter und ursprünglicher, also gewissermaßen menschlicher in
dem körperlichen Ausdruck ihrer Gemütszustände als wir;
Redensarten, die unter uns eigentlich nur noch in moralischer
Übertragung und als Metapher fortleben, treffen bei ihnen
noch – und das hat jedenfalls etwas Erheiterndes für das
Auge – im frischen Wortsinne und ohne Gleichnis zu. Bauschan »ließ«, wie man sagt, »den Kopf hängen«, das heißt:
er tat es wirklich und anschaulich, tat es wie ein abgetriebenes
Droschkenpferd, welches, Geschwüre an den Beinen und dann
und wann mit der Haut zuckend, an seinem Halteplatze steht,
während eine Zentnerlast seine arme Nase, die von Fliegen
wimmelt, gegen das Pflaster zu ziehen scheint. Es war, wie ich
sagte: diese zwei Hochschulwochen hatten ihn auf den Zustand zurückgeführt, worin ich ihn einst auf dem Vorberge
entgegengenommen; er war nur der Schatten seiner selbst,
würde ich sagen, wenn das nicht den Schatten des frohen und
stolzen Bauschan beleidigen hieße. Der Hospitalgeruch, den
er mitgebracht hatte, wich wohl wiederholten Seifenbädern
im Waschtroge, bis auf selten aufschwebende Reste; aber wenn
ein Bad für uns Menschen den seelischen Einfluß einer sym-
bolischen Handlung besitzen mag, so konnte dem armen
Bauschan die körperliche Reinigung noch lange nicht die
Wiederaufrichtung seines Gemütes bedeuten. Am ersten Tage
schon nahm ich ihn mit mir ins Revier hinaus, aber mit blöde
hängender Zunge schlich er an meinem Fuß, und die Fasanen
erfreuten sich dauernder Schonzeit. Zu Hause lag er noch
tagelang, wie er zuletzt im Zwinger gelegen, und blickte
gläsern über sich hin, im Innern schlaff, ohne gesunde Ungeduld, ohne mich zum Ausgehen anzuhalten, so daß vielmehr
ich ihn von seinem Lagerplatz am Eingang der Hütte abholen
und auftreiben mußte. Selbst die wilde und wahllose Art, in
der er das Futter in sich schlang, erinnerte an seine unwürdige Frühzeit. Dann aber war es freudig zu sehen, wie er sich

wiederfand; wie nach und nach seine Begrüßungen das alte
treuherzig-scherzhafte Ungestüm zurückgewannen; wie er,
statt mürrisch gehinkt zu kommen, zum ersten Male auf meinen Morgenpfiff wieder heranstürmte, um mir die Vorderpfoten auf die Brust zu setzen und nach meinem Gesicht zu
schnappen; wie im Freien die stolze Lust an seiner Leiblichkeit ihm wiederkehrte, jene kühnen und anmutigen Vorsteh-
Posen, jene steilen Sprünge mit angezogenen Füßen auf irgendein Lebewesen im hohen Grase hinab meinen Augen sich
wieder darboten ... Er vergaß. Der häßliche und für Bauschans Begriffsvermögen so unsinnige Zwischenfall sank hinab in die Vergangenheit, unerlöst eigentlich, unaufgehoben
durch klärende Verständigung, welche unmöglich gewesen
war, aber die Zeit deckte ihn zu, wie es ja auch zwischen
Menschen zuweilen geschehen muß, und über ihm lebten wir
fort, während das Unausgesprochene tiefer und tiefer ins Vergessen zurücktrat ... Einige Wochen lang kam es noch vor,
in zunehmenden Abständen, daß Bauschan eine gerötete Nase
zeigte; dann verlor die Erscheinung sich, sie war gewesen, und
so galt es denn auch gleichviel, ob es sich um Epistaxis oder
um Hämatemesis gehandelt hatte ...

Da habe ich, gegen mein Vorhaben, nun auch von der
Klinik erzählt! Der Leser verzeihe die weitläufige Abschweifung und kehre mit mir in den Park zum Jagdvergnügen
zurück, worin wir uns unterbrachen. Kennt er das weinende
Geheul, womit ein Hund, seine äußersten Kräfte zusammen-
reißend, die Verfolgung des flüchtigen Hasen aufnimmt, und
in welchem Wut und Wonne, Sehnsucht und ekstatische Verzweiflung sich mischen? Wie oft habe ich Bauschan es ausstoßen hören! Es ist die Leidenschaft, die gewollte, aufgesuchte
und trunken genossene Leidenschaft selbst, die da durch die
Landschaft gellt, und jedesmal wieder, wenn ihr wilder Schrei
von fern oder nah an mein Ohr dringt, erschrecke ich auf eine
heitere Weise; er fährt mir in die Glieder; froh, daß Bauschan
heute auf seine Kosten kommt, eile ich vorwärts oder zur
Seite, um die Hetze womöglich in mein Gesichtsfeld zu brin-

gen, und wenn sie an mir vorüberbraust, stehe ich gebannt
und gespannt, obgleich der nichtige Ausgang des Abenteuers
im voraus feststeht, und schaue zu, indes ein erregtes Lächeln
mir das Gesicht verzieht.

Der gemeine oder furchtsame Hase! Er zieht die Ohren
durch die Luft, den Kopf im Genick rennt er um sein Leben
und kratzt in langen Sprüngen vor dem innig heulenden
Bauschan aus, indem er das Hintergeläuf, das weißlich-gelbe
Gesäß in die Lüfte schleudert. Und doch sollte er im Grunde
seiner angstvollen und fluchtgewohnten Seele wissen, daß es
nicht ernste Gefahr hat, und daß er davonkommen wird, wie
noch jeder seiner Brüder und Schwestern und auch er selbst
wohl schon ein oder das andere Mal in demselben Falle davonkam. Nie im Leben hat Bauschan einen von ihnen erwischt
und wird auch nicht, es ist so gut wie unmöglich. Viele Hunde,
so heißt es, sind des Hasen Tod; ein einzelner kann es nicht
schaffen, und überträfe er Bauschan auch noch an ausdauern-
der Schnelligkeit. Denn der Hase verfügt ja über den ,Haken'
– über den Bauschan nun einmal nicht verfügt; und damit ist
die Sache entschieden. Es ist eine unfehlbare Waffe und Fähigkeit des zur Flucht Geborenen, ein jederzeit anwendbares
Auskunftsmittel, das er im Sinne trägt, um es im entscheidenden und für Bauschan hoffnungsreichsten Augenblick anzuwenden – und Bauschan ist verkauft und verraten.

Da kommen sie schräge durch das Gehölz, überqueren vor
mir den Pfad und schießen gegen den Fluß hin, der Hase
stumm und seinen ererbten Trick im Herzen, Bauschan in
hohen, jammernden Kopftönen heulend. ,Heule nicht!' denke
ich. ,Du verausgabst Kräfte damit, Lungenkräfte, Atemkräfte,
die du sparen solltest und alle zu Rate halten, um ihn zu bekommen!' Und ich denke so, weil ich an der Sache innerlich
beteiligt bin, weil ich auf Bauschans Seite stehe, weil seine
Leidenschaft auch mich ergreift, so daß ich ihm eifrig den
Sieg wünsche, auf die Gefahr, daß er den Hasen vor meinen
Augen in Stücke zerrisse. Wie er rennt! Ein Wesen in der
äußersten Anspannung aller seiner Kräfte zu sehen, ist schön

und genußreich. Er rennt besser als der Hase, seine Muskulatur
ist stärker, der Abstand zwischen ihnen hatte sich deutlich
verkleinert, bevor sie mir aus den Augen kamen. Und ich eile
ebenfalls, ohne Weg, links hin durch den Park und gegen das
Ufer und treffe eben rechtzeitig auf der Kiesstraße ein, um
die Jagd von rechts anrasen zu sehen – die hoffnungsreiche,
erregende Jagd, denn Bauschan ist dem Hasen fast auf den
Fersen, er ist verstummt, er rennt mit zusammengebissenen
Zähnen, die unmittelbare Witterung treibt ihn zum Letzten,
und – ‚einen Vorstoß noch, Bauschan!‘ denke ich und möchte
ich rufen; ‚gut gezielt und mit Besonnenheit, gib acht auf den
Haken!‘ Aber da ist der Haken auch schon, das Unglück ist
da. Der entscheidende Vorstoß geschah, und in dem gleichen
Augenblick geschieht auch ein Ruck, ein kurzes, leichtes und
schnippchenhaftes Wegzucken des Hasen im rechten Winkel
zur Richtung des Laufes, und an seinem Hinterteile schießt
Bauschan vorbei, schießt heulend, hilflos und bremsend, daß
Kies und Staub emporstieben, geradeaus, und bis er seiner
Bewegung Einhalt getan, sich herumgeworfen und sich in
neuer Richtung wieder flott gemacht hat, bis, sage ich, dies
unter Seelenqual und Jammergeheul vollbracht, hat der Hase
einen bedeutenden Vorsprung gegen das Gehölz hin gewonnen, ja, ist dem Verfolger wohl gar aus den Augen gekommen; denn während seines verzweifelten Bremsens konnte
dieser nicht sehen, wohin der andre sich wandte.

‚Es ist umsonst, ist schön, aber vergeblich‘, denke ich, während die wilde Jagd sich in entgegengesetzter Richtung durch
den Park hin entfernt. ‚Es müßten mehrere Hunde sein, fünf
oder sechs, eine ganze Meute. Andre müßten ihm in die Flanke
stoßen, ihm von vorn den Weg abschneiden, ihn stellen und
ihm den Genickfang geben . . .‘ Und mein erregtes Auge erblickt ein Rudel von Schweißhunden, die sich mit hängenden
Zungen auf den Hasen in ihrer Mitte stürzen.

Ich denke und träume so aus Jagdleidenschaft, denn was
hat mir der Hase getan, daß ich ihm ein entsetzliches Ende
wünsche? Zwar steht Bauschan mir näher, und es ist in der

Ordnung, daß ich mit ihm fühle und ihn mit meinen Wünschen begleite; aber der Hase ist doch auch ein warmes Leben und hat meinen Jäger nicht aus Bosheit geprellt, sondern aus dem dringenden Wunsch, noch eine kleine Weile weiche Baumtriebe knabbern und seinesgleichen zeugen zu können. ‚Etwas andres‘, fahre ich trotzdem fort zu denken, ‚etwas andres, wenn dies hier‘ – und ich betrachte den Spazierstock in meiner Hand – ‚wenn dies hier nicht so ein unnützer, gutmütiger Stock wäre, sondern ein Ding von ernsterer Konstruktion, blitzträchtig und fernwirkend, womit ich dem wackeren Bauschan zu Hilfe kommen und den Hasen *aufhalten* könnte, so daß er mit einem Salto mortale zur Stelle bliebe. Dann bedürfte es keiner weiteren Hunde, und Bauschan hätte das Seine getan, wenn er den Hasen nur aufgebracht hätte.‘ Wie aber die Dinge liegen, ist es umgekehrt Bauschan, der, wenn er den verdammten ‚Haken‘ parieren will, sich zuweilen überkugelt, was übrigens in einigen Fällen auch der Hase tut; aber für ihn ist es eine Kleinigkeit, etwas Leichtes und Angemessenes, mit irgendwelchem Elendsgefühl gewiß nicht verknüpft, während es für Bauschan eine schwere Erschütterung bedeutet, bei der er sich recht wohl einmal den Hals brechen kann.

Oft nimmt eine solche Jagd schon in wenigen Minuten wieder ihr Ende, wenn es nämlich dem Hasen gelingt, sich nach kurzer Hatz im Unterholze hinzuducken und zu verbergen, oder den Jäger durch Haken und Finten von seiner Fährte zu bringen, so daß dieser, unsicher stutzend, hierhin und dorthin sprengt, während ich, in meinem Blutdurst, vergeblich hinter ihm dreinrufe und ihm mit dem Stock die Richtung zu weisen suche, in der ich den Hasen entspringen sah. Oft aber auch zieht das Gejaide sich lange und weit durch die Landschaft hin, so daß Bauschans inbrünstig jaulende Stimme wie ein Hifthorn fern in der Gegend erklingt, abwechselnd näher und wieder entrückter, während ich still, in Erwartung seiner Wiederkehr, meines Weges gehe. Und du mein Gott, in welchem Zustand kehrt er dann endlich zu mir zurück! Schaum trieft ihm vom Maule, seine Lenden sind ausgehöhlt,

seine Rippen fliegen, lang hängt ihm die Zunge aus dem unmäßig klaffenden Rachen, der ihm die trunken schwimmenden Augen schief und mongolisch verzerrt, und sein Atem
geht wie eine Dampfmaschine. »Lege dich, Bauschan, und ruhe
aus, oder dich trifft der Lungenschlag!« spreche ich zu ihm
und gehe nicht weiter, um ihm Zeit zur Erholung zu gönnen.
Im Winter zumal wird mir angst und bange um ihn, bei
Frost, wenn er keuchend die eisige Luft in sein erhitztes Inneres pumpt und als weißen Dampf wieder von sich stößt,
auch ganze Mäuler voll Schnee verschlingt, um seinen Durst
zu löschen. Während er aber daliegt, mit wirren Augen zu mir
emporblickt und dann und wann seinen Geifer einschlappt,
kann ich doch nicht völlig umhin, ihn wegen der unabänderlichen Ergebnislosigkeit seiner Anstrengungen etwas zu ver-
spotten. »Wo ist der Hase, Bauschan?« kann ich wohl fragen.
»Das Häschen bringst du mir also nicht?« Und er schlägt mit
dem Schwanz auf den Boden, stellt, wenn ich spreche, einen
Augenblick das hastige Pumpwerk seiner Flanken still und
schlappt verlegen, denn er weiß nicht, daß mein Spott nur
eine Regung der Scham und des schlechten Gewissens vor ihm
und mir selber verschleiern muß, weil ich ihn meinerseits bei
dem Handel wieder nicht unterstützen konnte und nicht der
Mann war, den Hasen ‚aufzuhalten‘, wie es Sache eines richtigen Herrn gewesen wäre. Er weiß es nicht, und darum kann
ich wohl spotten und es so hinstellen, als ob *er* es bei alldem
irgendwie hätte fehlen lassen . . .

Seltsame Zwischenfälle ereignen sich bei diesen Jagden. Nie
vergesse ich, wie der Hase mir einmal in die Arme lief . . . Es
war am Fluß, auf der schmalen und lehmigen Promenade
oberhalb seiner. Bauschan hetzte; und ich kam vom Gehölze
her in die Uferzone, schlug mich durch die Distelstauden des
Kiesdammes und sprang die grasige Böschung hinab auf den
Weg in dem Augenblicke, als der Hase, Bauschan in einem
Abstande von fünfzehn Schritten hinter sich, in langen und
hüpfenden Sätzen aus der Richtung des Fährhauses, wohin
ich mein Gesicht wandte, daherkam, mitten auf dem Wege

und genau auf mich zu. Mein erster, jägerisch-feindlicher Antrieb war, die Gelegenheit wahrzunehmen und dem Hasen
den Weg zu verstellen, ihn womöglich zurück in den Rachen
des schmerzlich jauchzenden Verfolgers zu treiben. So stand
ich, wie angewurzelt, reglos am Fleck und wog, von Leidenschaft umfangen, nur insgeheim meinen Stock in der Hand,
indes der Hase näher und näher herankam. Sein Gesicht ist
sehr schlecht, ich wußte es; einzig Gehör und Geruch vermitteln ihm Warnungen vor Gefahr. Er mochte mich für einen
Baum halten, wie ich da stand – es war mein Plan, und ich
wünschte heftig, daß er es täte und einem schrecklichen Irrtum damit unterläge, von dessen möglichen Folgen ich mir
keine deutliche Rechenschaft gab, den ich aber auszunützen
gedachte. Ob er diesem Irrtum zu irgendeinem Zeitpunkt
wirklich verfiel, ist ungewiß. Ich glaube, er bemerkte mich
überhaupt erst im alleräußersten Augenblick, und was er tat,
war so unerwartet, daß es all mein Sinnen und Trachten im
Nu über den Haufen warf und einen erschütternd plötzlichen
Wechsel meines Gemütszustandes hervorrief. War er von
Sinnen vor Todesangst? Genug, er sprang an mir hoch, genau
wie ein Hündchen, lief mit den Vorderpfoten an meinem
Überzieher empor und strebte aufrecht mit dem Kopfe in
meinen Schoß, in des Jagdherrn schrecklichen Schoß hinein!
Mit erhobenen Armen, den Oberkörper zurückgebeugt, stand
ich und sah auf den Hasen nieder, der seinerseits zu mir aufblickte. Es war nur eine Sekunde lang so, oder auch nur während des Bruchteils einer Sekunde, aber es war so. Ich sah ihn
so merkwürdig genau, sah seine langen Löffel, von denen der
eine aufrecht stand, der andere nach unten hing, seine großen
und blanken, kurzsichtig vortretenden Augen, seine schartige
Lippe und langen Schnurrbarthaare, die Weiße seiner Brust
und kleinen Pfoten, ich fühlte oder glaubte zu fühlen das Zuk-
ken seines gehetzten Herzchens – und es war seltsam, ihn so
deutlich zu sehen und nahe an mir zu haben, den kleinen
Dämon des Ortes, das innere schlagende Herz der Landschaft,
dies ewig flüchtige Wesen, das ich immer nur auf kurze

Augenblicke in ihren Gründen und Weiten komisch Reißaus
nehmend gewahrt hatte, und das sich in seiner höchsten Not
und Auskunftslosigkeit nun an mich drängte und gleichsam
meine Knie umfaßte, die Knie des Menschen – nicht dessen,
so schien mir, der Bauschans Herr war, sondern die Knie
dessen, der Herr ist auch von den Hasen und sein Herr so gut
wie Bauschans. Es war, sage ich, nur eine geringe Sekunde so:
dann hatte schon der Hase sich von mir gelöst, sich wieder
auf die ungleichen Beine gemacht und die Böschung zur Linken ersprungen, während statt seiner Bauschan an meinem
Standorte anlangte, Bauschan mit Horrido und allen Kopftönen der Leidenschaft, worin er bei seiner Ankunft scharf
unterbrochen wurde. Denn ein gezielter und vorbedachter
Stockschlag vom Herrn des Hasen ließ ihn quiekend und mit
einem vorübergehend gelähmten hinteren Oberschenkel den
Abhang zur Rechten ein Stück Weges hinunterstolpern, den
er dann hinkend erst wieder erklettern mußte, bevor er mit
starker Verspätung die Fährte des nicht mehr sichtbaren
Hasen wieder aufnehmen konnte. –

Endlich ist da noch die Jagd auf Wasservögel, der ich ebenfalls einige Zeilen widmen will. Sie kann nur im Winter und
im kälteren Frühjahr stattfinden, bevor die Vögel den Aufenthalt nahe der Stadt, der ihnen nur ein Notbehelf und
eine Forderung des Magens ist, mit dem an den Seen vertauschen; und sie ist weniger erregend, als die Hasenhetze es
sein kann, hat aber gleichwohl ihr Anziehendes für Jäger und
Hund, oder vielmehr für den Jäger und seinen Herrn: für
diesen namentlich in landschaftlichem Betracht, da die vertrauliche Nähe des lebendigen Wassers damit verbunden ist;
dann aber auch, weil es sehr unterhält und zerstreut, die Daseinsform dieser Schwimmer und Flieger anzuschauen und
dabei gleichsam aus der eigenen herauszutreten, um versuchsweise an der ihrigen teilzuhaben.

Die Lebensstimmung der Enten ist milder, bürgerlicher, be-
häbiger als die der Möwen. Sie scheinen fast immer satt und
von Nahrungssorgen wenig gequält, wahrscheinlich, weil, was

sie brauchen, regelmäßig vorhanden und der Tisch ihnen immer gedeckt ist. Denn, wie ich sehe, fressen sie beinahe alles: Würmer, Schnecken, Insekten oder auch einfach einigen Schlamm und haben dann reichlich Zeit, auf den Ufersteinen in der Sonne zu sitzen, den Schnabel behaglich unter einen Flügel geschoben ein Schläfchen zu machen, sich das Gefieder einzufetten, so daß es mit dem Wasser so gut wie gar nicht in Berührung kommt, welches vielmehr in geronnenen Tropfen von seiner äußersten Oberfläche abperlt — oder auch nur zum bloßen Vergnügen auf den strömenden Fluten spazierenzufahren, wobei sie, den spitzen Steiß in der Luft, sich drehen und wenden und selbstgefällig die Schultern rücken.

Aber im Wesen der Möwen liegt etwas Wildes, Heiseres, Ödes und Schwermütig-Eintöniges; eine harte Stimmung darbender Räuberei umwittert sie, wie sie beinahe den ganzen Tag in Scharen und schräg kreuzenden Fluges den Wasserfall und jene Stelle umkrächzen, wo sich bräunliche Abwässer aus dem Mündungsschlund weiter Röhren in den Fluß ergießen. Denn das Niederstoßen auf Fische, worin sich einzelne üben, ist bei weitem nicht ergiebig genug zur Stillung ihres schweifenden Massenhungers, und es mögen widrige Brocken sein, mit denen sie oft vorliebnehmen müssen, wenn sie sie im Fluge den Zuflüssen entrissen und in ihren krummen Schnäbeln beiseite entführt haben. Sie lieben das Ufer nicht. Aber bei niedrigem Wasserstande stehen und kauern sie dichtgedrängt auf den Klippen, die dann aus dem Flusse ragen, und die sie in weißer Masse bedecken, so, wie Klippen und Inseln nordischer Meere weißlich wimmeln mögen von Heeren nistender Eidergänse; und es ist prächtig zu sehen, wie sie sich alle auf einmal krächzend aufmachen und in die Lüfte erheben, wenn Bauschan sie vom Ufer her, über die zwischenliegende Flut hinweg, mit Bellen bedroht. Sie könnten sich sicher fühlen; es hat keine ernste Gefahr. Denn von seiner eingeborenen Wasserscheu ganz zu schweigen, hütet Bauschan sich weislich und mit allem Recht vor der Strömung des Flusses, der seine Kräfte nie und nimmer gewachsen wären, und die ihn unfehlbar, Gott weiß wohin, ins Weite risse, zum Donaustrome vermutlich, doch würde er dahin in äußerst entstelltem Zustande gelangen, wofür wir schon Beispiele vor Augen hatten in Form geblähter Katzenkadaver, die wir unterwegs erblickten nach jenen Fernen. Nie geht er weiter in den Fluß hinein als bis auf die vordersten, schon überspülten Ufersteine, und wenn auch die genußreiche Jagdwut an seinen Gliedern zerrt, wenn er sich auch die Miene gibt, als sei er im genauen Begriff, sich in die Wellen zu stürzen, und nun, im allernächstfolgenden Augenblick, werde er es tun: so ist doch Verlaß auf seine Besonnenheit, die unter der Leidenschaft wachsam bleibt, und es hat bei dem mimischen Anlauf, der äußersten Vorbereitung zur Tat sein Bewenden — leeren Drohungen, die am Ende wohl überhaupt nicht von Leidenschaft diktiert, sondern auf Einschüchterung der Schwimmfüßler in höherer Kaltblütigkeit berechnet sind.

Und die Möwen erweisen sich zu arm an Kopf und Herz, um seiner Anstalten zu spotten. Bauschan kann nicht zu ihnen, aber er sendet sein Gebell, seine über das Wasser hindröhnende Stimme zu ihnen hinüber, diese erreicht sie, und auch sie ist etwas Materielles, ein Ansturm, der sie erschüttert, und dem sie nicht lange standzuhalten vermögen. Sie versuchen es wohl, sie bleiben sitzen, aber ein unruhiges Rücken geht durch ihr Gewimmel, sie drehen die Köpfe, eine und wieder eine lüftet auf alle Fälle die Flügel, und plötzlich rauscht ihre ganze Masse, einer weißlichen Wolke gleich, aus der es bitter und fatalistisch krächzt, in die Lüfte empor, und Bauschan sprengt auf den Steinen hierhin und dorthin, um sie auseinanderzuscheuchen und in Bewegung zu halten: denn Bewegung ist es, worauf es ihm ankommt, sie sollen nicht sitzen, sie sollen fliegen, flußaufwärts und -abwärts, daß er sie jagen kann.

Er fegt das Gestade entlang, von weither prescht er die ganze Länge des Ufers ab, denn überall sitzen Enten, den Schnabel in schnöder Behaglichkeit unter dem Flügel, und überall, wohin er kommt, fliegen sie auf vor ihm, so daß es in der Tat wie ein Reinfegen und lustiges Aufwirbeln des ganzen Strandstreifens ist – gleiten und plumpsen aufs Wasser, das sie in Sicherheit wiegt und dreht, oder fliegen gestreckten Kopfes über ihm hin, während Bauschan, am Ufer rennend, die Kraft seiner Füße ehrenvoll mit der ihrer Schwingen mißt.

Er ist entzückt und dankbar, wenn sie nur fliegen, wenn sie ihm zum herrlichen Wettrennen den Fluß hinauf und hinunter Gelegenheit geben, und sie kennen wohl seine Wünsche und ziehen gelegentlich Nutzen daraus. Ich sah eine Entenmutter mit ihrer Brut – es war im Frühling, der Fluß war schon leer von Vögeln, diese war mit ihren Kleinen, die noch nicht ziehen konnten, bei uns zurückgeblieben, und sie hütete sie in einem schlammigen Tümpel, der, von dem letzten Hochwasser zurückgeblieben, eine Vertiefung des trocken liegenden Flußbettes füllte. Dort traf Bauschan sie – ich beobachtete die Szene vom oberen Wege aus. Er sprang in die Pfütze, sprang mit Gebell und wilden Gebärden darin herum und jagte die Entenfamilie schrecklich durcheinander. Versteht sich, er tat keinem Mitgliede etwas Ernstliches an, aber er ängstigte sie über die Maßen, so daß die Küken, mit ihren Stummelflügeln schlagend, nach allen Seiten stoben, die Ente aber von jenem Mutterheroismus ergriffen wurde, der sich blind und tollkühn auch dem stärksten Feinde zur Deckung der Brut entgegenwirft und diesen oft durch einen rauschhaften, die natürlichen Grenzen scheinbar überschreitenden Mut zu verwirren und ins Bockshorn zu jagen weiß. Mit gesträubten Federn, den Schnabel gräßlich aufgerissen, flatterte sie in wiederholten Angriffen gegen Bauschans Gesicht, stieß heldisch aber- und abermals gegen ihn vor, wobei sie zischte, und wirklich erzielte sie durch den Anblick ihrer verzerrten Unbedingtheit ein verblüfftes Zurückweichen des Feindes, wenn auch, ohne ihn ernstlich und endgültig zum Abzug vermögen zu können, denn immer drang er Laut gebend aufs neue vor. Da wechselte die Ente ihr Verfahren und wählte die Klugheit, da der Heldenmut sich als unpraktisch erwiesen hatte. Wahrscheinlich kannte sie Bauschan, kannte von früher her seine Schwächen und kindischen Wünsche. Sie ließ ihre Kleinen im Stich – sie tat es *scheinbar,* sie nahm ihre Zuflucht zur List, flog auf, flog über den Fluß, ,verfolgt' von Bauschan, verfolgt, wie er meinte, den sie im Gegenteil führte, und zwar am Narrenseil seiner Passion, flog mit dem Strome, dann gegen ihn, weiter und weiter, während Bauschan im Wettrennen neben ihr hersprengte, so weit flußabwärts und vom Pfuhl mit den Küken weg, daß ich Ente und Hund im Weitergehen ganz aus den Augen verlor. Späterhin fand der Gimpel sich wieder zu mir, gänzlich verhetzt und um den Atem gebracht. Die bestürmte Pfütze aber war, wie wir wieder vorbeikamen, geräumt ...

So machte es jene Mutter, und Bauschan wußte ihr noch Dank dafür. Aber er haßt die Enten, die sich in bürgerlicher Gemütsruhe weigern, ihm als Jagdwild zu dienen, die sich einfach, wenn er daherbraust, von den Ufersteinen auf das Wasser hinablassen und sich dort in schnöder Sicherheit vor seiner Nase schaukeln, unerschüttert durch seine machtvolle Stimme, nicht beirrt, wie die nervösen Möwen, durch seine mimischen Anläufe gegen die Flut. Da stehen wir auf den Steinen nebeneinander, Bauschan und ich, und zwei Schritte vor uns schwankt in frecher Sicherheit, den Schnabel in gezierter Würde gegen die Brust gedrückt, die Ente auf den Wellen, bestürmt von Bauschans wütender Stimme, doch gänzlich unangefochten davon in ihrer Vernunft und Nüchternheit. Sie rudert gegen den Strom, so daß sie ungefähr auf der Stelle bleibt; aber ein wenig wird sie doch in seiner Richtung abwärts gezogen, und einen Meter seitlich von ihr ist eine Stromschnelle, einer der schönen, schäumenden Katarakte, dem sie den eitel emporstehenden Steiß zuwendet. Bauschan bellt, indem er die Vorderfüße gegen die Steine stemmt, und ich belle innerlich mit; denn einiger Teilnahme an seinen Haßempfindungen gegen die Ente und ihre freche Vernünftigkeit kann ich mich nicht erwehren und wünsche ihr Böses. ,Gib wenigstens acht auf unser Gebell', denke ich,

‚und nicht auf den Katarakt, damit du unversehens in den Strudel gezogen wirst und vor unsern Augen in eine schimpfliche und gefährliche Lage gerätst.' Aber auch diese zornige Hoffnung erfüllt sich nicht, denn knapp und genau im Augenblick ihrer Ankunft am Rande des Falles flattert die Ente ein wenig auf, fliegt ein paar Mannslängen gegen den Strom und setzt sich wieder, die Unverschämte.

Ich kann nicht denken an den Ärger, mit dem wir beide in solchen Fällen die Ente betrachten, ohne daß ein Abenteuer mir ins Gedächtnis kommt, von dem ich zum Schlusse Bericht erstatten will. Es war mit einer gewissen Genugtuung für mich und meinen Begleiter verbunden, hatte aber auch sein Peinliches, Störendes und Verwirrendes, ja führte eine vorübergehende Erkältung des Verhältnisses zwischen Bauschan und mir herbei, und wenn ich es hätte voraussehen können, würde ich den Ort, wo es unser wartete, lieber gemieden haben.

Es war weit draußen, flußabwärts, jenseits des Fährhauses, dort, wo schon die Uferwildnis nahe an den oberen Strandweg herantritt, auf dem wir uns hinbewegten, ich im Schritte und Bauschan, ein wenig vor mir, in schiefem und lässigem Bummeltrabe. Er hatte einen Hasen gehetzt, oder, wenn man so will, sich von ihm hetzen lassen, hatte drei, vier Fasanen aufgebracht und hielt sich nun eben ein wenig zu mir, um auch den Herrn nicht ganz zu vernachlässigen. Eine kleine Gruppe von Enten flog, die Hälse gestreckt und in keilförmiger Anordnung, über den Fluß, ziemlich hoch und näher gegen das andere Ufer hin, so daß sie als Jagdwild für uns auf keine Weise in Betracht kamen. Sie flogen mit uns, in unserer Richtung, ohne uns zu beachten oder auch nur zu bemerken, und auch von uns warf nur dann und wann der eine und andere einen absichtlich gleichgültigen Blick zu ihnen hinüber.

Da geschah's, daß am jenseitigen, gleich dem unsrigen ziemlich steilen Ufer ein Mann sich aus dem Gebüsche hervorschlug und, sobald er den Schauplatz betreten, in eine Pose fiel, die uns beide, Bauschan ebenso unmittelbar wie mich, bewog, unsre Schritte zu hemmen und betrachtend gegen ihn Front zu machen. Es war ein hinlänglich stattlicher Mann, etwas rauh seinem Äußeren nach, mit einem hängenden Schnurrbart und bekleidet mit Wickelgamaschen, einem Lodenhut, der ihm schief in der Stirne saß, bauschigen Hosen, die aus einer Sorte harten Sammets, sogenanntem Manchester, bestehen mochten, und einem entsprechenden Wams, an dem man allerlei Gurt- und Lederwerk bemerkte, denn er trug einen Rucksack auf den Rücken geschnallt und eine Flinte am Riemen über der Schulter. Besser gesagt: er hatte sie so getragen; denn kaum war er auf dem Plan erschienen, als er die Waffe an sich zog und, die Wange schief gegen den Kolben gelehnt, ihren Lauf schräg aufwärts gegen den Himmel richtete. Ein Bein in der Wickelgamasche hatte er vorgestellt, in der Höhle seiner auswärts gedrehten Linken ruhte der Lauf, während er den Ellbogen einwärts unter denselben bog, den andern aber, den des rechten Armes, dessen Hand am Hahne lag, stark seitlich spreizte und sein visierendes Antlitz schief und kühn dem Himmelslicht darbot. Etwas entschieden Opernhaftes lag in des Mannes Erscheinung, wie sie dort über dem Ufergeröll, in dieser Freiluftszenerie von Buschwerk, Fluß und Himmel ragte. Unsre achtungsvolle und eindringliche Anschauung aber konnte nur einen Augenblick währen – da platzte drüben der flache Knall, auf den ich mit innerer Anspannung gewartet hatte, und der mich also zusammenfahren ließ; ein Lichtlein, blaß vor dem hellen Tag, blitzte gleichzeitig auf, ein Wölkchen dampfte ihm nach, und während der Mann sich einen Opernschritt vorwärts fallen ließ, Brust und Angesicht gen Himmel geworfen, die Flinte am Riemen in der rechten Faust, spielte sich dort oben, wohin er blickte und wohin auch wir blickten, ein Vorgang kurzer, stiebender Verwirrung ab: die Entengruppe fuhr auseinander, ein wildes Flattern entstand, wie wenn ein Stoßwind in losen Segeln knallt, der Versuch eines Gleitflugs folgte, und plötzlich zur Sache geworden, fiel der getroffene Körper, rasch wie

ein Stein, in der Nähe des jenseitigen Ufers auf die Wasser-
fläche hinab.

Es war dies nur die erste Hälfte der Handlung. Doch muß
ich mich hier in ihrer Ausmalung unterbrechen, um den
lebendigen Blick meiner Erinnerung auf Bauschan zu richten.
Geprägte Redensarten bieten sich an, um sein Verhalten zu
kennzeichnen, Kurrentmünze, gangbar in großen Fällen, ich
könnte sagen, er sei wie vom Donner gerührt gewesen. Allein das mißfällt mir, und ich mag es nicht. Die großen Worte,
abgenutzt wie sie sind, eignen sich gar nicht sehr, das Außerordentliche auszudrücken; vielmehr geschieht dies am besten,
indem man die kleinen in die Höhe treibt und auf den Gipfel
ihrer Bedeutung bringt. Ich sage nichts weiter, als daß Bauschan beim Flintenknall, bei seinen Begleitumständen und
Folgeerscheinungen *stutzte,* und es war dasselbe Stutzen, das
ihm überhaupt vor auffälligen Dingen eigentümlich und mir
an ihm wohlbekannt ist, nur allerdings ins Grenzenlose gesteigert. Es war ein Stutzen, das seinen Körper nach hinten,
nach links und nach rechts schleuderte, ein Stutzen, das ihm
beim Zurückprallen den Kopf gegen die Brust riß und ihm
beim Vorstoß denselben beinahe aus den Schultern jagte, ein
Stutzen, das aus ihm zu schreien schien: ,Was? Was? Was
war das? Halt, in drei Teufels Namen! *Wie war das?!*' Er
schaute und lauschte die Dinge mit einer Art von Entrüstung,
wie das höchste Erstaunen sie auslöst, in sich hinein, und dort
waren sie auch schon, dort waren sie, als was für ungeheuerliche Neuigkeiten sie sich auch darstellen mochten, schon immer irgendwie anwesend gewesen. Ja, wenn es ihn riß, so daß
er sich satzweise nach rechts und links halb um sich selber
drehte, so war es, als schaute er sich im Ruck nach sich selber
um, fragend: ,Was bin ich? Wer bin ich? Bin ich's?' In dem
Augenblick, da der Entenleib auf das Wasser fiel, tat Bauschan einen Sprung nach vorn, gegen den Rand der Böschung
hin, als wollte er in das Flußbett hinab und sich ins Wasser
stürzen. Doch besann er sich auf die Strömung, stoppte seinen
Impuls, schämte sich und verlegte sich wieder aufs Schauen.

Ich beobachtete ihn mit Unruhe. Als die Ente gefallen war, fand ich, daß wir genug gesehen hätten, und schlug vor, wir sollten weitergehen. Er aber hatte sich hingesetzt, auf seine Hinterpfoten, das Gesicht mit den hochgespannten Ohren gegen das jenseitige Ufer gewandt, und als ich sagte: »Gehen wir, Bauschan?«, wandte er nur äußerst kurz den Kopf nach meiner Seite, wie wenn jemand nicht ohne Barschheit sagt: ‚Bitte mich nicht zu stören!' – und schaute wieder. So beschied ich mich denn, kreuzte die Füße, stützte mich auf meinen Stock und sah ebenfalls zu, was weiter geschah.

Die Ente also, eine jener Enten, die sich oft in frecher Sicherheit vor unsrer Nase geschaukelt hatten, trieb auf dem Wasser, ein Wrack, man wußte nicht mehr, wo vorn und hinten war. Der Fluß ist ruhiger hier draußen, sein Gefälle nicht mehr so reißend wie weiter aufwärts. Immerhin ward der Entenbalg sogleich von der Strömung ergriffen, um sich selbst gedreht und fortgezogen, und wenn es dem Manne nicht nur ums Treffen und Töten zu tun gewesen war, sondern wenn er mit seinem Tun einen praktischen Zweck verfolgt hatte, so mußte er sich sputen. Das tat er, ohne einen Augenblick zu verlieren, es spielte sich alles in größter Schnelle ab. Kaum war die Ente gestürzt, als er auch schon springend, stolpernd und beinahe fallend die Böschung hinunterstürmte. Er hielt die Flinte gestreckten Armes dabei von sich, und wieder mutete es höchst opernhaft und romantisch an, wie er, gleich einem Räuber und kühnen Schmuggler des Melodrams, über das dekorationsmäßig wirkende Steingerölle hinabsprang. Bezeichnenderweise hielt er sich ein wenig schräg links, da die treibende Ente vor ihm davonschwamm und es für ihn darauf ankam, sie abzufangen. Und wirklich glückte es ihm, mit dem Flintenkolben, den er nach ihr ausstreckte, weit vorgebeugt und die Füße im Wasser, ihrem Zuge Einhalt zu tun und sie zu fassen: behutsam und unter Schwierigkeiten bugsierte er sie vor dem schiebenden Kolben gegen die Steine und zog sie an Land.

So war das Werk getan, und der Mann atmete auf. Er legte die Waffe neben sich an das Ufer, zog sein Felleisen von den Schultern, stopfte die Beute hinein, schnallte den Sack wieder auf und stieg, so angenehm beladen, gestützt auf seine Flinte wie auf einen Stock, in guter Ruhe über das Geröll und gegen die Büsche empor.

,Nun, der hat seinen Braten für morgen', dachte ich mit Beifall und Mißgunst. »Komm, Bauschan, nun gehen wir, weiter geschieht nichts.« Aber Bauschan, nachdem er aufgestanden war und sich einmal um sich selbst gedreht hatte, setzte sich wieder und schaute dem Manne nach, auch als dieser vom Schauplatz schon abgetreten und zwischen den Sträuchern verschwunden war. Es fiel mir nicht ein, ihn zweimal zum Mitgehen aufzufordern. Er wußte, wo wir wohnten, und wenn er es vernünftig fand, mochte er noch längere Zeit hier sitzen und glotzen, nachdem die Sache sich abgespielt hatte und nichts mehr zu sehen war. Der Heimweg war lang, und ich für mein Teil machte mich daran, ihn zurückzulegen. Da folgte er denn.

Er hielt sich zu mir auf diesem ganzen peinlichen Heimwege, ohne zu jagen. Er lief nicht schräg vor mir, wie es sonst seine Gewohnheit, wenn er eben zum Stöbern und Spüren nicht aufgelegt ist, sondern ging etwas hinter mir, im Schritt, und zog eine Art von Maul, wie ich bemerken mußte, wenn ich mich zufällig einmal nach ihm umsah. Das hätte hingehen mögen, und viel fehlte, daß ich mich dadurch in Harnisch hätte jagen lassen; im Gegenteil war ich geneigt, zu lachen und die Achseln zu zucken. Aber alle dreißig bis fünfzig Schritte *gähnte* er, und das war es, was mich erbitterte. Es war das unverschämte, sperrangelweite, grob gelangweilte und von einem piepsenden Kehllaut begleitete Gähnen, das deutlich ausdrückt: ,Ein schöner Herr! Kein rechter Herr! Ein lumpiger Herr!', und wenn der beleidigende Laut mich niemals unempfindlich läßt, so war er diesmal vermögend, unsere Freundschaft bis in den Grund zu stören.

»Geh!« sagte ich. »Geh fort! Geh doch zu deinem Herrn

mit der Donnerbüchse und schließ dich ihm an, er scheint ja
nicht im Besitze eines Hundes, vielleicht kann er dich brauchen
bei seinen Taten. Er ist zwar nur ein Mann in Manchester
und kein Herr, aber in deinen Augen mag er ja einer sein,
ein Herr für dich, und darum empfehle ich dir aufrichtig, zu
ihm überzugehen, da er dir denn nun einmal einen Floh ins
Ohr gesetzt hat, zu deinen übrigen.« (So weit ging ich.) »Ob
er auch nur einen Jagdschein aufzuweisen hat, wollen wir
ihn nicht fragen, es könnte sein, daß ihr in Ungelegenheiten
kämet, wenn man euch eines Tages bei eurem sauberen
Treiben ertappt, aber das ist eure Sache, und mein Rat ist,
wie gesagt, der aufrichtigste. Über dich Jäger! Hast du mir
je einen Hasen gebracht für meine Küche, von all denen, die
ich dich hetzen ließ? Meine Schuld ist es nicht, wenn du keinen
Haken zu schlagen verstehst und mit der Nase in den Kies
fährst wie ein Narr, in dem Augenblick, wo es gälte, Gewandtheit zu zeigen! Oder einen Fasan, der doch nicht minder willkommen gewesen wäre in den schmalen Zeiten? Und
jetzt gähnst du! Geh, sage ich. Geh zu deinem Herrn mit den
Wickelgamaschen und sieh zu, ob er der Mann ist, dich an der
Kehle zu krauen oder dich gar dahin zu bringen, daß du
lachst – meinem Dafürhalten nach kann er selbst kaum lachen,
höchstens sehr roh! Wenn du glaubst, daß *er* dich wissenschaftlicher Beobachtung übergeben wird, falls es dir einfällt,
okkult zu bluten, oder daß du als *sein* Hund für nervös und
anämisch erklärt werden wirst, so geh nur zu ihm, doch
könnte es sein, daß du dich im Irrtum wiegtest in Hinsicht
auf das Maß von Achtung, das diese Art Herr dir entgegen-
bringen würde! Es gibt Dinge und Unterschiede, für die
solche bewaffneten Leute viel Sinn und Blick besitzen, natürliche Verdienste oder Nachteile, um meine Anspielung *schon
deutlicher* zu machen, knifflige Fragen des Stammbaumes und
der Ahnenprobe, daß ich mich ganz unmißverständlich ausdrücke, über die nicht jedermann mit zarter Humanität hinweggeht, und wenn er dir bei der ersten Meinungsverschieden-
heit deinen Knebelbart vorhält, dein rüstiger Herr, und dich

mit mißlautenden Namen belegt, dann denke an mich und
diese meine gegenwärtigen Worte . . .«

So beißend sprach ich während des Heimweges zu dem
hinter mir schleichenden Bauschan, und wenn ich auch nur
innerlich redete und meine Worte nicht laut werden ließ, um
nicht exaltiert zu erscheinen, so bin ich doch überzeugt, daß
er genau verstand, wie ich es meinte, und jedenfalls der
Hauptlinie meines Gedankenganges sehr wohl zu folgen vermochte. Kurz, das Zerwürfnis war tiefgreifend, und zu Hause
angelangt, ließ ich absichtlich die Gartenpforte knapp hinter
mir ins Schloß fallen, so daß er nicht mehr mit durchschlüp-
fen konnte und mit Ansprung hinüberklettern mußte. Ohne
mich auch nur umzusehen, ging ich ins Haus und hörte noch,
daß er quiekte, da er sich beim Klettern den Bauch gestoßen,
worüber ich nur höhnisch die Achseln zuckte. –

Das aber ist nun schon lange her, mehr als ein halbes Jahr,
und es ist damit gegangen wie mit dem klinischen Zwischenfall: Zeit und Vergessen haben es zugedeckt, und auf ihrem
Schwemmgrunde, welcher der Grund alles Lebens ist, leben
wir fort. Längst, obgleich er noch einige Tage nachdenklich
schien, erfreut Bauschan sich wieder in voller Unbefangenheit
der Jagd auf Mäuse, Fasanen, Hasen und Wasservögel, und
bei unserer Heimkehr beginnt schon sein Warten aufs nächste
Mal. Oben vor der Haustür wende ich mich dann wohl noch
einmal nach ihm um, und das ist das Zeichen für ihn, in zwei
großen Sätzen über die Stufen zu mir heraufzuspringen und
mit den Vorderpfoten an der Haustür hinaufzugehen, sich
hoch daran aufzurichten, damit ich ihm zum Abschied die
Schulter klopfe. »Morgen wieder, Bauschan«, sage ich, »falls
ich nicht in die Welt gehen muß.« Und dann spute ich mich,
hineinzukommen und meine Nagelschuhe loszuwerden, denn
die Suppe steht auf dem Tisch.

GESAMT-INHALTSVERZEICHNIS